Richard Senti – WTO

# WTO

## System und Funktionsweise der Welthandelsordnung

**Richard Senti**
Institut für Wirtschaftsforschung der ETH Zürich

Schulthess § Zürich

Verlag Österreich Wien

**Prof. Dr. Richard Senti**
Institut für Wirtschaftsforschung der ETH Zürich
Lehr- und Forschungsbereiche: Allgemeine Volkswirtschaftslehre,
Aussenwirtschaft und internationale Wirtschaftsorganisationen

© Schulthess Juristische Medien AG, Zürich 2000
  Umschlaggestaltung: Christian Senti

Veröffentlichung in der Schweiz:
Schulthess Juristische Medien AG, Zürich – ISBN 3-7255-4064-0

Veröffentlichung in Österreich:
Verlag Österreich, Wien – ISBN 3-7046-1582-X

# VORWORT

Mit dem Abschluss der Uruguay–Runde im Dezember 1993 hat das Allgemeine Zoll– und Handelsabkommen (GATT) eine inhaltliche Erweiterung und eine formale Neuausrichtung erfahren. Die GATT–Bestimmungen beschränkten sich auf den internationalen Handel mit gewerblichen und industriellen Gütern. Die neu entstandene Welthandelsordnung erfasst auch den grenzüberschreitenden Dienstleistungshandel und die handelsrelevanten Aspekte der geistigen Eigentumsrechte. Zudem trat anstelle des provisorischen GATT–Vertrags von 1947 eine internationale Organisation, die Welthandelsorganisation (WTO), mit eigener Rechtspersönlichkeit.

Die vorliegende Veröffentlichung hat zum Ziel, die Struktur und die Funktionsweise der heute geltenden Welthandelsordnung aus ökonomischer und völkerrechtlicher Sicht darzustellen, zu analysieren und zu hinterfragen. Die Arbeit soll zeigen, wie das WTO–Vertragswerk entstanden ist, was es enthält, wann es zur Anwendung gelangt und welche Probleme zurzeit anstehen und in Bearbeitung sind.

Dem Vorhaben einer Gesamtdarstellung der Welthandelsordnung sind Grenzen gesetzt. Zum einen weisen die von der WTO erfassten Sachbereiche eine solche Breite und Tiefe auf, dass die Ausführungen notgedrungen nur Gesamtzusammenhänge und Grundstrukturen aufzeigen können, ergänzt durch Hinweise auf Detailfragen. Zum anderen hat das Interesse an der Welthandelsordnung in der Ökonomie, im Völkerrecht und in der Politologie zu einer so vielfältigen Fachliteratur beigetragen, dass eine Auswahl getroffen werden musste, im Bewusstsein, viele gute Arbeiten unerwähnt zu lassen.

Die Veröffentlichung ist wie folgt gegliedert: Der erste Teil handelt vom Entstehen der WTO und ist relativ ausführlich gehalten, weil viele Vereinbarungen allein auf dem Hintergrund ihres Ursprungs zu verstehen sind. Der zweite Teil ist der WTO als Institution gewidmet. Im dritten Teil kommen die Grundprinzipien der Welthandelsordnung wie Meistbegünstigung, Inländerprinzip, und Reziprozität zur Sprache. Diese Grundelemente gelten für alle Verträge. Die Teile vier bis acht haben die einzelnen Abkommen zum Gegenstand, das erweiterte Allgemeine Zoll– und Handelsabkommen (GATT), die Zusatzabkommen, das Dienstleistungsabkommen (GATS), das Abkommen über die handelsbezogenen Aspekte des geistigen Eigentums (TRIPS) und die plurilateralen Abkommen. Die Arbeit schliesst mit einem Ausblick auf gegenwärtige Reformbestrebungen. Die einzelnen Teile sind so gehalten, dass sie unabhängig voneinander gelesen werden können.

Die Arbeit entstand im Rahmen meiner Lehr- und Forschungstätigkeit am Institut für Wirtschaftsforschung der Eidgenössischen Technischen Hochschule (ETH) Zürich und der Universität Zürich. Die Tätigkeit als Panel-Mitglied im Streitschlichtungsverfahren des GATT ermöglichte mir einen vertieften Einblick in das Funktionieren der Welthandelsordnung.

Eine so umfangreiche Arbeit ist nicht möglich ohne die Unterstützung durch das WTO-Sekretariat, einzelne Verwaltungsstellen sowie Kolleginnen und Kollegen, die Teile früherer Fassungen durchgesehen, kritisch kommentiert und ergänzt haben. Mein Dank geht an *Dr. Dietrich Barth,* Ministerialrat im Bundesministerium für Wirtschaft, Bonn/Brüssel, *Susanne Böhm,* Institut für Wirtschaftsforschung, ETH Zürich, *Dr. Christian Häberli,* Bundesamt für Landwirtschaft, Bern, *Dr. Markus König,* Institut für Wirtschaftsforschung, ETH Zürich, *Dr. Annette Kur,* Max-Planck-Institut für ausländisches und internationales Patent-, Urheber- und Wettbewerbsrecht, München, *Daniel Lampart,* Institut für Wirtschaftsforschung, ETH Zürich, *Wilhelm Meier,* Mission Permanente de la Suisse près de l'OMC, Genf, und *PD Dr. Hans Rudolf Trüeb,* Universität Zürich. Einen ganz besonderen Dank schulde ich *Roland Wartenweiler,* Wirtschaftsredaktor der Neuen Zürcher Zeitung, Genf/Berlin, für die vielen Sachhinweise und die wertvolle Hilfe bei der Schlussredaktion. Danken möchte ich auch *Werner Stocker,* Verlagsleiter, und *Bénon Eugster,* Herstellungsleiter, Verlag Schulthess Juristische Medien AG, Zürich, für die stets entgegenkommende und kooperative Zusammenarbeit.

Zürich, Februar 2000 R. Senti

# INHALTSÜBERSICHT

**Abkürzungsverzeichnis** . . . . . . . . . . . . . . . . . . . . . . . . . . . . . . XIX

Erster Teil
    **Vom GATT zur WTO** . . . . . . . . . . . . . . . . . . . . . . . 1

Zweiter Teil
    **Die WTO als Institution** . . . . . . . . . . . . . . . . . . . . . . 107

Dritter Teil
    **Die gemeinsamen Vertragsinhalte der WTO** . . . . . . . . . 153

Vierter Teil
    **Das Allgemeine Zoll- und Handelsabkommen (GATT)** 325

Fünfter Teil
    **Die GATT-Zusatzabkommen** . . . . . . . . . . . . . . . . . . . 463

Sechster Teil
    **Das Allgemeine Abkommen über den Handel mit Dienstleistungen (GATS)** . . . . . . . . . . . . . . . . . . . . . . 563

Siebter Teil
    **Das Abkommen über handelsbezogene Aspekte des geistigen Eigentums (TRIPS)** . . . . . . . . . . . . . . . . . . . 607

Achter Teil
    **Die plurilateralen Abkommen** . . . . . . . . . . . . . . . . . . 657

Ausblick
    **Probleme und mögliche Reformen** . . . . . . . . . . . . . . . 683

**Literaturverzeichnis** . . . . . . . . . . . . . . . . . . . . . . . . . . . . . . . . 701

**Stichwortverzeichnis** . . . . . . . . . . . . . . . . . . . . . . . . . . . . . . . 717

# INHALTSVERZEICHNIS

**Erster Teil**
**Vom GATT zur WTO** .............................. 1

| | | |
|---|---|---|
| **1.** | **Das GATT von 1947** ........................... | 3 |
| 1.1 | Die ersten Vorschläge ........................... | 3 |
| 1.2 | Die ITO, ein misslungener Kompromiss ............. | 10 |
| | 1.2.1 Die Konferenz von London ................. | 11 |
| | 1.2.2 Die Konferenz von Lake Success ........... | 13 |
| | 1.2.3 Die Konferenz von Genf ................... | 13 |
| | 1.2.4 Die Konferenz von Havanna ................ | 14 |
| | 1.2.5 Die Gründe des Scheiterns der ITO ........ | 15 |
| 1.3 | Das GATT als Teillösung ........................ | 20 |
| | 1.3.1 Das Erarbeiten des Vertragstexts ......... | 21 |
| | 1.3.2 Der Vertragsabschluss .................... | 23 |
| **2.** | **Die Weiterentwicklung des GATT** ................ | 24 |
| 2.1 | Die Vertragsänderungen ......................... | 25 |
| | 2.1.1 Die Anpassung des GATT–Texts an die Havanna–Charta ........................... | 25 |
| | 2.1.2 Die Verselbständigung des GATT .......... | 26 |
| | 2.1.3 Der verstärkte Miteinbezug der Dritten Welt .... | 29 |
| 2.2 | Die Zusatzabkommen ............................. | 33 |
| | 2.2.1 Das Antidumpingabkommen ................ | 34 |
| | 2.2.2 Das Abkommen über Technische Handelshemmnisse ........................ | 36 |
| | 2.2.3 Das Abkommen über das öffentliche Beschaffungswesen ...................... | 37 |
| | 2.2.4 Das Abkommen zur Auslegung und Anwendung der Art. VI, XVI und XXIII GATT ......... | 37 |
| | 2.2.5 Das Abkommen über Rindfleisch .......... | 38 |
| | 2.2.6 Das Abkommen über Milcherzeugnisse ..... | 39 |
| | 2.2.7 Das Abkommen zur Durchführung des Art. VII GATT ........................... | 39 |
| | 2.2.8 Das Abkommen über Einfuhrlizenzverfahren ... | 40 |
| | 2.2.9 Das Abkommen über den Handel mit zivilen Luftfahrzeugen .......................... | 41 |

| | | | |
|---|---|---|---|
| 2.3 | Die GATT-Runden | | 41 |
| | 2.3.1 | Die erste GATT-Runde: Genf 1947 | 42 |
| | 2.3.2 | Die zweite GATT-Runde: Annecy 1949 | 44 |
| | 2.3.3 | Die dritte GATT-Runde: Torquay 1950/51 | 45 |
| | 2.3.4 | Die vierte GATT-Runde: Genf 1955/56 | 46 |
| | 2.3.5 | Die fünfte GATT-Runde: Dillon-Runde 1961/62 | 48 |
| | 2.3.6 | Die sechste GATT-Runde: Kennedy-Runde 1964–67 | 50 |
| | 2.3.7 | Die siebte GATT-Runde: Tokio-Runde 1973–79 | 56 |
| **3.** | **Die achte GATT-Runde als Beginn der WTO** | | 64 |
| 3.1 | Das wirtschaftliche und politische Umfeld | | 65 |
| 3.2 | Die Vorbereitungsphase | | 67 |
| 3.3 | Die Ministererklärung 1986 | | 72 |
| 3.4 | Der Verlauf der Verhandlungen | | 75 |
| | 3.4.1 | Die erste Halbzeit | 76 |
| | 3.4.2 | Die zweite Halbzeit | 82 |
| | 3.4.3 | Die Verlängerung | 100 |
| | 3.4.4 | Der Verhandlungsabschluss | 103 |

Zweiter Teil
**Die WTO als Institution** ........................... 107

| | | | |
|---|---|---|---|
| **1.** | **Die Mitgliedschaft** | | 108 |
| **2.** | **Die Organisationsstruktur** | | 113 |
| 2.1 | Der ursprüngliche Ansatz | | 114 |
| 2.2 | Das WTO-Organigramm | | 115 |
| 2.3 | Die WTO-Organe | | 117 |
| | 2.3.1 | Die Ministerkonferenz | 117 |
| | 2.3.2 | Der Allgemeine Rat | 118 |
| | 2.3.3 | Die Räte des GATT, des GATS und des TRIPS | 119 |
| | 2.3.4 | Der Generaldirektor und das Sekretariat | 122 |
| | 2.3.5 | Die Ausschüsse und die Arbeitsgruppen | 123 |
| **3.** | **Die Beschlussfassung** | | 130 |
| **4.** | **Die Streitschlichtung** | | 134 |
| 4.1 | Die Organe | | 138 |

| 4.2 | Das Verfahren | 140 |
| 4.3 | Stärken und Schwächen des WTO–Streitschlichtungsverfahrens | 150 |

## Dritter Teil
## Die gemeinsamen Vertragsinhalte der WTO ............. 153

### 1. Die gemeinsame Zielsetzung ..................... 156

### 2. Die Meistbegünstigung ......................... 159
2.1 Die begriffliche Abgrenzung .................... 160
2.2 Der Anwendungsbereich ....................... 163
    2.2.1 Die Meistbegünstigung in der WTO–Vereinbarung ........................... 163
    2.2.2 Die Meistbegünstigung im GATT ............ 163
    2.2.3 Die Meistbegünstigung im GATS ............ 166
    2.2.4 Die Meistbegünstigung im TRIPS ........... 167
2.3 Die Ausnahmen ............................... 168
    2.3.1 Die historischen Präferenzen ................ 168
    2.3.2 Die allgemeinen Präferenzen ................ 170
    2.3.3 Die Schaffung von Integrationsräumen ........ 172
    2.3.4 Die Gewährung von Ausnahmegenehmigungen . 173
    2.3.5 Die speziellen Ausnahmen in GATS und TRIPS . 174
    2.3.6 Die Sonderregelung der plurilateralen Abkommen 175
2.4 Die wirtschafts– und staatspolitischen Aspekte des Meistbegünstigungsprinzips ........................ 176
    2.4.1 Die wirtschaftspolitischen Aspekte ........... 176
    2.4.2 Die staatspolitischen Aspekte ................ 179

### 3. Das Inländerprinzip ........................... 182
3.1 Die vertraglichen Bestimmungen ................ 184
3.2 Der materiellrechtliche Inhalt des Inländerprinzips ..... 187
    3.2.1 Der Geltungsbereich ...................... 187
    3.2.2 Die Abgaben und Belastungen im Inland ...... 190
    3.2.3 Die Rechtsvorschriften .................... 191
3.3 Offene Fragen ................................ 193

### 4. Die Schaffung von Transparenz ................. 195

### 5. Das Prinzip der Reziprozität .................... 200
5.1 Die Reziprozitätsbestimmungen ................. 201

| | | | |
|---|---|---|---|
| 5.2 | Die Argumente | | 203 |
| | 5.2.1 | Das Verhandlungsargument | 203 |
| | 5.2.2 | Das Argument der "Terms of Trade" | 204 |
| | 5.2.3 | Das Beschäftigungsargument | 204 |
| | 5.2.4 | Das Handelsbilanzargument | 204 |
| | 5.2.5 | Das Argument des Risikoverhaltens | 205 |
| | 5.2.6 | Das Argument des politischen Drucks | 205 |
| | 5.2.7 | Das Argument der Selbstrechtfertigung | 205 |
| 5.3 | Von der traditionellen zur aggressiven Reziprozität | | 206 |

**6. Der Abbau von Handelshemmnissen** .............. 210

| | | | |
|---|---|---|---|
| 6.1 | Die Argumente für und wider den Freihandel | | 211 |
| 6.2 | Die tarifären Handelshemmnisse | | 215 |
| | 6.2.1 | Die begriffliche Abgrenzung | 216 |
| | 6.2.2 | Die Bedeutung der tarifären Handelshemmnisse | 218 |
| | 6.2.3 | Die Zollpolitik der WTO im allgemeinen | 227 |
| | 6.2.4 | Die Änderung der Zollverpflichtungen | 230 |
| 6.3 | Die nichttarifären Handelshemmnisse | | 236 |
| | 6.3.1 | Die begriffliche Abgrenzung | 236 |
| | 6.3.2 | Die Bedeutung der nichttarifären Handelshemmnisse | 241 |
| | 6.3.3 | Die nichttarifären Handelshemmnisse im Güterhandel | 244 |
| | 6.3.4 | Die nichttarifären Handelshemmnisse im Dienstleistungsbereich | 255 |

**7. Die Stellung der Entwicklungs- und Reformländer** .. 257

| | | | |
|---|---|---|---|
| 7.1 | Die schrittweise Integration der wirtschaftlich schwächeren Staaten | | 257 |
| | 7.1.1 | Der Nord-Süd-Konflikt | 258 |
| | 7.1.2 | Der Haberler-Bericht | 260 |
| | 7.1.3 | Der IV. Teil des GATT-Vertrags | 262 |
| | 7.1.4 | Das Allgemeine Präferenzsystem und die Ermächtigungsklausel | 263 |
| | 7.1.5 | Die Entwicklungsfragen in der Uruguay-Runde | 265 |
| 7.2 | Die heute geltenden Sonderbestimmungen | | 267 |
| | 7.2.1 | Die Präferenzierung | 267 |
| | 7.2.2 | Die Sonderbestimmungen im GATT | 271 |

|  |  | 7.2.3 | Die Sonderbestimmungen in den Zusatzabkommen .......................... | 279 |
|---|---|---|---|---|
|  |  | 7.2.4 | Die Sonderbestimmungen im GATS .......... | 287 |
|  |  | 7.2.5 | Die Sonderbestimmungen im TRIPS .......... | 289 |
|  | 7.3 | Wirtschaftliche Rechtfertigung oder politischer Druck .. | | 291 |
| **8.** | **Der Schutz der Umwelt** ........................ | | | 294 |
|  | 8.1 | Die umweltrelevanten Bestimmungen der WTO ....... | | 295 |
|  |  | 8.1.1 | Der institutionelle Rahmen ................ | 295 |
|  |  | 8.1.2 | Die Präambel des GATT und der WTO ........ | 299 |
|  |  | 8.1.3 | Der Artikel III GATT .................... | 300 |
|  |  | 8.1.4 | Der Artikel XI GATT .................... | 300 |
|  |  | 8.1.5 | Der Artikel XX GATT .................... | 302 |
|  |  | 8.1.6 | Das Agrarabkommen ..................... | 305 |
|  |  | 8.1.7 | Das Abkommen über sanitarische und phyto–sanitarische Massnahmen .................. | 305 |
|  |  | 8.1.8 | Das Abkommen über Technische Handelshemmnisse ....................... | 307 |
|  |  | 8.1.9 | Das Abkommen über Subventionen und Ausgleichsmassnahmen .................. | 308 |
|  |  | 8.1.10 | Das Allgemeine Dienstleistungsabkommen .... | 309 |
|  |  | 8.1.11 | Das Abkommen über handelsbezogene Aspekte des geistigen Eigentums ................... | 309 |
|  |  | 8.1.12 | Das Abkommen über das öffentliche Beschaffungswesen ...................... | 309 |
|  |  | 8.1.13 | Die Gewährung von "Waivers" ............. | 310 |
|  | 8.2 | Neue Trends in der WTO–Umweltschutzpolitik ....... | | 311 |
|  |  | 8.2.1 | Die Neudefinition der Produktgleichheit ....... | 311 |
|  |  | 8.2.2 | Die Ausweitung des Umweltschutzes auf extraterritoriale Bereiche .................. | 317 |
|  |  | 8.2.3 | Die Neubildung politischer Ziele ............ | 319 |
|  | 8.3 | Die möglichen Auswirkungen auf die WTO .......... | | 320 |

Vierter Teil
**Das Allgemeine Zoll- und Handelsabkommen (GATT)** .... 325

1. **Die begriffliche Abgrenzung** ..................... 328

2. **Die Bedeutung des Güterhandels** ................. 329

3. **Der Abkommensinhalt** ........................ 332
3.1 Die Sonderbestimmungen ....................... 333
    3.1.1 Die Bestimmungen für Kinofilme ........... 333
    3.1.2 Die Transit–Freiheit ...................... 334
    3.1.3 Die Gebühren und Formalitäten im Aussenhandel 336
    3.1.4 Die Ursprungsbezeichnung ................. 338
    3.1.5 Die Veröffentlichung und Anwendung von
          Handelsvorschriften ...................... 340
3.2 Die Antidumpingmassnahmen .................... 343
    3.2.1 Die zahlenmässige Entwicklung der
          Antidumpingmassnahmen ................. 344
    3.2.2 Die US–Antidumpinggesetzgebung als
          Grundlage der GATT–Regelung ............ 346
    3.2.3 Das Entstehen der GATT–
          Antidumpingbestimmungen ................ 348
    3.2.4 Die Definition des Dumping ............... 351
    3.2.5 Die Feststellung der Schädigung, der Bedrohung
          und der Verzögerung der wirtschaftlichen
          Entwicklung ............................. 355
    3.2.6 Die Einleitung des Verfahrens .............. 358
    3.2.7 Die Festlegung von Antidumpingzöllen ...... 359
    3.2.8 Die institutionellen Bestimmungen .......... 362
    3.2.9 Anstehende Probleme ..................... 363
3.3 Die Berechnung des Zollwerts .................... 366
    3.3.1 Das Entstehen der Zusatzbestimmungen ...... 367
    3.3.2 Die Berechnungsmethoden ................ 369
    3.3.3 Die Institutionen und die Streitbeilegung ..... 372
    3.3.4 Die Sonderstellung der Dritten Welt ......... 373
    3.3.5 Die Grundausrichtung der Zollwertberechnung .. 373
3.4 Der Schutz der Zahlungsbilanz und die nicht–
    diskriminierende Anwendung mengenmässiger
    Handelsschranken .............................. 374

|  |  |  |  |
|---|---|---|---|
|  | 3.4.1 | Die Beschränkung zum Schutz der Zahlungsbilanz | 375 |
|  | 3.4.2 | Die nicht–diskriminierende Anwendung mengen–mässiger Handelsschranken | 378 |
|  | 3.4.3 | Die Zusammenarbeit zwischen GATT und IMF | 379 |
|  | 3.4.4 | Die Beurteilung der Zahlungsbilanzbestimmungen | 381 |
| 3.5 | Die neue Subventionsordnung | | 384 |
|  | 3.5.1 | Vom ITO–Vorschlag zur heutigen WTO–Subventionsordnung | 385 |
|  | 3.5.2 | Die gegenwärtig geltende Subventionsordnung | 390 |
|  | 3.5.3 | Die Notwendigkeit weiterer Verhandlungen | 402 |
| 3.6 | Der Staatshandel | | 404 |
|  | 3.6.1 | Die Unterscheidung zwischen kommerziellem Staatshandel und öffentlicher Beschaffung | 405 |
|  | 3.6.2 | Die Bestimmungen des Art. XVII GATT | 406 |
|  | 3.6.3 | Die Bestimmungen des Art. II GATT | 414 |
|  | 3.6.4 | Die Fortschreibung der Staatshandelsregeln | 416 |
| 3.7 | Die dringlichen Schutzmassnahmen | | 419 |
|  | 3.7.1 | Das Entstehen der dringlichen Schutzmassnahmen | 420 |
|  | 3.7.2 | Der materielle Inhalt der Schutzklausel | 423 |
|  | 3.7.3 | Die Verfahrensvorschriften | 429 |
|  | 3.7.4 | Die ungelösten Probleme | 432 |
| 3.8 | Die allgemeinen Ausnahmen | | 433 |
|  | 3.8.1 | Die Vorbehalte | 434 |
|  | 3.8.2 | Die einzelnen Massnahmen | 435 |
| 3.9 | Die Ausnahmen zur Wahrung der Sicherheit | | 445 |
|  | 3.9.1 | Die Ausnahmebestimmungen | 446 |
| 3.10 | Die Integrationsbestimmungen | | 449 |
|  | 3.10.1 | Das Entstehen der Integrationsbestimmungen | 451 |
|  | 3.10.2 | Die weltwirtschaftliche Bedeutung der Integrationsräume | 453 |
|  | 3.10.3 | Die geltenden WTO–Bestimmungen | 456 |
|  | 3.10.4 | Offene Probleme | 461 |

Fünfter Teil
**Die GATT–Zusatzabkommen** .................. 463

**1.    Das Agrarabkommen** ...................... 465
1.1   Die Bedeutung des internationalen Agrarhandels ...... 468

| | | |
|---|---|---|
| 1.2 | Der Abkommensinhalt | 469 |
| | 1.2.1 Die Grundausrichtung | 470 |
| | 1.2.2 Die produktmässige Abgrenzung | 470 |
| | 1.2.3 Die Bindung von Zugeständnissen | 471 |
| | 1.2.4 Der Marktzutritt | 472 |
| | 1.2.5 Der Abbau der internen Stützungen | 481 |
| | 1.2.6 Die Reduktion der Exportsubventionen | 483 |
| | 1.2.7 Die weiteren Bestimmungen | 485 |
| 1.3 | Die Notwendigkeit weiterer Verhandlungen | 486 |

**2. Das Abkommen über die Anwendung der gesundheitspolizeilichen und pflanzenschutzrechtlichen Massnahmen** ............ 489

| | | |
|---|---|---|
| 2.1 | Der Abkommensinhalt | 490 |
| | 2.1.1 Die Zielsetzung | 490 |
| | 2.1.2 Das Notwendigkeits–Erfordernis | 492 |
| | 2.1.3 Der Wissenschaftlichkeits–Nachweis | 492 |
| | 2.1.4 Die Harmonisierungs–Vorschrift | 493 |
| | 2.1.5 Das Äquivalenz–Prinzip | 494 |
| | 2.1.6 Die Rücksichtnahme auf regionale Unterschiede | 494 |
| | 2.1.7 Die Transparenz | 495 |
| | 2.1.8 Die Verwaltung und die Streitschlichtung | 495 |
| 2.2 | Die Probleme bei der Vertragsumsetzung | 496 |

**3. Das Abkommen über Textilien und Bekleidung** ............ 501

| | | |
|---|---|---|
| 3.1 | Der Textil– und Bekleidungshandel | 502 |
| 3.2 | Die Handelsregelung vor der Uruguay–Runde | 505 |
| 3.3 | Der Inhalt des WTO–Textilabkommens | 508 |
| | 3.3.1 Die Zielsetzung | 509 |
| | 3.3.2 Der Abbau der Handelsschranken | 510 |
| | 3.3.3 Der Abbau der übrigen Handelsschranken | 512 |
| | 3.3.4 Die Massnahmen gegen die Umgehung des Abkommens | 512 |
| | 3.3.5 Die Schutzklausel | 513 |
| | 3.3.6 Die Überwachung und Durchführung des Abkommens | 516 |

| | | | |
|---|---|---|---|
| 3.4 | Ungelöste Probleme | | 517 |
| **4.** | **Das Abkommen über Technische Handelshemmnisse** | | **521** |
| 4.1 | Die Revision des ursprünglichen Abkommens | | 522 |
| 4.2 | Der Abkommensinhalt | | 523 |
| | 4.2.1 | Die begriffliche Abgrenzung | 523 |
| | 4.2.2 | Die Zielsetzung | 525 |
| | 4.2.3 | Die Ausarbeitung, Annahme und Anwendung von technischen Vorschriften | 526 |
| | 4.2.4 | Die Ausarbeitung, Annahme und Anwendung von Normen | 527 |
| | 4.2.5 | Die Bewertung der Konformität | 527 |
| | 4.2.6 | Die gegenseitige Information | 528 |
| | 4.2.7 | Die Zusammenarbeit zwischen den Vertragsparteien | 529 |
| | 4.2.8 | Die Streitbeilegung | 529 |
| 4.3 | Die Grenzen des Abkommens | | 530 |
| **5.** | **Das Abkommen über handelsbezogene Investitionsmassnahmen** | | **533** |
| | 5.1 | Der Abkommensinhalt | 535 |
| | 5.1.1 | Anstehende Schwierigkeiten | 539 |
| **6.** | **Das Abkommen über die Versandkontrolle** | | **541** |
| 6.1 | Der Anwendungsbereich | | 542 |
| 6.2 | Die Einzelbestimmungen des Vertrags | | 543 |
| | 6.2.1 | Die Nichtdiskriminierung | 544 |
| | 6.2.2 | Die Transparenz | 545 |
| | 6.2.3 | Die vertraulichen Informationen | 545 |
| | 6.2.4 | Die Preiskontrolle | 546 |
| | 6.2.5 | Die Streitbeilegung | 547 |
| 6.3 | Die Fortführung des Abkommens | | 548 |
| **7.** | **Das Abkommen über die Ursprungsregeln** | | **548** |
| 7.1 | Die Zielsetzung | | 550 |
| 7.2 | Der Abkommensinhalt | | 551 |
| | 7.2.1 | Die begriffliche Abgrenzung der Ursprungsregeln | 551 |

| | | |
|---|---|---|
| 7.2.2 | Die Anwendungsvorschriften | 551 |
| 7.2.3 | Die institutionellen Vorschriften | 553 |
| 7.2.4 | Die Harmonisierung der Ursprungsregeln | 554 |
| 7.2.5 | Die präferenziellen Ursprungsregeln | 554 |

**8. Das Abkommen über Einfuhrlizenzverfahren** ...... 555

| | | |
|---|---|---|
| 8.1 | Der Abkommensinhalt | 557 |
| | 8.1.1 Die Zielrichtung | 557 |
| | 8.1.2 Die allgemeinen Bestimmungen | 558 |
| | 8.1.3 Die automatischen Einfuhrlizenzverfahren | 559 |
| | 8.1.4 Die nichtautomatischen Einfuhrlizenzverfahren | 559 |
| | 8.1.5 Die Überwachung des Abkommens | 561 |
| 8.2 | Die längerfristigen Perspektiven | 562 |

Sechster Teil
**Das Allgemeine Abkommen über den Handel mit Dienstleistungen (GATS)** .................... 563

**1. Die begriffliche Abgrenzung** .................... 565

**2. Die wirtschaftliche Bedeutung des internationalen Dienstleistungshandels** ............ 569

**3. Der Abkommensinhalt** .......................... 571

| | | |
|---|---|---|
| 3.1 | Die Zielsetzung | 572 |
| 3.2 | Die allgemeinen Rechte und Pflichten | 573 |
| | 3.2.1 Das Meistbegünstigungsprinzip | 573 |
| | 3.2.2 Die Gewährung von Transparenz | 578 |
| | 3.2.3 Die Begünstigung der Entwicklungsländer | 579 |
| | 3.2.4 Das Recht auf Integration | 580 |
| | 3.2.5 Die innerstaatliche Regelung | 581 |
| | 3.2.6 Die Anerkennung von ausländischen Qualifikationserfordernissen | 583 |
| | 3.2.7 Die Stellung der Monopole | 584 |
| | 3.2.8 Die Ausnahmebestimmungen | 584 |
| | 3.2.9 Die vorgesehenen Arbeitsprogramme | 587 |
| 3.3 | Die spezifischen Rechte und Pflichten | 589 |

| | | | |
|---|---|---|---|
| 3.4 | | Die Nachverhandlungen . . . . . . . . . . . . . . . . . . . . . . . . . . | 593 |
| | 3.4.1 | Der Anhang zu Ausnahmen von Artikel II . . . . . | 594 |
| | 3.4.2 | Der Anhang zum grenzüberschreitenden Verkehr natürlicher Personen . . . . . . . . . . . . . . . . . . . . . . | 594 |
| | 3.4.3 | Der Anhang zu Luftverkehrsdienstleistungen . . . | 595 |
| | 3.4.4 | Die Anhänge zu den Finanzdienstleistungen . . . . | 596 |
| | 3.4.5 | Der Anhang zu Verhandlungen über Seeverkehrsdienstleistungen . . . . . . . . . . . . . . . . | 598 |
| | 3.4.6 | Die Anhänge zu Verhandlungen über die Telekommunikation . . . . . . . . . . . . . . . . . . . . . . | 600 |
| **4.** | **Spezifische Merkmale des GATS** . . . . . . . . . . . . . . . . . . | 603 |

Siebter Teil
**Das Abkommen über handelsbezogene Aspekte des geistigen Eigentums (TRIPS)** . . . . . . . . . . . . . . . . . . . . . . . 607

| | | | |
|---|---|---|---|
| **1.** | **Das vertragliche Umfeld des TRIPS** . . . . . . . . . . . . . . | 612 |
| **2.** | **Der Inhalt des TRIPS–Abkommens** . . . . . . . . . . . . . . | 615 |
| 2.1 | Die Präambel . . . . . . . . . . . . . . . . . . . . . . . . . . . . . . . . . | | 615 |
| 2.2 | Die allgemeinen Bestimmungen . . . . . . . . . . . . . . . . . . . | | 616 |
| 2.3 | Die Verfügbarkeit und die Ausübung der Rechte des geistigen Eigentums . . . . . . . . . . . . . . . . . . . . . . . . . . . . | | 620 |
| | 2.3.1 | Das Urheberrecht und die verwandten Rechte . . . | 620 |
| | 2.3.2 | Die Marken . . . . . . . . . . . . . . . . . . . . . . . . . . . . . | 622 |
| | 2.3.3 | Die geographischen Angaben . . . . . . . . . . . . . . . | 627 |
| | 2.3.4 | Die gewerblichen Muster . . . . . . . . . . . . . . . . . . | 632 |
| | 2.3.5 | Die Patente . . . . . . . . . . . . . . . . . . . . . . . . . . . . . | 636 |
| | 2.3.6 | Die Topographien . . . . . . . . . . . . . . . . . . . . . . . . | 640 |
| | 2.3.7 | Der Schutz vertraulicher Informationen . . . . . . . . | 642 |
| | 2.3.8 | Die Bekämpfung der wettbewerbswidrigen Praktiken . . . . . . . . . . . . . . . . . . . . . . . . . . . . . . . | 643 |
| 2.4 | Die Durchsetzung der Rechte . . . . . . . . . . . . . . . . . . . . . | | 643 |
| | 2.4.1 | Die allgemeinen Pflichten . . . . . . . . . . . . . . . . . . | 644 |
| | 2.4.2 | Die zivil– und verwaltungsrechtlichen Verfahren | 645 |
| | 2.4.3 | Die einstweiligen Massnahmen . . . . . . . . . . . . . . | 646 |

|  |  | 2.4.4 | Die besonderen Anforderungen an die Grenzmassnahmen | 647 |
|---|---|---|---|---|
|  |  | 2.4.5 | Die Strafverfahren | 647 |
|  |  | 2.4.6 | Der Erwerb und die Aufrechterhaltung von Rechten | 648 |
|  | 2.5 | Die weiteren TRIPS–Bestimmungen | | 649 |
|  |  | 2.5.1 | Die Schaffung von Transparenz | 649 |
|  |  | 2.5.2 | Die Streitschlichtung | 649 |
|  |  | 2.5.3 | Die Übergangsvereinbarungen | 650 |
|  |  | 2.5.4 | Die institutionellen Regelungen und Schlussbestimmungen | 651 |
| **3.** | **Die Argumente für und wider TRIPS** | | | 652 |

Achter Teil
**Die plurilateralen Abkommen** . . . . . . . . . . . . . . . . . . . . . . 657

| **1.** | **Das Abkommen über den Handel mit zivilen Luftfahrzeugen** | | 659 |
|---|---|---|---|
| 1.1 | Die Zielsetzung | | 660 |
| 1.2 | Der Vertragsinhalt | | 660 |
|  | 1.2.1 | Die erfassten Handelsgüter | 660 |
|  | 1.2.2 | Die betroffenen Handelshemmnisse | 661 |
|  | 1.2.3 | Die öffentliche Beschaffung | 661 |
|  | 1.2.4 | Die technischen Handelshemmnisse und Subventionen | 662 |
|  | 1.2.5 | Die Überwachung und die Streitbeilegung | 663 |
| 1.3 | Die ungelösten Probleme | | 663 |
| **2.** | **Das Abkommen über das öffentliche Beschaffungswesen** | | 664 |
| 2.1 | Von der ITO zum WTO-Übereinkommen | | 665 |
| 2.2 | Der Abkommensinhalt | | 669 |
|  | 2.2.1 | Die Zielsetzung | 670 |
|  | 2.2.2 | Der Anwendungsbereich | 670 |
|  | 2.2.3 | Die Grundprinzipien des Abkommens | 671 |
|  | 2.2.4 | Die Vergabeverfahren | 674 |

|  |  |  |  |
|---|---|---|---|
| | 2.2.5 | Der Zuschlag des Auftrags ................. | 676 |
| | 2.2.6 | Das Verbot von Kompensationsgeschäften ..... | 677 |
| | 2.2.7 | Der Rechtsschutz ........................ | 678 |
| | 2.2.8 | Die Schlussbestimmungen ................. | 679 |
| 2.3 | | Die noch zu lösenden Aufgaben ................... | 680 |

Ausblick
**Probleme und mögliche Reformen** .................... 683
Die erste WTO–Ministerkonferenz, Singapur 1996 ......... 685
Die zweite WTO–Ministerkonferenz, Genf 1998 .......... 689
Die dritte WTO–Ministerkonferenz, Seattle 1999 .......... 691
Der Reformbedarf der WTO ........................ 696

**Literaturverzeichnis** ............................... 701

**Stichwortverzeichnis** .............................. 717

# ABKÜRZUNGSVERZEICHNIS

| | |
|---|---|
| ABl | Amtsblatt |
| AKP–Staaten | Staaten in Afrika, im karibischen Raum und im Pazifischen Ozean (Assoziationsvertrag zwischen EU und AKP–Staaten) |
| AKZA | Ausserkontingentszollansatz |
| AMS | Aggregate Measurement of Support (im Landwirtschaftsabkommen) |
| APEC | Asia–Pacific Economic Cooperation |
| AS | Amtliche Sammlung (Schweiz) |
| ASEAN | Association of Southeast Asian Nations |
| ASP | American selling price–system |
| BBl | Bundesblatt (Schweiz) |
| BGBl. | Bundesgesetzblatt (Deutschland) |
| BISD, S | Basic Instruments and Selected Documents, Supplement |
| BIZ | Bank für Internationalen Zahlungsausgleich |
| BTN | Brussels Tariff Nomenclature |
| CCC | Customs Co–operation Council, Brüssel |
| cif | cost, insurance and freight. Der Verkäufer übernimmt die Verlade–, Versicherungs– und Frachtkosten (vgl. fob) |
| CRTA | Committee on Regional Trade Agreements |
| CTE | Committee on Trade and Environment |
| DSB | Dispute Settlement Body |
| EAG | Europäische Atomgemeinschaft |
| EAGFL | Europäischer Ausrichtungs– und Garantiefonds für die Landwirtschaft |
| ECE | Economic Commission for Europe |
| ECOSOC | Economic and Social Council |
| ECU | European Currency Unit |
| EFTA | European Free Trade Association |
| EG | Europäische Gemeinschaft (seit 1.11.1993 für vormalige EWG) |
| EG | Europäische Gemeinschaften (bis 31.10.1993 zusammenfassende Bezeichnung für EAG, EGKS und EWG) |

| | |
|---|---|
| EGKS | Europäische Gemeinschaft für Kohle und Stahl |
| EGV | Vertrag der EG |
| EMS | Equivalent Measurement of Support |
| EU | Europäische Union |
| EWG | Europäische Wirtschaftsgemeinschaft (ab 1.11.1993 EG) |
| FAO | Food and Agriculture Organization of the United Nations |
| FIRA | Foreign Investment Review Act (of Canada) |
| FIW | Forschungsinstitut für Wirtschaftsverfassung und Wettbewerb e.V. Köln |
| fob | free on board (franko Schiff). Der Verkäufer übernimmt nur die Verladekosten (vgl. cif) |
| GATS | General Agreement on Trade in Services |
| GATT | General Agreement on Tariffs and Trade |
| GPA | Agreement on Government Procurement |
| GRUR Int. | Gewerblicher Rechtsschutz und Urheberrecht, Abk. für Zeitschrift der Deutschen Vereinigung für gewerblichen Rechtsschutz und Urheberrecht, internationaler Teil |
| GSP | Generalized System of Preferences |
| GSTP | Global System of Trade Preferences Among Developing Countries |
| GUS | Gemeinschaft Unabhängiger Staaten |
| HMA | Haager Musterabkommen |
| HS | Harmonized Commodity Description and Coding System, Harmonized System (Harmonisiertes Nomenklatursystem) |
| IATRC | International Agricultural Trade Research Consortium, UC Davis |
| IBRD | International Bank for Reconstruction and Development |
| ICC | International Chamber of Commerce |
| ICITO | Interim Commission for the International Trade Organization |
| IE | Independent Entity ("Unabhängige Stelle" im Rahmen des Abkommens über die Versandkontrolle) |
| IEC | International Electrotechnical Commission |
| IFIA | International Federation of Inspection Agencies |

| | |
|---|---|
| IGOs | Intergovernmental Organizations |
| IIC | Studies in Industrial Property and Copyright Law (Max Planck Institute for Foreign and International Patent, Copyright and Competition Law, Munich) |
| ILO | International Labour Organization |
| IMF | International Monetary Fund |
| IPIC Treaty | Treaty on Intellectual Property in Respect of Integrated Circuits |
| ISO | International Organization for Standardization |
| ITC | International Trade Center |
| ITO | International Trade Organization |
| ITU | International Telecommunication Union |
| KZA | Kontingentszollansatz |
| MERCOSUR | Mercado Común del Sur |
| MFA | Multifaserabkommen |
| MFN, mfn | most favored nation clause (Meistbegünstigung) |
| MMA | Madrider Abkommen über die internationale Registrierung von Marken |
| MTN | Multilateral Trade Negotiations |
| NAFTA | North American Free Trade Association (oft auch: North American Free Trade Agreement) |
| NGOs | Non–governmental Organizations (Nicht–Regierungs–Organisationen) |
| NTB | Nontariff Barrier |
| NTH | Nichttarifäres Handelshemmnis |
| NYT | New York Times |
| NZZ | Neue Zürcher Zeitung |
| OECD | Organization for European Economic Cooperation (Organisation Européenne de Coopération et de Développement Economiques, OEDE) |
| OEEC | Organization for European Economic Cooperation (Organisation Européenne de Coopération Economique, OECE) |
| OTC | Organization for Trade Cooperation |

| | |
|---|---|
| PCS | Personal Communication System |
| PGE | Permanent Group of Experts |
| PPMs | Process and Production Methods |
| PSE | Producer Subsidy Equivalents |
| PSI | Preshipment Inspection |
| PVÜ | Pariser Verbandsübereinkunft |
| RBÜ | Revidierte Berner Übereinkunft |
| Rz | Randziffer |
| SDR | Special Drawing Right (1 SDR ≈ 1.30 bis 1.40 US$, SZR) |
| SMU | Support Measurement Unit |
| SPS | Sanitary and Phytosanitary |
| SR | Systematische Rechtssammlung (Schweiz) |
| SITC | Standard International Trade Classification |
| SWP | Stiftung Wissenschaft und Politik (Forschungsinstitut für Internationale Politik und Sicherheit, Ebenhausen/Isar) |
| SZR | Sonderziehungsrecht (1 SZR ≈ 1.30 bis 1.40 US$, SDR) |
| TBT | Technical Barriers to Trade |
| TMB | Textiles Monitoring Body |
| TNC | Trade Negotiations Committee |
| TPR | Trade Policy Review |
| TPRB | Trade Policy Review Body |
| TPRM | Trade Policy Review Mechanism |
| TRIMS | Agreement on Trade-Related Investment Measures |
| TRIPS | Trade-Related Aspects of Intellectual Property Rights |
| UN | United Nations |
| UNCED | United Nations Conference on Environment and Development |
| UNCTAD | United Nations Conference on Trade and Development |
| UNDP | United Nations Development Program |
| UNIDO | United Nations Industrial Development Organization |
| UNO | United Nations Organization |
| USDC | United States Department of Commerce |
| USTR | United States Trade Representative |

| | |
|---|---|
| WIPO | World Intellectual Property Organization |
| WTO | World Trade Organization |
| WUA | Welturheberrechtsabkommen |

## ANMERKUNG

Die Literatur wird auf jeder Seite vollständig zitiert. Eine Ausnahme bilden die Hinweise auf die Vertragstexte, veröffentlicht in: *Hummer/Weiss* (1997), Vom GATT'47 zur WTO'94, Dokumente zur alten und zur neuen Welthandelsordnung, Baden–Baden u.a. (deutsche Fassung), die mit "Hummer/Weiss" zitiert werden, sowie *WTO* (1995), The Results of the Uruguay Round of Multilateral Trade Negotiations, The Legal Texts, Genf (englische Fassung), auf die mit "WTO, The Legals Texts" verwiesen wird.

Die Wiedergabe der Rechtsquellen in Form von Artikeln, Ziffern, Buchstaben und Untergliederung erfolgt in der Form: Art. XI:2(c)ii GATT (Art. XI, Ziff. 2, lit. c, Absatz ii des GATT). Bedient sich ein Übereinkommen der Punkte (anstelle der Doppelpunkte), wie z.B. das Subventionsabkommen, wird die Schreibweise des Abkommens übernommen, z.B. Art. 11.2(ii) des Subventionsabkommens (Art. 11, Ziff. 2, Abs. ii des Subventionsabkommens).

**Erster Teil**

# Vom GATT zur WTO

Erster Teil

1   Gegen Ende des Zweiten Weltkriegs vertrat die demokratische Führungsschicht der USA die Meinung, das Fehlen eines offenen Welthandelssystems in den dreissiger Jahren sei unter anderem ein Grund für die damals ausgebrochenen Feindseligkeiten gewesen. Es obliege deshalb den Vereinigten Staaten, zur Sicherung des Weltfriedens ein freiheitliches Aussenhandelssystem zu errichten, nicht zuletzt auch zur Unterstützung der westlichen Staaten im Kampf gegen den Kommunismus. Die Idee der USA war, parallel zu den zu gründenden Bretton Woods–Institutionen, dem Internationalen Währungsfonds und der Weltbank, eine Internationale Handelsorganisation (International Trade Organization, ITO) zu schaffen. Die Ausarbeitung der geplanten Welthandelsordnung erforderte jedoch mehr Zeit als vorgesehen. Die Verhandlungspartner entschieden daher, den Teilbereich der künftigen Ordnung über die Zoll– und Handelsfragen vorerst provisorisch in Kraft zu setzen und später in die vorgesehene ITO einzubinden. So entstand in den Jahren 1947/48 das Allgemeine Zoll– und Handelsabkommen (General Agreement on Tariffs and Trade, GATT). Obwohl die Verhandlungsdelegierten den in Havanna 1947/48 ausgearbeiteten Statuten der ITO schliesslich zugestimmt hatten, verweigerten nachträglich einzelne Regierungen die Ratifizierung der Charta. Was vom gesamten Vertragswerk übrig blieb, war das vorzeitig provisorisch in Kraft gesetzte GATT, das in den folgenden Jahrzehnten weiter ausgebaut wurde und seit 1995 einen Teil der heutigen Welthandelsorganisation (World Trade Organization, WTO) bildet.

2   Der erste Teil der vorliegenden Veröffentlichung gliedert sich in drei Kapitel. Das erste Kapitel handelt vom vergeblichen Versuch, Ende der vierziger Jahre eine breit angelegte offene Welthandelsordnung im Rahmen einer ITO zu schaffen. Das zweite Kapitel beschreibt die Erweiterung der vom Gesamtprojekt verbliebenen Teillösung GATT. Zur Sprache kommen dabei die einzelnen Zusatzabkommen (Antidumpingabkommen, Abkommen über Technische Handelshemmnisse, Abkommen über das öffentliche Beschaffungswesen usw.) und die ersten sieben Welthandelsrunden. Das dritte Kapitel schliesslich befasst sich mit der Umgestaltung des GATT aus den vierziger Jahren in den 1995 in Kraft getretenen Ordnungsrahmen der WTO.

# 1. Das GATT von 1947

Das Allgemeine Zoll- und Handelsabkommen ist Ausdruck und Ergebnis der grossen Wirtschaftskrise der dreissiger Jahre und des Zusammenbrechens der Wirtschaft und des internationalen Handels während des Zweiten Weltkriegs. Sowohl die vom Krieg betroffenen als auch die verschonten Länder waren in der zweiten Hälfte der vierziger Jahre auf die Wiederaufnahme friedlicher und offener Handelsbeziehungen angewiesen. Ohne Grenzöffnung wäre ein Wiederaufbau der im Krieg zerstörten Wirtschaft kaum möglich gewesen. Die folgenden Abschnitte umschreiben kurz das Umfeld der ersten Vorschläge zur Schaffung einer neuen Welthandelsordnung, gehen auf die Gründe des Scheiterns der geplanten Internationalen Handelsorganisation ein und erklären, wie das GATT während Jahrzehnten als Provisorium Bestand hatte und sich schliesslich zur Welthandelsorganisation wandelte.

## 1.1 Die ersten Vorschläge

Die von den US-Amerikanern 1945 und 1946 vorgelegten Vorschläge zur Neuregelung der Welthandelsordnung waren teils ideologisch, teils politisch pragmatisch bedingt.

Im Kampf gegen das Dritte Reich und den aufkommenden Kommunismus in den zentralgeplanten Staaten Osteuropas verstanden sich die Vereinigten Staaten als verantwortliche Instanz für die Verwirklichung der demokratischen Staatsform, der freien Wirtschaft und "der grundlegenden Menschenrechte" im Sinne der UNO-Präambel. Diese Nachkriegshaltung lässt das damals fast missionarische Bemühen der USA, ihren Freiheitsvorstellungen weltweite Beachtung zu verschaffen, verstehen. Die US-Vorschläge zur Schaffung einer weltweiten Handelsordnung erscheinen somit auf den ersten Blick eher als ein "Export von Ideologie und Freiheitsphilosophie" und weniger als ein Bestreben, die effektiven Welthandelsströme zu regeln. Der Güterexport der US-Wirtschaft war im Vergleich zum Inlandmarkt ohnehin nicht sehr bedeutend. Er betrug 3 bis 4 Prozent des US-Bruttoinlandprodukts.

Indessen wäre es zu einseitig, die Forderung der USA nach einer neuen Welthandelsordnung als blossen "Ideologie-Export" zu bezeichnen. Die Vorschläge waren gleichzeitig auch das Erbe der US–Aussenhandelspolitik der dreissiger Jahre und des Zweiten Weltkriegs. Die Vorstellung der Vereinigten Staaten von der künftigen Handelsordnung führten das seit dem "New Deal" anfangs der dreissiger Jahre verfolgte Cordell Hull–Programm bewusst weiter. Das "Trade Agreements Act" von 1934 enthielt bereits die wesentlichen Elemente der später vorgeschlagenen Welthandelsordnung. Die nachstehenden Ausführungen zeigen, vor welchem wirtschaftsgeschichtlichen Hintergrund die US–amerikanischen Vorschläge zur Neugestaltung der Welthandelsordnung entstanden sind.

7   Zur Bekämpfung der wirtschaftlichen Depression Ende der zwanziger und Anfang der dreissiger Jahre sah die US–Regierung im "Smoot–Hawley Tariff Act" eine Anhebung der Importzölle von durchschnittlich 26 auf über 50 Prozent vor. Der Vorschlag, eine stark protektionistische Aussenhandelspolitik einzuschlagen, stiess in breiten Wirtschaftskreisen des In– und Auslands auf heftigen Widerstand. Trotzdem unterzeichnete Präsident *Herbert Hoover* im Jahr 1930 das neue Aussenhandelsgesetz. Der Protektionismus und der handelspolitische Isolationismus der Vereinigten Staaten erreichten damit den Höhepunkt. Die Handelspartner, ganz besonders die europäischen Staaten, reagierten auf die US–Hochzollpolitik mit entsprechenden Gegenzöllen. Die Folge des aufkommenden Zollkriegs war ein Rückgang der US–Importe um über 30 Prozent des Werts von 1929.[1]

8   Im Jahr 1932 forderte der demokratische Gouverneur von New York, *Franklin D. Roosevelt*, den von den Republikanern zur Wiederwahl nominierten Prä-

---

[1] Einen Überblick über die Aussenhandelspolitik der USA während der dreissiger Jahre vermitteln: *Diebold, William, Jr.* (1941), New Directions in our Trade Policy, New York; *US Department of Commerce* (1943), The United States in the World Economy, Economic Series Nr. 23, Washington, DC; *Gardner, Richard N.* (1956), Sterling–Dollar Diplomacy, Oxford; *Evans, John W.* (1971), The Kennedy Round in American Trade Policy, Cambridge; *Destler, I. Mac* (1992), American Trade Politics, 2. A., Washington, DC, u.a. S. 11ff.; *Christe, Hans–Joachim* (1995), Die USA und der EG–Binnenmarkt, Baden–Baden, S. 21ff. (mit entsprechenden Literaturhinweisen). – Das "Smoot–Hawley Tariff Act" wurde vor allem von den Republikanern getragen, die zu dieser Zeit in beiden Kammern über die Mehrheit verfügten. Im Repräsentantenhaus fiel der Abstimmungsentscheid mit 222 zu 153 und im Senat mit 44 zu 42 Stimmen aus.

sidenten *Herbert Hoover* erfolgreich heraus. Der überwältigende Sieg der Demokraten mit 90 Prozent der Elektorenstimmen gründete ohne Zweifel auf dem Versprechen, die US–Wirtschaft aus der immer schwerer lastenden Wirtschaftskrise herauszuführen und den Aussenhandelsprotektionismus abzubauen.

Die Neuausrichtung der Aussenhandelspolitik durch *Franklin D. Roosevelt* liess indessen auf sich warten und war im Hinblick auf die einzuschlagende Zielrichtung während längerer Zeit ungewiss. In den ersten Jahren nach seiner Amtsübernahme widmete sich die US–Regierung ausschliesslich landesinternen Problemen wie der Sanierung des Bankenwesens, der Gewährung von Arbeitslosenunterstützung und der Realisierung von Arbeitsprogrammen. Zudem stritten sich die Aussenhandelsberater der US–Regierung über den einzuschlagenden Kurs. Im Jahr 1934 schliesslich unterzeichnete der Präsident das "Reciprocal Trade Agreements Act". Dieser Rechtsakt war formell eine Ergänzung zum Smoot–Hawley–Zollgesetz von 1930, materiell eine Neukonzeption der US–Aussenhandelspolitik.[2] Mit diesem Gesetz gingen verschiedene Kompetenzen, so beispielsweise die Festsetzung der Zollsätze und der Abschluss von Handelsverträgen, vom Kongress auf die Regierung über.[3]

Das von Staatssekretär *Cordell Hull*[4] geförderte und gegen die Sonderinteressen einzelner Wirtschaftskreise verteidigte Handelsgesetz von 1934 ist als "Cordell Hull–Programm" in die Wirtschaftsgeschichte eingegangen.

Die drei Hauptziele des Cordell Hull–Programms waren: Abbau der protektionistischen Handelshemmnisse, Meistbegünstigung und Reziprozität.

---

2   Das Cordell Hull–Programm ist rechtlich kein neues Gesetz, sondern eine Ergänzung zum Handelsgesetz von 1930. Die Annahme des Cordell Hull–Programms geht auf die Demokraten zurück, die im Jahr 1930 im Repräsentantenhaus und im Jahr 1932 auch im Senat die Mehrheit errungen hatten. Die Zustimmung erfolgte im Repräsentantenhaus mit 274 zu 111 und im Senat mit 57 zu 33 Stimmen.
3   Vgl. dazu z. B. *Cohen, Stephen D.* (1981), The Making of United States International Economic Policy, 2. A., New York, S. 8 ff.
4   *Cordell Hull* (1871–1955) war unter Präsident *F. D. Roosevelt* von 1933–1944 Aussenminister der Vereinigten Staaten.

Erster Teil

12 *Cordell Hull* wollte zur Förderung des US–Exports die Handelsschranken im In– und Ausland abbauen. Er umriss 1934 diese Zielsetzung vor dem "House Committee on Ways and Means" mit den Worten:

> "The primary object of this new proposal is both to reopen the old and seek new outlets for our surplus production, through the gradual moderation of the excessive and more extreme impediments to the admission of American products into foreign markets."[5]

13 Das Gesetz ermächtigte den Präsidenten, in eigener Kompetenz Abkommen mit dem Ausland über Zollreduktionen bis zu 50 Prozent abzuschliessen. Diese Befugnis war zeitlich limitiert, wurde aber in Abständen von ein bis vier Jahren insgesamt elf Mal verlängert und lief im Jahr 1967 aus. 1974 wurde sie erneut ins Handelsgesetz aufgenommen.

14 Gegen Ende des Zweiten Weltkriegs vertraten die Demokraten der USA die Meinung, das Fehlen eines offenen Welthandelssystems in den dreissiger Jahren sei der Hauptgrund für die ausgebrochenen Feindseligkeiten gewesen. Die Vereinigten Staaten hätten daher die Aufgabe, zur Sicherung des Weltfriedens und zur Bekämpfung des Kommunismus ein freiheitliches Aussenhandelssystem zu errichten.[6] Die Republikaner stellten sich gegen den Freihandel. Auf ihren Druck hin stimmte Präsident *Harry S. Truman* (Demokrat) im Jahr 1947 der sogenannten Ausnahmeklausel ("Escape clause") zu, wonach in allen Handelsverträgen mit dem Ausland die Bestimmung zu gelten hatte, dass Zollzugeständnisse auszusetzen seien, falls die einheimische Industrie durch die Importkonkurrenz ernsthaft bedroht oder geschädigt werde. Im Jahr 1948 schränkte die Festlegung von Schutzschwellen ("Peril point provisions") das Prinzip des Freihandels weiter ein. Diese Bestimmung ordnete an, dass im

---

5 Hearings of H.R. 8430 before the House Committee on Ways and Means 73rd Congress, 2nd session, 1934, 4, zit. nach *Diebold, William, Jr.* (1941), New Directions in our Trade Policy, New York, S. 7.

6 Vgl. *Gardner, Richard N.* (1980), Sterling–Dollar Diplomacy in Current Perspective, New York, S. 9. In der Nachkriegszeit zeichnete sich ein Gesinnungswandel in den Parteien ab, indem die Demokraten des Kongresses den Ausnahmeregelungen zustimmten, ein Grossteil der republikanischen Senatoren dagegen das freiheitliche Programm der Regierung unterstützte. Vgl. dazu *Baldwin, Robert E.* (1982), The Changing Nature of U.S. Trade Policy since World War II, Vortrag an der Konferenz des National Bureau of Economic Research, Cambridge, S. 11 (Vervielfältigung).

Bedarfsfall in einzelnen Güterbereichen Mindestzollsätze zum Schutz der einheimischen Industrie festzulegen sind, die in Abkommen mit dem Ausland nicht unterschritten werden dürfen. Mit nur kurzen Unterbrechungen galten diese beiden Regeln bis zum Auslaufen des Cordell Hull–Programms im Jahr 1962. In den heute geltenden Handelsgesetzen leben sie unter dem Deckmantel einer "Anpassungs–Unterstützung" in inhaltlich fast identischer Form weiter.[7]

Ein zweiter Schwerpunkt des Cordell Hull–Programms war das Prinzip der Meistbegünstigung. Die USA verpflichteten sich, alle Vorteile, Vergünstigungen, Vorrechte, Zugeständnisse und Befreiungen, die sie einem Vertragspartner für ein bestimmtes Produkt zugestehen, unverzüglich und bedingungslos allen anderen Vertragsparteien der Vereinigten Staaten für gleiche Produkte auch zu gewähren. Eine Einschränkung erfuhr das Prinzip der Meistbegünstigung im Jahr 1951 mit dem ausdrücklichen Ausschluss sämtlicher kommunistischer Staaten.

Die damalige Anwendung des Meistbegünstigungsprinzip ist indessen insofern zu relativieren, als sein Einsatz nach der Doktrin des wichtigsten Lieferanten erfolgte. Die US–Amerikaner handelten Zollreduktionen nur mit Hauptlieferländern aus, damit eine Ausweitung der gewährten Zollkonzessionen auf die übrigen Handelspartner ihre Position nicht schwächte. Um dieser Doktrin besondere Wirksamkeit zu verleihen, griff man nicht selten zu einer Neuklassierung des Zolltarifs und teilte einzelne Produkte aus bisherigen Zollpositionen in andere bereits bestehende oder neu zu schaffende Positionen um, um sie von Zollermässigungen auszunehmen. Durch eine Neuklassierung der Textilien nach spezifischem Gewicht und Durchschüssen (Fadenzahl) konnten die USA die Zölle auf schweizerischen Stickereien senken, ohne gleichzeitig auch britische Textilien zu begünstigen. Andererseits klassierten die Vereinigten Staaten die Porzellanimporte nach der Herstellmethode und beschränkten ihre Zollermässigung auf calcium–phosphathaltiges, hochpreisiges Porzellan. Für diese Fertigung besassen die Briten ein Monopol. Auf diese Weise gewährten die USA den Briten eine Zollvergünstigung, die sie anderen europäischen

---

7  "Adjustment assistance". Über die Umgestaltung des Cordell Hull–Programms in den vierziger und fünfziger Jahren vgl. *Monroe, Wilbur F.* (1975), International Trade Policy in Transition, Toronto u.a., S. 9ff. und 20ff.

Staaten, die ebenfalls Porzellanwaren herstellten (z.B. Meissen–Porzellan in Deutschland, Fayence–Porzellan in den Niederlanden) nicht weitergeben mussten.[8]

17 Die Konzession erfolgte stets auf Gegenseitigkeit, das heisst die Vereinigten Staaten gewährten die Meistbegünstigung nur jenen Handelspartnern, die Gegenrecht hielten.

18 Die im Cordell Hull–Programm verfolgte Politik der Meistbegünstigung wurde, wie *William Diebold* sagt, als die für die damalige Wirtschaftssituation der Vereinigten Staaten beste Handelsstrategie betrachtet:

> "The aim of the Hull program to restore 'equality of treatment' to its formerly dominant position in commercial policy was not a quest after a vacuous ideal; it was, rather, an attempt to revive a condition of trade very beneficial to the American economy.
>
> For the United States this was an excellent state of affairs. The potential economic power of the country was great; with world markets open to it on equal terms with other suppliers, the United States could develop its power, exporting freely and supplying its growing import needs in the cheapest markets [...].
>
> 'Equality of treatment' helped us to take full advantage of our new powers. Equality was a democratic ideal, a principle of laissez–faire capitalism, the basis of 'decent, honorable, and fair commercial relations'; for the United States it was also helpful, expedient and profitable."[9]

19 Das dritte Merkmal der damaligen US–Aussenhandelspolitik war das Prinzip der Reziprozität. Daher heisst das Cordell Hull–Programm auch "Reciprocal Trade Agreements Act". Die Vereinigten Staaten erklärten sich zu einem Abbau der Handelshemmnisse nur bei entsprechenden Gegenleistungen der Handelspartner bereit. Die Forderung nach Reziprozität erfolgte – die gleichen Argumente werden heute noch angeführt – mit Blick auf eine Verbesserung der Terms of Trade, der Beschäftigung und der Zahlungsbilanz.[10]

---

8 *Evans, John W.* (1971), The Kennedy Round in American Trade Policy, Cambridge, S. 6.
9 *Diebold, William, Jr.* (1941), New Directions in our Trade Policy, New York, S. 24f.
10 Vgl. *Curzon/Curzon* (1976), The Management of Trade Relations in the GATT, in: *Shonfield, Andrew,* Hrsg., International Economic Relations of the Western World 1959–1971, London u.a., S. 156ff.

Da es aber aus der Sicht von Theorie und Praxis unmöglich ist, die Wohlfahrtseffekte der einzelnen Massnahmen genau zu quantifizieren und gegeneinander abzuwägen, wird das Prinzip der Reziprozität auch im Cordell Hull–Programm zu einem blossen Hinweis auf eine Verhandlungsstrategie des "do ut des". Die von den einzelnen Handelspartnern getroffenen Massnahmen sind Ausdruck der jeweiligen Handelsmacht der Verhandlungspartner.[11]

Verfolgten die bis zum Ausbruch des Zweiten Weltkriegs abgeschlossenen Handelsgesetze der USA vorwiegend wirtschaftpolitische Ziele, wurde die Aussenhandelspolitik spätestens ab Sommer 1940 zu einem Bestandteil der nationalen Sicherheits– und Verteidigungspolitik. Im Mittelpunkt der damaligen US–Bestrebungen standen die Aufrüstung, die Hilfe an Grossbritannien[12], die Zusammenarbeit zwischen den Alliierten und der Widerstand gegen die japanische Expansionspolitik in Südostasien.

Trotz dieser Neuausrichtung der US–Aussenhandelspolitik hatte das Cordell Hull–Programm auch während des Kriegs Bestand. Nach *William Diebold* sind dafür folgende Gründe zu nennen: (1) Das Cordell Hull–Programm galt als einer der grössten Erfolge der Roosevelt–Administration und konnte allein schon aus partei– und wahlpolitischen Überlegungen nicht ohne weiteres aufgegeben werden. Eine politische Partei wird nie eine Errungenschaft "abschreiben", die ihr zum vorgängigen Wahlerfolg verholfen hat. (2) Eine formelle Preisgabe des Cordell Hull–Programms hätte zur Schutzzollpolitik des "Smoot–Hawley Tariff Act" und damit zur Hochzollpolitik der zwanziger Jahre zurückgeführt. (3) Zollverhandlungen im Sinne des Cordell Hull–Programms erwiesen sich mit den lateinamerikanischen Ländern weiterhin als wertvoll. (4) Es bestand die Hoffnung, nach dem Krieg dem Cordell Hull–Programm von neuem Geltung zu verschaffen, um den einst angestrebten Kurs des freien Aussenhandels zu verfolgen. (5) Es war zu befürchten, dass die Befürworter der neuen Vorschläge für bilaterale Abkommen in Wirklichkeit

---

11 Vgl. dazu *Jackson, John H.* (1969), World Trade and the Law of GATT, Indianapolis u.a., S. 241.

12 Dem deutschen Sprachgebrauch entsprechend wird in dieser Veröffentlichung die Bezeichnung "Grossbritannien" als Synonym für "Vereinigtes Königreich von Grossbritannien (England, Schottland und Wales) und Nordirland" verwendet.

verkappte Protektionisten waren, die den Export fördern wollten, ohne Importerleichterungen zu gewähren. (6) Schliesslich fehlten damals in den USA und in Europa klar ausgearbeitete Alternativen zur Aussenhandelspolitik.[13]

23 Diese Hinweise verdeutlichen, wie die US-Vorschläge zur Neugestaltung der Welthandelsordnung nach dem Krieg vom Geist und Inhalt des in den dreissiger und vierziger Jahren entstandenen und weiterentwickelten Cordell Hull-Programms getragen waren und letztlich zum Ziel hatten, die in den Vereinigten Staaten geltende Handelsordnung weltweit durchsetzen.

24 Das Eintreten der USA für eine multilaterale Lösung der Handelsprobleme mag letztlich noch auf eine weitere Ursache zurückzuführen sein: Der Abschluss von 32 bilateralen Handelsabkommen in den Jahren 1934 bis 1947 brachte es mit sich, dass die USA vielen Drittstaaten freien Zutritt zum US-Markt ohne direkte Gegenleistungen gewährt hatten.[14] Die US-Handelsdelegationen befanden sich stets in einem Dilemma, entweder die bilateralen Zollkonzessionen auf ein Minimum zu beschränken, was das Interesse an den bilateralen Abkommen geschmälert hätte, oder bei der Gewährung von Zollvergünstigungen eben jenen Drittländern Vorteile zu verschaffen, die ihrerseits keine Gegenleistungen erbrachten (was die Importkonkurrenz verschärfte). Ein multilaterales Abkommen bot den Vereinigten Staaten den Vorteil, auch solche Länder zu entsprechenden Gegenleistungen zu verpflichten.

## 1.2 Die ITO, ein misslungener Kompromiss

25 Im November 1945 veröffentlichte das US-Staatsdepartement die "Proposals for Expansion of World Trade and Employment"[15].

26 Auf Antrag der Delegation der Vereinigten Staaten beschloss der Wirtschafts- und Sozialrat der UNO (Economic and Social Council, ECOSOC) im

---

13 Vgl. *Diebold, William, Jr.* (1941), New Directions in our Trade Policy, New York, S. 113.

14 *US Tariff Commission* (1948), Operation of the Trade Agreements Program, 1st. Rep., Part II, S. 6ff. und 61, zit nach *Dam, Kenneth W.* (1970), The GATT, Law and International Economic Organization, Chicago u.a., S. 64.

15 *US Department of State* (1945), Proposals for Expansion of World Trade and Employment, Publication 2411, November, Washington, DC.

Februar 1946, noch im gleichen Jahr eine "Internationale Konferenz für Handel und Beschäftigung" durchzuführen. Das Konferenzziel war, in Ergänzung zu den zu gründenden Bretton Woods–Institutionen (Internationaler Währungsfonds und Weltbank) eine Organisation zur Festlegung der internationalen Ordnung des Handels und der Beschäftigung zu schaffen. Mit der Vorbereitung der Konferenz und der Abfassung des Statutenentwurfs für eine Internationale Handelsorganisation (International Trade Organization, ITO) wurde ein eigens dazu gebildeter Vorbereitungsausschuss betraut. Der Generalsekretär der UNO entschied dagegen im Mai 1946, die Internationale Konferenz für Handel und Beschäftigung auf später zu verschieben und auf den Herbst 1946 eine Vorbereitungskonferenz einzuberufen.

Es folgten vier Verhandlungsrunden: (1) die Konferenz des Vorbereitungsausschusses im Oktober 1946 in London, (2) die Konferenz des Unterausschusses zur Redaktion der Statuten der vorgesehenen Organisation im Januar/Februar 1947 in Lake Success im Bundesstaat New York, (3) die zweite Konferenz des Vorbereitungsausschusses vom April bis Oktober 1947 in Genf und (4) die UNO–Konferenz für Handel und Beschäftigung vom November 1947 bis März 1948 in Havanna, in der Wirtschaftsgeschichte als "Havanna–Konferenz" bekannt.

## 1.2.1 Die Konferenz von London

Achtzehn der neunzehn eingeladenen Staaten traten im Oktober 1946 in London zu einer ersten Vorbereitungskonferenz zusammen.[16] Die Sowjetunion erklärte sich zur Teilnahme ausserstande, weil es ihr nicht möglich gewesen sei, sich genügend auf die wichtigen Themen, die im Ausschuss zur Diskussion stehen, vorzubereiten.[17] Als Arbeitsunterlage diente dem Londoner Treffen erstens die von der US–Regierung unterbreitete "Suggested Charter

---

16  Im Vorbereitungsausschuss waren folgende Länder vertreten: Australien, Belgien, Brasilien, Chile, China, Frankreich, Grossbritannien, Indien, Kanada, Kuba, Libanon, Luxemburg, Neuseeland, Niederlande, Norwegen, Sowjetunion, Südafrikanische Union, Tschechoslowakei und USA.

17  *UN* (1947), Yearbook of the United Nations 1946–47, New York, S. 821.

for an International Trade Organization"[18], eine inhaltlich geringfügig veränderte Neufassung der "Proposals for Expansion of World Trade and Employment" von 1945, sowie zweitens Stellungnahmen von Brasilien, Indien und Grossbritannien.

29 Vorgesehen war die Schaffung einer Internationalen Handelsorganisation als Unterorganisation der UNO. Die Arbeitsgruppen befassten sich mit den Themenbereichen: (1) Beschäftigung und wirtschaftliche Tätigkeit, (2) allgemeine Wirtschaftspolitik, (3) restriktive Handelspraktiken, (4) zwischenstaatliche Rohstoffabkommen, (5) Administration und Organisation und (6) wirtschaftliche Entwicklung.[19]

30 Die Ergebnisse der Konferenz von London lassen sich in vier Punkten zusammenfassen: Erstens führte der von den USA den Teilnehmerstaaten angebotene Abbau von Zöllen und nichttarifären Handelshemmnissen zum Vorschlag, die sich an der Konferenz sich gegenseitig gewährten Zugeständnisse in ein "Allgemeines Zoll- und Handelsabkommen" (General Agreement on Tariffs and Trade, GATT) einzubringen. Zum ersten Mal erscheint die Bezeichnung "Allgemeines Zoll- und Handelsabkommen, GATT", der Name jenes Vertrags, der die meisten anderen Absichtserklärungen und Vorschläge überdauerte und sich zum Instrument entwickelte, das in den folgenden Jahrzehnten die Welthandelsordnung entscheidend mitgestaltete und prägte. Zweitens entschieden die Verhandlungspartner, in einem Interim-Ausschuss internationale Rohstoffabkommen zu behandeln. Diese Übereinkünfte sollten in einem späteren Zeitpunkt in die neu zu schaffende ITO eingebaut werden. Drittens einigten sich die Konferenzteilnehmer auf die Bildung eines Unterausschusses zur Redaktion des ITO-Statutenentwurfs. Der Grundriss sollte alle unstrittigen Elemente enthalten. Zugleich wurde der Unterausschuss beauftragt, für die noch offen Punkte Alternativvorschläge zu entwickeln.

---

18 *US Department of State* (1946), Suggested Charter for an International Trade Organization of the United Nations, Publication 2598, September, Washington, DC.

19 Die Arbeitsgruppe "Wirtschaftliche Entwicklung" wurde nachträglich auf Drängen der Entwicklungsländer eingefügt. Ihr oblag die Aufgabe, ein zusätzliches Kapitel über die Handelsordnung der Nicht-Industriestaaten zu verfassen, da die bisherigen Vorschläge nicht auf die besonderen Probleme der wirtschaftlich schwächeren Länder eintraten.

Schliesslich beschlossen die Konferenzteilnehmer eine Arbeitsteilung zwischen dem ECOSOC und der neu zu gründenden ITO. Mit diesem Entscheid liefen die künftigen Verhandlungen über die Neugestaltung der Welthandelsordnung nicht mehr über die UNO beziehungsweise die ECOSOC, sondern über die eigens dafür ins Leben geschaffenen Organe der geplanten ITO.

### 1.2.2 Die Konferenz von Lake Success

Der Unterausschuss zur Redaktion des ITO–Statutenentwurfs tagte im Januar und Februar 1947 in Lake Success. Er entwarf zuhanden des Vorbereitungsausschusses die Statuten für die Internationale Handelsorganisation (ITO) sowie eine erste Fassung des Allgemeinen Zoll– und Handelsabkommens (GATT). Der Vorschlag zum GATT beschränkte sich ausschliesslich auf den internationalen Warenhandel. Die organisatorischen Fragen blieben in der Gewissheit ausgespart, dass nach der Integration des GATT in die ITO das GATT durch die ITO verwaltet werde. Somit fanden jene Problembereiche keinen Eingang in das GATT, die bereits Gegenstand der ITO waren. Ausgeklammert blieben beispielsweise die Fragen der Beschäftigung, die wirtschaftliche Entwicklung und der Wiederaufbau, der grenzüberschreitende Wettbewerb und der internationale Rohstoffhandel. 31

### 1.2.3 Die Konferenz von Genf

Im April 1947 traf sich der Vorbereitungsausschuss zu seiner zweiten Konferenz in Genf. Das Ziel dieses Treffens war erstens die Bereinigung des vom Unterausschuss vorgelegten ITO–Statutenentwurfs und zweitens die Bereinigung der gegenseitigen Zollzugeständnisse, die in Form des Allgemeinen Zoll– und Handelsabkommens in Kraft gesetzt werden sollten. 32

Mit Blick auf das Allgemeine Zoll– und Handelsabkommen war man auf US–Seite bestrebt, nur jene Bestimmungen in das Abkommen aufzunehmen, die in einem internationalen Handelsvertrag zu finden sind. Nur so war gesichert, dass die Vereinbarung nicht dem US–Kongress vorgelegt werden musste. Der Abschluss von Handelsverträgen lag nämlich in den USA im Kompetenzbereich der Regierung, während die Legislative (Kongress) über 33

### 1.2.4 Die Konferenz von Havanna

34 Die UNO–Konferenz für Handel und Beschäftigung fand vom November 1947 bis März 1948 in Havanna statt. 54 Staaten unterzeichneten am 24 März 1948 die "Havana Charter for an International Trade Organization"[21].

35 Kapitel I der Havanna–Charta verpflichtete die ITO–Mitgliedstaaten zur Kooperation in Handels– und Beschäftigungsfragen, um in gemeinsamer Anstrengung den Wohlstand zu erhöhen, die Vollbeschäftigung zu erreichen sowie die wirtschaftlichen und sozialen Bedingungen zu verbessern.

36 Der Beschäftigung, der Markttransparenz und der wirtschaftlichen Tätigkeit widmete sich Kapitel II. Die ITO forderte die Mitgliedstaaten auf, in ihren Märkten die Beschäftigung zu fördern, die Arbeitsmärkte transparenter zu gestalten, die Zahlungsbilanzdefizite zu beseitigen sowie die Inflation und die Deflation zu bekämpfen.

37 Kapitel III bezog sich auf die wirtschaftliche Entwicklung und den Aufbau der im Krieg zerstörten Länder. Über die Entwicklung der Wirtschaft sei der Lebensstandard der wirtschaftlich schwächeren Staaten anzuheben. Dies habe vornehmlich über die Förderung privater Investitionen, über den Transfer von Technologie sowie über staatliche Hilfen zum Aufbau von Industrie und Landwirtschaft zu geschehen. Unter bestimmten Voraussetzungen liess die Vereinbarung Schutzmassnahmen und Präferenzvereinbarungen zugunsten der wirtschaftlich schwachen Staaten zu.

38 Im Mittelpunkt des Kapitels IV standen die Meistbegünstigung, das Inländerprinzip, der Zollabbau, die Abschaffung nichttarifärer Handelshemmnisse,

---

20 *John H. Jackson* weist in diesem Zusammenhang auf damals stattgefundene Hearings mit Vertretern des "House Committee Ways and Means" hin, in denen sich Kongressabgeordnete sehr kritisch zum GATT äusserten. *Jackson, John H.* (1969), World Trade and the Law of GATT, Indianapolis u.a., S. 45. Vgl. auch Rz 9.

21 *US Department of State* (1948), Havana Charter for an International Trade Organization, Publication 3206, 24. März, Washington, DC (künftig als *Havanna–Charta* zitiert).

die Subventions- und Dumpingfragen, die Schaffung von Integrationsräumen und der Einbezug des staatlichen Handels. Viele Bestimmungen des Kapitels IV finden sich später wortgleich im GATT wieder.

Gemäss Kapitel V hatte jeder Mitgliedstaat faire Wettbewerbsbedingungen zu gewährleisten. Gemeinsam seien die Bildung von handelshemmenden Monopolen, die Abschottung von Märkten, die grenzüberschreitende Preisbindung, die Einführung von Produktions- und Handelsquoten und andere wettbewerbshemmende Massnahmen zu verhindern.

Kapitel VI schlug die Schaffung von internationalen Abkommen zwischen Produzenten- und Konsumentenländern in jenen Produktbereichen vor, die sich durch spezifische Marktungleichgewichte, starke Preisschwankungen und Lagerprobleme auszeichnen. Die ITO strebte Abkommen an, die zu einem Marktgleichgewicht führen, eine längerfristige Preisstabilität garantieren und gleichzeitig die Produktion von Rohstoffen fördern.

Kapitel VII schliesslich enthielt das Organigramm sowie Bestimmungen über die Mitgliedschaft, das Beschlussverfahren, die Vertragsdurchsetzung und die Streitschlichtung.

### 1.2.5 Die Gründe des Scheiterns der ITO

Die Havanna-Charta, ohne Zweifel die Frucht der Initiative der US-Exekutive (Staatsdepartement), kam schliesslich durch die US-Legislative (Kongress) zu Fall. Die Ablehnung der Havanna-Charta in Kreisen der Wirtschaft und bei deren Vertretern im Parlament bewog den US-Präsidenten *Harry S. Truman* im Jahr 1950, die Charta dem Kongress nicht vorzulegen.[22] Mit dem Verzicht der Vereinigten Staaten auf die Ratifizierung war das Schicksal der Internationalen Handelsorganisation besiegelt.

Warum war den Bemühungen um eine neue Welthandelsordnung kein Erfolg beschieden? Warum gelang es den USA nicht, ihrem Cordell Hull-Pro-

---

22 *US Department of State* (1950), Press Release, 6. Dezember, Washington, DC, wiedergegeben in Dept. State Bull. 977. Zum Scheitern der ITO vgl. auch: *Kock, Karin* (1969), International Trade Policy and the GATT 1947–1967, Stockholm, S. 53ff.

Erster Teil

gramm weltweit Nachachtung zu verschaffen und den internationalen Handel von den immer mehr um sich greifenden nationalen Handelshemmnissen und Protektionspraktiken zu befreien? Verschiedene Gründe werden nachträglich dafür verantwortlich gemacht: Erstens erwies sich die Strategie der Zusammenarbeit der USA mit Grossbritannien sehr bald als kontraproduktiv. Zweitens erschwerte der für die eigene Wirtschaft beanspruchte Protektionismus die Liberalisierungsverhandlungen mit den anderen Staaten. Drittens gingen die in die ITO–Statuten eingebrachten Einschränkungen des Freihandels offensichtlich weit über das im US–Vorschlag gesteckte Ziel hinaus. Viertens waren die Briten nicht bereit, ihre Commonwealth–Präferenzen abzubauen.[23]

*Verhängnisvolle Zusammenarbeitsstrategie*

44
Am gleichen Tag, an dem die Vereinigten Staaten ihre "Proposals for Expansion of World Trade and Employment" veröffentlichten, gab die britische Regierung bekannt, sie stimme mit allen wichtigen Punkten dieser Vorschläge überein und akzeptiere diese als Basis für internationale Beratungen.[24] Diese rasche Stellungnahme gilt als Beweis, dass sich die Vereinigten Staaten und Grossbritannien vor der Veröffentlichung der US–Vorschläge abgesprochen hatten. Die USA verhandelten offensichtlich mit den Briten, um einen beidseitig annehmbaren Text zu unterbreiten. Wäre dieser Plan (ob gut oder schlecht) konsequent verfolgt worden, hätten die beiden Länder mit einer anglo–amerikanischen Erklärung an die Öffentlichkeit treten müssen. Dieses Vorgehen hätte verdeutlicht, dass die protektionistischen Vorbehalte aus beschäftigungs– und zahlungsbilanzpolitischen Erwägungen von den Briten stammten. Da aber die unterbreiteten Vorschläge als US–amerikanisch ausgegeben wurden, kam den Vereinigten Staaten die sich selbst auferlegte, aber deswegen nicht weniger verhängnisvolle Rolle zu, den anglo–amerikanischen Kompromiss als ihren eigenen Vorschlag zu verteidigen und für die Ausnahmebestimmungen einzustehen. Die von der US–Regierung gewählte Strategie verunmöglichte es

---

23 Eine Darstellung der ersten drei hier genannten Ursachen findet sich in: *FORTUNE* (1949), Juli, S. 61f. und September, S. 80ff.; vgl. *Diebold, William, Jr.* (1952), The End of the ITO, Essays in International Finance Nr. 16, Princeton.

24 *Heilperin, Michael A.* (1949), How the U.S. Lost the ITO Conferences, in: *FORTUNE*, September, S. 80.

den eigenen Delegierten, in späteren Verhandlungen gegen die britischen Restriktionsmassnahmen anzukämpfen.[25]

*Gebundene Hände durch den eigenen Protektionismus*

Während die Delegierten der Vereinigten Staaten von den anderen Ländern eine Liberalisierung des Handels im allgemeinen und einen freieren Marktzutritt für die US-Produkte verlangten, verfügte die US-Regierung gleichzeitig protektionistische Massnahmen zugunsten der eigenen Agrar- und Transportwirtschaft. Die US-Regierung gewährte ihren Landwirten Produktionssubventionen und schützte sie durch mengenmässige Importrestriktionen. Zudem sicherte die Regierung der Schifffahrts-Kommission zu, die in den USA bestehenden Schutzmassnahmen im Transportbereich von den ITO-Vorschriften auszunehmen. Schliesslich unterhielten die USA, analog zum Präferenzabkommen Grossbritanniens mit den Staaten des Commonwealth, Sonderabkommen mit Kuba und den Philippinen. Die Unterhändler der USA gingen also mit gebundenen Händen an die ITO-Verhandlungen. Der von den Vereinigten Staaten praktizierte Protektionismus und ihre Weigerung, von diesen Schutzmassnahmen abzusehen, belasteten die Glaubwürdigkeit ihrer Freihandelsforderungen gegenüber den Verhandlungspartnern.

*Überhandnehmen der Ausnahmebestimmungen*

Die zahlungsbilanzbedingten Ausnahmen vom Freihandel, die offensichtlich die Briten in den Vorschlag der Internationalen Handelsorganisation eingebracht hatten, erwiesen sich im Verlauf der Verhandlungen als Trojanisches Pferd, mit dem immer weitere Restriktionsbestimmungen in die Charta eingeschoben wurden, Massnahmen, denen die US-Delegierten aus den oben erwähnten Gründen keinen Einhalt gebieten konnten.

---

25 "The suggested Charter is the work of many persons of competence and the experience in the departments and agencies of the United States Governement". *US Department of State* (1946), Suggested Charter for an International Trade Organization of the United Nations, Publication 2598, September, Washington, DC, Vorwort.

Erster Teil

*Beibehalten der Commonwealth–Präferenzen durch Grossbritannien*

47   Die Liberalisierungsbestrebungen der USA zielten auf die Abschaffung der Commonwealth–Präferenzen ab. Nach den Worten eines Sprechers vor dem US–Kongress im Jahr 1947 war die Beseitigung des britischen Präferenzsystems eine "conditio sine qua non" für den Erfolg der Genfer–Konferenz.[26] Die in dieser Frage unnachgiebige Haltung der Briten ist nur schwer verständlich. Sie mag im Rückblick als kurzsichtiger Entscheid beurteilt werden. Wenige Jahre danach war nämlich Grossbritannien gezwungen, trotzdem auf die damals teuer gehaltenen Präferenzen zu verzichten.[27]

48   Alle diese Gründe scheinen im Verlauf der Verhandlung dazu beigetragen zu haben, dass die anfängliche Begeisterung der Vereinigten Staaten zunächst in Skepsis und danach in unverhohlen gezeigte Verärgerung umschlug. Der US–Delegierte *Clair Wilcox* warnte schliesslich die Verhandlungspartner vor immer weiter reichenden Forderungen und Ausnahmen sowie der irrigen Meinung, sie könnten von protektionistischen Massnahmen unbeschränkt Gebrauch machen, während sich die USA auf die Prinzipien des Freihandels und der Marktöffnung zu verpflichten hätten. Derartige Misstöne stellten die Verhandlungen in Havanna wiederholt in Frage. Es ist anzunehmen, dass die US–Unterschrift unter das ITO–Vertragswerk letztlich mit dem inneren Vorbehalt erfolgte, die Legislative werde doch das letzte Wort zu sagen haben.[28]

49   Nach Abschluss der Verhandlungen machte sich in den USA ein starker Widerstand gegen die Ratifizierung des Vertrags bemerkbar. Den Protektionisten im US–Kongress war der Vorschlag der Regierung zu liberal und somit zu riskant. Die freihandelspolitischen Perfektionisten ("Pro–trade perfectionists") fürchteten ihrerseits, die in der ITO eingegangenen Zugeständnisse könnten die Verwaltung zu weiteren staatlichen Eingriffen und regulierenden

---

26   Zitiert nach *Jackson, John H.* (1969), World Trade and the Law of GATT, Indianapolis u.a., S. 251.
27   Vgl. dazu *Gardner, Richard N.* (1956), Sterling–Dollar Diplomacy, Oxford, S. 379.
28   Eine Zusammenfassung der Gründe der zunehmenden Distanzierung der US–Amerikaner vom ITO–Entwurf findet sich bei: *Heilperin, Michael A.* (1949), How the U.S. Lost the ITO Conferences, in: FORTUNE, September, S. 80ff. (*M. A. Heilperin* war Wirtschaftsberater der Internationalen Handelskammer für ITO–Probleme und nahm an den Verhandlungen in Havanna teil).

Massnahmen ermuntern und dadurch den Spielraum der Privatwirtschaft einengen. Weil die ITO den Protektionisten zu liberal und den Liberalen zu protektionistisch war, lehnte eine Mehrheit der Abgeordneten den Vertrag aus gegensätzlichen Argumenten ab.[29] Ein besonders eindrückliches Bild von der Art und Weise der damaligen Kritik an der Havanna–Charta vermittelt die Zeitschrift FORTUNE, die sich in mehreren Ausgaben diesem Thema widmete und folgende Schlussbilanz zog:

> "And so the ITO charter, instead of resolving it, merely registers and codifies the worldwide conflict between freer trade and economic nationalism. As the lawyers say, it gives the decision to the nationalists, and the language to Mr. Hull. The Hullish objectives of lower tariffs, fewer restrictions, no discriminations or preferences are retained – as objectives. But the greater part of the charter consists in exceptions, enumerating all the ways in which governments so inclined can flout the objectives and control their own trade [...]. It is one of the most hypocritical state documents of modern times."[30]

Diese Hinweise erklären, warum die US–Regierung letztlich die Vorlage dem Kongress nicht unterbreitete. Die allseits offene Abneigung gegen das ITO–Vertragswerk hätte zu einer sicheren Ablehnung der Vorlage geführt.

Trotz dem vorläufigen Scheitern der Idee einer Internationalen Handelsorganisation war den Verhandlungen, wie der nächste Abschnitt aufzeigt, mit der Billigung des GATT doch ein Teilerfolg beschieden, dessen Bedeutung damals kaum in seinem ganzen Umfang erkannt werden konnte. Weiter ist nicht zu übersehen, dass im Verlauf der Verhandlungen ein gedankliches Welthandelskonzept entstanden ist, das bis heute in modellhafter Weise immer wieder Ansatzpunkte zur Lösung einzelner Probleme liefert.[31] Auch die in der Uruguay–Runde ausgehandelte und am 1. Januar 1995 geschaffene Welthandelsorganisation (WTO) geht in den Grundelementen auf die nicht realisierte ITO zurück.

---

29  Vgl. *Destler, I. Mac* (1992), American Trade Politics, 2. A., Washington, DC, u.a., S. 33f.
30  *FORTUNE* (1949), Juli, S. 61.
31  Z.B. beziehen sich die seinerzeitigen Vorschläge der UNCTAD zu einer Neuregelung der Rohwarenabkommen weitgehend auf die Havanna–Charta. Vgl. *UNCTAD* (1975), An Integrated Programme for Commodities, Doc. TD/B1/C.1/193, 194, 195, 196, 196/Add. I, 197 und 198, Genf.

Erster Teil

## 1.3 Das GATT als Teillösung

52  Der Wunsch, die aus der Wirtschaftskrise und den Kriegsjahren stammenden tarifären und nichttarifären Handelshemmnisse abzubauen, führte an der Londoner Konferenz von 1946 zum Grundsatzentscheid, vorgängig zum Inkrafttreten der ITO ein Allgemeines Zoll- und Handelsabkommen (General Agreement on Tariffs and Trade, GATT) zu schaffen. Die damalige Eile erklärt sich dadurch, dass das US-Angebot zum Zollabbau auf Ende 1947 befristet war. Eine spätere Zollreduktion hätte der erneuten Zustimmung durch den US-Kongress bedurft. Die Form einer Übereinkunft – und nicht die einer Organisation – wurde gewählt, weil die Vertragsschliessung in der Kompetenz der US-Regierung lag, während ein Beitritt zu einer internationalen Organisation Sache des Kongresses gewesen wäre. Von einem Vertragsprovisorium war die Rede, weil die erklärte Absicht bestand, die im GATT ausgehandelten Zollzugeständnisse (Teil II des GATT und Listen von Zollkonzessionen) nach dem Zustandekommen der Internationalen Handelsorganisation in die geplante ITO zu integrieren.[32] Für die Teile I (Meistbegünstigung) und III (Zollfreiräume und Listenänderungen) war ein Weiterbestehen des GATT neben der künftigen ITO vorgesehen.[33]

53  Dem Grundsatzentscheid der Londoner Konferenz von 1946 folgten im Februar 1947 die Ausarbeitung des Vertrags und im Herbst 1947 die Zollverhandlungen. Das Allgemeine Zoll- und Handelsabkommen (GATT) trat – wie im nächsten Abschnitt aufgezeigt wird – am 1. Januar 1948 in Kraft.

---

32  Gemäss Ziff. 1(a) und (b) des Protokolls vom 30.10.1947 über die vorläufige Anwendung des GATT hatten die Vertragspartner die Teile I, II und III des GATT im "vollen, mit der in Kraft befindlichen Gesetzgebung vereinbarten Umfang vorläufig anzuwenden". Jede Regierung war frei, nach Ablauf einer Frist von zwei Monaten vom Vertrag zurückzutreten. Der Begriff der "Vorläufigkeit" war im GATT nicht geklärt. Nach *John H. Jackson* kommt diesem Begriff jedoch keine Bedeutung zu. Vgl. *Jackson, John H.* (1969), World Trade and the Law of GATT, Indianapolis u.a., S. 62ff. Der Protokolltext ist veröffentlicht in: *Liebich, Ferdinand K.* (1971), Das GATT als Zentrum der internationalen Handelspolitik, Baden-Baden, S. 159ff. (deutsche Fassung); *GATT* (1969), BISD Vol. IV, S. 77ff. (englische Fassung).

33  *GATT* (1994), Analytical Index, Genf, S. 6.

## 1.3.1 Das Erarbeiten des Vertragstexts

Die im Januar und Februar 1947 in Lake Success, entworfenen Vertragsbestimmungen konzentrierten sich vor allem auf den Abbau der Zollsätze, verbunden mit einer Ausweitung der erreichten Zollzugeständnisse auf alle Vertragsstaaten. Gleichzeitig kamen dem Vertrag nach *John H. Jackson* drei weitere Aufgaben zu: Erstens hatte das GATT dafür zu sorgen, dass die Vertragspartner ihre Zollzugeständnisse nicht über mengenmässige Beschränkungen, administrative Schikanen oder unangemessene Sicherheits- und Gesundheitsvorschriften ausglichen. Zweitens verpflichtete das GATT die Vertragspartner, allenfalls neu aufkeimende Schutzbedürfnisse allein über Zolltarife und nicht über nichttarifäre Handelshemmnisse zu wahren, um eine möglichst hohe Transparenz im Aussenhandel sicherzustellen. Ein drittes Anliegen der Vertragsgründer war die Schlichtung internationaler Handelsstreitigkeiten nach einem gemeinsamen Verfahren.[34]

Das Verhältnis des GATT zur ITO hatte zwei nicht deckungsgleiche Seiten: Zum einen übernahm das GATT die Aufgabe, die Zeit bis zum Inkrafttreten der ITO zu überbrücken. Es verpflichtete die Vertragsparteien in Art. XXIX:1 GATT, "die allgemeinen Grundsätze der Kapitel I bis VI und des Kapitels IX der Havanna–Charta" zu beachten. Nicht angesprochen waren die Organisation in Kapitel VII und die Streitschlichtung in Art. VIII der Havanna–Charta. *Karin Kock* bezeichnet diese GATT–ITO–Beziehung als eine moralische Verpflichtung.[35] Zum anderen vermied der Text des GATT, Bestimmungen der Havanna–Charta aufzunehmen, die in den USA schon während der Verhandlungen in Havanna kritisiert wurden und bei einer Mitberücksichtigung dem Kongress hätten vorgelegt werden müssen.

Teil I des GATT enthält das Kernstück der neuen Welthandelsordnung, die bedingungslose Meistbegünstigung und die Listen der gewährten Zollzugeständnisse, die – formal als Anhang konzipiert – einen integralen Bestandteil des Vertragswerks bilden.

---

34 *Jackson, John H.* (1969), World Trade and the Law of GATT, Indianapolis u.a., S. 29f.
35 *Kock, Karin* (1969), International Trade Policy and the GATT 1947–1967, Stockholm, S. 69.

Erster Teil

57    Teil II des GATT entspricht einem Verhaltenskodex der handeltreibenden Vertragspartner und übernimmt weitgehend die Bestimmungen des Teils IV der Havanna–Charta (Aussenhandelspolitik). Nicht aufgenommen wurden jene Sachbereiche, die in den USA bereits während der ITO–Verhandlungen auf Kritik gestossen waren. Konkret handelte es sich um die Beschäftigungsfrage (Art. 2 der Havanna–Charta), die Erlaubnis zur Gewährung von Präferenzen zugunsten der Entwicklungsländer (Art. 17:2(a) der Havanna–Charta), das grundsätzliche Verbot von Exportsubventionen (Art. 26 der Havanna–Charta) sowie die Vorschriften zur Stabilisierung der Preise und Exporterlöse bei Rohstoffen (Art. 27f. der Havanna–Charta).

58    Teil III des GATT handelt, weitgehend in Übereinstimmung mit der Havanna–Charta, von der territorialen Anwendung des Vertrags, der Bildung von Zollfreiräumen sowie der Änderung der Zoll–Listen.

59    Die Verwaltung des GATT wurde einer Interimskommission der ITO (Interim Commission of the ITO, ICITO) mit der Vision übertragen, diese Strukturen in die vorgesehene ITO einzubringen. Da die USA 1950 die ITO nicht ratifizierten, blieb die Betreuung des GATT bei der ICITO beziehungsweise beim Exekutivausschuss und beim Sekretariat des GATT.[36]

60    Um das Provisorium in einen institutionell festen Rahmen einzubetten, unternahmen die GATT–Vertragsparteien in den Jahren 1954/55 den Versuch, anstelle der nicht zustandegekommenen ITO eine Organisation für Zusammenarbeit im Handel (Organization for Trade Cooperation, OTC) zu schaffen. Vorgesehen war eine internationale Organisation mit einer Generalversammlung, einem Verwaltungsausschuss und einem Sekretariat. Die US–Regierung,

---

36    Die ICITO traf sich ein einziges Mal, am 20.3.1948, zur Bestellung des Exekutivausschusses, der anfänglich aus 18 und nach 1992 nach dem Austritt der Tschechoslowakei noch aus 17 Mitgliedern bestand. Der Ausschuss traf sich während der Zeit seines Bestehens in der Regel nur, um den GATT–Generalsekretär bzw. GATT–Generaldirektor als Sekretär des Ausschusses zu ernennen, wodurch Exekutivausschuss und GATT–Sekretariat in Personalunion geführt wurden. Aus juristischer Sicht mag diese Verwaltungskonstruktion interessant sein, in Wirklichkeit waren ICITO und Exekutivausschuss bedeutungslos und überflüssig. Die Verwaltung des GATT lag beim GATT–Sekretariat. Mit dem Inkrafttreten der WTO wurde diese Verwaltungsstruktur durch die eigenen Organe der WTO abgelöst. Über die ICITO und deren Ausschuss vgl. *GATT* (1994), Analytical Index, Genf, S. 1032ff.

die hinter diesem Vorschlag stand, fand indessen bei der Legislative erneut keine Zustimmung. Die US-Legislative lehnte die Gründung der OTC ab. Die ICITO und der von ihr ernannte Exekutivausschuss beziehungsweise das GATT-Sekretariat verwalteten das GATT weiter bis zur Gründung der WTO im Jahr 1995.

### 1.3.2 Der Vertragsabschluss

Nachdem die Vertragstexte bereinigt waren, fanden im Herbst 1947 in Genf die eigentlichen Zollverhandlungen statt. Der US-Präsident war im Jahr 1934 aufgrund des Cordell Hull-Programms zu einer 50 prozentigen Zollermässigung ermächtigt worden. Davon waren 40 Prozentpunkte bis Ende des Kriegs ausgeschöpft, so dass der US-Regierung noch ein Spielraum von 10 Prozentpunkten verblieb. 1945 ermächtigte der Kongress den Präsidenten, die restlichen Zölle im Verlauf der kommenden zwei Jahre nochmals um die Hälfte abzubauen, was zusammen mit den 10 noch verfügbaren Prozentpunkten aus dem Cordell Hull-Programm einer Zollreduktion auf 25 Prozent des Niveaus von 1930 entsprach.[37]

Die Verhandlungen erfolgten produktweise auf bilateraler Basis. Die Verhandlungspartner boten mögliche Zollzugeständnisse an, die sie bei entsprechenden Gegenkonzessionen ihrer Partner zu gewähren bereit waren. Dieses Vorgehen war sehr beschwerlich. Dass die Verhandlungen letztlich doch erfolgreich abgeschlossen wurden, mag darauf zurückzuführen sein, dass viele Länder zu jener Zeit auf US-Dollars und andere Hartwährungen angewiesen waren und daher einen Zugang zum US-Dollarmarkt begrüssten. Gleichzeitig konnten sie aufgrund der eigenen Zahlungsbilanzschwierigkeiten ihre mengenmässigen Importrestriktionen vorerst beibehalten und mussten die eingegangenen Zollsenkungszugeständnisse erst zu einem späteren Zeitpunkt einlösen. Der Vertragstext des GATT und die 123 Verhandlungsergebnisse, die mit insgesamt 45'000 Produktpositionen fast die Hälfte des Welthandels umfassten, bildeten zusammen mit 20 Listen über Zollkonzessionen (die Benelux-

---

37 Eine detaillierte Zusammenstellung der Zollreduktionen findet sich in: *Evans, John W.* (1971), The Kennedy Round in American Trade Policy, Cambridge, S. 7f.

Staaten und Libanon–Syrien fertigten gemeinsame Listen an) schliesslich das Allgemeine Zoll- und Handelsabkommen, das 23 Länder am 30. Oktober 1947 in Genf unterzeichneten und am 1. Januar 1948 provisorisch in Kraft trat.

63  Die Signatarstaaten waren: Australien, Belgien, Brasilien, Burma, Ceylon, Chile, China, Frankreich, Grossbritannien, Indien, Kanada, Kuba, Libanon, Luxemburg, Neuseeland, Niederlande, Norwegen, Pakistan, Rhodesien, Südafrikanische Union, Syrien, Tschechoslowakei und die Vereinigten Staaten von Amerika.[38]

64  Das Abkommen trat am 1. Januar 1948 für folgende acht Staaten in Kraft: Australien, Belgien, Frankreich, Grossbritannien, Kanada, Luxemburg, Niederlande und USA. Die Geltung des Vertrags für die übrigen Staaten erfolgte jeweils nach deren Ratifizierung im Verlauf des Jahres 1948.

## 2. Die Weiterentwicklung des GATT

65  Die Zeit des GATT nach dem Inkrafttreten im Jahr 1948 bis zur Einbindung des GATT in die WTO im Jahr 1995 kann in verschiedene Abschnitte unterteilt und nach unterschiedlichen Kriterien gegliedert werden. Die ersten Jahre dienten der Anpassung des einschlägigen Vertragstexts an die Ergebnisse der Verhandlungen von Havanna. Nach dem Scheitern der ITO waren zweckmässige Ersatzlösungen für die Aufrechterhaltung der im GATT provisorisch geschaffenen Welthandelsordnung gefragt. Gleichzeitig verlangten die immer aktueller werdenden Entwicklungsprobleme der wirtschaftlich schwächeren Länder eine Neuorientierung des Vertrags. Zur Meisterung von Sonderfragen in den Bereichen Dumping, Subventionen und öffentliches Beschaffungswesen entstanden Zusatzabkommen. Sowohl materiell wie formell wichtige Etappen in der Geschichte des GATT waren die alle paar Jahre stattfindenden Handelsrunden.

66  Die folgenden Abschnitte beschreiben die Vertragsänderungen und Vertragserweiterungen vom Beginn des GATT in den vierziger Jahren bis zur Uru-

---

38  *UN* (1947), General Agreement on Tariffs and Trade, Final Act, UN Publications Sales No.: 1947.II.10, Vol. I, Lake Success u.a., S. 4ff.

guay–Runde in den achtziger und neunziger Jahren. Als Abschluss dieses Kapitels folgt eine chronologische Übersicht über die in der GATT–Zeit durchgeführten Handelsrunden. Dieser Abschnitt führt zur Uruguay–Runde über, die als Beginn der WTO in einem separaten Kapitel zur Darstellung kommt.

## 2.1 Die Vertragsänderungen

Der Kerntext des GATT veränderte sich in den folgenden Jahrzehnten nur wenig. Zum einen handelte es sich um Anpassungen des ursprünglichen GATT–Texts an die in Havanna ausgehandelten ITO–Bestimmungen. Zum anderen ging es um eine Verselbständigung des GATT nach dem Scheitern der ITO. Einzelne Neuerungen zielten auf eine stärkere Berücksichtigung der Bedürfnisse der Drittweltländer ab.

### 2.1.1 Die Anpassung des GATT–Texts an die Havanna–Charta

In der ersten Session der VERTRAGSPARTEIEN, die noch während der Zeit der ITO–Verhandlungen in Havanna stattfand, ging es den Verhandlungsdelegationen um eine möglichst enge Anpassung des GATT–Vertragstexts an die Verhandlungsergebnisse von Havanna.[39] Neu gefasst wurde zum Teil Art. XIV GATT über die zahlungsbilanzbedingten Ausnahmen von mengenmässigen Handelsschranken, Art. XXIV GATT über die Freihandelsräume sowie die Art. XXV, XXXII, XXXIII und XXXV GATT über die Beschlussverfahren, die Beitrittsbedingungen und die Verbindlichkeit der Vertragsinhalte.[40]

In der zweiten Session der VERTRAGSPARTEIEN im August und September 1948 folgte eine weitere Angleichung des GATT an die Havanna–Charta.

---

39 Der Begriff "VERTRAGSPARTEIEN" (in Grossbuchstaben) steht für Vollversammlung der Vertragsparteien des GATT, die in der Regel jährlich einmal stattfand und für die Durchführung des Abkommens verantwortlich war. Im Jahr 1959 entstand das Sonderorgan "GATT–Rat" zur Behandlung des laufenden Sachgeschäfts. Der GATT–Rat traf sich monatlich einmal. Über die seinerzeitigen Organe des GATT vgl. *Senti, Richard* (1986), GATT, System der Welthandelsordnung, Zürich, S. 44ff.

40 Vgl. *GATT* (1994), Analytical Index, Genf, S. 6f.

Neue Formulierungen (ohne inhaltliche Veränderungen) erfuhren Art. III GATT (Inländerprinzip), Art. VI GATT (Antidumping und Ausgleichszölle), Art. XVIII GATT (staatliche Unterstützung der wirtschaftlichen Entwicklung) und Art. XXVI GATT (Bestimmungen über Annahme und Inkrafttreten des Abkommens). Auf die zweite Session geht auch Art. XXIX GATT über die Beziehungen des GATT zur Havanna–Charta zurück. Die Sessionen in den Jahren 1949 und 1950 schliesslich brachten noch geringfügige Änderungen in Art. XXVI:4 GATT (territoriale Abgrenzung des Inkrafttretens des Vertrags) und Art. XXVIII GATT (Listenänderungen zur Wahrung wichtiger nationaler Interessen).

### 2.1.2 Die Verselbständigung des GATT

70  Dienten die Vertragsänderungen der ersten fünf Sessionen noch einer Anpassung des GATT an die Verhandlungsergebnisse von Havanna, war nach dem Scheitern der ITO das Allgemeine Zoll- und Handelsabkommen den neuen Verhältnissen anzupassen. Norwegen, Grossbritannien und Italien schlugen vor, die in der Havanna–Charta vorgesehenen Vorschriften über die Beschäftigung und die fairen Arbeitsbedingungen ins GATT aufzunehmen. Die Entwicklungsländer waren ihrerseits daran interessiert, die in der Havanna–Charta niedergelegten Bestimmungen über die wirtschaftliche Entwicklung und die Rohstoffabkommen ins GATT–System einzubringen. Diese Forderungen stiessen bei vielen Ländern auf entschiedenen Widerstand mit dem Argument, die GATT–Vertragspartner hätten nach Art. XXIX GATT ohnehin die allgemeinen Grundsätze der Havanna–Charta "im vollen Umfange" zu respektieren.[41] Letztlich einigten sich die Vertragspartner des GATT im Jahr 1953 darauf, eine Revision der Welthandelsordnung ins Auge zu fassen, ohne dabei auf die erwähnten Problembereiche Beschäftigung und Entwicklung einzutreten.

71  Das wichtigste Ergebnis der neunten Session, die vom Oktober 1954 bis März 1955 stattfand und unter dem Namen "Review Session 1955" in die Wirt-

---

41  Über die Kontroverse vgl. *Kock Karin* (1969), International Trade Policy and the GATT 1947–1967, Stockholm, S. 81.

schaftsgeschichte einging, war die Tatsache, dass sich die Vertragsparteien des GATT zu den Grundsätzen der im Abkommen ausgehandelten und vertraglich niedergelegten Handelsordnung bekannten. Ferner bekundeten sie ihren Willen, Änderungs- und Ergänzungsvorschläge auf Bereiche zu beschränken, welche in keinem Fall die Grundelemente der bestehenden Welthandelsordnung in Frage stellten.[42]

Die Ergebnisse der "Review Session" wurden in drei Protokollen festgehalten. Das erste Protokoll enthielt eine redaktionelle Bereinigung der Vertragsbestimmungen über die nichtdiskriminierende Anwendung mengenmässiger Handelsbeschränkungen und die Neufassung einer besseren Rücksichtnahme auf die wirtschaftlich schwächeren Länder.[43] Diese traten am 7. Oktober 1957 in Kraft.

Das zweite Protokoll enthielt Änderungsvorschläge, die sich auf den Teil I des GATT sowie die beiden Artikel XXIX und XXX GATT beziehen. Art. XXIX GATT (Beziehung des GATT zur Havanna-Charta) wurde durch das Nichtinkrafttreten der Havanna-Charta überflüssig, doch konnten sich die Vertragsparteien nicht auf eine Streichung dieses Artikels einigen. Keine Zustimmung fanden die Vorschläge über eine Neufassung von Art. XXX GATT und damit die Regelung über das Inkrafttreten der Listenänderungen.[44]

Das dritte Protokoll der neunten Session bezog sich auf institutionelle Fragen. Mit dem Nichtinkrafttreten der Havanna-Charta blieb das GATT ohne institutionellen Teil, das heisst ohne Organisationsstruktur und ohne vorgegebenes Beschlussverfahren. Um diese Lücke zu schliessen, wurden mehrere Vorschläge eingebracht. Zur Diskussion stand vor allem die Schaffung der Organisation für Zusammenarbeit im Handel (Organization for Trade Cooperation, OTC) mit den Organen Vollversammlung (sämtliche Vertragspartner), Exekutivausschuss (gewählte Mitglieder zusammen mit den Vertretern der fünf handelsmässig wichtigsten Mitgliedstaaten) und Sekretariat.

---

42  *GATT* (1955), International Trade 1954, Genf, S. 129.
43  Art. XI bis XIV und Art. XVIII GATT.
44  Zu Art. XXX GATT vgl. *Jackson, John H.* (1969), World Trade and the Law of GATT, Indianapolis u.a., S. 73ff.

75   Die Organisation für Zusammenarbeit im Handel, die OTC, unterschied sich insofern von der ITO, als sie sich lediglich auf das Allgemeine Zoll- und Handelsabkommens im Sinne des IV. Teils der ITO bezog, ergänzt durch einen institutionellen Teil mit einem entsprechenden Organigramm. Insofern war zu erwarten, dass der US-Kongress der OTC ohne Grundsatzdebatte über die US-Aussenhandelspolitik zustimmen werde.[45] Der US-Kongress sollte die Erörterung des OTC-Vorschlags im "House Committee on Ways and Means" eröffnen. Dieser parlamentarische Ausschuss stellte jedoch die Diskussion über die OTC über längere Zeit immer wieder zurück, so dass es letztlich zu keinem Entscheid kam. US-Präsident *Dwight D. Eisenhower* musste am 10. Juli 1956 die Niederlage der Administration in Sache OTC eingestehen.[46] Welches waren die Gründe der Ablehnung der OTC? *John H. Jackson* sieht die Ursachen der Ablehnung teils in der nach wie vor protektionistischen Haltung der US-Kongressabgeordneten, die an einer weitergehenden Liberalisierung der Aussenhandelspolitik der USA nicht interessiert waren, teils aber auch in der verfassungsrechtlichen Struktur der USA beziehungsweise dem Machtkampf zwischen der Legislativen (Kongress) und der Exekutiven (Präsident und Administration). In den fünfziger Jahren traf der Kongress im Bereich der Aussenhandelspoltik immer wieder Beschlüsse, die der GATT-Welthandelsordnung widersprachen und als Fait accompli dem GATT Ausnahmeregelungen ("waivers") abnötigten. Die Haltung des Kongresses gegenüber dem GATT änderte sich erst im Verlauf der sechziger Jahre mit dem "Trade Expansion Act" (1962), mit dem der Kongress die Regierung zu Verhandlungen im GATT (im Rahmen der Kennedy-Runde) ermächtigte und in ihren Bemühungen unterstützte.[47]

---

45   *K. Kock* spricht in diesem Zusammenhang von einer "administrative organization ratified by Congress and an executive agreement on the rules for international trade". *Kock, Karin* (1969), International Trade Policy and the GATT 1947–1967, Stockholm, S. 80.

46   Eine detaillierte Beschreibung der Verhandlungsabfolge (mit chronologischer Übersicht) findet sich in: *Medick-Krakau, Monika* (1995), Amerikanische Aussenhandelspolitik im Wandel, Berlin, S. 307ff.

47   *Jackson, John H.* (1969), World Trade and the Law of GATT, Indianapolis u.a., S. 51f.

### 2.1.3 Der verstärkte Miteinbezug der Dritten Welt

Im Jahr 1948 setzten sich die Vertragsparteien des Allgemeinen Zoll- und Handelsabkommens aus zwölf Industriestaaten, sechs Nicht-Industriestaaten und einem Staatshandelsland zusammen. Ende 1999 zählte die WTO als GATT-Nachfolgeorganisation insgesamt 26 Industriestaaten und 110 Schwellen-, Reform- und Entwicklungsländer (wobei Abgrenzungen nicht klar gezogen werden können).[48]

76

Im Verlauf der Jahre ist die Zahl der Nicht-Industriestaaten des GATT weit über diejenige der Industrieländer hinausgewachsen. Auf die Industriestaaten entfallen aber nach wie vor rund zwei Drittel des Welthandels. Vor diesem Hintergrund wird das GATT beziehungsweise die WTO nicht selten als das Werk von und für die Industrieländer bezeichnet, als eine Vereinbarung, die auf die Bedürfnisse der Nicht-Industrieländer wenig Rücksicht nimmt und die Aussenhandelsposition der wirtschaftlich ärmeren Staaten eher schwächt als stärkt.[49] Dieser Abschnitt geht kurz auf die Frage ein, wie die Probleme der Entwicklungsländer im Zuge der GATT-Geschichte ins Vertragswerk einbezogen wurden.[50]

77

Art. 1 der Havanna-Charta verpflichtete die Vertragsparteien, auf nationaler und internationaler Ebene alles zu unternehmen, um die industrielle und allgemeine Entwicklung der wirtschaftlich schwächeren Staaten zu fördern und um in diese Länder zu investieren. Das speziell der wirtschaftlichen Entwicklung gewidmete Kapitel III der Charta von Havanna (Economic Development and Reconstruction) handelte von den Grundsätzen der einzuschlagenden Entwicklungspolitik. Die Charta verlangte von den Mitgliedern der künftigen Internationalen Handelsorganisation, die Entwicklung der wirtschaftlich schwächeren Länder zu unterstützen, den bedürftigen Staaten Kapital, Ausrüstungsgüter und Technologie zu fairen Bedingungen zur Verfügung zu stellen und für einen bestmöglichen Zugang dieser Länder zu den eigenen Märkten besorgt zu sein. Die Havanna-Charta enthielt bereits die Ermächtigung zu prä-

78

---

48 *URL* http:www.wto.org./about/organsn6.htm, Dezember 1999.
49 *Vgl. UNCTAD* (1983), UNCTAD VI, Doc. TD/274, Belgrad, S. 24.
50 Eine detaillierte Darstellung über die Situation der Entwicklungsländer folgt in Rz 571ff.

ferenziellen Abkommen zugunsten der Entwicklungsländer (analog zur "Enabling clause" von 1979).

79 Mit dem Scheitern der ITO kam auch die in Kapitel III vorgesehene Weltordnung für Entwicklungsfragen zu Fall. Was von der Havanna–Charta übrig blieb, waren einige allgemein gehaltene Hinweise, die seinerzeit von der Charta (Kapitel IV) ins GATT übernommen worden waren. Art. I GATT erlaubt die Beibehaltung von Präferenzen zwischen einigen Industriestaaten und den ihnen geschichtlich oder wirtschaftlich nahestehenden Ländern. Bereits ist aber vorgesehen, diese sogenannten historischen Präferenzen in späteren Zollverhandlungen abzubauen und aufzuheben. Art. XVIII:1 GATT ermächtigt zudem die Vertragsparteien, "deren Wirtschaft nur einen niedrigen Lebensstandard zulässt und sich in den Anfangsstadien der Entwicklung befindet", Massnahmen zu ergreifen, die von den allgemeinen Vertragsbestimmungen abweichen. Art. XVIII GATT in der definitiven Form von 1955 besteht aus vier Abschnitten: Abschnitt A enthält die Bestimmung, wonach die Entwicklungsländer die in den Listen gebundenen Zolltarife nach eigenem Ermessen und ohne besondere Zustimmung durch die VERTRAGSPARTEIEN ändern oder zurücknehmen dürfen, um dadurch Industrien im Anfangsstadium zu helfen. Abschnitt B ermächtigt die schwachen Staaten – analog zu Art. XII GATT – zu mengenmässigen Importrestriktionen im Fall von Zahlungsbilanzschwierigkeiten. Nach Abschnitt C haben die wirtschaftlich schwachen Staaten das Recht, auch Schutzmassnahmen anderer Art als Listenänderungen (Abschnitt A) und für andere Gründe als jene der Zahlungsbilanzdefizite (Abschnitt B) zu ergreifen; hier wird freilich vorausgesetzt, dass die VERTRAGSPARTEIEN zustimmen. Abschnitt D schliesslich ist eine Ausweitung der Bestimmungen des Abschnitts C auf die sogenannten Schwellenländer.

80 Im Jahr 1957 beschlossen die VERTRAGSPARTEIEN, die Entwicklung des internationalen Handels einer eingehenden Analyse zu unterziehen:

> "Taking note of the concern expressed in the course of this examination regarding certain trends in international trade, in particular the failure of the trade of less developed countries to develop as rapidly as that of industrialized countries [...] the CONTRACTING PARTIES decide: that there shall be an expert examination of past and current

international trade trends and their implications, with special reference to the factors referred to above."⁵¹

Der im folgenden Jahr ausgearbeitete und veröffentliche Expertenbericht (Haberler–Bericht von 1958) wies auf mehrere Probleme hin: die preislich bedingten Exporterlösschwankungen der Entwicklungsländer, die zunehmenden Zahlungsbilanzprobleme vieler Länder der Dritten Welt (Erdölstaaten ausgenommen), die Veränderung der Terms of Trade in der Zeit seit dem Zweiten Weltkrieg zum Nachteil der ohnehin wirtschaftlich ärmeren Länder, der zunehmende Agrarprotektionismus der Industriestaaten, insbesondere der USA und der damaligen Europäischen Wirtschaftsgemeinschaft (EWG), und die sich daraus ergebende Benachteiligung der Landwirtschaftsexporte der Entwicklungsländer.⁵²

81

Aufgrund des Haberler–Berichts beschlossen die VERTRAGSPARTEIEN das Erstellen eines neuen Programms zugunsten der Entwicklungsländer. Zur Diskussion standen die Reduktion der tarifären und nichttarifären Handelshemmnisse für Produkte aus der Dritten Welt sowie der Abbau des Agrarprotektionismus in den Industriestaaten, um auf diese Weise den Zugang der wirtschaftlich schwächeren Staaten in die Märkte der Industrieländer zu erleichtern.⁵³ Die weitere Bearbeitung des Programms lag bei drei Ausschüssen, deren Schlussfolgerungen in die fünfte Handelsrunde des GATT (Dillon–Runde) einflossen.⁵⁴

82

Die mageren Ergebnisse der Dillon–Runde, die Forderung der Entwicklungsländer nach Präferenzen in den Märkten der Industriestaaten und die massive Kritik von *Raúl Prebisch*, Generalsekretär der Konferenz der Vereinten Nationen für Handel und Entwicklung (United Nations Conference on Trade and Development, UNCTAD), veranlassten im Jahr 1963 die im Rahmen des GATT tagenden Minister

83

---

51  GATT (1958), BISD 6th S, S. 18.
52  *GATT* (1958), Trends in International Trade, Genf. Die Experten waren: *Oliveira Campos, Gottfried Haberler* (Vorsitz), *James Meade* und *Jan Tinbergen*.
53  *GATT* (1959), BISD 7th S, S. 28.
54  *GATT* (1962), BISD 10th S, S. 33.

"[to recognize] the need for an adequate legal and institutional framework to enable the Contracting Parties to discharge their responsibility in connection with the work of expanding the trade of less–developed countries.

The Minister of the less–developed countries and of the EEC recognized that there was urgent need for an amplification of the objectives and for revision of the principles and rules of the General Agreement to enable the Contracting Parties to discharge these responsibilities, with a view to safeguarding the interests of theses countries in their international trade and development programmes [...]."[55]

84 Der mit dieser Aufgabe betraute Ausschuss (Committee on the Legal and Institutional Framework of GATT in Relation to Less–Developed Countries) präsentierte im folgenden Jahr einen Entwurf zur Änderung beziehungsweise Erweiterung des Vertrags. Der Ausschuss schlug vor, die Entwicklungsfragen in einem zusätzlichen vierten Teil des GATT unter dem Titel "Handel und Entwicklung" zu regeln.[56] Dieser Vertragsteil wurde an der Sonderministertagung 1964 verabschiedet und trat am 27. Juni 1966 für alle jene Vertragsparteien, die das im Februar 1965 zur Zeichnung aufgelegte Protokoll unterzeichnet hatten, in Kraft.[57]

85 Teil IV des GATT tritt unverbindlich auf die Anliegen der weniger entwickelten Staaten ein. Ähnlich einer Gesetzespräambel werden allgemeine Zielvorgaben und Grundsätze festgehalten, ohne dabei, von einer Ausnahme abgesehen, bis zu normativen Bestimmungen vorzustossen. Die einzige Ausnahme ist in Art. XXXVI:8 GATT das Zugeständnis der Industriestaaten, in den Verhandlungen mit den Nicht–Industriestaaten auf reziproke Gegenleistungen zu verzichten.

86 Der Teil "Handel und Entwicklung" des GATT besteht aus drei Artikeln. Art. XXXVI GATT enthält die Grundsätze und Ziele der Vertragserweiterung und fordert die Vertragsparteien auf, für eine Steigerung der Exporterlöse der

---

55 Vgl. *Prebisch, Raúl* (1964), Towards a New Trade Policy for Development, Report by the Secretary–General of the UNCTAD, New York, S. 52. Das Zitat stammt aus *GATT* (1964), BISD 12th S, S. 45.

56 Der Teil IV ist der einzige Teil des GATT–Vertragswerks mit einer eigenen Bezeichnung.

57 Frankreich, Gabun, Nicaragua, Senegal und Südafrika haben das Protokoll nicht unterzeichnet.

wirtschaftlich schwachen Vertragsparteien einzutreten und Anstrengungen zu unternehmen, diese Staaten am Wachstum des Welthandels teilhaben zu lassen. Art. XXXVII GATT verlangt den Abbau von Handelshemmnissen gegenüber den Entwicklungsländern "im grösstmöglichen Umfang, das heisst soweit nicht zwingende Gründe einschliesslich Rechtsgründe dem entgegenstehen". Art. XXXVIII GATT schliesslich enthält das gegenseitige Versprechen, in- und ausserhalb des GATT zusammenzuarbeiten, "um die Ziele des Art. XXXVI zu fördern".

## 2.2 Die Zusatzabkommen

Die Absicht der GATT-Begründer war die Belebung der Wirtschaft über die gegenseitige Öffnung der Märkte und den Abbau der Handelsschranken. In der Nachkriegszeit bildeten die Einfuhrzölle die wichtigsten Handelshemmnisse. Sie betrugen in den Industriestaaten zwischen 40 und 50 Prozent des Importwerts, gegenüber 4 bis 6 Prozent nach der Uruguay-Runde.[58] Keine so grosse Bedeutung kam damals den nichttarifären Handelshemmnissen zu.[59]

Mit dem Abbau der Zölle stieg die relative Bedeutung der nichttarifären Handelshemmnisse, vor allem der Exportförderung mit Hilfe gedumpter und subventionierter Exporte. Diese Entwicklung führte im Verlauf der Zeit zur Forderung, die GATT-Bestimmungen vermehrt auf nichttarifäre Handelshemmnisse auszuweiten beziehungsweise neue Vereinbarungen über die Zulässigkeit der nichttarifären Handelshemmnisse zu treffen. So entstand im Rahmen der Kennedy-Runde das Antidumpingabkommen. Es folgten die in der Tokio-Runde ausgehandelten Sonderabkommen (auch Kodizes genannt) über die technischen Handelshemmnisse, das öffentliche Beschaffungswesen, das Subventionswesen, den Handel mit Milcherzeugnissen und Rindfleisch,

---

58  Vgl. *Baldwin, Robert E.* (1988), Trade Policy in a Changing World Economy, New York u.a., S. 19f.; *GATT* (1994), News of the Uruguay Round of MTN, April, Genf, S. 11.

59  Als nichttarifäre Handelshemmnisse werden im ursprünglichen GATT angesprochen: Antidumpingmassnahmen und Ausgleichsabgaben (Art. VI und XVI GATT), interne Abgaben und Rechtsvorschriften (Art. III GATT) sowie mengenmässige Importbeschränkungen (Art. XI GATT).

Erster Teil

die Berechnung des Zollwerts, die Einfuhrlizenzverfahren und den Handel mit zivilen Luftfahrzeugen.[60]

89   Diesen Vereinbarungen war gemeinsam, dass sie zwar Bestandteil des GATT–Systems bildeten, aber nur jene Vertragsparteien verpflichteten, welche die Abkommen unterzeichnet hatten.[61] Darin besteht ein wesentlicher Unterschied zur heute geltenden WTO–Regelung. In der WTO–Ordnung sind die Zusatzabkommen, von ganz wenigen Ausnahmen abgesehen, für alle WTO–Mitgliedstaaten verbindlich.[62]

90   Die folgende Übersicht handelt vom Entstehen und dem in der GATT–Geschichte erfolgten Wandel der einzelnen Zusatzabkommen. Die Darstellung und Analyse der Vertragsinhalte folgt im vierten und fünften Teil der vorliegenden Veröffentlichung.

### 2.2.1 Das Antidumpingabkommen

91   Ende der fünfziger Jahre stellte eine GATT–Expertengruppe fest, dass einzelne GATT–Vertragsparteien die Antidumping– und Ausgleichsabgaben auf GATT–widrige Art einsetzten. Der damals vorgelegte Bericht beabsichtigte nicht, die GATT–Regeln über Dumping und Exportsubventionen zu ändern, sondern die Bedeutung des Inhalts der Bestimmungen zu klären und die Abgaben im Geist der Vorgaben des einschlägigen GATT anzuwenden. Der Bericht schloss mit der Anregung, die Fragen des Antidumping und der Exportsubven-

---

60   Vgl. Ministererklärung vom 14.9.1973, veröffentlicht in: *GATT* (1974), BISD 20th S, S. 20: Für den Fall, dass das Ziel des Abbaus der nichttarifären Handelshemmnisse nicht erreicht werde, gelte es, wenigstens die handelshemmenden und störenden Effekte der nichttarifären Handelshemmnisse zu beseitigen.

61   Gemäss GATT waren alle Parteien der Zusatzabkommen zur Einhaltung der Meistbegünstigung auch gegenüber den Nicht–Unterzeichnerstaaten verpflichtet. Im Gegensatz dazu verpflichteten die Zusatzabkommen die Nicht–Signatarstaaten nicht. Dadurch ergab sich eine Nicht–Reziprozität, die grundsätzlich im Widerspruch zum GATT stand. Vgl. dazu auch: *Jackson, John H.* (1969), World Trade and the Law of GATT, Indianapolis u.a., S. 410.

62   Wie später noch ausgeführt wird, werden die für alle WTO–Mitgliedstaaten verbindlichen Vereinbarungen als "multilaterale" und die nicht für alle WTO–Mitglieder verbindlichen als "plurilaterale" Abkommen bezeichnet. Vgl. Rz 271 und folgende Übersicht sowie Rz 366.

tionen weiter zu behandeln, Informationen über die angewandten Handelspraktiken zu sammeln und mit den betroffenen Regierungen Gespräche aufzunehmen.⁶³

Im Jahr 1960 schlug die gleiche Arbeitsgruppe vor, dass der Einsatz von Antidumping- und Ausgleichsabgaben den VERTRAGSPARTEIEN und dem GATT-Sekretariat zu melden ist. Gleichzeitig sei das GATT-Sekretariat zu beauftragen, periodisch eine Liste der ergriffenen Antidumping- und Ausgleichsmassnahmen zuhanden der VERTRAGSPARTEIEN zu erstellen.⁶⁴

Im Mai 1963 beschlossen die Minister der GATT-Vertragsparteien, nicht nur die Zölle, sondern auch die nichttarifären Handelshemmnisse in die bevorstehende GATT-Runde aufzunehmen.⁶⁵ Die Verhandlungen über die nichttarifären Beschränkungen führten allein bei den Antidumping- und Ausgleichsabgaben zu einem konkreten Ergebnis in Form einer Vereinbarung über die Durchführung von Art. VI GATT. Das sogenannte Antidumpingabkommen trat am 30. Juni 1967 für 18 Vertragspartner in Kraft.⁶⁶

Das Antidumpingabkommen von 1967 mit all seinen Detailbestimmungen war, wie *Kenneth W. Dam* zu Recht sagt, mehr ein Suchen nach Kompromisslösungen zwischen den unterschiedlichen Handelspraktiken einiger wichtiger Parteien, und weniger ein gezieltes Bemühen, die bestehenden Lücken und Schwächen in der Antidumpingregelung des GATT auszufüllen und bessere Regeln zu finden.⁶⁷

Die Tokio-Runde überarbeitete den Antidumpingkodex von 1967. Zum einen ging es um die Novellierung der Bestimmungen über die Antidumpingabgaben (im Sinne einer Abgrenzung gegenüber den Exportsubventionen und den Ausgleichsabgaben), zum anderen um eine neue Umschreibung des Scha-

---

63 *GATT* (1960), BISD 8th S, S. 145f.
64 *GATT* (1961), BISD 9th S, S. 201.
65 *GATT* (1964), BISD 12th S, S. 47.
66 Agreement on Implementation of Article VI of the GATT, in: *GATT* (1968), BISD 15th S, S. 24ff. Eine Liste der teilnehmenden Vertragspartner findet sich in: *GATT* (1970), BISD 17th S, S. 43.
67 Vgl. *Dam, Kenneth W.* (1970), The GATT, Law and International Economic Organization, Chicago u.a., S. 174f.

Erster Teil

denkriteriums, der Sonderstellung der Entwicklungsländer sowie der Konsultations– und Streitschlichtungsverfahren. Das revidierte Abkommen [68] trat am 1. Januar 1980 in Kraft, anfänglich von 17 und bis ins Jahr 1994 schliesslich von 26 Vertragsparteien unterzeichnet (die EWG bzw. die EG zählt in diesem und in den anschliessend aufgeführten Abkommen als *eine* Signatarin.[69] Nach relativ bescheidenen Änderungen in der Uruguay–Runde wurde das Abkommen in das WTO–Vertragswerk integriert und trat in neuer Form zusammen mit der WTO am 1. Januar 1995 als multilaterales, das heisst für alle WTO–Mitglieder verbindliches Abkommen in Kraft.[70]

## 2.2.2 Das Abkommen über Technische Handelshemmnisse

96   Das in der Tokio–Runde von insgesamt 28 Partnern unterzeichnete Abkommen über Technische Handelshemmnisse strebte die Vereinheitlichung von technischen Vorschriften und Normen einschliesslich der Verpackung, Kennzeichnung und Beschriftung, den Verzicht auf eine gegenseitige Diskriminierung im internationalen Handel, die verbesserte Transparenz und die verstärkte Koordination zwischen den Signatarstaaten an. Dabei sollte kein Land daran gehindert werden, Massnahmen zu treffen, die für den Schutz seiner wesentlichen Sicherheitsinteressen notwendig sind.[71] An der Übereinkunft beteiligten sich die europäischen und nordamerikanischen Länder, einige Staaten Lateinamerikas sowie Japan und Neuseeland.[72] Die Vereinbarung hatte zum Ziel, die Lücke zwischen den im GATT niedergelegten Prinzipien und den nationalen technischen Vorgaben auszufüllen. Bis zum Jahr 1994 stieg die Zahl der Signa-

---

68   Agreement on Implementation of Article VI of the GATT, in: *GATT* (1980), BISD 26th S, S. 171ff.
69   Die EWG bzw. die EG tritt im Antidumpingabkommen der WTO als *ein* Partner auf. Vgl. zur EG–WTO–Antidumpingpolitik *Oppermann, Thomas* (1999), Europarecht, 2. A., München., Rz 1771ff.; *GATT* (1970), BISD 17th S, S. 43; *GATT* (1995), BISD 40th S, S. 195.
70   Vgl. Rz 759ff.
71   Agreement on Technical Barriers to Trade, in: *GATT* (1980), BISD 26th S, S. 8ff.
72   Eine namentliche Aufzählung der teilnehmenden Staaten findet sich in: *GATT* (1981), BISD 27th S, S. 37.

tarstaaten auf 43.[73] Am 1. Januar 1995 wurde das Abkommen über Technische Handelshemmnisse in ein multilaterales Abkommen der WTO überführt.[74]

### 2.2.3 Das Abkommen über das öffentliche Beschaffungswesen

Das Abkommen über das öffentliche Beschaffungswesen geht auf die Tokio–Runde zurück. Nach der Billigung des ausgehandelten Texts am 12. April 1979 trat das Übereinkommen am 1. Januar 1981 für zwölf Staaten in Kraft.[75] Die Entwicklungsländer blieben der Vereinbarung aus Angst vor der Konkurrenz der Industriestaaten fern. Rund 30 GATT–Parteien besassen Beobachter–Status. Zwei Ziele standen im Vordergrund des Abkommens, erstens die Gleichstellung der in– und ausländischen Waren und Anbieter (Prinzip der Inlandgleichbehandlung) und zweitens die Nichtdiskriminierung der Lieferländer (Prinzip der Meistbegünstigung). Das damalige Übereinkommen beschränkte sich auf die öffentliche Beschaffung von Waren (Dienstleistungen waren ausgenommen), bezog sich ausschliesslich auf die Zentralregierungen[76] und galt nur für den Einkauf über einem gewissen Schwellenwert. Die Vereinbarung wurde während der Uruguay–Runde neu ausgehandelt und trat am 1. Januar 1996 als plurilaterales Abkommen der WTO in Kraft. Von den bisherigen Vertragspartnern hat Hongkong den neuen Vertrag nicht unterzeichnet.[77]

### 2.2.4 Das Abkommen zur Auslegung und Anwendung der Art. VI, XVI und XXIII GATT

In Anlehnung an das Abkommen über Antidumping erstellten die USA und die EWG im Jahr 1977 gemeinsam eine Studie über "Subsidies/Countervailing

---

73 Die Länderlisten finden sich in den Jahresberichten in: *GATT* (jährlich) BISD.
74 Vgl. Rz 1120ff.
75 Agreement on Government Procurement, in: *GATT* (1980), BISD 26th S, S. 33ff. Die Länderlisten finden sich in den Jahresberichten in: *GATT* (jährlich) BISD.
76 Ohne Einbezug der regionalen und lokalen Verwaltungen sowie der staatlich kontrollierten Unternehmen und der öffentlichrechtlichen Körperschaften.
77 Vgl. Rz 1435ff.

Duties, Outline of an Approach".[78] Im Sommer 1978 lag im Rahmen der Tokio–Runde ein erster Abkommensentwurf vor, der am 1. Januar 1980 als Abkommen zur Auslegung und Anwendung der Art. VI, XVI und XXIII GATT (Subventionsabkommen) für 18 Unterzeichnerstaaten in Kraft trat.[79] Der Subventionskodex enthielt keine grundsätzlich neue Subventionsordnung, sondern bezweckte eine verbindliche Auslegung und einheitliche Anwendung der Subventions– und Ausgleichsmassnahmen. Die Zahl der Abkommensparteien stieg in den folgenden 14 Jahren auf 26. In der Uruguay–Runde wurde das bisherige Subventionsabkommen überarbeitet. Der neue Text trat am 1. Januar 1995 als multilaterales Abkommen der WTO in Kraft.[80]

## 2.2.5 Das Abkommen über Rindfleisch

99 Das Abkommen über Rindfleisch[81] galt, analog zum Internationalen Abkommen über Milcherzeugnisse, als Ersatz für die Nichtbewältigung der Agrarfragen während der Tokio–Runde. Der Vereinbarung lag die Absicht zu Grunde, über eine intensivere Zusammenarbeit zwischen den Handelspartnern zur Liberalisierung und Stabilisierung des internationalen Handels mit lebenden Tieren und mit Fleisch beizutragen.

100 An der Übereinkunft beteiligten sich anfänglich jene 21 und am Ende der Uruguay–Runde jene 27 Partner, die am Export und/oder Import von Rindvieh und Rindfleisch interessiert waren.[82] Das Abkommen trat am 1. Januar 1980 in Kraft und wurde in den Jahren 1992 und 1994 verlängert und anschliessend als plurilaterales Abkommen der WTO angegliedert. Am 30. September 1997

---

78 *GATT* (1977), Subsidies/Countervailing Duties, Outline of an Approach, Doc. MTN/INF/13, Dezember.
79 Agreement on Interpretation and Application of Articles VI, XVI and XXIII, in: *GATT* (1980), BISD 26th S, S. 56ff. Die jeweiligen Länderlisten finden sich in den Jahresberichten in: *GATT* (jährlich) BISD.
80 Vgl. Rz 840ff.
81 Agreement Regarding Bovine Meat, in: *GATT* (1980), BISD 26th S, S. 84ff.
82 Die Länderlisten finden sich in den Jahresberichten in: *GATT* (jährlich) BISD.

beschloss der Internationale Fleisch–Rat, die Vereinbarung wegen seiner Wirkungslosigkeit auf Ende 1997 auslaufen zu lassen.[83]

### 2.2.6 Das Abkommen über Milcherzeugnisse

Ursprünglich bestand die Absicht, im internationalen Handel mit Milchprodukten Höchstpreise einzuführen. Die Importländer begegneten diesem Vorschlag mit Skepsis, und die Exportländer waren dagegen. Schliesslich einigten sich die Verhandlungsdelegationen auf ein Internationales Abkommen über Milcherzeugnisse mit Mindestpreisvorschriften. Ferner legten sie detaillierte Bestimmungen über die gegenseitige Informations– und Konsultationspflicht fest.[84] Das Abkommen trat am 1. Januar 1980 für 16 Unterzeichnerstaaten in Kraft.[85]

Das inzwischen alle drei Jahre verlängerte Milchabkommen lief am 31. Dezember 1994 aus und wurde auf den 1. Januar 1995 in unveränderter Form als plurilaterales Abkommen dem WTO–Vertragswerk beigefügt. Am 30. September 1997 entschied der Internationale Milch–Rat, das Abkommen auf Ende 1997 aufzuheben.[86]

### 2.2.7 Das Abkommen zur Durchführung des Art. VII GATT

Die ersten Bestrebungen, die Berechnungsmethoden des Zollwerts im Rahmen eines Abkommens zur Durchführung des Art. VII GATT zu vereinheitlichen, gehen auf die siebziger Jahre zurück. Sie wurden aber nicht in Form eines Abkommens verwirklicht.[87] Die Gegensätze zwischen Nord und Süd einerseits und zwischen den USA, Kanada und Europa andererseits waren zu gross, um sich kurzfristig auf eine einheitliche gemeinsame Berechnungs-

---

83 *WTO* (1997), Press Release, 30. September, Genf.
84 International Dairy Agreement, in: *GATT* (1980), BISD 26th S, S. 91.
85 Die Länderlisten finden sich in den Jahresberichten in: *GATT* (jährlich), BISD.
86 *WTO* (1997), Press Release, 30. September, Genf.
87 Agreement on Implementation of Article VII of the GATT, in: *GATT* (1980), BISD 26th S, S. 116ff.; Protocol to the Agreement on Implementation of Article VII of the GATT, in: *GATT* (1980), BISD 26th S, S. 151ff.

## Erster Teil

methode zu einigen. Schliesslich verständigten sich die GATT-Vertragspartner, unter Beibehaltung der nationalen Eigenheiten, auf eine hierarchisch angelegte Aufzählung zulässiger Berechnungsverfahren. Kann der Zollwert nicht nach der ersten Methode bestimmt werden, kommt die zweite in Frage usw. Den Differenzen zwischen den Industriestaaten und der Dritten Welt trug das Abkommen mit Hilfe eines Zusatzprotokolls über Ausnahmebestimmungen für Entwicklungsländer Rechnung. An dem am 1. Januar 1981 in Kraft getretenen Abkommen beteiligten sich 18 Staaten. Bis Ende 1994 stieg die Zahl der Vertragspartner auf 29.[88] Nach der Uruguay-Runde trat das Zollwertabkommen in überarbeiteter Form am 1. Januar 1995 als multilaterales Abkommen der WTO in Kraft.[89]

### 2.2.8 Das Abkommen über Einfuhrlizenzverfahren

104   Lizenzen werden vor allem im Textilhandel und vereinzelt im Agrar- und Rohstoffhandel angewandt. Das Hauptanliegen des in der Tokio-Runde ausgehandelten Abkommens über Einfuhrlizenzverfahren war, die mit Lizenzen verbundenen administrativen Verfahren und Praktiken im internationalen Handel auf ein Minimum zu beschränken und so auszugestalten, dass diese nicht handelshemmend und zwischen den Vertragsparteien nicht diskriminierend wirken. Die Verfahrensregeln sollen in ihrer Anwendung neutral sein und in angemessener Weise gehandhabt werden. Gegenstand des Abkommens war auch die Schaffung eines Konsultationsverfahrens zur Beilegung der Streitfälle.[90] Beim Inkrafttreten am 1. Januar 1980 zählte das Abkommen 19 und 1994 insgesamt 29 Partner.[91] Das Abkommen über Einfuhrlizenzen wurde in leicht veränderter Form ins WTO-Vertragswerk übernommen und trat als multilaterales Abkommen der WTO am 1. Januar 1995 in Kraft.[92]

---

88   Die Länderlisten finden sich in den Jahresberichten in: *GATT* (jährlich), BISD.
89   Vgl. Rz 809ff.
90   Agreement on Import Licencing Procedures, in: *GATT* (1980), BISD 26th S, S. 154ff.
91   Die Länderlisten finden sich in den Jahresberichten in: *GATT* (jährlich), BISD.
92   Vgl. Rz 1185ff.

### 2.2.9 Das Abkommen über den Handel mit zivilen Luftfahrzeugen

Im Rahmen der Tokio-Runde ergriffen Japan, Kanada, Schweden, die USA und die EWG-Mitgliedstaaten die Initiative, ein Abkommen über den Wettbewerb im Handel mit zivilen Luftfahrzeugen zu erarbeiten.[93] Die Festlegung einheitlicher Wettbewerbsbedingungen sollte die nachteiligen Auswirkungen der staatlichen Unterstützungspolitik auf ein Mindestmass beschränken. Auch staatliche Käufe seien nur nach kommerziellen Kriterien wie Preis, Qualität und Lieferfristen zu tätigen. Eine erste Fassung des Abkommens über den Handel mit zivilen Luftfahrzeugen trat am 1. Januar 1980 zwischen 18 Teilnehmerländern in Kraft. Im Jahr 1992 entschieden die dann teilnehmenden 22 Partnerstaaten, Gespräche über eine Revision der Vertragsbestimmungen aufzunehmen.[94] Die Verhandlungen wurden während der Uruguay-Runde nicht abgeschlossen und sind zurzeit (Ende 1999) noch im Gang.[95]

## 2.3 Die GATT-Runden

Die Darstellung der Weiterentwicklung des GATT erfordert an dieser Stelle eine kurze Beschreibung der einzelnen GATT-Runden. Ihr Gegenstand waren einerseits die in den zwei vorangestellten Abschnitten erwähnten Vertragsänderungen und ausgehandelten Zusatzabkommen sowie andererseits die Aufnahme neuer GATT-Partner, der Zollabbau und die Beseitigung nichttarifärer Handelshemmnisse. Für die Organisation und Durchführung der GATT-Runden war das GATT-Sekretariat mit Sitz in Genf verantwortlich.

Art. XXVIII$^{bis}$ GATT erlaubt den Vertragspartnern, Verhandlungen zu lancieren, um auf "der Grundlage der Gegenseitigkeit" das Niveau der Zollsätze sowie anderer Einfuhr- und Ausfuhrabgaben zu senken. Die Verhandlungen können "entweder über einzelne ausgewählte Waren oder nach einem für die beteiligten Vertragsparteien jeweils annehmbaren mehrseitigen Verfahren geführt werden".

---

93 Agreement on Trade in Civil Aircraft, in: *GATT* (1980), BISD 26th S, S. 162ff.
94 Die Länderlisten finden sich in den Jahresberichten in: *GATT* (jährlich), BISD.
95 Vgl. Rz 1423ff.

108	Bisher haben acht GATT-Runden stattgefunden:

| | | | | |
|---|---|---|---|---|
| Erste | GATT-Runde | Genf | 1947 | |
| Zweite | GATT-Runde | Annecy | 1949 | |
| Dritte | GATT-Runde | Torquay | 1950/51 | |
| Vierte | GATT-Runde | Genf | 1955/56 | |
| Fünfte | GATT-Runde | Genf | 1961/62 | (Dillon-Runde) |
| Sechste | GATT-Runde | Genf | 1964-67 | (Kennedy-Runde) |
| Siebte | GATT-Runde | Genf | 1973-79 | (Tokio-Runde) |
| Achte | GATT-Runde | Genf | 1986-93 | (Uruguay-Runde) |

109	Die folgenden Abschnitte vermitteln einen Überblick über die Ergebnisse der einzelnen Handelsrunden. Der Versuch, eine neunte Handelsrunde im Verlauf des Jahres 2000 zu starten, ist an der dritten WTO-Ministerkonferenz von Seattle im Spätherbst 1999 gescheitert. Wann und in welcher Form die bisherigen Handelsrunden weiter geführt werden, ist zurzeit offen.[96]

## 2.3.1 Die erste GATT-Runde: Genf 1947

110	Die Genfer Zollverhandlungen vom April bis Oktober 1947 waren Bestandteil der damals vorgesehenen, später aber nicht zustandegekommenen Internationalen Handelsorganisation (ITO). Die Fortführung des Allgemeinen Zoll- und Handelsabkommens (GATT) als selbständiges Instrument stand damals nicht zur Diskussion.

111	Im Jahr 1945 ermächtigte das US-Handelsgesetz den Präsidenten, die Zölle erneut um bis zu 50 Prozent abzubauen.[97] Ende 1946 lud die US-Regierung zu einer multilateralen Konferenz über gegenseitige Zollermässigungen ein. Die Verhandlungen wurden produktweise geführt und Konzessionen nur gegen entsprechende Gegenleistungen gewährt (Prinzip der Reziprozität). Zudem verlangte jede Zollsenkung der USA eine vorgängige Untersuchung über die möglichen Auswirkungen auf die eigene Industrie.

112	An der Handelsrunde 1947 beteiligten sich sämtliche 23 GATT-Gründerstaaten. Die Verhandlungen verliefen letztlich erfolgreich, obwohl sie während

---

96  Vgl. Rz 1485ff. (Verlauf der Ministerkonferenz in Seattle).
97  Vgl. Rz 61.

längerer Zeit durch Meinungsverschiedenheiten zwischen den USA und Grossbritannien gefährdet waren. Das Interesse der Vereinigten Staaten bezog sich in erster Linie auf die Beseitigung der damals von den Briten ihrem Commonwealth gewährten Präferenzen und erst an zweiter Stelle auf den Abbau der Zölle. Grossbritannien dagegen strebte eine Senkung der Zölle unter Beibehaltung der Präferenzierung des Commonwealth an. Die USA schlugen Grossbritannien vor, die Zollpräferenzen zugunsten der Commonwealth–Länder nach einem dreijährigen Moratorium innerhalb von maximal zehn Jahren abzubauen. Die Briten waren vornehmlich aus politischen Erwägungen nicht bereit, Konzessionen zu Lasten des Commonwealth zu gewähren.[98] Um die Verhandlungen nicht scheitern zu lassen, verzichteten die Vereinigten Staaten auf ihre Forderung der Präferenzbereinigung und begnügten sich mit minimalen Zugeständnissen der Briten. Letztlich zeigten sich beide Parteien befriedigt über die erzielten Ergebnisse. In den USA versicherte die Regierung, "that preferences had been substantially reduced on a significant part of American trade and eliminated on a considerable list of export products". Der britische Regierungssprecher seinerseits beteuerte vor der eigenen Presse, ein Verzicht auf das Präferenzsystem sei nie zur Diskussion gestanden.[99]

Neben dieser Auseinandersetzung zwischen den Vereinigten Staaten und Grossbritannien lastete auch die Tatsache auf der ersten GATT–Runde, dass neun Verhandlungspartner bereits bilaterale Abkommen mit den USA unterhielten und diese früher ausgehandelten Präferenzen auf die übrigen Handelspartner auszuweiten waren. Als vorteilhaft erwies sich dagegen, dass viele Länder zu jener Zeit auf US–Dollars und andere harte Währungen angewiesen

113

---

98 Im Zweiten Weltkrieg intensivierten und festigten sich die wirtschaftlichen und politischen Bindungen zwischen Grossbritannien und den Commonwealth–Ländern. Während der in der Nachkriegszeit im Commonwealth einsetzenden Unabhängigkeitsbewegung setzte Grossbritannien alles daran, die engen Beziehungen mit den Commonwealth–Ländern aufrechtzuerhalten. Vor diesem Hintergrund ist verständlich, warum die Briten damals nicht bereit waren, Präferenzen zugunsten dieser Länder aufzugeben. Eine ausführlichere Darstellung der politischen Präferenzproblematik während der dreissiger und vierziger Jahre findet sich in: *Kock, Karin* (1969), International Trade Policy and the GATT 1947–1967, Stockholm, S. 112ff.

99 Zit. nach: *Kock, Karin* (1969), International Trade Policy and the GATT 1947–1967, Stockholm, S. 114.

waren und daher einen Einbezug in den US-Dollar-Raum befürworteten, dies umso mehr, als sie wegen der eigenen Zahlungsbilanzschwierigkeiten ihre Importrestriktionen erlaubterweise fortführen durften.

114  Insgesamt konnten in der ersten Handelsrunde des GATT auf der Basis von 20 Zolltarif-Listen (die Benelux-Staaten und Libanon-Syrien besassen je eine gemeinsame Liste) 123 Vereinbarungen über den Abbau von Zöllen getroffen werden. Die Verhandlungen betrafen 45'000 Tarifpositionen, wertmässig etwa die Hälfte des Welthandels. Die vereinbarten Zollsenkungen betrugen handelsgewichtet rund 20 Prozent des ursprünglichen Zollniveaus.[100]

### 2.3.2 Die zweite GATT-Runde: Annecy 1949

115  In der zweiten GATT-Runde billigten die GATT-Vertragspartner den Beitritt von zehn Staaten und beschlossen einen zusätzlichen Abbau der Zölle. Die neuen Vertragspartner waren: Dänemark, Dominikanische Republik, Finnland, Griechenland, Haiti, Italien, Liberia, Nicaragua, Schweden und Uruguay.[101] Auf die neuen Beitrittsstaaten entfielen knapp 10 Prozent des Handels der bisherigen GATT-Staaten. Die beschlossene Zollsenkung erreichte 1 bis 2 Prozent des Handelswerts und war somit eher bescheiden.[102]

116  Die ursprüngliche GATT-Vertragsfassung von 1947 verlangte für die Aufnahme neuer Vertragspartner Einstimmigkeit.[103] Die Havanna-Verhandlung von 1947/48 änderte den GATT-Text dahingehend, dass der Beitritt neuer Vertragspartner nur noch eine Zweidrittelsmehrheit erforderte.[104] Damit aber ein Land, das die GATT-Vertragspartnerschaft eines anderen Staates ablehnt, durch diesen Beitritt nicht zu neuen Zugeständnissen verpflichtet wird, einig-

---

100 Dabei darf nicht übersehen werden, dass das Zollniveau in den vorangegangenen "Zollkriegen" angestiegen war. Vgl. *Evans, John W.* (1971), The Kennedy Round in American Trade Policy, Cambridge, S. 8ff. Vgl. auch Rz 62.
101 *GATT* (1952), BISD Vol. II, S. 33.
102 *Evans, John W.* (1971), The Kennedy Round in American Trade Policy, Cambridge, S. 12f.
103 *UN* (1947), General Agreement on Tariffs and Trade, Final Act, UN Publications Sales No.: 1947.II.10, Vol. I, Lake Success u.a., Art. XXXIII.
104 Ergänzung zu Art. XXXIII GATT, in: *GATT* (1952), BISD Vol. II, Par. 8, S. 149.

ten sich die Verhandlungspartner auf den Zusatz, dass Partnerstaaten ohne ihre Zustimmung nicht verpflichtet werden können.[105]

### 2.3.3 Die dritte GATT–Runde: Torquay 1950/51

Gegen Ende der Annecy–Konferenz wurde eine weitere Verhandlungsrunde über Zollsenkungen geplant. Der damals amtierende Geschäftsführende Ausschuss der Internationalen Handelsorganisation war der Überzeugung, die Eingliederung der europäischen Volkswirtschaften in einen gemeinsamen Markt könne allein über die Beseitigung der binneneuropäischen Zölle verwirklicht werden:

> "Ebenso wird die von Nordamerika gebotene Hilfe zum wirtschaftlichen Wiederaufbau der anderen Erdteile erst dann voll wirksam werden, nachdem deren Beteiligung am nordamerikanischen Markt eine beträchtliche Steigerung erfahren hat. [...] die Senkung der Zollschranken durch das Allgemeine Abkommen ist eines der vorzüglichsten Mittel [zur] Verwirklichung" [dieser Ziele].[106]

In der dritten GATT–Runde unterzeichneten die Bundesrepublik Deutschland, Österreich, Peru, die Philippinen, Südkorea und die Türkei das GATT.[107]

Die Teilnahme der inzwischen aussenhandelspolitisch autonom gewordenen Bundesrepublik Deutschland war im Rahmen des GATT besonders bedeutsam. Von den Industriestaaten standen damals noch Japan und die Schweiz dem GATT fern.

Als Auftakt zu den Torquay–Verhandlungen verlängerten die Vereinigten Staaten die Geltung ihres Handelsgesetzes bis zum 12. Juni 1951. Zudem widerrief der US–Kongress im Jahr 1949 die ein Jahr zuvor verfügten "Peril point provisions", wogegen die "Escape clause" weiterhin in Kraft verblieb, wenn auch durch die Zollkommission sehr extensiv angewandt.[108] Der US–Präsident gab zu diesem Zeitpunkt bekannt, dass jede Hoffnung auf eine An-

---

105 Art. XXXV GATT.
106 *Internationale Handelsorganisation, Geschäftsführender Ausschuss* (1950), Die Befreiung des Welthandels, Genf, S. 7.
107 *GATT* (1952), BISD Vol. II, S. 33f.
108 Zu "Peril point provision" und "Escape clause" vgl. Rz 14.

nahme der Havanna–Charta durch den Kongress aufgegeben worden sei, dass aber die US–Administration weiterhin an der Zusammenarbeit im Rahmen des GATT interessiert bleibe.

121  Der Widerstand der Commonwealth–Länder gegen eine Preisgabe ihrer gegenseitigen Handelspräferenzen führte dazu, dass zwischen Grossbritannien, Australien und Neuseeland einerseits und den USA andererseits keine Zollsenkung zustande kam. Vor Beginn der Konferenz versicherte der Präsident der englischen Handelskammer dem Unterhaus, die Delegation werde nichts zulassen, was die Struktur des Commonwealth schwäche. Die Folgen waren unverkennbar. Die USA hielten mit Zollzugeständnissen zurück, die gemäss Meistbegünstigungsprinzip auch den Commonwealth–Staaten zugute gekommen wären. Somit war der Runde von Torquay mit Blick auf die weitere Liberalisierung des Welthandels kaum erfolgreich.[109] Die Zollverhandlungen bezogen sich auf rund 10 Prozent des totalen Güterhandels der Vertragspartner. Der bei den verhandelten Zollpositionen vorgenommene Zollabbau betrug handelsgewichtet etwa 25 Prozent. Insgesamt wird die in Torquay erzielte Verminderung der Zölle, ebenfalls handelsgewichtet, auf knapp 3 Prozent des damaligen Zollniveaus geschätzt.[110]

122  In Torquay wurde erneut bilateral verhandelt. Das zahlenmässige Anwachsen der Vertragspartner und die relativ breite Produktpalette erforderten an die 500 Einzelverhandlungen, im Gegensatz zu 120 bis 140 in den vorangegangenen Runden.[111]

### 2.3.4 Die vierte GATT–Runde: Genf 1955/56

123  Kurz nach der "Review Session 1955" lud das GATT zu einer vierten Verhandlungsrunde ein. Die unter dem Namen "Allgemeine Zollkonferenz" durchgeführten Verhandlungen dauerten vom Januar bis Mai 1956. Insgesamt

---

109 Vgl. *Kock, Karin* (1969), International Trade Policy and the GATT 1947–1967, Stockholm, S. 70ff.

110 *Evans, John W.* (1971), The Kennedy Round in American Trade Policy, Cambridge, S. 12.

111 *Internationale Handelsorganisation, Geschäftsführender Ausschuss* (1950), Die Befreiung des Welthandels, Genf, S. 9.

unterzeichneten 22 Staaten die Ergebnisse. An der Allgemeinen Zollkonferenz 1956 nahm erstmals auch die Hohe Behörde der Europäischen Gemeinschaft für Kohle und Stahl (EGKS, Montanunion), stellvertretend für ihre Mitgliedstaaten Belgien, die Bundesrepublik Deutschland, Frankreich, Italien, Luxemburg und die Niederlande, teil.[112]

Die tatsächlichen Verhandlungsergebnisse der vierten GATT–Runde sind mit einem durchschnittlichen handelsgewichteten Zollabbau von 2 bis 3 Prozent ebenfalls bescheiden ausgefallen.[113] Dabei ist aber nicht zu übersehen, dass vor und nach der Runde verschiedene Länder recht bedeutsame Zollsenkungen gewährt haben. So nahm beispielsweise die Bundesrepublik Deutschland im Jahr 1955 die Zollsätze der gewerblichen und industriellen Importgüter von 1 bis 16 Prozent um 20, diejenigen zwischen 17 bis 27 Prozent um 25 und diejenigen über 27 Prozent um 21 Prozent zurück. Keinen oder nur einen unwesentlichen Zollabbau erfuhren die deutschen Agrargüterimporte. Gemäss GATT–Bericht erfolgten die deutschen Zollreduktionen vor allem zur Bekämpfung der Inflation und mit dem Ziel, ein besseres Gleichgewicht zwischen Importen und steigenden Exporten zu erreichen.[114]

Manche Vertragspartner reduzierten Mitte der fünfziger Jahre die Importzölle zur Verbesserung ihrer damaligen Nahrungsmittelversorgung. Chile beispielsweise senkte die Importabgaben auf Butter und Fette um 50 Prozent und setzte für ein Jahr die Importzölle für Fleisch aus Argentinien aus. Costa Rica baute unter anderem die Importzölle auf Getreideprodukten und Zucker ab. Frankreich gewährte zollfreie Importquoten für Olivenöl, und Italien öffnete die Grenze für Weizen usw.

Die Verhandlungen mit der Hohen Behörde der EGKS führten zu Zollzugeständnissen auf Eisen– und Stahlprodukten in den Benelux–Staaten, der Bundesrepublik Deutschland, Frankreich und Italien.

---

112 Der Vertrag über die Gründung der EGKS stammt aus dem Jahr 1951 und wird im Jahr 2002 auslaufen beziehungsweise in die EG integriert.
113 *Evans, John W.* (1971), The Kennedy Round in American Trade Policy, Cambridge, S. 12.
114 *GATT* (1957), International Trade 1956, Genf, S. 195.

Erster Teil

127  Schätzungen und Berechnungen kommen nachträglich zum Ergebnis, dass die USA in der ersten Zollrunde mehr Konzessionen machten, als ihnen gewährt wurden. Die US-Absicht war offensichtlich, die übrigen Vertragspartnerstaaten auf die Prinzipien ihrer bisherigen Aussenhandelspolitik zu verpflichten und das von ihnen vorgeschlagene Welthandelskonzept zu verwirklichen. In den folgenden drei Runden hielten sich die Vereinigten Staaten eher zurück. Sie empfingen somit in der zweiten, dritten und vierten Runde mehr, als sie zu geben bereit waren. Viele Konzessionen der zweiten bis vierten Handelsrunde galten als "GATT-Eintrittspreis" für neue Vertragspartner.[115]

### 2.3.5 Die fünfte GATT-Runde: Dillon-Runde 1961/62

128  Der Anstoss zu einer neuen Zollrunde ging 1958 vom Genfer Ministertreffen aus. Die US-amerikanische Delegation unter der Leitung von Unterstaatssekretär *Douglas Dillon* wartete mit dem Vorschlag auf, die geltenden US-Zölle um 20 Prozent zu senken. Die Vereinigten Staaten reagierten mit diesem Angebot auf die von ihnen befürchtete Diskriminierung der USA durch die von der EWG anvisierte Zollunion. Grossbritannien und andere europäische Staaten verfolgten vorerst ihren eigenen Plan. Sie versuchten, die durch die EWG verursachten Zollprobleme über die Schaffung einer Grossen Freihandelszone im Rahmen der OECD zu lösen. Erst als Frankreich der Grossen Freihandelszone eine Absage erteilte, waren die europäischen Nicht-EWG-Staaten wieder an GATT-Verhandlungen interessiert. Ihr Ziel war, analog zu jenem der USA, die durch den EWG-Einheitszoll zu erwartenden Nachteile zu beseitigen.

129  Vor allem drei Themen standen auf der Traktandenliste der fünften GATT-Runde: Zollverhandlungen mit den Mitgliedstaaten der EWG gemäss Art. XXIV:6 GATT (Kompensationsverhandlungen), allgemeine Zollverhandlungen im Sinne von Art. XXVIII GATT unter besonderer Berücksichtigung der besonderen Probleme der Nicht-Industriestaaten und Verhandlungen mit Ländern, die einen GATT-Beitritt beantragt hatten.

---

115 Vgl. *Meyer, Frederick V.* (1978), International Trade Policy, London, S. 139ff.

Der 1957 von den Benelux–Staaten (die Benelux–Staaten bildeten bereits eine Zollunion), der Bundesrepublik Deutschland, Frankreich und Italien unterzeichnete Römer Vertrag sah die Errichtung eines gemeinsamen Aussenhandelstarifs als arithmetisches Mittel der in den vier Zollgebieten angewandten Sätze vor. Nach Auffassung der EWG-Mitgliedstaaten erübrigten sich weitere Gespräche über die Kompensation der Zölle, weil durch die Methode des arithmetischen Mittels Zollerhöhungen im einen Land durch Zollsenkungen im anderen Land kompensiert würden. Gegenteiliger Meinung waren die Handelspartner der Bundesrepublik Deutschland und der Benelux–Staaten. Der neue Aussenhandelstarif der EWG bringe ihnen zusätzliche Zollbürden im Handel mit diesen vormals Niedrigtarifländern. Ihr Interesse galt nicht dem durchschnittlichen Zollsatz der EWG, sondern den spezifischen Belastungen auf den einzelnen Märkten. Gestützt auf Art. XXIV:5 und 6 GATT verlangten die betroffenen GATT–Partner entsprechende Kompensationsverhandlungen.[116] Schliesslich lenkte die EWG ein und war bereit, bei etwa 200 Produktpositionen über einen Ausgleich zu diskutieren.

130

Die Traktandenliste sah neben den kompensatorischen auch allgemeine Zollverhandlungen vor. Im Stil der früheren Verhandlungsmethode erstellten die einzelnen Vertragsparteien Forderungslisten zuhanden der wichtigsten Handelspartner. Die Listen wurden unter sämtlichen GATT–Partnern ausgetauscht und bildeten die Basis bilateraler Absprachen. Nachdem die Verhandlungen über ein Jahr gedauert und sich die gegenseitigen Forderungen auf den kleinsten gemeinsamen Nenner reduziert hatten, schloss die Dillon–Runde 1962 mit einem enttäuschenden Ergebnis. Die durchschnittlich vereinbarte Zollermässigung bezifferte sich auf knapp 1 Prozent.[117] Der einzige Lichtblick dieser GATT–Runde war das Zugeständnis der EWG, das Angebot einer zwanzigprozentigen Zollreduktion gegenüber den USA für eine künftige Handelsrunde aufrechtzuhalten, unter der Voraussetzung reziproker Verhand-

131

---

116 Nach Art. XXIV:5 GATT setzt die Schaffung einer Zollunion voraus, dass die bei der Bildung einer Union eingeführten Zölle nicht höher oder einschränkender sind als die allgemeine Belastung durch Zölle und Handelsvorschriften vor der Bildung der Union.

117 *Gardner, Patterson* (1966), Discrimination in international trade: the policy issues, 1945–1965, Princeton, S. 174.

lungen von Seiten der USA und unter der Beibehaltung des Besitzstandes der EWG–Agrarpolitik.[118]

132   Während der Dillon–Runde unterzeichneten Israel, Kambodscha und Portugal das Allgemeine Zoll– und Handelsabkommen.

133   Das dürftige Resultat der fünften Runde des GATT hat verschiedene Gründe: Erstens fielen die Verhandlungen der Dillon–Runde in die ersten Jahre des Bestehens der EWG und der EFTA sowie in die Zeit, während der einzelne EFTA–Staaten Beitrittsgesuche an die EWG stellten. Für diese Länder genossen nicht die GATT–Verhandlungen Priorität, sondern die Neuordnung Europas. Zweitens befürchteten einige Kreise in der EWG, sich über den Zollabbau gegenüber Drittstaaten eines wirksamen Bandes zu entledigen, das die Mitgliedstaaten der EWG als Schicksalsgemeinschaft zusammenhielt. Ähnliche Erwägungen spielten auch in den späteren GATT–Runden eine wichtige Rolle. Drittens arbeitete die US–Regierung zu jener Zeit an einem neuen Handelsgesetz, so dass man sich für den Erfolg des auslaufenden handelspolitischen Rechts nicht mehr stark machte. Auch hatten die "Peril point provisions" der USA dazu beigetragen, aus Rücksicht auf die eigene Industrie von weiteren Zollreduktionen abzusehen. Viertens erwies sich der bilaterale Konzessionsaustausch zunehmend als zu schwerfällig, um die Verhandlungen über eine längere Periode in Schwung zu halten. Eine effizientere Methode wurde notwendig.[119]

### 2.3.6   Die sechste GATT–Runde: Kennedy–Runde 1964–67

134   Zu Beginn der sechziger Jahre stellten die Vereinigten Staaten mit Unbehagen fest, dass ihre technische und wirtschaftliche Vorherrschaft gefährdet war. Der Sowjetunion gelang zu dieser Zeit die erste erfolgreiche Lancierung einer Weltraumrakete (Sputnik). Das Bruttoinlandprodukt der EWG–Mitgliedstaa-

---

118   *Vgl. Curzon/Curzon* (1976), The Management of Trade Relations in the GATT, in: *Shonfield, Andrew*, Hrsg., International Economic Relations of the Western World 1959–1971, London u.a., S. 174.

119   Eine detaillierte Begründung findet sich in: *Curzon/Curzon* (1976), The Management of Trade Relations in the GATT, in: *Shonfield, Andrew*, Hrsg., International Economic Relations of the Western World 1959–1971, London u.a., S. 174f.

ten stieg Ende der fünfziger und anfangs der sechziger Jahre jährlich um über 5 Prozent; die entsprechenden Wachstumsraten der USA lagen zwischen 3 und 4 Prozent.[120] Zudem erhöhten sich die Währungsreserven der EWG–Staaten in den Jahren 1958 bis 1960 um 3.2 Mrd. US$; die Vereinigten Staaten erlitten in der gleichen Zeitspanne einen (Gold)–Reservenabfluss von 2.8 Mrd. US$.[121] Die wirtschaftspolitische Bedrohung durch die EWG wurde in den Vereinigten Staaten umso stärker empfunden, als 1961 die Regierungen Grossbritanniens und anderer europäischer Staaten den Beitritt zur EWG beantragten und die Dillon–Runde die Gefahr der Diskriminierung durch den gemeinsamen Aussenhandelstarif der EWG nicht entschärfte. Die US–Amerikaner, wie *John W. Evans* sagt, ihrer passiven Rolle in weltwirtschaftlichen Belangen nicht gewohnt, waren sich einig, dass etwas unternommen werden müsse.[122]

Die US–Regierung unterstützte weiterhin die europäische Integrationsbewegung, mit dem Vorbehalt, dass sie das Freihandelsprinzip bewahre und den Westen nicht schwäche. Die zunehmende Erstarkung der EWG und der dauernde Goldabfluss aus den USA veranlassten aber den US–Präsidenten *John F. Kennedy*, auf die Notwendigkeit erhöhter Exportanstrengungen der USA und zusätzlicher Zollsenkungen der Handelspartner hinzuweisen.[123]

Wenige Wochen nach dem EWG–Beitrittsgesuch Grossbritanniens begannen in den USA die Arbeiten an einem neuen Handelsgesetz mit zusätzlichen Verhandlungskompetenzen für die Regierung. Eine blosse Verlängerung des noch bestehenden Rechts wurde als völlig unwirksam gegenüber der gemeinsamen Wirtschaftsfront in Westeuropa beurteilt.[124] Unterstaatssekretär *George Ball* forderte genügend weitsichtige Verhandlungskompetenzen, um den Möglichkeiten und Herausforderungen der Europäischen Wirtschaftsgemeinschaft die Stirn zu bieten. Dem US–Präsidenten solle das Recht zu-

---

120 *UN* (1966), Yearbook of National Accounts Statistics 1965, New York, S. 467f.
121 *IMF* (1961), International Financial Statistics, XIV, 12, Washington, DC, S. 24f.
122 *Evans, John W.* (1971), The Kennedy Round in American Trade Policy, Cambridge, S. 133.
123 *Evans, John W.* (1971), The Kennedy Round in American Trade Policy, Cambridge, S. 135.
124 *NYT* vom 7.10.1961.

stehen, in einer völlig neuen Form zu verhandeln, weil die USA es sich nicht länger leisten könnten, die Verhandlungen auf einen letztlich bilateralen Konzessionsaustausch zu konzentrieren.[125] US-Präsident *John F. Kennedy* unterbreitete dem "House Committee on Ways and Means" im Januar 1962, also bereits vor dem Abschluss der Dillon-Runde, den Entwurf des "Trade Expansion Act".

137  Die für die künftigen GATT-Verhandlungen wichtigsten Punkte des "Trade Expansion Act" von 1962 waren die Kompetenzen an den Präsidenten zur Führung und zum Abschluss von allgemeinen Zollverhandlungen im Rahmen des GATT und mit der EWG, die Ausnahmebestimmungen für Produkte der nationalen Sicherheit sowie das Recht zu staatlichen Kompensationsleistungen zugunsten von Unternehmen, die durch die Verhandlungsergebnisse benachteiligt würden.

138  Das "Trade Expansion Act" von 1962 ermächtigte den Präsidenten, in Verhandlungen mit den GATT-Partnern sämtliche US-Zölle innerhalb von fünf Jahren um 50 Prozent des Zollniveaus von 1962 abzubauen, und Zölle, die das Niveau von 5 Prozent unterschreiten, vollständig zu beseitigen.

139  Das neue Handelsgesetz ermächtigte den US-Präsidenten zudem zu Verhandlungen mit der EWG. Zölle auf gewerblichen und industriellen Produkten, die zu 80 Prozent des Welthandels zwischen den USA und der EWG gehandelt werden, sollen vollständig abgebaut werden, ebenso Zölle auf Agrarerzeugnissen, wenn dies der Förderung des amerikanischen Exporthandels diene. Auch auf die Zollbelastung der tropischen Produkte sei unter der Voraussetzung zu verzichten, dass die EWG die gleichen Erleichterungen auf nichtdiskriminierende Weise gewähre.

140  Zur Unterstützung der durch den Zollabbau betroffenen Industrien und Arbeiter waren Ergänzungsmassnahmen vorgesehen. Die "Peril point provisions" fanden im neuen Handelsgesetz keine Weiterführung.

141  Der Kongress stimmte dem "Trade Expansion Act" im Jahr 1962 nach relativ geringfügigen Änderungen zu. Kurz darauf beschlossen die Minister der

---

125 *Evans, John W.* (1971), The Kennedy Round in American Trade Policy, Cambridge, S. 139f.

GATT–Partnerländer, eine neue Handelsrunde durchzuführen. Der Verhandlungsbeginn war auf Mai 1964 festgelegt.

Die neue Kompetenzregelung in den Vereinigten Staaten besass für die US–Verhandlungsdelegation den Vorteil, dass ihre jeweiligen Zoll–Zugeständnisse im US–Kongress nachträglich nicht in Frage gestellt werden konnten. Die nichttarifären Handelshemmnisse waren indessen von dieser Kompetenzdelegation ausgenommen. Diese Einseitigkeit führte dazu, dass nach der Kennedy–Runde die ausgehandelten Zoll–Ermässigungen ohne weiteres parlamentarisches Eingreifen in Kraft traten, während die Aufhebung des sogenannten "American selling price–system"[126] und die Unterzeichnung des Antidumpingkodexes dem Kongress vorzulegen waren. Beide Vorschläge lehnte der Senat und das Repräsentantenhaus in der Folge ab.[127]

142

Über die Hauptpunkte der neuen GATT–Runde war man sich einig: Zollverhandlungen über sämtliche gewerbliche und industrielle Erzeugnisse, Öffnung der Agrarmärkte, Berücksichtigung der nichttarifären Handelshemmnisse und Präferenzierung der Entwicklungsländer.[128]

143

Zum Verhandlungsauftakt reichten die EWG, Finnland, Grossbritannien, Japan und die USA sogenannte Negativlisten ein.[129] Andere Länder wie Norwegen, Österreich, Schweden und die Schweiz verzichteten für den Fall eines zufriedenstellenden Konzessionsaustausches auf Negativlisten. Im Agrarbereich erstellten die USA und die EWG in den Jahren 1965 und 1966 Positivlisten, um die andauernden Verhandlungsschwierigkeiten zu überwinden.[130]

144

---

126 Gemäss "American selling price–system" gilt als Berechnungsbasis für die Zölle nicht der Einfuhrwert, sondern der Grosshandelspreis im Inland.

127 Die Ablehnung des Antidumpingkodexes durch den Kongress machte die US–Zustimmung im Rahmen der Kennedy–Runde insofern zunichte, als in einer Konfliktsituation das US–Recht Vorrang hatte. Über die Kompetenzdelegation zwischen US–Kongress und US–Regierung vgl. *Destler, I. Mac* (1992), American Trade Politics, 2. A., Washington, DC, u.a., S. 71.

128 Vgl. zum folgenden Abschnitt *Liebich, Ferdinand K.* (1968), Die Kennedy–Runde, Freudenstadt, S. 10ff.

129 Die Negativlisten enthalten die Ausnahmen einer allgemeinen Zollsenkung.

130 Die Positivlisten enthalten jene Produkte, bei denen eine Zollsenkung vorgenommen werden kann.

Erster Teil

Die Handelsrunde wurde am 30. Juni 1967 abgeschlossen. Das Festschreiben der Verhandlungsergebnisse erfolgte erneut in Form von Länderlisten, ohne dabei die Prinzipien der gleichmässigen und der linearen Zollsenkung völlig preiszugeben. Nach *Ferdinand K. Liebich* weisen diese Listen darauf hin, "dass es sich im Endergebnis doch weitgehend um die Kodifizierung bilateral ausgehandelter nicht einheitlicher Zollzugeständnisse handelt"[131].

145   Die Ergebnisse der Kennedy-Runde finden sich im Genfer Protokoll zum GATT von 1967,[132] in dem sich die Signatarstaaten des GATT zum Abbau der vereinbarten Zollsenkungen in fünf Stufen bis 1972 verpflichten, in 34 Länderlisten für Zollzugeständnisse mit den Angaben über die Höhe der Ausgangszölle und der entsprechenden Zollkonzessionen,[133] im Zusatzabkommen über chemische Erzeugnisse,[134] im Memorandum über die Grundzüge für Verhandlungen über ein weltweites Getreideabkommen,[135] im Antidumpingkodex über die differenziertere Anwendung von Art. VI GATT[136] und in den Beitrittsprotokollen zum GATT von Argentinien, Irland, Island, Jugoslawien, Polen, Schweiz[137] und Südkorea.[138]

146   Die im Agrarbereich vereinbarten Zollsenkungen beschränkten sich auf einzelne und zum Teil sehr bescheidene Zugeständnisse bei lebenden Tieren, Fleisch und Molkereierzeugnissen. Zollermässigungen wurden auch auf Im-

---

131  *Liebich, Ferdinand K.* (1968), Die Kennedy-Runde, Freudenstadt, S. 11.
132  *GATT* (1968), BISD 15th S, S. 5ff.
133  Zusammenstellung der Listen in: *GATT* (1968), BISD 15th S, S. 8.
134  *GATT* (1968), BISD 15th S, S. 8ff.
135  *GATT* (1968), BISD 15th S, S. 18ff.
136  *GATT* (1968), BISD 15th S, S. 24ff.; vgl. Rz 759ff.
137  Die Schweiz hatte aufgrund der GATT-Erklärung vom 22.11.1958 den Status eines provisorischen GATT-Partners (*GATT* (1959), BISD 7th S, S. 18ff.) und beteiligte sich seither als solcher an sämtlichen GATT-Verhandlungen insbesondere an den Verhandlungen im Rahmen der Kennedy-Runde. Die Beitrittsverhandlungen zwischen den GATT-Partnern und der Schweiz erstreckten sich über die erste Hälfte der sechziger Jahre und endeten mit dem Beitrittsprotokoll vom 1.4.1966 und der vollen GATT-Vertragspartnerschaft der Schweiz ab 1.8.1966 (*GATT* (1966), BISD 14th S, S. 6ff.).
138  Die Beitrittsprotokolle der aufgeführten Länder finden sich in: *GATT* (1968), BISD 15st S, S. 36ff.

porten von Obst und Gemüse aus Drittweltländern gewährt, auf Positionen, denen jedoch handelsmässig keine grosse Bedeutung zukommt.[139]

Keine GATT-Runde war in Bezug auf den Zollabbau so erfolgreich wie die Kennedy-Runde. Aus diesem Grunde folgt eine detaillierte Übersicht über die in dieser Runde beschlossenen Zollsenkungen, gegliedert nach Ländern und Produktbereichen.

**Übersicht 1: Handelsgewichtete Senkung der Durchschnittszölle nach Ländern und Produktgruppen** (in Prozenten)

| Produktgruppen | EWG | USA | GB | Japan | Kanada | Schweden* | CH | Österreich |
|---|---|---|---|---|---|---|---|---|
| Ernährung | 13 | 18 | 7 | 4 | 25 | 40 | 6 | 9 |
| Getreide, Tabak | 11 | 32 | 0 | 0 | 40 | 39 | 0 | 34 |
| Rohstoffe | 6 | 25 | 5 | 3 | 7 | 3 | 23 | 4 |
| Brennstoffe etc. | 5 | 0 | 11 | 1 | 12 | 2 | 0 | 13 |
| Öle und Fette | 10 | 7 | 3 | 30 | 2 | 6 | 5 | 0 |
| Chemie | 45 | 33 | 34 | 40 | 0 | 16 | 50 | 21 |
| Halb- u. Fertigwaren | 19 | 26 | 13 | 35 | 14 | 16 | 18 | 14 |
| Maschinen und Verkehrsmittel | 41 | 44 | 41 | 29 | 16 | 36 | 40 | 22 |
| Sonstige Fertigwaren | 33 | 28 | 39 | 41 | 18 | 25 | 25 | 24 |
| Ernährung und Rohstoffe | 8 | 16 | 7 | 3 | 15 | 16 | 8 | 9 |
| Industrieerzeugnisse | 31 | 31 | 28 | 34 | 14 | 26 | 31 | 20 |
| Alle Waren | 17 | 25 | 17 | 10 | 14 | 23 | 24 | 16 |

* Zollsenkungen berechnet aufgrund der effektiven und der gesetzlichen Zölle.
Quelle: *Liebich, Ferdinand K.* (1968), Die Kennedy-Runde, Freudenstadt, S. 198.

Die Erfolgsmeldungen nach Abschluss der Kennedy-Runde vermochten nicht darüber hinwegtäuschen, dass die Regierungen viele Probleme nicht oder

---

[139] Eine detaillierte Zusammenstellung der Ergebnisse im Agrarbereich findet sich in: *Liebich, Ferdinand K.* (1968), Die Kennedy-Runde, Freudenstadt, S. 139ff.

nur an der Oberfläche zu lösen imstande waren.[140] Die Kennedy-Runde beschränkte sich weitgehend auf den Abbau von Zöllen, deren Niveau bereits niedrig war. Die nichttarifären Hemmnisse, deren Bedeutung stetig zunahm, standen nicht zur Diskussion. Die währungsbedingten Handelsstörungen wurden nicht angesprochen. Schliesslich schlugen auch die Bestrebungen fehl, den Agrarmarkt in die Verhandlungen miteinzubeziehen. Die EWG war nicht bereit, von ihrer gemeinsamen und gegenüber Drittstaaten protektionistischen Landwirtschaftpolitik abzuweichen. Um all diese ungelösten Probleme von neuem aufzugreifen, war bereits am Ende der Kennedy-Runde von der Notwendigkeit einer neuen GATT-Runde die Rede.

### 2.3.7 Die siebte GATT-Runde: Tokio-Runde 1973-79

149   In den Jahren nach der Kennedy-Runde stiegen die weltwirtschaftlichen Spannungen. Die Erweiterung der EWG um Dänemark, Grossbritannien und Irland, die Freihandelsverträge zwischen der EWG und den Mitgliedstaaten der sogenannten Rest-EFTA sowie die Abkommen zwischen der EWG und den Mittelmeeranrainern und vielen Ländern Afrikas bildeten nach Ansicht der USA eine handelspolitische Bedrohung für Drittstaaten. Auch der wachsende Protektionismus und die aggressive Exportpolitik Japans beschäftigten die Vereinigten Staaten zunehmend. Den Höhepunkt erreichte diese Unstimmigkeit im Jahr 1971, als US-Präsident *Richard Nixon* "zur Stärkung des amerikanischen Dollars und zur Bekämpfung der Inflation und Arbeitslosigkeit" ohne vorherige Rücksprache mit den GATT-Partnern, eine Importsteuer einführte und die Dollarkonvertibilität in Gold aufhob.[141] Der Zollzuschlag wurde gleichen Jahres wieder aufgehoben, die Nicht-Konvertibilität des Dollars in Gold jedoch beibehalten. Die Neuformulierung der US-amerikanischen Aussenhandelspolitik kam während dieser Jahre nur langsam voran. Binnenpolitische Probleme (Watergate), die Verhandlungen mit der Sowjetunion über

---

140 "Noch nie war einer Zollkonferenz auch nur annähernd ein so gewaltiger Erfolg beschieden gewesen wie der Kennedy-Runde. Noch nie hatten so viele Industriestaaten und Entwicklungsländer an Zoll- und Handelsverhandlungen des GATT teilgenommen [...]." *NZZ*, Nr. 2126 vom 16.5.1967.
141 Vgl. *US* (1972), Economic Report of the President, Washington, DC, 5. Kapitel.

die Gewährung der Meistbegünstigung und die Auswanderungsrechte sowie eine immer protektionistischere Ausrichtung des US–Kongresses verzögerten das Inkrafttreten des neuen Handelsgesetzes von 1974.[142]

Das vom US–Kongress schliesslich verabschiedete "Trade Act" von 1974 ermächtigte den Präsidenten, die Zölle von über 5 Prozent um maximal 60 Prozent des Niveaus vom 1. Januar 1975 abzubauen sowie die Zölle von fünf und weniger Prozent gänzlich aufzuheben.[143]

Die bereits vor dem Inkrafttreten des US–Handelsgesetzes eröffnete Handelsrunde des GATT war teils eine Weiterführung der Dillon– und Kennedy–Runde, teils das Bestreben, sich vermehrt der nichttarifären Handelshemmnisse sowie der Währungs– und Rohstoffprobleme anzunehmen. Die Erklärung von Tokio hielt als wichtigste Verhandlungsziele fest: der Zollabbau, die Aufhebung der nichttarifären Handelshemmnisse sowie deren Unterstellung unter eine internationale Kontrolle, die Überprüfung des GATT–Schutzsystems, die Berücksichtigung des internationalen Agrarhandels und der Einbezug des Handels mit tropischen Erzeugnissen.[144] Dieser Katalog verdeutlicht, wie sich in der Tokio–Runde das Schwergewicht von den Zollverhandlungen auf die Integration des Agrarhandels und die nichttarifären Handelshemmnisse sowie die Fragen des sogenannten Neuen Protektionismus und die Festigung des GATT–Schutzsystems verlagerte.[145]

*Verhandlungsprobleme*

Im Verlauf der Verhandlungen zeichneten sich vor allem drei Problemkreise ab: das Ungleichgewicht im internationalen Agrarhandel, die Zolltarif–Disparität zwischen den USA und der EWG sowie die Schwierigkeit der Erfassung und Beseitigung der nichttarifären Handelshemmnisse.

---

142 Vgl. *Monroe, Wilbur F.* (1975), International Trade Policy in Transition, Toronto u.a., S. 93ff.; *Jägeler, Franz Jürgen* (1974), Kooperation oder Konfrontation, GATT–Runde 1973, Hamburg, S. 52ff.
143 *US*, Public Law 93–618 vom 3.1.1975 ("Trade Act" von 1974), Sec. 101.
144 *GATT* (1974), BISD 20th S, S. 19ff.
145 Einen Überblick über die in der Tokio–Runde behandelten Themen vermittelt das Organigramm der Tokio–Runde, wiedergegeben in: *Senti, Richard* (1986), GATT, System der Welthandelsordnung, Zürich, S. 83.

153  In der Botschaft zum US–Handelsgesetz von 1974 erklärte US–Präsident *Richard Nixon*, die Administration verzichte deshalb auf besondere Verhandlungskompetenzen im Agrarbereich, weil die bestehenden Handelshemmnisse in der Landwirtschaft jenen der Industrieprodukte entsprächen und die allgemeinen Vorschläge zum Abbau der handelsverzerrenden Massnahmen demzufolge für den Handel mit jedwelchen Waren gültig seien.[146] Im Gegensatz zu den USA hielt die EWG fest, die Grundsätze ihrer Gemeinsamen Agrarpolitik dürften "nicht in Frage gestellt werden"[147]. Die europäische Haltung fand in der Tokio–Erklärung ihren Niederschlag in der Feststellung, dass für die Landwirtschaft eine separate Verhandlungsmethode anzustreben sei, welche "die Besonderheiten und Probleme auf diesem Gebiet berücksichtigen sollte"[148]. Als besondere Merkmale des Agrarsektors bezeichnete die EWG "das allgemeine Bestehen einer Unterstützungspolitik, deren internen und externen Aspekte unweigerlich miteinander verbunden [seien], sowie die Unsicherheit der Weltmärkte"[149]. Die EWG schlug vor, den Weltagrarhandel mit Warenabkommen für Getreide, Milchprodukte und Fleisch zu regeln. Das Getreideabkommen habe eine gegenseitige Kaufs– und Verkaufsverpflichtung innerhalb bestimmter Preisbandbreiten sowie Bestimmungen zur Politik der Lagerhaltung zu enthalten. Bei den Milchprodukten war die Rede von Höchst– und Tiefstpreisen und bei Fleisch von gegenseitigen Preisabsprachen.

154  Warum die USA für eine Liberalisierung des Handels mit Landwirtschaftserzeugnissen eintraten, während die EWG für die Beibehaltung und Stärkung ihrer protektionistischen Agrarmarktordnung besorgt war, erklärt sich weitgehend aus der damaligen Struktur des Aussenhandels der beiden Handelspartner. Die US–Agrarexporte hatten für die Vereinigten Staaten mit einem Anteil von bis zu 25 Prozent der Gesamtausfuhr eine ungleich stärkere Bedeutung als diejenigen der EWG mit einem Anteil von weniger als 10 Prozent. Die US–Agrarhandelsbilanz schloss während der siebziger Jahre mit einem jährlichen Aktivsaldo von über 10 Mrd. US$ ab. Ohne Agrarexporte hätte die US–

---

146  *US* (1973). The Message of the President, Washington, DC, S. 9f.
147  *EG* (1973), Bulletin, Beilage 2, Luxemburg, S. 10.
148  *BBl* 1979 III 225; vgl. auch *GATT* (1974), BISD 20th S, S. 19ff., Ziff. 3(e).
149  *EG* (l973), Bulletin, Beilage 2, Luxemburg, S. 10.

Handelsbilanz im Jahr 1975 einen Negativsaldo von 8.04 Mrd. US$, statt eines Überschusses von 1.22 Mrd. US$, und 1974 ein Manko von 14.73 Mrd. US$, statt eines Plus von 2.98 Mrd. US$, ausgewiesen. Der Import von agrarischen Gütern war jedoch für die Vereinigten Staaten von geringerer Bedeutung als für die EWG-Mitgliedstaaten. Er betrug etwa 13 Prozent der totalen Importe gegenüber rund 20 Prozent in der EWG. Die EWG übernahm damals rund einen Viertel der US-Agrarexporte, während die USA nur einen Zehntel der EWG-Agrarexporte bezogen. Dieses handelspolitische Ungleichgewicht mag erklären, warum die Interessen der beiden Handelspartner während der damaligen GATT-Verhandlungen auf keinen gemeinsamen Nenner zu bringen waren.[150]

Im Verlauf der Verhandlungen wurden mehrere Methoden des Zollabbaus vorgelegt. Die US-Verhandlungsdelegation schlug die Zollsenkungs-Formel $y = 1.5x + 50$ für Zollsätze von 0 bis 6.66 Prozent vor und 60 Prozent für Zollsätze von über 6.66 Prozent (x = geltender Zollsatz und y = Zollsenkungsrate). Die Europäische Wirtschaftsgemeinschaft dagegen forderte, "die erheblichen Unterschiede zwischen den Zolltarifen der Industrieländer" zu berücksichtigen. Die mathematische Formel sei so zu wählen, dass im Rahmen der allgemeinen Zielsetzung über die Senkung der Zolltarife eine Einebnung der strukturell bedingten Unterschiede erreicht werde.[151] Als Grundsatz habe zu gelten, dass höhere Zollsätze relativ stärker abzubauen seien als niedrigere. Ähnliche Vorschläge unterbreiteten im Verlauf der Verhandlungen auch Japan und die Schweiz. Schliesslich einigten sich die Verhandlungsdelegationen auf den schweizerischen Vorschlag: Zollsenkungsrate $y = 100 - \frac{100a}{a + x}$ (x entsprach dem jeweiligen Zollsatz, a blieb noch zu bestimmen).[152]

Die EWG lehnte einen linearen Zollabbau nicht wegen der absoluten Höhe der zu reduzierenden Zölle ab. Vielmehr befürchtete sie, schon im Vorfeld ein

155

156

---

150 Vgl. *Senti, Richard* (1975), Reaktion der Welthandelspartner auf "Trade Act of 1974", in: Aussenwirtschaft, 30. Jg., H. III, S. 211ff.

151 *EG* (1973), Bulletin, Beilage 2, Luxemburg, S. 7f.

152 Eine graphische Übersicht der Vorschläge, ergänzt durch die einzelnen Zollsenkungsformeln, findet sich in: *Senti, Richard* (1986), GATT, System der Welthandelsordnung, Zürich, S. 86.

wesentliches Druckmittel gegen jene US-Zolltarife zu vergeben, die zu den Spitzensätzen gehörten. Die Harmonisierung sei die einzige Lösung, so die EWG, "um zu vermeiden, dass gewisse Zolltarife nach einer erneuten Senkung in einigen Fällen so niedrig sind, dass die betreffenden Länder kaum mehr hoffen können, später die Senkung der hohen Zollsätze zu erreichen, die einige ihrer Partner aufrechterhalten könnten"[153].

157     Spätestens in der Tokio-Runde wurde ersichtlich, dass sich die bisherigen Verhandlungsmethoden zur Beseitigung der nichttarifären Handelshemmnisse nicht eigneten und neue Wege gegangen werden mussten. Diese Einsicht führte dazu, dass in dieser Handelsrunde anstelle einer nach dem Prinzip der Meistbegünstigung auf alle Vertragspartner ausgeweiteten Ermässigung oder Beseitigung der nichttarifären Handelshemmnisse zusätzliche besondere Übereinkünfte (Kodizes) vereinbart wurden. Es entstanden die Abkommen über die Regelung der Exportsubventionen, des Antidumping, der technischen Handelshemmnisse, des öffentlichen Beschaffungswesens, der Zollwertbestimmung, der Einfuhrlizenzverfahren sowie des Handels mit Milcherzeugnissen und Rindfleisch. Der Weg über Sonderabkommen anstelle einer Änderung des Allgemeinen Zoll- und Handelsabkommens wurde gewählt, weil die zu einer Änderung des GATT notwendige Stimmenmehrheit von zwei Dritteln aller Vertragspartner für keinen der vorgeschlagenen Verhandlungsgegenstände erreicht worden wäre.[154]

*Verhandlungsergebnisse*

158     Im Verlauf der Tokio-Runde gelang es den Verhandlungsdelegierten, die Zölle weiter abzubauen und Sonderabkommen für den Handel mit Milch- und Fleischprodukten auszuhandeln. Vermehrte Beachtung fanden in dieser Handelsrunde auch die nichttarifären Handelshemmnisse sowie die Handelssituation der Entwicklungsländer.

---

153 *EG* (1973), Bulletin, Beilage 2, Luxemburg, S. 8.
154 Art. XXX:1 GATT erfordert Einstimmigkeit für Änderungen von Teil I des GATT sowie von Art. XIX und XXX GATT: "[...] andere Änderungen dieses Abkommens treten für die Vertragsparteien, die sie annehmen, in Kraft, sobald sie von zwei Dritteln der Vertragsparteien angenommen sind, und danach für jede andere Vertragspartei nach Annahme durch diese."

## Vom GATT zur WTO

Der erreichte Zollabbau bei gewerblichen und industriellen Erzeugnissen 159
wird auf einen Drittel sämtlicher Zollbelastungen (berechnet aufgrund des
Zollaufkommens) oder auf 38 Prozent des arithmetisches Mittels sämtlicher
Tarifpositionen geschätzt; die durchschnittliche Zollbelastung verminderte
sich von 10 Prozent auf rund 6.5 Prozent. Die Zollreduktion variierte je nach
Verarbeitungsstufe. Bei den Rohstoffen war der Abbau, absolut betrachtet,
nicht von Bedeutung. Viele Rohprodukte waren ohnehin schon zollfrei oder
nur mit minimalen Zöllen belastet. Stärker ins Gewicht fiel die Verminderung
bei Halbfertig- und Fertigfabrikaten. Die folgende Tabelle gibt einen Überblick über die in der Tokio-Runde ausgehandelten Zollsenkungen.

**Übersicht 2: Zollsätze vor und nach der Tokio-Runde**

| | | Durchschnittliche Zollsätze | | |
|---|---|---|---|---|
| | | Vor der Tokio-Runde | Nach der Tokio-Runde | Reduktion in % |
| Rohprodukte | gew. | 0.8 | 0.4 | 52 |
| | a.D. | 2.6 | 1.7 | 36 |
| Halbfertigfabrikate | gew. | 5.8 | 4.1 | 30 |
| | a.D. | 9.7 | 6.2 | 36 |
| Fertigfabrikate | gew. | 10.3 | 6.9 | 33 |
| | a.D. | 12.2 | 7.4 | 39 |
| Industrieprodukte total | gew. | 7.2 | 4.9 | 33 |
| | a.D. | 10.6 | 6.5 | 38 |

gew.: handelsgewichteter Durchschnitt.
a.D.: arithmetischer Durchschnitt der Tarifzeilen.

Quelle: *GATT* (1979), The Tokyo Round of Multilateral Trade Negotiations, Genf,
S. 120. Diese Angaben beziehen sich auf: EWG-Mitgliedstaaten, Finnland, Japan, Kanada, Norwegen, Österreich, Schweden, Schweiz und USA.

Der höchste Zollabbau erfolgte in den Produktionsbereichen nichtelektri- 160
sche Maschinen, Holzerzeugnisse, Chemikalien und Transportwesen. Unter-
durchschnittliche Reduktionen erfuhren die Handelssegmente Textilien, Leder
und Gummiwaren.

Erster Teil

161  Die vereinbarte Senkung war von Zollposition zu Zollposition und je nach Ursprungsland verschieden. Gemäss folgender Übersicht erfuhren 62 Prozent der Zollpositionen eine Reduktion von 0.1 bis 40 Prozent, wobei der Zollabbau für Produktgruppen mit Zöllen zwischen 15.1 und 25 Prozent knapper ausfiel als jener der übrigen Positionen. Ein Zollabbau von 40.1 bis 100 Prozent erfolgte für 25 Prozent der Zollpositionen. Keine Zollermässigung ergab sich für 13 Prozent der Zollpositionen.

**Übersicht 3: Zollabbau je nach Tarifniveau**

| Zollreduktion in der Tokio-Runde | Ursprüngliches Zollniveau vor der Tokio-Runde | | | | | |
|---|---|---|---|---|---|---|
| | bis 5% | 5.1–10% | 10.1–15% | 15.1–25% | über 25% | Total |
| 0.1 – 40% | 63 | 69 | 62 | 41 | 63 | 62 |
| 40..1 – 100% | 19 | 18 | 33 | 42 | 19 | 25 |
| keine | 18 | 13 | 5 | 17 | 18 | 13 |
| Total | 100 | 100 | 100 | 100 | 100 | 100 |
| (Import in Mrd. US$) | (32.0) | (43.3) | (32.3) | (17.4) | (4.3) | (129.3) |

Zusammengestellt aufgrund der Daten in: *GATT* (1979), The Tokyo Round of Multilateral Negotiations, Genf, S. 119.

162  Als schwierig erwiesen sich die Verhandlungen im Agrarhandelsbereich. Die unterschiedlichen Interessen der GATT-Partner brachten die Gespräche ins Stocken. Um aus dieser Patt-Situation auszubrechen, einigten sich die Delegierten 1977 auf eine separate Behandlung einzelner Landwirtschaftsbereiche in Sonderabkommen.[155] Im Mittelpunkt der Diskussion stand der Handel mit Getreide, Milchprodukten und Fleisch. Die Erörterung der Getreidefragen übernahm der Internationale Weizenrat. Über den Handel mit Milchprodukten und Fleisch kamen zwei Sonderabkommen im Rahmen des GATT

---

155 Zwischen einzelnen Ländern kam es auch zu bilateralen Absprachen. Vgl. z.B. Vereinbarung zwischen den USA und der Schweiz betreffend Käse, in: *BBl* 1979 III 562ff.

zustande, die, wie weiter oben beschrieben, im Jahr 1995 zunächst ins WTO-Vertragswerk übernommen und auf Ende 1997 ausser Kraft gesetzt wurden.[156]

Die Verhandlungspartner der Tokio-Runde verlangten eine ständige Arbeitsgruppe zur Behandlung von Landwirtschaftsfragen. So entstand im Jahr 1978 die sogenannte "Framework-Gruppe für Agrarwirtschaft". Ihre Zielsetzung war, "innerhalb eines geeigneten Beratungsrahmens eine aktive Zusammenarbeit im Landwirtschaftsbereich zu entwickeln"[157]. 163

In der Tokio-Runde ist es – sieht man von der Antidumpingregelung der Kennedy-Runde ab – erstmals gelungen, in einem etwas breiteren Rahmen nichttarifäre Handelshemmnisse einer gemeinsamen Ordnung zu unterstellen. Gegenstand dieser Abkommen sind die Subventionen und die Ausgleichsmassnahmen, die Antidumpingbestimmungen, die technischen Handelshemmnisse, das öffentliche Beschaffungswesen, die Ermittlung des Zollwerts, die Einfuhrlizenzverfahren, die Notifizierung, die Konsultationen sowie das Streitschlichtungsverfahren. 164

Das Hauptergebnis der Tokio-Runde zugunsten der Nicht-Industrieländer ist die Schaffung der rechtlichen Basis ihrer Sonderstellung im GATT.[158] Die damals beschlossene Ermächtigungsklausel ("Enabling clause") sieht vor, dass "ungeachtet des Artikels I des Allgemeinen Abkommens (GATT) [...] die Vertragsparteien den Entwicklungsländern eine differenzierte und günstigere Behandlung gewähren [können], ohne diese Behandlung den anderen Vertragsparteien zu gewähren"[159]. 165

Insgesamt erfüllte die Tokio-Runde die Erwartungen der Dritten Welt nicht.[160] Viele Alternativvorschläge der Vertreter der ärmeren Länder blieben bei der Abfassung der Zusatzabkommen über nichttarifäre Handelshemmnisse 166

---

156 Vgl. Rz 99ff.
157 Vgl. *BBl* 1979 III 514; *GATT* (1979), The Tokyo Round of Multilateral Trade Negotiations, Genf, S. 35f. und 147.
158 *GATT* (1980), BISD 26th S, S. 203ff.
159 *BBl* 1979 III 549.
160 *GATT* (1979), The Tokyo Round of Multilateral Trade Negotiations, Genf, S. 155.

unberücksichtigt. Die Delegationen waren sich einig, die Verhandlungen über den speziellen Schutz der schwachen Staaten fortführen zu müssen.[161]

## 3. Die achte GATT–Runde als Beginn der WTO

167  Ende der sechziger Jahre ging das Allgemeine Zoll- und Handelsabkommen aus der Kennedy–Runde als Garant einer (relativ) liberalen Welthandelsordnung hervor. Anfangs der achtziger Jahre aber stellte die ins Schlingern geratene Weltwirtschaft die Verhandlungsergebnisse der Tokio–Runde und damit das GATT als handelspolitisches Regelsystem in zunehmendem Masse in Frage.

168  Die im Jahr 1980 einsetzende Wirtschaftskrise, verbunden mit rückläufigen Import- und Exportzahlen, wachsenden Handelsbilanz- und Budgetdefiziten sowie steigenden Arbeitslosenquoten, führte in vielen Ländern zu einer erneuten Anhebung der Zölle und einem vermehrten Einsatz von nichttarifären Handelshemmnissen in Form von Importquoten und Selbstbeschränkungsabkommen. Damit einher ging die immer deutlichere Kritik an der Wirkungslosigkeit des GATT und der im GATT ausgehandelten Vereinbarungen.[162]

169  Das GATT–Sekretariat warnte die Regierungen vor der Verfolgung von Partikularinteressen. Sektorielle Lösungsansätze stünden einer kohärenten Welthandelspolitik entgegen und seien mit Einbussen bei der gesamtwirtschaftlichen Effizienz, mit Wohlstandsverlusten und mit steigender Arbeitslosigkeit verbunden. Die im Vergleich zum Sozialprodukt überproportionale Erhöhung der Exportsubventionen verunmögliche ein weltweites Wirtschaftswachstum.

---

161 Auf einzelne Probleme der Entwicklungsländer und die "Enabling clause" wird in Rz 571ff. eingetreten.

162 Die Ministererklärung von 1982 beginnt mit der Feststellung, "that the multilateral trading system, of which the GATT is the legal foundation, is seriously endangered". *GATT* (1983), BISD 29th S, S. 9. Am Davos Symposium 1988 fiel die Bemerkung: "The GATT is dead" (*Lester Thurow*), zit. nach: *Bhagwati, Jagdish* (1991), The World Trading System at Risk, New York u.a., S. 7.

Der herrschenden Vertrauenskrise könne allein durch eine Öffnung der Märkte begegnet werden.[163]

Die Genfer Ministerkonferenz des GATT im Jahr 1982 führte – obwohl als solche nicht sehr erfolgreich – letztlich zu Neuverhandlungen über die Welthandelsordnung, das heisst zur GATT–Runde 1986–93. Diese achte Runde ist nach dem Gastgeber der Lancierungskonferenz, Uruguay, der nach Punta del Este geladen hat, als "Uruguay–Runde" in die GATT– beziehungsweise WTO–Geschichte eingegangen. Die Uruguay–Runde ist in formeller und materieller Hinsicht ein Neubeginn, formell über die Schaffung einer selbständigen internationalen Organisation anstelle des bisherigen provisorischen GATT–Vertrags, und materiell, indem neben dem Güterhandel auch der Dienstleistungshandel und die handelsbezogenen Aspekte der geistigen Eigentumsrechte erfasst und zusätzliche Abkommen über den Agrar– und Textilhandel, die Anwendung sanitarischer und phytosanitarischer Vorschriften sowie die Investitionsmassnahmen ausgehandelt worden sind.

## 3.1  Das wirtschaftliche und politische Umfeld

In den Jahren 1960 bis 1970 betrug das jährliche Wirtschaftswachstum der Industriestaaten real 4.8 Prozent.[164] Im folgenden Jahrzehnt waren es noch 3.3 Prozent. Im Jahr 1980/81 folgten, nicht zuletzt durch die sogenannte zweite Erdölkrise beziehungsweise die Verdoppelung der Erdölpreise ausgelöst, ein

---

163 Vgl. *Dunkel, Arthur* (1982), Bilateralism and sectoralism in trade policy, in: *GATT* (1982), FOCUS, Newsletter Nr. 12, Genf, S. 4. – In diesem Zusammenhang wird oft darauf hingewiesen, dass es bei der Gründung des GATT in den vierziger Jahren und bei der Schaffung der WTO eines äusseren Drucks bedurfte, um etwas Neues entstehen zu lassen. In der Nachkriegszeit war es die im Krieg zerstörte Wirtschaft, die eine neue Welthandelsordnung forderte, in den achtziger Jahren die immer spürbarer werdende Wirtschaftskrise, der rückläufige Aussenhandel, die wachsenden Haushaltdefizite und die steigende Arbeitslosigkeit.

164 *UN* (1992), Handbook of international trade and development statistics, Supplement, New York, S. 422f. Über den Verlauf der industriellen Produktion in den Vereinigten Staaten und in der EU vgl. *GATT* (1982), International Trade 1981/82, S. 90. Eine Übersicht über die Entwicklung des Erdölpreises findet sich in: *GATT* (1984), International Trade 1983/84, S. 23.

Erster Teil

Einbruch auf 1.7 Prozent und im Jahr 1981/82 mit −0.2 Prozent eine Rezession. Eine analoge Entwicklung zeichnete sich in den Drittweltländern ab. Ihre Wachstumsraten, die während der Jahre 1960 bis 1980 zwischen 5.5 und 6 Prozent lagen, sanken zu Beginn der achtziger Jahre ebenfalls auf Null.

172  Einen ähnlichen Verlauf wie die Wachstumsraten des Sozialprodukts zeigen die internationalen Handelsströme. Die durchschnittlichen jährlichen Zuwachsraten (nominal) betrugen in den sechziger Jahren fast 10 und in den siebziger Jahren sogar über 20 Prozent, mit einem Maximalwert von 26.3 Prozent im Jahr 1978/79. Der Einbruch folgte in den Jahren 1979 bis 1981. Die jährliche Wachstumsrate fiel in dieser Zeitspanne auf −1.5 Prozent, gefolgt von −6.4 Prozent im Jahr 1981/82. Die Handelsschwankungen waren in den Industriestaaten geringer als in der Dritten Welt. Die Entwicklungsländer verzeichneten im Jahr 1978/79 noch einen Handelszuwachs von 38.4 Prozent und mussten im Jahr 1981/82 einen Negativwert von −12.8 Prozent hinnehmen.[165]

173  Der Anstieg des Erdölpreises bei rückläufigen Preisen für Industrieerzeugnisse schlug sich in den Handelsbilanzen der einzelnen Länder nieder. Die Industriestaaten erzielten im Jahr 1978 noch einen Handelsbilanzüberschuss von 30 Mrd. US$. Diesem Überschuss folgten im Jahr 1979 ein Defizit von 15 Mrd. und im Jahr 1980 ein Defizit von 45 Mrd. US$. In den wirtschaftlich schwachen Staaten (ohne Erdöl–Produzenten) wuchs das jährliche Handelsbilanzdefizit von 20 bis 30 Mrd. US$ in den Jahren 1973 bis 1978 auf über 70 Mrd. US$ in den folgenden Jahren. Der Gegenposten fand sich bei den Erdöl–Exportländern mit jährlichen Überschüssen in ihren Handelsbilanzen von bis zu 115 Mrd. US$ in den frühen achtziger Jahren.[166]

174  Verbunden mit dem rückläufigen Wirtschaftswachstum und dem sinkenden Aussenhandel stieg die Arbeitslosenquote in vielen Ländern von rund 4 Prozent in den siebziger auf über 10 Prozent zu Beginn der achtziger Jahre.[167]

---

[165] *UN* (1985), Handbook of international trade and development statistics, Supplement, New York, S. 14f.
[166] *GATT* (1982), FOCUS, Newsletter Nr. 16, Genf, S. 3 (mit weiteren Quellenangaben).
[167] *UN* (1986), Statistical Yearbook 1983/84, New York, S. 87.

Der harzige internationale Handel und die allgemeine Verunsicherung der 175
Wirtschaftskreise während der ersten achtziger Jahre erklären, warum so kurz
nach Abschluss der Tokio–Runde bereits wieder der Wunsch nach neuen
GATT–Verhandlungen aufkam. Zum Teil ging die Initiative auf den Druck von
Industrievertretern zurück, die an einer Erweiterung der Absatzmärkte interessiert waren, zum Teil auf die Regierungen, die damit ihre landesinternen
Probleme anzugehen oder davon abzulenken versuchten.

## 3.2   Die Vorbereitungsphase

An den Juni– und Oktobersitzungen 1981 erarbeitete die Beratungsgruppe 176
der Achtzehn[168] den Vorschlag, im folgenden Jahr eine Ministerkonferenz einzuberufen. Die Zielsetzung der Konferenz war,

> "[...] to examine the functioning of the multilateral trading system and reinforce the
> common efforts of the contracting parties to support and improve the system for the
> benefit of all nations"[169].

Die Vorbereitung lag in den Händen eines dazu geschaffenen Vorbereitungs- 177
ausschusses, der im Dezember 1981 die Arbeit aufnahm und im Frühjahr des
folgenden Jahres eine provisorische Traktandenliste der für Herbst 1982 vorgesehenen Ministertagung vorlegte.[170] Schwerpunkte der Konferenz sollten
einerseits handelspolitische Grundsatzerklärungen, in denen sich die Vertragspartner erneut zu einem offenen multilateralen Welthandelssystem bekennen,
und andererseits die Inangriffnahme von konkreten Problemen mit fest vorgegebenen Fristen sein.

---

168   Die Beratungsgruppe der Achtzehn (Consultative Group of Eighteen) wurde am
      11.7.1975 vom GATT–Rat geschaffen, um das GATT–Sekretariat zu unterstützen.
      Die letzte Tagung dieser Beratungsgruppe fand am 10.10.1987 statt. Anfänglich
      bestand die Beratungsgruppe aus folgenden Mitgliedern: Ägypten, Argentinien,
      Australien, Brasilien, EG, Kanada, Indien, Japan, Malaysia, Nigeria, Pakistan, Peru,
      Polen, Skandinavische Länder, Schweiz, Spanien, USA und Zaire. In den folgenden
      Jahren wurden einige wenige Länder durch andere ersetzt. Vgl. die Berichte in:
      *GATT* (jährlich), BISD.
169   *GATT* (1982), BISD 28th S, S. 15.
170   Ministererklärung vom 29.11.1982, veröffentlicht in: GATT (1983), BISD 29th S,
      S. 9ff.

Erster Teil

178  Die Ministerkonferenz fand vom 22. bis 30. November 1982 in Genf statt und endete mit einer gemeinsamen Erklärung. Der Text weist eingangs auf die damalige Wirtschaftskrise hin, erwähnt die Schwierigkeiten bei der Verwirklichung der Ergebnisse der Tokio-Runde und hält fest, dass die Welthandelsprobleme unter den gegebenen Rahmenbedingungen immer weniger im Alleingang der Länder gelöst werden können. In der Folge bekräftigen die Minister ihren Willen, die GATT-Verpflichtungen einzuhalten und vom Ergreifen restriktiver und GATT-widriger Handelspraktiken abzusehen. Angesprochen werden auch die Verbesserung des GATT-Schutzsystems, die handelsmässige Begünstigung der Entwicklungsländer, die Verbesserung der Verfahren zur Streitschlichtung, die Re-Integration des Agrarhandels ins GATT-System sowie die Gewährung von Sonderbedingungen für den Handel mit tropischen Produkten.

179  Sowohl vor wie während der Konferenz unterbreiteten die Vertreter der USA den Vorschlag, eine neue GATT-Runde einzuleiten, in der die Handelsposition der Dritten Welt, der internationale Agrarhandel und der grenzüberschreitende Handel mit Dienstleistungen besondere Beachtung zu finden hätten.[171] Für die Notwendigkeit einer stärkeren Integration der Entwicklungsländer sprach deren damalige Verschuldung.[172] Der Agrarhandel stand auf der Prioritätenliste der USA, weil der US-Agrarexport, der in den letzten Jahren stark angestiegen war und zu Beginn der achtziger Jahre fast einen Drittel des landwirtschaftlichen Einkommens ausmachte, sich wieder abschwächte und vor allem in Europa auf Handelshemmnisse stiess. Der internationale Handel mit den Dienstleistungen schliesslich, in den ersten GATT-Jahren ohne grosses Gewicht, gewann im Lauf der Jahrzehnte zunehmend an Bedeutung und erreichte in den achtziger Jahren je nach Berechnungsart ein Volumen von mehr als 20 Prozent des weltweiten Güterhandels.[173]

---

171 Vgl. *US Mission Genf* (1982), Daily Bulletin Nr. 181 vom 24.9.1982, S. 8.
172 *May, Bernhard* (1994), Die Uruguay-Runde, Bonn, S. 17.
173 *GATT* (1990), International Trade 1989–90, Vol. II, Genf, S. 3f. – Die ehemals an Güter gebundenen Dienstleistungen haben sich mit der technologischen Entwicklung immer mehr "verselbständigt" und damit ihren (statistischen) Eigenwert überproportional erhöht.

Aber die Entwicklungsländer und die EG wiesen die von den USA ergriffene Initiative zurück. Die Dritte Welt sah im Einbezug der Dienstleistungen eine weitere Stärkung der Industriestaaten und ein Ablenken von ihren eigentlichen Anliegen, nämlich dem erleichterten Zugang zu den Märkten der wirtschaftlich starken Staaten. Die Europäischen Gemeinschaften wiederum befürchteten einen Angriff auf ihren Agrarprotektionismus und ihre auf Hochtechnologie ausgerichtete Industriepolitik.[174] Die abweisende Haltung der GATT-Partner gegenüber ihren neuen Verhandlungsvorschlägen bewog die USA in den folgenden Jahren, im Alleingang Freihandelsverträge mit Israel (1986), mit Kanada (1989) sowie mit Kanada und Mexiko (NAFTA 1994) abzuschliessen.[175]

180

In den Jahren 1983 und 1984 bemühte sich der GATT-Rat, die Ministerbeschlüsse vom November 1982 in die Tat umzusetzen. Ein neu geschaffener Agrarausschuss war beauftragt, Vorschläge zur Liberalisierung des Handels mit Landwirtschaftserzeugnissen auszuarbeiten. Eine weitere Arbeitsgruppe erstellte eine Bestandesaufnahme der nichttarifären Handelshemmnisse.[176]

181

Im Spätherbst 1983 erteilte *Arthur Dunkel*, Generaldirektor des GATT, einer Expertengruppe unter der Leitung von *Fritz Leutwiler* den Auftrag, eine Situationsanalyse vorzunehmen und Vorschläge über das weitere Vorgehen im Rahmen des GATT auszuarbeiten. *Arthur Dunkel* beabsichtigte, mit neuen Vorschlägen Bewegung in die Welthandelsordnung zu bringen.

182

Der im März 1985 veröffentlichte Bericht der Expertengruppe – in der Presse als Leutwiler-Bericht bekannt – schloss mit 15 Empfehlungen zum Miteinbezug des Agrar-, Textil- und Dienstleistungshandels in das GATT sowie zur Verbesserung der Subventionsordnung, der Schutzbestimmungen

183

---

174 Vgl. *Falke, Andreas* (1995), Abkehr vom Multilateralismus?, Göttingen, S. 278.
175 Vgl. *Baldwin, Robert E.* (1993), Changes in the global trading system: a response to shifts in national economic power, in: *Salvatore, Dominick,* Hrsg., Protectionism and world welfare, Cambridge, S. 91; *Senti, Richard* (1996), NAFTA, Zürich, S. 18ff.
176 Vgl. *GATT* (1983), FOCUS, Newsletter Nr. 19, Genf, S. 1; *GATT* (1983), FOCUS, Newsletter Nr. 26, Genf, S. 1 und 3; vgl. *NZZ* vom 9.11.1984, Nr. 262, S. 19.

usw.[177] Die 13. Empfehlung nahm den an der Ministerkonferenz 1982 von den USA vorgetragenen Wunsch einer neuen Welthandelsrunde auf, deren Hauptziel die Stärkung des multilateralen Handelssystems und die weitere Öffnung des Weltmarkts sein müsse.[178]

184 Die Vertreter der US–Regierung hielten seit der Ministerkonferenz 1982 an ihrem Vorschlag einer neuen Verhandlungsrunde fest und benützten jede Gelegenheit, diesem Begehren Nachdruck zu verleihen. So erklärte der US–Trade Representative *William E. Brock* im November 1984 in einem Vortrag in Washington, dass die Vereinigten Staaten ihr Ziel einer neuen Runde von multilateralen und bilateralen Handelsverhandlungen "aggressiv" weiter verfolgen würden.[179] Mit der gleichen Überzeugung forderte *William E. Brock* an der OECD–Ministertagung vom November 1985: "We need multilateral negotiations, and we need them now"[180]. Diese Haltung der USA ist vor dem Hintergrund der damaligen US–Binnen– und Aussenhandelspolitik zu verstehen. Während der Vorbereitungszeit des US–Handelsgesetzes von 1984 kam im Kongress wiederholt Kritik am GATT wegen seiner Beschränkung auf den Güterhandel auf. Der US–Präsident wurde im Sinne einer Neuausrichtung der US–Handelspolitik auf eine Strategie der Exportförderung von Dienstleistungen, Hochtechnologie und handelsbezogenen Investitionen verpflichtet. Die damit verfolgte Absicht war, gezielter gegen "unjustifiable" und "unreasonable" Praktiken der Handelspartner vorzugehen. Die Reagan–Administration war daher Mitte der achtziger Jahre an internationalen Handelsverhandlungen und ganz besonders an einer Erweiterung der Welthandelsordnung auf die drei genannten Wirtschaftsbereiche interessiert. Solche Verhandlungen

---

177 Der Bericht erschien unter dem Titel "Trade Policies for a Better Future, Proposals for action" (Welthandelspolitik für eine bessere Zukunft, Fünfzehn Empfehlungen), Genf 1985 (im folgenden als *Leutwiler–Bericht* zitiert).
178 *Leutwiler–Bericht* (1985), S. 54.
179 *US Embassy Bern*, Daily Bulletin Nr. 210 vom 7.11.1984, S. 5.
180 Zit. nach: Vortragstext vom 4.11.1985, zur Verfügung gestellt von der US–Botschaft, Bern. Diese Äusserung erfolgte vor dem Hintergrund der Drohung, dass die USA, falls nicht alle GATT–Vertragspartnerstaaten zu Verhandlungen bereit seien, Verhandlungen in einem kleinen Kreis von Ländern vorschlagen würden, was eine Aufspaltung des GATT in unterschiedliche Blöcke bedeutet hätte. Vgl. *US Mission Genf*, Daily Bulletin vom 26.3.1985, S. 13.

hätten es der Exekutive erleichtert, dem Druck des Kongresses zu begegnen.[181]

In der Zwischenzeit gaben die Entwicklungsländer ihren Widerstand gegen eine neue Verhandlungsrunde auf. Der Delegierte Indiens erklärte im Namen von 24 Drittweltstaaten, eine Handelsrunde allein werde zwar nicht die Asymmetrie der Handelsbeziehungen zwischen den wirtschaftlich starken und den wirtschaftlich schwachen Ländern beseitigen. Die Entwicklungsländer seien aber trotzdem damit einverstanden, Vorschläge für eine neue Handelsrunde auszuarbeiten. Die Runde habe sich indessen ausschliesslich auf den Güterhandel zu beschränken sowie sich prioritär mit den Massnahmen zur Bekämpfung des Handelsprotektionsimus und mit dem Handel mit Erzeugnissen, die für die Entwicklungsländer von Bedeutung sind wie etwa Textilien und tropische Produkte, zu befassen. Die Berücksichtigung des grenzüberschreitenden Dienstleistungshandels lehnte die Dritte Welt bis kurz vor der Eröffnung der Handelsrunde ab.[182]

Unter dem dauernden Druck der Vereinigten Staaten und dem nachlassenden Widerstand der Europäischen Gemeinschaften und der Entwicklungsländer einerseits und dem Eingeständnis der Wirkungslosigkeit der Ministertagung von 1982 andererseits[183] entschieden die VERTRAGSPARTEIEN in der Sondersession vom 30. September bis 2. Oktober 1985, die Vorbereitung für eine neue GATT–Runde aufzunehmen und der im folgenden Monat stattfindenden ordentlichen Session entsprechende Vorschläge zu unterbreiten.[184]

Der endgültige Entscheid über die Durchführung der achten Welthandelsrunde fiel schliesslich in der 41. Session des GATT vom 25. bis 28. November

---

181 Nach dem Sieg der Demokraten bei den Zwischenwahlen für den Senat im Jahr 1986 verschärften sich die Forderungen nach einer Neuausrichtung der US–Handelspolitik. Im Handelsgesetz 1988 kam es dementsprechend zu einer Neufassung und Verschärfung der Section 301. Eine Analyse der damaligen Situation in den USA findet sich in: *Falke, Andreas* (1995), Abkehr vom Multilateralismus?, Göttingen, S. 271.
182 *GATT* (1985), FOCUS, Newsletter Nr. 34, Genf, S. 1f.
183 Über die bescheidenen Erfolge der Ministertagung 1982 vgl. *GATT* (1985), FOCUS, Newsletter Nr. 34, Genf, S. 1.
184 *GATT* (1986), BISD 32nd S, S. 9.

# Erster Teil

1985. Die Vertragsparteien beauftragten einen Vorbereitungsausschuss, bis Mitte 1986 Vorschläge für eine weitere Runde auszuarbeiten, um mit den Verhandlungen im Herbst 1986 zu beginnen.[185] In der Folge erarbeiteten dieser Ausschuss zusammen mit dem GATT-Sekretariat die Themenliste der bevorstehenden Verhandlungen. Diese ausführlich formulierte Liste bildete zu Beginn der Verhandlungen die Grundlage der Ministererklärung. Als Eröffnungsort der neuen GATT-Runde wurde die Badestadt Punta del Este in Uruguay ausgewählt, wo die Ministerkonferenz[186] am 15. September 1986 ihre Arbeit aufnahm.[187]

## 3.3 Die Ministererklärung 1986

188  Die Ministererklärung vom 20. September 1986, das Ergebnis der vorausgegangenen Vorbereitungsarbeiten und der ministeriellen Beratungen, enthält das Programm der bevorstehenden Verhandlungen.[188] Es folgt eine zusammenfassende Aufzählung jener Punkte der Erklärung, die für die damit eingeleiteten Handelsverhandlungen von Bedeutung sind.

189  Die Ministererklärung ist zweigeteilt. Im ersten Teil beschliessen die Minister, im Rahmen des bisherigen GATT multilaterale Verhandlungen über den Güterhandel aufzunehmen. Die handelsbezogenen Aspekte der geistigen Eigentumsrechte, deren Regelung heute den dritten Pfeiler des WTO-Vertragswerks bildet, sind vorderhand noch im Kapitel über den Güterhandel aufgeführt. Im zweiten Teil erklären sie sich die Minister als Vertreter der Regierungen bereit, den grenzüberschreitenden Dienstleistungshandel, analog zum Güterhandel, in die Welthandelsordnung aufzunehmen.

---

185 *GATT* (1986), BISD 32nd S, S. 10.

186 In Punta del Este tagte keine "GATT-Konferenz", sondern eine "Ministerkonferenz" mit einem viel breiteren, nach bestimmten Kriterien zusammengestellten Teilnehmerkreis. An der Konferenz nahmen u.a. die Länder mit Beobachterstatus und verschiedene internationale Organisationen teil. Vgl. *GATT* (1986) FOCUS, Newsletter Nr. 40, Genf, S. 1.

187 *GATT* (1986), FOCUS, Newsletter Nr. 39, Genf, S. 1.

188 Ministererklärung vom 20.9.1986, veröffentlicht in: *Hummer/Weiss, S. 280ff. (deutsche Fassung)*; *GATT* (1987), BISD 33rd S, S. 19ff. (englische Fassung).

Die Präambel enthält den Beschluss, eine multilaterale Handelsrunde (Uruguay–Runde) zu eröffnen. Zur Durchführung dieser Runde ist ein Ausschuss für Handelsverhandlungen (Trade Negotiations Committee, TNC) vorgesehen. Die Dauer der Verhandlungen wird auf vier Jahre festgelegt.

190

Die Verhandlungen verfolgen vier Ziele: (1) Die weitere Liberalisierung und die Ausdehnung des Welthandels zum Nutzen aller, insbesondere der wirtschaftlich schwachen Staaten: Die Verbesserung des Marktzugangs habe durch den Abbau oder die Beseitigung der Zölle, der mengenmässigen Beschränkungen und anderer nichttarifärer Handelshemmnisse zu erfolgen. (2) Die Stärkung des GATT als multilaterales Handelssystem: Diese zweite Zielsetzung ist offensichtlich eine Reaktion auf die damals immer lauter werdende Kritik am Welthandelssystem. Im gleichen Sinne ist auch die dritte Vorgabe zu verstehen, nämlich (3) die Erhöhung der Fähigkeit des GATT–Systems, auf die Entwicklung des globalen wirtschaftlichen Umfelds zu reagieren: Dies habe durch eine erleichterte Strukturanpassung und den Ausbau der Beziehungen des GATT zu wichtigen internationalen Organisationen zu geschehen. (4) Das Ergreifen von flankierenden Massnahmen als Beitrag zur Verbesserung der Funktionsweise des internationalen Währungs– und Kreditsystems: Dieses letzte Ziel spricht unter anderem die Erleichterung von Investitionen in wirtschaftlich schwache Staaten an.

191

Unter dem Titel "Allgemeine Verhandlungsgrundsätze" verlangt die Erklärung Transparenz und Einhaltung der allgemeinen GATT–Grundsätze (Meistbegünstigung, Inlandgleichbehandlung und Reziprozität). Die Vertragsparteien stimmen überein, dass die Entwicklungsländer weiterhin eine präferenzielle Behandlung erfahren, und dies ohne Abgeltung der Zugeständnisse durch Gegenleistungen.

192

Ein weiterer Abschnitt befasst sich mit dem sogenannten "Standstill" und "Rollback". Die Vertragsparteien vereinbaren, dass sie ab sofort bis zum formellen Abschluss der Verhandlungen keine handelseinschränkenden oder –verzerrenden Massnahmen ergreifen, die nicht mit den Bestimmungen des GATT vereinbar sind oder die zum Ziel haben, die eigene Verhandlungsposition zu verbessern ("Standstill"). Gleichzeitig verpflichten sie sich, alle GATT–widrigen handelseinschränkenden oder –verzerrenden Massnahmen

193

Erster Teil

bis zum Abschluss der Verhandlungen ohne Forderung auf Gegenleistung abzubauen ("Rollback").

194 Als separate Verhandlungsgegenstände zählt die Ministererklärung auf: die Senkung des Zollniveaus unter besonderer Berücksichtigung der Zolltarifprogression mit steigendem Verarbeitungsgrad (Zolltarif-Eskalation), die Beseitigung der nichttarifären, insbesondere der mengenmässigen Handelshemmnisse, die möglichst weitgehende Liberalisierung des Handels mit Rohstoffen und tropischen Erzeugnissen einschliesslich der Zwischen- und Fertigprodukte, die verstärkte GATT-Integration des Handels mit Textilien und Kleidern, die Öffnung des Agrarmarkts, die Verbesserung der Disziplin beim Einsatz von Subventionen und Ausgleichsmassnahmen, die Stärkung der Schutzmassnahmen sowie der bessere Schutz von handelsbezogenen Eigentumsrechten. Weitere Abschnitte sind der Straffung des Verfahrens zur Streitschlichtung und der Überprüfung der handelsbeschränkenden und handelsverzerrenden Auswirkungen von Investitionsmassnahmen gewidmet.

195 Die Funktionstüchtigkeit des GATT-Systems soll über eine stärkere Überwachung des multilateralen Handelssystems, die Verbesserung der Effizienz und der Entscheidungsverfahren sowie den Ausbau der Beziehungen zu anderen internationalen Organisationen im Währungs- und Finanzbereich verbessert werden.

196 Der erste Teil der Ministererklärung regelt abschliessend auch die Verhandlungsbeteiligung. Die Verhandlungen stehen allen Vertragsparteien des GATT, den Staaten mit provisorischer GATT-Partnerschaft sowie den Ländern, die bis zum 30. April 1987 ihre Absicht bekunden, dem GATT beizutreten, offen. Die Volksrepublik China nahm an den Verhandlungen teil. Dem Antrag der Sowjetunion vom 12. August 1986, an der neuen Welthandelsrunde teilnehmen zu können, wurde abgelehnt.[189]

197 Im zweiten Teil beschliessen die Minister, Verhandlungen über den Handel mit grenzüberschreitenden Dienstleistungen aufzunehmen. Das Ziel soll die Erarbeitung eines multilateralen Rahmens von Grundsätzen über den Handel mit Dienstleistungen sein. Ein solcher Rechtsrahmen habe indessen die natio-

---

189 Vgl. *NZZ* vom 10.9.1986, Nr. 209, S. 17.

nalen Gesetze und Verordnungen sowie die Arbeiten anderer internationaler Organisationen zu respektieren. Die Verhandlungen seien von einer separaten Arbeitsgruppe (Group of Negotiations on Services), in Zusammenarbeit mit dem GATT-Sekretariat, zu führen. Organisatorisch wurde diese Verhandlungsgruppe dem Ausschuss für Handelsverhandlungen unterstellt.

## 3.4 Der Verlauf der Verhandlungen

Der in Punta del Este lancierten Handelsrunde war eine Verhandlungszeit von vier Jahren vorgegeben, also ein Abschluss im Jahr 1990 anvisiert. Die erste Halbzeit diente der Organisation der Verhandlungen, der Bildung von Arbeitsgruppen und der Analyse der anstehenden Probleme. Die nach zwei Jahren erstellte Zwischenbilanz war nicht ermutigend. In vielen Bereichen zeichnete sich keine klare Problemstellung, geschweige denn eine gangbare Problemlösung, ab. Keinen Verhandlungserfolg brachte auch die zweite Halbzeit. Die bestehenden Divergenzen, vor allem im Agrar- und Textilbereich, konnten nicht ausgeräumt werden. Somit war die für das Jahr 1990 anberaumte Konferenz in Brüssel zum Scheitern verurteilt. Um nicht die im GATT niedergelegte Welthandelsordnung als solche zu gefährden, entschieden die Regierungen, die Verhandlungen weiterzuführen. Der Durchbruch der Verhandlungen gelang schliesslich zwei Jahre später mit der Beilegung des Ölsaatenkonflikts zwischen den Vereinigten Staaten und den Europäischen Gemeinschaften (Blair-House-Abkommen). Der offizielle Abschluss der Uruguay-Runde folgte am 15. Dezember 1993. Die Unterzeichnungs-Zeremonie der Verträge fand am 15. April 1994 in Marrakesch (Marokko) statt. Die Mehrheit der WTO-Verträge trat am 1. Januar 1995 in Kraft.[190] Es folgt eine Zusammenfassung der Verhandlungen. Die Chronologie der Ereignisse wird in drei Zeitabschnitte aufgeteilt, die *erste Halbzeit* von Beginn der Ver-

198

---

190 Über die laufenden Verhandlungen orientierten u.a.: *GATT,* FOCUS, Newsletters, Genf; *GATT,* Activities; eine zusammenfassende Darstellung der zu Beginn der Verhandlungen anstehenden Probleme findet sich in: *Finger/Olechowski,* Hrsg. (1987), The Uruguay Round, A Handbook for the Multilateral Trade Negotiations, Washington, DC; einen Rückblick auf die Verhandlungen bieten: *Croome, John* (1995), Reshaping the World Trading System, Genf; *May, Bernhard* (1994), Die Uruguay-Runde, Bonn.

handlungen im Jahr 1986 bis zur Zwischenkonferenz im Jahr 1988 in Montreal, die *zweite Halbzeit* von 1988 bis zur erfolglosen Konferenz in Brüssel im Jahr 1990 und die *Verlängerung* der Handelsrunde bis zum Abschluss der Verhandlungen im Jahr 1993.

### 3.4.1 Die erste Halbzeit

199 Die Durchführung der Uruguay-Runde oblag gemäss Beschluss vom 28. Januar 1987 dem Ausschuss für Handelsverhandlungen (Trade Negotiations Committee, TNC), der Verhandlungsgruppe für Güter (Group of Negotiations on Goods, GNG) und der Verhandlungsgruppe für Dienstleistungen (Group of Negotiations on Services, GNS). Für die Durchsetzung der am 20. September 1986 in Punta del Este vereinbarten Standstill- und Rollback-Verpflichtung war ein spezielles Überwachungsgremium (Surveillance Body) verantwortlich.

200 Die GNG bildete 14 Arbeitsgruppen zur Behandlung des Güterhandels und das GNS eine zur Bearbeitung der Dienstleistungsfragen (zusammen 15 Arbeitsgruppen). Die Gruppenbildung entsprach weitgehend den in der vorangegangenen Ministerkonferenz angesprochenen Themenbereiche.[191] Die 15 Arbeitsgruppen waren:

1. Gruppe: Zölle
   Senkung oder Beseitigung der Zölle und Zolldisparitäten zwischen Rohstoffen und verarbeiteten Erzeugnissen (Verminderung der Zolltarif-Eskalation).

2. Gruppe: Nichttarifäre Handelshemmnisse
   Reduktion oder Beseitigung der nichttarifären Handelshemmnisse. Im Vordergrund der Bemühungen standen die mengenmässigen Handelshemmnisse. Zugeständnisse aufgrund der Rollback-Verpflichtung galten nicht als Vorleistungen.

3. Gruppe: Tropische Produkte
   Befreiung des Handels mit tropischen Produkten von Zöllen und von nicht-

---

[191] Ministererklärung vom 20.9.1986, Abschnitt D, veröffentlicht in: *Hummer/Weiss*, S. 284ff.

tarifären Handelshemmnissen. Die Diskussion erfasste sieben Produktgruppen: Tropische Getränke (Kaffee, Kakao und Tee); Gewürze, Blumen und Pflanzen; Ölkuchen und Ölsaaten; Tabak, Reis und tropische Wurzeln; tropische Früchte und Nüsse; tropisches Holz und Kautschuk; Jute und Fasern.

4. Gruppe: Rohstoffe
   Abbau oder Beseitigung der tarifären und nichttarifären Handelshemmnisse im Handel mit Rohstoffen und weiterverarbeiteten Rohprodukten.

5. Gruppe: Textilien und Bekleidung
   Rückführung des Handels mit Textilien und Kleidern in die allgemeine Handelsordnung des GATT.

6. Gruppe: Landwirtschaft
   Anerkennung der Notwendigkeit eines möglichst freien Agrarhandels nach den Grundsätzen des GATT, Verbesserung des Marktzutritts; Abbau der direkten und indirekten handelsrelevanten Agrarsubventionen; Minimierung der Handelshemmnisse im sanitarischen und phytosanitarischen Bereich.

7. Gruppe: GATT–Artikel
   Überprüfung der geltenden GATT–Vorschriften mit Blick auf eine allfällige Revision von GATT–Bestimmungen.

8. Gruppe: GATT–Schutzklausel
   Überarbeitung der Schutzklauseln des GATT sowie der im GATT erlaubten Ausnahmen und vorgesehenen Schutzinstrumente.

9. Gruppe: Zusatzabkommen
   Verhandlungen über die Anwendung und Verbesserung der in der Tokio–Runde beschlossenen Vereinbarungen über technische Handelshemmnisse, über Importlizenzen, über den Zollwert, über das öffentliche Beschaffungswesen und über die Antidumpingpolitik.

10. Gruppe: Subventionen und Ausgleichsmassnahmen
    Analyse von Art. VI und XVI des GATT sowie von den in der Tokio–Runde beschlossenen Zusatzabkommen über Subventionen und Ausgleichsmassnahmen im Hinblick auf die GATT–konforme Anwendung und ihre Auswirkungen auf den internationalen Handel.

11. Gruppe: Streitschlichtung
Verbesserung und Stärkung des GATT–Streitschlichtungsverfahrens.

12. Schutz des geistigen Eigentumsrechts in der Handelspolitik
Erarbeitung von handelspolitischen Bestimmungen zu einem wirkungsvollen und angemessenen Schutz des geistigen Eigentumsrechts; Integration dieser Bestimmungen in die Welthandelsordnung.

13. Gruppe: Handelsbezogene Investitionsmassnahmen
Überprüfung der geltenden GATT–Regeln unter dem Gesichtspunkt der internationalen Investitionstätigkeit; Erarbeitung neuer Regeln zur Beseitigung allfälliger Investitionshemmnisse.

14. Gruppe: Funktionsweise des GATT–Systems
Verbesserung des Meinungsbildungsprozesses und der Beschlussfassung im GATT mit stärkerem Einbezug der Minister; Ausbau der Zusammenarbeit mit anderen internationalen Organisationen.

15. Gruppe: Dienstleistungen
Begriffliche Abgrenzung und statistische Erfassung der internationalen Dienstleistungen; Schaffung eines multilateralen Vertragswerks über den Handel mit grenzüberschreitenden Dienstleistungen, das – unter Respektierung des nationalen Dienstleistungsrechts – die Grundsätze eines möglichst freien, transparenten und offenen Dienstleistungshandels und das Ziel enthält, den internationalen Dienstleistungshandel zu fördern.[192]

201   Die Verhandlungsgruppe für Güter schlug dem Ausschuss für Handelsverhandlungen am 28. Januar 1987 zudem vor, ein Überwachungsgremium (Surveillance Body) zur Durchsetzung der Standstill- und Rollback–Verpflichtungen zu schaffen. Jeder GATT–Partner habe diesem Gremium alle die von ihm getroffenen Massnahmen mitzuteilen, die für die Einhaltung dieser Verpflichtung relevant sind. Das Überwachungsgremium sei verpflichtet, die GATT–Partner zu informieren, Konsultationen zwischen betroffenen Staaten durchzuführen und den Verhandlungsausschuss entsprechend auf dem Laufen-

---

192 Die einzelnen Verhandlungsgruppen sowie ihre Zielsetzungen und Themenbereiche werden vorgestellt in: *GATT* (1987), FOCUS, Newsletter Nr. 43, Genf, S. 3ff. und Nr. 44, S. 3ff.

den zu halten. Der TNC stimmte dem Vorschlag zu. Das Überwachungsgremium nahm seine Arbeit Ende Februar 1987 auf.[193]

Die einzelnen Arbeitsgruppen traten im Verlauf des Frühjahrs 1987 erstmals zusammen. Ihre Tätigkeit bezog sich zunächst auf die Ausleuchtung der Problemstellung und die Planung der Beratungen. Materielle Verhandlungen folgten im Verlauf des Jahres 1988. Die erklärte Absicht der Arbeitsgruppen war, eine Zwischenbilanz auf Ende 1988 zu erstellen. Die Halbzeitkonferenz fand am 7. und 8. Dezember 1988 in Montreal statt. 202

Die Montreal–Konferenz war kein Erfolg, teils wegen der Uneinigkeit in einzelnen Verhandlungsbereichen, teils wegen des politisch ungünstigen Umfelds in den USA und den EG.[194] Im Textilbereich zeigten sich die Verhandlungspartner nicht bereit, die ihnen im Multifaserabkommen (MFA) zugestandenen Handelsrestriktionen preiszugeben und einem Zeitplan zur Integration des Textilhandels in das GATT–System zuzustimmen. Agrarhandelspolitisch standen sich zwei Grundhaltungen gegenüber, nämlich einerseits die Forderung nach mehr Marktausrichtung und andererseits die Rechtfertigung des Agrarprotektionismus als Notwendigkeit einer sicheren Nahrungsmittelversorgung und eines nachhaltigen Umweltschutzes. Für die Öffnung des Agrarmarkts traten vor allem die Vereinigten Staaten und die Länder der Cairns–Gruppe[195] ein. Die EG verlangten einen restriktiveren Agrarhandel. Japan und Südkorea bestanden auf der Beibehaltung der nichttarifären Handelshemmnisse in Form von mengenmässigen Importbeschränkungen. Bei der Behandlung der GATT–Schutzklausel schieden sich die Geister in Bezug auf die "Selectivity". Die marktmässig starken Handelspartner favori- 203

---

193 Der Text des Vorschlags findet sich in: *GATT* (1987), FOCUS, Newsletter Nr. 43, Genf, S. 2. Über die Zustimmung durch den TNC und die Aufnahme der Arbeit vgl. *GATT* (1987), FOCUS, Newsletter Nr. 44, Genf, S. 6.

194 Vgl. Rz 205.

195 Die Länder der Cairns–Gruppe forderten in erster Linie die Beseitigung der Agrarexportsubventionen. Der Cairns–Gruppe gehörten folgende 14 Länder an: Argentinien, Australien, Brasilien, Chile, Fiji, Indonesien, Kanada, Kolumbien, Malaysia, Neuseeland, Philippinen, Ungarn, Uruguay und Thailand. Der Name Cairns–Gruppe stammt von der ersten Tagung dieser Länder in Cairns (Australien) im Jahr 1986.

sierten die Idee einer nach Ländern selektiven Anwendung von Schutzmassnahmen, wogegen die kleinen Staaten ein Festhalten am Prinzip der Nichtdiskriminierung forderten (aus Angst vor Einzelstrafmassnahmen von Seiten der marktmässig starken Handelspartner). Keine Einigung kam auch über ein handelspolitisches Fundament zum Schutz des geistigen Eigentumsrechts zustande. Die Industriestaaten verlangten eine Ausweitung des Schutzes geistiger Eigentumsrechte, wogegen die wirtschaftlich schwachen Staaten sich mit sozial- und entwicklungspolitischen Argumenten für einen erleichterten Zugang zu den Ergebnissen von Forschung und Entwicklung einsetzten. Nicht erfolgreich war auch die Rohstoff-Gruppe. Zur Diskussion standen die Forderung der Zollbindung, das "Einfrieren" der Exportsubventionen sowie der Abbau aller tarifären und nichttarifären Handelshemmnisse im Verlauf von zehn Jahren. Zudem bestand die Absicht, die staatliche Einflussnahme im Handel und in der Verarbeitung von Rohstoffen zu beseitigen beziehungsweise zu mindern.

204    Etwas erfolgreicher waren die Arbeitsgruppen, welche die Sonderabkommen bearbeiteten. Sie konnten der Ministerkonferenz in Montreal Ende 1988 erste Vertragsentwürfe vorlegen.[196] Die ausgehandelten Vereinbarungen über den Zollabbau, über die Abschwächung der Zolltarif-Eskalation und über die Beseitigung der nichttarifären Handelshemmnisse traten am 1. Januar 1989 als Teil der Uruguay-Runde in Kraft. Ferner stimmten die Minister im Dezember 1988 und der GATT-Rat im April 1989 den von der Arbeitsgruppe über die Streitschlichtung unterbreiteten Änderungsvorschlägen zu. Die Anpassungen bezogen sich vornehmlich auf die Kürzung und Begrenzung der Verfahrenszeiten.[197]

205    In politischer Hinsicht stand die Montreal-Konferenz unter schlechten Vorzeichen.[198] In den USA fand ein Monat vor der Konferenz die Präsidentenwahl

---

196   Eine Zusammenfassung der Verhandlungsergebnisse findet sich in: *GATT* (1989), GATT Activities 1988, Genf, S. 22ff.
197   *GATT* (1989), GATT Activities 1988, Genf, S. 52ff. und S. 152ff. (Text der Vereinbarung). Vgl. Rz 335ff.
198   Zu den politischen Aspekten der Konferenz vgl.: *May, Bernhard* (1994), Die Uruguay-Runde, Bonn, S. 24.

statt. Es war nicht sicher, ob US–Präsident *George Bush* die Handelspolitik seines Amtsvorgängers *Ronald Reagan* in der bisherigen Form weiterführen werde. Das gleiche galt für die EG nach der Bekanntgabe, die Zuständigkeiten innerhalb der Europäischen Kommission würden neu verteilt. In der Folge übernahm in den Vereinigten Staaten der bisherige Handelsbeauftragte das Agrarministerium und in Brüssel wechselte der bisherige Agrarkommissar in die Handelsabteilung.

Die in Montreal nicht beigelegten Differenzen wurden vom Ausschuss für Handelsverhandlungen in den ersten Monaten des Jahres 1989 aufgegriffen. Im Handel mit Textilien und Kleidern entschieden sich die Parteien für die Weiterverfolgung der Handelsliberalisierung und für die Aufhebung der MFA–Restriktionen. Im Agrarbereich bestand die Einigung im gegenseitigen Zugeständnis, die Agrarpolitik künftig stärker auf den internationalen Handel auszurichten. Längerfristig enthielt diese Zielsetzung eine weitere Öffnung der Agrarmärkte, den Abbau von Exportsubventionen, die Umwandlung von nichttarifären Handelshemmnissen und Exportsubventionen in Zölle (Tarifizierung) sowie die Erarbeitung von Ausnahmebestimmungen für die wirtschaftlich schwächeren Staaten. Kurzfristig gestanden sich die Teilnehmer im Sinne der Ministererklärung von 1986 erneut zu, bis zum Abschluss der Verhandlungen auf die Einführung neuer und die Verschärfung bestehender Handelshemmnisse zu verzichten. Mit Bezug auf die Schutzklauseln bekräftigten die Vertragsparteien den Wunsch nach einem Abkommen, das an den Prinzipien des GATT festhalte und entsprechende Kontrollmöglichkeiten erlaube. Für die Ausarbeitung eines Abkommens sprach sich der Ausschuss für Handelsverhandlungen auch im Bereich des Schutzes des geistigen Eigentumsrechts aus.

Anfangs April 1989 verabschiedete der Ausschuss für Handelsverhandlungen den endgültigen Zwischenbericht und erklärte die Montreal–Konferenz für geschlossen.[199] Damit konnten die Verhandlungen der Uruguay–Runde in den einzelnen Arbeitsgruppen weitergeführt werden.

---

199 Vgl. Mid–Term Review: Final Agreement at Geneva, in: *GATT* (1989), FOCUS, Newsletter Nr. 61, Genf, S. 1ff.

## 3.4.2 Die zweite Halbzeit

208 Das TNC setzte sich zum Ziel, die Verhandlungen bis Ende 1990 abzuschliessen. Geplant waren drei Etappen: Bereinigung der nationalen Vorschläge bis Ende 1989, Abschluss der Gruppenarbeiten und Ausformulierung der Vertragstexte bis Juli/August 1990 sowie Vorbereitung der Abschlusskonferenz bis Ende 1990.

209 *Arthur Dunkel,* Generaldirektor des GATT, stellte für die zweite Halbzeit der Uruguay–Runde folgende Programmpunkte in den Vordergrund: Abbau der Zölle um durchschnittlich 30 Prozent; Beseitigung der nichttarifären Handelshemmnisse vor allem in den Bereichen Textilien, Rohstoffe und tropische Erzeugnisse; Stärkung der Wettbewerbsfähigkeit im Welthandel mit Hilfe von Sonderregelungen für Subventionen, für Antidumping und für Ausgleichsabgaben; Ausrichtung der nationalen Wirtschaftspolitik auf die Vorgaben des multinationalen Handelssystems in den Bereichen Landwirtschaft, geistiges Eigentumsrecht und grenzüberschreitender Dienstleistungshandel; Langzeitreform der Landwirtschaft in den Industriestaaten; Neugestaltung der GATT–Schutzbestimmungen; Schaffung eines Vertragswerks für den internationalen Handel mit Dienstleistungen; Neuordnung des Welthandels auf eine Art und Weise, die für alle teilnehmenden Handelspartner, auch für die wirtschaftlich schwächeren Länder, gewinnbringend ist.[200]

210 In die wieder aufgenommenen Verhandlungen wurden viele nationale Vorschläge eingebracht.[201] Die folgenden Ausführungen treten auf die zentralen Auseinandersetzungen in den Arbeitsgruppen ein und fassen die wichtigsten Ergebnisse des Verhandlungsverlaufs der Jahre 1989 und 1990 zusammen. Die etwas detaillierte Darstellung der einzelnen Vorschläge und Anträge verdeutlichen, in welchen Bereichen das damalige GATT kritisiert und als reformbedürftig beurteilt wurde.

---

200 Ausführungen von *Arthur Dunkel* an der Europa–Amerika–Journalistenkonferenz vom 18.5.1989 in Annapolis, USA. Die Programmpunkte sind wiedergegeben in: *GATT* (1989), FOCUS, Newsletter Nr. 62, Genf, S. 3.

201 Über den Verlauf der Verhandlungen berichtete: *GATT* (1988 bis 1990), FOCUS, Newsletter, Genf; *GATT* (1990), GATT Activities 1989, Genf, S. 33ff.; *GATT* (1991), GATT Activities 1990, Genf, S. 19ff.

*Zölle*

Die Europäischen Gemeinschaften und Japan schlugen Mitte Juli 1989 unabhängig voneinander vor, die hohen Zölle stärker und die niedrigen Zölle weniger stark zu senken (in Anlehnung an die Zollformeln der Tokio-Runde[202]). Gemäss EG sollten Zölle von über 40 Prozent auf 20 Prozent und Zölle unter 40 Prozent um 21 bis 50 Prozent zurückgenommen werden. Kanada schloss sich dieser Zollformel an, jedoch mit dem Vorbehalt, dass je nach Sensibilität der Produkte und wirtschaftlichem Stand des Landes unterschiedliche Durchführungszeiten zur Anwendung kommen müssten. Die USA standen diesem Begehren skeptisch gegenüber und verlangten länderweise Verhandlungen. Jedes Land solle die Methode frei wählen können. Wichtig sei allein, dass es einen Zollabbau von durchschnittlich 30 Prozent offeriere. Schliesslich beugten sich die Verhandlungspartner dem machtpolitischen Druck der USA, verhielten sich aber bei der Ausarbeitung der Zoll-Listen sehr zögerlich. Von den rund 100 Verhandlungspartnern reichten nach mehrmaligem Erstrecken der Frist und wiederholter Aufforderung weniger als die Hälfte entsprechende Zoll-Listen ein. Trotzdem wartete die Zollgruppe Ende 1990 mit einem Vorschlag auf, über den entschieden hätte werden können, wären die übrigen Themenbereiche ebenfalls abschlussreif gewesen.

211

*Nichttarifäre Handelshemmnisse*

Diese Arbeitsgruppe befasste sich mit den Themenbereichen Ursprungsregeln und Versandkontrolle. Sie erarbeitete einen Abkommensentwurf über internationale Ursprungsregeln mit genauen Bestimmungen darüber, was unter einer "Ware aus dem Gebiet einer anderen Vertragspartei" zu verstehen ist. Die EG schlugen vor, die Kyoto-Konvention von 1973[203] als Vorlage der GATT-Regelung zu benützen. Die Parteien waren sich einig, die allgemeinen GATT-Grundsätze der Meistbegünstigung und der Inlandgleichbehandlung in die neue Regelung einzubeziehen, präferenzielle Zugeständnisse hingegen (gemachte Zugeständnisse in Freihandels- oder anderen Präferenzzonen)

212

---

202 Vgl. Rz 155ff.
203 Internationales Übereinkommen zur Vereinfachung und Harmonisierung der Zollverfahren, abgeschlossen in Kyoto am 18.5.1973. Veröffentlicht in: *SR* 0.631.20.

auszugrenzen. Gleichzeitig entwarf die Arbeitsgruppe einen Vertrag über die Versandkontrolle. Inhalt dieses Vorschlags war die Nichtdiskriminierung von ausländischen Handelspartnern bei den Exportkontrollen, die Gleichbehandlung in- und ausländischer Händler, die Auskunftspflicht der kontrollierenden Stellen bei gleichzeitig vertraulicher Behandlung von Geschäfts- und Handelsdaten, sowie die Vermeidung unnötiger zeitlicher Verzögerungen bei der Kontrolle. Ende 1990 lagen die beiden Vertragsentwürfe zuhanden der Ministerkonferenz vor.[204]

*Tropische Produkte*

213    In der zweiten Halbzeit der Uruguay-Runde ging es bei den tropischen Produkten darum, die bisher gewährten Zugeständnisse produkt- und länderweise zu überprüfen und auszuweiten.[205] Die lateinamerikanischen und asiatischen Länder wiesen darauf hin, dass die Industriestaaten den Handel mit verarbeiteten tropischen Produkten oft mit Zöllen und nichttarifären Handelshemmnissen behindern. Sie forderten generell den Abbau der Zölle auf verarbeiteten tropischen Produkten um 75 Prozent, ergänzt durch die Abschaffung handelshemmender anderweitiger Importbelastungen. Im Verlauf der Jahre 1989 und 1990 versprachen Australien, Jugoslawien, Kanada, Malaysia, Mexiko und Südkorea weitere Zollreduktionen und Zollbindungen. Im Herbst 1990 lagen insgesamt 48 Länderlisten mit Zusagen vor.

*Rohstoffe*

214    Bisher bezogen sich die Verhandlungen dieser Arbeitsgruppe auf die Forstwirtschaft, auf die Fischerei, auf Mineralien und auf Metalle. In der zweiten

---

204 Über den Verlauf der Verhandlungen vgl. *Croome, John* (1995), Reshaping the World Trading System, Genf, S. 189ff.

205 Die Industriestaaten und einige Entwicklungsländer (Brasilien, Mexiko, Kolumbien und ASEAN-Staaten) haben die an der Montreal-Konferenz beschlossenen Zollreduktionen im Bereich tropische Produkte (tropische Erzeugnisse, Rohstoffe und Textilien) vorzeitig auf den 1.1.1989 in Kraft gesetzt, unter der Voraussetzung, dass diese Konzessionen am Ende der Uruguay-Runde überprüft und im Verhältnis zum Beitrag der Entwicklungsländer in allen Verhandlungsbereichen angepasst werden. Vgl. *BBl* 1989 III 101ff.

Halbzeit der Uruguay–Runde folgte eine Ausweitung auf den Energiesektor. Meinungsverschiedenheiten bestanden zwischen den USA und den EG. Die Vereinigten Staaten verlangten eine Verlagerung der Verhandlungen über die tarifären und nichttarifären Handelshemmnisse bei Rohstoffen in die Arbeitsgruppen Zölle und Nichttarifäre Handelshemmnisse. Nach Ansicht der EG waren die Rohstoffprobleme so spezifisch, dass sich eine eigenständige Arbeitsgruppe rechtfertige. Nicht einig waren sich die Verhandlungspartner über die Art der Verhandlung. Die einen traten für eine einheitliche Zollsenkung ein, die anderen forderten länderweise Zugeständnisse. Schliesslich einigte man sich auf Länderlisten. Im Verlauf der Verhandlungen kamen Probleme über den Zugang zu den Fischgründen und über die einzelstaatliche Rohstoffpolitik auf. Die EG verlangten eine Liberalisierung der Fischgründe und kritisierten zusammen mit den USA die Rohstoffpolitik jener Länder, in denen die Rohmaterialien für die einheimische Verarbeitungsindustrie staatlich verbilligt wurden. Die Arbeitsgruppe Rohstoffe war nicht in der Lage, im Verlauf der zweiten Halbzeit der Uruguay–Runde die Rohstoffmärkte weiter zu öffnen und zu liberalisieren. Viele Vertragsparteien zeigten sich über das magere Ergebnis der Verhandlungen enttäuscht.[206]

*Handel mit Textilien und Kleidern*

Der Zwischenbericht der Uruguay–Runde unterstrich erneut die wirtschaftlich grosse Bedeutung des internationalen Textilhandels und wies auf die Notwendigkeit hin, diesen Handelsbereich wieder in das GATT–System zu integrieren. In den folgenden zwei Jahren trugen die einzelnen Ländervertreter mehrerer Lösungsmöglichkeiten vor, ohne sich auf einen gemeinsamen Nenner zu einigen.[207] Die Europäischen Gemeinschaften machten den Vorschlag, das Multifaserabkommen durch ein GATT–Sonderabkommen abzulösen, einzelne Produktbereiche unverzüglich den GATT–Regeln zu unterstellen und andere Bereiche über Gesamtquoten zu bewirtschaften. Die Globalquoten

---

206 Vgl. *GATT* (1990) FOCUS, Newsletter Nr. 75, Genf, S. 7.
207 Über den Verlauf der Textilverhandlungen vor und nach der Montreal–Konferenz vgl. *Croome, John* (1995), Reshaping the World Trading System, Genf, S. 106ff. und 224ff.

seien in einer noch näher zu bestimmenden Übergangszeit aufzuheben. Der Schweizer Vorschlag sprach von Global- und Zollquoten, wobei dem einzelnen Land die freie Wahl der Quotenart zu überlassen sei. Eine andere Quotenregelung schlugen die Vereinigten Staaten vor, die zwischen Länder- und Globalquoten unterschieden; zugleich regten die USA an, die Länderquoten jährlich um einen Zehntel zu kürzen bei entsprechender Aufstockung der Globalquote, so dass nach zehn Jahren nur noch Globalquoten beständen. Diese Regelung hätte aber, so die Kritik der Exportländer, zu einer erhöhten Konkurrenz allein zwischen den Lieferländern geführt, ohne den Protektionismus der Importländer abzubauen. Trotz der grundsätzlichen Einigkeit über die Notwendigkeit einer Stärkung des GATT-Systems und die Aufhebung des Multifaserabkommens kam bis zum Jahr 1990 kein allgemein akzeptiertes Sonderabkommen über den internationalen Handel mit Textilien und Bekleidung zustande. Die Industrieländer waren nicht bereit, kurzfristig auf den Schutz ihrer Textilindustrie zu verzichten. Die Lieferländer beziehungsweise die Drittweltstaaten fürchteten eine zusätzliche gegenseitige Konkurrenz. Die Vertragspartner des MFA verlängerten den am 31. Juli 1991 auslaufenden Vertrag bis Ende 1993. Diese Fristerstreckung erfolgte im Hinblick auf eine künftig zu erwartende allgemein gültige GATT-Regelung.[208]

*Landwirtschaft*

216 Der im April 1989 verfasste Zwischenbericht der Uruguay-Runde forderte das Erstellen eines "gerechten und marktorientierten Agrarhandelssystems"[209]. Als Verhandlungsschwerpunkte erwähnt der Bericht drei Bereiche: (1) den Abbau der Zölle und nichttarifären Handelshemmnisse, die Beseitigung der exportrelevanten Subventionen, die Sonderstellung der wirtschaftlich schwachen Staaten und das Inkrafttreten der Verhandlungsergebnisse im Jahr 1991; (2) die Verpflichtung, bis zum Abschluss der Verhandlungen im Jahr 1990 keine weiteren Handelsrestriktionen einzuführen

---

208 Am Multifaserabkommen, das im Jahr 1974 die Baumwollvereinbarung aus dem Jahr 1962 ablöste und in der Zwischenzeit zweimal verlängert wurde, beteiligten sich im Jahr 1991 insgesamt 41 Länder. Für das Textilabkommen im Rahmen des GATT war die Beteiligung aller GATT-Vertragspartner vorgesehen.
209 *GATT* (1989), FOCUS, Newsletter Nr. 61, Genf, S. 4.

(spezielle Erwähnung der "Standstill"–Vereinbarung); (3) die gemeinsame Regelung der sanitarischen und phytosanitarischen Erfordernisse.

Im Verlauf der Verhandlungen konzentrierte sich die Diskussion auf die Messbarkeit der Agrarhandelshemmnisse. Der Vorschlag der Europäischen Gemeinschaften ging dahin, die Preisstützungen und Direktzahlungen in sogenannte Stützungseinheiten ("Support Measurement Units", SMU, bzw. "Aggregate Measurement of Support", AMS) umzurechnen. Die Berechnungen seien auf fünf Jahre, beginnend im Jahr 1986, zu begrenzen. Als Referenzbasis hätten die Jahre 1984 bis 1986 zu dienen. Nach erfolgter Umrechnung seien die Verhandlungen über die Reduktion dieser Einheiten aufzunehmen. Die Vereinigten Staaten gingen einen Schritt weiter und verlangten die Umrechnung sämtlicher Agrarstützungsmassnahmen in Zölle (Tarifizierung). Die Umwandlung aller Handelshemmnisse in Zölle erhöhe die Transparenz und führe gleichzeitig zu höheren Staatseinnahmen.[210]

217

Die zu Beginn der zweiten Halbzeit der Uruguay–Runde zügig angelaufenen Verhandlungen kamen nach wenigen Monaten ins Stocken. Die Europäischen Gemeinschaften, die eine Verbesserung der bestehenden Agrarordnung einer grundsätzlichen Systemänderung vorzogen, setzten sich dem Vorwurf aus, den Status quo zu verteidigen. Japan, die Schweiz und die skandinavischen Staaten brachten neue Vorschläge über die stärkere Berücksichtigung einer sicheren Landesversorgung mit Nahrungsmitteln und des vorliegenden Selbstversorgungsgrads ein. Die Cairns–Gruppe setzte besonders auf die Regelung der sanitarischen und phytosanitarischen Bestimmungen, und Brasilien schliesslich forderte eine angemessene Sonderregelung für die Entwicklungsländer.

218

Im Oktober 1989 unterbreiteten die Vereinigten Staaten einen Vorschlag mit folgenden sechs Schwerpunkten: (1) Gewährung des Marktzutritts, indem alle Handelshemmnisse in Zölle umgewandelt, im GATT gebunden und im Verlauf von zehn Jahren – von einzelnen Ausnahmen abgesehen – abgebaut werden.

219

---

210 Die von den US–Delegierten vorgebrachte Behauptung, die Umwandlung der nichttarifären Handelshemmnisse in Zölle leiste einen Beitrag zur Stabilisierung der Welthandelspreise, wurde nicht näher begründet. Vgl. *GATT* (1989), FOCUS, Newsletter Nr. 64, Genf, S. 4.

(2) Beseitigung der Exportsubventionen im Verlauf von fünf Jahren. Nicht betroffen sind Nahrungsmittelhilfen an bedürftige Länder. (3) Sonderregelung für binnenwirtschaftliche Stützungsmassnahmen. Interne Agrarstützungen, die den Exportpreis und die Produktionsmenge beeinflussen, seien im Verlauf von zehn Jahren zu beseitigen. Interne Stützungen in Form von direkten Einkommenszahlungen, die sich auf die Produktionsmenge nicht auswirken oder dem Umweltschutz dienen, seien erlaubt. (4) Notifizierung der sanitarischen und phytosanitarischen Massnahmen. Für diese Fragen sei eine spezielle Streitschlichtungsstelle einzurichten. (5) Ausweitung des Geltungsbereichs der neuen Agrarbestimmungen auf alle Vertragspartnerstaaten des GATT beziehungsweise alle Mitglieder der neu zu schaffenden Welthandelsorganisation. (6) Begünstigung der wirtschaftlich schwächeren Staaten über die Verlängerung der Übergangsfristen. *Jimmye S. Hillman* bezeichnete vor allem den US-Vorschlag, sämtliche Agrarhandelshemmnisse in zehn Jahren vollständig abzubauen, als "ideologischen Versuchsballon" ("ideological trial balloon") Es sei kaum anzunehmen, die US-Administration habe ernsthaft daran geglaubt, die EU und Japan würden diesem Vorschlag zustimmen.[211]

220   Die OECD schätzte 1989, dass die Liberalisierung des weltweiten Agrarhandels im Sinne des US-Vorschlags zu einer Anhebung der Weltmarktpreise um rund 50 Prozent bei Milchprodukten und Eiern, um 36 Prozent bei Getreide und um 16 Prozent bei Fleisch führen würde.[212]

221   Viele Elemente des US-Vorschlags sind später in das neue Agrarabkommen der WTO eingeflossen. Im Herbst 1989 hingegen fand der Vorschlag der Vereinigten Staaten bei den meisten Verhandlungspartnern – eine Ausnahme bildete die Cairns-Gruppe – keine gute Aufnahme. Bangladesch, Brasilien und Kolumbien, Japan, Südkorea und später auch Kanada reichten Gegenvorschläge ein.

222   Im November 1990 musste *Arthur Dunkel*, Vorsitzender des Ausschusses für Handelsverhandlungen feststellen, in den Verhandlungen über die Agrarfragen sei es zu einem "deadlock" gekommen. Keiner der Vorschläge bilde

---

211 *Hillman, Jimmye S.* (1993), Agriculture in the Uruguay Round: A United States Perspective, in: Tulsa Law Journal, Vol. 28, H. 4, S. 767.
212 OECD, zit nach *GATT* (1989), FOCUS, Newsletter Nr. 67, Genf, S. 5.

eine angemessene Basis zur Weiterführung substanzieller Verhandlungen.[213] Gleichlautend war die Erklärung an der Ministerkonferenz vom 3. bis 7. Dezember 1990 in Brüssel. Die Verhandlungspartner seien im Bereich Landwirtschaft nicht in der Lage gewesen, Texte zu entwerfen, die als gemeinsame Verhandlungsbasis dienen könnten.[214]

*GATT–Artikel*

An der Konferenz von Montreal im Dezember 1988 äusserten die Minister den Wunsch, die Ergänzungs– und Änderungsvorschläge zum GATT–Vertrag bis Ende 1989 auszudiskutieren und in Form eines Vertragstexts vorzulegen. In der ersten Halbzeit der Uruguay–Runde zeichneten sich folgende Verhandlungs–Hauptbereiche ab. Zunächst ging es um die Klärung der Begriffe "andere Abgaben und Belastungen" ("other duties or charges") in Art. II:1(b) GATT. Ferner stand die begriffliche Abgrenzung der staatlichen Handelsunternehmen und deren Tätigkeiten nach Art. XVII GATT zur Diskussion sowie die in diesem Zusammenhang eingegangenen Verpflichtungen der GATT–Vertragspartner. Schliesslich verlangten mehrere GATT–Vertragsparteien eine Klärung der im Hinblick auf defizitäre Zahlungsbilanzen erlaubten Handelsrestriktionen, wie sie im Rahmen der Art. XII, XIV, XV und XVIII GATT angesprochen werden.

Im Verlauf der Verhandlungen wurden weitere Vertragsprobleme aufgegriffen: Die Schweiz machte die Anregung, Art. XXVIII:3 GATT in dem Sinne zu ändern beziehungsweise zu interpretieren, dass im Fall einer Nichteinigung über Kompensationsleistungen Gegenmassnahmen auf bilateraler Basis gegen ein Land, das die Konzessionen widerruft, erlaubt sind. Die zurzeit geltende Regelung von Massnahmen erga omnes sei nicht gerechtfertigt und benachteilige Drittstaaten. Japan forderte eine Neuformulierung von Art. XXIV GATT über die Bildung von Freihandelszonen. Es sei sicherzustellen, dass die Integrationsbestrebungen zu einer Ausweitung des Welthandels beitragen und die Benachteiligung von Drittstaaten minimiert werde.

---

213 *GATT* (1990), FOCUS, Newsletter Nr. 76, Genf, S. 2.
214 *GATT* (1990), FOCUS, Newsletter Nr. 77, Genf, S. 2.

Australien und Kanada unterstützten den Vorschlag Japans. In die Verhandlungen aufgenommen wurden auch die beiden Art. XXV und XXXV GATT über die Gewährung einer Ausnahme–Bewilligung ("Waiver") und die Nichtanwendung des Abkommens zwischen bestimmten Vertragsparteien.

225    Bei der Klärung des Begriffs "andere Abgaben und Belastungen" einigten sich die Verhandlungspartner darauf, dass künftig "andere Abgaben und Belastungen" wie Zölle in Listen aufzunehmen und beim GATT zu binden seien. Als Stichdatum gelte der Zeitpunkt des Abschlusses der Uruguay–Runde. Zur deutlichen Erfassung der staatlichen Handelsunternehmen und deren Tätigkeiten erarbeitete die Verhandlungsgruppe detaillierte Kriterien, nach denen diese Staatsbetriebe und unternehmerischen Tätigkeiten zu notifizieren sind. Keine Einigung erzielten die Verhandlungspartner über die zulässigen Handelsrestriktionen bei Zahlungsbilanzdefiziten. Die Europäischen Gemeinschaften, Kanada und die Vereinigten Staaten verlangten schärfere Vorschriften bei der Anwendung zahlungsbilanzbedingter Handelsrestriktionen und eine Ausweitung der Kompetenzen der Zahlungsbilanz–Kommission zur Überwachung solcher Handelsbeschränkungen. Die Drittweltländer widersetzten sich diesen Forderungen mit dem Argument, bis heute seien die geltenden Bestimmungen nicht missbraucht worden. Das gegenwärtige wirtschaftliche Umfeld verlange eher flexiblere denn restriktivere GATT-Regeln.

226    Über die restlichen Punkte bestand zwischen den Verhandlungspartnern weitgehend Einigkeit. In Art. XXVIII GATT (Änderung der Listen) stimmte die Arbeitsgruppe dem Vorschlag zu, die Position der Nichthauptlieferländer gegenüber jenen Ländern, die Zugeständnisse zurücknehmen, zu stärken. Im Rahmen von Art. XXIV GATT (Bildung von Integrationsräumen) wurde ein klares Vorgehen zur Ermittlung und Berechnung der Handelsschranken vor und nach der Bildung von Freihandelszonen ermittelt. Einig waren sich die Verhandlungsdelegationen in Bezug auf eine restriktivere Anwendung von Art. XXV GATT (Gewährung von Ausnahmen), wogegen sie einer zeitlichen Beschränkung der bereits bestehenden "Waivers" nicht zustimmten. Schliesslich verständigten sich die Verhandlungspartner in Art. XXXV GATT (Nichtanwendung des GATT) darauf, dass das GATT als Abkommen oder wahlweise Art. II GATT zwischen zwei Vertragsparteien nicht nur beim Nichteintreten in

Zollverhandlungen, sondern auch beim Eintreten in Zollverhandlungen keine Anwendung finde.

*GATT–Schutzklausel*

Zu Beginn der zweiten Halbzeit der Uruguay–Runde bestand die Absicht, über eine Revision des Art. XIX GATT (Schutz gegen überhöhte Einfuhrmengen) Umgehungsmassnahmen, insbesondere den Abschluss von "freiwilligen" Selbstbeschränkungsabkommen, auch unter dem Begriff "Graubereich" oder "Neuer Protektionismus" bekannt, zu verhindern. Im März 1990 legten die Europäischen Gemeinschaften einen Entwurf zur Neuregelung der Schutzklausel vor. Dieser Entwurf sprach erstmals offen das an, was schon längst unterschwellig Gegenstand der Verhandlungen war, nämlich die Einführung der Selektivität beim Ergreifen von Schutzmassnahmen. Nach geltendem Vertragsrecht konnten Gegenmassnahmen nur nach dem Prinzip der Meistbegünstigung beziehungsweise der Meistbenachteiligung verhängt werden. Der EG–Vorschlag sah dagegen die Möglichkeit vor, gegen einen Störenfried selektiv vorgehen zu dürfen, ohne andere sich GATT–konform verhaltende Partner zu treffen. Die Massnahmen dürften nicht willkürlich sein und hätten sich in ihrem wirtschaftlichen Gewicht proportional zur Schädigung oder Bedrohung zu verhalten. Die Vereinigten Staaten nahmen den Vorschlag mit Interesse zur Kenntnis. Die kleinen und wirtschaftlich schwächeren Staaten hingegen gingen sofort in Opposition mit der Begründung, eine derartige Schutzregelung "favor only the large, powerful traders and would allow others to be picked off"[215]. Sie seien handelspolitisch nicht in der Lage, sich solcher Massnahmen zu bedienen. Vor dem Hintergrund dieser Meinungsverschiedenheiten blieb am Schluss der zweiten Halbzeit der Uruguay–Runde die Frage der Selektivität und damit die Neuausrichtung der GATT–Schutzklausel nicht beantwortet.

*Zusatzabkommen*

Das Ziel dieser Arbeitsgruppe war die Revision der aus der Tokio–Runde stammenden Zusatzabkommen über die technischen Handelshemmnisse, über

---

215 *GATT* (1990), FOCUS, Newsletter Nr. 69, Genf, S. 4.

die Importlizenzen, über den Zollwert, über das öffentliche Beschaffungswesen und über die Antidumpingpolitik.

229   Das Abkommen über die technischen Handelshemmnisse entstand in der Absicht, handelshemmende Effekte der technischen Vorschriften und Normen zu vermeiden sowie die Zusammenarbeit zwischen den Vertragsparteien bei der Ausarbeitung und Anwendung von technischen Bestimmungen zu verbessern. Im Verlauf der Uruguay–Runde erfolgte in gegenseitiger Übereinstimmung die Ausweitung des Geltungsbereichs des Abkommens von den physischen Handelsgütern auf deren Verarbeitung und die angewandte Produktionsmethode. Neu dem Abkommen unterstellt wurden ferner regionale und lokale Behörden sowie nichtstaatliche Institutionen, die standardisierte Produkte herstellen.

230   Einigkeit erzielte die Arbeitsgruppe bei der Revision des Abkommens über Importlizenzen. Die Neuerung gegenüber der bereits bestehenden Vereinbarung bestand in der Verschärfung der GATT–Disziplin und in der Verbesserung der Transparenz.

231   Bei der Überarbeitung des Abkommens über den Zollwert ging es um die Frage der Zollwertberechnung bei Entwicklungsländern, die dem GATT neu beitreten.

232   Die Ergänzung des Abkommens über das öffentliche Beschaffungswesen bestand im Einbezug des Dienstleistungshandels und in der Ausweitung des Geltungsbereichs von der nationalen auf die subnationale Ebene. Gleichzeitig galt es, die Schwellenwerte für Güter–, Dienst– und Bauleistungen neu festzulegen. Die Arbeitsgruppe war in der Lage, auf Ende der zweiten Halbzeit der Uruguay–Runde eine revidierte Fassung des Abkommens vorzulegen.

233   Zu keinem gemeinsamen Ergebnis kam die Antidumping–Gruppe. Die Meinungen der einzelnen Interessenvertreter über die Definition von Dumping, Antidumping, Schädigung und Bedrohung sowie über die Beseitigung der Umgehungsmöglichkeiten von Antidumpingabgaben lagen zu weit auseinander, um auf Ende der zweiten Halbzeit der Uruguay–Runde einen gemeinsamen Nenner zu finden.

## Subventionen und die Ausgleichsabgaben

Das Verhandlungsmandat der Arbeitsgruppe Subventionen und Ausgleichsabgaben bestand in der Überprüfung und Erneuerung des aus der Tokio–Runde stammenden Abkommens zur Auslegung und Anwendung der Art. VI, XVI und XXIII GATT (Subventionsabkommen). In den Verhandlungen zeichneten sich zwei unterschiedliche Standpunkte ab. Die eine Seite forderte eine möglichst vollständige Beseitigung der Subventionen, wogegen die andere den Missbrauch der im Zusammenhang mit den Subventionen erlaubten Gegenmassnahmen kritisierte und vor allem eine Neuregelung des Einsatzes von Gegenmassnahmen verlangte.

234

Der in der zweiten Halbzeit der Uruguay–Runde erarbeitete Abkommensentwurf unterschied schliesslich drei Kategorien von Subventionen, nämlich die verbotenen, die bedingt erlaubten und die erlaubten Subventionen.

235

Die Liste der verbotenen Subventionen richtete sich weitgehend nach der Aufzählung im bestehenden Abkommen und erwähnte die direkten Exportsubventionen sowie die Subventionen zur Verbilligung der heimischen Produkte zum Nachteil konkurrierender Importgüter. Zum Schutz gegen die Subventionen dieser ersten Kategorie sah das Abkommen das Ergreifen von Gegenmassnahmen vor.

236

Bei den bedingt zugelassenen Subventionen galt als Kriterium der Billigung das Ausmass der Handelsstörung. Staatliche Einkommens– und Preisstützungen, die den grenzüberschreitenden Handel nicht stören und die Interessen der anderen Handelspartner nicht beeinträchtigen, schmälern oder zunichte machen, sollen erlaubt sein. Subventionen hingegen, die den Handel ernsthaft schädigen oder beeinträchtigen, seien nicht zuzulassen und berechtigten zu Gegenmassnahmen.

237

Staatliche Unterstützung wäre schliesslich erlaubt, wenn sie nicht gezielt einem Unternehmen zugute kommt, im Rahmen eines Regionalprogramms erfolgt, die Forschung fördert, die Umwelt schützt, die Arbeitslosigkeit bekämpft oder Teil der Sozialpolitik ist. Gegen derartige Subventionen dürfen die Vertragsparteien gemäss Abkommensentwurf keine Gegenmassnahmen ergreifen.

238

Erster Teil

239  Die Arbeitsgruppe reichte ihren Abkommensentwurf als Basistext für Verhandlungen auf Ministerebene in Brüssel ein. Die Verhandlungspartner waren sich bewusst, dass weitere Fortschritte über die Regelung des Subventionswesens sowie über die Ausgestaltung und Zulassung von Gegenmassnahmen politische Entscheide auf landesinterner Ebene der jeweiligen Vertragspartner erfordern.[216]

*Streitschlichtung*

240  Trotz der bereits 1988/89 beschlossenen Änderungen im GATT–Streitschlichtungsverfahren nahm die Gruppe in der zweiten Hälfte der Uruguay–Runde die Arbeit erneut auf und konzentrierte sich vor allem auf zwei Punkte. Erstens ging es um die Frage der Zwischenberichterstattung. Die Erstellung eines Zwischenberichts, so die Befürworter, ermögliche den einzelnen Parteien, Stellung zu einem vorläufigen Panelentscheid zu beziehen, was letztlich die Akzeptanz des definitiven Entscheids erhöhe. Die Gegner dieses Vorschlags befürchteten, eine Unterbrechung des Verfahrens durch einen Zwischenbericht führe zu Verzögerungen, ohne das Schlussergebnis zu verbessern. Zweitens stand die Schaffung einer Berufungsinstanz zur Diskussion. Den Vertragsparteien soll die Möglichkeit geboten werden, getroffene Panelentscheide durch eine unabhängige Stelle überprüfen zu lassen. Ein Zweit–Gutachten werde das Ergebnis verbessern. Indessen kamen Bedenken auf, das Bestehen einer Rekursinstanz erhöhe die Gefahr des systematischen Weiterzugs des Erstentscheids, was letztlich wiederum eine Verlängerung des Verfahrens bedeute.

241  Die Arbeitsgruppe einigte sich auf einen gemeinsamen Entwurf zuhanden der Ministerkonferenz, wobei die Beantwortung verschiedener Fragen den Ministern überlassen blieb. Eine dieser Fragen war, ob die Annahme der Panel– und Rekursberichte sowie die Genehmigung von Vergeltungsmassnahmen der Einstimmigkeit bedürfe. Eine andere bezog sich darauf, ob Massnahmen, die das GATT–Recht nicht verletzen, aber die sonstigen Zugeständnisse

---

216 Eine detaillierte Darstellung der einzelnen Verhandlungsgegenstände und ihrer Befürworter und Gegner findet sich in: *Croome, John* (1995), Reshaping the World Trading System, Genf, S. 200ff. und 301ff.

und Vorteile der Vertragspartner schmälern oder zunichte machen (Art. XXIII GATT), über das übliche Streitschlichtungsverfahren behandelt oder ob dafür andere Vorgehen geschaffen werden sollen.

*Handelsbezogene Aspekte des geistigen Eigentums*

Nach der Montreal–Zwischenkonferenz 1988 ging es um die Aufarbeitung und Analyse der bis dahin vorgelegten Vorschläge.[217] Die eigentliche Abkommensarbeit begann auf der Basis eines im März 1990 von den EG eingereichten Papiers, ergänzt durch weitere vier Vorentwürfe der USA, 14 Drittweltländern, der Schweiz und Japans. Alle diese Texte stimmten in Bezug auf ihre Grundelemente wie die Prinzipien der Meistbegünstigung und der Inlandgleichbehandlung sowie die Definition des geistigen Eigentums überein. Keine grossen Abweichungen bestanden auch über die Regelung der Urheberrechte (Copyrights), der Hersteller– und Handelsmarken, der geographischen Bezeichnungen, der Patente und der integrierten Schaltungen.[218] Materielle Unterschiede zeigten sich bei der Beurteilung der Offenlegung von Geschäftsgeheimnissen und anderen Informationen. Im Verlauf der Beratungen zeichneten sich zwei Vorgehensansätze ab, die Erarbeitung eines eigenständigen Abkommens mit den allgemeinen GATT–Elementen (Meistbegünstigung und Inlandgleichbehandlung) und die vertragliche Regelung von Einzelproblemen (z.B. der Produktpiraterie).

Die Arbeitsgruppe war nicht in der Lage, die bestehenden Meinungsdifferenzen fristgerecht auszuräumen. Sie unterbreitete der Ministerkonferenz vom Dezember 1990 in Brüssel einen Entwurf mit vielen offenen Fragen sowohl über die Erstellung eines eigenständigen Abkommens als auch über Detailregelungen wie zum Beispiel über die Dauer des Copyright–Schutzes und die Offenlegung von Geschäftsgeheimnissen.

---

217 Zur Diskussion standen insgesamt 15 Vorschläge materieller Art von insgesamt 29 Ländern und elf Vorschläge über Fragen der Vertragsdurchsetzung; vgl. *GATT* (1991), GATT Activities 1990, Genf, S. 44.

218 Zum Teil in Anlehnung an die Pariser Verbandsübereinkunft zum Schutz des gewerblichen Eigentums von 1883 bzw. 1967 und die Berner Übereinkunft zum Schutz von Werken der Literatur und Kunst von 1886 bzw. 1971. Vgl. Rz 1301ff.

Erster Teil

*Handelsbezogene Investitionsmassnahmen*

244 Abgesehen von den Art. III und XI GATT, die von der Gleichstellung in- und ausländischer Waren sprechen und damit indirekt auch die handelsrelevanten Investitionen betreffen, enthält das ursprüngliche GATT keine wesentlichen investitionspolitischen Bestimmungen. Zur Diskussion standen in der Uruguay-Runde vor allem die in vielen Ländern bestehenden "Local content"-Verpflichtungen; danach ist ein bestimmter Anteil der benötigten Investitionsgüter im Inland zu beschaffen. Als nicht GATT-konform wurden zudem jene Massnahmen beurteilt, die vorgaben, welche Produktionsanteile im Inland, welche im Ausland und allenfalls in welchen Ländern zu verkaufen sind.

245 Im Verlauf der Verhandlungen der Uruguay-Runde kam es zu einer Auseinandersetzung zwischen den Industriestaaten und den Entwicklungsländern. Die Industriestaaten traten für einen stärkeren Einbezug von Investitionsregeln in das GATT-System ein, sei es in Bezug auf die Grundelemente des GATT (Meistbegünstigung, Inlandgleichbehandlung und Transparenz), sei es in Bezug auf die gegenseitige Öffnung und Liberalisierung der Investitionsmärkte. Die Vertreter der Industriestaaten verlangten die Beseitigung nationalstaatlicher Investitionsbestimmungen und der damit verbundenen Handelshemmnisse. Die wirtschaftlich schwachen Staaten Ägypten, Brasilien, Indien, Kenia, Kolumbien, Nigeria, Pakistan und Peru stimmten zwar den Industriestaaten insofern zu, dass investitionspolitische Massnahmen mit direkten ernsthaften Handelsstörungen zu vermeiden seien, vertraten aber die Meinung, Investitionsregeln gehörten zum legalen Instrumentarium der staatlichen Wirtschaftsförderung und -entwicklung. Die geltenden GATT-Bestimmungen zusammen mit dem GATT-Schiedsgerichtsverfahren reichten nach Ansicht dieser Länder aus, die handelshemmenden Effekte investitionspolitischer Vorschriften wirkungsvoll zu bekämpfen.

246 Trotz verschiedener Vermittlungsversuche konnte die Arbeitsgruppe die aufgekommenen Meinungsunterschiede bis Ende 1990 nicht beilegen. Offen blieben die Fragen, welche Investitionsmassnahmen von einer GATT-Regelung erfasst werden sollen, wie Art. III und XI GATT im Hinblick auf die Investitionen zu interpretieren seien und in welchem Ausmass ein allfälliges Abkommen über handelsrelevante Investitionsmassnahmen auch gegen ein

wettbewerbsbeschränkendes Verhalten der privaten Unternehmer ("Restrictive business practices") vorgehen dürfe.[219]

*Funktionieren des GATT–Systems*

Die Verhandlungsschwerpunkte dieser Arbeitsgruppe waren die Erhöhung der Transparenz in der Handelspolitik der Vertragspartner, die Verbesserung der GATT–Verwaltung (Effizienz, Meinungsbildung und Beschlussfassung) und die Stärkung des GATT als Beitrag zu einer verbesserten Zusammenarbeit in der Handelspolitik.

247

Zur Erhöhung der handelspolitischen Transparenz verpflichteten sich die Verhandlungspartner, die von ihnen getroffenen Massnahmen künftig einer zentralen Stelle zu melden, die ihrerseits diese Informationen an alle Vertragspartner weiterleitet. Zudem verlangte die Arbeitsgruppe die Schaffung eines "Nach–Uruguay–Runde–Arbeitsprogramms" zur Weiterführung dieses Anliegens.

248

Zur Verbesserung der Funktionstüchtigkeit des GATT–Systems stand vorerst der Vorschlag einer alle zwei Jahre durchzuführenden Tagung der Vertragspartner auf Ministerebene zur Diskussion. Angesichts der in der Uruguay–Runde vorgesehenen starken Ausweitung der GATT–Tätigkeit kam zudem die Idee auf, das völkerrechtliche Provisorium des GATT in eine rechtlich abgesicherte internationale Organisation mit vorgegebenem Organigramm und Entscheidungsprozedere umzuwandeln. Ohne derart gefestigte Strukturen sei künftig eine effiziente Verwaltung der grossen Zahl von Verträgen und Vereinbarungen nicht mehr zu bewältigen. Viele dieser Überlegungen und Ideen erinnern an die Diskussion über die Schaffung einer Internationalen Handelsorganisation (ITO) Ende der vierziger und anfangs der fünfziger Jahre.[220] Der Versuch war offensichtlich, die damals gescheiterte ITO in angepasster Form neu aufleben zu lassen. Die Arbeitsgruppe gelangte jedoch vor-

249

---

219 Eine eindrückliche Schilderung der langwierigen Verhandlungen findet sich in: *Croome, John* (1995), Reshaping the World Trading System, Genf, S. 138ff. und 256ff.
220 Vgl. Rz 25ff.

Erster Teil

derhand zu keinem definitiven Entscheid. Die Schaffung einer solchen Organisation enthalte politische Dimensionen, die das ganze Vorhaben letztlich in Frage stellten könnten. Deshalb sei vorerst der Ausgang der Uruguay–Verhandlungen abzuwarten.

250  Die Gespräche über die Verstärkung der Kohärenz in der internationalen Handelspolitik konzentrierten sich auf eine engere Zusammenarbeit mit anderen internationalen Wirtschaftsorganisationen wie beispielsweise mit dem Internationalen Währungsfonds (IMF) und mit der Weltbank (IBRD).

251  Die Arbeitsgruppe verfasste zuhanden der Konferenz in Brüssel einen Entwurf, in dem die hier erwähnten Vorschläge aufgelistet und zusammengefasst den Ministern zum Entscheid vorgelegt wurden.

*Dienstleistungen*

252  Die Arbeitsgruppe über den grenzüberschreitenden Dienstleistungshandel hatte gemäss Ministererklärung von 1986 den Auftrag, einen speziellen Rahmenvertrag über den internationalen Dienstleistungshandel auszuarbeiten. Abkommensvorschläge wurden aus dem Kreis der industrialisierten Welt (z.B. der EG und der Schweiz) und von den Entwicklungsländern (z.B. Mexiko) eingebracht. Die darin enthaltenen Ideen standen im Rahmen der Arbeitsgruppe in der ersten und der zweiten Halbzeit der Uruguay–Runde zur Diskussion. Alle Vertragsparteien waren sich über die Notwendigkeit einer weltweiten Regelung des internationalen Dienstleistungshandels einig. Die Industriestaaten setzten sich vor allem für die Niederlassungsfreiheit der Dienstleistungsfirmen in Zweit– und Drittländern ein, standen jedoch einer Freizügigkeit der Arbeitskräfte skeptisch gegenüber. Die Nichtindustrieländer rückten die Freizügigkeit der Arbeitskräfte in den Vordergrund und lehnten die Niederlassungsfreiheit der Unternehmen ab.

253  Wegen der unterschiedlichen Positionen der Verhandlungspartner innerhalb der einzelnen Dienstleistungssektoren entstanden spezielle Fachausschüsse für Fragen der Telekommunikation, der Finanzdienste, des See– und Lufttransports, des Bauwesens, der Freizügigkeit der Arbeitskräfte und der audiovisuellen Dienstleistungen.

Der Ausschuss Telekommunikation unterstrich die grosse Bedeutung der Telekommunikation als eigenständige Dienstleistung wie auch als notwendige Infrastruktur, mit deren Hilfe Güter hergestellt und andere Dienstleistungen erbracht werden. Gleichzeitig hielt der Ausschuss fest, dass ein Grossteil der Telekommunikationsdienstleistungen von staatlichen Monopolen angeboten werde. Das Hauptthema der Verhandlungsdelegationen war der Ansatz, wie die nationalen Monopole aufgebrochen werden können, ohne dadurch das nationale Bedürfnis einer sicheren Telekommunikation-Infrastruktur zu gefährden. Der Ausschuss und damit auch die Arbeitsgruppe Dienstleistungen waren Ende 1990 nicht in der Lage, einen allgemein akzeptierten Lösungsvorschlag zu präsentieren. 254

Keine Einigung kam auch im Ausschuss für Finanzdienstleistungen (inkl. Versicherungsdienstleistungen) zustande. Mehrere Verhandlungspartner bestanden auf dem Recht ihrer Regierungen, ordnend und lenkend in den Handel mit Finanzdienstleistungen eingreifen zu dürfen. 255

Im Transportwesen standen die geltenden bilateralen See- und Luftverkehrsabkommen einer Verständigung im Wege. Der Vorschlag, diese Abkommen innerhalb einer bestimmten Zeitspanne auslaufen zu lassen, stiess vor allem im Luftverkehr auf Widerstand. Keine einvernehmliche Lösung beziehungsweise keine Liberalisierung war auch im Bereich Kabotage (Transport im Landesinneren durch ausländische Unternehmer) möglich. 256

Der Ausschuss Bauwesen diskutierte die Arbeitskräftewanderung und das öffentliche Beschaffungswesen. Es gelang nicht, einen allgemein akzeptierbaren Vorschlag auszuarbeiten. Ebenso war der Ausschuss zur Behandlung der Freizügigkeit der Arbeitskräfte nicht in der Lage, sich auf einen gemeinsamen Textentwurf zu einigen. Einzelne Delegierte machten den Vorschlag, die Frage der Freizügigkeit in einem Anhang zum Abkommen oder in einer speziellen Vereinbarung zu regeln. Andere Delegierte wiederum vertraten die Ansicht, die Freizügigkeit der Arbeitskräfte gleich wie alle anderen Dienstleistungen zu behandeln. 257

Im audiovisuellen Dienstleistungsbereich wehrten sich die europäischen Staaten (besonders Frankreich) gegen eine Marktöffnung, angeblich zum Schutz und zur Pflege der europäischen Kultur "gegen den via Satellitentech- 258 nologie beförderten amerikanischen Kultur–, Film–, Multimedia– und Fernsehimperialismus"[221].

259  Ende 1990 war die Arbeitsgruppe Dienstleistungen bestrebt, einen allgemeinen Abkommensentwurf über all jene Dienstleistungsbereiche zu verfassen, in denen die Vertragsparteien konkrete Zugeständnisse angeboten hatten. Die meisten Länder bekannten sich zum Prinzip der Meistbegünstigung, verlangten aber in Form von Abkommensanhängen und Länderlisten so viele Ausnahmen, dass das ganze Unterfangen in Frage gestellt war. Die Verhandlungsgruppe änderte deshalb ihr Vorgehen und beschränkte sich auf das Erstellen von sogenannten Positivlisten, das heisst von Listen, welche die jeweiligen Zugeständnisse der einzelnen GATT–Partner enthielten.[222]

### 3.4.3 Die Verlängerung

260  Der ursprüngliche Plan war, die Uruguay–Runde im Jahr 1990 mit einer Ministertagung abzuschliessen. Diese Konferenz war auf den 3. bis 7. Dezember 1990 in Brüssel angesetzt. Als Arbeitsunterlage diente dem Ministertreffen ein "Final Act", eine Zusammenfassung der Ergebnisse der vierjährigen Verhandlungen der 15 Arbeitsgruppen. Für die Themen Ursprungsregelung, Handel mit Textilien und Kleidern, Subventionen und Ausgleichsmassnahmen, Schutz des geistigen Eigentumsrechts, Neugestaltung der GATT–Schutzklausel und Einbindung des Dienstleistungshandels lagen ausformulierte Abkommenstexte vor, die, wie der Generaldirektor des GATT, *Arthur Dunkel,* sagte, nur noch der politischen Zustimmung bedurften.[223] In den anderen Verhandlungsbereichen, ganz besonders im Agrarsektor, bestanden weiterhin grundsätzliche Meinungsdifferenzen, vor allem zwischen den Vereinigten Staaten und den Europäischen Gemeinschaften. Es war den beiden Delegationen in Brüssel nicht möglich, in wenigen Stunden all die Probleme

---

221 *NZZ* vom 8.12.1993, Nr. 286, S. 31. Vgl. auch *Senti, Richard* (1999), GATT–WTO, 2. A., Zürich, S. 109.

222 Diese Vorgehensweise ist in der Geschichte der multilateralen Handelspolitik einmalig. Nach bisherigem GATT–Recht war eine Liste der Ausnahmen und nicht die der Zugeständnisse die Regel.

223 *GATT* (1991), GATT Activities 1990, Genf, S. 22.

einvernehmlich zu lösen, die sich während Jahren aufgestaut hatten. Ohne Einigung im Agrarbereich war kein Abschluss der achten GATT–Runde denkbar. Nach drei Tagen erklärte der Konferenzvorsitzende *Gros Espiell,* Aussenminister von Uruguay, die Ministerkonferenz habe einen wichtigen Beitrag zur Fortführung der Uruguay–Runde geleistet. Die Verhandlungspartner benötigten aber mehr Zeit, um ihre Positionen zu bereinigen und eine Einigung zu erzielen.[224] Diese beschönigenden Worte besiegelten das Scheitern der Konferenz. Der Generaldirektor des GATT erhielt den Auftrag, die Verhandlungen in Genf weiterzuführen und abzuschliessen.

Die Beratungen wurden Ende Februar 1991 fortgesetzt und zogen sich über das ganze Jahr hin. Ende 1991 fasste *Arthur Dunkel* die bisher erzielten Verhandlungsergebnisse im sogenannten "Draft Final Act" zusammen.[225] Einerseits war der "Final Act" eine Wiederholung der vor einem Jahr bereits präsentierten Abkommensvorschläge, andererseits enthielt er eine Reihe von neuen Lösungs– und Kompromissvorschlägen zur Bereinigung der noch bestehenden Schwierigkeiten. 261

Viele Staaten begrüssten den Dunkel–Text, nicht aber die zwei wirtschaftlich wichtigsten GATT–Vertragspartner, die USA und die EG. Den Vereinigten Staaten waren die präsentierten Vorschläge zur Regelung des internationalen Agrarhandels zu zurückhaltend, vor allem in den Bereichen der internen Stützungsmassnahmen, der Exportsubventionen und des Marktzugangs. Die USA verlangten eine Agrarregelung, in welcher "der Prozess einer bedeutungsvollen Agrarreform seinen Anfang nimmt und dieser mit den langfristigen Zielen eines fairen und marktorientierten Agrarhandelssystems zu vereinbaren ist"[226]. Im Gegensatz zur US–amerikanischen Stellungnahme ging der "Draft Final Act" den Vertretern der EG zu weit. Er stelle die bisherige EG–Landwirtschaftspolitik in Frage. Die EG traten für die Beibehaltung des 262

---

224 *GATT* (1991), GATT Activities 1990, Genf, S. 26.
225 *GATT* (1991), Draft Final Act Embodying the Results of the Uruguay Round of Multilateral Trade Negotiations, Doc. MTN. TNC/W/FA, Genf (im folgenden zit. als *Dunkel–Bericht*).
226 *Julius Katz,* Stellvertreter der US–Handelsbeauftragten *Carla Hills',* im Januar 1992, zit. nach *NZZ,* 11./12.1.1992, Nr. 8, S. 33.

Erster Teil

Aussenschutzes der Landwirtschaft ein und verlangten, die direkten Einkommensbeihilfen für Landwirte als nicht handelsschädlich einzustufen. Vor dem Hintergrund dieser Divergenzen zwischen den USA und den EG stellte sich die Frage des Weiterverhandelns oder Aufgebens. Die Delegierten entschieden sich für die Fortsetzung der Verhandlungen.

263 Die nun folgende Verhandlungsphase wies strukturell vier Schwerpunkte auf: Das erste Thema konzentrierte sich auf den Zollabbau um rund einen Drittel und auf die gegenseitige Marktöffnung im Agrarbereich. Zweitens galt es, den grenzüberschreitenden Dienstleistungshandel in Form eines selbständigen Abkommens ins multilaterale Handelssystem aufzunehmen. Das dritte Anliegen war die Überarbeitung des endgültigen Vertragstexts mit Blick auf seine Konformität mit dem geltenden GATT-Recht und seine innere Konsistenz. Viertens ging es um die Erzielung eines Gleichgewichts zwischen den zugesprochenen Rechten und den eingegangenen Pflichten der Verhandlungspartner.

264 Die zu Beginn des Jahres 1992 feststellbaren Verhandlungsfortschritte gerieten bald ins Stocken, verursacht unter anderem durch die bevorstehende Präsidentenwahl in den Vereinigten Staaten und die Abstimmung über den Maastricht-Vertrag in Frankreich.[227] Andererseits kam es im Jahr 1992 dank der in den EG verwirklichten Agrarreform und der Beilegung eines bereits fünf Jahre dauernden Ölsaaten-Streits zwischen den USA und den EG zu einer neuen Ausgangslage, die einen erfolgreichen Abschluss der Verhandlungen der Uruguay-Runde erhoffen liess.

265 Die Neuausrichtung der EG-Agrarpolitik bestand in der generellen Senkung der Agrarpreise, in der Kompensation des Einkommensausfalls durch Direktzahlungen sowie in Massnahmen zur Reduktion des Agrarangebots und zur Umstrukturierung der landwirtschaftlichen Betriebe.[228]

---

227 Über die Argumente, die in den Vereinigten Staaten und in Frankreich für und gegen eine Intensivierung der GATT-Verhandlungen sprachen, vgl. *May, Bernhard* (1994), Die Uruguay-Runde, Bonn, S. 28.
228 Vgl. *EG* (1993), Gesamtbericht über die Tätigkeit der EG 1992, Brüssel u.a., S. 176ff.

Beim Ölsaaten-Streit handelte es sich um den US-Vorwurf an die EG, ihre 266
Ölsaatenproduktion (Sojabohnen, Raps, Sonnenblumenkerne und Erdnüsse)
zu subventionieren, was den Vereinigten Staaten jährliche Exportausfälle von
schätzungsweise 1 Mrd. US$ verursache. Für den Fall, dass die EG zu keinen
Verhandlungen bereit seien oder keine Lösung des Streitfalls anbieten, drohten
die USA im Juni 1993 mit Strafzöllen auf einzelnen EG-Erzeugnisse von bis
zu 100 Prozent des Handelswerts. Unter dem Druck dieser Retorsionsgefahr
lenkten die EG am 20. November 1992 im sogenannten Blair-House-Abkommen ein und verpflichteten sich, die Ölsaaten-Anbaufläche ab 1995/96 auf
eine Basis von 5'128 Mio. ha zu begrenzen, was dem Anbau von 1989/91 entsprach (ohne Finnland, Österreich und Schweden). Von dieser Basisfläche
sollen jährlich mindestens 10 Prozent stillgelegt werden. Übersteigt die
tatsächliche Anbaufläche die um den Stilllegungssatz reduzierte Basisfläche,
ist die Beihilfe um den Prozentsatz der Flächenüberschreitung zu kürzen.[229]
Von Bedeutung für die Uruguay-Runde waren noch weitere Ergebnisse des
Blair-House-Abkommens: Die Vereinbarung zur Verminderung der internen
Marktstützung, die Regelung der Tarifizierung und der anschliessenden Zollsatzsenkung, die Festsetzung des Mindestmarktzugangs und die Einigung über
den Abbau der subventionierten Agrarexportwerte.[230] Diese Verhandlungsergebnisse bilden inzwischen einen Teil des geltenden WTO-Agrarabkommens.

### 3.4.4 Der Verhandlungsabschluss

Mit dem Zustandekommen des Blair-House-Abkommens war der Gor- 267
dische Knoten der Verhandlungen der Uruguay-Runde durchschnitten. Die
Blair-House-Vereinbarungen wurden ins Agrarabkommen des GATT übernommen, und die übrigen Abkommenstexte erfuhren da und dort noch eine
Ergänzung oder Änderung. Am 15. Dezember 1993 war der Generaldirektor

---

229 Eine Zusammenfassung der Elemente des Blair-House-Abkommens findet sich bei *Urff von, Winfried* (1997), Zur Weiterentwicklung der EU Agrarpolitik, Interne Studie Nr. 150/1997 der Konrad-Adenauer-Stiftung, Sankt Augustin, S. 31ff.
230 Eine Zusammenfassung und Kommentierung des Blair-House-Abkommens findet sich in: *May, Bernhard* (1994), Die Uruguay-Runde, Bonn, S. 34ff.

Erster Teil

des GATT, *Peter Sutherland*, seit dem 1. Juli 1993 Nachfolger von *Arthur Dunkel*, in der Lage, die achte GATT–Runde nach einer siebenjährigen Verhandlungsdauer erfolgreich zu beenden: "Today the world has chosen openess and cooperation instead of uncertainty and conflict"[231].

268 Mit dem Abschluss der Uruguay–Runde stimmten die Verhandlungsteilnehmer auch der Gründung einer neuen Institution, der Welthandelsorganisation (World Trade Organization, WTO) zu. Die WTO als Dachorganisation umfasst das Allgemeine Zoll– und Handelsabkommen (General Agreement on Tariffs and Trade, GATT), das Abkommen über den grenzüberschreitenden Handel mit Dienstleistungen (Agreement on Trade in Services, GATS) und das Abkommen über handelsbezogene Aspekte der Rechte des geistigen Eigentums, einschliesslich des Handels mit Nachahmungen und Fälschungen (Agreement on Trade–Related Aspects of Intellectual Property Rights, including Trade in Counterfeit Goods, TRIPS). Im Gegensatz zum GATT von 1947, das in Form eines provisorischen Vertrags bestand, handelt es sich bei der WTO um eine völkerrechtlich etablierte Organisation mit einer Ministerkonferenz, einem Allgemeinem Rat, einer Generaldirektion und einem Sekretariat, ergänzt durch verschiedene Ausschüsse, Arbeitsgruppen und Nebenorgane für das GATT, das GATS und das TRIPS.

269 Die Unterzeichnung der Verträge durch die einzelnen Staats– und Regierungschefs oder ihre Aussenhandelsminister erfolgte am 15. April 1994 in Marrakesch (Marokko). Die WTO trat am 1. Januar 1995 für 76 Staaten in Kraft, das heisst für alle jene Staaten, die bis Ende 1994 die Beurkundung ihrer Ratifizierung der Verträge hinterlegt hatten, für die übrigen Staaten im Zeitpunkt der Hinterlegung ihrer Ratifizierungsurkunde.[232] Das Inkrafttreten des Abkommens über den Schutz geistiger Eigentumsrechte im grenzüberschreitenden Verkehr verzögerte sich insofern, als die Übereinkunft den Industriestaaten eine Frist von einem Jahr, den wirtschaftlich schwachen und Transformationsstaaten eine Frist von fünf Jahren und den ganz armen Ländern eine Frist von elf Jahren zur Anpassung ihrer nationalen Gesetze an das TRIPS

---

231 *GATT* (1993), FOCUS, Newsletter Nr. 104, Genf, S. 1.
232 Eine Liste der WTO–Mitgliedstaaten, Stand 1.1.1995, findet sich in: *WTO* (1995), FOCUS, Newsletter Nr. 1, Genf, S. 5.

zugestand. Allein das Prinzip der Inlandgleichbehandlung war von allen WTO–Mitgliedstaaten ab 1. Januar 1996 einzuhalten. Das GATT von 1947 blieb bis Ende 1995 in Koexistenz mit der WTO in Kraft. Im Verlaufe dieses Jahres kündigten die Vertragspartner des GATT von 1947 diesen Vertrag und traten – sofern sie nicht schon Gründungsmitglied der WTO waren – der WTO bei. Völkerrechtlich ist die WTO somit eine Neugründung, de facto jedoch die Weiterführung und Erweiterung der Welthandelsordnung des GATT von 1947. Am 1. Januar 1996, am ersten Tag der WTO als alleinige Organisation der Welthandelsordnung, zählte die WTO 110 Mitgliedstaaten.[233] Erster WTO–Generaldirektor war *Peter Sutherland* (Irland).

Am 22. Juli 1994 entschied sich der Vorbereitungsausschuss der WTO (Preparatory Committee for the WTO) auf Antrag des Unterausschusses für Budget–, Finanz– und Administrationsfragen für Genf als Sitz der WTO. Genf beherbergte bereits das Sekretariat des Allgemeinen Zoll– und Handelsabkommens vom Inkrafttreten am 1. Januar 1948 bis zur Ablösung durch die WTO am 1. Januar 1995 beziehungsweise am 1. Januar 1996.[234]

270

Die in der Schlussakte der Uruguay–Runde vereinbarten Abkommen sind in der nachfolgenden Übersicht zusammengefasst.

271

### Übersicht 4: Die in der Uruguay–Runde vereinbarten Vertragstexte

*Schlussakte über die Ergebnisse der multilateralen Handelsverhandlungen der Uruguay–Runde*

*Übereinkommen zur Errichtung der Welthandelsorganisation (WTO)*

Anhang 1

Anhang 1 A: Multilaterale Übereinkommen über den Handel mit Waren.
    Allgemeines Zoll– und Handelsabkommen (GATT 94):

---

233 *WTO* (1996), FOCUS, Newsletter Nr. 8, Genf, S. 5.
234 Zur Diskussion standen Bonn und Genf. Vgl. *GATT* (1994) FOCUS, Newsletter Nr. 110, Genf, S. 1. Das Abkommen zwischen der Schweizerischen Eidgenossenschaft und dem Allgemeinen Rat der WTO über Genf als Hauptsitz der WTO datiert vom 2. Juni 1995.

Vereinbarungen zur Auslegung der Art. II:1(b), XVII, XXIV, XXVIII des GATT sowie über die Zahlungsbilanzbestimmungen und die Ausnahmen von den GATT–Bestimmungen.

Zusatzübereinkommen:

Landwirtschaft, Sanitarische und phytosanitarische Massnahmen, Textilien und Bekleidung, Technische Handelshemmnisse, Investitionsmassnahmen, Antidumping und Ausgleichszölle, Zollwertermittlung, Versandkontrolle, Ursprungsregeln, Einfuhrlizenzverfahren, Subventionen und Ausgleichsmassnahmen sowie Schutzmassnahmen.

Anhang 1 B: Allgemeines Abkommen über den Dienstleistungshandel (GATS)

Anhang 1 C: Abkommen über handelsbezogene Aspekte der Rechte des geistigen Eigentums (TRIPS)

Anhang 2

Vereinbarung über Regeln und Verfahren zur Beilegung von Streitigkeiten

Anhang 3

Mechanismus zur Überprüfung der Handelspolitik

Anhang 4

Plurilaterale Abkommen über den Handel mit zivilen Luftfahrzeugen, über das öffentliche Beschaffungswesen sowie über den Handel mit Milcherzeugnissen und den Handel mit Rindfleisch (die letzten beiden Abkommen wurden am 31.12.1997 aufgehoben).

Quelle: *Hummer/Weiss* (deutsche Fassung); *WTO*, The Legal Texts (englische Fassung).

**Zweiter Teil**

# Die WTO als Institution

Zweiter Teil

272  Das Allgemeine Zoll- und Handelsabkommen (GATT) von 1947 war ein völkerrechtlicher Vertrag, aus dem im Verlauf der Zeit eine de facto-Institution entstand. Das ursprüngliche GATT besass keine Rechtspersönlichkeit und kein fest vorgegebenes Organigramm. Das GATT hatte daher keine Mitglieder, sondern Vertragsparteien oder Vertragspartner.[1] Im Gegensatz zum GATT bildet die 1995 geschaffene Welthandelsorganisation (WTO) eine internationale Organisation im Sinne des Völkerrechts.[2] Die WTO besitzt Rechtspersönlichkeit. Sie verfügt über ein detailliertes Organigramm. Sie setzt sich aus WTO-Mitgliedern zusammen, das heisst nach Art. XII der WTO-Vereinbarung aus Staaten und "gesonderten Zollgebieten" ("state or separate customs territory possessing full autonomy"). Ungeachtet der Tatsache, dass dem ehemaligen GATT und der heutigen WTO nicht nur Staaten sondern auch Zollgebiete angehören konnten und können, ist in der Fachliteratur und in der Presse oft der Einfachheit halber von den Staaten, Ländern und Nationen des GATT und der WTO die Rede.[3]

273  Der nun folgende zweite Teil handelt von der WTO als Institution, von der WTO-Mitgliedschaft, von der Organisationsstruktur und von den Organen der WTO sowie von dem in der WTO geltenden Entscheidungs- und Streitschlichtungsverfahren.

# 1. Die Mitgliedschaft

274  Die von den Vereinigten Staaten im Jahr 1945 ergriffene Initiative zur Schaffung einer internationalen Handelsorganisation (ITO) führte ein Jahr später zur

---

1  Zu den rechtlichen Grundlagen des GATT von 1947 vgl. *Benedek, Wolfgang* (1990), Die Rechtsordnung des GATT aus völkerrechtlicher Sicht, Berlin u.a., S. 185, 210ff. und 374ff.
2  Zur Definition der zwischenstaatlichen internationalen Organisation vgl. *Möller, Hans* (1960), Internationale Wirtschaftsorganisationen, Wiesbaden, S. 33ff.; *Seidl-Hohenveldern/Loibl* (1992), Das Recht der Internationalen Organisationen einschliesslich der Supranationalen Gemeinschaften, 5. A., Köln u.a., Rz 0105.
3  Im Internet weist die WTO darauf hin, dass unter "countries" und "nations" auch "customs territories" gemeint sind. Vgl. URL http://www.wto.org, Juli 1999.

Konferenz von London, zu der 19 Länder eingeladen waren.[4] Die Sowjetunion folgte der Einladung nicht. Dagegen nahm später Brasilien, Burma, Ceylon, Pakistan, Südrhodesien und Syrien an den Verhandlungen teil. Die Vertragspartnerstaaten des am 1. Januar 1948 in Kraft getretenen Allgemeinen Zoll- und Handelsabkommens waren:[5]

| | | | |
|---|---|---|---|
| Australien | China | Libanon | Südafrikan. Union |
| Belgien | Frankreich | Luxemburg | Südrhodesien |
| Brasilien | Grossbritannien | Neuseeland | Syrien |
| Burma | Indien | Niederlande | Tschechoslowakei |
| Ceylon | Kanada | Norwegen | USA |
| Chile | Kuba | Pakistan | |

Vom Vertrag zurückgetreten sind im Verlauf der GATT-Geschichte die Volksrepublik China und Liberia im Jahr 1950 sowie Libanon und Syrien im Jahr 1951. Bis zur Auflösung des GATT am 31. Dezember 1995 ist die Zahl der GATT-Vertragspartner auf 128 gestiegen. Nicht teilgenommen am GATT haben unter anderem die UdSSR und ihre Nachfolgestaaten sowie Bulgarien. Die Volksrepublik China ist 1984 dem Multifaserabkommen beigetreten und meldete zwei Jahre später ihr Interesse an der GATT-Vertragspartnerschaft an.[6] Neben den Vertragspartnern zählte das GATT im letzten Jahr seines Bestehens auch 13 de facto-Partner, welche die GATT-Bestimmungen beachteten, ohne volle Vertragspartnerschaft zu besitzen.[7]

275

Am 1. Januar 1995 trat die WTO für 76 Mitglieder in Kraft. Zusammen mit den im folgenden Jahr beigetretenen Staaten stieg die Mitgliederzahl der WTO bis Ende 1996, dem Datum, an dem das GATT als selbständiger Vertrag zu existieren aufhörte und die WTO als alleinige Organisation weiterbestand, auf 110 Mitglieder. Zurzeit (Frühjahr 2000) weist die WTO 136 Mitglieder auf, 35 Industriestaaten und 101 Nicht-Industriestaaten, wobei diese Abgrenzung oft

276

---

4  Zur Liste der eingeladenen Länder vgl. Rz 28.
5  *UN* (1947), General Agreement on Tariffs and Trade, Final Act, UN Publications Sales No.: 1947.II.10, Vol. I, Lake Succes u.a., S. 4ff.
6  *GATT* (1984), FOCUS, Newsletter Nr. 27, Genf, S. 1ff.; *GATT* (1986), FOCUS, Newsletter Nr. 40, Genf, S. 6.
7  *GATT* (1995), BISD 40th S, S. X.

Zweiter Teil

nicht eindeutig vorgenommen werden kann. Von den 49 von der UNO als "ganz arm" bezeichneten Ländern ("Least developed countries") nehmen 30 an der WTO teil. 34 Länder haben Beobachterstatus. Den Beobachterstatus im Allgemeinen Rat besitzen zudem die internationalen Organisationen: FAO, IBRD, IMF, OECD, UNCTAD, UNO und WIPO.[8] Die folgende Übersicht nimmt eine geographische Aufteilung der einzelnen WTO-Mitglieder vor.

**Übersicht 5: GATT-Vertragspartner und WTO-Mitglieder nach geographischer Zugehörigkeit und nach Industrialisierungsgrad**

|  | Total | | Industriestaaten | | Entwicklungsländer | |
| --- | --- | --- | --- | --- | --- | --- |
|  | 1948 | 2000 | 1948 | 2000 | 1948 | 2000 |
| Europa *) | 8 | 29 | 8 | 29 | – | – |
| Nordamerika | 2 | 2 | 2 | 2 | – | – |
| Lateinamerika | 2 | 28 | – | – | 2 | 28 |
| Afrika | 2 | 45 | 1 | 1 | 1 | 44 |
| Asien | 7 | 28 | – | 1 | 7 | 27 |
| Australien und Ozeanien | 2 | 4 | 2 | 2 | – | 2 |
| Total | 23 | 136 | 13 | 35 | 10 | 101 |

*) Inkl. osteuropäische Staaten. EU als 15 WTO-Mitglieder aufgeführt.

277 Die WTO ist nicht nur geographisch eine weltumspannende Organisation, sie erfasst auch den grössten Teil des Welthandels. Anfangs der fünfziger Jahre entfielen auf die GATT-Vertragspartner rund 80 Prozent der weltweiten Güterexporte. In den siebziger Jahren sank dieser Anteil wegen der Verteuerung des

---

8 Eine Zusammenstellung der WTO-Mitglieder, der Staaten und internationalen Organisationen mit Beobachterstatus und der der WTO angehörenden "Least developed countries" findet sich in: URL http://www.wto.org./wto/about/organsn6.htm, Januar 2000.

Erdöls und einzelner Rohstoffe auf etwas über 70 Prozent.[9] Heute beträgt der Welthandelsanteil der WTO-Mitglieder im Güter- und im Dienstleistungshandel je rund 90 Prozent.[10] Wichtige Handelsbereiche wie der Agrar-, Textil-, Rohstoff- und Dienstleistungshandel werden aber durch die WTO-Bestimmungen nicht vollständig abgedeckt. Einzelne Handelspartner unterhalten zudem bilaterale Selbstbeschränkungsabkommen, die dem Sinn und Geist der Welthandelsordnung zuwiderlaufen. Aus der Sicht der Verhandlungen bleibt ferner festzuhalten, dass auf die drei grössten WTO-Handelspartner, die USA, die EU (inkl. EU-Intrahandel) und Japan, über die Hälfte des Welthandels entfällt.[11]

Nach Art. XII der WTO-Vereinbarung steht jedem souveränen Staat sowie jedem fest umschriebenen und autonomen Zollgebiet das Recht zu, der WTO einen Antrag auf Mitgliedschaft zu stellen.[12] In der ersten Phase des Beitrittsverfahrens hat der Antragsteller der WTO ein Memorandum über alle jene Bereiche der Handels- und Wirtschaftspolitik einzureichen, die das WTO-

---

9   Berechnet nach *GATT* (1982), International Trade 1981/82, Genf, Anhang, Tab. A 4.
10  Berechnet nach *WTO* (1998), Annual Report 1998, International trade statistics, Genf, S. 3ff.
11  *WTO* (1996), FOCUS, Newsletter Nr. 4, Genf, S. 5; *WTO* (1995), International Trade 1995, Genf, S. 14.
12  In Bezug auf das Antragsrecht der selbständigen Zollgebiete ist festzuhalten: Nach Art. XXVI:5(c) GATT konnte ein autonomes Zollgebiet seinerzeit nur auf Antrag einer GATT-Vertragspartei den GATT-Vertrag annehmen (so war Hongkong Vertragspartner unter dem Protektorat Grossbritanniens). In Ergänzung dazu regelte Art. XXXIII GATT den Beitritt auch für Nicht-Vertragspartner und unabhängige Zollgebiete: "Jede Regierung, die nicht Vertragspartei dieses Abkommens ist, oder jede Regierung, die im Namen eines gesonderten Zollgebiets handelt [...] kann für sich oder für dieses Gebiet diesem Abkommen [...] beitreten" (so verblieb Hongkong ab Juli 1997 GATT-Vertragspartner, obwohl die Volksrepublik China nicht GATT-Vertragspartner war). Gemäss Art. XII der WTO-Vereinbarung hat ein eigenständiges Zollgebiet das Recht, selber und unabhängig von einem Vertragspartnerstaat oder Nicht-Vertragspartnerstaat der WTO einen Antrag auf Beitritt zu stellen. Zur Beitrittsproblematik eigenständiger und von anderen Ländern nicht anerkannter Zollgebiete (wie z.B. Taiwan) vgl. *GATT* (1994), Analytical Index, Genf, S. 943f.; *Hui-wan, Cho* (1999), Taiwan's Application to GATT, Significance of Multilateralism for an Unrecognized State (unveröffentlichte Dissertation der University of Virginia), S. 267f.

Vertragswerk in irgendeiner Weise betreffen. Dieser Bericht bildet die Basis einer ersten Abklärung des Mitgliedschaftsbegehrens innerhalb einer dafür zuständigen Arbeitsgruppe. In Ergänzung zu dieser allgemeinen Prüfung folgen an zweiter Stelle bilaterale Verhandlungen zwischen dem Beitrittskandidaten und den interessierten beziehungsweise besonders betroffenen WTO–Mitgliedern. Gegenstand der Verhandlungen sind die Konzessionen und Verpflichtungen, welche die bisherigen WTO–Mitgliedstaaten vom antragstellenden Staat beziehungsweise vom antragstellenden Zollgebiet fordern. In der dritten und letzten Phase des Beitrittverfahrens werden die Ergebnisse der durchgeführten Marktanalyse und der bilateralen Verhandlungen dem Allgemeinen Rat vorgelegt. Wird dem Antrag mit einem Zweidrittelmehr zugestimmt, unterzeichnet der antragstellende Staat beziehungsweise das antragstellende Zollgebiet das Beitrittsprotokoll. Je nach nationalem Recht verlangt ein Beitritt eine vorgängige Ratifizierung durch das nationale Parlament des künftigen Mitglieds. Die in den letzten Jahrzehnten geführten Beitrittsverhandlungen erwiesen sich in der Regel als sehr langwierig und aufwendig. In der Zeit vom Inkrafttreten der WTO im Jahr 1995 bis Mitte 1999 konnten sieben Beitrittsverhandlungen abgeschlossen werden. 30 Länder stehen zurzeit in Verhandlungen, Algerien und die Volksrepublik China bereits über zehn Jahre.[13]

279  Der WTO–Beitritt bezieht sich auf die multilateralen Abkommen. Die Teilnahme an den plurilateralen Abkommen wird durch den Beitritt zur WTO nicht berührt und kann Gegenstand separater Verhandlungen sein.

280  Die WTO–Bestimmungen finden nach Art. XIII:1 der WTO–Vereinbarung zwischen zwei Mitgliedstaaten keine Anwendung, wenn einer der beiden Staaten zum Zeitpunkt des WTO–Beitritts der Anwendung nicht zustimmt. Die Nichtanwendung ist dem Allgemeinen Rat vor Genehmigung der Einigung zu notifizieren.

281  Jedes WTO–Mitglied hat nach Art. XV der WTO–Vereinbarung jederzeit das Recht, nach Einhaltung einer Kündigungsfrist von sechs Monaten aus der

---

13  Eine Darstellung der Beitrittsverhandlungen und der damit verbundenen Probleme für die WTO und die Beitrittskandidaten findet sich in: *Langhammer/Lücke* (1999), WTO Accession Issues, in: The World Economy, Vol. 22, Nr. 6, S. 837ff.

WTO auszutreten. Der Rücktritt gilt für die WTO-Vereinbarung und für alle multilateralen Zusatzabkommen. Für den Rücktritt von einem plurilateralen Abkommen gelten die Bestimmungen des betreffenden Abkommens. Die Kündigung ist beim Generaldirektor der WTO schriftlich einzureichen. Bis heute hat kein WTO-Partner seine Mitgliedschaft aufgekündigt.

An einzelnen Handelsrunden beteiligten sich neben den Vertragsparteien auch Nicht-Vertragspartner, die eingeladen oder zugelassen sind. So nahm beispielsweise die Schweiz in den Jahren 1960/61 an der Dillon-Runde teil. In der Tokio-Runde verhandelten insgesamt 99 Staaten, zu einer Zeit, als das GATT 85 Vertragspartner zählte. Die Uruguay-Runde vereinigte 125 Delegationen bei einem damaligen GATT-Bestand von 110 Ländern und Zollgebieten. 282

Die Mitgliedstaaten der seinerzeitigen Europäischen Wirtschaftsgemeinschaft (EWG) beziehungsweise der heutigen Europäischen Union (EU) treten in der WTO gemäss Art. 133 EGV in all den Fragen als Einheit auf, die vom EU-Vertragswerk abgedeckt sind.[14] Daran hat das Inkrafttreten des Maastrichtvertrags am 1. November 1993 und des Vertrags von Amsterdam am 1. Mai 1999 nichts geändert. Völkerrechtlich ist festzuhalten, dass allein die Europäischen Gemeinschaften EG, EAG und EGKS juristische Personen sind, nicht aber die Europäische Union.[15] 283

## 2. Die Organisationsstruktur

Wie bereits erwähnt, hatte das GATT von 1947 wegen des Scheiterns der ITO keine völkerrechtlich abgesicherte Organisationsstruktur. Die institutionelle Entwicklung zu einem internationalen Instrument mit einem Organi- 284

---

14 Art. 133:1 EGV lautet: "Die gemeinsame Handelspolitik wird nach einheitlichen Grundsätzen gestaltet [...]". Art. 133:3 EGV heisst: "Sind mit einem oder mehreren Staaten oder internationalen Organisationen Abkommen auszuhandeln, so legt die Kommission dem Rat Empfehlungen vor; dieser ermächtigt die Kommission zur Einleitung der erforderlichen Verhandlungen".
15 Vgl. Rz 323.

gramm war das Ergebnis eines sekundärrechtlichen und gewohnheitsrechtlichen Prozesses, "der eine Fortentwicklung der Verfassung des GATT im Wege der Praxis zur Folge hatte"[16]. Die WTO hat die organisatorische Grundstruktur des im Verlauf der Jahre entstandenen GATT-Organs übernommen und im Hinblick auf den erweiterten Geltungsbereich der WTO ausgebaut.

## 2.1 Der ursprüngliche Ansatz

285 Oberstes Entscheidungsorgan des GATT waren die Vertragsparteien, die das Abkommen unterzeichnet hatten. Die Delegierten des GATT traten jährlich einmal unter der Bezeichnung VERTRAGSPARTEIEN (Grossbuchstaben) zusammen und entschieden über Vertragsneuerungen und -änderungen. Jede Vertragspartei verfügte über eine Stimme. Abweichungen vom Prinzip der Meistbegünstigung, die Rücknahme von Listenzugeständnissen sowie Änderungen der Einstimmigkeitsvorschriften erforderten Einstimmigkeit, die übrigen Beschlüsse je nach Bedeutung das Zweidrittelmehr oder das einfache Mehr sämtlicher oder der abgegebenen Stimmen.[17] Im Jahr 1960 delegierten die VERTRAGSPARTEIEN ihre Kompetenzen für die Zeit zwischen ihren jährlichen Zusammenkünften an den GATT-Rat. Der GATT-Rat versammelte sich in der Regel monatlich einmal zur Erledigung der laufenden Geschäfte. Dem GATT-Rat zur Seite stand das Sekretariat. Die Leitung des Sekretariats lag beim Geschäftsführenden Sekretär der VERTRAGSPARTEIEN beziehungsweise ab 1965 beim Generaldirektor des GATT. Zur Behandlung einzelner Problembereiche entstanden Ausschüsse (auf unbestimmte Zeit) und Arbeitsgruppen (zeitlich befristet). Die Schlichtung zwischenstaatlicher Streitigkeiten oblag den jeweils konfliktspezifisch geschaffenen Sondergruppen ("Panels").[18]

---

16 *Benedek, Wolfgang* (1990), Die Rechtsordnung des GATT aus völkerrechtlicher Sicht, Berlin u.a., S. 185. Vgl. auch Rz 272.

17 Während der gesamten GATT-Zeit wurde jedoch entgegen dieser Mehrheitsbestimmungen das Konsensverfahren praktiziert.

18 Eine Darstellung der Organisationsstruktur des GATT findet sich in: *Senti, Richard* (1986), GATT, System der Welthandelsordnung, Zürich, S. 44ff.

## 2.2 Das WTO-Organigramm

Die im GATT entstandene Organisationsstruktur wurde von der WTO übernommen und den neuen Gegebenheiten angepasst. Die rechtlichen Grundlagen der Organisation der WTO finden sich in der WTO-Vereinbarung in Art. IV (Struktur der WTO) und Art. VI (Sekretariat der WTO). Das oberste Organ der WTO ist die Ministerkonferenz ("Ministerial Conference"), welche die allgemeinen Richtlinien der Welthandelsorganisation festzulegen hat. Die Ministerkonferenz der WTO entspricht in ihrer Funktion den seinerzeitigen VERTRAGSPARTEIEN des GATT. Der Ministerkonferenz zugeordnet ist der Allgemeine Rat (WTO-Rat, "General Council"), in dem alle Mitgliedstaaten vertreten sind. Der WTO-Rat vertritt in der Zeit zwischen den Ministerkonferenzen die Minister und ist für die Erledigung der laufenden Geschäfte der WTO verantwortlich. Dem WTO-Rat sind unterstellt: der Rat des Allgemeinen Zoll- und Handelsabkommens (GATT-Rat, "Council for Trade in Goods"), der Dienstleistungsrat (GATS-Rat, "Council for Trade in Services") und der Rat zum handelsbezogenen Schutz der geistigen Eigentumsrechte (TRIPS-Rat, "Council for Trade-Related Aspects of Intellectual Property Rights"). Diese drei Räten wiederum verfügen über Ausschüsse für Sonderfragen (z.B. technische Handelshemmnisse, Subventionen und Ausgleichsmassnahmen). In Form von Stabsstellen stehen dem WTO-Rat folgende Ausschüsse und Arbeitsgruppen zur Seite: der Ausschuss für Handel und Entwicklung ("Committee on Trade and Development"), der Ausschuss für regionale Abkommen ("Committee on Regional Trade Agreements"), der Ausschuss für Zahlungsbilanzrestriktionen ("Committee on Balance-of-Payments Restrictions"), der Ausschuss für Haushalt, Finanzen und Verwaltung ("Committee on Budget, Finance and Administration") sowie die Arbeitsgruppen für WTO-Beitrittsfragen ("Working Parties on Accession"). Der Ausschuss über Handel und Umwelt ("Committee on Trade and Environment") ist gleichzeitig der Ministerkonferenz *und* dem Allgemeinen Rat unterstellt. Ausschüsse des WTO-Rats bestehen ferner für die Belange der beiden plurilateralen Abkommen über den Handel mit Zivilluftfahrzeugen und über das öffentliche Beschaffungswesen. Übersicht 6 vermittelt einen Überblick über die einzelnen Organe der WTO.

## Übersicht 6: Das WTO-Organigramm

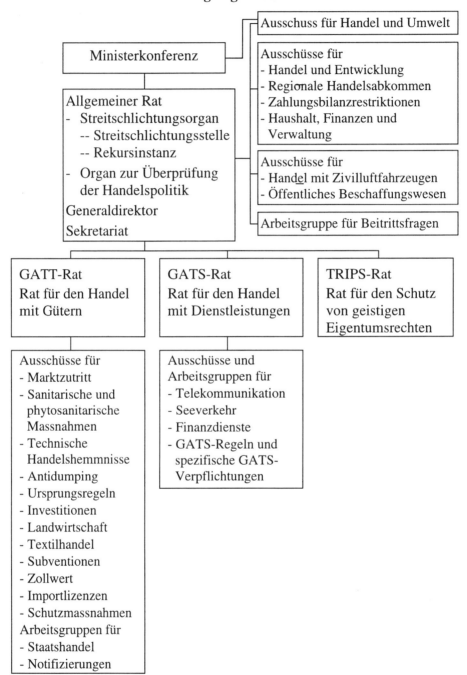

Zusammenstellung aufgrund der Angaben in: *WTO*, (1996), FOCUS, Newsletter Nr. 13, S. 3.

## 2.3 Die WTO-Organe

Es folgt eine zusammenfassende Darstellung der einzelnen WTO-Organe sowie ihrer Aufgaben und Funktionsweisen in der Reihenfolge der vorangestellten Übersicht des WTO-Organigramms.   287

### 2.3.1 Die Ministerkonferenz

Die Ministerkonferenz setzt sich gemäss Art. IV der WTO-Vereinbarung aus den Vertretern aller WTO-Mitglieder zusammen. In der Regel liegt diese Vertretung bei den Wirtschafts- oder Aussenhandelsministern. Die Ministerkonferenz tritt mindestens einmal alle zwei Jahre zusammen. Die erste Ministerkonferenz tagte im Dezember 1996 in Singapur, die zweite im Mai 1998 in Genf und die dritte im November/Dezember 1999 in Seattle. Die Ministerkonferenz trägt vertragsgemäss die oberste Verantwortung für das Funktionieren der WTO und trifft die dafür erforderlichen Massnahmen. Die Ministerkonferenz ist befugt, in allen die multilateralen Abkommen betreffenden Angelegenheiten Entscheide zu fällen. Die Beschlussfassung hat in Übereinstimmung mit den in den Abkommen vorgesehenen formalrechtlichen Erfordernissen zu erfolgen. Das Recht, Anträge zu stellen, liegt bei den Mitgliedstaaten. Ausserdem ernennt die Ministerkonferenz den Generaldirektor und entscheidet nach Art. VI:2 der WTO-Vereinbarung über dessen Befugnisse, Aufgaben und Amtszeit. Dass die Bestellung des Generaldirektors eine politisch nicht einfache Aufgabe ist, bewies die Nachfolgeregelung von *Renato Ruggiero* im Frühjahr/Sommer 1999.[19]   288

Im Gegensatz zu den VERTRAGSPARTEIEN des GATT, die an ihren jährlichen Tagungen die Berichte der einzelnen Organe und die Schlichtungsempfehlungen der "Panels" sachbezogen zur Kenntnis nahmen, lief die Ministerkonferenz von Singapur im Jahr 1996 – um in der Sprache der Politischen Ökonomie zu sprechen – Gefahr, in eine "Politshow" auszuarten, an der sich die über 2000 Delegierten um die verbale Wiederholung von Freihandels-   289

---

19   Vgl. Rz 302.

bekenntnissen bemühten.[20] Die Ministerkonferenz von Genf im Jahr 1998 stand im Zeichen des 50–Jahr–Jubiläums des Welthandelssystems und darf somit, vom Anlass her betrachtet, nicht mit den übrigen Sessionen verglichen werden. Die dritte Ministerkonferenz in Seattle vom Herbst 1999 hatte zum erklärten Ziel, eine weitere Welthandelsrunde, die sogenannte "Millenniumsrunde", vorzubereiten. Wegen der unüberwindbaren Gegensätze zwischen den Forderungen und Wünschen der WTO–Mitglieder scheiterte die Konferenz von Seattle.[21]

### 2.3.2 Der Allgemeine Rat

290 Zwischen der alle zwei Jahre stattfindenden Ministerkonferenz nimmt gemäss Art. IV:2 der WTO–Vereinbarung der Allgemeine Rat (WTO–Rat) die Aufgaben der Ministerkonferenz wahr. Der WTO–Rat setzt sich – analog zur Ministerkonferenz – aus den Vertretern der WTO–Mitgliedern zusammen. Er ist aufgrund seiner Entscheidungsbefugnisse und seines Pflichtenhefts ein zentrales Organ der WTO.

291 Der Allgemeinen Rat ist verantwortlich für die Verhandlungen mit den beitrittswilligen Staaten, die Ausarbeitung der Zugeständnis– und Ausnahmelisten,[22] die Regelung der Ausnahmen für wirtschaftlich besonders schwache Staaten ("Least–developed countries"), die gegenseitige Information der WTO–Mitglieder und die Pflege der Beziehungen mit den internationalen Organisationen FAO, IBRD, IMF, ILO, OECD, UNCTAD, UNO und WIPO.

292 Im Rahmen des WTO–Rats besteht (in Personal–Union) als rechtlich eigenständige Institution das Streitschlichtungs– oder Streitbeilegungsorgan ("Dispute Settlement Body", DSB). Das DSB tagt unter eigenem Vorsitz, dessen Stellvertretung dem Vorsitz des WTO–Rats zukommt.[23] Zur Schlichtung von Handelsstreitigkeiten zwischen WTO–Mitgliedern bedient sich das DSB der

---

20 Vgl. *WTO* (1997), FOCUS, Newsletter Nr. 15, Genf, S. 7ff.
21 Vgl. Rz 1485ff.
22 Die eigentlichen Detailverhandlungen finden in den entsprechenden Ausschüssen und Arbeitsgruppen statt.
23 Vgl. Verfahrensregeln des Streitbeilegungsorgans (DSB) in: *Hummer/Weiss,* S. 467ff. (Chapter V).

"Panels" und einer Berufungsinstanz. Dem DSB kommt die Aufgabe zu, die Empfehlungen der "Panels" und der Berufungsinstanz ("Appellate Body") anzunehmen oder abzulehnen, die Umsetzung der Entscheide zu überwachen und die Rücknahme von Zugeständnissen zu genehmigen. Bezieht sich ein Streitfall auf ein plurilaterales Abkommen, haben die Vertreter jener Regierungen, die am Vertrag nicht teilnehmen, in den Ausstand zu treten.

Dem Allgemeinen Rat obliegt schliesslich gemäss Vereinbarung über den Mechanismus zur Überprüfung der Handelspolitik ("Trade Policy Review Mechanism", TPRM) auch die Pflicht, die Handelspolitik der WTO–Mitglieder periodisch einer Prüfung zu unterziehen.[24] In Erfüllung dieser Aufgabe tritt der WTO–Rat als Organ zur Überprüfung der Handelspolitik ("Trade Policy Review Body", TPRB) unter einem eigenen Vorsitz zusammen. Die welthandelsmässig vier grössten Handelspartner (EU, Japan, Kanada und USA) werden grundsätzlich alle zwei Jahre, die folgenden 16 Handelspartner alle vier Jahre und die übrigen Staaten alle sechs Jahre oder je nach Entwicklungsstand in längeren Abständen auf ihre Handelspolitik hin überprüft.[25]

Dem Allgemeinen Rat sind der Rat für den Handel mit Gütern, der Rat für den Handel mit Dienstleistungen und der Rat für handelsbezogene Aspekte der Rechte des geistigen Eigentums unterstellt. Weitere Gremien unter der Aufsicht des Allgemeinen Rats sind die in der Übersicht aufgeführten Ausschüsse und Arbeitsgruppen.

### 2.3.3 Die Räte des GATT, des GATS und des TRIPS

Die WTO–Vereinbarung hält in Art. IV:5 fest, der Rat für den Handel mit Waren (GATT–Rat) habe die Wirkungsweise des Übereinkommens über den Handel mit Waren, der Rat für den Handel mit Dienstleistungen (GATS–Rat)

---

24 Über das Funktionieren und die bisherige Tätigkeit des TPRM vgl. *Laird, Sam* (1999), The WTO's Trade Policy Review Mechanism – From Through the Looking Glass, in: The World Economy, Vol. 22, Nr. 6, S. 741ff.

25 Eine TPRB–Konferenz war im Sommer 1999 den USA gewidmet und löste wegen der "wohlwollenden" Beurteilung der US–Aussenhandelspolitik bei den übrigen WTO–Mitgliedern über 300 schriftliche und mündliche Kommentare und Einsprachen aus. Vgl. *NZZ* vom 15.7.1999, Nr. 161, S. 19.

die Wirkungsweise des Allgemeinen Übereinkommens über den Handel mit Dienstleistungen und der Rat für handelsbezogene Aspekte der Rechte des geistigen Eigentums (TRIPS–Rat) die Wirkungsweise des Übereinkommens über handelsbezogene Aspekte der Rechte des geistigen Eigentums zu überwachen: "Diese Räte erfüllen die ihnen in den betreffenden Übereinkommen und vom Allgemeinen Rat übertragenen Aufgaben [...]. Die Mitgliedschaft in diesen Räten steht den Vertretern aller Mitglieder offen. Die Räte treten zur Ausübung ihrer Aufgaben je nach Notwendigkeit zusammen".

*GATT–Rat*

296   Gestützt auf Art. XXV:1 GATT haben die VERTRAGSPARTEIEN im Jahr 1960 den GATT–Rat geschaffen. Mit der Übernahme des GATT in das WTO–Vertragswerk ist der GATT–Rat Teil der WTO–Organisation geworden. Folgende Aufgaben sind ihm zugeteilt:[26]

– Behandlung von dringlichen Sachfragen im Bereich des Handels mit Gütern; Berichterstattung und Antragstellung an den Allgemeinen Rat.

– Überwachung der Tätigkeit der Ausschüsse, der Arbeitsgruppen und anderer für die WTO–Organe tätigen Gremien. Diese Überwachung besteht in möglichen Hilfeleistungen an die einzelnen Arbeitsgruppen, im Studium der vorliegenden Berichte sowie in der Berichterstattung an die übergeordneten Organe, das heisst an den WTO–Rat und an die Ministerkonferenz.

– Vorbereitung der regulären Tagungen des Allgemeinen Rats und der Ministerkonferenz im Bereich des Güterhandels.

– Erledigung der übrigen Arbeiten, die dem GATT–Rat vom WTO–Rat und von der Ministerkonferenz delegiert werden.

297   Der GATT–Rat gibt sich eine Geschäftsordnung, die der Genehmigung durch den Allgemeinen Rat bedarf. Die Wahl des Vorsitzenden erfolgt durch die Mitglieder. Falls es bei Sachfragen zu einer Abstimmung kommt, gelten die

---

26  Über den GATT–Rat des GATT von 1947 vgl. *Senti, Richard* (1986), GATT, System der Welthandelsordnung, Zürich, S. 48f.

gleichen Stimmenverhältnisse wie beim Allgemeinen Rat.[27] Ist ein WTO-Mitglied mit einer Empfehlung oder einem Entscheid des Rats nicht einverstanden, hat es die Möglichkeit, mit einem schriftlichen Antrag beim WTO-Rat zu intervenieren. Von dieser Möglichkeit wurde bis heute kein Gebrauch gemacht.

*GATS-Rat*

Art. XXIV GATS hält fest: "Der Rat für den Handel mit Dienstleistungen nimmt die Aufgaben wahr, die ihm übertragen werden, um die Anwendung dieses Übereinkommens zu erleichtern und die Erreichung seiner Ziele zu fördern. Der Rat kann diejenigen nachgeordneten Gremien einsetzen, die er zur wirksamen Wahrnehmung seiner Aufgaben für geeignet erachtet". Im Rahmen des Dienstleistungs-Rats entstanden in den letzten Jahren Arbeitsgruppen zur Behandlung der Finanzdienstleistungen, der Telekommunikation, der Anerkennung der Berufsausbildung sowie der Dienstleistungen des Tourismus, des Gesundheitswesens, des Transports und des Umweltschutzes. 298

Die Einsitznahme im GATS-Rat sowie in den nachgeordneten Gremien steht allen Mitgliedern der WTO offen. Der Vorsitz des Rats wird von den Mitgliedern gewählt. Die Erstellung der Geschäftsordnung und die Entscheidungsbildung erfolgen nach den gleichen Vorgaben wie im GATT-Rat. 299

*TRIPS-Rat*

Der TRIPS-Rat ist gemäss Art. 68 des Abkommens über handelsbezogene Aspekte der Rechte des geistigen Eigentums für die Verwirklichung des Übereinkommens und "insbesondere die Erfüllung der hieraus erwachsenden Verpflichtungen durch die Mitglieder" verantwortlich. Gleichzeitig ist der Rat beauftragt, bei der Beilegung von Streitigkeiten über geistige Eigentumsrechte zwischen den Mitgliedstaaten behilflich zu sein. Der Rat ist befugt, die Mitglieder zu konsultieren und von ihnen Informationen einzuholen. Schliesslich 300

---

27 Bis heute ist es im GATT-Rat zu keiner Abstimmung gekommen. Die Entscheide werden im Konsens-Verfahren gefällt.

Zweiter Teil

fordert das Abkommen den Rat auf, die Zusammenarbeit zwischen der WTO beziehungsweise dem TRIPS und der Weltorganisation für geistiges Eigentum (WIPO) aufzunehmen und in geeigneter Form zu regeln. Das im Jahr 1995 zwischen dem TRIPS-Rat und der WIPO ausgehandelte Abkommen trat am 1. Januar 1996 in Kraft. Die im WIPO-WTO-Abkommen angestrebte Zusammenarbeit bezieht sich auf die gegenseitige Information, die Kooperation bei der Rechtsdurchsetzung sowie die Rechtshilfe zugunsten der Entwicklungsländer, die der WTO angehören, aber nicht WIPO-Mitglieder sind.[28]

301     Analog zum GATT- und GATS-Rat gibt sich der TRIPS-Rat seine Geschäftsordnung selber und wählt den Vorsitz.

## 2.3.4 Der Generaldirektor und das Sekretariat

302     Der Generaldirektor führt die Beschlüsse der Ministerkonferenz und des Allgemeinen Rats aus und steht dem Sekretariat vor. Er hat periodisch über die Geschäftstätigkeit der WTO Bericht zu erstatten und die Rechnungsvorlage zuhanden des Ausschusses für Haushalt, Finanzen und Verwaltung auszuarbeiten. Seine Wahl erfolgt durch die Ministerkonferenz. Die bisherigen Geschäftsführenden Sekretäre (bis 1965) und Generaldirektoren des GATT beziehungsweise der WTO (ab 1965) waren: *Eric Wyndham-White* (1948-1968), *Olivier Long* (1968-1980), *Arthur Dunkel* (1980-1993), *Peter Denis Sutherland* (1993-1995) und *Renato Ruggiero* (1995-1999). Seit 1999 hat *Mike Moore* dieses Amt inne.[29]

303     Die Hauptaufgaben des Sekretariats sind die Vorbereitung und Durchführung von Verhandlungen zwischen den WTO-Mitgliedern, die Beratung der Handelspartner, die Analyse, die Darstellung und die Veröffentlichung der Welthandelsentwicklung sowie die Mithilfe bei der Durchführung der Schlichtungsverfahren.

---

28   Das Abkommen zwischen WIPO und WTO ist veröffentlicht in: *URL* http://www.wto.org./wto/intellec/17-wipo.htm, Januar 2000 (englische Fassung).
29   Im Juli 1999 einigten sich die WTO-Mitglieder nach längerer Auseinandersetzung im Sinne eines Kompromisses darauf, den Neuseeländer *Mike Moore* für drei Jahre zum Generaldirektor zu wählen und für die darauf folgenden drei Jahre dessen thailändischen Mitbewerber *Supachai Panitchpakdi*.

Das WTO–Sekretariat beschäftigt zurzeit etwa 500 Personen und hat seinen 304
Sitz in Genf.[30] Sein Jahresbudget liegt bei 120 Mio. SFr. Die Beiträge der
WTO–Mitglieder sind nach ihren Welthandelsanteilen aufgeschlüsselt.[31]

### 2.3.5 Die Ausschüsse und die Arbeitsgruppen

Der Ausschuss für Handel und Umwelt ist sowohl der Ministerkonferenz als 305
auch dem WTO–Rat unterstellt. Die Ausschüsse für Handel und Entwicklung,
für regionale Handelsabkommen, für Zahlungsbilanzrestriktionen sowie für
Haushalt, Finanzen und Verwaltung unterstehen allein dem Allgemeinen Rat.
Dazu kommen weitere Ausschüsse im Zuständigkeitsbereich des GATT, des
GATS und des TRIPS.[32]

*Ausschuss für Handel und Umwelt*

Die Schaffung des Ausschusses für Handel und Umwelt ("Committee on 306
Trade and Environment", CTE) geht auf die Ministererklärung vom 14. April
1994 zurück.[33] Die Minister forderten in Marrakesch den WTO–Rat auf, an
seiner ersten Sitzung einen Ausschuss für Handel und Umwelt zu bilden. Der
am 31. Januar 1995 geschaffene Ausschuss für Handel und Umwelt steht allen
Mitgliedern der WTO offen und gewährt Nicht–Mitgliedern und interessierten

---

30  Vgl. Amtssitzabkommen vom 31.5.1995, unterzeichnet in Bern am 2.6.1995 (Agreement between the WTO and the Swiss Confederation to determine the legal status of the Organization in Switzerland), veröffentlicht in: *Hummer/Weiss*, S. 391ff.

31  Unter dieses Budget fallen auch die Aufwendungen für das International Trade Center (ITC). Die aktuellen Zahlen finden sich in: *URL* http://www.wto.org./, Januar 2000.

32  Im folgenden werden nur die im Organigramm aufgeführten Ausschüsse und Arbeitsgruppen behandelt. Weitere Ausschüsse und Arbeitsgruppen bestehen auf der Rechtsgrundlage der Zusatzabkommen, so z.B. der Agrarausschuss, der Textilausschuss, der Ausschuss für Zollwert, der Subventionsausschuss usw. Die Darstellung dieser Gremien erfolgt im Zusammenhang mit den betreffenden Abkommen.

33  Beschluss der Minister über Handel und Umwelt vom 14.4.1994, veröffentlicht in: *Hummer/Weiss*, S. 542ff. (deutsche Fassung); *WTO*, The Legal Texts, S. 469ff. (englische Fassung).

## Zweiter Teil

internationalen Organisationen (FAO, IBRD, IMF, ISO, ITC, OECD, UN Commission for Sustainable Development, UNCTAD, UNDP, UNEP, UNIDO und World Customs Organization) Beobachterstatus.

307  Das Zehn–Punkte–Programm des CTE verlangt die Behandlung folgender Themen:[34]

– Beziehungen zwischen den Bestimmungen des multilateralen Handelssystems und den Umweltschutzmassnahmen, einschliesslich jener der multilateralen Umweltschutzabkommen,

– Beziehungen zwischen den Bestimmungen des multilateralen Handelssystems und der handelsrelevanten Umweltschutzpolitik der einzelnen WTO–Mitglieder,

– Beziehungen zwischen den Bestimmungen des multilateralen Handelssystems und den Öko–Abgaben und –Steuern einerseits und den ökologisch begründeten technischen Vorschriften in Bezug auf Normen, Verpackung und Etikettierung andererseits,

– Schaffung von internationaler Transparenz im Umweltschutzbereich,

– gegenseitige Abstimmung des WTO–Streitschlichtungsmechanismus und den in den multilateralen Umweltschutzabkommen vorgesehenen Streitschlichtungssystemen,

– Auswirkungen von Umweltschutzmassnahmen auf den Marktzutritt unter besonderer Berücksichtigung der wirtschaftlich schwachen Länder,

– Fragen des Exports von im Inland nicht zugelassenen Gütern,

– Überprüfung des GATS aus der Sicht des Umweltschutzes,

– Überprüfung des TRIPS aus der Sicht des Umweltschutzes und

– Zusammenarbeit zwischen WTO und internationalen Organisationen im Bereich des Umweltschutzes (gemäss Art. V der WTO–Vereinbarung).

308  Der Ausschuss für Handel und Umwelt erarbeitete für die erste Ministerkonferenz Ende 1996 mehrere Empfehlungen und Vorschläge. Ein erstes

---

34  Das Zehn–Punkte–Programm findet sich im erwähnten Ministerbeschluss über Handel und Umwelt vom 14.4.1994. Eine erste Übersicht über das Programm und die laufenden Arbeiten des CTE bietet: *WTO* (1996), FOCUS, Newsletter Nr. 13, Genf S. 4f.

Anliegen des Ausschusses war der Verzicht der Handelspartner auf unilaterale Handelsmassnahmen zum Ausgleich umweltschutzbedingter Wettbewerbsvorteile. Die WTO–Mitglieder wurden aufgefordert, multilateralen Lösungsansätzen gegenüber unilateralen den Vorzug zu geben. An zweiter Stelle empfahl der CTE, Streitigkeiten zwischen WTO–Ländern, die gleichzeitig einem multilateralen Abkommen angehören, prioritär im Rahmen des multilateralen Abkommens anzugehen. In Bezug auf Öko–Labelling hielt der Ausschuss fest, diese Massnahme sei erlaubt, so lange dadurch keine Benachteiligung der Importe gegenüber den inländischen Angeboten erfolgt. Eine weitere Empfehlung des Ausschusses bezog sich auf die Erhöhung der Transparenz. Besondere Aufmerksamkeit widmete der Ausschuss dem Export von im Heimland verbotenen Gütern. Jedem WTO–Mitglied soll jederzeit das Recht zustehen, den Import von Gütern, die im Herkunftsland aus Umweltschutzgründen nicht zum Verkauf zugelassen sind, ebenfalls zu verbieten.[35] Schliesslich verwies der Ausschuss auf die Notwendigkeit, die Umweltschutzfragen auch im Bereich des Dienstleistungshandels und des Schutzes geistiger Eigentumsrechte anzugehen.[36] Ob und in welchem Ausmass die vom CTE gemachten Empfehlungen Eingang in die künftige Aussenhandelspolitik der einzelnen WTO–Mitglieder und das WTO–Vertragswerk finden werden, ist noch offen.

*Ausschuss für Handel und Entwicklung*

Mit der zunehmenden Erkenntnis der wirtschaftlichen Realität von Entwicklungsproblemen entstand 1958 im GATT ein Ausschuss zur Förderung des Welthandels unter besonderer Berücksichtigung der Auswirkungen der Exporterlöse auf die Nicht–Industrieländer – bekannt unter dem Namen "Ausschuss III". Mit dem Inkrafttreten des Teils IV des GATT im Jahr 1966 gingen die Funktionen des Ausschusses III auf den neu gebildeten Ausschuss für Han-

---

35 Eine ähnliche Bestimmung findet sich im Umweltschutzabkommen der NAFTA. Vgl. Rz 660.
36 Über die laufenden Arbeiten des CTE orientiert: *WTO*, Trade Reports and Bulletins, in: URL http://www.wto.org./wto/environ/bulletin.htm, Juli 1999.

del und Entwicklung über.³⁷ Im Jahr 1980 entstanden zwei Unterausschüsse zur Behandlung der Probleme des Handelsprotektionismus gegen Entwicklungsländer und der Fragen der wirtschaftlich besonders schwachen Staaten.

310  Die WTO übernahm den Ausschuss für Handel und Entwicklung in seiner bisherigen Form. Die Hauptaufgaben des Ausschusses blieben die Wahrung der Interessen der wirtschaftlich schwachen Staaten, die Unterstützung dieser Länder in ihren Handels- und Investitionsanstrengungen, die Überwachung und Durchsetzung der Ermächtigungsklausel³⁸ sowie die Förderung der technischen Zusammenarbeit zwischen den Entwicklungsländern und den Industriestaaten. Die Arbeiten des Ausschusses für Handel und Entwicklung gründen gemäss WTO-Jahresbericht 1996 auf der Überzeugung, der Aussenhandel verbessere den Lebensstandard und erhöhe das Realeinkommen. Die WTO beziehungsweise ihre Mitglieder trügen daher die Verantwortung, die wirtschaftlich schwachen Länder in die Weltwirtschaft einzubeziehen.³⁹

311  Im Verlauf der ersten WTO-Jahre bemühte sich der Ausschuss für Handel und Entwicklung um die Beibehaltung der zollmässigen Präferenzierung der Drittweltländer. Dies ist insofern von Bedeutung, als zurzeit vereinzelte Industriestaaten bestrebt sind, diese Präferenzierung ganz oder teilweise abzubauen beziehungsweise eine "Selectivity" einzuführen, wonach die Präferenzen mit zunehmendem Entwicklungsstand eines Landes reduziert werden. Von Bedeutung ist seit einiger Zeit auch die Süd-Süd-Zusammenarbeit.⁴⁰ Mehr und mehr werden regionale Abkommen zwischen wirtschaftlich schwachen Staaten unter der Ermächtigungsklausel notifiziert.

---

37  Die rechtliche Grundlage bildet Art. XXXVIII:1 GATT, der u.a. besagt, dass die Vertragsparteien "im Rahmen dieses Abkommens und in geeigneten Fällen ausserhalb dieses Abkommens zusammenarbeiten", um sicherzustellen, "dass die weniger entwickelten Vertragsparteien entsprechend den Bedürfnissen ihrer wirtschaftlichen Entwicklung am Wachstum des Welthandels teilhaben" (Bezug auf Art. XXXVI:3 GATT).

38  Aufgrund der "Enabling clause", beschlossen in der Tokio-Runde, gewähren die Industriestaaten den wirtschaftlich schwachen Staaten Zollpräferenzen (Allgemeines Präferenzsystem).

39  Vgl. WTO (1996), Annual Report 1996, Vol. I, Genf, S. 146.

40  Über die laufenden Arbeiten des Ausschusses für Handel und Entwicklung informiert: *WTO* (jährlich), Annual Report, Genf.

*Ausschuss für regionale Handelsabkommen*

Seit Jahrzehnten findet in Europa, Nord- und Südamerika sowie in Asien ein fortschreitender Prozess der regionalen Integration statt. Zurzeit sind über 100 regionale Freihandelsräume bei der WTO notifiziert, wobei gemäss WTO-Sekretariat viele Zusammenschlüsse nicht gemeldet werden. Aus Sorge um die Vereinbarkeit der Regeln regionaler Wirtschaftsräume mit der gegenwärtigen Welthandelsordnung kam es in der Uruguay-Runde zu einer Revision von Art. XXIV GATT in dem Sinne, dass die dem Allgemeinen Rat zu meldende Bildung von Integrationsräumen von einer Arbeitsgruppe auf ihre Kompatibilität mit den WTO-Bestimmungen hin zu überprüfen ist. Ziff. 7 der Vereinbarung über die Auslegung des Art. XXIV GATT vom 15. April 1994 steht den WTO-Organen auch ein entsprechendes Empfehlungsrecht zu. Am 6. Februar 1996 schliesslich entstand auf Anregung Kanadas der Ausschuss des Allgemeinen Rats für regionale Handelsabkommen ("Committee on Regional Trade Agreements", CRTA). 312

Der Ausschuss für regionale Handelsabkommen hat folgende Aufgaben zu erfüllen: 313

- Überprüfung der regionalen Handelsabkommen auf ihre Vereinbarkeit mit der WTO beziehungsweise dem GATT, dem GATS und dem TRIPS: In der zweiten Hälfte der neunziger Jahre wurden über 30 regionale Abkommen der Überprüfung unterzogen, so zum Beispiel die NAFTA, das Freihandelsabkommen zwischen der Schweiz und Estland, Litauen und Lettland, das Freihandelsabkommen zwischen der EFTA und Bulgarien, Ungarn, Israel, Polen, Rumänien usw.[41]

- Abklärung der Frage, wie allfällige Änderungsvorschläge an die Adresse regionaler Integrationsräume durchgesetzt werden können: Die gegenwärtige WTO-Regelung reicht jedoch nicht über das Aussprechen von Empfehlungen hinaus.

---

41 Einen Überblick über die zu überprüfenden Integrationsabkommen findet sich in den WTO-Jahresberichten. Vgl. z.B. *WTO* (1998), Annual Report 1998, Special topic: Globalization and trade, Genf, S 28ff.; *WTO* (1999), Annual Report 1999, Genf, S. 31ff.

*Ausschuss für Zahlungsbilanzrestriktionen*

314 Der WTO-Ausschuss für Zahlungsbilanzrestriktionen führt die Arbeit des gleichnamigen Ausschusses des früheren GATT fort.[42] Art. XII und XVIII:B GATT sowie Art. XII GATS verlangen von den WTO-Mitgliedern, die Einführung oder Änderung von Handelsrestriktionen aus Zahlungsbilanzgründen dem Allgemeinen Rat beziehungsweise seinem Ausschuss für Zahlungsbilanzrestriktionen innert 30 Tagen zu melden. Nach der Notifizierung sind innerhalb von vier Monaten entsprechende Konsultationen zwischen dem WTO-Mitglied und dem Ausschuss aufzunehmen. Gegenstand der Verhandlungen ist die Analyse der Zahlungsbilanz des betreffenden WTO-Partners unter Berücksichtigung der Art und des Ausmasses der Zahlungsbilanzstörungen und externen Zahlungsschwierigkeiten, der Aussenwirtschafts- und Handelssituation des WTO-Mitglieds sowie der möglichen Alternativmassnahmen. Das jeweils einzuschlagende Konsultationsverfahren ist in der 1979 angenommenen Erklärung über Handelsmassnahmen aus Zahlungsbilanzgründen[43] und in der Vereinbarung über die Zahlungsbilanzbestimmungen des Allgemeinen Zoll- und Handelsabkommens von 1994 niedergelegt.[44]

315 Die WTO-Mitglieder sind verpflichtet, jenen Massnahmen den Vorzug zu geben, die den internationalen Handel am wenigsten stören. Zudem sind die Restriktionen zeitlich zu befristen und periodisch zu überprüfen (bei Industriestaaten jährlich und bei Entwicklungsländern alle zwei Jahre). Gemäss Art. XV GATT wird der IMF zu den Konsultationen eingeladen.

*Ausschuss für Haushalt, Finanzen und Verwaltung*

316 Der Generaldirektor unterbreitet seinen jährlichen WTO-Haushaltvorschlag und -Rechnungsabschluss dem Ausschuss für Haushalt, Finanzen

---

42 Über die geschichtliche Entwicklung des Ausschusses vgl. *Jackson, John H.* (1969), World Trade and the Law of GATT, Indianapolis u.a., S. 158.
43 *GATT* (1980), BISD 26th S, S. 205ff.
44 *WTO*, The Legal Texts, S. 27ff.

und Verwaltung. Der Ausschuss hat gemäss Art. VII der WTO-Vereinbarung den Haushaltvorschlag und den Rechnungsabschluss zu prüfen und dem WTO-Rat zur Genehmigung vorzulegen. Die Verabschiedung des jährlichen Haushaltvorschlags und der Finanzregelung erfolgt nach Art. VII:3 der WTO-Vereinbarung mit einer Mehrheit von drei Vierteln, die mehr als die Hälfte der WTO-Mitglieder einschliesst.

Der Vorschlag des Ausschusses an den Allgemeinen Rat enthält ausserdem die Aufschlüsselung der WTO-Mitgliederbeiträge und die Massnahmen für den Fall von Zahlungsrückständen. 317

*Arbeitsgruppen für Beitrittsfragen*

Wie im Abschnitt über die WTO-Mitgliedschaft bereits erwähnt,[45] kann nach Art. XII der WTO-Vereinbarung jeder Staat und jedes autonome Zollgebiet der WTO unter den Bedingungen beitreten, die zwischen dem Beitrittskandidaten und der WTO ausgehandelt werden. Die Verhandlung erfolgt in der für Beitrittsfragen geschaffenen Arbeitsgruppe. Die Beitrittsbeschlüsse sind vom Allgemeinen Rat mit Zweidrittelmehr aller Mitglieder der WTO zu fassen. 318

Zurzeit laufen mit allen Regierungen mit Beobachterstatus (ausgenommen Vatikan) und mit einigen wenigen weiteren Regierungen Beitrittsverhandlungen.[46] 319

*Ausschüsse der plurilateralen Abkommen*

Weitere zwei Ausschüsse bestehen für die plurilateralen Abkommen über den Handel mit zivilen Luftfahrzeugen und über das öffentliche Beschaffungswesen. 320

Weil das seit 1980 bestehende Abkommen über den Handel mit zivilen Luftfahrzeugen in der Uruguay-Runde nicht erneuert wurde, ist ein Ausschuss mit 321

---

45  Rz 274ff.
46  Eine Aufzählung der Länder, die einen Beitrittsantrag gestellt haben, findet sich in: *URL* http://www.wto.org./wto/about/GCW100.htm, Januar 2000.

der Aufgabe betraut worden, die Verhandlungen mit dem Ziel eines möglichen Abschlusses weiterzuführen. Diese Arbeiten dauern noch an.

322 Dem Ausschuss für das öffentliche Beschaffungswesen kommt die Aufgabe zu, die Abkommensanhänge (Aufzählung der staatlichen und privaten Stellen, deren Aufträge ab einem bestimmten Wert dem Abkommen unterstehen) auf dem aktuellen Stand zu halten, Verhandlungen mit Beitrittskandidaten zu führen sowie die Einhaltung der Abkommensbestimmungen und die nationale Rechtsanpassung zu überwachen.

## 3. Die Beschlussfassung

323 Jedes WTO-Mitglied hat bei der Beschlussfassung in der WTO eine Stimme. Eine Gewichtung der Stimmen nach der Bevölkerungsgrösse oder dem Welthandelsanteil des Vertragspartners kennt die WTO nicht, im Gegensatz zu anderen internationalen Organisationen wie dem Internationalen Währungsfonds und der Weltbank. Die Europäische Union tritt aufgrund ihrer gemeinsamen Aussenhandelspolitik in der WTO normalerweise als *ein* Mitglied der WTO auf.[47] Bei der Ausübung des Stimmrechts verfügt die EU nach Art. IX:1 der WTO-Vereinbarung "über eine Anzahl von Stimmen, die der Anzahl ihrer Mitgliedstaaten, die Mitglieder der WTO sind, entspricht", das heisst zurzeit über 15 Stimmen. Die Länder anderer Integrationsräume wie beispielsweise der NAFTA oder des MERCOSUR stimmen als Einzelmitglieder.

324 In Fortführung der bisherigen GATT-Praxis verfolgt die WTO das Ziel, die Entscheide, wenn immer möglich, im gegenseitigen Einvernehmen zu fällen (Konsens der im Rat anwesenden Staaten). Für den Fall, dass keine allseitig getragene Verständigung erzielt wird, sieht die WTO-Vereinbarung in Art. IX und X besondere Verfahren und Abstimmungsvorschriften vor. Es ist zwischen fünf Bereichen der Beschlussfassung zu unterscheiden: (1) Auslegung des Vertragswerks, (2) Aussetzung von Vertragspflichten (Gewährung von Aus-

---

47 Vgl. Rz 283.

## Die WTO als Institution

nahmen, "Waivers"), (3) Vertragsänderungen in den Bereichen Meistbegünstigung und Verfahrensfragen, (4) Vertragsänderungen ausserhalb den Bereichen Meistbegünstigung und Verfahrensfragen und (5) Aufnahme von neuen WTO-Mitgliedern.

Für die Auslegung des WTO-Vertragswerks ist gemäss Art. IX:2 der WTO- 325
Vereinbarung die Ministerkonferenz beziehungsweise der Allgemeine Rat zuständig. Steht die Interpretation des GATT, GATS oder TRIPS zur Diskussion, entscheidet der Allgemeine Rat auf der Grundlage einer Empfehlung des betreffenden Rats. Kommt kein Konsens zustande, erfolgt eine Beschlussfassung mit Dreiviertelmehrheit der anwesenden Mitglieder.

Ist ein WTO-Mitglied der Meinung, die Befolgung einer WTO-Bestim- 326
mung könne ihm nicht zugemutet werden, steht ihm nach Art. X der WTO-Vereinbarung das Recht zu, eine Ausnahmegenehmigung (einen "Waiver") zu beantragen. Der Antrag ist je nach Handelsbereich dem GATT-, GATS- oder TRIPS-Rat einzureichen. Der betreffende Rat überprüft den Antrag und leitet ihn, zusammen mit einer entsprechenden Empfehlung, im Verlauf von 90 Tagen an den Allgemeinen Rat weiter. Der Allgemeine Rat behandelt das Begehren zunächst auf der Basis allseitiger Zustimmung. Kommt innerhalb 90 Tagen kein Konsens zustande, folgt eine Abstimmung. Die Gewährung eines "Waivers" erfordert ein Dreiviertelmehr der anwesenden Mitglieder.

Jedes WTO-Mitglied sowie die GATT-, GATS- und TRIPS-Räte sind 327
berechtigt, dem Allgemeinen Rat Vertragsänderungen zu beantragen beziehungsweise Änderungsvorschläge einzureichen. In einer ersten Phase von maximal 90 Tagen hat der Rat darüber zu entscheiden, ob er auf das Begehren eintritt oder nicht. Der Entscheid ist, wenn immer möglich, einstimmig zu fällen. Kommt kein Konsens zustande, wird der Antrag nur weiter behandelt, wenn zwei Drittel der anwesenden Mitglieder der WTO zustimmen.

Ist die Weiterbehandlung des Abänderungsantrags beschlossen, muss abge- 328
klärt werden, ob es sich um eine Änderung eines Vertragskernbereichs (Meistbegünstigungsprinzip und Ausnahmeverfahren) oder einer anderen Vertragsbestimmung handelt. Steht eine Änderung des Meistbegünstigungsprinzips oder des Ausnahmeverfahrens zur Diskussion, kann sie nur mit Zustimmung aller WTO-Mitglieder beschlossen werden.

329     Auch bei der Änderung von Nicht-Kernbereichen des WTO-Vertragswerks bemüht sich der Allgemeine Rat vorerst um den Konsens. Gelingt dies nicht, folgt in der Beschlussfassung eine weitere Unterscheidung in Entscheide, welche die Rechte und Pflichten der WTO-Mitglieder ändern, und solche, welche die Rechte und Pflichten der WTO-Mitglieder nicht ändern (Vorschriften administrativer Art). Die Festlegung, dass es sich um Vertragsänderungen ohne Rückwirkungen auf die Rechte und Pflichten der Mitglieder handelt, hat mit einer Dreiviertelmehrheit der anwesenden WTO-Mitglieder zu erfolgen.

330     Eine Vertragsänderung, welche die Rechte und Pflichten der WTO-Mitglieder ändert, verlangt das Zweidrittelmehr der Mitglieder. Ein solcher Beschluss bindet aber nur die zustimmenden Mitglieder.

331     Eine Änderung, welche die Rechte und Pflichten der WTO-Mitglieder nicht tangiert, verlangt ebenfalls die Zustimmung von zwei Dritteln der Mitglieder.

332     Gleichgültig, ob alle WTO-Mitglieder durch den Änderungsbeschluss getroffen werden oder nicht, hält Art. X:3 und 5 der WTO-Vereinbarung fest: "Die Ministerkonferenz kann mit Dreiviertelmehrheit der Mitglieder beschliessen, dass eine gemäss diesem Absatz in Kraft getretene Änderung so beschaffen ist, dass es jedem Mitglied, das die Änderung innerhalb der von der Ministerkonferenz festgesetzten Frist nicht angenommen hat, in jedem Einzelfall freisteht, aus der WTO auszutreten oder mit Zustimmung der Ministerkonferenz Mitglied zu bleiben"[48].

333     Schliesslich entscheidet der Allgemeine Rat auch über die Aufnahme neuer WTO-Mitglieder, wofür mindestens eine Zweidrittelmehrheit erforderlich ist.

---

48   Diese Vertragsbestimmung ist m.E. fragwürdig. Erstens steht es jedem WTO-Mitgliedland nach Art. XV der WTO-Vereinbarung ohnehin frei, unter Beachtung einer Kündigungsfrist von sechs Monaten jederzeit vom WTO-Vertrag zurückzutreten. Dazu braucht es keinen Ministerratsbeschluss. Zweitens fehlt im Vertrag eine nähere Präzisierung der "Zustimmung der Ministerkonferenz". Entspricht diese Zustimmung einer Dreiviertelmehrheit (entsprechend dem Vorabentscheid) oder einer einfachen Mehrheit? Drittens fehlt im Art:X:3 und 5 der WTO-Vereinbarung ein Bezug auf die nachfolgenden Einschränkungen. Art. X:3 und 5 halten ohne jeden Vorbehalt fest, unter welchen Voraussetzungen die WTO-Mitgliedstaaten die getroffenen Beschlüsse einhalten oder nicht einhalten müssen. Von der Möglichkeit eines Ausschlussrechts ist in diesem Zusammenhang nicht die Rede.

Die WTO als Institution

Trotz all dieser Zweidrittel- und Dreiviertel-Mehrheits-Bestimmungen im WTO-Vertragswerk hielten sich die WTO-Mitglieder bis heute (in Fortführung der GATT-Tradition) an die Usanz, Entscheide im Konsens zu fällen. Die grossen Staaten und Staatengruppen sind an der Weiterführung dieser Praxis interessiert aus Angst, von der grossen Zahl anderer Mitgliedländer überstimmt zu werden. Aber auch die kleineren und mittelgrossen WTO-Mitglieder sind sich bewusst, dass Entscheide gegen die Interessen der starken Mitglieder nicht tragfähig sind. Vor diesem Hintergrund ist die folgende Übersicht zu werten. Sie gibt Auskunft über die geltenden vertraglichen Verfahrensregeln der Beschlussfassung, die jedoch zurzeit keine Anwendung finden.

334

**Übersicht 7: Das Beschlussfassungsverfahren**

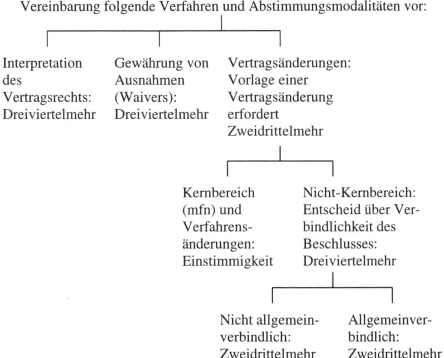

Zweiter Teil

# 4. Die Streitschlichtung

335 Die Streitschlichtungsordnung der WTO findet sich in Anhang 2 der WTO–Vereinbarung. Sie bezieht sich auf das GATT, das GATS und das TRIPS (Anhang 1 der WTO–Vereinbarung). Nicht unterstellt ist ihr das Verfahren zur Überprüfung der Handelspolitik (Anhang 3 der WTO–Vereinbarung). Die plurilateralen Abkommen über den Handel mit zivilen Luftfahrzeugen und über das öffentliche Beschaffungswesen (Anhang 4 der WTO–Vereinbarung) unterstehen der WTO–Streitschlichtungsordnung nur auf Antrag der betroffenen Abkommenspartner.

336 Die wichtigsten Rechtsgrundlagen der WTO–Streitschlichtungsordnung sind die Art. XXII und XXIII GATT, die Vereinbarung über Regeln und Verfahren zur Streitbeilegung, auch WTO–Streitschlichtungsvereinbarung genannt, vom 15. April 1994,[49] die Bestimmungen über das Streitschlichtungsverfahren vom 10. Februar 1995 und 6. Juni 1996,[50] der Entscheid der Berufungsinstanz über Verfahrensregeln und Empfehlungspraxis der Beschlüsse vom 15. Februar 1996[51] und die Bestimmungen der Ministerkonferenz von Singapur vom 11. Dezember 1996 über die Regeln und Verfahren zur Streitbeilegung.[52] Für die Streitschlichtung in den Bereichen der sanitarischen und phytosanitarischen Massnahmen, des Handels mit Textilien und Bekleidung, der technischen Handelshemmnisse, der Antidumpingzölle, der Berechnung des Zollwerts und der Subventionsausgleichsabgaben gelten die

---

49 Understanding on Rules and Procedures Governing the Settlement of Disputes, veröffentlicht in: *Hummer/Weiss,* S. 431ff. (deutsche Fassung); *WTO*, The Legal Texts, S. 404ff. (englische Fassung).

50 Rules of Procedure for the Dispute Settlement Body (DSB) vom 10.2.1995, veröffentlicht in: *Hummer/Weiss,* S. 467; Working Practices concerning Dispute Settlement Procedures, agreed by the DSB vom 6.6.1996, veröffentlicht in: *Hummer/Weiss,* S. 468f.

51 Working Procedures for Appellate Review vom 15.2.1996, veröffentlicht in: *Hummer/Weiss,* S. 470ff.

52 Rules of conduct for the Unterstanding on Rules and Procedures concerning the Settlement of Disputes vom 11.12.1996, veröffentlicht in: *URL* http://www.wto.org./wto/dispute/rc.htm, Juli 1999.

Die WTO als Institution

in diesen Abkommen beschlossenen Sonderbestimmungen.[53] Die Sonderbestimmungen gehen dem allgemeinen WTO-Recht der Streitbeilegung vor. Bei Streitfällen, die mehrere Vereinbarungen betreffen, sind die Streitparteien aufgefordert, sich im Verlauf von 20 Tagen auf ein gemeinsames Verfahren zu einigen. Verständigen sich die Streitparteien nicht untereinander, hat der Vorsitzende des Streitschlichtungsgremiums auf Antrag eines Mitglieds im Verlauf von zehn Tagen das Verfahren festzulegen.

Nach Art. XXII GATT steht den Vertragspartnern das Recht zu, mit einer oder mehreren Vertragsparteien Konsultationen über die Anwendung des Abkommens zu führen. Art. XXIII GATT geht einen Schritt weiter und erlaubt den Parteien, schriftliche Vorstellungen oder Vorschläge zu unterbreiten, wenn sie der Auffassung sind, dass 337

a) Zugeständnisse oder sonstige Vorteile, die sich ihnen aus dem GATT-Vertrag ergeben, zunichte gemacht oder geschmälert werden, oder

b) wenn die Erreichung des GATT-Ziels dadurch behindert wird,
   – dass eine Vertragspartei ihre Verpflichtungen aus dem Abkommen nicht erfüllt, oder
   – dass eine andere Vertragspartei eine bestimmte Massnahme trifft, auch wenn diese Massnahme nicht gegen das GATT verstösst, oder
   – dass irgend eine andere Sachlage gegeben ist.

In diesem Zusammenhang sind auch die "guten Dienste", die Streitschlichtung und die Vermittlung gemäss Art. 5 der WTO-Streitschlichtungsvereinbarung zu erwähnen, die von jeder Partei beantragt oder vom WTO-Generaldirektor angeboten werden können. Mit den guten Diensten wird ein Vermittlungsverfahren angestrengt, in dem die Meinungsverschiedenheiten im gegenseitigen Einvernehmen beigelegt werden, ohne eigentliche Streit-

---

53 Abkommen über sanitarische und phytosanitarische Massnahmen, Art. 11:2; Textilabkommen, Art. 2:14 und 21, Art. 4:4, Art. 5:2, 4 und 6, Art. 6:9, 10 und 11, Art. 8:1–12; Abkommen über Technische Handelshemmnisse, Art. 14:2–4, Anhang 2; Antidumpingabkommen, Art. 17:4–7; Abkommen über den Zollwert, Art. 19:3–5, Anhang II, Subventionsabkommen, Art. 4:2–12, Art. 6:6, Art. 7:2–10, Art. 8:5, Art. 24:4, Art. 27:8, Anhang V.

Zweiter Teil

schlichtungsverfahren durchführen zu müssen. Art. 5:4 des WTO–Streitschlichtungsverfahrens hält fest:

> "Sobald gute Dienste, Streitschlichtung oder Vermittlung innerhalb von 60 Tagen nach Erhalt eines Konsultationsersuchens eingeleitet sind, muss die beschwerdeführende Partei eine Frist von 60 Tagen nach Erhalt des Konsultationsersuchens verstreichen lassen, bevor sie die Einsetzung eines Untersuchungsausschusses verlangen kann. Die beschwerdeführende Partei kann die Einsetzung eines Untersuchungsausschusses während der 60–Tage–Frist verlangen, wenn die Streitparteien gemeinsam befinden, dass die guten Dienste, Streitschlichtungs– oder Vermittlungsverfahren nicht dazu geführt haben, die Meinungsverschiedenheit zu bereinigen".

338 Die Grundidee der WTO–Streitschlichtungsordnung ist nicht in erster Linie die Ahndung von Vertragsverletzungen, sondern die Wahrung der Vorteile, die sich aus dem Vertragswerk den Vertragspartnern ergeben. Die Begünstigungen, die den einzelnen Vertragspartnern aus einer offenen und möglichst freien Welthandelsordnung resultieren, sollen nicht durch das Verhalten anderer Vertragsparteien zunichte gemacht oder geschmälert werden.[54] Die Konsultationspflicht und das anschliessende Streitschlichtungsverfahren verfolgen gleichzeitig auch das Ziel, aufkeimende Handelskonflikte zwischen den Vertragspartnern rasch anzugehen und beizulegen, um auf diese Weise ein Umsichgreifen und Ausufern von Handelszwisten und Protektionismus zu verhindern.

339 Das anfänglich im GATT angewandte Streitschlichtungsverfahren geht auf das Jahr 1952 zurück, als die VERTRAGSPARTEIEN eine besondere Arbeitsgruppe mit der Schlichtung anstehender internationaler Handelsstreitfälle beauftragten. Daraus entwickelte sich die Praxis, für jedes Verfahren eine Sachverständigengruppe ("Panel") einzusetzen. Die erste rechtliche Veranke-

---

54 *Pierre Pescatore* sagt im Hinblick auf die im GATT geltende Streitschlichtung: "[...] the central concept of the GATT dispute settlement mechanism is not primarily violation of the General Agreement, or of obligations assumend thereunder. It is curtailment, in the broadest sense of the word, of the benefits flowing from the Agreement, or of the objectives pursued by the entire Agreement or by individual provisions of it". *Pescatore/Davey/Lowenfeld, Hrsg.* (1992), Handbook of GATT Dispute Settlement, New York u.a, S. 4, zit. nach: *Vermulst/Driessen* (1995), An Overview of the WTO Dispute Settlement System and its Relationship with the Uruguay Round Agreements, in: Journal of World Trade, Vol. 29, Nr. 2, S. 136.

rung der gewohnheitlichen Panelverfahren erfolgte in der Tokio-Runde in Form einer Beschreibung der üblichen GATT-Praxis.[55] In der WTO ist die Streitschlichtungsordnung, die bis anhin im GATT rechtlich ein Provisorium war, zu eigentlichem Völkerrecht geworden.[56]

Das GATT/WTO-Streitschlichtungsverfahren kann in zeitlicher und inhaltlicher Sicht zweigeteilt werden. In zeitlicher Hinsicht, weil bis zur Tokio-Erklärung im Jahr 1979 das System der gegenseitigen Verhandlungen, das heisst die gütliche Streitschlichtung im Vordergrund stand. Jede Streitpartei konnte die Annahme eines Panelentscheids durch sein Veto im GATT-Rat verhindern. Diese Blockierungsmöglichkeit führte dazu, dass die vorausgehenden Verhandlungen auf die Suche nach Kompromissen angelegt waren. Mit der Streitschlichtungserklärung von 1979 und mit der WTO-Streitschlichtungsvereinbarung von 1994 fand eine Verrechtlichung der Streitschlichtung statt. Anstelle des vorwiegend auf Verhandlungen ausgerichteten Verfahrens ist ein gerichtsähnliches Verfahren mit ausserparteilichen Entscheidungsstellen getreten. Empfehlungen des "Panels" beziehungsweise der Rekursinstanz treten nun auch gegen den Willen der direkt betroffenen Parteien in Kraft. Die inhaltliche Zweiteilung besteht darin, dass auch heute noch jeder Handelszwist vorerst auf gütliche Weise über gegenseitige Konsultationen beizulegen versucht wird. Die Vertragspartner sind gemäss Art. 4 der WTO-Streitschlichtungsvereinbarung verpflichtet, Meinungsverschiedenheiten zuerst einer "wohlwollenden" Prüfung zu unterwerfen und sich gegenseitig "ausreichende Gelegenheit für Konsultationen" zu gewähren. Führen diese Konsultationen zu keiner Beilegung des Zwists, folgt die Streitschlichtung im Panel- und im Berufungsverfahren.

340

---

55  Vgl. *Benedek, Wolfgang* (1990), Die Rechtsordnung des GATT aus völkerrechtlicher Sicht, Berlin u.a., S. 314f.
56  Über die völkerrechtliche Stellung der WTO-Streitschlichtung vgl. *Pescatore, Pierre* (1996), The New WTO Dispute Settlement Mechanism, Liège Conference on Regional Trade Agreements and Multilateral Rules vom 3.-5. Oktober 1996 (Vervielfältigung). Zur Überbrückung der im April 1994 auslaufenden Montreal-Bestimmungen war ein Beschluss über die Inkraftbelassung der Durchführungsbestimmungen des GATT bis zum Inkrafttreten des WTO-Rechts notwendig. Beschluss vom 22.2.1994, veröffentlicht als Ergänzung zu den Anhängen der WTO-Streitschlichtungsvereinbarung.

341 In den Jahren 1947 bis 1989 befasste sich das GATT mit 207 Streitfällen. Insgesamt 27 Prozent der Klagen wurden im Verlauf der Verhandlungen zurückgezogen, weil eine einvernehmliche Einigung zustande kam oder sich die Fakten veränderten. 31 Prozent der Streitfälle schlossen mit einem Vergleich zwischen den Vertragsparteien, und 42 Prozent führten zu abschliessenden Panelempfehlungen. Neun Zehntel der getroffenen Entscheide fanden die Anerkennung der Streitparteien. Bei einem Zehntel der Entscheide weigerten sich die unterlegenen Parteien, das Panelergebnis zu akzeptieren und die vom "Panel" festgestellten Vertragsverletzungen auszuräumen.[57]

342 In den ersten fünf Jahren des Bestehens der WTO (bis Januar 2000) wurden in der WTO 185 Konsultationsverfahren eingeleitet beziehungsweise der WTO angemeldet. In 144 Fällen beantragten die WTO-Mitglieder die Einleitung eines Panelverfahrens. Zurzeit laufen in Genf 26 Verfahren. Abgeschlossen wurden seit dem Inkraftstehen des WTO-Vertragswerks 30 Fälle. 40 Konflikte sind durch Vergleich beigelegt worden oder sind vorderhand "inactive cases".[58]

## 4.1 Die Organe

343 Das Streitschlichtungsgremium oder Streitschlichtungsorgan ("Dispute Settlement Body", DSB) ist eine eigenständige Institution, die zur Beilegung der Streitfälle sich eines "Panels" oder Untersuchungsausschusses und einer Ständigen Berufung- oder Rekursinstanz ("Standing Appellate Body")

---

[57] Eine statistische Auswertung der Panelverfahren während der Jahre 1947 bis 1989 findet sich in: *Hudec/Kennedy/Sgarbossa* (1993), A Statistical Profile of GATT Dispute Settlement Cases: 1948–1989, in: Minnesota Journal of Global Trade, Vol. 2, Nr. 1, S. 1ff. *Robert E. Hudec* hat Ende der neunziger Jahre diese Analyse für die Zeit nach dem Inkrafttreten der WTO fortgesetzt. Vgl. nachfolgende Anmerkung.

[58] Einen Überblick über die anstehenden, laufenden und abgeschlossenen Verfahren gibt: *URL* http://www.wto.org./wto/dispute.htm, Januar 2000. Eine statistische Analyse der ersten WTO-Streitschlichtungsverfahren findet sich in: *Hudec, Robert E.* (1999), The New WTO Dispute Settlement Procedure: An Overview of the First Three Years, in: Minnesota Journal of Global Trade, Vol. 8, Nr. 1, S. 1ff.

bedient, in einzelnen Fällen ergänzt durch Expertengruppen aus den Fachbereichen.[59]

Die "Panels" bestehen nach Art. 8 der WTO-Streitschlichtungsvereinbarung in der Regel aus drei Mitgliedern. In Ausnahmefällen ist eine Erhöhung auf fünf Mitglieder möglich (von dieser Ausnahme wurde bis heute kein Gebrauch gemacht). Die Panelmitglieder werden vom WTO-Sekretariat zur Nominierung durch die Streitparteien vorgeschlagen. Eine Ablehnung durch die Streitparteien ist nur aus zwingenden Gründen zulässig. Kommt über die Zusammensetzung des "Panels" keine Einigung zustande, hat der Generaldirektor der WTO das Recht, nach Rücksprache mit den verschiedenen Gremien, einen Untersuchungsausschuss zusammenzusetzen, der von den Streitparteien zu akzeptieren ist. Die "Panels" bestehen nach Art. 8:1 der WTO-Streitschlichtungsvereinbarung aus "gut qualifizierten Regierungsbeamten oder privaten Persönlichkeiten". Staatsbürgerinnen und Staatsbürger der direkt oder indirekt betroffenen Streitparteien dürfen im Untersuchungsausschuss nicht Einsitz nehmen, es sei denn, die Streitparteien fassen einen diesbezüglichen Beschluss. Ist eine Zollunion (z.B. die EU) Streitpartei, trifft dieses Verbot auf die Bürgerinnen und Bürger aller Mitgliedstaaten der Union zu. Zur Erleichterung der Wahl von Panelmitgliedern verfügt das WTO-Sekretariat über eine Liste von Beamten und privaten Personen, die als Panelmitglieder in Frage kommen. Diese Liste enthält die Namen des im Jahr 1984 erstellten Verzeichnisses von Personen, die nicht dem öffentlichen Dienst angehören.[60] Die WTO-Mitglieder haben das Recht, weitere Namen von Regierungsbeamten und Privatpersonen zur Aufnahme in die Liste vorzuschlagen.

344

---

59 Vgl. Rz 292. Aufgrund dieser Organisationsstruktur bereits von einer "Gewaltentrennung" zu sprechen, scheint mir fragwürdig zu sein, weil das Streitschlichtungsgremium in Personalunion mit dem Allgemeinen Rat besteht, dem die Kompetenz zukommt, Empfehlungen des "Panels" und der Rekursinstanz anzunehmen oder abzulehnen. Eine andere Meinung vertritt: *Pescatore, Pierre* (1996), The New WTO Dispute Settlement Mechanism, Liège Conference on Regional Trade Agreements and Multilateral Rules vom 3.–5. Oktober (Vervielfältigung), S. 3.

60 Vgl. *GATT* (1984), BISD 31st S, S. 9.

Zweiter Teil

345 Die Ständige Berufungsinstanz wird gemäss Art. 17 der WTO–Streitschlichtungsvereinbarung vom DSB ernannt und setzt sich aus sieben Personen zusammen, von denen sich jeweils drei eines Streitfalls annehmen. Die ordentliche Amtszeit beträgt vier Jahre. Eine einmalige Wiederernennung ist möglich. Die Mitglieder der Berufungsinstanz haben regierungsunabhängig zu sein. Ihre Zusammensetzung soll möglichst den Mitgliederkreis der WTO widerspiegeln.

346 Expertengruppen zuhanden der Streitschlichtungsgremien sind vorgesehen in den Abkommen über die Anwendung sanitarischer und phytosanitarischer Massnahmen (Art. 11:2), über den Handel mit Textilien und Bekleidung (Art. 8), über die Technischen Handelshemmnisse (Art. 14 und Anhang), über die Zollwertberechnung (Art. 18 und Anhang) und über die Subventionen (Art. 24). Die Funktionen dieser Expertengruppen sind je nach Übereinkommen verschieden. Die Vereinbarung über Technische Handelshemmnisse *erlaubt* die Bildung einer Expertengruppe zur Abklärung von Fragen technischer Natur. Bei der Beurteilung wissenschaftlicher und technischer Aspekte im Bereich der sanitarischen und phytosanitarischen Massnahmen ist das "Panel" dagegen *verpflichtet,* die Meinung von Experten einzuholen. Bei Subventionen ist die Ständige Sachverständigengruppe zu konsultieren, deren Meinung vom Untersuchungsausschuss ohne Änderung anzunehmen ist.[61]

## 4.2 Das Verfahren

347 Das Streitschlichtungsverfahren lässt sich in vier Phasen gliedern: (1) die Feststellung eines Handelsstreits, (2) die Konsultationen zwischen den Streitparteien, (3) das Erarbeiten der Empfehlung des "Panels" und (4) der Weiterzug an und die Beurteilung durch die Rekursinstanz.

348 Art. XXIII:1 GATT fordert die Vertragsparteien auf, allfällige Handelsstreitigkeiten vorerst im gegenseitigen Einvernehmen in bilateralen Gesprächen

---

61 Vgl. Art. 4, 5 und 24 des Subventionsabkommens. Auf diese etwas eigenartige Situation weisen hin: *Vermulst/Driessen* (1995), An Overview of the WTO Dispute Settlement System and its Relationship with the Uruguay Round Agreements, in: Journal of World Trade, Vol. 29, Nr. 2, S. 131ff.

beizulegen. Jede Vertragspartei, die der Auffassung ist, "dass Zugeständnisse oder sonstige Vorteile, die sich mittelbar oder unmittelbar aufgrund dieses Abkommens für sie ergeben, zunichte gemacht oder geschmälert werden, oder dass die Erreichung eines der Ziele dieses Abkommens dadurch behindert wird", soll beim Handelspartner vorstellig werden und Lösungsvorschläge unterbreiten. Die Gegenpartei, so der Vertrag, möge diese Vorstellungen und Vorschläge wohlwollend prüfen. Kommt zwischen den betroffenen Handelspartnern innerhalb einer angemessenen Zeitspanne keine befriedigende Lösung zustande, kann eine Vertragspartei nach Art. 4:4 der WTO-Streitschlichtungsvereinbarung beim Streitschlichtungsgremium (DSB) und dem zuständigen Rat (beim GATT-Rat, wenn es um einen Zwist im Güterhandel geht, beim GATS-Rat, wenn es sich um einen Streit im Dienstleistungsbereich handelt usw.) den Antrag auf Konsultationen stellen. Das Begehren ist schriftlich einzureichen und hat eine Begründung mit entsprechenden Hinweisen auf die vermutete Rechtsverletzung und die zur Diskussion stehenden Rechtsgrundlagen zu enthalten. Damit beginnt die zweite Phase des Streitschlichtungsverfahrens.

Der Handelspartner, an den der Konsultationsantrag gestellt worden ist, muss innerhalb von zehn Tagen den Antragseingang bestätigen und innerhalb von 30 Tagen Konsultationen mit dem antragstellenden Land aufnehmen. Reagiert das angesprochene Land nicht und kommen innerhalb der vorgegebenen Frist keine Konsultationen zustande, steht dem antragstellenden Land das Recht zu, unmittelbar die Einsetzung eines "Panels" zu verlangen. Führen die Konsultationen im Verlauf von 60 Tagen zu keiner Beilegung der Streitigkeiten, oder sind sich die Parteien bereits vor Ablauf dieser Frist über die Unmöglichkeit einer gütlichen Lösung einig, kann die Einsetzung eines "Panels" beantragt werden. In dringenden Fällen, zum Beispiel beim Handel mit verderblichen Erzeugnissen, verkürzt sich die Frist für Konsultationen auf zehn und die der Panelbeantragung bei Nichteintreten oder Uneinigkeit auf 20 Tage. Jeder Drittstaat, der an den Konsultationen interessiert ist, hat die Möglichkeit, innerhalb von zehn Tagen nach Mitteilung des Konsultationsverfahrens einen Antrag auf Teilnahme an den Konsultationen zu stellen. Über die Zulassung entscheidet der Handelspartner, an den der Antrag auf Konsultationen gerichtet ist. Falls dieses Land dem Antrag nicht stattgibt, hat das

## Zweiter Teil

abgewiesene Land die Möglichkeit, ein eigenständiges Panelverfahren einzuleiten.

350  Mit dem Antrag auf Einsetzung eines "Panels" beginnt die dritte Phase des Verfahrens. Der Untersuchungsausschuss hat nach Art. 7:1 der WTO–Streitschlichtungsvereinbarung das Mandat, die dem DSB zugewiesenen Angelegenheiten "im Lichte der einschlägigen Bestimmungen" zu prüfen und Empfehlungen auszuarbeiten, die es dem DSB erlauben, Empfehlungen auszusprechen oder Regelungen zu treffen, die in den entsprechenden Abkommen vorgesehen sind.

351  Vor der ersten Sitzung unterbreiten die Parteien dem "Panel" schriftliche Unterlagen über den Sachverhalt und ihre Argumente. In der folgenden Sitzung legen die Parteien ihre Standpunkte dar. Interessierte Drittstaaten haben die Möglichkeit, an dieser Sitzung ihre Stellungnahme vorzutragen. Art. 12:8 und Anhang 3 der WTO–Streitschlichtungsvereinbarung enthalten einen genauen Zeitplan über den Verlauf des allgemeinen Verfahrens. Sie geben eine Frist von insgesamt sechs Monaten und in dringenden Fällen eine Spanne von drei Monaten vor.[62] Ist das "Panel" nicht in der Lage, den Zeitplan einzuhalten, hat es dem DSB die Gründe der Verzögerung und die noch benötigte Zeit für die Erstellung des Schlussberichts schriftlich mitzuteilen. Im Sinne einer beförderlichen Behandlung der Zwiste hält die Streitschlichtungsvereinbarung in Art. 12:9 ausdrücklich fest: "Der Zeitraum zwischen der Einsetzung des "Panels" und der Verteilung des Berichts an die Mitglieder soll neun Monate keinesfalls überschreiten". Andere Fristen gelten bei der Auseinandersetzung um Exportsubventionen. Bei Handelskonflikten betreffend verbotene Exportsubventionen ist nach Art. 4:6 des Subventionsabkommens ein Bericht in drei Monaten und im Streit über anfechtbare Exportsubventionen nach Art. 7:5 ein solcher in vier Monaten den Mitgliedern zu verteilen.[63] Die Verträge enthalten jedoch keine Sanktionen für ein allfälliges Überschreiten der vorgegebenen Fristen. Auf Antrag der beschwerdeführenden Partei kann das Verfahren jederzeit für höchstens zwölf Monate ausgesetzt werden. Bei einem längeren Unter-

---

62  Vgl. Anhang 3, Ziff. 12(a–k) der WTO–Streitschlichtungsvereinbarung.
63  Über die Unterscheidung zwischen "verbotenen" und "anfechtbaren" Subventionen (prohibited and actionable subsidies) vgl. Rz 840ff.

bruch erlischt die Genehmigung für die Einsetzung des "Panels". Die heute geltende Fristenregelung ist zweifelsohne die Folge der während der siebziger und achtziger Jahre latenten Unzufriedenheit mit den oft mehrere Jahre dauernden Streitschlichtungsverfahren.

Der Untersuchungsausschuss ist verpflichtet, vier bis fünf Monate[64] nach der Einleitung des Verfahrens den Parteien einen Zwischenbericht auszuhändigen. Dieser Zwischenbericht hat gemäss Art. 15:2 der WTO-Streitschlichtungsvereinbarung neben dem beschreibenden Teil (Sachverhalt und Beweisführung) auch die Schlussfolgerungen der Untersuchung zu enthalten.[65] Innerhalb einer vom "Panel" festgesetzten Frist kann eine Partei einen schriftlichen Antrag zur Überprüfung bestimmter Aspekte des Zwischenberichts einreichen und die Einberufung einer weiteren Sitzung zur Behandlung der schriftlich beanstandeten Punkte verlangen. Aufgrund des Revisionsantrags hat das "Panel" seine Stellungnahme nochmals zu überarbeiten. Erfolgen innerhalb des gesetzten Zeitraums keine Einwände, wird der Zwischenbericht zum Schlussbericht. Der Schlussbericht des "Panels" geht an das Streitschlichtungsgremium (DSB). Falls keine Streitpartei Rekurs einlegt und das DSB den Panelbericht nicht einstimmig ablehnt, folgt innerhalb von 60 Tagen die Annahme und das Inkraftsetzen des Berichts durch das DSB. Damit hat, wie bereits erwähnt, gegenüber früher eine Verrechtlichung der Streitschlichtung stattgefunden. Nach altem Recht erforderte die Annahme des Panelberichts im GATT-Rat Einstimmigkeit. Ein im Streitfall unterlegener Partner besass stets die Möglichkeit, den Entscheid durch sein Veto zu blockieren. So haben beispielsweise die EU im Jahr 1992 den Panelbericht zum Airbus-Zwist und im Jahr 1994 jenen zum Bananen-Streit blockiert. Die USA tat im Jahr 1991 ein Gleiches im Thunfisch/Delphine-Fall. Nach heutiger Regelung ist ein Blockieren des Verfahrens an dieser Stelle nicht mehr möglich. Wenn kein

352

---

64 Die genauen Angaben über die Fristen finden sich in: Anlage 3, Ziff. 12, der WTO-Streitschlichtungsvereinbarung.
65 Vor dem Inkrafttreten der WTO-Streitschlichtungsvereinbarung beschränkte sich der Zwischenbericht auf die Darstellung des Sachverhalts. Vgl. Vereinbarung vom 28.11.1979, Anhang, Ziff. 6(vii).

Partner rekuriert und keine einstimmige Ablehnung des Berichts durch den DSB erfolgt, gilt der Panelbericht als angenommen.

353    Ist eine Streitpartei nicht bereit, die Panelempfehlung zu akzeptieren, steht ihr das Rechtsmittel des Rekurses zu. Damit beginnt die vierte und letzte Phase der Streitschlichtung. Interessierte Drittstaaten können dieses Rechtsmittel nicht beanspruchen. Das Berufungsverfahren soll in der Regel eine Dauer von 60 Tagen ab dem Zeitpunkt des Ergreifens des Rekurses nicht überschreiten. Kann die Rekursinstanz diese Frist nicht einhalten, hat sie dem DSB schriftlich die Gründe der Verzögerung und die vermutlich noch benötigte Zeit mitzuteilen. Sanktionen für den Fall der Fristüberziehung sind auch im Rekursverfahren nicht vorgesehen. Die Rekursinstanz beschränkt sich in ihrer Beurteilung und ihrer Wertung auf die im Panelbericht behandelten Rechtsfragen. Eine Berücksichtigung weiterer Rechtsbereiche ist nicht vorgesehen. Die Tätigkeit der Berufungsinstanz ist vertraulich. Die Berichte werden in Abwesenheit der Streitparteien erstellt, und die im Gremium geäusserten Meinungen sind anonym. Die Berufungsinstanz kann die rechtlichen Schlussfolgerungen des "Panels" bestätigen, abändern oder aufheben. Das Streitschlichtungsgremium nimmt den Bericht der Rekursinstanz innerhalb von 30 Tagen an oder lehnt ihn ab. Die Ablehnung erfordert Einstimmigkeit im DSB. Ein einseitiges Blockieren des Rekursentscheids ist, analog zur Panelempfehlung, nicht möglich. Mit diesem vierten Schritt ist das Streitschlichtungsverfahren im Rahmen der WTO abgeschlossen.

354    Falls die Streitparteien den Entscheid des "Panels" beziehungsweise der Berufungsinstanz annehmen, sind sie verpflichtet, ihre Aussenhandelsmassnahmen entsprechend zu ändern. Sie müssen innerhalb 30 Tagen das DSB darüber informieren, wie sie die Vertragskonformität wieder herzustellen gedenken. Die Umsetzung der Empfehlungen soll in einem "angemessenen Zeitraum" erfolgen; normalerweise soll eine Zeitspanne von 15 Monaten nicht überschritten werden.[66]

355    Kommt ein Land den Empfehlungen und Wertungen des Streitschlichtungsorgans innerhalb der vorgegebenen Fristen nicht nach, darf nach Art. 22:2 der

---

66  Genauere Angaben über die einzelnen Fristvorgaben finden sich in: Art. 21:3 der WTO–Streitschlichtungsvereinbarung.

## Die WTO als Institution

WTO–Streitschlichtungsvereinbarung jede Partei, die das Verfahren angestrengt hat, "vom DSB die Ermächtigung verlangen, gegenüber dem betreffenden Mitglied die Anwendung von Zugeständnissen oder anderen Verpflichtungen aus erfassten Abkommen auszusetzen". Grundsätzlich sollen vorerst Zugeständnisse in jenem Handelssektor, der Gegenstand des Streitfalls gewesen ist, betroffen sein. Ist dies aus irgendwelchen Gründen nicht möglich oder nicht zumutbar, kann auf andere Handelsbereiche des gleichen Übereinkommens ausgewichen werden. Nur in Ausnahmefällen soll auf die Aussetzung von Zugeständnissen in Bereichen anderer Übereinkommen Rückgriff genommen werden.[67]

Problematisch wird die Streitschlichtung, wenn sich die Parteien nach Abschluss des Verfahrens darüber streiten, ob die vorgenommenen Änderungen dem Panelentscheid entsprechen oder nicht. Das "Panel" verpflichtete 1996 die EU, ihr Bananenhandelsregime innerhalb einer Frist von 15 Monaten, bis 1. Januar 1999, dem geltenden Handelsrecht anzupassen. Die Rekursinstanz bestätigte diese Wertung. Auf den 1. Januar 1999 setzte die EU folglich eine neue Bananenhandelsregelung in Kraft, die jedoch nach Meinung der USA den gestellten Anforderungen des "Panels" nicht entsprach. Nach Ansicht der EU handelte es sich dabei gemäss Art. 21:5 der Streitschlichtungsvereinbarung um "eine Meinungsverschiedenheit über das Vorliegen oder die Übereinstimmung von Massnahmen [...], die zu treffen sind, um die Empfehlungen und Entschliessungen zu erfüllen". Über eine solche Meinungsverschiedenheit habe das seinerzeitige "Panel" innerhalb 90 Tagen zu entscheiden. Im Gegensatz dazu bezogen sich die USA auf Art. 22 der WTO Streitschlichtungsvereinbarung, der bei der Nichterfüllung von Panelentscheiden die Festsetzung von Retorsionsmassnahmen innerhalb 30 Tagen zum Gegenstand hat.[68] Die Revision der Art. 21 und 22 wird in künftigen Verhandlungen zweifellos zur Diskussion stehen.

356

---

67 Eine Abgrenzung der Begriffe "Sektor" und "Übereinkommen" findet sich in: Art. 22:3 der WTO–Streitschlichtungsvereinbarung.
68 Vgl. *Scherpenberg van, Jens* (1999), Die transatlantische Bananenkontroverse – ein Streit um die Zukunft der Welthandelsordnung, Stiftung Wissenschaft und Politik, SWP–aktuell Nr. 32, Ebenhausen/Isar.

Zweiter Teil

357  Sind die Empfehlungen des "Panels" und der Berufungsinstanz für die WTO–Mitglieder völkerrechtlich bindend? Nach *John H. Jackson,* der dieser Frage verschiedentlich nachgegangen ist,[69] enthielt das GATT diesbezüglich keine klare Regelung. Aber in den letzten zwei Jahrzehnten habe sich im GATT die Praxis durchgesetzt, die angenommenen Panelentscheide als bindend zu betrachten. Diese Tatsache besagt aber insofern wenig, als die einzelnen Vertragspartner vorgängig die Möglichkeiten hatten, die Annahme einer Entschliessung wegen der erforderlichen Einstimmigkeit zu blockieren. Auch die WTO–Streitschlichtungsvereinbarung klärt die Frage der rechtlichen Bindung nicht abschliessend.[70] *John H. Jackson* kommt aber in seiner Analyse der WTO–Vertragstexte zum Schluss, dass mehrere Rechtstexte dafür sprechen, "that the legal effect of an adopted panel report is the international law obligation to perform the recommendation of the panel report"[71]. *Edwin Vermulst* und *Bart Driessen* fragen sich, ob die WTO mit dieser völkerrechtlichen Bindung den Bogen nicht überspanne. Vor allem grosse Handelspartner wie die USA und die EU würden Mühe haben, eine Empfehlung des "Panels" oder der Berufungsinstanz zu akzeptieren, die ihrer Binnenpolitik widerspreche.[72] In diesem Zusammenhang vereinbarten im Jahr 1994 in den USA die Regierung und Senator *Robert Dole* einen Gesetzesentwurf über die Schaffung einer

---

69  *Jackson, John H.* (1994), The World Trading System, 6. A., Cambridge u.a., S. 83ff.; *Jackson, John H.* (1997), The WTO Dispute Settlement Understanding – Misunderstandings on the Nature of Legal Obligation, in: The American Journal of International Law, Vol. 91, Nr. 1, S. 60ff.

70  Auf jeden Fall nicht so eindeutig wie die UNO–Charta mit Bezug auf den Internationalen Gerichtshof, in der es heisst: "Each Member of the United Nations undertakes to comply with the decision of the International Court of Justice in any case to which it is a party." Zit. nach *Jackson, John H.* (1997), The WTO Dispute Settlement Understanding – Misunderstandings on the Nature of Legal Obligation, in: The American Journal of International Law, Vol. 91, Nr. 1, S. 62.

71  *Jackson, John H.* (1997), The WTO Dispute Settlement Understanding – Misunderstandings on the Nature of Legal Obligation, in: The American Journal of International Law, Vol. 91, Nr. 1, S. 63. Die Beweisführung stützt sich vor allem auf Art. 3:7, Art. 19:1, Art. 21:1, Art. 22:1 und Art. 22:8 der WTO–Streitschlichtungsvereinbarung.

72  *Vermulst/Driessen* (1995), An Overview of the WTO Dispute Settlement System and its Relationship with the Uruguay Round Agreements, in: Journal of World Trade, Vol. 29, Nr. 2, S. 147.

Kommission, welche die für die USA nachteiligen Erwägungen von Panel und Rekursinstanz daraufhin zu untersuchen hat, ob diese Streitschlichtungsorgane ihre Kompetenzen nicht überschritten haben und die Empfehlung nicht WTO–widrig sei. Komme die Kommission zum Ergebnis, das "Panel" oder das Berufungsgremium habe eine unangebrachte ("inappropriate") Empfehlung getroffen, werde sie den Kongress informieren und jedes Kongressmitglied sei berechtigt, Neuverhandlungen über das WTO–Streitschlichtungssystem zu verlangen. Bei drei Beanstandungen in fünf Jahren stünde den Kongressmitgliedern das Recht zu, eine Resolution ("with privileged status") einzureichen mit der Forderung, die USA möchten aus der WTO austreten. Der Vereinbarungstext schliesst mit der Feststellung: "[...] our goals here are straightforward: [...] that the dispute settlement process [...] works as we expect it to work"[73]. Die vorgeschlagene Vereinbarung erhielt 1995 im Kongress grosse Unterstützung, ist aber bis anhin nicht in Kraft getreten. Dieser Gesetzesvorschlag mag der "US–Realpolitik" entsprechen, ist aber völkerrechtlich fragwürdig. Nach Art. XV der WTO–Vereinbarung besitzt ohnehin jedes WTO–Mitglied das Recht, jederzeit von den WTO–Verträgen "nach Ablauf von sechs Monaten nach Eingang des Kündigungsschreibens" zurückzutreten. Dazu braucht es keine Drohgebärde.

358 Das Streitschlichtungsverfahren ist – von zwei Abweichungen abgesehen – für die in Art. XXIII:1 GATT erwähnte Zunichtemachung und Schmälerung eines Vorteils, a) wegen einer Vertragsverletzung, b) bei einer Nichtvertragsverletzung und c) aus anderen Gründen, stets gleich: gleiches Vorgehen, gleiche Fristen und gleiche Beschlussverfahren. Die erste Abweichung besteht darin, dass je nach Grad der Vertragsverletzung die Beweislast der beschwerdeführenden Partei unterschiedlich geregelt ist. Eine Verletzungsbeschwerde im Sinne von Art. XXIII:1(a) GATT ist von der Klägerin weniger ausführlich zu rechtfertigen als eine Nicht–Verletzungsbeschwerde. Im Falle der Vorteilsminderung bei einer Nichtvertragsverletzung wird dagegen eine detaillierte

---

73 Der Text der Vereinbarung findet sich in: *Vermulst/Driessen* (1995), An Overview of the WTO Dispute Settlement System and its Relationship with the Uruguay Round Agreements, in: Journal of World Trade, Vol. 29, Nr. 2, S. 153, Anm. 100. Vgl. auch *Horlick, Gary N.* (1995), WTO Dispute Settlement and the Dole Commission, in: Journal of World Trade, Vol. 29, Nr. 6, S. 45ff.

Beweisführung verlangt.[74] Eine zweite Abweichung besteht in Bezug auf die Rücknahmepflicht vorteilsmindernder Massnahmen. Stellen die WTO–Streitschlichtungsorgane eine Vertragsverletzung fest, sind die mit dem Vertrag als unvereinbar bezeichneten Massnahmen zu beseitigen. Kommen die entsprechenden Gremien dagegen zum Ergebnis, dass eine Massnahme eines WTO–Partners Vorteile eines anderen Partners zunichte macht oder schmälert, ohne gleichzeitig das WTO–Recht zu verletzen, besteht keine Verpflichtung, diese Massnahme aufzuheben. Das "Panel" und die Rekursinstanz empfehlen gemäss Art. 26:1(b) der Streitschlichtungsvereinbarung lediglich, "eine beiderseits zufriedenstellende Anpassung vorzunehmen".

359 Die Beurteilung der Benachteiligung bei einer Nicht–Vertragsverletzung bereitete schon der GATT–Streitschlichtungsstelle stets grosse Schwierigkeiten, weil ohne Feststellung einer Vertragsverletzung keine Änderung von getroffenen Massnahmen verlangt werden kann. Die Folge davon war, dass sich das "Panel" oft allein auf die Beurteilung einer Vertragsverletzung beschränkte und die Frage einer Benachteiligung aus einer Nicht–Vertragsverletzung überging. Beispiele derartiger Entscheidverfahren sind der Handelsstreit zwischen Frankreich und Griechenland über die Importsteuer in Griechenland,[75] der Thunfischstreit zwischen den USA und Kanada[76] und der Konflikt zwischen den USA und Kanada über das kanadische Investitionsgesetz.[77]

360 Die nachfolgende Übersicht fasst die einzelnen Schritte des WTO–Streitschlichtungverfahrens zusammen, ergänzt durch Angaben von einzuhaltenden Fristen und Hinweisen auf die betreffenden Artikel der WTO–Streitschlichtungsvereinbarung.

---

74 Art. 26:1(b) der WTO–Streitschlichtungsvereinbarung spricht im Zusammenhang mit einer Nicht–Verletzungsbeschwerde von einer "detailed justification".
75 *GATT* (1953), BISD 1st S, S. 48ff.
76 *GATT* (1983), BISD 29th S, S. 91ff.
77 *GATT* (1984), BISD 30th S, S. 140ff.

## Übersicht 8: Das Schema der WTO-Streitschlichtung

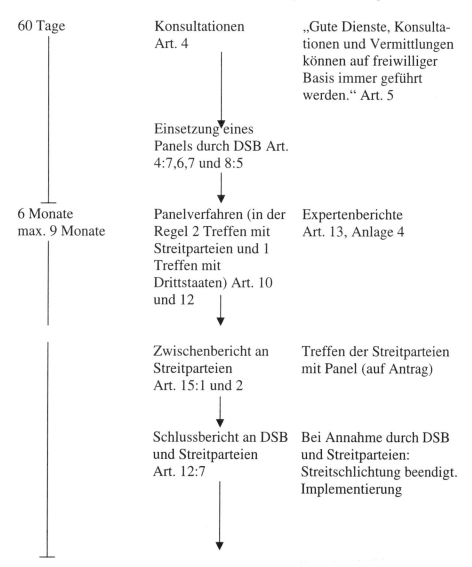

Zweiter Teil

**Schema des WTO-Streitschlichtungsverfahrens** (Fortsetzung)

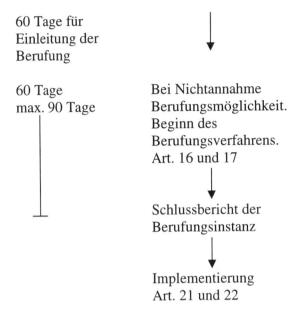

Quelle: *Hummer/Weiss*, S. 519ff. (detailliertere Darstellung);
URL http://www.wto.org/wto/about/dispute2.htm, Juli 1999.

## 4.3 Stärken und Schwächen des WTO-Streitschlichtungsverfahrens

361 Internationale Handelszwiste bergen stets die Gefahr eines "Flächenbrands" in sich. Viele Regierungen fällt es innen- oder aussenpolitischen Erwägungen schwer, einen Handelsstreit friedlich beizulegen. Zugeständnisse an ausländische Handelspartner werden von politischen Oppositionsgruppen mit Vorliebe als Zeichen der Schwäche der Regierung interpretiert und zur eigenen Profilierung missbraucht. Aus diesem Grund drohen die in eine Auseinandersetzung verwickelten Partner nicht selten mit handelspolitischen Kampfmassnahmen und gehen damit das Risiko ein, einen Handelsstreit eskalieren zu lassen. Es ist das grosse Verdienst des GATT und der WTO, mit ihrer Streitschlichtung einen Beitrag zur Lösung von Handelskonflikten zu leisten.

Das Befolgen einer vertraglichen Verpflichtung gegenüber einer internationalen Organisation schwächt die Position einer Regierung weniger als ein freiwilliges Nachgeben gegenüber einer ausländischen Handelspartei. Die Akzeptanz einer Schlichtungsempfehlung wird zu einem Akt der Pflicht und nicht zu einem politischen Gesichtsverlust.

Die Streitschlichtung hat im Rahmen der WTO eine beträchtliche Stärkung gegenüber der im ursprünglichen GATT erarbeiteten Ordnung erfahren. Zum einen wurde das Verfahren zeitlich gestrafft. Zweitens ist anstelle eines Verhandlungsverfahrens ein gerichtsähnliches Verfahren mit ausserparteilichen Entscheidungsstellen getreten. Die Empfehlungen des "Panels" und des Berufungsorgans können nicht mehr durch den im Streitfall unterlegenen Handelspartner blockiert werden, sondern werden auch gegen dessen Stimme verabschiedet. Drittens haben die Streitparteien neu die Möglichkeit, gegen eine Panelempfehlung in die Berufung zu gehen. 362

Andererseits weist die Fachliteratur auch auf Schwachpunkte des WTO-Systems der Streitschlichtung hin.[78] Die Streitschlichtung sei nach wie vor zu sehr auf Interessenausgleich als auf Rechtmässigkeit ausgerichtet. Im Vordergrund der WTO-Streitschlichtungsvereinbarung stünden das "ausgewogene Verhältnis zwischen Rechten und Pflichten" (Art. 3:3), die "zufriedenstellende Regelung der Angelegenheit" (Art. 3:4) und die "beidseitig akzeptable Vereinbarung" (Art, 3:7). Das Anstreben eines Interessenausgleichs auf Kosten des Rechts werde vor allem bei einem Konflikt zwischen Staaten mit unterschiedlicher Marktmacht problematisch. Anlass zur Kritik gibt zudem die Feststellung, dass in einem multilateral ausgerichteten WTO-Handelssystem die Basis des Streitschlichtungsverfahrens bilateral angelegt ist. Eine Vertragsverletzung kann allein von einer angeblich geschädigten oder bedrohten Partei geahndet werden, nicht aber von der WTO als Institution oder einer nicht betroffenen Drittpartei. Dieser Bilateralismus erkläre, warum vor allem die drei mächtigen Handelspartner, die USA, die EU und Japan, sich der WTO-Streitschlichtung bedienten, während kleinere Staaten eher selten die Schaf- 363

---

78 Vgl. *Pescatore, Pierre* (1996), The New WTO Dispute Settlement Mechanism, Liège Conference on Regional Trade Agreements and Multilateral Rules vom 3.–5. Oktober 1996 (Vervielfältigung), S. 8ff.

fung eines "Panels" beantragen. Von den bisher in der WTO eingeleiteten Konsultations– und Panelverfahren entfällt in der Tat die Mehrzahl auf die drei grossen Handelspartner.[79] Als fragwürdig wird schliesslich auch die mögliche Einflussnahme der Parteien in ein laufendes Verfahren beurteilt. Nach Art. 15:2 der WTO–Streitschlichtungsvereinbarung hat das "Panel" den Konfliktparteien einen Zwischenbericht nicht nur über den Tatbestand, sondern auch über seine Schlussfolgerungen auszuhändigen. Eine Partei kann innerhalb einer vom Untersuchungsausschuss vorgegebenen Zeitspanne "einen schriftlichen Antrag [...] um Überprüfung bestimmter Aspekte des Zwischenberichts vor Verteilung des endgültigen Berichts an die Mitglieder stellen". *Pierre Pescatore* weist ferner im Zusammenhang mit "the long arm of governments reaching into the functioning of the DS System" auf den Widerspruch in Art. 3:2 der WTO–Streitschlichtungsvereinbarung hin. Einerseits hätten die WTO–Mitglieder anzuerkennen, dass das Streitbeilegungsverfahren dazu diene, "die Rechte und Pflichten der Mitglieder aus den unter die Vereinbarung fallenden Übereinkommen zu bewahren und die geltenden Bestimmungen dieser Übereinkommen im Einklang mit den herkömmlichen Regeln der Auslegung des Völkerrechts zu klären". Andererseits aber halte der gleiche Artikel fest, dass die Empfehlungen und Beschlüsse des DSB die Rechte und Pflichten "weder ergänzen noch einschränken" dürften, die in den unter die Vereinbarung fallenden Übereinkommen enthalten sind.[80]

---

79  *URL* http://www.wto.org/wto/dispute/bulletin.htm, Januar 2000.
80  *Vgl. Pescatore, Pierre* (1996), The New WTO Dispute Settlement Mechanism, Liège Conference on Regional Trade Agreements and Multilateral Rules vom 3. – 5. Oktober 1996 (Vervielfältigung), S. 12. Weiterführende Literatur und Gesamtdarstellungen der WTO–Steitschlichtungsordnung finden sich in: *Hudec, Robert E.* (1990), The GATT Legal System and World Trade Diplomacy, 2. A., Salem; *Hudec, Robert E.* (1999), The New WTO Dispute Settlement Procedure: An Overview of the First Three Years, in: Minnesota Journal of Global Trade, Vol. 8, Nr. 1, S. 1ff.; *Pescatore/Davey/Lowenfeld,* Hrsg. (1992), Handbook of GATT Dispute Settlement, New York u.a.; *Petersmann, Ernst–Ulrich* (1997), International Trade Law and the GATT/WTO Dispute Settlement, London u.a.; *Petersmann, Ernst–Ulrich* (1997), The GATT/WTO Dispute Settlement System, London u.a.; *Vermulst/Driessen* (1995), An Overview of the WTO Dispute Settlement System and its Relationship with the Uruguay Round Agreements, in: Journal of World Trade, Vol. 29, Nr. 2, S. 131ff.

**Dritter Teil**

# Die gemeinsamen Vertragsinhalte der WTO

Dritter Teil

364  Die in der Uruguay-Runde ausgehandelten und in Marrakesch am 15. April 1994 unterzeichneten Vereinbarungen der Welthandelsorganisation (WTO) lassen sich in multilaterale und plurilaterale Abkommen unterteilen. Die multilateralen Abkommen zur Schaffung der WTO, das GATT, das GATS und das TRIPS sind für alle WTO-Mitglieder verbindlich. Die plurilateralen Abkommen über den Handel mit zivilen Luftfahrzeugen und über das öffentliche Beschaffungswesen, deren Unterzeichnung fakultativ ist, verpflichten nur die Teilnehmerstaaten.[1] Rechtlich bilden die multilateralen Übereinkünfte GATT, GATS und TRIPS die Anhänge 1A, 1B und 1C des WTO-Vertragswerks, und die plurilateralen Abkommen dessen Anhang 4.[2]

365  Zudem ist zwischen den gemeinsamen Abkommensinhalten und den Sonderbestimmungen zu unterscheiden. Zu den gemeinsamen Abkommensinhalten gehören die in der Präambel der WTO-Vereinbarung erklärte gemeinsame Zielsetzung, die Prinzipien der Meistbegünstigung und der Inlandgleichbehandlung, die Verbesserung der Transparenz, der Grundsatz der Reziprozität, der Abbau von Handelshemmnissen, die Begünstigung der Entwicklungsländer und der Umweltschutz. Die Sonderbestimmungen sind vertragsspezifisch und beziehen sich allein auf den Handel mit Waren oder Dienstleistungen, auf die Dumpingbestimmungen, die Investitionsmassnahmen, die Versandkontrolle, die Ursprungsregeln, die Einfuhrlizenzen usw.

366  Die folgende Übersicht fasst im ersten Block die multilateralen und im zweiten die plurilateralen Verträge zusammen. Die gemeinsamen Abkommensinhalte (Zielsetzung, Meistbegünstigung, Inländerprinzip, Transparenz usw.) sind vertragsübergreifend im Block der multilateralen Abkommen eingetragen, obwohl diese Elemente zum Teil auch für die plurilateralen Vereinbarungen Geltung haben. Der dritte Teil der vorliegenden Veröffentlichung behandelt die gemeinsamen Vertragsinhalte, der vierte Teil den Güterhandel, der fünfte Teil die Zusatzabkommen, der sechste Teil den Dienstleistungshandel, der siebte Teil die handelsbezogenen Aspekte des geistigen Eigentums und der achte Teil die plurilateralen Abkommen.

---

1   Die beim Inkrafttreten der WTO am 1.1.1995 noch bestehenden plurilateralen Milch- und Rindfleischabkommen sind auf Ende 1997 aufgehoben worden.
2   Vgl. Art. II:2 und 3 der WTO-Vereinbarung.

## Übersicht 9: Gliederung der Verträge nach Abkommensinhalt

**Multilaterale Abkommen**

| GATT | GATS | TRIPS |
|---|---|---|

Gemeinsame Inhalte
- Zielsetzung
- Meistbegünstigung
- Inländerprinzip
- Transparenz
- Reziprozität
- Abbau der tarifären und nichttarifären Handelshemmnisse
- Begünstigung der Entwicklungsländer
- Umweltschutz

| | | |
|---|---|---|
| Landwirtschaft | Personenverkehr | Übergangsregeln |
| Gesundheit | Luftverkehr | |
| Textilhandel | Finanzdienstleistungen | |
| Techn. Hemmnisse | Telekommunikation | |
| Investitionen | | |
| Dumping | | |
| Zollwert | | |
| Versandkontrolle | | |
| Ursprungsregeln | | |
| Einfuhrlizenzen | | |
| Subventionen | | |
| Schutzmassnahmen | | |

**Plurilaterale Abkommen**
- Handel mit zivilen Luftfahrzeugen
- Öffentliches Beschaffungswesen

Dritter Teil

# 1. Die gemeinsame Zielsetzung

367 Die Präambel der WTO-Vereinbarung[3] enthält einen Katalog von Zielen, teils handelspolitischer Art, teils auf den Umweltschutz und die Bevorzugung der wirtschaftlich schwächeren Staaten ausgerichtet. Die wirtschaftlichen Aspekte stammen aus dem ursprünglichen GATT-Vertrag. Die Erwähnung der Umwelt und die Förderung der wirtschaftlich schwachen Länder sind neu.

368 Absatz 1 der Präambel der WTO-Vereinbarung beginnt mit der Absichtserklärung, die Handels- und Wirtschaftsbeziehungen seien "auf die Erhöhung des Lebensstandards, auf die Sicherung der Vollbeschäftigung und eines hohen und ständig steigenden Umfangs des Realeinkommens und der wirksamen Nachfrage sowie auf die Ausweitung der Produktion und des Handels mit Waren und Dienstleistungen" auszurichten. Die Aufnahme der Dienstleistungen in die Zielsetzung ist das Ergebnis der Ausweitung der Welthandelsordnung auf den Dienstleistungsbereich. Die Verwirklichung dieser Ziele, so Absatz 3 der Präambel, habe über die gegenseitig nichtdiskriminierende Marktöffnung und den Abbau von Zöllen und anderen Handelsschranken zu erfolgen. Analog zu den Zielsetzungen der WTO-Vereinbarung und des GATT spricht die Präambel des GATS von der "fortschreitenden Liberalisierung" und der "Förderung des Wachstums, und diejenige des TRIPS von der Verringerung der Handelsverzerrung und der Handelsbehinderung.

369 Ein Vergleich zwischen dem GATT 1947 und der WTO zeigt eine Neuausrichtung der Zielsetzung auf den Bereich des Umweltschutzes. Während der Vorbereitung des GATT, angefangen beim US-Vorschlag 1945 zur Schaffung einer Internationalen Handelsorganisation bis hin zur provisorischen Inkraftsetzung des GATT, kamen die Umweltschutzfragen nicht zur Sprache.[4] Die damaligen Bemühungen konzentrierten sich auf die weltweite Öffnung der Güter- und Rohstoffmärkte. Die Havanna-Charta von 1948 verwies lediglich

---

[3] Der Vereinbarungstext ist veröffentlicht in: *Hummer/Weiss*, S. 315ff. (deutsche Fassung); *WTO*, The Legal Texts, S. 6ff. (englische Fassung).

[4] Vgl. *US Department of State* (1945), Proposals for Expansion of World Trade and Employment, Publication 2411, November, Washington, DC; *Havanna-Charta*; *Kock, Karin* (1969), International Trade Policy and the GATT 1947-1967, Stockholm, S. 1ff.

auf die Notwendigkeit, zwischenstaatliche Abkommen über den Handel mit Rohstoffen zur Vermeidung von Marktungleichgewichten auszuarbeiten.[5] Das GATT setzte das Ziel der "vollen Erschliessung der Hilfsquellen der Welt" ("full use of the resources of the world") auf die gleiche Ebene wie die Erhöhung des Lebensstandards, die Verwirklichung der Vollbeschäftigung usw. Diese Formulierung ist als "ungehinderter Zugang zu den Rohstoffen" und nicht als Erhaltung der Umwelt zu verstehen.[6] Die GATT–Vertragsparteien haben diese Zielsetzung in den nachfolgenden Jahrzehnten kaum hinterfragt, obwohl spätestens nach der Veröffentlichung der Studie "Die Grenzen des Wachstums"[7] die Umweltfragen weltweit zur Diskussion standen. Auch im GATT hätte sich seit 1971 eine Arbeitsgruppe für Umweltschutzmassnahmen und für internationalen Handel dieser Probleme annehmen müssen. Die Arbeitsgruppe tagte in den ersten 20 Jahren ihres Bestehens nicht und stellte sich auch in anderer Form nie ihrer Aufgabe.[8] Die Ministererklärung von 1986 zur Lancierung der Uruguay–Runde sprach ebenso bloss von der Liberalisierung des Rohstoffhandels ("fullest liberalization of trade in natural resource–based products"), ohne die Umweltschutzpolitik zu erwähnen.[9]

---

5   Absatz 3 des Art. 1 der *Havanna–Charta* weist im Zusammenhang mit der Öffnung der Märkte auf Art. 55 des Kapitels über die Regulierung des Rohstoffhandels hin.
6   Vgl. *GATT* (1953, 1959, 1966, 1970, 1986 und 1994), Analytical Index, Genf, Präambel; *Jackson, John H.* (1969), World Trade and the Law of GATT, Indianapolis u.a., S. 26 und 126; *Senti, Richard* (1986), GATT, System der Welthandelsordnung, Zürich, S. 40f.
7   *Meadows/Meadows/Randers/Behrens* (1972), The Limits to Growth, New York.
8   Die Gruppe für Umweltschutzmassnahmen und internationalen Handel (Group on Environmental Measures and International Trade) entstand im Hinblick auf die Stockholmer Conference on Human Environment von 1972. Ihr Zweck galt der Überprüfung aller Probleme im Zusammenhang mit internationalem Handel, Umweltverschmutzung und Gefährdung des Lebens und der Gesundheit des Menschen. Vgl. Darstellung der Tätigkeit dieser Arbeitsgruppe in: *GATT* (1991), FOCUS, Newsletter Nr. 85, Genf, S. 1 und 3ff.; Berichterstattung der Arbeitsgruppe in: BISD; letzter Bericht in: *GATT* (1995), BISD 40th S, S. 75ff.
9   Ministererklärung vom 20.9.1986, veröffentlicht in: *Hummer/Weiss*, S. 280ff. (deutsche Fassung); *GATT* (1987), BISD 33rd S, S. 19ff. (englische Fassung); die Hinweise der Ministererklärung auf den Rohstoffhandel wurden von der Arbeitsgruppe Tropische Produkte übernommen. Vgl. *GATT* (1987), FOCUS, Newsletter Nr. 43, Genf, S. 4.

370  Die Neufassung der GATT–Ziele findet sich im Dunkel–Bericht Ende 1991. Die Handels– und Wirtschaftsbeziehungen, so der Dunkel–Bericht, seien auf "developing the optimal use of the resources of the world at sustainable levels" auszurichten.[10] Der Einbezug des Umweltschutzes in die Zielsetzung der Welthandelsordnung erfolgte somit vor der Konferenz in Rio de Janeiro von 1992 für Umwelt und Entwicklung (United Nations Conference on Environment and Development, UNCED), die das GATT aufforderte, die Umweltschutzaspekte stärker zu berücksichtigen.[11] Die Formulierung der Umweltschutzpolitik des Dunkel–Berichts fand zwei Jahre später Eingang in die Präambel des Übereinkommens zur Errichtung der WTO, wenn auch formalrechtlich in abgeschwächter Form. Die optimale Nutzung der natürlichen Ressourcen wird in der WTO nicht als gleichwertiges Ziel neben die Erhöhung des Wohlstands, die Sicherung der Vollbeschäftigung usw. gestellt, sondern ist der "Ausweitung der Produktion und des Handels" untergeordnet. Die WTO–Mitgliedstaaten anerkennen, dass ihre Handels– und Wirtschaftsbeziehungen auf die Steigerung von Produktion und Handel mit Waren und Dienstleistungen ausgerichtet sind, "unter Berücksichtigung einer optimalen Nutzung der Ressourcen" ("while allowing for the optimal use of the world's resources in accordance with the objective of sustainable development").

371  In Anlehnung an die Ziele der Ministererklärung von 1986 anerkennen die Vertragspartner in der Präambel der WTO–Vereinbarung auch die Notwendigkeit, den Entwicklungsländern, insbesondere den schwächsten unter ihnen, einen ihrem Entwicklungsstand entsprechenden Anteil am Welthandelswachstum zuzusichern. Zur besseren Wahrung der Interessen der ärmeren Länder der WTO wird der seit dem Jahr 1966 bestehende Ausschuss für Handel und Entwicklung weitergeführt. Eine der Aufgaben dieses Ausschusses besteht darin, die Tätigkeit der WTO aus der Sicht der wirtschaftlich schwächeren Vertragspartner zu überprüfen und dem WTO–Rat in regelmässigen

---

10   *Dunkel–Bericht,* S. 91.
11   Die UNCED forderte das GATT beziehungsweise die Verhandlungsdelegationen der Uruguay–Runde auf, die Umweltaspekte vermehrt in die neu zu schaffende Welthandelsordnung einzubeziehen. GATT (1993), BISD 39th S, S. 303ff.; vgl. auch die Ausführungen in Rz 663ff.

Abständen Bericht zu erstatten sowie Vorschläge zur Verbesserung der Lage dieser Länder zu unterbreiten.[12]

Die in der Präambel aufgeführten Ziele sind nicht bindendes Recht, doch geben sie die Grundhaltung und Grundausrichtung des nachfolgenden Vertragswerks vor. Dort, wo diese Zielsetzungen indessen ihren Niederschlag im Vertragstext finden, werden sie zu materiellem Recht. Dies trifft für folgende Artikel des GATT zu: Art. XV:7(a) (Zahlungsverkehr), XVI:2 und 5 (Subventionen), XVIII:1 (staatliche Unterstützung und wirtschaftliche Entwicklung), XXIII:1 (Schutz der Zugeständnisse), XXVIII$^{bis}$:1 (Zollverhandlungen) sowie XXXVI:1 und XXXVII:2(b)(iii) (Handel und Entwicklung).

372

## 2. Die Meistbegünstigung

Das Prinzip der Meistbegünstigung ("Most favored nation clause", MFN– oder mfn–Klausel) ist ein Kernbereich der Welthandelsordnung. Es bezieht sich auf eine zwischen den WTO–Mitgliedern vertraglich vereinbarte Verhaltensweise zur gegenseitigen handelspolitischen Gleichstellung beziehungsweise der Nichtdiskriminierung der WTO–Partner. Die im WTO–Vertragswerk verwendete Formulierung ist nicht einheitlich. Die Art. III:4, V:5 und 6 sowie IX:1 GATT und Art. II GATS sprechen von einer "nicht weniger günstigen Behandlung". Art. XVII:1(a) und XX(i) GATT erwähnen die Meistbegünstigung im Sinne der "Nichtdiskriminierung". Art. 4 TRIPS schliesslich verlangt die "unverzügliche und bedingungslose Gewährung" der Vorteile und Begünstigungen.

373

Die Idee der Meistbegünstigung reicht weit in die Zeit vor dem GATT zurück. Sie war unter anderem Teil der Vereinbarung des Völkerbundes von 1925 bis 1936.[13] Unmittelbaren Eingang in das GATT und in die WTO fand das Prinzip der Meistbegünstigung über die beiden ITO–Vorschläge der Ver-

374

---

12  Vgl. die Ausführungen über den Ausschuss für Handel und Entwicklung, Rz 309ff.
13  Zur Geschichte der mfn–Klausel vgl. *Jackson, John H.* (1969), World Trade and the Law of GATT, Indianapolis u.a., S. 249f., mit entsprechenden Literaturhinweisen.

einigten Staaten von 1945 und 1946 beziehungsweise das vorgängige US–Handelsgesetz (Cordell Hull–Programm) von 1934.[14]

375 Die nachstehenden Ausführungen über die Meistbegünstigung beginnen mit einer begrifflichen Klärung der geltenden Vertragstexte. Es folgt eine Aufzählung der Anwendungsbereiche der Meistbegünstigung in den verschiedenen Verträgen der WTO und die vertraglich vorgesehenen Ausnahmemöglichkeiten. Das Kapitel schliesst mit einigen Hinweisen auf die staats- und wirtschaftspolitische Bedeutung der mfn-Klausel im heutigen Welthandel.

## 2.1 Die begriffliche Abgrenzung

376 Das in Art. I GATT, Art. II GATS und Art. 4 TRIPS festgehaltene Prinzip der Meistbegünstigung verpflichtet die WTO–Mitglieder, alle Vorteile, Vergünstigungen, Befreiungen und Rechte, die sie im Handel mit Gütern und Dienstleistungen oder im Zusammenhang mit handelsbezogenen Aspekten des geistigen Eigentums einem anderen Handelspartner oder einem Staatsbürger eines anderen Handelspartners (gleichgültig, ob dieser andere Handelspartner ein WTO–Mitglied ist oder nicht) zugestehen, unverzüglich und bedingungslos für alle gleichen oder gleichartigen Güter, Dienstleistungen oder handelsbezogenen Rechte des geistigen Eigentums allen anderen WTO–Vertragsparteien und ihren Staatsangehörigen auch zu gewähren. Ein WTO–Mitglied darf die übrigen WTO–Partner, deren Güter- und Dienstleistungsangebote, deren Anbieter von Gütern sowie deren Dienstleistungserbringer erstens nicht unterschiedlich behandeln und zweitens gegenüber Drittmärkten sowie Anbietern aus Drittmärkten nicht schlechter stellen. Dagegen ist jedes WTO–Mitglied in der Weitergabe der den anderen WTO–Mitgliedern gewährten Vorteile an Nicht–WTO–Partner frei.

377 Die bei der Meistbegünstigung angesprochenen Vorteile, Vergünstigungen, Befreiungen und Eigentumsrechte beziehen sich auf:
- die im Import– oder Exporthandel zur Anwendung gelangenden Zölle und Belastungen aller Art,

---

14  Vgl. Rz 15ff.

- die Methoden der statistischen und steuerlichen Erfassung des Handels an der Grenze und
- das administrative Vorgehen bei der Festlegung der Import- und Exportabgaben und der mengenmässigen Ein- und Ausfuhrbeschränkungen.

Die im Vertragstext enthaltene Bestimmung "unverzüglich" weist darauf hin, dass die Vorteile, Vergünstigungen usw. allen Vertragspartnern gleichzeitig, also ohne zeitlichen Verzug zu gewähren sind. Ein nach Partnern gestaffeltes zeitliches Nacheinander der Vorteilsgewährung ist nicht erlaubt. 378

"Bedingungslos" besagt, dass die Meistbegünstigung, das heisst die Weitergabe der einem anderen Handelspartner gewährten Vorteile an die übrigen WTO-Mitglieder an keine zusätzlichen Verhandlungen über Gegenleistungen und Zusatzbedingungen geknüpft werden darf. Der Hinweis auf die Bedingungslosigkeit ist eine bewusste Abkehr von der in den zwanziger Jahren praktizierten "bedingten" Meistbegünstigung. Diese bestand darin, Zollzugeständnisse gegenüber Drittstaaten nur in Kraft zu setzen, wenn diese Drittstaaten angemessene zusätzliche Gegenleistungen erbrachten.[15] Vor allem für kleine Länder mit einem niedrigen Zollsatzniveau war der Verzicht auf Gegenleistungen vorteilhaft, weil sie meist gar nicht in der Lage waren, ihren Partnern interessante Gegenangebote zu unterbreiten, um dadurch in den Genuss der bedingten Meistbegünstigung zu gelangen. 379

Das mfn-Prinzip bezieht sich auf "gleiche Produkte" und "gleiche Dienstleistungen" ("like products" und "like services"),[16] "gleiche Handelsgüter" ("like commodities", "like merchandise")[17] und "gleiche" beziehungsweise "gleichartige" oder "unmittelbar konkurrierende Erzeugnisse" ("like oder directly competitive products").[18] Wie indessen die Gleichheit zu definieren ist, kann dem WTO-Vertragswerk nicht entnommen werden. Verlangte seiner- 380

---

15  Die "bedingte" Meistbegünstigung wurde beispielsweise in den USA bis 1923 praktiziert.
16  Art. I:1, II:2(a), III:2 und 4, VI:1(a) und (b), IX:1, XI:2(c)(i) und (ii), XIII:1 und XVI:4 GATT und Art. II:1 GATS.
17  Art. VI:7 und VII:2(a) GATT.
18  Art. XIX:1(a) und (b) GATT und Art. 2 und Art. 4:1(c) des Abkommens über Schutzmassnahmen.

zeit die US-Delegation eine abschliessende Klärung der Produkt-Identität, wiesen andere Delegationen auf die Unmöglichkeit einer endgültigen Definition hin. Die Frage der Produktgleichheit sei von Fall zu Fall zu klären. Als Kriterien der Gleichheit standen zur Diskussion: Die Klassifizierung der Erzeugnisse in den Zolltarifen, die Verwendung der gehandelten Produkte, der Verbrauchergeschmack, die Konsumgewohnheiten, die Wareneigenschaften und die Qualität der Güter.[19] Einige Panelempfehlungen mögen verdeutlichen, welche Auslegungspraxis sich im Lauf der Zeit herauskristallisierte. So beurteilte zum Beispiel ein "Panel" im Jahr 1981 die kanadischen und südafrikanischen Geldmünzen (Maple Leaf und Krugerrand) als "gleiche" Produkte, da sie vom inneren Handelswert her direkte Konkurrenzprodukte seien.[20] Im gleichen Sinne befand ein "Panel" im Jahr 1987 die alkoholischen Getränke Gin, Wodka, Whisky, Brandy und Champagner ("Sparkling wine") als gleiche Produkte. Auch wenn es sich bei den erwähnten Alkoholika nicht um identische Produkte handle, so seien sie doch als gleich zu betrachten, weil sie "substanziell dem identischen Endverbrauch" dienten.[21] Als nicht gleich oder gleichartig bewertete ein "Panel" die Futtermittel Ölsaaten, Maiskuchen und Milchpulver, obwohl der Proteingehalt dieser Erzeugnisse sehr ähnlich und die Endverwendung zum Teil identisch ist. Diese Futtermittel beruhten mit ihrer pflanzlichen oder tierischen Herkunft auf derart unterschiedlichen Basisprodukten, dass nicht von gleichen oder gleichartigen Erzeugnissen die Rede sein könne.[22] In den jüngsten Panelempfehlungen zeichnet sich indessen ein Wandel bei der Interpretation der Produktgleichheit ab. Das "Panel" US-Autosteuern im Jahr 1994 lehnte die frühere Auslegungspraxis ab, wonach die Gleichartigkeit der gehandelten Erzeugnisse nach endgültiger Verwendung, nach Verbrauchergeschmack und -gewohnheiten sowie nach Wareneigenschaften und Qualität zu beurteilen sei. Vielmehr müsse bei der Beurteilung der Gleichartigkeit der Produkte von den vom GATT verfolgten Hauptzielen wie

---

19  Zu den Argumenten der einzelnen Delegationen vgl. *Jackson, John H.* (1969), World Trade and the Law of GATT, Indianapolis u.a., S. 260f. Zu den Kriterien vgl. *GATT* (1994), Analytical Index, Genf, S. 35 und 141.
20  *GATT* (1994), Analytical Index, Genf, S. 142.
21  *GATT* (1994), Analytical Index, Genf, S. 143.
22  *GATT* (1994), Analytical Index, Genf, S. 36 und 157.

Marktöffnung, Nichtdiskriminierung und Verzicht auf Schutz der einheimischen Wirtschaft ausgegangen werden. Aus dieser Sicht sei die Frage die Produktgleichheit vor allem darauf zu prüfen, "ob die weniger günstige Behandlung [der ausländischen Produkte] auf einer Unterscheidung beruhe, die zum Schutz der inländischen Produktion getroffen wurde"[23]. Erfolgte die Differenzierung nicht aus Gründen der Protektion der einheimischen Wirtschaft, sondern zum Schutz der Menschen, Tiere und Pflanzen, sei eine derartige Produktunterscheidung GATT-konform und erlaubt.[24] Damit erhält die Definition der Produktgleichheit eine neue Dimension.

## 2.2 Der Anwendungsbereich

Dieser Abschnitt weist auf die wichtigsten Stellen in den WTO-Verträgen hin, die vom Prinzip der Meistbegünstigung handeln.

381

### 2.2.1 Die Meistbegünstigung in der WTO-Vereinbarung

In der Präambel der WTO-Vereinbarung wünschen die Vertragsparteien, mit dem Abschluss des WTO-Vertragswerks zur "Beseitigung der Diskriminierung in den internationalen Handelsbeziehungen" beizutragen. Zur Erreichung dieses Ziels wird das im GATT entwickelte Handelssystem, welches das Prinzip der Meistbegünstigung enthält, von der WTO übernommen.

382

### 2.2.2 Die Meistbegünstigung im GATT

Das Prinzip der Meistbegünstigung ist in Art. I:1 GATT festgehalten: Bei Zöllen und Belastungen auf importierten und exportierten Gütern "werden alle Vorteile, Vergünstigungen, Vorrechte oder Befreiungen, die eine Vertrags-

383

---

23 Panelwertung US – Taxes on Automobiles vom 11.10.1994, Ziff. 5.9, in der Formulierung von *Diem, Andreas* (1996), Freihandel und Umweltschutz in GATT und WTO, Baden-Baden, S. 47. Vgl. dazu Art. III:1 GATT.

24 Vgl. dazu die Ausführungen über die Produktgleichheit im Zusammenhang mit den Ausführungen über den Umweltschutz in Rz 696ff.

# Dritter Teil

partei für eine Ware gewährt, die aus einem anderen Land stammt oder für dieses bestimmt ist, unverzüglich und bedingungslos für alle gleichartigen Waren gewährt, die aus den Gebieten der anderen Vertragsparteien stammen oder für diese bestimmt sind". In weiteren GATT-Artikeln wird das Meistbegünstigungsprinzip sinngemäss wiederholt oder auf einen spezifischen Sachverhalt angewandt.

Art. III:7 "Eine inländische Mengenvorschrift über die Mischung, Veredelung oder Verwendung von Waren nach bestimmten Mengen oder Anteilen darf nicht derart angewendet werden, dass die Menge oder der Anteil unter die ausländischen Versorgungsquellen aufgeteilt wird".

Art. IV(b) Es ist nicht erlaubt, die Spielzeit der Filme – mit Ausnahme der Spielzeit der einheimischen Filme – weder rechtlich noch tatsächlich nach Lieferländern aufzuteilen.

Art. V:2 Im Transit dürfen keine Unterschiede gemacht werden aufgrund der Flagge der Wasserfahrzeuge, des Ursprungs-, Herkunfts-, Eingangs-, Austritts- oder Bestimmungsorts oder aufgrund von Umständen, die das Eigentum an den gehandelten Waren, Wasserfahrzeugen oder anderen Beförderungsmitteln betreffen.

Art. V:5 "Hinsichtlich aller im Zusammenhang mit der Durchfuhr bestehenden Belastungen, Vorschriften und Förmlichkeiten darf eine Vertragspartei den Durchfuhrverkehr aus und nach dem Gebiet einer anderen Vertragspartei nicht weniger günstig behandeln als den Durchfuhrverkehr nach oder aus einem dritten Land".

Art. V:6 "Eine Vertragspartei darf die Waren, die durch das Gebiet einer anderen Vertragspartei durchgeführt worden sind, nicht weniger günstig behandeln, als sie diese Waren behandelt hätte, wenn sie ohne eine solche Durchfuhr von ihrem Ursprungsort an ihren Bestimmungsort befördert worden wären".

Art. IX:1 "Jede Vertragspartei gewährt den Waren aus den Gebieten anderer Vertragsparteien hinsichtlich der Vorschriften über die

| | |
|---|---|
| | Kennzeichnung eine nicht weniger günstige Behandlung als gleichartigen Waren eines dritten Landes". |
| Art. XIII:1 | Bei der Einfuhr einer Ware aus dem Gebiet einer anderen Vertragspartei ist die Anwendung länderbezogener mengenmässiger Verbote oder mengenmässiger Beschränkungen untersagt. |
| Art. XVII:(a) | Die Vertragspartner verpflichten sich, auch die Ein- und Ausfuhr der staatlichen Unternehmen nach den Grundsätzen der Nichtdiskriminierung zu gestalten. |
| Art. XVIII:20 | Die Erlaubnis, die wirtschaftliche Entwicklung durch staatliche Massnahmen zu unterstützen, berechtigt nicht, vom Prinzip der Meistbegünstigung abzuweichen. |
| Art. XX | Allgemeine Ausnahmen zur Wahrung der öffentlichen Sittlichkeit, zum Schutz des Lebens und der Gesundheit von Menschen, Tieren und Pflanzen, zur Erhaltung erschöpfbarer Rohstoffe usw. sind erlaubt, wenn sie nicht zu einer willkürlichen und ungerechtfertigten Diskriminierung zwischen den Vertragsparteien führen. |

Analog zum Hauptvertrag des Warenhandels (GATT) enthalten die Zusatzvereinbarungen des GATT Hinweise auf das Prinzip der Meistbegünstigung beziehungsweise der WTO–internen Nichtdiskriminierung. Das Landwirtschaftsabkommen erlaubt in Anhang 2 Ziff. 1 das Aufrechterhalten von internen Stützungsmassnahmen nur unter der Bedingung, dass sie "keine oder höchstens geringe Handelsverzerrung" bewirken. Im gleichen Sinne verlangt Art. 2 des Übereinkommens über die Anwendung gesundheitspolizeilicher und pflanzenschutzrechtlicher Massnahmen, dass die getroffenen Massnahmen "keine willkürliche oder ungerechtfertigte Diskriminierung" zwischen den WTO–Mitgliedern erzeugen. Das Textilabkommen wiederum verpflichtet seine Vertragspartner in Art. 7:1(c), bei der Verbesserung des Marktzugangs auf eine Diskriminierung der Einfuhr im Textil– und Bekleidungssektor zu verzichten. Gemäss Art. 2 des Abkommens über das Versandwesen stellen die Vertragsparteien sicher, dass die Versandkontrollen "auf nichtdiskriminierende Art und Weise" für alle Exporteure "unter gleichen Bedingungen" durchgeführt werden. Schliesslich fordert das Übereinkommen über Einfuhrlizenzverfahren in der Präambel und in Art. 1, bei der Lizenzerteilung die

384

"Grundsätze und Verpflichtungen des GATT 94" zu beachten und die Verfahren "neutral" und in "angemessener und gerechter Weise" anzuwenden.

### 2.2.3 Die Meistbegünstigung im GATS

385   Art. II:1 GATS umschreibt das Prinzip der Meistbegünstigung in Anlehnung an Art. I GATT: "Jedes Mitglied gewährt hinsichtlich aller Massnahmen, die unter dieses Übereinkommen fallen, den Dienstleistungen und Dienstleistungserbringern eines anderen Mitglieds sofort und bedingungslos eine Behandlung, die nicht weniger günstig ist als die, welche es den gleichen Dienstleistungen oder Dienstleistungserbringern eines anderen Landes gewährt". Dieses Prinzip wird in mehreren GATS–Bestimmungen wörtlich wiederholt oder sinngemäss umschreiben.

Art. VII:3   Bei der Anerkennung der Ausbildung, der Berufserfahrung und der Zulassung darf ein Vertragspartner nicht nach Ursprungsland unterscheiden. Die Qualifikationsanerkennung ist so vorzunehmen, dass sie zu keiner Diskriminierung zwischen den Vertragspartnern und zu keiner verdeckten Einschränkung des Dienstleistungshandels führt.

Art. VIII   Die Vertragsparteien müssen darauf achten, dass ihre Dienstleistungserbringer mit Monopolstellung ihre Marktmacht nicht auf eine Weise zur Geltung bringen, die gegen das Prinzip der Meistbegünstigung verstösst.

Art. X   Das GATS verlangt im Sinne von Art. XIX GATT die Verhandlungen über allfällige Notstandsmassnahmen "entsprechend dem Grundsatz der Nichtdiskriminierung" zu führen.

Art. XII   Das GATS erlaubt den Vertragspartnerstaaten, bei schwerwiegenden Zahlungsbilanzstörungen oder externen Zahlungsschwierigkeiten den Handel mit Dienstleistungen einzuschränken oder Behinderungen beizubehalten. Diese Massnahmen sind so anzuwenden, dass sie keine Diskriminierung zwischen den Mitgliedstaaten der WTO verursachen.

Art. XIV   Auch Massnahmen zum Schutz des Lebens und der Gesundheit der Menschen, Tiere und Pflanzen dürfen analog zu Art.

| | |
|---|---|
| | XX GATT nur eingesetzt werden, wenn sie keine willkürliche und unberechtigte Diskriminierung unter den Partnern mit gleichen Bedingungen und keine verdeckte Einschränkung des Dienstleistungshandels bewirken. |
| Art. XV | Das GATS fordert die Vertragspartner auf, die Subventionen für Dienstleistungen so zu gestalten, dass sie keine Handelsverzerrungen zur Folge haben. Zur Vermeidung von Handelsverzerrungen sind entsprechende Programme auszuarbeiten. |
| Art. XVI | Der im GATS vorgesehene freie Marktzugang hat auf eine Weise zu erfolgen, dass kein Vertragspartner ungünstiger behandelt wird als der andere. |
| Art. XXI | Die Vertragspartner sind verpflichtet, Listenänderungen "auf der Grundlage der Meistbegünstigung" auszuhandeln. |

Schliesslich weist auch der Anhang betreffend die Telekommunikation auf das Prinzip der Meistbegünstigung hin. Ziff. 5(a) verlangt von den GATS–Partnern, "dass jedem Dienstanbieter eines anderen Mitglieds zu angemessenen und nichtdiskriminierenden Bedingungen das Recht auf Zugang zu öffentlichen Telekommunikationsnetzen und –diensten und auf deren Nutzung für die Erbringung eines in der Liste des betreffenden Mitglieds aufgeführten Dienstes eingeräumt wird".

### 2.2.4  Die Meistbegünstigung im TRIPS

Die Präambel des TRIPS gibt das Ziel vor, "einen wirksamen und angemessenen Schutz der Rechte des geistigen Eigentums zu fördern". Um sicherzustellen, "dass die Massnahmen und Verfahren zur Durchsetzung der Rechte des geistigen Eigentums nicht selbst zu Schranken für den legitimen Handel werden", verpflichtet das Abkommen seine Partner, die Kernelemente des GATT zu respektieren und anzuwenden. In diesem Sinne wiederholt Art. 4 TRIPS den Grundsatz der Meistbegünstigung und hält fest: "Im Hinblick auf den Schutz des geistigen Eigentums werden alle Vorteile, Vergünstigungen, Vorrechte und Befreiungen, die von einem Mitglied den Angehörigen eines anderen Landes gewährt werden, sofort und bedingungslos den Angehörigen aller anderen Mitglieder gewährt".

## 2.3 Die Ausnahmen

388   Die Pflicht zur Meistbegünstigung wird durch mehrere Ausnahmebestimmungen eingeschränkt. Bereits beim Inkrafttreten des GATT im Jahr 1948 durften die bestehenden Importpräferenzen beibehalten werden (historische Präferenzen). Während der sechziger und siebziger Jahre gewährten die Vertragsparteien einzelnen GATT–Partnern für bestimmte Erzeugnisse Ausnahmen, "Waivers" genannt, und akzeptierten schliesslich die sogenannte Ermächtigungsklausel, wonach die den Entwicklungsländern gewährten Präferenzen nicht dem Meistbegünstigungsprinzip unterliegen. Von der Pflicht zur Meistbegünstigung befreit sind auch die Integrationsräume (Zollgemeinschaften und Zollunionen). Besondere Ausnahmen vom mfn–Prinzip finden sich ausserdem im GATS und TRIPS.

### 2.3.1 Die historischen Präferenzen

389   Als historische Präferenzen (auch unter der Bezeichnung "grandfather clause preferences" bekannt) werden die bei der Gründung des GATT bereits bestehenden Präferenzen bezeichnet. Gegenstand der damals geltenden Präferenzvereinbarungen waren die Einfuhrzölle und sonstigen Grenzbelastungen. Die mengenmässigen Zugeständnisse ("quantitative restrictions") fielen nicht unter die historischen Präferenzen.[25] Präferenzübereinkünfte bestanden damals zwischen Grossbritannien und den Ländern des Commonwealth, zwischen Frankreich und der Französischen Union, zwischen den Gebieten der Zollunion Belgien, Luxemburg und den Niederlanden, zwischen den Vereinigten Staaten, Kuba und den Philippinen, zwischen Chile und anderen lateinamerikanischen Ländern sowie zwischen einzelnen Staaten des Mittleren Ostens. Die Gründung des GATT verlangte von diesen Ländern keine GATT–bedingte Neuaushandlung ihrer Präferenzenverträge.

390   Die Absicht der GATT–Gründer war, die bestehenden Präferenzen auf dem damals geltenden Niveau "einzufrieren" und im Verlauf der kommenden Ver-

---

25   *GATT* (1994), Analytical Index, Genf, S. 40.

handlungen abzubauen oder aufzuheben.²⁶ Diese Absichtserklärung fand jedoch in den Texten des Allgemeinen Zoll– und Handelsabkommens keine Berücksichtigung. Das GATT sei ein Handelsvertrag und keine Rahmenvorgabe für künftige Verhandlungen.²⁷ Trotzdem ist Art. I:4 GATT so angelegt, dass er ähnlich wirkt wie der frühere ITO–Vorschlag. Die Ausweitung der Präferenzspanne über das am 10. April 1947 geltende Mass ist untersagt, falls in den Zoll–Listen nicht ausdrücklich etwas anderes vereinbart wird. Zudem darf eine gewährte Präferenz nicht in dem Sinne als gebunden betrachtet werden, dass sie in künftigen GATT–Verhandlungen nicht ebenfalls abgebaut werden könnte.²⁸

391   Der Begriff Präferenzspanne bedeutet gemäss Anmerkungen und ergänzenden Bestimmungen zu Art. I:4 GATT, "die absolute Differenz zwischen dem Meistbegünstigungszollsatz und dem Präferenzzollsatz für dieselbe Ware, nicht aber das Verhältnis zwischen diesen Zollsätzen"²⁹. Beträgt der Meistbegünstigungszollsatz zum Beispiel 36 Prozent des Importwerts und der Präferenzzollsatz 24 Prozent des Importwerts, so entspricht dies einer Präferenzspanne von 12 Prozentpunkten des Importwerts und nicht einem Drittel des Meistbegünstigungszollsatzes.³⁰

392   Die historischen Präferenzen sind im Verlauf der GATT–Geschichte ausgelaufen, wurden von den Vertragspartnern einseitig gekündigt oder ins Allgemeine Präferenzensystem übernommen.

---

26  *US Department of State* (1946), Suggested Charter for an International Trade Organization of the United Nations, Publication 2598, September, Washington, DC. Art. 18:1 der Suggested Charter verpflichtet die Partnerländer, in künftigen Handelsverhandlungen die bestehenden Präferenzen abzubauen: Das Ziel ist "the elimination of import tariff preferences".
27  Vgl. *Jackson, John H.* (1969), World Trade and the Law of GATT, Indianapolis u.a., S. 267.
28  *GATT* (1994), Analytical Index, Genf, S. 41.
29  *GATT*, Anmerkungen und ergänzende Bestimmungen zu Art. I:4 GATT.
30  Das Beibehalten der absoluten Präferenzspanne führt rein mathematisch bei einer Zollsatzsenkung zu einer Anhebung der relativen Präferenzmarge. Sinkt z.B. der Meistbegünstigungszollsatz von 36% auf 30% unter Beibehaltung der Präferenzspanne von 12 Prozentpunkten, beträgt die Präferenzspanne vor der Zollsatzsenkung 33.33% und nach der Zollsatzsenkung 40% des Meistbegünstigungszollsatzes.

## 2.3.2 Die allgemeinen Präferenzen

393   Die Gewährung von Präferenzen zugunsten der Entwicklungsländer als Ausnahme vom Meistbegünstigungsprinzip gründet auf den "Waivers" der Jahre 1966 und 1971 sowie auf der sogenannten Ermächtigungsklausel von 1979.

394   Bei der Ausarbeitung des Teils IV des GATT im Jahr 1964 forderten mehrere GATT–Vertragspartner (u.a. Brasilien, Chile und Indien) eine Änderung des Art. I GATT. Es sei die Möglichkeit zu schaffen, Präferenzen zugunsten der Drittweltstaaten einzuräumen. Die Verhandlungen führten zwar zu einer klaren Unterscheidung zwischen "developing" und "developed countries" beziehungsweise zwischen wirtschaftlich entwicklungsfähigen und wirtschaftlich entwickelten (Industrie–) Staaten. Zu einer Einigung über die Möglichkeit einer Vorzugsbehandlung von wirtschaftlich schwachen Staaten kam es in den sechziger Jahren aber nicht.[31]

395   Die Dritte Welt forderte in den sechziger und siebziger Jahren mit zunehmender Vehemenz Präferenzen im Aussenhandel.[32] Den 1964 an der Genfer UNCTAD I vorgebrachten Vorschlägen wurde vier Jahre später an der UNCTAD II in Neu–Delhi zugestimmt. Zudem begannen damals einzelne Länder mit der Ausarbeitung nationaler Präferenzgesetze. Als erstes Land bot Australien im Jahr 1966 einigen Entwicklungsländern Zollpräferenzen an. Das GATT gewährte einen entsprechenden "Waiver".[33] Das Vorgehen Australiens führte innerhalb des GATT zu einer breiten Diskussion über die Präferenzierung. Die Gespräche kamen jedoch vorderhand zu keinem konkreten Ergebnis. Erneut aktuell wurde die Präferenzenfrage im Jahr 1971, als die UNCTAD den Vorschlag zu einem Allgemeinen Präferenzensystem (Generalized System of

---

31   Zur geschichtlichen Entwicklung der GATT–Präferenzen vgl. *Yusuf, Abdulqawi A.* (1980), "Differential and More Favourable Treatment": The GATT Enabling Clause, in: Journal of World Trade Law, Vol. 14, Nr. 6, S. 488f.

32   Für Präferenzen setzte sich vor allem der Generalsekretär der UNCTAD, *Raúl Prebisch*, ein. Vgl. dazu *Prebisch, Raúl* (1964), Towards a New Trade Policy for Development, Report by the Secretary General of the UNCTAD, New York, S. 34ff.

33   *GATT* (1966), BISD 14th S, S. 23.

Preferences, GSP) vorlegte.³⁴ Das GATT erwog drei Alternativen: (1) das Erteilen von Ausnahmebewilligungen über "Waivers", (2) die Ergänzung des Vertragswerks über ein "Amendment" und (3) die Gewährleistung von Präferenzen über eine einstimmige Erklärung ("unanimous declaration").³⁵ Die GATT–Mitglieder entschieden sich vorerst für die Lösung des Präferenzenproblems über einen allgemeinen "Waiver":

> "[...] the provision of Art. I shall be waived for a period of ten years to the extent necessary to permit developed contracting parties, [...] to accord preferential tariff treatment to the products originating in developing countries and territories [...] without according such treatment to like products of other contracting parties".³⁶

Die Erteilung von "Waivers" unterlag der jährlichen Kontrolle durch die VERTRAGSPARTEIEN des GATT. 396

Im Jahr 1973 entstand im Rahmen der Tokio–Runde auf Antrag der Entwicklungsländer die sogenannte "Framework–Gruppe" mit dem Ziel, die Präferenzen nicht im Sinne von GATT–Ausnahmen, sondern als permanentes GATT–Recht zu regeln. Auf diesen Vorarbeiten gründet die im Jahr 1979 von den GATT–Partnern angenommene Ermächtigungsklausel ("Enabling clause"), wonach die Präferenzierung der wirtschaftlich schwachen Staaten als GATT–konform gilt und nicht als Verletzung des Prinzips der Meistbegünstigung zu betrachten ist: 397

> "Ungeachtet des Artikels I des Allgemeinen Abkommens können die Vertragsparteien den Entwicklungsländern eine differenzierte und günstigere Behandlung gewähren, ohne diese Behandlung den anderen Vertragsparteien zu gewähren".³⁷

Die "Enabling clause" als Ausnahme von der Meistbegünstigung bezieht sich auf die Präferenzzölle gemäss dem Allgemeinen Präferenzensystem, die nichttarifären Handelshemmnisse, die Präferenzen zwischen den Drittwelt- 398

---

34 *UNCTAD* (1971), Agreed Conclusions of the Special Committee on Preferences, Doc. TD/B/330, 1. Teil, Genf.
35 Eine Analyse dieser Alternativen findet sich in: *Espiell, Héctor Gros* (1974), Accommodating Generalized Preferences, in: Journal of World Trade Law, Vol. 8, Nr. 4, S. 341ff.
36 *GATT* (1972), BISD 18th S, S. 25.
37 *Hummer/Weiss,* S. 259ff. (deutsche Fassung); *GATT* (1980), BISD 26th S, S. 203 (englische Fassung).

ländern und die besonderen Massnahmen zugunsten der sogenannten ärmsten Länder.[38]

### 2.3.3 Die Schaffung von Integrationsräumen

399 Nicht unter das Meistbegünstigungsprinzip fallen die gegenseitigen Zugeständnisse innerhalb der Integrationsräume in Form von Zollgemeinschaften und Zollunionen.[39] Die rechtliche Basis der Ausnahmeregelung findet sich in Art. XXIV GATT und in Art. V GATS. Im Güter- und im Dienstleistungshandel ist es den Vertragsparteien erlaubt, "durch freiwillige Vereinbarungen zur Förderung der wirtschaftlichen Integration [...] eine grössere Freiheit des Handels herbeizuführen"[40] beziehungsweise Integrationsübereinkommen abzuschliessen, um den Handel mit Gütern und Dienstleistungen zwischen den Vertragsparteien stärker zu liberalisieren.

400 Die Bildung von Integrationsräumen und die dadurch erlaubte Abweichung von der Meistbegünstigungspflicht ist an drei Bedingungen geknüpft: Erstens hat die vertraglich geregelte Integration "annähernd den gesamten" Güterhandel ("substantially all the trade")[41] beziehungsweise einen "beträchtlichen sektoralen Geltungsbereich" des Dienstleistungshandels[42] zu erfassen. Freilich gibt es bis heute keine einvernehmliche Verständigung darüber, was unter annähernd dem gesamten Güterhandel und unter einem beträchtlichen sektoralen Geltungsbereich des Dienstleistungshandels zu verstehen ist. Im Güterhandel kam es Ende der fünfziger Jahre zum Vorschlag, von annähernd dem gesamten Handel auszugehen, wenn rund 80 Prozent des gegenseitigen Han-

---

38 Über die Präferenzen und die Stellung der wirtschaftlich schwachen Staaten in der WTO vgl. Rz 590ff.

39 In einer Zollgemeinschaft verfügen die Vertragspartner über individuelle Aussenzolltarife. Der Handel zwischen den Ländern der Zollgemeinschaft ist für jene Produkte zollfrei, die effektiv aus diesen Ländern stammen oder in diesen Ländern ausreichend be- oder verarbeitet worden sind (Ursprungserzeugnisse). Die Länder der Zollunion verfügen über einen gemeinsamen Aussenzolltarif; der Binnenhandel in der Zollunion ist für alle Produkte zollfrei.

40 Art. XXIV:4 GATT.

41 Art. XXIV:8(a) und (b) GATT.

42 Art. V:1(a) GATS.

dels vom Zoll befreit sind. Eine Einigung kam nicht zustande.[43] Das Dienstleistungsabkommen beschränkt sich in einer Fussnote auf die Erklärung, diese Bestimmung betreffe die Zahl der Sektoren, das betroffene Handelsvolumen und die Erbringungsformen, ohne jedoch diese Kriterien zu quantifizieren.[44] Eine zweite Bedingung gibt vor, dass Drittstaaten durch die Schaffung von Zollunionen und Zollgemeinschaften nicht mit neuen oder höheren Zöllen belastet oder mit anderen Massnahmen stärker diskriminiert werden dürfen.[45] Nach Art. V:3(a) GATS sind die hier erwähnten Bedingungen "flexibel zu handhaben", wenn sich Entwicklungsländer zu einer Zollgemeinschaft oder einer Zollunion zusammenschliessen. Dieser Hinweis ist ohne Zweifel so zu interpretieren, dass Drittweltstaaten vom Prinzip der Meistbegünstigung abrücken dürfen, auch wenn die erwähnten Bedingungen nicht erfüllt sind. Eine dritte Bedingung ist die Notifizierung. Art. XXIV:7(a) GATT und Art. V:7 GATS verlangen von den Vertragsparteien, dem GATT– beziehungsweise dem GATS–Rat den Beitritt zu einer Zollunion, einer Zollgemeinschaft oder einer vorläufigen Integrationsvereinbarung unverzüglich zu melden und entsprechende Auskünfte über Inhalt und Inkrafttreten des Vertrags zu erteilen. Gemäss der Zusammenstellung im GATT–Analytical Index sind dem GATT in der Zeitspanne von 1948 bis 1994 insgesamt 97 Zollunionen, Zollgemeinschaften oder vorläufige Integrationsräume gemeldet worden.[46]

### 2.3.4 Die Gewährung von Ausnahmegenehmigungen

Unter ausserordentlichen Umständen hat die Ministerkonferenz beziehungsweise der Allgemeine Rat das Recht, ein WTO–Mitglied von der Einhaltung der Meistbegünstigungspflicht zu befreien. Als ausserordentliche

401

---

43   Vgl. *GATT* (1958), BISD 6th S, S. 99; *GATT* (1994), Analytical Index, Genf, S. 766; vgl. Rz 993ff.
44   Art. V:1(a), Fussnote 1 GATS.
45   Art. XXIV:5 GATT; Art. V:1(b) GATS.
46   *GATT* (1994), Analytical Index, Genf, S. 797ff. Die Wiedergabe der einzelnen Integrationsräume erfolgt in chronologischer Reihenfolge, ergänzt durch eine Aufzählung der beteiligten Partnerstaaten und durch Hinweise auf die Veröffentlichung der Vertragstexte und die Daten der Unterzeichnung und des Inkrafttretens der Verträge.

## Dritter Teil

Umstände gelten unter anderem politische Verbundenheit und traditionelle Handelsbeziehungen (z.B. zwischen Grossbritannien und den Ländern des Commonwealth[47] oder zwischen Frankreich und der Französischen Zone in Marokko[48]) oder spezifische Marktverhältnisse (z.B. Autopakt zwischen den USA und Kanada[49]). Die Gewährung eines "Waivers" erfolgt für genau umschriebene Produkt- oder Dienstleistungsbereiche und ist in der Regel jährlich bei der WTO neu zu beantragen. Das Fassen von Waiver-Beschlüssen erfordert, falls nicht Einstimmigkeit zustande kommt, das Dreiviertelmehr der WTO-Mitglieder.[50]

402  Im Verlauf der Jahre 1948 bis 1994 hat der GATT-Rat insgesamt 28 Ausnahmen von der Meistbegünstigungspflicht beschlossen. Elf Ausnahmen sind bis Ende 1994 ausgelaufen, die restlichen Ausnahmen waren beim Inkrafttreten der WTO noch aktuell.[51] Seit dem Bestehen der WTO kam es jährlich zu fünf bis zehn "Waivers". Zum Teil handelt es sich um die Verlängerung bestehender, zum Teil um die Gewährung neuer Ausnahmen.[52]

### 2.3.5 Die speziellen Ausnahmen in GATS und TRIPS

403  Obwohl auch im Allgemeinen Dienstleistungsabkommen und im Abkommen zum handelsbezogenen Schutz der geistigen Eigentumsrechte grundsätz-

---

47  *GATT* (1954), BISD 2nd S, S. 20; *GATT* (1955), BISD 3rd S, S. 25.
48  *GATT* (1961), BISD 9nd S, S. 39.
49  *GATT* (1966), BISD 14th S, S. 37.
50  Art. IX:3 der WTO-Vereinbarung. Die zu diesem Artikel gehörende Fussnote verlangt, dass eine Ausnahme von einer Verpflichtung, für die ein Übergangszeitraum oder ein Zeitraum für eine stufenweise Durchführung gilt und die das antragstellende Mitglied zum Ende des massgebenden Zeitraums nicht eingehalten hat, Konsens erfordert. Das ursprüngliche GATT hat in Art. XXV:5 für die Gewährung eines "Waivers" eine Zweidrittelmehrheit der abgegebenen Stimmen, die mehr als die Hälfte der GATT-Vertragspartner umfasst, verlangt. In der bisherigen GATT- und WTO-Praxis wurde stets das Konsens-Verfahren angewandt.
51  Eine Zusammenstellung der in den Jahren 1948 bis 1994 beschlossenen Ausnahmen findet sich in: *GATT* (1994), Analytical Index, Genf, S. 828ff.
52  Über die jährlich verlängerten und neu gewährten Ausnahmen orientiert der WTO-Jahresbericht. Vgl. z.B. *WTO* (1999), Annual Report 1999, Genf, S. 40f.

lich die Meistbegünstigung verankert ist, enthalten diese beiden Abkommen besondere Ausnahmen, die von denjenigen des GATT abweichen.

Nach Art. II GATS besass jeder Vertragspartner vor der Unterzeichnung des Abkommens des Recht, jene Massnahmen aufzulisten, die der Meistbegünstigungspflicht nicht unterstellt werden. Ausnahmen mit einer Geltungsdauer von über fünf Jahren sind nach Ablauf dieser Frist vom GATS-Rat aufgrund des Anhangs zu Art. II GATS auf ihre Berechtigung hin zu überprüfen. Grundsätzlich sollen die Ausnahmen eine Zeitdauer von insgesamt zehn Jahren nicht überschreiten. Das GATS verlangt zudem, die geltend gemachten Ausnahmen in die künftigen Verhandlungen einzubeziehen. Dem GATS liegt die Idee zu Grunde, die mfn-Ausnahmen längerfristig auslaufen zu lassen. 404

Art. 4(a) bis (d) TRIPS ermächtigt die Vertragspartner, jene Vorteile, Vergünstigungen, Vorrechte und Befreiungen von der Meistbegünstigungspflicht auszunehmen, die sich erstens aus internationalen Übereinkommen über Rechtshilfe oder Vollstreckung ergeben, die zweitens im Einklang mit den Bestimmungen der Berner Übereinkunft oder des Rom Abkommens gewährt werden und sich auf die im Abkommen nicht geregelten Rechte von ausübenden Künstlern, Herstellern von Tonträgern und Sendeunternehmen beziehen, und die sich drittens aus internationalen Übereinkünften über den Schutz der geistigen Eigentumsrechte, die vor dem Inkrafttreten des TRIPS bereits bestanden haben, ableiten lassen. Diese letzte Ausnahme entspricht Art. 1 und 2 TRIPS, wonach die in den internationalen Abkommen eingegangenen Verpflichtungen denjenigen des TRIPS vorgehen und das internationale Sonderrecht dem TRIPS-Handelsrecht übergeordnet ist.[53] 405

### 2.3.6 Die Sonderregelung der plurilateralen Abkommen

Durchbrochen wird das Prinzip der WTO-Meistbegünstigungspflicht auch von den plurilateralen Übereinkünften, das heisst vom Abkommen über den Handel mit zivilen Luftfahrzeugen und vom Abkommen über das öffentliche Beschaffungswesen. In diesen plurilateralen Vereinbarungen bezieht sich die 406

---

53 Vgl. die Aufzählung der mfn-Ausnahmen im TRIPS, Rz 1313f.

Meistbegünstigung ausschliesslich auf die Vertragsparteien der betreffenden Abkommen und nicht auf alle WTO–Mitglieder.[54]

## 2.4 Die wirtschafts– und staatspolitischen Aspekte des Meistbegünstigungsprinzips

407  Eine begriffliche Trennung zwischen wirtschaftspolitischer Rechtfertigung und staatspolitischer Begründung des Meistbegünstigungsprinzips ist weder möglich noch sinnvoll. Wie immer die Argumente lauten, letztlich geht es um die Wahrung der nationalen Interessen der einzelnen Handelspartner. Bei der grossen Bedeutung des Prinzips der Meistbegünstigung in der heutigen Welthandelsordnung mag es aber berechtigt sein, dieses Kapitel mit einer Beurteilung der Meistbegünstigung aus der Sicht der Wirtschafts– und Staatspolitik abzuschliessen.

### 2.4.1 Die wirtschaftspolitischen Aspekte

408  Die Aussenhandelstheorie erbringt den Nachweis, dass mit der Nichtdiskriminierung im Aussenhandel, das heisst mit der Einhaltung des Prinzips der Meistbegünstigung wohlstandssteigernde Effekte verbunden sind. Der Beweis wird mit Hilfe des üblichen "gains of trade"–Modells geführt:[55] Die unterschiedliche Ausstattung der Länder mit Produktionsfaktoren bedingt unterschiedliche Produktionskosten. Die unterschiedlichen Produktionskosten

---

54 Das Gleiche trifft für das Inländerprinzip zu. Vgl. Rz 1449.
55 Vgl. z.B. *Corden, W. Max* (1979), The Theory of Protection, Oxford, S. 66ff. Die wissenschaftliche Rechtfertigung des Prinzips der Meistbegünstigung als wohlstandssteigernde Massnahme reicht ins neunzehnte Jahrhundert zurück und wurde vor allem von den beiden Ökonomen *David Ricardo* und *John St. Mill* anhand der Theorie der komparativen Kostenvorteile erbracht. Vgl. dazu die zusammenfassende Darstellung der Theorie der komparativen Kosten (mit entsprechenden Literaturhinweisen auf *D. Ricardo* und *J. St. Mill*) in: *Haberler, Gottfried* (1933), Der internationale Handel, Berlin, S. 96ff.; *Letiche/Chambers/Schmitz* (1992), The Development of Gains from Trade Theory: Classical to Modern Literature, in: *Letiche, John M.*, Hrsg., International Economic Policies and Their Theoretical Foundations, 2. A., San Diego u.a., S. 79ff.

wiederum sind eine der Ursachen des Güter– und Dienstleistungsaustausches. Über den Handel schliesslich ergeben sich für die einzelnen Handelspartner sogenannte Spezialisierungs– und Austauschgewinne ("production or specialization gains" und "consumption or exchange gains"). Die Darstellung dieser Ableitung findet sich in jedem Lehrbuch der Aussenhandelstheorie.

Die Befürwortung des Prinzips der Meistbegünstigung als Kernstück der Welthandelsordnung gründete aber nach dem Zweiten Weltkrieg nicht in erster Linie auf aussenhandelstheoretischen Überlegungen. Im Vordergrund standen vielmehr nationale und binnenwirtschaftliche Aspekte einzelner Handelspartner. Die Vereinigten Staaten setzten Ende der vierziger Jahre alles daran, über die Öffnung und Offenhaltung der Auslandmärkte ihre Exportwirtschaft zu fördern, um auf diese Weise eine drohende Nachkriegs–Arbeitslosigkeit zu verhindern. Die US–Prognosen sprachen 1944/45 von 8 bis 20 Mio. Arbeitslosen nach Kriegsende, bedingt durch die rund 12 Mio. aus der Wehrpflicht zu entlassenden Frauen und Männer sowie die etwa 10 Mio. noch in der Kriegsindustrie beschäftigten Arbeitskräfte. Wie viele Frauen und betagte Leute nach Kriegsende in den USA die Erwerbstätigkeit aufgeben würden, war damals noch ungewiss.[56]

Die US–Amerikaner erblickten in der Liberalisierung des Welthandels und in der Durchsetzung der Meistbegünstigung auch eine Voraussetzung der Nutzung ihres damaligen Wettbewerbsvorsprungs. Einerseits bestand eine grosse Nachfrage nach Industriegütern von Seiten der "backward countries" (der wirtschaftlich schwachen Länder), andererseits waren auch die vom Krieg zerstörten Länder Europas auf Industriegüter aus den USA angewiesen:[57]

> "We have a competitive advantage in the production of heavy machinery, machine tools, and other commodities fabricated by mass–production methods or requiring large investments in fixed capital. Our extensive domestic market makes possible the production of those commodities on a large scale and at low cost, placing us in favorable position for entering the export market. Few countries have such favorable condi-

---

56 *Morton, Walter A.* (1945), Income and Employment, in: *McCormick, Thomas C.T.*, Hrsg., Problems of the Postwar World, New York u.a., S. 13.
57 *Hoover, Calvin B.* (1945), International Trade and Domestic Employment, New York u.a., S. 135.

tions and possess also the engineering and managerial skills and the experience necessary to compete seriously with us in this type of production".

411 Besonders nachgefragt waren nach dem Krieg die US–Exportartikel Autos, elektrische Kühlschränke, Filme und Kinozubehör, Radios, Werkzeugmaschinen und Elektronik. Nebst dem Vorsprung im technischen Know–how verfügten die US–Amerikaner über ein im Binnenmarkt entwickeltes und erprobtes Marketing (damals unter der Bezeichnung "advertising and selling skills"). Von ebensolcher Bedeutung für die Nachkriegs–Nachfrage nach US–Produkten war die Tatsache, dass der "American way of life" als der "most advanced in urban industrialized living" galt und den US–Produkten den Anstrich des Neuen, Modernen und Erstrebenswerten verlieh.

412 Dass die Industriestaaten nach dem Krieg mehrheitlich das Prinzip der Meistbegünstigung befürworteten, erklärt sich schliesslich auch aus ihrer damaligen Aussenhandelsstruktur. Die Industriestaaten wiesen in den fünfziger Jahren einen starken Exportüberhang an Industrieerzeugnissen auf. Ihr Bestreben war, ihre komfortable Position zu halten beziehungsweise in den Absatzmärkten nicht diskriminiert zu werden. Im kontinentalen Westeuropa betrugen die Exportüberschüsse zu Beginn der fünfziger Jahre, wie die folgende Übersicht zeigt, gut 70 Prozent, in Nordamerika etwas über 100 Prozent und im europäischen Sterlinggebiet etwa 260 Prozent der damaligen Industriegüterimporte.

**Übersicht 10: Export–Import von Industriegütern im Jahr 1951**

|  | Export in Mio.US$ | Import in Mio.US$ | Exportüberschuss in % der Importe |
|---|---|---|---|
| Kontinentales Westeuropa | 12'541 | 7'233 | 73.4 |
| Nordamerika | 8'966 | 4'321 | 107.4 |
| Europäisches Sterlinggebiet | 6'152 | 1'679 | 266.4 |

Quelle: *GATT* (1953), International Trade, Tabelle I, S. 142f.

## 2.4.2 Die staatspolitischen Aspekte

Aus staatspolitischer Sicht ist das Prinzip der Meistbegünstigung Ausdruck des im Völkerrecht stets hochgehaltenen Prinzips der Rechtsgleichheit und Gleichbehandlung. In Anlehnung an dieses Prinzip forderte bereits US–Präsident *George Washington* in seiner "Farewell Address" von 1796 seine Landsleute auf, in ihren Wirtschaftsbeziehungen mit dem Ausland "to hold an equal and impartial hand, neither seeking nor granting exclusive favors or preferences"[58].

413

Freiheit und Unabhängigkeit waren aus der Sicht der Vereinigten Staaten die wichtigsten Garanten eines dauerhaften Friedens zwischen den Nationen. Präsident *Woodrow Wilson* verlangte nach dem Ersten Weltkrieg

414

> "the removal so far as possible, of all economic barriers and the establishment of an equality of trade conditions among all nations consenting to the peace and associating themselves for its maintenance". Daher sei jede Nation frei, "to determine its own economic policy, except in one particular, that its policy must be the same for all other nations, and not be compounded of hostile discriminations between one nation and another".[59]

Diese Erklärungen dürfen jedoch nicht darüber hinwegtäuschen, dass die Haltung der Vereinigten Staaten nicht frei von Eigeninteressen war. Mit der gleichen Vehemenz, wie sie die Präferenzen zwischen anderen Staaten verurteilten (insbesondere die Präferenzen zwischen Grossbritannien und den Commonwealth Staaten), forderten sie einen Importschutz im Sinne eines erlaubten Nationalismus. Diese Unterscheidung zwischen "verwerflicher" Diskriminierung und "berechtigtem" Nationalismus kommt in einem in den zwanziger Jahren gängigen US–Lehrbuch über internationale Wirtschaftspolitik zum Ausdruck:

415

> "Protection of the home market for the benefit of national industries is an expression of nationalism. Its object is to diversify a nation's economic life and to afford varied opportunities for the application of the genius of a people. It is in no sense aggressiv [...]. Preference, on the other hand, is an expression of modern imperialism. In contrast with the policy of protection it is aggressive. In its extreme form [...] it seeks to

---

58  Farewell Address von *George Washington* vom 17.9.1796, zit. nach *Gardner, Richard N.* (1956), Sterling–Dollar Diplomacy, Oxford, S. 16.

59  Zit. nach *Gardner, Richard N.* (1956), Sterling–Dollar Diplomacy, Oxford, S. 17.

extend to new areas [...] the control of the economic system of the country which happens to have the political power to impose the preferential conditions [...]".[60]

416  Im Kampf gegen Präferenzen zwischen Drittstaaten setzten die USA auch ihr Entwicklungshilfegesetz ein, wonach jedes Land, das einem Handelspartner irgendwelche Gegenpräferenzen (als Entgelt für gewährte Präferenzen) anbietet, der US-Hilfeleistungen verlustig geht.[61]

417  Das Prinzip der Meistbegünstigung diente den Vereinigten Staaten ferner als handelspolitische Waffe gegen den Kommunismus. Bei der Novellierung des Handelsgesetzes im Jahr 1951 trat die Regierung *Harry Truman* für die Gewährung des Meistbegünstigungsprinzips gegenüber den osteuropäischen Staaten mit dem Argument ein, die Verweigerung der Meistbegünstigung widerspreche den US-Verträgen mit Polen und Ungarn und verletze die im GATT gegenüber der Tschechoslowakei eingegangene Verpflichtung. Der Kongress widersetzte sich diesem Vorhaben und verweigerte den kommunistischen Ländern die Gewährung der Meistbegünstigung (Zeit des McCarthismus). Somit galten für diese Länder ab 1951 wieder die im Smoot Hawley-Zolltarif von 1930 festgesetzten Ansätze.[62]

418  In Anlehnung an die damalige Praxis benützten die Vereinigten Staaten das Prinzip der Meistbegünstigung auch bei der Ausarbeitung des neuen Handelsgesetzes in den siebziger Jahren als politische Waffe. Im Handelsgesetz von 1974 wird der US-Präsident ermächtigt, das Prinzip der Meistbegünstigung auf Nicht-GATT-Partner auszudehnen unter der Voraussetzung, dass diese Regierungen ihren Bürgern eine Auswanderung zu zumutbaren Bedingungen (Gebühren, Steuern usw.) ermöglichen.[63] In der Folge wurden auf der Basis der Meistbegünstigung bilaterale Handelsverträge mit der damaligen Sowjetunion und der Volksrepublik China ausgehandelt. Die US-Administration unter Präsident *Jimmy Carter* setzte sich gegenüber Moskau und Peking für

---

60  *Culbertson, William S.* (1925), International Economic Policies, New York, S. 185f. und 192.
61  Dies ist der Grund, warum die EWG bzw. EG seit dem ersten Abkommen von Lomé auf Gegenpräferenzen von den AKP-Staaten verzichtet.
62  Vgl. dazu *Monroe, Wilbur F.* (1975), International Trade Policy in Transition, Toronto u.a., S. 37ff.
63  *US,* Public Law 93-618 vom 3.1.1975 (Trade Act von 1974), Art. 401 und 402.

eine Politik der Gleichbehandlung ein. Die beharrliche Weigerung der UdSSR, Zusicherungen über eine Liberalisierung der Auswanderungspolitik abzugeben und die im Jahr 1979 erfolgte Invasion der Sowjetunion in Afghanistan bewogen indessen den US–Präsidenten, den Handelsvertrag mit der UdSSR dem Kongress nicht vorzulegen.[64] Im Gegensatz dazu erfolgte die Annahme des Vertrags mit der Volksrepublik China durch das Repräsentantenhaus und den Senat im Januar 1980.

Im Jahr 1974 kam in den USA auch das "Jackson–Vanik–Amendment" zustande, das unter anderem ausdrücklich verlangt, dass Handelsbegünstigungen, die kommunistischen Staaten gewährt werden, zurückzuziehen sind, wenn diese "mehr als eine nominale Abgabe von Auswanderern" erheben.[65] Dieses Zusatzgesetz war die Antwort der Vereinigten Staaten auf die Einführung einer "Erziehungssteuer" in der Sowjetunion zur Erschwerung der vorwiegend jüdischen Auswanderung.[66] In der Folge setzten die USA diese Gesetzesbestimmung mehrmals ein und versagten diesen Ländern die Meistbegünstigung.[67]

419

Seit den neunziger Jahren verzichtet die US–Regierung bei der Gewährung der Meistbegünstigung an Nicht–WTO–Partner auf Gegenleistungen. Zurzeit sind es nur noch vereinzelte Staaten wie Kuba, Nordkorea und Irak, die nicht in den Genuss der US–Meistbegünstigung kommen. Die Debatte um die China–Meistbegünstigung ist seit 1989 (Zerschlagung der Demokratiebewegung auf dem Tienanmen–Platz) zu einem jährlichen Ritual im US–Parlament

420

---

64 Im Januar 1975 erklärte die Sowjetunion, sie werde keine Handelsbeziehungen auf der Grundlage des neuen Aussenhandelsgesetzes akzeptieren und die Vereinbarung von 1972, welche die Aufhebung der diskriminierenden Restriktionen und das Prinzip der Nichteinmischung in innere Angelegenheiten vorsehe, nicht in Kraft setzen. Vgl. *NZZ* vom 16.1.1975, Nr. 12, S. 1.

65 Vgl. *US,* Public Law 93–618 vom 3.1.1975 (Trade Act von 1974), Sec. 402.

66 Die "Erziehungssteuer" bestand darin, dass jeder Auswanderer, der die obligatorische Schule oder eine Hochschule besucht hatte, dem Staat sein Schulgeld zurückzahlen musste. In Rumänien galten damals ca. 3'600 US$ für die Volksschule und für jedes Hochschuljahr bis zu 4'000 US$. Damit wurde versucht, die Auswanderung der Akademiker zu erschweren oder zu stoppen.

67 Zum Teil bezogen sich diese Massnahmen auf Länder, die dem GATT nicht angehörten, und daher für das GATT nicht relevant waren.

geworden, an dessen Ende die Zustimmung zum Vorschlag des US-Präsidenten erfolgt.[68]

421 Im Gegensatz zu den grossen Handelsmächten haben kleine Handelspartner seit jeher auf unterschiedliche Zollsätze für WTO-Mitglieder und Drittpartner verzichtet und die seinerzeit im GATT und heute in der WTO gebundenen Zollsätze auf die Importe aller Güter und Dienstleistungen, also auch auf Importe aus Nicht-WTO-Staaten, angewandt. Die handelspolitische Macht der kleinen Staaten ist zu unbedeutend, um über die Gewährung der Meistbegünstigung irgendwelche Handelsvorteile aushandeln zu können.[69]

## 3. Das Inländerprinzip

422 Die multilaterale WTO-Welthandelsordnung untersagt den WTO-Mitgliedern nicht, ihre eigene Wirtschaft gegen die Auslandkonkurrenz zu schützen. Dieser Schutz hat sich jedoch im Güterhandel auf Zölle und im Dienstleistungsbereich auf bekannt gegebene nichttarifäre Massnahmen zu beschränken. Die Reduktion des Aussenhandelsschutzes auf diese Instrumente soll den Handeltreibenden Transparenz und Sicherheit garantieren. Transparenz und Sicherheit bedingen aber, dass die Handelspartner nicht willkürlich neue zusätzliche Handelshemmnisse zur Benachteiligung ausländischer Angebote einsetzen. Um dies zu verhindern, verbietet die WTO ihren Mitgliedern, ausländische Waren und Dienstleistungen sowie deren Anbieter (über die bestehenden Zölle und bekannt gegebenen nichttarifären Handelshemmnisse hinaus) ungünstiger zu behandeln als einheimische Waren, Dienst-

---

[68] US-Präsident *Bill Clinton* wies am 20.5.1996 im Zusammenhang mit der Verlängerung der mfn-Klausel für die Volksrepublik China ausdrücklich darauf hin, die Verlängerung der Meistbegünstigung sei an keine Bedingungen geknüpft. Offene Handelsbeziehungen seien der beste Weg, um die Volksrepublik China zu integrieren. *NZZ* vom 21.5.1996, Nr. 116, S. 23.

[69] Vgl. z.B. den EG-Zolltarif mit jenem der Schweiz. Der EG-Zolltarif unterscheidet zwischen einem autonomen und einem vertragsmässigen (bzw. WTO-) Zolltarif, wogegen die Schweiz gegenüber allen Handelspartnern ohne Rücksicht auf ihre WTO-Mitgliedschaft den gleichen Zollsatz anwendet.

leistungen und Anbieter. Diese Gleichstellungspflicht von in- und ausländischen Waren, Dienstleistungen und Anbietern ist in der Fachsprache unter den Bezeichnungen "Inländerprinzip", "Inlandprinzip" oder "Inlandgleichbehandlungsprinzip" ("National treatment") bekannt.

Das Inländerprinzip ist eine konsequente Ergänzung zum Meistbegünstigungsprinzip. Das Meistbegünstigungsprinzip verpflichtet zur Nichtdiskriminierung zwischen den ausländischen Vertragspartnern und das Inländerprinzip zur Nichtdiskriminierung zwischen dem In- und Ausland. 423

Die Bedeutung der Inlandgleichbehandlung hat in den letzten Jahren zugenommen. Mit dem Abbau der Zollsätze im Verlauf der GATT-Geschichte und mit deren WTO-Bindung haben viele Regierungen zum Schutz ihrer einheimischen Industrie zu nichttarifären Handelshemmnissen (sehr oft in Form sogenannter "freiwilliger" Selbstbeschränkungsabkommen) Zuflucht genommen. Nach *Dominick Salvatore* werden heute rund 50 Prozent des Welthandels in der einen oder andern Form durch nichttarifäre Handelshemmnisse geschützt.[70] 424

In der GATT-Geschichte wird das Inländerprinzip erstmals in den "US-Proposals for Expansion of World Trade and Employment" von 1945 erwähnt. Die Vereinigten Staaten forderten die Handelspartner auf, die Importgüter steuerlich und die Transitsendungen gebührenmässig nicht ungünstiger zu behandeln als die Inlandprodukte und deren Transporte.[71] Im US-Entwurf zur Schaffung der ITO, der ein Jahr später veröffentlicht wurde, erfuhr das Inländerprinzip eine Erweiterung. Neben den landesinternen Abgaben und sonstigen Belastungen verwies der neue Vorschlag auch auf die internen Gesetze, Verordnungen und sonstigen Vorschriften über den Verkauf, über den 425

---

70 *Salvatore, Dominick* (1993), Protectionism and world welfare: Introduction, in: *Salvatore, Dominick,* Hrsg., Protectionism and world welfare, Cambridge, S. 1. Die gleiche Feststellung hat bereits *John H. Jackson* in seinem GATT-Kommentar von 1969 gemacht. Vgl. *Jackson, John H.* (1969), World Trade and the Law of GATT, Indianapolis u.a., S. 275.

71 *US Department of State* (1945), Proposals for Expansion of World Trade and Employment, Publication 2411, November, Washington, DC, Chapt. III, Sec. A, Ziff. 1 und 2.

Transport, über die Verteilung, über die Produktmischung, über die Weiterverarbeitung und über die Verwendung der Güter.[72]

426　In der Havanna–Charta von 1948 einigten sich die Verhandlungsdelegationen auf eine Formulierung, die von einer Ergänzung abgesehen, dem heutigen GATT–Text entspricht.[73] Die Ergänzung bezieht sich auf das Recht, ausländische Filme mengenmässig zu beschränken.[74]

427　Der internationale Dienstleistungshandel erwies sich als zu heterogen, um dem im GATT angewandten Inländerprinzip unterstellt zu werden. Die Verhandlungsdelegierten der Uruguay–Runde entschieden sich daher für einen anderen Lösungsansatz. Das Inländerprinzip im Sinne des GATT gilt allein für jene Dienstleistungen, die in einer bei der WTO hinterlegten speziellen Liste aufgeführt sind. Die übrigen Dienstleistungsbereiche unterliegen dem Inländerprinzip nicht.

428　Die folgenden Ausführungen sind dreigeteilt. Der erste Abschnitt behandelt die rechtlichen Grundlagen des Inländerprinzips in den WTO–Verträgen. Gegenstand des zweiten Abschnitts ist der materielle Inhalt des Inländerprinzips. Abschliessend wird drittens auf einige offene Fragen hingewiesen.

## 3.1　Die vertraglichen Bestimmungen

429　Die Grundsatzbestimmungen des Inländerprinzips finden sich in Art. III GATT. Gemäss Art. III:1 GATT anerkennen die Vertragsparteien, "dass die inneren Abgaben und sonstigen Belastungen, die Gesetze, Verordnungen und sonstigen Vorschriften über den Verkauf, das Angebot, den Einkauf, die Beförderung, Verteilung oder Verwendung von Waren im Inland sowie inländische Mengenvorschriften [...] nicht derart angewendet werden sollen, dass die inländische Erzeugung geschützt wird". In den Ziff. 2 und 3 von Art. III GATT

---

72　*US Department of State* (1946), Suggested Charter for an International Trade Organization of the United Nations, Publication 2598, September, Washington, DC, Art. 9 und 10.
73　Art. 18 der *Havanna–Charta*.
74　Art. III:10 GATT.

folgt eine Präzisierung der inneren Abgaben; die Ziff. 4 bis 9 erörtern die übrigen Belastungen, Gesetze und Verordnungen; Ziff. 10 erweitert die vorausgehenden Ausführungen auf den Handel mit Kinofilmen. In Ergänzung zu Art. III GATT folgen in Art. IV GATT die Regelung der Spielzeitkontingente für ausländische Filme und in Art. V GATT die Bestimmungen über den Transit ausländischer Güter durch ein Vertragspartnerland. Art. V GATT verbietet die Anwendung von Belastungen und Vorschriften für den Transport ausländischer Erzeugnisse, die ungünstiger sind als die Belastungen und Vorschriften für den Transport landeseigener Waren.

Direkt oder indirekt nehmen auch folgende GATT-Artikel Bezug auf das Inländerprinzip: Art. XI als Richtlinie bei der Einführung oder Aufhebung von mengenmässigen Importbeschränkungen, Art. XVII:1(a) als verpflichtende Vorgabe für staatliche Unternehmen, Art. XX für das Ergreifen von allgemeinen Ausnahmen und Art. XXIV:12 im Hinblick auf "geeignete Massnahmen" zur gesicherten Beachtung des GATT-Abkommens in regionalen Freihandelsräumen.[75]

430

Von den Zusatzübereinkünften erwähnen das Prinzip der Inlandgleichbehandlung vor allem das Abkommen über sanitarische und phytosanitarische Massnahmen (Art. 2:3), das Abkommen über Textilien und Bekleidung (Art. 7:1(b) und (c)), das Abkommen über Technische Handelshemmnisse (Präambel, Art. 5 und Anhang 3) und das Abkommen über handelsbezogene Investitionsmassnahmen (Art. 2). Das Inländerprinzip hat – obwohl mit umgekehrten Vorzeichen – auch Eingang in das Agrarabkommen (Art. 9:1(e)) und in das Abkommen über Subventionen und Ausgleichsmassnahmen (Art. 1:1(a)(2) gefunden. In diesen beiden Abkommen verpflichten sich die WTO-Mitglieder, die für das Ausland bestimmten Güter bei Subventionen und Transportgebühren nicht günstiger als die einheimischen Produkte zu behandeln. In Analogie zum Inländerprinzip handelt es sich in diesen beiden Vereinbarungen quasi um ein "Ausländerprinzip".

431

Eine eigenständige Regelung der Inlandgleichbehandlung findet sich im Allgemeinen Dienstleistungsabkommen (GATS). Grundsätzlich ist ein WTO-

432

---

75 Vgl. Anmerkungen und ergänzende Bestimmungen zu Art. III:1 GATT; *GATT* (1994), Analytical Index, Genf, S. 774ff.

Mitglied im Bereich des grenzüberschreitenden Dienstleistungshandels nicht an die Einhaltung des Inländerprinzips gebunden. Seine Verpflichtung beschränkt sich auf die listengebundenen Zugeständnisse. Gemäss Art. XVII GATS ist jedes Mitgliedland ermächtigt, eine Liste jener Dienstleistungssektoren zu erstellen, für die es das Inländerprinzip einzuhalten bereit ist und für die es seinen Handelspartnern eine Behandlung anbietet, "die nicht weniger günstig ist als die, die es seinen eigenen Dienstleistungen und Dienstleistungserbringern gewährt". Die Industriestaaten haben relativ viele Dienstleistungssektoren in ihre Listen aufgenommen. Die Nicht–Industriestaaten hingegen waren bei der Erstellung ihrer Dienstleistungslisten zurückhaltend. Das erklärte Ziel des GATS ist, dem Inländerprinzip eine immer grössere Akzeptanz zu verschaffen. Zur Erreichung dieses Ziels sieht Art. XIX GATS weitere Liberalisierungsverhandlungen vor, die spätestens fünf Jahre nach Inkrafttreten der WTO–Vereinbarung beginnen und danach in regelmässigen Abständen weitergeführt werden.

433   Ferner weist das plurilaterale Übereinkommen über das öffentliche Beschaffungswesen auf das Inländerprinzip hin. Art. III:1(a) dieses Abkommens besagt, dass Waren und Dienstleistungen anderer Vertragspartner und deren Anbieter, die unter dieses Abkommen fallen, "in Bezug auf alle Gesetze, Vorschriften, Verfahren und Praktiken [...] umgehend und bedingungslos" nicht ungünstiger behandelt werden dürfen als inländische Waren und Dienstleistungen sowie deren Anbieter. Nicht unter das Inländerprinzip fallen nach Art. III:3 Zölle und Abgaben aller Art, die anlässlich oder im Zusammenhang mit der Einfuhr erhoben werden. Dazu zählen auch die Erhebungsverfahren für solche Zölle und Abgaben sowie andere Einfuhrbestimmungen und -formalitäten und Massnahmen mit Auswirkung auf den Handel mit Dienstleistungen. Die in Art. III vorgenommene Abgrenzung zwischen Hauptverpflichtung und erlaubten Ausnahmen ist sehr allgemein und unbestimmt gehalten. Sie wird deshalb über kurz oder lang – falls in künftigen Verhandlungen keine Änderung erfolgt – der Klärung im Rahmen der Streitschlichtung bedürfen.

## 3.2 Der materiellrechtliche Inhalt des Inländerprinzips

Die folgenden Ausführungen treten zunächst auf den Geltungsbereich des Inländerprinzips ein, definieren danach die "inneren Abgaben und Belastungen" und behandeln abschliessend die einzelnen Rechtsvorschriften.

434

### 3.2.1 Der Geltungsbereich

Während einzelne Verhandlungsdelegierte bei der Ausarbeitung der ITO und des GATT verlangten, das Inländerprinzip auf die in den Zoll–Listen aufgeführten Waren und deren Anbieter zu beschränken, forderten andere Verhandlungsteilnehmer eine Ausweitung des Prinzips auf alle Erzeugnisse und deren Anbieter. Letztlich stimmten die Parteien der extensiven Auslegung des Inländerprinzips zu, teils weil die bisherigen ITO– und GATT–Verhandlungen auf der Basis aller Handelsgüter geführt worden waren, teils weil viele der damals bestehenden internationalen Handelsverträge die Gleichbehandlung im allgemein verpflichtenden Sinne bereits enthielten und eine Beschränkung des Inländerprinzips auf die Zoll–Listen einen Rückschritt in den Bemühungen um offene Auslandmärkte bedeutet hätte.[76]

435

Die Unterstellung aller Güter und Dienstleistungen unter das Inländerprinzip besagt indessen nicht, dass ein Land den Schutz seiner Wirtschaft preiszugeben hat. Besteht ein Schutzbedürfnis, kann ein Vertragspartner gemäss Art. II:1(b) und Art. III:3 GATT die inneren Abgaben in Zölle umwandeln, dies jedoch nicht über die in den Listen gebundenen Zolltarife hinaus.[77] Den Industriestaaten steht diese Ausweichmöglichkeit nicht mehr zur Verfügung, weil zurzeit fast alle Zölle gebunden sind und die Bindung dem Niveau der effektiven Sätze entspricht. Die Nicht–Industriestaaten hingegen haben bis anhin nur rund zwei Drittel ihrer Zollpositionen gebunden und dies zudem auf einem Niveau, das über den tatsächlich angewandten Sätzen liegt. Diese

436

---

76 Vgl. *Jackson, John H.* (1969), World Trade and the Law of the GATT, Indianapolis u.a., S. 277f.
77 Vgl. *GATT* (1994), Analytical Index, Genf, S. 117.

Ausgangslage ermöglicht den Entwicklungsländern, bestehende inländische Belastungen allenfalls auf Zölle umzulegen.[78]

437    Nach Art. II:8(a) GATT findet das Inländerprinzip im öffentlichen Beschaffungswesen bei Waren grundsätzlich keine Anwendung.[79] Den Regierungen steht nach dem GATT das Recht zu, einheimische Güter und Anbieter gegenüber ausländischen Gütern und Anbietern zu bevorzugen. Der gleiche Grundsatz gilt gemäss Art. XIII:1 GATS für Dienstleistungen, "die für staatliche Zwecke unter Vertrag genommen werden und nicht für kommerzielle Weiterverwendung oder für kommerzielle Nutzung bestimmt sind". Art. XIII:2 GATS hält indessen fest, dass innerhalb von zwei Jahren nach Inkrafttreten der WTO–Vertragswerks multilaterale Verhandlungen über die öffentliche Beschaffung von Dienstleistungen stattzufinden haben. Diese Verhandlungen erweisen sich als schwierig und sind bis heute (Ende 1999) zu keiner Verständigung gekommen. Die im GATT und GATS zugestandene Ausnahme für die öffentliche Beschaffung gilt für jene WTO–Mitglieder untereinander nicht, die das plurilaterale Abkommen über das öffentliche Beschaffungswesen unterzeichnet haben. Es sind dies die EU, Hongkong, Israel, Japan, Kanada, Norwegen, die Schweiz, Singapur und die Vereinigten Staaten.[80] Art. III:1(a) des Abkommens über das öffentliche Beschaffungswesen hält fest: "In Bezug auf alle Gesetze, Vorschriften, Verfahren und Praktiken betreffend das unter dieses Übereinkommen fallende öffentliche Beschaffungswesen behandeln die Vertragsparteien umgehend und bedingungslos die Waren oder Dienstleistungen anderer Vertragsparteien sowie Anbieter, die Waren oder Dienstleistungen anbieten, nicht ungünstiger als inländische Waren, Dienstleistungen und Anbieter". Zudem stellt Art. III:2(a) dieses Abkommens sicher, dass die Beschaffungsstellen der Vertragspartei "einen lokalen Anbieter nicht aufgrund

---

78   Vgl. *GATT* (1994), News of the Uruguay Round of MTN, April, Genf, S. 6f.
79   Von "öffentlicher Beschaffung" ist die Rede, wenn die vom Staat gekauften Waren zu staatlichen Zwecken verwendet werden. Im Gegensatz dazu beinhaltet der "Staatshandel" den staatlichen Import von Gütern und Dienstleistungen zum kommerziellen Wiederverkauf oder zur Produktion später kommerziell weiterverkaufter Güter. Vgl. Rz 1435.
80   Über den Stand der Mitgliedschaft orientiert der jährliche Bericht des Ausschusses für öffentliche Beschaffung in: *GATT* bzw. *WTO*, BISD (jährlich).

des Grads der ausländischen Kontrolle oder Beteiligung ungünstiger behandeln als einen anderen lokalen Anbieter".

Ausgenommen vom Inländerprinzip ist nach Art. III:8(b) GATT auch die Staatsunterstützung, die das Subventionsabkommen zulässt.[81] Es handelt sich um die den einheimischen Unternehmen gewährten Subventionen zur Förderung der Forschung, zur Kompensation regionaler Nachteile oder zur Entschädigung von Umweltschutzauflagen. Die Panel–Praxis des GATT und die Fachliteratur unterscheiden zwischen Staatsbeiträgen, die direkt den Produzenten, und solchen, die den Händlern gewährt werden. Es wird der Schluss gezogen, Art. III:8(b) GATT decke allein die Subventionen ab, die den Produzenten, nicht aber den Händlern ausgerichtet werden.[82]

438

Nach dem Vertragstext des GATT und GATS dürfen Güter und Dienstleistungen nur dann nicht ungünstiger als einheimische Produkte behandelt werden, wenn es sich um "gleiche" oder "gleichartige" Angebote handelt Eine abschliessende Definition der Produktgleichheit ist analog zu den Ausführungen über die Meistbegünstigung auch beim Inländerprinzip nicht gegeben. In den Anmerkungen und ergänzenden Bestimmungen zu Art. III:2 GATT ist von "anderen unmittelbar konkurrierenden oder zum gleichen Zweck geeigneten" Waren die Rede. Die GATT–Arbeitsgruppe "Border Tax Adjustment" hielt im Jahr 1970 fest, dass die Produktgleichheit von Fall zu Fall zu beurteilen sei.[83] Als Kriterien müssen, wie im Zusammenhang mit der Meistbegünstigung erwähnt, die Produktklassifizierung in den Zolltarifen, die endgültige Verwendung der Produkte, der Verbrauchergeschmack usw. berücksichtigt zu werden.

439

---

81   Vgl. Rz 840ff.
82   Vgl. Panelempfehlung Italian discrimination against imported agricultural machinery vom 23.10.1958, Ziff. 1, 2 und 25, veröffentlicht in: *GATT* (1959), BISD 7th S, S. 60ff.; *Jackson, John H.* (1969), World Trade and the Law of GATT, Indianapolis u.a., S. 287 und 381. Aufgrund des Vertragstextes ist diese Interpretation aber nicht zwingend. Letztlich geht es nicht darum, wer Subventionsempfänger ist, sondern darum, ob diese Subventionen den internationalen Handel stören oder nicht, d.h. ob diese Subventionen "im Einklang mit den Bestimmungen des Artikels" stehen, und nicht so angewendet werden, "dass die inländische Erzeugung [im Vergleich zur ausländischen] geschützt wird" (Art. III:1 GATT).
83   *GATT* (1972), BISD 18th S, S. 101, Ziff. 18; *GATT* (1994), Analytical Index, Genf, S. 141.

## 3.2.2 Die Abgaben und Belastungen im Inland

440    Unter die in Art. III:1 bis 3 GATT erwähnten "inländischen Abgaben und sonstigen Belastungen" fallen alle Abgaben, Gebühren, Steuern und Sonderaufwendungen, die vom Staat auf Importgütern erhoben oder auf inländischen Gütern rückvergütet oder erlassen werden. Zu erwähnen sind in diesem Zusammenhang vor allem die Verbrauchssteuern auf Importgütern in Form von Zusatzabgaben oder Sondersteuern,[84] die Steuerbefreiung und die Steuerbevorteilung und die Gewährung von Sonderkrediten für den Kauf von einheimischen Produkten,[85] die Steuerausgleichsabgaben auf Importwaren zum Ausgleich von im Inland bestehenden indirekten Steuern,[86] die Antidumpingabgaben auf Zwischenerzeugnissen zur Herstellung von Gütern[87] sowie die Abgaben für die Gebinderücknahme oder andere Umweltschutzauflagen.[88]

---

84   So erhoben z.B. die USA bis in die achtziger Jahre auf Erdölimporten und deren Derivate eine Verbrauchssteuer, die rund 3.5% über derjenigen für einheimische Produkte lag. Vgl. Panelempfehlung US – Taxes on petroleum and certain imported substances vom 17.6.1987, Ziff. 5.1.1, veröffentlicht in: *GATT* (1988), BISD 34th S, S. 136ff.

85   Italien schuf 1952 einen Fonds, der dem Ministerium für Land– und Forstwirtschaft u.a. ermöglichte, den Kauf von einheimischen Landwirtschaftsmaschinen zu verbilligen. Panelempfehlung Italian discrimination against imported agricultural machinery vom 23.10.1958, Ziff. 1 und 2, veröffentlicht in: *GATT* (1959), BISD 7th S, S. 60ff..

86   Die Bevorteilung oder Benachteiligung der Importe ergibt sich aufgrund der unterschiedlichen Steuersysteme. Verfügt das Exportland über hohe, bei der Ausfuhr nicht rückvergütete direkte und niedrige indirekte Steuern, und das Importland über niedrige direkte und hohe indirekte Steuern, so erfährt das Importgut aufgrund der hohen direkten Steuern im Exportland und der hohen indirekten Steuern im Importland insgesamt eine höhere Belastung als das Inlandprodukt, für das die direkten Steuern im Inland weniger ins Gewicht fallen. Auf die Problematik der gegenseitigen Steuerrückvergütung wies die Arbeitsgruppe "Border Tax Adjustments" hin. Vgl. *GATT* (1972), BISD 18th S, S. 97ff, insbesondere S. 99, Ziff. 8 und S. 107f.

87   Vgl. Panelempfehlung EEC – Regulation on imports of parts and components vom 16.5.1990, Ziff. 1ff., veröffentlicht in: *GATT* (1991), BISD 37th S, S 132ff.

88   Darunter fallen z.B. Sonderabgaben auf Behältern für alkoholische Getränke in– und ausländischer Herkunft, die nicht in ein Pfandsystem integriert sind, eine Auflage, die von ausländischen Lieferanten kaum zu erfüllen ist. Vgl. *GATT* (1994), Analytical Index, Genf, S. 139.

### 3.2.3 Die Rechtsvorschriften

Die Verletzung des Inländerprinzips besteht nicht allein in Form der 441
Schlechterstellung der grenzüberschreitenden Güter und Dienstleistungen und
deren Anbieter über Abgaben und sonstige Belastungen. Die Pflicht zur
Gleichbehandlung bezieht sich gemäss GATT Art. III:1 und 4 GATT auch auf
entsprechende "Gesetze, Verordnungen und sonstige Vorschriften über den
Verkauf, das Angebot, den Einkauf, die Beförderung und Verteilung oder Verwendung" von Gütern. Im gleichen Sinne spricht Art. XVII:3 GATS von unterschiedlichen Wettbewerbsbedingungen zugunsten der eigenen Dienstleistungen und Dienstleistungserbringer. In der Geschichte der GATT–
Streitschlichtung findet sich eine Vielzahl von Streitfällen, die sich auf Art.
III:4 GATT beziehen. So stand in diesem Zusammenhang im Jahr 1955 ein
Gesetz von Hawaii zur Diskussion, das den Verkauf von importierten Eiern nur
unter der plakativen Ankündigung "We sell foreign eggs" erlaubte.[89] Besonders bekannt sind auch die beiden Streitfälle anfangs der neunziger Jahre
zwischen den USA und Kanada über die Benachteiligung von importierten
alkoholischen Getränken. Nach kanadischem Recht waren die Provinzen
zuständig für die Regelung des Bierverkaufs. In einigen Provinzen gab es keine
Diskriminierung im Verkauf von inländischem und importiertem Bier. Andere
Provinzen dagegen verboten den Ladengeschäften den Verkauf von Importbier. Ihr Angebotssortiment musste sich auf Inlandprodukte beschränken. Das
"Panel" des GATT vertrat die Meinung, dass eine einseitige Ausgrenzung der
Importprodukte Art. III:4 GATT widerspricht.[90] Zu einer weitgehend
deckungsgleichen Wertung kam das GATT–Panel in Bezug auf die US–
Bestimmungen über den Verkauf von alkoholischen Getränken. Ein US–
Bundesstaat ist demnach nicht berechtigt, Verkaufslizenzen für einheimische
Getränke günstiger zu administrieren als solche für Importgetränke. Einem
US–Bundesstaat steht auch nicht das Recht zu, den Verkauf einheimischer

---

89  Die von Australien im Jahr 1955 angestrengte Paneluntersuchung wurde fallengelassen, als das Gericht von Hawaii diese Gesetzesbestimmung als verfassungswidrig erklärte. Vgl. *GATT* (1994), Analytical Index, Genf, S. 148.

90  Vgl. Panelempfehlung Canada – Import, distribution and sale of certain alcoholic drinks by provincial marketing agencies vom 18.2.1992, Ziff. 1 und 5.12, veröffentlicht in: *GATT* (1993), BISD 39th S, S. 27ff. vor allem S. 78.

Dritter Teil

Weine zu erlauben und gleichzeitig den Verkauf von gleichartigen Importweinen zu verbieten. Zudem dürfen für importierten Wein und eingeführtes Bier keine Preisvorschriften erlassen werden, wenn für Getränke einheimischer Provenienz keine derartigen Bestimmungen bestehen.[91]

442  Art. III:5 bis 7 GATT stipuliert, dass eine Vertragspartei keine inländischen Mengenvorschriften über "die Mischung, Veredelung oder Verwendung von Waren nach bestimmten Mengen oder Anteilen erlassen oder beibehalten" darf, die zur Folge haben, dass eine festgesetzte Menge oder ein bestimmter Anteil der Ware aus inländischen Produktionsquellen stammen muss. Diese Vorschrift gilt jedoch nicht für inländische Mengenvorschriften, die je nach Wahl am 1. Juli 1939, 10. April 1947 oder 24. März 1948 in Kraft standen, vorausgesetzt, diese Bestimmungen wurden nicht in einer den Import schädigenden Weise geändert. Wichtig ist bei mengenmässigen Vorschriften, dass die Importmengen und Importanteile nicht quotenmässig auf ausländische Lieferanten aufgeteilt sind. Die Meistbegünstigungspflicht ist einzuhalten.[92]

443  Art. III:9 GATT formuliert die Empfehlung, die Festsetzung von Höchstpreisen auf importierten Gütern nicht zum Nachteil der Lieferländer vorzunehmen: Die Interessen ausführender Vertragsparteien sind zu berücksichtigen, "um schädigende Wirkungen soweit wie möglich zu vermeiden".

444  Art. III:10 GATT verweist auf die mengenmässige Beschränkung von Kinofilmen und auf die Regelung in Art. IV GATT. Jede Vertragspartei ist berechtigt, Vorschriften über die mengenmässige Beschränkung für Kinofilme beizubehalten oder zu erlassen. Die Einschränkungen haben in Form von Spielzeitkontingenten zu erfolgen. Es ist darauf zu achten, dass die für ausländische Kinofilme freigegebene Spielzeit weder rechtlich noch tatsächlich nach Lieferländern aufgeteilt ist (Meistbegünstigungsprinzip), es sei denn, eine solche Zuteilung habe bereits am 10. April 1947 bestanden. Damals vorgenom-

---

91  Vgl. Panelempfehlung US – Measures affecting alcoholic and malt beverages vom 19.6.1992, Ziff. 2 und 6, veröffentlicht in: *GATT* (1993), BISD 39th S, S. 206ff., vor allem S. 298f.; weitere Beispiele im Zusammenhang mit Art. III:4 GATT finden sich in: *GATT* (1994), Analytical Index, Genf, S. 148ff.

92  Ein informatives Beispiel dieser Mengenbestimmungen ist: Panelempfehlung EEC – Measures on animal feed proteins vom 14.3.1978, veröffentlicht in: *GATT* (1979), BISD 25th S, S. 49ff.

mene Länderzuteilungen dürfen aber nicht zum Nachteil anderer Vertragsparteien angehoben werden.[93] Seit einigen wenigen Jahren besteht Uneinigkeit darüber, ob die Ausstrahlung ausländischer Filme am Fernsehen unter die Bestimmung über Kinofilme oder die Dienstleistungsregelung (Bereich Telekommunikation) fällt.[94]

Art. V:6 GATT bestimmt schliesslich, dass ein Vertragspartner Waren, die zu Wasser oder auf dem Land sein Gebiet durchqueren, kostenmässig nicht stärker belasten darf als Güter, die importiert oder exportiert werden. Flugzeuge sind ausgenommen, nicht aber die auf dem Luftweg transportierten Güter. Die Vertragsbestimmungen halten zudem fest, dass die Transportkosten stets den erbrachten Dienstleistungen zu entsprechen und angemessen sein müssen. Art. V GATT bezieht sich auf den Wasser- und Landtransport. 445

## 3.3 Offene Fragen

Vor allem drei Problemkreise sind beim Inländerprinzip auszumachen, nämlich die Ausnahmen im öffentlichen Beschaffungswesen, die Deutung der Produktgleichheit und der Vertragszielsetzung sowie die Listenlösung im Dienstleistungsbereich. 446

Obwohl durch das plurilaterale Zusatzabkommen die öffentliche Beschaffung der meisten Industriestaaten dem Inländerprinzip unterstellt ist, fällt ein grosses Handelsvolumen nicht unter die Gleichbehandlungspflicht. Alle Nicht-Industriestaaten und einige wenige Industriestaaten haben das Recht beibehalten, im öffentlichen Beschaffungswesen die einheimische Wirtschaft gegenüber der ausländischen zu begünstigen. Diese Ausnahme ist von grosser Bedeutung, als gerade in den Drittwelt- und osteuropäischen Reformländern 447

---

93 Der 10.4.1947 ist das Eröffnungsdatum der zweiten Konferenz des ITO-Vorbereitungsausschusses. An dieser Konferenz wurde u.a. über die Zollzugeständnisse im Rahmen des künftigen GATT verhandelt. Die Zuteilungen von 1947 sind in der Zwischenzeit aufgehoben worden oder werden nicht mehr angewandt. Vgl. Rz 738.
94 Vgl. *GATT* (1994), Analytical Index, Genf, S. 192.

Dritter Teil

die Staatsquote besonders hoch ist, in der Regel über 50 Prozent des Bruttoinlandprodukts.[95]

448 Ein weiteres Problem ergibt sich aus der Interpretation der Produktgleichheit, die sich im Lauf der Zeit wandelt. Das Inländerprinzip betrifft "gleiche", "gleichartige" und "unmittelbar konkurrierende oder zum gleichen Zweck geeignete" Erzeugnisse. Je restriktiver die Produktgleichheit definiert wird, desto weniger kommt das Inländerprinzip zum Tragen. Je extensiver die Gleichheit der Produkte gefasst ist, desto mehr Handelsgüter und Dienstleistungen fallen unter das Prinzip der Inlandgleichbehandlung. Werden zum Beispiel Getränke wegen eines leicht abweichenden Alkoholgehalts als unterschiedliche Produkte klassiert, erlaubt diese Verschiedenheit bereits eine unterschiedliche Behandlung beziehungsweise eine Benachteiligung der Auslandgüter mit höherem Alkoholgehalt. Zurzeit besteht die Tendenz, aus Gründen des Schutzes von Umwelt und Gesundheit eine immer detailliertere Deutung der Produktgleichheit vorzunehmen, was letztlich einer Schwächung des Inländerprinzips gleichkommt.[96]

449 Die in den letzten Jahren restriktivere Definition der Produktgleichheit ist die Folge der Grundsatzdiskussion über Sinn und Zweck von Art. III GATT. Art. III GATT verfolge allein das Ziel zu verhindern, dass Abgaben und Rechtsvorschriften zum Schutz der eigenen Wirtschaft eingesetzt werden. "Sein Zweck sei es nicht, fiskalische und rechtliche Unterscheidungen zu verbieten, mit denen andere Politikziele verfolgt würden"[97]. Als legitim zu verfolgende Ziele nennt das "Panel" in seinem Untersuchungsbericht über US–Alkoholische Getränke den Schutz des Lebens und der Gesundheit des Menschen sowie die öffentlichen Sitten.[98] Diese Wertung lässt möglicherweise den Schluss zu, dass im Zielkonflikt zwischen Inländerprinzip einerseits und Umweltschutz und öffentlichen Sitten andererseits den an zweiter Stelle

---

95 Vgl. Rz 1435ff.
96 Eine ausführliche Behandlung der Frage der Produktgleichheit erfolgt im Zusammenhang mit den Umweltschutzbestimmungen in: Rz 696ff.
97 Übersetzung nach *Diem, Andreas* (1996), Freihandel und Umweltschutz in GATT und WTO, Baden–Baden, S. 95.
98 Panelempfehlung US – Measures affecting alcoholic and malt beverages vom 19.6.1992, Ziff. 5.74, veröffentlicht in: *GATT* (1993), BISD 39th S, S. 206ff.

erwähnten politischen Zielen Priorität eingeräumt und das Inländerprinzip zurückgedrängt wird. Gegenwärtig stehen Umweltschutz und öffentliche Sitten im Vordergrund. Es ist durchaus möglich, dass in Zukunft vermehrt sozialpolitische und arbeitsrechtliche Prämissen das Inländerprinzip zusätzlich in Frage stellen.[99]

Problematisch ist schliesslich auch die Tatsache, dass im grenzüberschreitenden Dienstleistungsverkehr keine einheitliche Regelung vereinbart werden konnte, die für alle WTO–Mitgliedstaaten gilt. Die einzelnen Länder verfügen über sogenannte Positivlisten, in denen sie ihre Konzessionen für einzelne Dienstleistungssektoren abschliessend benennen, ergänzt durch Zusatzlisten mit spezifisch bedingten Ausnahmen. Die Industriestaaten gewähren eine relativ weitgehende Inlandgleichbehandlung. Die Entwicklungsländer beschränkten sich auf knapp gehaltene Listenzugeständnisse.[100]   450

## 4. Die Schaffung von Transparenz

Eine störungsfreie Welthandelsordnung setzt Transparenz auf zwei Ebenen voraus: Einerseits muss ein wechselseitiger Informationsfluss zwischen den Vertragsparteien bestehen. Ohne hinreichende Kenntnis der Gesetze und Vorschriften der Partnerstaaten ist keine Rechtssicherheit gegeben und wohl auch keine Ausweitung des internationalen Handels im Sinne der Präambel der WTO–Vereinbarung denkbar. Und andererseits ist Transparenz auch zwischen den Mitgliedstaaten und der WTO als Organisation eine unabdingbare Voraussetzung der gegenseitigen Zusammenarbeit und des Ausbaus der internationalen Welthandelsordnung.   451

Die Aufforderung zur gegenseitigen Information findet sich bereits in der Havanna–Charta, die in Art. 5 von den Mitgliedstaaten und der ITO als Organisation verlangte, in Zusammenarbeit mit dem Wirtschafts– und Sozialrat der UNO Informationen über die Beschäftigung, das Volkseinkommen und die   452

---

99  Vgl. die Ausführungen über den Umweltschutz in: Rz 713ff.
100  Vgl. die Ausführungen über die Dienstleistungen in: Rz 1259ff.

Zahlungsbilanz zu sammeln, aufzuarbeiten und zu analysieren. Gleichzeitig verpflichtete Art. 38 der Havanna–Charta die Regierungen, die Gesetze und sonstigen Vorschriften sowie die Gerichts– und Verwaltungsentscheide über die Produkteinteilung, den Zollwert, die Abgaben und anderen Belastungen, die Beschränkungen und Verbote von Importen und Exporten, den handelsbedingten Zahlungsverkehr, den Verkauf, die Verteilung, den Transport, die Versicherung, die Lagerung, die Kontrolle, die Ausstellung, die Verarbeitung und die Produktmischung unverzüglich auf eine "verständliche Art" zu veröffentlichen und allen Regierungen und Handeltreibenden zugänglich zu machen. Unter die Veröffentlichungspflicht fielen auch die bestehenden Staatsverträge über den internationalen Handel. Ausgenommen waren allein vertrauliche Daten und Geschäftsgeheimnisse, deren Herausgabe die Unternehmen geschädigt hätten.

453    Die in der Havanna–Charta ausgehandelten Informationspflichten wurden 1947 vom Allgemeinen Zoll– und Handelsabkommen in Art. X unter dem Titel "Veröffentlichung und Anwendung von Handelsvorschriften" übernommen. Als Ergänzung zur bestehenden GATT–Regelung folgte im Jahr 1979 die Vereinbarung über Notifizierung, Konsultation, Streitbeilegung und Überwachung[101] sowie im Jahr 1994 der Ministerbeschluss zur Verbesserung und Überprüfung der Notifizierungsverfahren[102]. Die Transparenz war auch Gegenstand der Ministererklärung von 1986 zur neuen GATT–Handelsrunde. Sowohl im allgemeinen Teil der Erklärung als auch im Teil über die Schaffung eines Dienstleistungsabkommens verlangten die Minister eine "transparente" Verhandlungsführung.[103]

454    Die letzte Neuerung zur Verbesserung der Transparenz in der WTO besteht in der Schaffung eines zentralen Notifikationsregisters unter der Verantwortung des WTO–Sekretariats.

---

101 *GATT* (1980), BISD 26th S, S. 210ff.
102 Der Text des Ministerbeschlusses ist veröffentlicht in: *Hummer/Weiss,* S. 526ff. (deutsche Fassung); *WTO,* The Legal Texts, S. 444ff. (englische Fassung).
103 Ministererklärung vom 20.9.1996, veröffentlicht in: *Hummer/Weiss,* Teil I, lit. B(I) (Allgemeine Verhandlungsgrundsätze) und Teil II (Verhandlungen über den Dienstleistungsverkehr), S. 282 und 290.

Das Erfordernis der Transparenz findet sich heute in allen Bereichen des 455
WTO–Vertragswerks. Das geltende GATT hat Art. X des ursprünglichen
GATT übernommen. Ähnliche Vorschriften finden sich in den Zusatzabkommen des GATT. Das Übereinkommen über die Anwendung gesundheitspolitischer und pflanzenschutzrechtlicher Massnahmen verlangt in Art. 7 und
Anhang B von seinen Vertragspartnern, Änderungen von Massnahmen unverzüglich zu veröffentlichen und eine Auskunftsstelle zur Beantwortung von
Fragen einzurichten. Dabei wird im einzelnen darauf hingewiesen, auf was
sich die Auskünfte und Dokumente zu beziehen haben, nämlich auf gesundheitspolitische und pflanzenschutzrechtliche Belange, auf die Kontroll– und
Genehmigungsverfahren, auf die Risikobewertungsverfahren sowie auf die
vertraglichen Bindungen und Verpflichtungen, die ein Land in internationalen
Verträgen eingegangen ist. Der Vertrag enthält detaillierte Angaben über das
Bekanntmachungsverfahren. Die Art. 2ff. des Textilabkommens fordern die
Notifizierung sämtlicher Handelsbeschränkungen zuhanden des Textilüberwachungsorgans, das seinerseits die übrigen Vertragspartner über die gemeldeten Einschränkungen zu informieren hat. Von besonderer Bedeutung ist die
gegenseitige Informationspflicht im Übereinkommen über Technische Handelshemmnisse. Jeder Vertragspartner hat nach Art. 10.1 eine Auskunftsstelle
zu errichten, die in der Lage ist, "alle sinnvollen Anfragen von Mitgliedern und
interessierten Parteien [...] zu beantworten sowie die entsprechenden Dokumente zur Verfügung zu stellen". Als auskunftspflichtige Punkte erwähnt der
Vertrag die technischen Vorschriften und Normen, die in den einzelnen Ländern gelten, die Konformitätsbewertungsverfahren sowie die Mitarbeit in
internationalen Normenorganisationen. Im gleichen Sinne verpflichtet die
Übereinkunft über handelsbezogene Investitionsmassnahmen die Abkommenspartner, alle handelsbezogenen Investitionsmassnahmen, die sie anwenden und die nicht vertragskonform sind, zu melden und der Auskunftspflicht
gemäss GATT nachzukommen.[104] Grosse Bedeutung misst die Antidumpingvereinbarung der Information zu. Der Eröffnung einer Antidumpinguntersuchung muss eine öffentliche Bekanntmachung über alle Faktoren folgen, auf

---

104 Art. 5:1 und 6 des Abkommens über handelsbezogene Investitionsmassnahmen (mit
Bezug auf Art. X GATT).

denen sich die Schadensbehauptung abstützt.[105] Auch bei der Versandkontrolle sind alle entsprechenden Gesetze und Verordnungen unverzüglich dem WTO-Sekretariat und den WTO-Mitgliedern mitzuteilen sowie die Kontrollen "auf transparente Art und Weise" durchzuführen.[106] Bei Lizenzverfahren sind die WTO-Mitglieder "ausreichend" zu informieren. Bei der Einführung oder Änderung von Verfahren verlangt die WTO genaue Angaben über die davon betroffenen Waren, die Auskunftsstelle, die Antragsmöglichkeiten, die Arten von Lizenzverfahren, die ungefähre Dauer der Lizenzverfahren usw.[107] Transparenz erfordert schliesslich auch die Abklärung von Subventionsfragen. Besteht der Verdacht auf unerlaubte Subventionen, kann ein Land aufgefordert werden, entsprechende Informationen und Beweismittel vorzulegen.[108]

456   Besondere Bedeutung kommt der Transparenz im Allgemeinen Dienstleistungsabkommen zu. Nach Art. III GATS war jeder Vertragspartner beim Inkrafttreten des GATS verpflichtet, "alle einschlägigen allgemeingültigen Massnahmen, die sich auf die Anwendung dieses Übereinkommens beziehen oder sie betreffen", umgehend zu veröffentlichen. Bekannt zu geben waren auch die im Dienstleistungshandel eingegangenen internationalen Verpflichtungen. Art. III GATS schreibt ausserdem den einzelnen Staaten vor, einen jährlichen Bericht "über die Einführung neuer oder die Änderung bestehender Gesetze, sonstiger Vorschriften oder Verwaltungsrichtlinien, die den Handel mit Dienstleistungen [...] betreffen", zu verfassen. Auch hat jedes Mitglied Auskunftsstellen zur Information der Handelspartner einzurichten. Nicht der Veröffentlichungspflicht unterliegen – wie im Güterhandel – vertrauliche Daten.

457   Das Übereinkommen über handelsbezogene Aspekte der Rechte des geistigen Eigentums (TRIPS) enthält neben dem Recht auf Auskunft in Art. 47 zwar keine spezielle Bestimmungen über die Transparenz, basiert aber in seiner Gesamtausrichtung auf der Transparenz und der gegenseitige Information im

---

105 Art. 12:1 des Abkommens zur Durchführung des Artikels VI GATT.
106 Art. 2:5, 2:8 und 5 des Abkommens über die Versandkontrolle.
107 Art. 3:3, 5:1 und 2 des Abkommens über Einfuhrlizenzverfahren.
108 Art. 9, 12 und 13 des Abkommens über Subventionen und Ausgleichsmassnahmen.

Güter– und Dienstleistungshandel. Der urheberrechtliche Schutz bezieht sich auf Marken, Zeichen und Zeichenkombinationen, Patente, Lizenzen sowie gewerbliche Muster, Modelle und Layout–Disigns, alles Ausdrucksformen der Transparenz und der gegenseitigen Information über Güter und Dienstleistungen, ihre Urheberrechte und ihre Verfügbarkeit.

Zur Verbesserung der Transparenz und wechselseitigen Information dient schliesslich Anhang 3 des WTO–Vertragswerks über den Mechanismus zur Überprüfung der Handelspolitik (Trade Policy Review Mechanism, TPRM).[109] Die Mitglieder vereinbarten "eine erhöhte Transparenz in ihren eigenen Systemen anzustreben und zu fördern"[110]. Um eine bestmögliche Transparenz zu erreichen, muss heute jedes WTO–Mitglied dem Organ zur Überprüfung der Handelspolitik (Trade Policy Review Body, TPRB) einen jährlichen Bericht über die Handelspolitik und die Handelspraktiken im eigenen Land abliefern. Für den Fall von zwischenzeitlichen wesentlichen Änderungen der Handelspolitik sind Kurzberichte vorgesehen. Zur multilateralen Abrundung veröffentlicht das TPRB einen jährlichen Überblick beziehungsweise eine Zusammenfassung der Länderberichte unter besonderer Berücksichtigung der Entwicklung des internationalen Handels. 458

Analog zu den multilateralen verlangen auch die plurilateralen Abkommen von ihren Vertragspartnern eine transparente Handelspolitik. Im Rahmen des Übereinkommens über den Handel mit zivilen Luftfahrzeugen wurde in Art. 8:1 ein Ausschuss mit der Aufgabe der gegenseitigen Information der Handelspartner geschaffen. Das Übereinkommen über das öffentliche Beschaffungswesen wiederum verlangt in Art. V:II von den Industriestaaten, allein oder gemeinsam Informationszentren zu eröffnen. Die Aufgabe dieser Stellen besteht in der gegenseitigen Vermittlung von Informationen über Gesetze, Vorschriften, Verfahren, Praktiken, geplante Käufe, Beschaffungsstellen und Vergabevorschriften. In Ergänzung zu den bestehenden Vorschriften schuf die erste WTO–Ministerkonferenz von Singapur im Dezember 1996 eine Arbeits- 459

---

109 Anhang 3 der WTO–Vereinbarung über den Mechanismus zur Überprüfung der Handelspolitik geht auf die Entscheidung der VERTRAGSPARTEIEN des GATT im Jahr 1989 zurück. *GATT* (1990), BISD 36th S, S. 403ff.
110 Mechanismus zur Überprüfung der Handelspolitik, Lit. B.

gruppe zur Prüfung der Transparenz im öffentlichen Beschaffungswesen (Working Group on Transparency in Government Procurement Practices). Ihre Aufgabe ist, die nationalen Beschaffungspraktiken zu erfassen, zu analysieren und Vorschläge zur Verbesserung der Funktionsweise des Übereinkommens über das öffentliche Beschaffungswesen auszuarbeiten.

460 Analog zur gegenseitigen Informationspflicht der Partnerstaaten besteht eine Informationspflicht der WTO gegenüber ihren Mitgliedern. In den vergangenen Jahren ist das GATT- beziehungsweise das WTO-Sekretariat dieser Pflicht vor allem mit Hilfe der periodisch erscheinenden Veröffentlichungen "Basic Instruments and Selected Documents" (jährlich), "International Trade" (jährlich), "Annual Reports", "GATT Activities" (jährlich), "Newsletters" und vieler Einzelstudien nachgekommen. In letzter Zeit sind einzelne Veröffentlichungen wie "Basic Instruments and Selected Documents" zeitlich in Rückstand geraten oder haben sich – dies betrifft vor allem die "Newsletters" – vom echten Informationsorgan zu einer WTO-Personen-PR-Veröffentlichung gemausert. Offene Kritik wird an der Berichtsredaktion der Streitschlichtungsfälle geübt, deren Texte nach bisheriger GATT-Gewohnheit für Laien "unlesbar seien" und sich in "obskuren Textargumenten" ergingen.[111] Andererseits ist festzustellen, dass die WTO ihr Informationsangebot im Internet stark ausgebaut und dadurch die Informationsbeschaffung dank elektronischer Hilfe im Vergleich zu früher sehr erleichtert und vereinfacht hat.[112]

## 5. Das Prinzip der Reziprozität

461 Ein weiteres Kernelement der multilateralen Welthandelsordnung ist das Prinzip der Reziprozität. Wie ein roter Faden zieht sich die Aufforderung zu gegenseitig ausgewogenen Verhandlungen, zu gleichgewichtigen Konzessionen und zur Wahrung gemeinsamer Interessen durch das Vertragswerk der WTO. Die folgenden Abschnitte vermitteln einen Überblick über die heute in

---

111 Vgl. z.B. *Pescatore, Pierre* (1996), Funktionsfähige WTO-Streitschlichtung, in: *NZZ* vom 2.7.1996, Nr. 151, S. 10.
112 Vgl. URL http://www.wto.org./, Februar 2000.

der WTO geltenden Reziprozitätsbestimmungen, fragen nach den Ursachen des Reziprozitätsprinzips und gehen auf die Kontroverse zwischen der traditionellen und der aggressiven Reziprozität ein.

## 5.1 Die Reziprozitätsbestimmungen

Einerseits bildet das Prinzip der Reziprozität ein ungeschriebenes Grundelement des WTO–Vertrags. Indem alle WTO–Vertragsparteien die gleichen Rechte und Pflichten eingegangen und gemeinsam an die Pflicht der Meistbegünstigung, der Inlandgleichbehandlung und der Marktöffnung gebunden sind, tragen sie zu einem wechselseitigen Ausgleich der damit verbundenen Vor– und Nachteile, zur Wahrung der gemeinsamen Interessen und zu einer für die Partnerstaaten gleichgewichtigen Welthandelsordnung bei. Andererseits enthalten viele WTO–Bestimmungen konkret die Aufforderung, die Verhandlungen nach dem Prinzip der Reziprozität zu führen, die Verhandlungsergebnisse aufeinander abzustimmen und bei einseitigen Vertragsänderungen auf die unmittelbar betroffenen Partnerstaaten Rücksicht zu nehmen. 462

In der Präambel der WTO–Vereinbarung geben die Vertragsparteien vor, die mit der WTO angestrebten Ziele "auf der Grundlage der Gegenseitigkeit und zum gemeinsamen Nutzen" zu verwirklichen. Es handelt sich um die gleiche Formulierung, wie sie in der Präambel des ursprünglichen GATT bestanden hat. 463

Gegenseitigkeit und Ausgeglichenheit verlangt das GATT auch bei der Festlegung der Antidumpingzölle [113] und Ausgleichsabgaben [114]. Antidumpingzölle und Ausgleichsabgaben, welche die ermittelte Dumping– und Subventionsspanne nicht überschreiten dürfen, sind angemessen und verhältnismässig anzuwenden.[115] Erweisen sich "infolge unvorhergesehener Entwicklungen und der Auswirkungen der von einer Vertragspartei [...] eingegangenen Ver- 464

---

113 Art. VI:2 GATT.
114 Art. VI:3 GATT.
115 Art. 9:3 des Antidumpingabkommens; Art. 4:10 des Abkommens über Subventionen und Ausgleichsmassnahmen.

pflichtungen" Schutzmassnahmen als notwendig, darf eine betroffene Partei
– falls keine andere Lösung gefunden werden kann – in ihrer Wirkung vergleichbare Handelszugeständnisse oder sonstige Verpflichtungen zurücknehmen. Das Ausmass der zurückgenommenen Zugeständnisse ist am erlittenen Schaden zu bemessen, hat also "gleichwertig" zu sein.[116] Von grosser Bedeutung ist die Forderung nach Ausgeglichenheit bei Zollverhandlungen. Die Reduktion der Zollsätze hat auf Gegenseitigkeit zu beruhen.[117] Keine Gegenleistung wird in den Verhandlungen von Drittweltländern erwartet.[118]

465     Das Prinzip der Gegenseitigkeit gilt auch für die Zusatzabkommen des GATT. Abs. 2 der Präambel des Agrarabkommens spricht von einem "fairen" Agrarhandelssystem und das Übereinkommen über gesundheitspolizeiliche und pflanzenschutzrechtliche Massnahmen von der gegenseitigen Anerkennung gleichwertiger Massnahmen.[119] Das Textilabkommen räumt dem Prinzip der Reziprozität einen eigenen Artikel ein und hält in Art. 4:2 fest, dass Änderungen von vertraglich notifizierten Handelsschranken nicht auf eine Weise vorgenommen werden dürfen, "dass das Gleichgewicht der Rechte und Pflichten der Mitglieder nach diesem Übereinkommen gefährdet [...] wird".

466     In Anlehnung an das GATT verfolgt das Dienstleistungsabkommen in Abs. 3 der Präambel das Ziel, "die Interessen aller Beteiligten auf der Grundlage des gemeinsamen Nutzens zu fördern und ein insgesamt ausgeglichenes Verhältnis von Rechten und Pflichten [...] zu gewährleisten". Ändert ein Land seine eingegangenen Verpflichtungen (eine Listenänderung ist nach Ablauf von drei Jahren jederzeit möglich), hat es nach Art. XXI:2(a) GATS mit den davon betroffenen Ländern Verhandlungen aufzunehmen, "um eine Einigung über notwendige Ausgleichsmassnahmen zu erreichen". Zudem sind die Partner aufgefordert, sich darum zu bemühen, "allgemein ein Mass an für alle Seiten vorteilhaften Bedingungen beizubehalten".

---

116  Art. XIX:3(a) GATT.
117  Art. XXVIII$^{bis}$:1 GATT.
118  Art. XXXVI:8 GATT.
119  Die Reziprozität besteht in der Verpflichtung zur gegenseitigen Rechtsanerkennung und nicht in der Gleichwertigkeit der Massnahmen. Vgl. Art. 4 des Abkommens über die Anwendung sanitarischer und phytosanitarischer Massnahmen.

Schliesslich will das Abkommen über handelsbezogene Aspekte der Rechte des geistigen Eigentums in Art. 7 mit dem Schutz und der Durchsetzung der Rechte des geistigen Eigentums und der damit angestrebten Förderung der technischen Innovation und der Weitergabe und Verbreitung von Technologie "zum gegenseitigen Vorteil" für Erzeuger und Nutzer technischen Wissens beitragen.

467

## 5.2 Die Argumente

Welche Argumente sprechen für die Anwendung des Reziprozitätsprinzips in der heutigen Welthandelsordnung? In der Fachliteratur werden vor allem die in den folgenden Abschnitten behandelten Punkte aufgeführt, das Verhandlungsargument, das Argument der "Terms of Trade", das Beschäftigungsargument, das handelspolitische Argument, das Argument des Risikoverhaltens, das Argument des politischen Drucks und das Argument der Selbstrechtfertigung.[120]

468

### 5.2.1 Das Verhandlungsargument

Das Prinzip der Reziprozität bietet einzelnen WTO–Partnern die Möglichkeit, Handelszugeständnisse mit Gegenforderungen zu verknüpfen. Dies ist vor allem wichtig für Verhandlungen zwischen Ländern mit stark unterschiedlichen Aussenhandelsanteilen und –strukturen. Ohne Reziprozität kämen zwischen solchen Ländern keine einvernehmlichen Vereinbarungen, kein Zollabbau und keine Beseitigung der nichttarifären Handelshemmnisse

469

---

120 Vgl. u.a.: *Evans, John W.* (1971), The Kennedy Round in American Trade Policy, Cambridge, S. 21ff.; *Curzon/Curzon* (1976), The Management of Trade Relations in the GATT, in: *Shonfield, Andrew,* Hrsg., International Economic Relations of the Western World 1959–1971, London u.a., S. 141ff.; *Roessler, Frieder* (1978), The Rationale for Reciprocity in Trade Negotiations under Floating Currencies, in: Kyklos, 31. Jg., H. 2, S. 258ff.; *Corden, W. Max* (1979), The Theory of Protection, Oxford, S. 21ff.; *Senti, Richard* (1986), GATT, System der Welthandelsordnung, Zürich, S. 63ff.; *Baldwin, Robert E.* (1988), Trade Policy in a Changing World Economy, New York u.a., S. 97ff.; *GATT* (1994), Analytical Index, Genf, S. 33, 35 und 912ff.

zustande: "Reciprocity attempts to build pluralistic support for tariff reduction where none would otherwise exist".[121]

### 5.2.2 Das Argument der "Terms of Trade"

470  In der Regel stimmt ein Land dem Abbau von Handelshemmnissen nur unter der Bedingung zu, dass sich seine "Terms of Trade" (Preis–Austauschverhältnis zwischen Exporten und Importen) gegenüber dem Partner nicht verschlechtern. Diese Bedingung setzt voraus, dass die Zölle und die nichttarifären Handelshemmnisse von allen Staaten, die an den Verhandlungen teilnehmen, im Gleichschritt abgebaut werden. Reziprozität erweist sich somit als unabdingbare Voraussetzung von Verhandlungen, deren Ziel die weitere internationale Marktöffnung ist.

### 5.2.3 Das Beschäftigungsargument

471  Auch wenn Zollsenkungen die "Terms of Trade" nicht verändern, setzen sie möglicherweise doch Arbeitskräfte in der inländischen Konkurrenzproduktion frei. Jedes Land wird daher aus staats– und sozialpolitischen Erwägungen bestrebt sein, als Gegenleistung für Importerleichterungen Exportvorteile zu erlangen. Die durch den zusätzlichen Import freigesetzten Arbeitskräfte können dann in der begünstigten Exportindustrie beschäftigt werden. Das Beschäftigungsargument wird umso wichtiger, je mehr Druck die Gewerkschaften und die Wirtschaftsverbände auf die Regierung ausüben und je stärker sie die Exekutive im Sinne des Wohlfahrtsstaats für die Beschäftigungslage im eigenen Land verantwortlich machen.

### 5.2.4 Das Handelsbilanzargument

472  Jede Regierung ist bestrebt, aussenhandelspolitische Massnahmen zu verhindern, welche die Handels– und Dienstleistungsbilanz des Landes ver-

---

121 *Cooper, Richard* (1971), Tariff issues and the third world, in: World Today, September, S. 401, zit. nach *Curzon/Curzon* (1976), The Management on Trade Relations in the GATT, in: *Shonfield, Andrew*, Hrsg., International Economic Relations of the Western World 1959–1971, London u.a., S. 158 und 166, Anm. 22.

schlechtern. Die Erreichung dieses Ziels setzt voraus, dass die gegenseitig sich zugestandenen Handelserleichterungen bestmöglich ausgewogen sind, das heisst, wenn auf reziproker Basis verhandelt wird.

### 5.2.5 Das Argument des Risikoverhaltens

Wie ist zu erklären, dass sich die Verhandlungspartner bei der Fixierung von Antidumpingzöllen und Ausgleichsmassnahmen an die Vorgabe halten, die Strafabgaben im Rahmen der festgestellten Dumping- und Subventionsspanne zu halten? Die Antwort wird sein, dass jeder Handelspartner daran interessiert ist, die Gegenmassnahmen nicht eskalieren und nicht zu einem unberechenbaren und unvorhersehbaren Risiko ausufern zu lassen. Die reziproke Einhaltung bestimmter Regeln dient somit dem eigenen Schutz vor künftiger Willkür und Unberechenbarkeit. 473

### 5.2.6 Das Argument des politischen Drucks

In jedem Land gibt es "Pressure Groups", die ihre Position stärken wollen und vom Staat eine möglichst wirksame Interessenwahrung fordern. Die Regierungen, die um ihre Wiederwahl oder um die Machterhaltung für die eigene Partei besorgt sind, werden diesen "Pressure Groups" in der einen oder anderen Form nachgeben. Aufgrund der Tatsache, dass Freihandel vielen einen kleinen, Protektionismus einigen wenigen einen grossen Vorteil bringt, wird die reziproke Verhandlungsweise so angelegt werden, dass die Vorteile zugunsten der "Pressure Groups" und die dafür eingegangenen Nachteile zu Lasten nicht organisierter Wirtschaftsbereiche gehen. Ausserdem sind die Vor- und Nachteile der Handelsmassnahmen sehr schwer zu bewerten. Deshalb wird jede Regierung versucht sein, kurzfristige, das heisst in die eigene Wahlperiode fallende staats- und parteipolitische Vorteile gegen Nachteile, die erst längerfristig sichtbar werden, einzuhandeln. 474

### 5.2.7 Das Argument der Selbstrechtfertigung

Die aus den Verhandlungen heimkehrenden Diplomaten und Delegierten müssen ihre Arbeit vor ihrer Regierung, dem Parlament und dem Souverän 475 rechtfertigen. Sie werden deshalb in ihrem eigenen Interesse die Verhandlungsergebnisse als das "einzig Mögliche" und das "first best" verkaufen, obwohl sie die erzielten Erfolge mit entsprechenden Zugeständnissen abgelten mussten. Die Verhandlungsergebnisse sind wegen der Unterschiedlichkeit der Handelsinstrumente und -produkte nur schwer zu bewerten und zu quantifizieren. Ferner sind die Ergebnisse der Verhandlungen je nach Berechnungsbasis und Methode auf den Empfänger "anzupassen", so dass jede Delegation die Möglichkeit hat, die Vereinbarungen zu ihren eigenen Gunsten aufzuarbeiten und zu präsentieren. Ein illustratives Beispiel erwähnen *Gerard* und *Victoria Curzon* aus der Dillon–Runde. Das US Department of State rechnete dem Kongress vor, dass die den USA von der EWG zugestandenen Zollermässigungen 750.2 Mio. US$ betragen haben, wogegen sich die US–Zugeständnisse nur auf 597.4 Mio. US$ bezifferten. Damit versuchte die US–Regierung gegenüber dem Kongress den Beweis zu erbringen, wie gut sie sich gegenüber der EWG "geschlagen" habe. Über die gleichen Verhandlungen berichtete die EWG–Kommission in Brüssel. Sie habe den USA lediglich 560 Tarifzugeständnisse gewährt, gegenüber 575 Konzessionen von Seiten der USA, was einen Gewinn für die EWG darstelle.[122]

## 5.3 Von der traditionellen zur aggressiven Reziprozität

476   Nach WTO–Recht bezieht sich die Reziprozität auf den Abbau von Handelshemmnissen, die Rücknahme von Zugeständnissen und die Anwendung von Antidumpingzöllen und Ausgleichsabgaben. Die Verhandlungen sind "auf der Grundlage der Gegenseitigkeit"[123] zu führen. Die allenfalls zu ergreifenden Gegenmassnahmen haben sich auf das Zurücknehmen von "im wesent-

---

[122] *Curzon/Curzon* (1976), The Management of Trade Relations in the GATT, in: *Shonfield, Andrew*, Hrsg., International Economic Relations of the Western World 1959–1971, London u.a., S. 161. Eine dem Inhalt nach ähnliche Gegenüberstellung macht *John W. Evans* in Bezug auf die Ergebnisse der Kennedy–Runde. *Evans, John W.* (1971), The Kennedy Round in American Trade Policy, Cambridge, S. 224.
[123] Art. XXXVIII$^{bis}$:1 GATT.

lich gleichwertigen Zugeständnissen"[124] zu beschränken. Das WTO-Recht erlaubt länderweise unterschiedliche Schutzniveaus, allein deren Änderungen sind im Gleichschritt und in gegenseitiger Ausgewogenheit vorzunehmen.

Im Gegensatz zur traditionellen Reziprozität der WTO kam in den letzten Jahrzehnten in den USA die Idee der unilateralen Reziprozität auf, welche die Fachliteratur als "aggressive Reziprozität" oder "Basisreziprozität" bezeichnet. Die Grundlage der aggressiven Reziprozität bildet das US-Handelsgesetz von 1974, das in "Section 301" den Präsidenten verpflichtet, Schutzmassnahmen gegen jeden Handelspartner zu ergreifen, der ungerechtfertigte oder unangemessene Importrestriktionen gegen US-Importgüter unterhält ("regular 301").[125] Ungerechtfertigt und unangemessen bezog sich ursprünglich auf Handelsmassnahmen, die sich ausserhalb des GATT-Rechts befanden.[126] Im Verlauf der Zeit wurde "Section 301" verschärft, vorerst im Handelsgesetz von 1984 ("super 301") und anschliessend im Handelsgesetz von 1988 ("special 301").[127] "Super 301" verlangt vom US-Trade Representative (USTR) jährlich eine Liste jener Länder zu erstellen, die aus der Sicht der Vereinigten Staaten US-Exporte ungerechtfertigt und unangemessen beschränken. Diesen Ländern ist eine Frist zur Aussetzung ihrer Handelshemmnisse zu setzen. Kommen die Länder dieser Aufforderung nicht nach, hat der USTR dem Präsidenten entsprechende Gegenmassnahmen vorzuschlagen. "Special 301" unterscheidet sich vom "Super 301" insofern, als auch der Schutz der geistigen Eigentumsrechte einbezogen ist. Bis heute kam es mit Brasilien, Japan, Indien und mit der Volksrepublik China zu bilateralen Verhandlungen.[128] Nach

477

---

124 Art. XIX:3(a) GATT.
125 *US,* Public Law 93–618, Sec. 301 (Trade Act von 1974).
126 *Bhagwati, Jagdish* (1993), Aggressive Unilateralism, in: *Bhagwati/Hugh,* Hrsg., Aggressive Unilateralism, America's 301 Trade Policy and the World Trading System, Ann Arbor, S. 3.
127 *US,* Public Law 98–573, Sec. 301–306 (Trade and Tariff Act von 1984) und *US,* Public Law 100–418, Sec. 301–310 (Omnibus Trade and Competitiveness Act von 1988).
128 *Bhagwati, Jagdish* (1993), Aggressive Unilateralism, in: *Bhagwati/Hugh,* Hrsg., Aggressive Unilateralism, America's 301 Trade Policy and the World Trading System, Ann Arbor, S. 3; *US* (1995), Economic Report of the President, Washington, DC, S. 238.

Dritter Teil

*Jagdish Bhagwati* haben vor allem drei Gründe zur Einführung und Erweiterung der "Section 301" geführt: Erstens der Wunsch, ausländische Absatzmärkte zu erschliessen, in denen die GATT–Bestrebungen erfolglos waren (z.B. in der Landwirtschaft), zweitens die Absicht, Marktbereiche zu eröffnen, die vom bisherigen GATT–Recht nicht erfasst waren (Dienstleistungen und Schutz des geistigen Eigentums), und drittens die Möglichkeit, von anderen Ländern Zugeständnisse zu erzwingen, ohne eigene Gegenleistungen erbringen zu müssen (z.B. im Arbeitsrecht).[129] Bei der Analyse des Ursprungs von "Section 301" darf nicht übersehen werden, dass die Vereinigten Staaten in den siebziger und achtziger Jahren eine stark negative Handelsbilanz auswiesen und alles daran setzten, den Import zu hemmen und den Export zu fördern.[130]

478     Einer tendenziell ähnlichen Zielrichtung wie die USA folgt die EU mit der 1984 angenommenen Verordnung "zur Stärkung der gemeinsamen Handelspolitik und insbesondere des Schutzes gegen unerlaubte Handelspraktiken".[131] Auch wenn sich diese Verordnung – in der Fachliteratur als "Neues Instrument" bekannt – nur gegen unerlaubte Handelspraktiken von Drittländern richtet, "die, was den internationalen Handel betrifft, mit den Regeln des Völkerrechts oder den allgemein anerkannten Regeln unvereinbar sind"[132], so trägt sie doch über das Antragsrecht Privater und über das formale Untersuchungsverfahren dazu bei, "schon im Vorfeld handelspolitischer Mass-

---

129 *Bhagwati, Jagdish* (1993), Aggressive Unilateralism, in: *Bhagwati/Hugh,* Hrsg., Aggressive Unilateralism, America's 301 Trade Policy and the World Trading System, Ann Arbor, S. 4ff.
130 Über die Bedeutung des Handelsbilanzdefizits bei der Entstehung und Änderung des US–Handelsgesetzes vgl. *Mavroidis, Petros C.* (1993), Handelspolitische Abwehrmechanismen der EWG und der USA und ihre Vereinbarkeit mit den GATT–Regeln, Stuttgart, S. 89ff.
131 *EU*, Verordnung (EWG) Nr. 2641/84 vom 17.9.1984, in: *EG*, ABl. L 252 vom 20.9.1984, S. 1ff. Die Verordnung 2641/84 ist, auch wenn nie offiziell zugegeben, eine Reaktion auf Section 301 des US–Handelsgesetzes. Vgl. dazu *Hilf/Rolf* (1985), Das "Neue Instrument" der EG, in: Recht der Internationalen Wirtschaft, April, H. 4, S. 297ff.; *Mavroidis, Petros C.* (1993), Handelspolitische Abwehrmechanismen der EWG und der USA und ihre Vereinbarkeit mit den GATT–Regeln, Stuttgart, S. 87.
132 *EU*, Verordnung (EWG), Nr. 2641/84, Art. 2:1.

nahmen wirtschaftlichen Druck" auf die Handelspartner auszuüben.¹³³ Abgesehen davon lässt die Frage, was unter "allgemein anerkannten Regeln" zu verstehen ist, ein weites Interpretationsfeld offen.

Das Prinzip der aggressiven Reziprozität beziehungsweise der Basisreziprozität hat mit dem Abkommen über handelsbezogene Aspekte des geistigen Eigentums auch Eingang in die WTO–Handelsordnung gefunden. Art. 4(b) TRIPS erlaubt in Anlehnung an die revidierte Berner Übereinkunft (RBÜ) und das Rom Abkommen (RA), die einem Land gewährte Behandlung von der in diesem Land erfahrenen Behandlung abhängig zu machen.¹³⁴ Diese Regelung ist inhaltlich mit "Section 301" des US–Handelsgesetzes von 1974 deckungsgleich. Sie wurde in die Handelsordnung zum Schutz der handelsbezogenen Rechte des geistigen Eigentums aufgenommen, um beim gewerblichen Rechtsschutz und beim Urheberrecht angemessene Gegenleistungen von jenen Vertragspartnern zu erreichen, die andernfalls zu keinen Gegenleistungen bereit gewesen wären.  479

Insgesamt ist festzuhalten, dass die traditionelle Reziprozität im Sinne der WTO nach wie vor Gültigkeit hat. Es besteht jedoch die Gefahr, dass sie durch die sogenannte aggressive Reziprozität der "Section 301" des US–Handelsgesetzes, durch das "Neue Instrument" der EU und durch das TRIPS ausgehöhlt wird.¹³⁵  480

---

133 *Hilf/Rolf* (1985), Das "Neue Instrument" der EG, in: Recht der Internationalen Wirtschaft, April, H. 4, S. 301. *M. Hilf* und *R. Rolf* weisen in diesem Zusammenhang auf die Begründung der Kommission zum Vorschlag der Verordnung hin. Vgl. KOM(83) vom 28.2.1983, S. 3.
134 Vgl. Rz 1313ff.
135 Am 2.3.1999 hat die WTO auf Antrag der EU ein "Panel" zur Abklärung der WTO–Konformität der Sec. 301–310 des US–Handelsgesetzes von 1974 eingesetzt. Eine Vielzahl von Drittstaaten, darunter Brasilien, Japan, Kanada und Korea, unterstützten das Vorgehen der EU. *WTO* (1999), FOCUS, Newsletter Nr. 38, Genf, S. 2. Am 22.12.1999 hat das "Panel" seine Empfehlung veröffentlicht, in der es zum Schluss gekommen ist, dass die "Sections 301–310" des US–Handelsgesetzes von 1974 den WTO–Verpflichtungen der Vereinigten Staaten nicht widersprechen. Vgl. Panelempfehlung WT/DS152/R vom 22.12.1999 (99–5454), veröffentlicht in: URL http://www.wto.org./wto/dispute/distab.htm, Februar 2000.

Dritter Teil

# 6. Der Abbau von Handelshemmnissen

481 Untersuchungen aus den achtziger Jahren zeigen, dass die Industriestaaten und die Drittweltländer ähnliche Protektionsniveaus aufweisen. Verschieden ist allein die Art und Weise der Protektion. Während die Industriestaaten vor allem Zölle erheben, bedienen sich die Entwicklungsländer vornehmlich der nichttarifären Handelshemmnisse (NTH). In beiden Ländergruppen erfahren die Landwirtschaft, die Schuh- und Lederproduktion, die Textilwirtschaft sowie die Fahrzeug- und Stahlerzeugung den stärksten Aussenhandelsschutz. Weniger geschützt sind die übrigen gewerblichen und industriellen Erzeugnisse. Nicht oder nur unwesentlich abgeschirmt gegen die ausländische Konkurrenz sind die Energieträger und die Rohstoffe.[136]

482 Die Einführung und das Beibehalten des Handelsprotektionismus ist hauptsächlich auf den Einfluss gut organisierter Lobbyisten starker Interessengruppen und das Bestehen landesinterner Probleme in Politik und Wirtschaft zurückzuführen wie zum Beispiel auf parteipolitisch begründete Zugeständnisse der Regierungen an einzelne politische oder wirtschaftliche Gruppierungen, stagnierendes Wirtschaftswachstum, Arbeitslosigkeit, Währungsprobleme und Druck durch die Auslandkonkurrenz.[137]

---

136 *Olechowski, Andrzej* (1987), Nontariff barriers to trade, in: *Finger/Olechowski,* Hrsg., The Uruguay Round, Washington, DC, S. 123. Die Aussage, wonach die Energieträger und Rohstoffe weniger geschützt seien, mag zum Teil begrifflich bedingt sein. Zählt man auch die sogenannten Selbstbeschränkungsabkommen ("Voluntary" Export Restraints, VERs) der USA und der EU sowie die von vielen Industriestaaten verhängten Antidumping- und Ausgleichsabgaben zu den nichttarifären Handelshemmnissen, wird die oben gemachte Aussage relativiert. Nichttarifäre Handelshemmnisse sind auch in den Industriestaaten gebräuchlich, und neben der Land- und Textilwirtschaft weist auch der Handel mit Rohstoffen nichttarifäre Handelshemmnisse auf.

137 Kausalanalysen des Handelsprotektionismus finden sich in; *Baldwin, Robert E.* (1988), Trade Policy in a Changing World Economy, New York u.a., S. 108ff.; *Frey, Bruno S.* (1985), Internationale Politische Ökonomie, München, S. 20ff.; *Mansfield/ Busch* (1995), The political economy of nontariff barriers: a cross–national analysis, in: International Organization, 49. Jg., H. 4, August, S. 723ff.; *Salvatore, Dominick* (1993), Trade protectionism and welfare in the United States, in: *Salvatore, Dominick,* Hrsg., Protectionism and world welfare, Cambridge, S. 311ff.

## Die gemeinsamen Vertragsinhalte

Die Begründer des GATT waren überzeugt, mit dem Abbau der Zölle und der Beseitigung der nichttarifären Handelshemmnisse einen Beitrag zur Erhöhung des Wohlstands, der Verwirklichung der Vollbeschäftigung, der Anhebung des Realeinkommens, der Erschliessung der Ressourcen sowie der Steigerung der Produktion zu leisten.[138] Diese Zielvorstellung stützte sich auf die Freihandelstheorie von *David Ricardo* und *John St. Mill* und die US-Wirtschaftspolitik der dreissiger und vierziger Jahre (New Deal und Cordell Hull-Programm).

483

Die folgenden Abschnitte erörtern zunächst die Argumente für und wider den Freihandel und behandeln anschliessend die geltenden WTO-Bestimmungen über die einzelnen Arten von Handelshemmnissen.

484

## 6.1 Die Argumente für und wider den Freihandel

Die Verfechter des Freihandels gehen von der Annahme aus, dass die Maximierung des Inlandprodukts als Kriterium für die Bewertung und Beurteilung handelspolitischer Massnahmen gilt und erbringen sodann den Beweis,

485

> "dass zumindest unter den von der allgemeinen Theorie gewöhnlich gemachten Voraussetzungen (Gewinnstreben, freie Konkurrenz, Abwesenheit von Reibungswiderständen usw.) der ungehinderte internationale Warenaustausch zu einer Verbesserung der Güterversorgung *aller* beteiligten Länder führt"[139].

Nach der Freihandelstheorie hat der preisbedingte Konkurrenzkampf zur Folge, dass sich jedes Land auf die Fertigung jener Güter spezialisiert, für die es aus irgendwelchen Gründen (z.B. wegen der Verfügbarkeit örtlicher Ressourcen, wegen des Standortvorteils oder wegen eines Technologievorsprungs) besonders geeignet ist. Bei Freihandel beschränkt sich der Import eines Landes auf jene Güter und Dienstleistungen, die im Ausland günstiger eingekauft als im eigenen Land hergestellt werden können. Die Verfechter des Freihandels weisen darauf hin, dass über die internationale Arbeitsteilung die Güterproduktion ansteigt, vor allem dann, wenn einzelne Rohstoffe wie zum

486

---

138 Präambel, GATT.
139 *Haberler, Gottfried* (1933), Der internationale Handel, Berlin, S. 162.

Beispiel Erdöl und Erze nicht überall vorkommen. Ohne internationalen Güteraustausch müssten viele Länder auf diese Waren verzichten. Nach der Theorie des komparativen Kostenvorteils gereicht auch der Austausch von Gütern, deren Erzeugung in mehreren Ländern gleichzeitig möglich ist, zum Vorteil der am Handel Beteiligten, weil sich die Produktion nach jenen Ländern verlagert, die im Vergleich zu den übrigen Ländern am günstigsten produzieren. Die Verdrängung der Inlandproduktion durch billige Importe und die Abwanderung der Produktionsfaktoren in Bereiche mit einer höheren Grenzproduktivität tragen zu einer Steigerung des Inlandprodukts bei.

487 Wenn trotz der aufgezeigten Vorteile des Freihandels bis heute doch nicht alle Handelshemmnisse abgebaut worden sind, drängt sich die Frage nach der Rechtfertigung des Importschutzes auf. Warum sind die Länder bereit, auf eine weltweite Wohlstandsmehrung, auf billigere Konsumgüter und eine höhere Grenzproduktivität bei den eingesetzten Produktionsfaktoren zu verzichten? Die Argumente der Gegner des Freihandels lassen sich in vier Punkten zusammenfassen:

– Die herkömmliche Theorie des Aussenhandels setzt ein wettbewerbsmässig freies Kräftespiel zwischen Angebot und Nachfrage sowohl bei den Produktionsfaktoren als auch bei den Konsumgütern voraus. In Wirklichkeit aber bestehen in beiden Bereichen Marktunvollkommenheiten. Die Einführung, der Abbau oder die Aufhebung von protektionistischen Massnahmen lösen nicht ohne weiteres eine Faktorwanderung zum besten Wirt und eine entsprechende Änderung der Konsumgüterpreise aus, weil viele Arbeitskräfte aus irgendwelchen Gründen nicht bereit sind, ihren Arbeitsplatz zu wechseln, und weil die Preisermässigung an der Grenze oft nicht bis zum Konsumenten durchschlägt. Der Abbau von Handelshemmnissen hat daher – im Gegensatz zu den theoretisch begründbaren Erwartungen – oft nur bescheidene oder keine Auswirkungen.

– Die Freihandelsargumente tragen in der Regel der Struktur der Handelshemmnisse wenig Rechnung. Da die Zölle und die nichttarifären Handelsschranken meist die gesamte Produktskala, vom Rohstoff über das Halbfertigfabrikat bis zum Enderzeugnis, belasten, kann eine Strukturveränderung der Protektion unbeabsichtigte Nebenwirkungen auslösen. Werden zum Beispiel die Zölle der Grundstoffe gesenkt, so erhält die Verarbeitungsindustrie einen zusätzlichen Grenzschutz. Eine Erhöhung der Rohstoffzölle senkt dagegen den effektiven Schutz der Verarbeitungsindustrie im Importland (die Zolleskalation nimmt ab). Mit anderen Worten, in der Diskussion über den Zollabbau ist zwischen nominalen und effektiven Handelshemmnissen zu unterscheiden und zu berücksichtigen, dass nicht jeder Abbau von Handelshemmnissen unwillkürlich einer Verminderung des Importschutzes bedeutet.[140]

– Die Freihandelstheorie beruht auf der Annahme, dass sich Änderungen auf dem Faktor- und Gütermarkt kurzfristig und störungsfrei vollziehen. In Wirklichkeit beanspruchen solche Veränderungen viel Zeit und führen in Phasen der Umstrukturierung zu Unterbeschäftigung und Arbeitslosigkeit. Die Notwendigkeit des Anpassungsprozesses stellt die Wohlstandssteigerung durch den Freihandel nicht in Frage, verlangt aber entsprechende Hilfs- und Anpassungsprogramme für die unmittelbar Betroffenen.

– Die traditionelle Theorie übersieht oft die Gründe der Einführung von Handelshemmnissen. Waren es früher vornehmlich Gründe der Einkommenssicherung, sind es heute meist staats- und sozialpolitische Erwägungen. Über die Handelsschranken werden gezielt einzelne Produzentengruppen geschützt. Dabei ist man sich durchaus bewusst, dass der Schutz über Handelsschranken nicht immer die beste Lösung darstellt. Das gleiche Ziel könnte eventuell auch über Subventionen oder über eine Umgestaltung der Inlandsteuern erreicht werden, ohne die Ressourcenverteilung zu verzerren oder die Konsumentenpreise direkt zu belasten. Vielfach ist aber in Ländern mit schwachen Regierungsmehrheiten das "first best" aus politischen Gründen nicht realisierbar. Die Handelsschranken haben daher, auch bei entsprechenden Wohlstandseinbussen, Vorrang.

Im Zusammenhang mit den Argumenten für und wider den Freihandel ist darauf hinzuweisen, dass im GATT und in der WTO die Zölle bloss reduziert, die nichttarifären Handelshemmnisse dagegen vollständig beseitigt werden müssen. Diese Asymmetrie erklärt *Emil Küng* wie folgt:

---

140 *W. Max Corden* spricht in diesem Zusammenhang auch von den "effective rates". Vgl. *Corden, W. Max* (1979), The Theory of Protection, Oxford, S. 73ff.

"Der Protektionismus soll sich wenn immer möglich der Zölle bedienen, nicht aber der Devisenzuteilungen, der Mengenkontingente, der administrativen Behinderungen und ähnlicher Mittel, die sich im 'Schutz der Dunkelheit' anwenden lassen. In diesem Grundsatz spiegelt sich zugleich die Auffassung, dass es gelte, zu marktkonformen Methoden der Handelspolitik zurückzukehren und dem Preismechanismus im internationalen Güteraustausch und in der Standortorientierung wieder zu seinem Recht zu verhelfen. Während nämlich gegen mengenmässige Massnahmen der fremden Abnehmerländer auch eine noch so drastische eigene Angebotspreissenkung nichts auszurichten vermag und der einzelne Unternehmer deshalb mit den ihm zur Verfügung stehenden Anpassungsverfahren gegenüber solchen Methoden völlig machtlos ist, lassen sich Zollmauern immerhin noch übersteigen, sofern sie nicht prohibitive Höhen erreichen".[141]

489  Nach *Kenneth W. Dam* ist die einseitige Ausrichtung des GATT auf den Zollabbau historisch begründet und eine Frage der politischen Redlichkeit. Mit dem Beibehalten der Zölle bei gleichzeitiger Beseitigung der nichttarifären Handelshemmnisse wollte man die "golden days before World War I", einer Zeit, in der die Zölle meist die einzigen Handelshemmnisse bildeten, neu erstehen lassen. Die nichttarifären Handelshemmnisse dagegen erinnerten *Cordell Hull* und seine Mitarbeiter an die trüben Zeiten der zwanziger und dreissiger Jahre und die Wirren des Kriegs. Aus pragmatisch politischer Sicht war man sich auch bewusst, dass die Gründerstaaten einem vollständigen Zollabbau nicht zugestimmt hätten. Das gleiche galt für die nichttarifären Handelshemmnisse. Die Komplexität der nichttarifären Handelshemmnisse aber erlaubte den Handelspartnern, diese Massnahmen "im Schutz der Dunkelheit", trotz prinzipieller Zustimmung zu deren Beseitigung, weiterzuführen oder sogar auszuweiten, was vor allem in den siebziger und achtziger Jahren auch geschah.[142]

490  Die WTO hat mit der Übernahme der Regeln des GATT von 1947 auch dessen Freihandelskonzept übernommen. Mit der Verpflichtung, die nichttarifären Handelshemmnisse der Landwirtschaft zu tarifizieren und anschliessend allmählich zu reduzieren, versucht die WTO, ihr Freihandelsprinzip auf einen

---

141 *Küng, Emil* (1952), Das Allgemeine Abkommen über Zölle und Handel (GATT), Zürich u.a., S. 17f.
142 *Dam, Kenneth W.* (1970), The GATT, Law and International Economic Organization, Chicago u.a., S. 26f.

Handelsbereich auszuweiten, der bisher von vielen GATT–Vertragsparteien von den allgemeinen GATT–Verpflichtungen ausgeklammert worden war.

Neue Wege geht die WTO im Dienstleistungsbereich. Der Dienstleistungshandel kennt keine Zölle. Die Dienstleistungserbringer eines Importlandes werden durch nichttarifäre Handelshemmnisse geschützt. Das Liberalisierungskonzept des GATS besteht vorerst darin, dass die einzelnen Mitgliedstaaten ihre in Kraft stehenden nichttarifären Handelshemmnisse auflisten und sich verpflichten, von einer künftigen Verschärfung dieser Hemmnisse abzusehen. 491

Die nächsten beiden Abschnitte befassen sich mit den WTO–Bestimmungen über die tarifären und die nichttarifären Handelshemmnisse. 492

## 6.2 Die tarifären Handelshemmnisse

Der GATT–Text bringt unmissverständlich zum Ausdruck, dass "Zölle den Handel oft erheblich behindern" und dass eine "wesentliche Herabsetzung des allgemeinen Niveaus der Zölle und sonstiger Eingangs– und Ausgangsabgaben" für die Ausweitung des internationalen Handels von grosser Bedeutung ist.[143] Im Gegensatz dazu preisen einzelne Begründer des GATT die Zölle als *die* Massnahme, die mit Multilateralismus, Nichtdiskriminierung und Privatwirtschaft vereinbar ist: 493

> "Tariffs permit the volume of trade to grow as costs and prices fall abroad and income and demand increase at home. They permit prices and production within each country to adapt themselves to the changing conditions of the world economy. They permit the direction of trade to shift with changes in comparative efficiency. They can be so devised and administered as to accord equal treatment to all other states. They leave the guidance of trade to private business, uninfluenced by considerations of international politics. Tariffs are the most liberal method that has been devised for the purpose of restricting trade. They are consistent with multilateralism, nondiscrinination, and the preservation of private enterprise".[144]

---

143 Art. XXVIII$^{bis}$:1 GATT.
144 *Wilcox, Clair* (1949), A Charter for World Trade, New York, S. 81.

### 6.2.1 Die begriffliche Abgrenzung

494 Weil nach dem GATT die Zölle und die zollgleichen Abgaben bloss reduziert werden müssen, die übrigen Abgaben und Belastungen hingegen zu beseitigen sind, ist die begriffliche Abklärung dessen, was unter Zöllen und zollgleichen Abgaben einerseits und anderen Abgaben und Belastungen andererseits zu verstehen ist, von besonderer Bedeutung.

495 Unter die tarifären Handelshemmnisse, das heisst die Zölle und die zollgleichen oder zollähnlichen Abgaben und Belastungen zählt Art. II:1(b) GATT die Zölle "im eigentlichen Sinne" sowie "alle anderen Abgaben und Belastungen jeder Art, die anlässlich oder im Zusammenhang mit der Einfuhr auferlegt werden".

496 Zölle sind Import- oder Exportabgaben, die in nationalen Zolltarifen aufgeführt sind. Diese Zolltarife haben die rechtliche Form von Gesetzen oder Verordnungen. Die Zollsätze sind wert- oder gewichtsbezogen, je nachdem sie sich (in Prozenten) auf den Import- oder Exportwert oder (als fester Geldbetrag) auf das Gewicht des Handelsguts beziehen. Weiter unterscheiden die Zolltarife zwischen festen Zöllen, die für eine längere Zeit unverändert gültig sind, und variablen Zöllen, die sich laufend dem jeweilige Preisniveau der Güter im In- und Ausland anpassen. Im Agrarhandel sind auch die Begriffe Kontingentszölle und Zusatzzölle gebräuchlich. Die Kontingentszölle (meist sehr niedrige Zollsätze) beziehen sich auf eine im voraus festgelegte Importmenge und die Zusatzzölle auf Einfuhrmengen, welche die Importkontingente überschreiten. Von Präferenzzöllen ist die Rede, wenn Güter aus bestimmten Ländern gegenüber Produkten aus anderen Märkten zollmässig begünstigt, das heisst präferenziert werden.

497 Unter bestimmten Voraussetzungen werden andere Abgaben und Belastungen den eigentlichen Zöllen gleichgestellt. Die Voraussetzungen bestehen gemäss Art. I, II:1, III und der Anmerkung zu Art. III GATT darin, dass sich die Abgaben direkt auf das importierte Gut beziehen und am Ort und zum Zeitpunkt der Grenzüberschreitung der Handelsware zu zahlen sind. Welche Amtsstelle die Abgabe erhebt, das Zollamt oder eine andere Stelle, ist nicht relevant. Abgaben und Belastungen aller Art, die diese Bedingungen erfüllen, sind nach dem GATT zollgleich, auch wenn sie nicht in einem Zolltarif aufge-

Die gemeinsamen Vertragsinhalte

führt sind und auf anderen Rechtsgrundlagen beruhen. In der Vereinbarung über die Auslegung des Art. II:1(b) GATT vom 15. April 1994[145] sind die Vertragspartner übereingekommen, die Art und die Höhe der "anderen Abgaben oder Belastungen" in den Listen der gebundenen Zölle aufzuführen. Damit gelten auch diese "anderen Abgaben und Belastungen" als gebunden und unterliegen bei Verhandlungen den gleichen Regeln wie die Zölle. Diese Definition der Zollgleichheit der Abgaben und Belastungen gründet auf der bisherigen Interpretation der GATT-Bestimmungen durch das GATT-Sekretariat und durch die Streitschlichtung. Von besonderer Bedeutung ist die Panelbewertung der Belastung von importierten Vorprodukten in der seinerzeitigen EWG. Die EWG erhob Ende achtziger Jahre eine Sonderabgabe auf fototechnischen Apparaten, die innerhalb der EWG gefertigt und auf den Markt gebracht wurden, mit der Begründung, die Einfuhr von Vorprodukten und die EWG-interne Montage erfolge lediglich zur Umgehung der Antidumpingabgabe, die auf dem Import der Fertigprodukte erhoben werde. Dass es sich um eine zollgleiche Abgabe handle, beweise auch die Tatsache, dass die Erhebung der Abgabe durch das Zollamt erfolge. Das "Panel" verneinte das Bestehen einer zollgleichen Abgabe. Die Abgabe beziehe sich nicht direkt auf das importierte Gut, sondern auf das Fertigprodukt, in das weitere landesinterne Werte eingegangen seien. Zudem werde die Abgabe nicht am Ort des Grenzübertritts des Handelsguts und nicht zum Zeitpunkt der Einfuhr erhoben. Dass die Abgabe durch das Zollamt und nicht durch eine andere Amtsstelle erhoben werde, sei nicht von Bedeutung.[146]

Nach heute geltender Interpretation sind auch Antidumpingzölle und subventionsbedingte Ausgleichsabgaben als zollgleich zu beurteilen. Diese    498

---

145 Veröffentlicht in: *Hummer/Weiss*, S. 561ff.
146 Vgl. Panelbericht EEC – Regulation on imports of parts and components vom 16.5.1990, veröffentlicht in: *GATT* (1991), BISD 37th S, S. 132ff; eine ausführliche Darstellung der Panelwertung findet sich in: *GATT* (1994), Analytical Index, Genf, S. 79ff. Vgl. auch den Bericht der VERTRAGSPARTEIEN über eine nachträgliche Sonderbelastung durch Belgien aus Ländern ohne gleichwertige Familien-Sozialpolitik, in: *GATT* (1953), BISD 1st S, S. 60, und Panelbericht EEC – Measures on animal feed proteins vom 14.3.1978, veröffentlicht in: *GATT* (1979), BISD 25th S, S. 49ff., besonders S. 67.

Abgaben sind direkt auf das Handelsprodukt bezogen und werden am Ort und zum Zeitpunkt des Grenzübertritts des Guts erhoben. Von den eigentlichen Zöllen und den zollgleichen Abgaben und Belastungen unterscheiden sich diese Abgaben lediglich in Bezug auf die Rechtsgrundlage.

### 6.2.2 Die Bedeutung der tarifären Handelshemmnisse

499   Konkrete Angaben über die Höhe der Zollbelastung eines Güterbereichs oder eines Landes sind nur für genau bezeichnete Zollpositionen möglich. So beträgt beispielsweise der Einfuhrzoll für elektrische Glühlampen für Motorfahrzeuge Tarif Nr. 8539.10 des EU–Zolltarifs 15 Prozent des Fakturawerts für Importe aus Nicht–WTO–Ländern (autonomer Zollsatz) und 5.3 Prozent für Importe aus WTO–Ländern (vertraglicher Zollsatz) oder nach Schweizer Zolltarif SFr. 95.– pro 100 kg. Aussagen über die allgemeine Zollbelastung variieren je nach Rechenmethode, je nachdem, ob arithmetische oder handelsgewichtete Durchschnitte ermittelt und die landwirtschaftlichen Erzeugnisse, die Erdölprodukte und die zollfreien Positionen einbezogen werden oder nicht. Besonders bei der Beurteilung der handelsgewichteten Zolldurchschnitte ist Vorsicht geboten, weil prohibitiv hohe Zollsätze zum Erliegen des Handels und damit zu einem Durchschnitt führen, aus dem nicht hervorgeht, dass gleichzeitig prohibitiv hohe Zölle bestehen. Dazu kommt, dass sich die veröffentlichten Durchschnittswerte nur auf die Zölle im eigentlichen Sinne beziehen, ohne den zollgleichen Abgaben und Belastungen Rechnung zu tragen.[147] Die folgenden Ausführungen orientieren über die gesamte Zollbelastung im Verlauf der GATT–Geschichte, die gegenwärtig geltende Zollbelastung einzelner Warengruppen, die aktuelle Zollbindung und die heute noch bestehende Zolleskalation. Der Abschnitt schliesst mit einigen Hinweisen auf die zurzeit offenen Zollprobleme.

*Gesamte Zollbelastung*

500   Nach Berechnungen des GATT hat die handelsgewichtete Zollbelastung der Industriestaaten bei gewerblichen und industriellen Handelsgütern von rund

---

[147] Zu den Problemen bei der Berechnung von Durchschnittszöllen und Indikatoren vgl. *OECD* (1996), Indicators of Tariff and Non–tariff Trade Barriers, Paris, S. 10f.

40 Prozent in der zweiten Hälfte der vierziger Jahre auf etwa 4 Prozent in der Zeit nach der Uruguay-Runde abgenommen. Wie sich dieser Zollabbau auf die einzelnen Handelsrunden verteilt, zeigen die folgenden Übersichten.

### Übersicht 11: Die Zollbelastung und der Zollabbau im Rahmen des GATT seit 1947

|  | Durchschnittliche Zollbelastung in % des Importwerts | Abnahme in %-Punkten | Abnahme in % des vorausgehenden Zolls | Anzahl GATT-Partner |
|---|---|---|---|---|
| Gründung des GATT 47 | 40 | . | . | 23 |
| 2. Runde (Annecy) 1949 | 30 | −10 | −25 | 13 |
| 3. Runde (Torquay) 1950/51 | 25 | −5 | −17 | 38 |
| 4. Runde (Genf) 1956 | 23 | −2 | −8 | 26 |
| 5. Runde (Dillon) 1960/62 | 15 | −8 | −34 | 26 |
| 6. Runde (Kennedy) 1964/67 | 10 | −5 | −33 | 62 |
| 7. Runde (Tokio) 1973/79 | 6.3 | −3.7 | −37 | 99 |
| 8. Runde (Uruguay) 1986/93 | 3.9 | −2.4 | −38 | 117 |

Quelle: *BBl*, 1994 IV 134; *GATT* (1994), News of the Uruguay Round, April, Genf, Tabelle 5, S. 11.

Anmerkung: Die in dieser Tabelle aufgeführten Zollsenkungen sind bedeutend höher als die im Zusammenhang mit den einzelnen Handelsrunden (Rz 106ff.) erwähnten Zölle. Dies mag daher rühren, dass das GATT an dieser Stelle nur die Zollreduktionen der an den Verhandlungen teilnehmenden Staaten berücksichtigt, während die Berechnungen von *John W. Evans* offensichtlich von den Handelsdaten aller GATT-Vertragspartner ausgegangen ist, also auch die Länder erfasst, die an dem in den Handelsrunden beschlossenen Zollabbau nicht teilgenommen haben. Vgl. *Evans, John W.* (1971), The Kennedy Round in American Trade Policy, Cambridge, S. 11f.

**Übersicht 12: Die Zollbelastung und der Zollabbau im GATT**

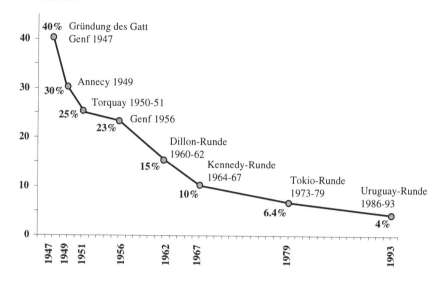

Quelle: *BBl* 1994 IV 134.

*Produktweise Zollbelastung*

501   Je nach Produkt bestehen starke Abweichungen vom Zoll–Durchschnittswert. So weisen zum Beispiel rund 50 Prozent des Handels mit Textilien und Bekleidung nach der Uruguay–Runde noch Zollsätze von 10 bis 35 Prozent auf, während der Handel mit Mineralien, Holz, Papier, Papierpulpe und Möbeln wertmässig zu mehr als der Hälfte zollfrei ist.[148] Auch zwischen der Zollhöhe der Handelspartner sind die Unterschiede gross. Das durchschnittliche Zollniveau Japans liegt unter demjenigen der EU und der USA und diese Niveaus wiederum unter den Zollbelastungen vieler Entwicklungsländer.

---

148   Die hier wiedergegebenen Zahlen und Schätzungen stützen sich auf: *GATT* (1994), News of the Uruguay Round of MTN, April, Genf; vgl. *Möbius, Uta* (1994), Auswirkungen der Ergebnisse der abgeschlossenen Uruguay–Runde im GATT auf die Industriegüterexporte der Entwicklungsländer in die EU, Deutsches Institut für Wirtschaftsforschung, Berlin.

Wie der Übersicht 13 zu entnehmen ist, wurden in der Uruguay-Runde die 502
bereits niedrigen Zollsätze der Warengruppen Holz, Papier, Metalle, nicht-
elektrische Apparate und mineralische Erzeugnisse stark reduziert. Sensible
Güter wie Fisch und Fischprodukte, Transportmittel, Textilien, Bekleidung,
Leder- und Gummiwaren sowie Schuhe und Reiseartikel, deren Zölle hoch
sind, erfuhren einen bloss unterdurchschnittlichen Zollabbau.[149]

**Übersicht 13: Die Zollsätze vor und nach der Uruguay-Runde**
(ohne Erdöl)

| Produktgruppen | Importwert in Mrd.US$ | Durchschnittlicher Zoll in % | | |
|---|---|---|---|---|
| | | vor UR | nach UR | Reduktion |
| Holz, Papier, Möbel | 40.6 | 3.5 | 1.1 | 69 |
| Metalle | 69.4 | 3.7 | 1.5 | 59 |
| Nicht-elektrische Apparate | 118.1 | 4.8 | 2.0 | 58 |
| Mineralische Produkte, Steine | 72.9 | 2.3 | 1.1 | 52 |
| Elektrische Geräte | 86.0 | 6.6 | 3.5 | 47 |
| Chemische Produkte | 61.0 | 6.7 | 3.9 | 42 |
| Fisch- und Fischprodukte | 18.5 | 6.1 | 4.5 | 26 |
| Transportmittel | 96.3 | 7.5 | 5.8 | 23 |
| Textilien und Bekleidung | 66.4 | 15.5 | 12.1 | 22 |
| Leder- und Gummiwaren, Schuhe und Reiseartikel | 31.7 | 8.9 | 7.3 | 18 |
| Übrige Industriegüter | 76.1 | 5.5 | 2.4 | 56 |
| Industriegüter total | 736.9 | 6.3 | 3.9 | 38 |

---

149 Die in der Uruguay-Runde vereinbarte Zollsenkung im Agrarbereich wird vom
GATT mit durchschnittlich 37% angegeben (nicht gewichtete Wertangabe). Ein Vergleich zwischen der Zollhöhe der Agrargüter vor und nach der Uruguay-Runde
wurde nicht veröffentlicht und ist auch nicht sinnvoll, da viele Agrar-Schutzmass-
nahmen erst aufgrund der Uruguay-Vereinbarung in Zölle umgewandelt wurden
(Tarifizierung, vgl. Rz 504 und 1016ff.). Übersicht 13 basiert auf *GATT* (1994),
News of the Uruguay Round of MTN, April, Genf, Tabelle 5, S. 11.

503 Mit der Veränderung der durchschnittlichen Zollbelastung hat sich auch die Zollbelastungsstruktur geändert. In der Uruguay–Runde ist der Handelsanteil, der zollfrei abgewickelt wird, von 20 auf 43 Prozent gestiegen; entsprechend sank der Anteil mit Zöllen von 0.1 bis 5 Prozent von 41 auf 33 Prozent. Auch die Importanteile mit höheren Zollsätzen sind von 24 auf 15 beziehungsweise von 7 auf 5 und 6 auf 4 Prozent zurückgegangen. Die Veränderungen der Strukturen der Zollbelastungen hält Übersicht 14 fest.

**Übersicht 14: Struktur der Zollbelastung** (ohne Erdöl)

| Zollsatz | Anteil am Importwert | |
| --- | --- | --- |
| | vor UR | nach UR |
| Zollfrei | 20 | 43 |
| 0.1 – 5% | 41 | 33 |
| 5.1 – 10 % | 24 | 15 |
| 10.1 – 15 % | 7 | 5 |
| 15.1 – 35 | 6 | 4 |
| über 35 % | 1 | 1 |

Quelle: In Anlehnung an *GATT* (1994), News of the Uruguay Round of MTN, April, Genf, Tabelle 6, S. 12.

504 Schwierig sind die Zollvergleiche im Agrarbereich, weil trotz der von der WTO verlangten Tarifizierung der nichttarifären Handelshemmnisse in allen Ländern Zollkontingente und andere nichtzollgleiche Handelshemmnisse weiter bestehen und der Agrarschutz vermehrt in Form von Direktzahlungen und Umweltschutzbeiträgen erfolgt. Als Mass des Schutzes der einheimischen Landwirtschaft gegenüber ausländischen Märkten wird oft der Grad der Einkommensumverteilung herangezogen, der sogenannte "Producer Subsidy Equivalent" (PSE). Der PSE misst die durch Produktion ausgelöste Einkom-

mensumverteilung zugunsten der Landwirtschaft.[150] In den USA liegt der PSE bei rund 16 Prozent, in der EU bei gut 40 Prozent und in Japan und in der Schweiz zwischen 70 bis 80 Prozent.[151]

*Bindung der Zugeständnisse*

Aus der Sicht des Freihandels ist jeder Abbau eines Handelshemmnisses ein Erfolg. Dieses Ergebnis ist jedoch nur gesichert, wenn das gewährte Zugeständnis "gebunden" ist und nicht wieder einseitig rückgängig gemacht werden kann. In der Fachsprache ist anstelle von "binden" auch von "konsolidieren" die Rede. Mit der Bindung (Konsolidierung) eines Zollsatzes verpflichtet sich ein Land, den festgelegten Zollsatz nicht zu erhöhen, ausgenommen in Verhandlungen mit entsprechenden Kompensationsleistungen an die davon betroffenen Handelspartner. Ein Zollabbau ist dagegen jederzeit erlaubt. Im GATT bezog sich die Bindung allein auf die Zölle. In der WTO wird die Bindung neben den Zöllen auch für Zugeständnisse im Agrar- und Dienstleistungsbereich angewandt. 505

Bei industriellen und gewerblichen Erzeugnissen (ohne Erdöl und dessen Derivate) haben die Industriestaaten, wie Übersicht 15 zeigt, die Bindung der Tarifpositionen von 78 auf 99 Prozent angehoben, die Reformländer Osteuropas von 73 auf 98 Prozent und die Drittweltländer 22 auf 72 Prozent. Gemessen am Importwert, liegt die Zollbindung nach der Uruguay-Runde in den Industriestaaten bei 99 Prozent, in den Reformländern bei 96 Prozent und in den Entwicklungsländern bei 59 Prozent. 506

Im Agrarbereich haben alle WTO-Mitglieder ihre Zugeständnisse (Abbau der Zölle, Schaffung von Zollkontingenten und minimale Marktöffnung) zu 507

---

150 Nach OECD-Definition ist der PSE die Gesamtheit der agrarpolitisch bedingten jährlichen Einkommenstransfers von den einheimischen Konsumenten und Steuerzahlern an die Produzenten von landwirtschaftlichen Erzeugnissen ("[...] annual monetary transfers to agricultural producers from domestic consumers and taxpayers as a result of agricultural policies."). *OECD* (1995), The Uruguay Round, Paris, S. 35ff. Zum Vergleich zwischen PSE und AMS vgl. Fussnote der Rz 1032.
151 *OECD* (1997), Agricultural Policies in OECD Countries, Paris, Vol. I, S. 16, Vol. II, S. 78, 99, 128 und 143.

100 Prozent gebunden. Vor der in der Uruguay-Runde vereinbarten Tarifizierung lag die Bindung der Agrarhandelshemmnisse deutlich unter derjenigen der Industrieerzeugnisse.

**Übersicht 15: Die Bindung der Zölle**

| Ländergruppe oder Region | Inportwert in Mrd. US$ | Bindung in % der Zollpositionen | | Bindung in % des Importwertes | |
|---|---|---|---|---|---|
| | | vor UR | nach UR | vor UR | nach UR |
| Industriestaaten | 737.2 | 78 | 99 | 94 | 99 |
| Transformationsländer | 34.7 | 73 | 98 | 74 | 96 |
| Entwicklungsländer | 306.2 | 22 | 72 | 14 | 59 |

Quelle: *GATT* (1994), News of the Uruguay Round of MTN, April, Tabelle 1, S. 7.

508 Die hohe Bindung der Zölle darf aber nicht überschätzt werden. Einzelne Länder, vor allem die Drittweltstaaten, haben ihre Zölle auf einem Niveau gebunden, das über den tatsächlich angewandten Zollsätzen liegt. Damit haben diese Länder jederzeit die Möglichkeit, ihre Zölle bis zur konsolidierten Höhe anzuheben.[152]

*Zolleskalation*

509 Die Zolleskalation weist auf eine Tarifstruktur hin, in der das Zollniveau mit zunehmender Verarbeitung und Veredlung des Produkts, das heisst mit zunehmender Wertmehrung steigt. Dies hat zur Folge, dass die effektive Zollbelastung der Produktverarbeitung über dem im Tarif aufgeführten Nominal-

---

[152] *GATT* (1994), News of the Uruguay Round of MTN, April, Genf, S. 6 und 8.

zollsatz liegt.[153] Keine Zolleskalation liegt vor, wenn Rohstoffe sowie Halbfertig- und Fertigfabrikate zum gleichen Satz vezollt werden. Ein Zollsystem mit starker Eskalation schützt die einheimische Verarbeitungsindustrie und benachteiligt die ausländischen Anbieter von verarbeiteten Erzeugnissen.

Um die Absatzmärkte der Industriestaaten für verarbeitete gewerbliche und industrielle Produkte weiter zu öffnen, forderten die Entwicklungsländer eine Verminderung der Eskalation, das heisst einen überdurchschnittlichen Zollabbau bei den stark verarbeiteten Handelsgütern, unter Beibehaltung der niedrigen Zölle bei den Grundprodukten. In welchem Ausmass die Uruguay-Runde dieser Forderung nachgekommen ist, geht aus Übersicht 16 hervor. 510

---

153 Was unter Nominal- und Effektivzoll verstanden wird, ist am einfachsten an einem Zahlenbeispiel zu erläutern: "Der gemeinsame EWG-Aussenzoll auf rohe, nicht versponnene Jute sei Null; der Einkaufspreis betrage 80 DM/dz. Daraus hergestelltes ungezwirntes Jutegarn koste im Ausland 150 DM/dz und sei mit einem Zoll von 8 vH belastet. (Von Transportkosten sei der Einfachheit halber abgesehen.) Führt eine deutsche Jutespinnerei für 80 DM Rohjute ein, entstehen keine Zollkosten. Exportiert eine pakistanische Jutespinnerei Jutegarn in die BRD, entsteht eine Zollschuld von 12 DM (8 vH von 150 DM). Die Wertschöpfung der deutschen Jutespinnerei kann in unserem Beispiel 70 DM betragen, wenn kein Zoll erhoben wird. Die Existenz des genannten Nominalzolls erhöht den Produktionskostenspielraum in der BRD um 12 auf 82 DM: dies sind 17.1 vH der Wertschöpfung. Das bedeutet, dass die deutsche Jutespinnerei nicht mit 8 vH – d.h. in der Höhe des Nominalzolls – vor der Konkurrenz aus Drittländern geschützt ist, sondern mit 17.1 vH – Um diesen Prozentsatz müssen ausländische Anbieter billiger produzieren, wenn sie auf dem deutschen Markt konkurrenzfähig sein wollen". Das Beispiel stammt aus: *Donges/Fels/Neu* u.a. (1973), Protektion und Branchenstruktur der westdeutschen Wirtschaft, Kieler Studie Nr. 123, Tübingen, S. 17f.

Die Eskalation ist definiert als der Abstand des Zollsatzes zwischen verarbeiteten und nichtverarbeiteten Produkten. Die prozentuale Änderung der Eskalation berechnet sich aus der Abnahme der Zolldifferenz nach der Verhandlung dividiert durch die Zolldifferenz vor der Verhandlung. Das folgende Beispiel bezieht sich auf die Zahlen aus der Übersicht 16: die –38% der zweiten Zeile letzter Kolonne ergeben sich aus: [(2.8 – 0.8)–(5.3 – 2.1)] : (5.3 – 2.1) = (2.0 – 3.2) : 3.2 = –0.38.

Dritter Teil

**Übersicht 16: Die Veränderung der Zolleskalation auf Importprodukten der Industriestaaten aus den Entwicklungsländern** (in Mio. US$ und Prozenten)

|  | Importe in Mio. US$ | Importanteil in % | Zollsatz vor UR | Zollsatz nach UR | Reduktion in % | Veränderung der Eskalation |
|---|---|---|---|---|---|---|
| Industrieprodukte, total |  |  |  |  |  |  |
| Rohprodukte | 36.692 | 22 | 2.1 | 0.8 | 62 | . |
| Halbfertigfabrikate | 36.464 | 21 | 5.3 | 2.8 | 47 | –38 |
| Fertigfabrikate | 96.535 | 57 | 9.1 | 6.2 | 32 | –23 |
| Total | 169.690 | 100 | 6.8 | 4.3 | 37 | . |
| Tropische Industrieprodukte, total |  |  |  |  |  |  |
| Rohprodukte | 5.069 | 35 | 0.1 | 0.0 | 100 | . |
| Halbfertigfabrikate | 4.340 | 30 | 6.3 | 3.5 | 44 | –44 |
| Fertigfabrikate | 4.945 | 34 | 6.6 | 2.6 | 61 | –60 |
| Total | 14.354 | 100 | 4.2 | 1.9 | 55 | . |

Quelle: *GATT* (1994), News of the Uruguay Round of MTN, April, Tab. 7, S. 13.

511    Bei den Industrieprodukten hat die Zolldifferenz zwischen den Rohstoffen und den Halbfertigfabrikaten um 38 und zwischen den Halbfertig- und Fertigfabrikaten um 23 Prozent abgenommen. Bei den tropischen Produkten ging die Eskalation zwischen den Rohstoffen und Halbfertigfabrikaten um 44 und zwischen den Halbfertigfabrikaten und den Fertigprodukten um 60 Prozent zurück. Produktweise Berechnungen belegen, dass während der Uruguay-Runde die Eskalation in den Bereichen Papierpulpe und Papier, Jute und Juteprodukte, Nickel und Produkten aus Nickel sowie Tabak und Tabakwaren überdurchschnittlich stark abgenommen hat. Nur leicht zurückgegangen ist die Eskalation bei Häuten, Leder und Lederwaren, Gummi und Gummiwaren,

Holz und Holzprodukten, Kupfer und Produkten aus Kupfer sowie Aluminium und Aluminiumwaren.[154]

### 6.2.3 Die Zollpolitik der WTO im allgemeinen

Das ursprüngliche GATT bestand aus einem Vertragstext über die künftige gemeinsame Handels- und Zollpolitik und aus den Listen der gegenseitig gewährten Zollzugeständnisse. Mit dem Übergang des GATT in die WTO hat sich an dieser Grundausrichtung nichts geändert. 512

Die vom GATT verfolgte Zollpolitik ist einfach: Die Vertragspartner anerkennen in Art. XXVIII$^{bis}$:1 GATT, "dass Zölle den Handel oft erheblich behindern; von grosser Bedeutung für die Ausweitung des internationalen Handels sind daher [...] Verhandlungen, die eine wesentliche Herabsetzung des allgemeinen Niveaus der Zölle und sonstiger Eingangs- und Ausgangsabgaben [...] bezwecken". Die Verhandlungsergebnisse sind in Listen aufzuführen, die später nur nach einem bestimmten Verfahren abgeändert werden dürfen. In Ergänzung zu Art. II GATT (Listen und Zugeständnisse) vereinbarten die WTO-Mitglieder, im Sinne einer erhöhten Transparenz auch die zollgleichen Abgaben und Belastungen wie Zölle zu behandeln und in die Zoll-Listen aufzunehmen. Die Aufnahme von zollgleichen Abgaben und Belastungen in die Listen darf jedoch nicht dazu führen, dass bisherige Zollzugeständnisse zurückgenommen beziehungsweise die Belastungen einer Ware an der Grenze erhöht werden. Zollgleiche Abgaben und Belastungen, die bis zum Inkrafttreten der WTO am 1. Januar 1995 nicht in die Listen aufgenommen worden sind, dürfen nachträglich nicht eingetragen werden.[155] 513

Die Listen, die je nach Land viele hundert Seiten starke Dokumente darstellen, enthalten die gegenseitig ausgehandelten Zolltarife für die einzelnen Handelsgüter. Die Erfassung der Güter erfolgt nach der Klassifikation des Internationalen Übereinkommens über das Harmonisierte System zur 514

---

154 *GATT* (1994), News of the Uruguay Round of MTN, April, Genf, S. 14.
155 Vgl. die Vereinbarung über die Auslegung des Artikels II Absatz 1 lit. b GATT vom 15.4.1994, veröffentlicht in: *Hummer/Weiss*, S. 561ff.

Bezeichnung und Codierung der Waren (Harmonized Commodity Description and Coding System, HS), das am 1. Januar 1988 in Kraft getreten ist.[156]

515 Die Verhandlungsmethode änderte sich im Verlauf der GATT-Geschichte. Die ersten Verhandlungen erfolgten auf bilateraler Basis nach dem Vorbild des US-Handelsgesetzes.[157] Die Haupthandelspartner ("principal" oder "dominant suppliers") tauschten miteinander Forderungslisten ("request lists") aus. Der gegenseitige Austausch der Verhandlungslisten ermöglichte, Angebot und Gegenofferte aufeinander abzustimmen. Oft waren die Zugeständnisse auch an entsprechende Gegenkonzessionen gebunden. Nach Abschluss der Verhandlungen erfolgte die Ausweitung der erteilten Zugeständnisse über die Meistbegünstigung auf alle Vertragspartner des GATT.

516 Diese Dominant-Supplier-Methode erwies sich für die grossen Handelspartner als erfolgreiches Instrument zur Durchsetzung ihrer Interessen. Kleinere Partner, vor allem solche mit niedrigen Zollsätzen, fühlten sich durch diese Methode benachteiligt. Bilateral geführte Verhandlungen liessen ihnen wenig Spielraum. Die Kritik dieser Länder, angeführt von den Benelux- und skandinavischen Staaten, wurde immer lauter, als mit dem Abbau der mengenmässigen Handelsschranken die Zolldisparität zwischen den USA und den europäischen Staaten spürbar stieg. Die Niedrigzollstaaten Europas forderten im Rahmen der OECE das GATT auf, sich vermehrt des Problems der Zolldisparität zwischen den Vereinigten Staaten und den europäischen Ländern anzunehmen. Der Vorstoss des "Low-Tariff Club" ging jedoch in einem von Frankreich im September 1951 im GATT eingebrachten Vorschlag unter. Frankreich verlangte, von der bisherigen bilateralen Verhandlungsweise abzurücken und künftig auf multilateraler Basis den Zoll linear um 30 Prozent, verteilt auf drei Jahre, abzubauen. Von der Reduktion seien auszunehmen:

---

156 Eine kurze Darstellung des HS findet sich in: *WTO* (1997), FOCUS, Newsletter Nr. 20, Genf, S. 9.

157 *Cordell Hull* erwähnt in seinen Memoiren, dass er damals eine multilaterale Verhandlungsweise in Erwägung gezogen habe, jedoch davon abgekommen sei, weil er überzeugt war, dass weder der amerikanische Kongress noch die Regierungen anderer Länder zustimmen würden. *Hull, Cordell* (1948), Memoirs, New York, I. Bd., S. 356, zit. nach: *Evans, John W.* (1971), The Kennedy Round in American Trade Policy, Cambridge, S. 6.

Fiskalzölle, Zölle auf Gütern aus Nicht–GATT–Staaten sowie Zölle der Drittweltländer.[158] Der französische Plan fand wenig Zustimmung. Einzelne Regierungen waren gegen den vorgeschlagenen Zollabbau aus Angst, die eigenen Zugeständnisse nicht gesichert werten zu können. Andere wiederum sahen darin einen zu starken Eingriff in ihre Souveränitätsrechte.

Die Vereinigten Staaten standen anfänglich der von Frankreich vorgeschlagenen multilateralen Verhandlungsmethode ablehnend gegenüber. Einige Jahre später übernahmen sie diesen Vorschlag. Mit dem "Trade Expansion Act" von 1962[159] schufen sie die Grundlage der in der Kennedy–Runde erstmals angewandten multilateralen Verhandlungsweise. Die Ursachen dieses Gesinnungswandels werden vor allem in der Gründung der EWG im Jahr 1958 und im Anwachsen der Anzahl der GATT–Vertragspartner auf rund 60 Mitglieder gesehen. 517

Die Hauptpunkte des "Trade Expansion Act" in Bezug auf das Verhandlungsverfahren waren: 518

– genereller Abbau der bestehenden Zölle um 50 Prozent, verteilt auf eine Laufzeit von fünf Jahren,
– Verzicht auf Zölle unter 5 Prozent,
– Aufhebung der Zölle für Produkte, bei denen der gemeinsame Handelsanteil der USA und der EWG (einschliesslich allfällig neuer Mitgliedstaaten) 80 und mehr Prozent des Welthandels ausmacht,
– Aufhebung der Agrarzölle, wenn dadurch der US–Export von Agrarprodukten gefördert wird und
– Aufhebung der Zölle für tropische Produkte, vorausgesetzt die EWG nimmt den gleichen Schritt vor.[160]

---

158 Über den Plan Frankreichs vgl. *GATT* (1953), BISD 1st S, S. 67ff.; *GATT* (1954) BISD 2nd S, S. 67ff.
159 *US,* Public Law 87–794 vom 11.10.1962 (Trade Expansion Act von 1962)..
160 Eine ausführliche Darstellung des Inhalts des Trade Expansion Act von 1962 findet sich in: *Evans, John W.* (1971), The Kennedy Round in American Trade Policy, Cambridge, S. 141ff.

Dritter Teil

519   Die der Kennedy-Runde vorgegebene Zielsetzung war ein linearer Zollabbau. Die einzelnen Länder antworteten mit sogenannten Ausnahme- oder Negativlisten und in einer zweiten Phase – nach Einbezug der Vorbehalte der Gegenpartner – mit einer Positivliste. Die Zollsenkungen wurden letztlich in den Länderlisten, wie im vorangehenden Abschnitt beschrieben, zusammengefasst und im GATT gebunden.

520   Die mit der Neuausrichtung der US-Aussenhandelspolitik angestrebte multilaterale Verhandlungsweise darf nicht darüber hinwegtäuschen, dass sowohl in der Kennedy- als auch in den nachfolgenden Handelsrunden de facto doch immer wieder bilateral oder trilateral zwischen den USA, der damaligen EWG beziehungsweise der heutigen EU und einigen wenigen für einzelne Produkte wichtigen Partnern verhandelt wurde. So beschränkten sich in der Kennedy-Runde die Verhandlungen über Stahl auf die Vereinigten Staaten, die EWG und Grossbritannien, über Chemiezölle auf die USA und die EWG und über Papier und Papierpulpe auf die EWG und die skandinavischen Länder. Auch in der Uruguay-Runde wäre ein erfolgreicher Verhandlungsabschluss ohne eine Verständigung über Agrarfragen zwischen den USA und der EU nicht möglich gewesen. Vor allem die Tokio- und die Uruguay-Runde haben verdeutlicht, dass in der späteren GATT-Geschichte und insbesondere heute in der WTO kaum wichtige Beschlüsse gefasst werden können, wenn sich die mächtigen Handelspartner nicht einigen.

### 6.2.4   Die Änderung der Zollverpflichtungen

521   Sind die Zölle sowie die zollgleichen Abgaben und Belastungen ausgehandelt und in Listen bei der WTO hinterlegt, stellt sich die Frage, unter welchen Voraussetzungen eine solche Liste geändert und ein Zoll oder eine zollgleiche Abgabe neu eingeführt oder erhöht werden kann? Bei der Beantwortung dieser Frage sind fünf Sachverhalte zu berücksichtigen: (1) Unvereinbarkeit der Liste mit nationalen Bestimmungen, (2) Veränderung der Wechselkursparitäten, (3) Vorliegen besonderer Umstände, (4) Bildung von Integrationsräumen und (5) periodische Verhandlungen. Demgegenüber ist eine Verminderung der tarifären Handelshemmnisse jederzeit ohne weitere Verhandlungen möglich.

*Unvereinbarkeit der Liste mit nationalen Bestimmungen*

Entscheidet ein Gericht oder eine Behörde eines Vertragspartners, dass die in der konsolidierten Liste zugestandenen Zollsätze oder zollgleichen Abgaben und Belastungen nicht im Sinne der Vereinbarung eingehalten werden können, haben die Vertragsparteien gemäss Art. II:5 GATT in neue Verhandlungen zu treten, "um zu einer ausgleichenden Regelung der Angelegenheit zu gelangen". 522

*Veränderung der Wechselkursparitäten*

Bei spezifischen Zöllen sowie bei spezifischen Abgaben und Präferenzspannen (spezifische Gewichts- oder Stückzölle) sind die Belastungen in der Währung der jeweiligen Vertragspartei ausgewiesen. Bei einer Abwertung der eigenen Währung von über 20 Prozent gegenüber dem IMF-Pariwert[161] erlaubt Art. II:6 GATT eine entsprechende Anpassung der Zollsätze an die früheren Verhältnisse. "Voraussetzung hierfür ist, dass die VERTRAGSPARTEIEN (d.h. die nach Art. XXV GATT gemeinsam vorgehenden Vertragsparteien) anerkennen, dass derartige Angleichungen den Wert der in der entsprechenden Liste [...] vorgesehenen Zugeständnisse nicht beeinträchtigen", das heisst die Belastungen gegenüber früher nicht angehoben werden. Diese Regelung berücksichtigt, dass die Abwertung einer Währung einer Herabsetzung der in Geldeinheiten pro Gewicht oder Menge festgelegten Zollsätze gleichkommt. In der bisherigen GATT-Geschichte kam es bisher insgesamt in sechs Ländern neunmal zu diesbezüglichen Änderungen der spezi- 523

---

161 Bis zur Aufhebung der Konvertierbarkeit des Dollars in Gold am 15.8.1971 wurde für die Währung jedes IMF-Mitglieds eine feste Parität vereinbart, ausgedrückt in Gold bzw. US$ im Gewicht und Feingehalt vom 1.7.1944 (US$ 35.– pro Unze Feingold). Die Notenbanken der IMF-Mitgliedstaaten hatten durch geeignete Interventionen dafür zu sorgen, dass die Wechselkurse nur innerhalb der festgelegten Bandbreite von +/– 1% (ab Dezember 1971 +/– 2.25%) vom Paritätskurs abweichen sollten. Seit der IMF-Revision 1977/78 sind die IMF-Mitglieder unter bestimmten Bedingungen (z.B. Einhaltung einer auf Stabilität ausgerichteten binnenwirtschaftlichen Fiskal- und Wirtschaftspolitik) in der Wahl ihres Wechselkurssystems frei.

Dritter Teil

fischen Zölle.[162] So erhöhte beispielsweise Uruguay im Jahr 1965 die spezifischen Abgaben um 200 Prozent, um auf diese Weise der Pesos-Abwertung von über 700 Prozent gegenüber dem US-Dollar in den Jahren 1950 bis 1964 Rechnung zu tragen.[163] In diesem Zusammenhang sei auf eine möglicherweise bestehende Asymmetrie im GATT-System hingewiesen. Dem Recht auf Zollerhöhung bei einer Abwertung der Währung steht expressis verbis keine Pflicht zur Zollsenkung bei einer Aufwertung gegenüber.[164] Seit dem Übergang von fixen zu flexiblen Wechselkursen Ende der siebziger Jahre findet Art. II:6 GATT keine Anwendung mehr. Im Jahr 1980 haben die VERTRAGSPARTEIEN aus Rücksicht auf die geänderten monetären Verhältnisse Richtlinien zur Anwendung von Art. II:6(a) GATT erlassen: Das GATT verlangt unter anderem eine Berechnung der Abwertung durch den IMF in Form eines handelsgewogenen Paritätsvergleichs während sechs Monaten vor der letzten Zollbindung und sechs Monaten vor dem Antrag auf Zolländerungen. Die Gewichtung muss sich auf jene Länder beziehen, die zusammen mindestens 80 Prozent der Importe liefern.[165] Es handelt sich um eine Neuerung im Sinne der Vorschläge von *Frieder Roessler*, um auf diese Weise Art. II:6(a) GATT in einem System flexibler Wechselkurse einsatzfähig zu gestalten.[166]

---

162 Folgende Länder änderten ihre Listen unter Bezugnahme auf diese GATT-Bestimmung: Benelux (1950), Finnland (1955, 1957, 1967), Griechenland (1953), Israel (1975), Türkei (1959) und Uruguay (1961, 1965). *GATT* (1994), Analytical Index, Genf, S. 94.

163 *GATT* (1965), BISD 13th S, S. 20; *GATT* (1994), Analytical Index, Genf, S. 94.

164 Nach *John H. Jackson* besteht keine Asymmetrie, da Art. II:3 GATT im Sinne einer Generalklausel sowohl die Abwertung als auch die Aufwertung abdeckt. Anderer Meinung ist *Frieder Roessler* unter Anrufung des bei der Ausarbeitung des GATT mitbeteiligten US-Unterhändlers *Winthrop Brown*. Vgl. Dazu *Jackson, John H.* (1969), World Trade and the Law of GATT, Indianapolis u.a., S. 492f.; *Roessler, Frieder* (1977), Specific Duties, Inflation and Floating Currencies, GATT-Studie Nr. 4, Genf, S. 11.

165 *GATT* (1981), BISD 27th S, S. 28f.

166 *Frieder Roessler* weist in seiner Studie noch auf andere Möglichkeiten hin, Art. II:6(a) GATT den währungsbedingten neuen Verhältnissen anzupassen, so z.B. über die Umwandlung der spezifischen Zölle in Wertzölle oder über die Bindung der Inflation und der Floating Currencies. *Roessler, Frieder* (1977), Specific Duties, Inflation and Floating Currencies, GATT-Studie Nr. 4, Genf, S. 18ff.

Dabei muss man sich aber bewusst sein, dass eine abwertungsbedingte Korrektur die inflationäre Erosion der spezifischen Abgaben nicht aufzuwiegen vermag, sondern nur die Differenz zwischen der einheimischen und der nach Ländern gewichteten Inflation im Ausland ausgleicht.

*Vorliegen besonderer Umstände*

Das GATT in seiner ursprünglichen Fassung sah keine Listen–Neuverhandlungen vor Ablauf der Dreijahresperioden vor. Da aber einzelne Länder aus "besonderen Umständen" kurzfristig Listenänderungen verlangten, wurde dieser Forderung bei der Revision des GATT im Jahr 1955 mit Art. XXVIII:4 GATT Rechnung getragen.[167] Danach haben die VERTRAGSPARTEIEN die Kompetenz, einer Vertragspartei im Falle "besonderer Umstände" Neuverhandlungen zu erlauben (mit Einstimmigkeit, da es sich um eine Vorschrift des I. Teils des GATT handelt). Es gelten folgende Verfahrensregeln und Bedingungen: a) An den Verhandlungen sind alle an der betreffenden Liste interessierten Vertragsparteien zu beteiligen. b) Die Zugeständnisse sind auf einem Niveau zu halten, das insgesamt für den Handel mindestens so günstig ist wie vor den Verhandlungen. c) Den durch die Listenänderung benachteiligten Vertragspartnern steht das Recht zu, innerhalb von sechs Monaten gleichwertige Zugeständnisse zurückzunehmen. Die VERTRAGSPARTEIEN sind dreissig Tage vorher zu informieren. d) Wird zwischen den Verhandlungspartnern kein Einvernehmen erzielt, kann die Angelegenheit den VERTRAGSPARTEIEN unterbreitet werden, worauf sich diese der Sache annehmen und den beteiligten Partnern eine Stellungnahme vorzulegen haben. Kommt eine Einigung zustande, gilt die unter c) erwähnte Bestimmung. Ist keine Verständigung möglich, hat die antragstellende Vertragspartei das Recht, das Zugeständnis zu ändern oder zurückzunehmen mit der Folge, dass die davon betroffene Vertragspartei Gegenrecht halten und gleichwertige Konzessionen zurückziehen darf. Diese Bestimmungen führten in den vergangenen Jahren zu häufigen Listenänderungen; die Verhandlungen wurden stets so konzipiert, dass die übrigen Verhandlungspartner zu keinen Rücknahmen von Zollzugeständnissen gezwungen waren.

524

---

167 *GATT* (1955), BISD 3rd S, S. 217f. und 221.

Dritter Teil

*Bildung von Integrationsräumen*

525     Führt der gemeinsame Aussenzolltarif einer Zollunion gemäss Art. XXIV:5 GATT zu einer Erhöhung des Zollsatzes beziehungsweise einer Zurücknahme eines Listenzugeständnisses, sind nach Art. XXIV:6 GATT und Art. XXVIII des GATT Verhandlungen mit den davon betroffenen Vertragsparteien aufzunehmen. Das GATT hat seinerzeit, in Wahrung der Interessen sämtlicher Vertragsparteien, in der Dillon–Runde entsprechende Kompensationsverhandlungen mit den EWG–Mitgliedstaaten veranlasst. Sowohl die damaligen wie auch die späteren Kompensationsverhandlungen waren wenig erfolgreich. Sie zeigen lediglich, dass das GATT und heute die WTO die handelspolitischen Konsequenzen der inzwischen entstandenen Integrationsräume wie EU, NAFTA und MERCOSUR aufmerksam verfolgt.[168]

*Periodische Verhandlungen*

526     Laut Art. XXVIII:1 GATT sind die Vertragsparteien berechtigt, in Zeitabschnitten von je drei Jahren ihre Listen–Zugeständnisse zu ändern oder zurückzunehmen. Voraussetzung hierfür ist, dass sie mit allen betroffenen Vertragsparteien Konsultationen oder Verhandlungen führen. Das GATT empfiehlt den Vertragsparteien, auf eine Art und Weise zu verhandeln, dass keine bisher gewährten Zugeständnisse aufgegeben werden und der Handel weiter liberalisiert wird. Diese periodischen Verhandlungen sind insofern etwas in den Hintergrund getreten, als Absatz 4 des gleichen Artikels den Vertragsparteien erlaubt, unter "besonderen Umständen" (die sich immer finden lassen) zu jeder Zeit Listenänderungen vorzunehmen.

*Ausnahmen vom Zollabbau*

527     Art. XXVIII[bis] GATT fordert die Vertragsparteien auf, zum gemeinsamen Nutzen und im eigenen Interesse die Zölle zu senken und die sonstigen Eingangs– und Ausgangsabgaben herabzusetzen. Der Abbau der Zölle sowie der

---

168   Vgl. Tariff Conference 1960/61 in: *GATT* (1960), BISD 8th S, S. 114; *GATT* (1963), BISD 11th S, S. 7f.; *GATT* (1964), BISD 12th S, S. 17.

zollgleichen Abgaben und Belastungen erfolgt jeweils in den Beitrittsverhandlungen und in den jeweiligen Handelsrunden. Freilich kann kein Vertragspartner zu Zollsenkungen verpflichtet oder gezwungen werden. Die bisherigen Ausführungen zeigen auch, dass den Parteien die Möglichkeit offensteht, einmal gemachte Zugeständnisse wieder zurückzunehmen oder neue Zölle einzuführen, so zum Beispiel mit dem Hinweis auf "besondere Umstände". Zudem zählt das GATT Bereiche auf, in denen im vornherein auf eine Zollreduktion verzichtet werden darf, so bei den Finanz- oder Fiskalzöllen, den Antidumping- und Ausgleichsabgaben sowie im Handel mit Agrarprodukten der Entwicklungsländer.

Die Finanz- oder Fiskalzölle werden in der Absicht erhoben, dem Staat Einnahmen zu verschaffen. Ein Finanz- oder Fiskalzoll ist eine an der Grenze erhobene Produktsteuer, im Gegensatz zum Schutzzoll, dessen Ziel der Schutz eines Wirtschaftsbereichs, einer Branche oder einer Unternehmung ist. Art. II:2(a) GATT schliesst nicht aus, dass eine Vertragspartei den Import einer Ware mit einer den inneren Abgaben gleichwertigen Belastung belegt, vorausgesetzt, diese Belastung wird so ausgestaltet, dass sie die inländische Erzeugung gegenüber den importierten Konkurrenzprodukten nicht schützt (Prinzip der Gleichstellung von in- und ausländischen Gütern nach Art. III:1 GATT). In der ehemaligen EWG wurden die an der Grenze erhobenen Finanzzölle abgeschafft und in einheitliche EG-interne Verbrauchssteuern umgewandelt. Diese Verbrauchssteuern erfassen Tabakerzeugnisse, Bier, Wein, Spirituosen und Mineralölprodukte. Die Schweiz dagegen erhebt Finanzzölle auf Mineralölerzeugnissen einschliesslich des Zollzuschlags auf Treibstoffen, auf entwickelten Kinofilmen sowie auf Automobilen und Autobestandteilen. 528

Eine weitere Ausnahme bilden gemäss Art. II:2(b) GATT die Antidumpingzölle und Ausgleichsabgaben. Nach Art. VI GATT ist ein GATT-Partner berechtigt, gegen Dumping und Exportsubventionen, die einen seiner Wirtschaftszweige massgeblich schädigen oder zu schädigen drohen, Antidumpingzölle und Ausgleichsabgaben einzuführen.[169] 529

---

169 Über den Einsatz dieser Massnahmen vgl. die Abschnitte über Dumping und Exportsubventionen, Rz 759ff. und 840ff.

Dritter Teil

530   Ausgenommen vom Zollabbau sind nach Art. II:2(c) GATT ferner Gebühren und andere Belastungen, die den Kosten der erbrachten Dienstleistungen entsprechen. Es handelt sich um Gebühren und Belastungen der Regierungen für Kontrollen, Bescheinigungen und Sachabklärungen. Art. VIII:1(a) GATT hält im Zusammenhang mit den Gebühren und Abgaben fest, dass sie nur unter der Voraussetzung erhoben werden dürfen, dass sie "weder einen mittelbaren Schutz für inländische Waren noch eine Besteuerung der Einfuhr oder Ausfuhr zur Erzielung von Einnahmen darstellen". Zudem fordert das GATT die Handelspartner auf, die Förmlichkeiten auf ein Mindestmass zu beschränken.

## 6.3   Die nichttarifären Handelshemmnisse

531   Im Gegensatz zu den Zöllen, die gemäss GATT gesenkt, nicht aber vollständig beseitigt werden müssen, verlangt Art. XI GATT, dass im Warenhandel "Verbote oder Beschränkungen, sei es in Form von Kontingenten, Einfuhr- und Ausfuhrbewilligungen oder in Form von anderen Massnahmen, weder erlassen noch beibehalten" werden dürfen. In den ersten beiden Jahrzehnten des GATT war weder der Abbau noch die Beseitigung der nichttarifären Handelshemmnisse (NTH) Gegenstand von GATT-Verhandlungen. Die Heterogenität der NTH liess gemeinsame Verhandlungen über deren Beseitigung als wenig geeignet erscheinen.

532   Einen ersten Ansatz zur Beseitigung der nichttarifären Handelshemmnisse bildete die 1968 durchgeführte Bestandesaufnahme. Die Liste wurde im Verlauf der folgenden Jahre aktualisiert und diente den Verhandlungen in der Tokio- und Uruguay-Runde als Grundlage.

533   Der erste Abschnitt der folgenden Ausführungen grenzt die nichttarifären Handelshemmnisse begrifflich ab. Der zweite Abschnitt tritt auf die handelsmässige Bedeutung der NTH ein. Der letzte Abschnitt zeigt, wie die Probleme der nichttarifären Handelshemmnisse in der WTO angegangen werden.

### 6.3.1   Die begriffliche Abgrenzung

534   Die nichttarifären Handelshemmnisse sind, analog zu den tarifären Handelshemmnissen, private oder staatliche Massnahmen, die den internationalen

Handel mit Gütern und Dienstleistungen sowie deren Vorprodukte in einer Art und Weise betreffen, dass sie das potentielle Welteinkommen (Sozialprodukt) schmälern.[170] Dazu gehören beispielsweise die Nicht–Zölle und nicht–zollgleichen Abgaben und Belastungen, die mengenmässigen Handelsschranken, die Import– und Exportlizenzen, die Subventionen, die übertriebenen Sicherheits–, Umweltschutz– und Gesundheitsvorschriften und die schikanösen administrativen Vorschriften. Wie die folgenden Ausführungen über die Schätzung der Auswirkungen von nichttarifären Handelshemmnissen zeigen, ist heute eine definitorische Abgrenzung im engeren und weiteren Sinne gebräuchlich. Die engere Begriffsabgrenzung bezieht sich ausschliesslich auf die an der Grenze eingesetzten Handelshemmnisse wie zum Beispiel die Mengenkontingente, die Import– und Exportlizenzen und die administrativen Sonderbestimmungen.[171] Die weiter gefasste Definition enthält auch die "freiwilligen" Selbstbeschränkungsabkommen (die USA und die EU zählen im Textil– und Agrarbereich je zwischen 100 bis 120 bilaterale Selbstbeschränkungsabkommen), die handelsrelevanten landesinternen Subventionen, die Begünstigungen bei der öffentlichen Beschaffung, die steuerliche Bevorzugung inländischer Anbieter sowie die Antidumpingzölle und Ausgleichsabgaben.[172]

Auch wenn die Unterscheidung in tarifäre und nichttarifäre Handelshemmnisse in der Fachliteratur und in Handelsverhandlungen üblich und aus dem Arsenal der aussenhandelspolitischen Sprache nicht mehr wegzudenken ist, so gilt doch grundsätzlich festzuhalten, dass diese Differenzierung mit Blick auf die Auswirkungen dieser Massnahmen nicht sinnvoll ist. Für den Handeltreibenden ist es irrelevant, ob die bei der Grenzüberschreitung der Ware oder der Dienstleistung fällige Abgabe oder erfolgte Benachteiligung auf einen Zoll, auf eine Verwaltungsabgabe, auf eine mengenmässige Beschränkung, eine administrative Formvorschrift oder eine landesinterne Belastung zurück-

535

---

170 In Anlehnung an *Baldwin, Robert E.* (1970), Nontariff Distortions of International Trade, Washington, DC, S. 5.
171 Vgl. *OECD* (1996), Indicators of Tariff and Non–tariff Trade Barriers, Paris, S. 63f.
172 Vgl. *Salvatore, Dominick* (1993), Trade protectionism and welfare in the United States, in: *Salvatore, Dominick,* Hrsg., Protectionism and world welfare, Cambridge, S. 311ff.

Dritter Teil

zuführen ist. Für ihn ist jede Art von Handelshemmnis ein Benachteiligung gegenüber dem inländischen Konkurrenten. Wenn sich trotz dieses Vorbehalts die gängige Einteilung der Aussenhandelsinstrumente in tarifäre und nichttarifäre Handelshemmnisse durchgesetzt hat, so deshalb, weil mit dieser Trennung eine klare Grenzziehung zwischen GATT–konformen und GATT–widrigen Handelshemmnissen möglich ist. Zölle, zollgleiche Abgaben und Belastungen sind in Listen zu binden und dürfen beibehalten werden. Der Einsatz nichttarifärer Handelshemmnisse dagegen ist im Güterhandel nicht erlaubt. Dieses Grundkonzept beruht auf der Überlegung, dass die Zölle dank der einheitlichen Klassierung und der mehrheitlich übereinstimmenden Berechnungsmethoden länderweise Vergleiche zulassen. Demgegenüber sind die unterschiedlichen Steuersysteme, administrativen Formalitäten und Mengenbeschränkungen nur schwer vergleichbar und verhandelbar. Ferner hat die heute bestehende Unterscheidung zwischen tarifären und nichttarifären Handelshemmnissen mit dem Einbezug des grenzüberschreitenden Dienstleistungshandels in die WTO–Welthandelsordnung an Bedeutung gewonnen. Im Dienstleistungshandel werden keine Zölle erhoben. Der Schutz des landesinternen Dienstleistungsangebots erfolgt über die nichttarifären Handelshemmnisse.

536   Die Vielfältigkeit der nichttarifären Handelshemmnisse zeigen unter anderem die Arbeiten von *Robert E. Baldwin* und *Liesel Quambusch* sowie die vom GATT beziehungsweise der WTO, der ECE und der UNCTAD erstellten Inventarlisten.[173] In Anlehnung an die Systematik von *Liesel Quambusch* können die nichttarifären Handelshemmnisse in folgende drei Gruppen unterteilt werden:[174]

1. Nichttarifäre Handelshemmnisse aufgrund direkt protektionistischer Gesetze: Dazu gehören erstens Handelshemmnisse mit Preiseffekten, die unterteilt werden können in (a) preisliche Belastungen der Einfuhr wie Ein-

---

173 *Baldwin, Robert E.* (1970), Nontariff Distortions of International Trade, Washington, DC; *Quambusch, Liesel* (1976), Nicht–tarifäre Handelshemmnisse, Köln; *GATT* (1968), Inventory of Non–Tariff Barriers, Doc. COM. IND/4, Genf; eine Gliederung des GATT–Inventars nach Art der nichttarifären Handelshemmnisse findet sich bei *Hasenpflug, Hajo* (1977), Nicht–tarifäre Handelshemmnisse, Hamburg, S. 18f.

174 *Quambusch, Liesel* (1976), Nicht–tarifäre Handelshemmnisse, Köln, S. 46ff.

fuhr–Zuschläge, Einfuhr–Abschöpfungen, Einfuhr–Depots, Einfuhr–Gebühren und Einfuhr–Ausgleichssteuern, (b) preisliche Belastungen der Ausfuhr, (c) preisliche Entlastungen der Inlandproduktion und (d) preisliche Entlastungen der Ausfuhr. Zweitens sind die mengenbeschränkenden Handelshemmnisse zu nennen. Sie lassen sich gliedern in (a) Beschränkungen der Einfuhrmenge mit Verboten und Kontingenten, (b) freiwillige Exportbeschränkungsabkommen und (c) Beschränkungen der Ausfuhrmenge mit Verboten und Kontingenten. Eine dritte Gruppe bilden die Regelungen zur Förderung der Verwendung inländischer Erzeugnisse über (a) Präferenzen im öffentlichen Auftragswesen, (b) Verwendungszwang, (c) Preiskontrollen und (d) diskriminierende Steuern und Gebühren.

2. Nichttarifäre Handelshemmnisse aufgrund indirekt protektionistischer Gesetze: Darunter fallen erstens Schutzvorschriften wie (a) Verbraucher– und Absatzvorschriften (Kennzeichnungszwang), (b) Vorschriften zum Schutz des Lebens und der Gesundheit von Menschen, Tieren und Pflanzen, (c) Vorschriften zum Schutz des geistigen Eigentums und (d) technische Normen und Sicherheitsvorschriften. Zweitens handelt es sich um Verfahrensvorschriften, die aufgeteilt werden in (a) Vorschriften für die Vergabe von Ein– und Ausfuhrlizenzen, (b) Vorschriften im Zusammenhang mit der Verzollung (Ein– und Ausfuhrformalitäten, Zollklassifizierungen, Zollwertbestimmungen und Zollbeschwerdeverfahren) und (c) Vorschriften für die Erhebung von Antidumping– und Ausgleichszöllen.

3. Nichttarifäre Handelshemmnisse in Form von Ermessensentscheiden und Willkürakten: Dazu zählen administrative Ein– und Übergriffe aufgrund von Ermessensentscheiden, geheimer Regierungsanweisungen und Schikanen durch die Verwaltung. Eine Klassierung solcher nichttarifärer Handelshemmnisse ist nicht möglich. Die Vielfältigkeit dieser Massnahmen weist vielmehr darauf hin, dass der menschlichen Einfallskraft und Phantasie keine Grenzen gesetzt sind, immer wieder neue Gesetzeslücken ausfindig zu machen, bestehende Vorschriften ad absurdum zu führen, bisherige Praktiken abzuändern und alte Bestimmungen neu zu interpretieren.

Blosse Empfehlungen, gezielte Werbung für Inlandprodukte und Inlandaktionen bereits als nichttarifäre Handelshemmnisse zu bezeichnen, ist eine Frage der begrifflichen Abgrenzung und des Ermessens. Die WTO verpflichtet

537

die Vertragsparteien zur Durchsetzung und Einhaltung des Prinzips der Meistbegünstigung im Bereich der staatlichen Zuständigkeit. Private Marketinganstrengungen, sofern sie nicht gegen Treu und Glauben und gegen die Vorschriften über den unlauteren Wettbewerb verstossen, gelten aus der Sicht der WTO nicht als eigentliche Handelshemmnisse.

538    Die erste GATT–Bestandesaufnahme der nichttarifären Handelshemmnisse datiert vom Jahr 1968. Die rund 800 gemeldeten nichttarifären Handelshemmnisse wurden in fünf Gruppen gegliedert: Staatshandelsfragen, Verfahrensvorschriften über die Grenzabfertigung der Importe, Bestimmungen über Standards und technische Vorschriften, mengenmässige Importbeschränkungen sowie Preisvorschriften.[175]

539    Im Jahr 1973 erstellte der Vorbereitungsausschuss der Tokio–Runde in Bezug auf die nichttarifären Handelshemmnisse folgende Liste für die Handelsverhandlungen: (1) die handelsrelevanten Subventionen, (2) die Antidumpingzölle und Ausgleichsabgaben, (3) das öffentliche Beschaffungswesen, (4) die Zollwertberechnung, (5) die Standard– und Etikettiervorschriften, (6) die mengenmässigen Handelsvorschriften zusammen mit den Embargo–, Exportbeschränkungs– und Lizenzvorschriften sowie (6) die administrativen Handelsbestimmungen. Obwohl grundsätzlich alle nichttarifären Handelshemmnisse aktuell seien, so der damalige Bericht über die Tokio–Runde, müssten die in der Liste aufgeführten Handelshemmnisse prioritär behandelt werden.[176]

540    Im Jahr 1979 schliesslich haben die VERTRAGSPARTEIEN die Vereinbarung über Notifizierung, Konsultationen, Streitbeilegung und Überwachung beschlossen,[177] auf dessen Grundlage das GATT–Sekretariat den Notifizierungskatalog erstellte und folgende Einteilung der nichttarifären Handelshemmnisse vorgenommen hat:

---

175 *GATT* (1979), The Tokyo Round of Multilateral Trade Negotiations, Genf, S. 50.
176 *GATT* (1979), The Tokyo Round of Multilateral Trade Negotiations, Genf, S. 51.
177 Der Vereinbarungstext ist veröffentlicht in: *Hummer/Weiss,* S. 778ff. (deutsche Fassung); *GATT* (1980), BISD 26th S, S. 210ff. (englische Fassung).

Die gemeinsamen Vertragsinhalte

- mengenmässige Massnahmen zum Schutz der Zahlungsbilanz (Art. XII:4 und XVIII:12 GATT),
- Importrestriktionen über das Lizenzwesen,
- übrige mengenmässige Importrestriktionen,
- übrige nichttarifäre Handelshemmnisse gemäss Inventar des GATT–Sekretariats,[178]
- Export von im Inland nicht zugelassenen Produkten,[179]
- notwendige Massnahmen zum Schutz des Lebens und der Gesundheit von Menschen, Tieren und Pflanzen gemäss Art. XX(b) GATT,
- Sicherheitsmassnahmen gemäss Art. XXI GATT und
- Massnahmen zum Schutz der Landwirtschaft.

Neben diesen nichttarifären Handelshemmnissen sind der WTO–Verwaltung zu melden: Währungsmassnahmen (Art. XV:8 GATT), Subventionen und Preisstützungen (Art. XVI:1 GATT), Staatshandelsmassnahmen (Art. XVII:4 GATT), Massnahmen zur staatlichen Unterstützung der wirtschaftlichen Entwicklung (Art. XVIII GATT) und Schutzmassnahmen (Art. XIX:2 GATT).[180]

541

## 6.3.2 Die Bedeutung der nichttarifären Handelshemmnisse

Bei Zöllen und zollgleichen Abgaben kann die Höhe der maximalen Belastung eines einzelnen Handelsguts dem Zolltarif und der bei der WTO hinterlegten Liste entnommen werden. Die Schwierigkeit der quantitativen Erfassung der Zollabgaben beginnt bei der Berechnung von Durchschnittswerten, weil die Ergebnisse je nach Einbezug oder Aussparung der Tarifzeilen mit Null– und Prohibitivzöllen unterschiedlich ausfallen. Dagegen sind quan-

542

---

178 *GATT* (1981), BISD 26th S, S. 18.
179 *GATT* (1983), BISD 29th S, S. 19.
180 Unter die Notifzierungspflicht fallen auch Konsultations– und Ausnahmebegehren (Art. XXII, XXIII, XXV und XXXI GATT), Integrationsmassnahmen (Art. XXIV GATT) und Massnahmen zur Präferenzierung der Drittweltländer (Art. XXXVII:2 GATT). Eine Zusammenstellung aller notifizierungspflichtigen Massnahmen findet sich in: *GATT* (1994), Analytical Index, Genf, S. 278ff.

titative Angaben über die handelsmässige Bedeutung der nichttarifären Handelshemmnisse bereits beim einzelnen Produkt und bei der einzelnen Dienstleistung problematisch. In der Literatur werden zum Abschätzen der Bedeutung der NTH zwei Methoden angewandt: Erstens die Produktzeilen–Methode, indem die Anzahl der von den nichttarifären Handelshemmnissen betroffenen Produktpositionen ins Verhältnis zum Total der Produktpositionen gesetzt wird.[181] Die Produktgliederung erfolgt in der Regel gemäss der Produktklassierung in den Zolltarifen. Bei den Dienstleistungen ist dieses Vorgehen wegen des Fehlens einer Dienstleistungsklassierung nicht möglich. Die zweite Methode besteht darin, dass die von den nichttarifären Handelshemmnissen betroffenen Positionen wertmässig gewichtet und ins Verhältnis zum totalen Handelswert eines Landes oder des Welthandels gesetzt werden.[182] Da vor allem handelsmässig wichtige Produkte wie Agrargüter, Textilien, Bekleidung, Fahrzeuge und Stahlerzeugnisse einen nichttarifären Schutz enthalten, sind die handelsmässig gewichteten Werte in der Regel höher als jene der einzelnen Produktpositionen. Beide Methoden sagen aber in Wirklichkeit nur aus, welche Produkte und Handelsanteile von den nichttarifären Handelshemmnissen in irgendeiner Art erfasst werden. Sie enthalten keine Aussage über das effektive Ausmass der Handelsbenachteiligung. Ist beispielsweise eine administrative Formalität nur unbedeutend handelshemmend, wird ihr wegen der trotzdem getätigten Importe ein relativ grosses Gewicht beigemessen. Wirkt sie prohibitiv, kommt ihr wegen der fehlenden Importe kein Gewicht zu.

543 Nach *Andrzej Olechowski* betrafen die nichttarifären Handelshemmnisse Mitte der achtziger Jahre zeilenmässig etwa 15 und handelsgewichtet rund 18 Prozent des weltweiten Güterhandels. Überdurchschnittlich stark betroffen waren die Agrarprodukte und verarbeiteten Nahrungsmittel, im Durchschnitt der Belastung lagen die Fahrzeuge und unter dem Durchschnitt befanden sich

---

181 Die OECD spricht in diesem Zusammenhang von der "Frequency ratio". *OECD* (1996), Indicators of Tariff and Non–tariff Trade Barriers, Paris, S. 11ff.
182 Die OECD verwendet die Bezeichnungen "Import coverage ratio" und "Import–weighted indicator". *OECD* (1996), Indicators of Tariff and Non–tariff Trade Barriers, Paris, S. 11ff.

die Textilien, die Bekleidung und die Stahlerzeugnisse.[183] Die Konzentration des nichttarifären Protektionismus auf einige wenige Branchen scheint für dessen langfristige Existenz verantwortlich zu sein. Der Abbau dieses Schutzes wäre für die dadurch bevorzugten Gruppen mit einer derart starken Einkommenseinbusse verbunden, dass sich die Lobbyisten dieser meist gut organisierten Gruppen mit allen Mitteln dagegen wehren würden.

In den Industriestaaten scheinen sich die nichttarifären Handelshemmnisse besonders auf die Importe von Textilien, Bekleidung, Stahlerzeugnisse und Agrarprodukte und in den Entwicklungsländern auf die Importe von Stahlerzeugnissen, Agrarprodukte und Fahrzeuge zu beziehen (die Reihenfolge der Aufzählung entspricht der abnehmenden Bedeutung). 544

Unter den nichttarifären Handelshemmnissen der Drittweltländer sind in erster Linie die staatlichen Importkontrollen (bzw. Beschränkungen und Verbote) von grosser Bedeutung. Tendenziell nehmen die staatlichen Importkontrollen mit abnehmendem Pro–Kopf–Einkommen zu. Etwa zwei Drittel der Länder mit einem sehr niedrigen Einkommen kontrollieren mit wenigen Ausnahmen alle Importgüter. Von den Ländern mit einem etwas höheren Einkommen kontrollieren noch 30 bis 40 Prozent der Länder alle Importe. Bei steigendem Einkommen beschränken sich die staatlichen Kontrollen auf immer weniger Erzeugnisse.[184] 545

Nach jüngsten Berechnungen der OECD finden sich die NTH am häufigsten im Handel mit Textilwaren, verarbeiteten Nahrungsmitteln, Agrarprodukten und Metallwaren. In den USA und in der EU sind rund drei Viertel aller Textilimporte in der einen oder anderen Weise durch NTH behindert. In Japan liegt dieser Anteil bei gut 10 Prozent. Verarbeitete Nahrungsmittel werden in den meisten Industriestaaten zu etwa einem Fünftel durch nichttarifäre Handelshemmnisse berührt. Niedrigere Anteile weisen die Güter Holz und Holzwaren, 546

---

183 *Olechowski, Andrzej* (1987), Nontariff barriers to trade, in: *Finger/Olechowski*, Hrsg., The Uruguay Round, A Handbook of the Multilateral Trade Negotiations, Washington, DC, S. 123.

184 *Olechowski, Andrzej* (1987), Nontariff barriers to trade, in: *Finger/Olechowski*, Hrsg., The Uruguay Round, A Handbook of the Multilateral Trade Negotiations, Washington, DC, S. 123 und 125.

Papier und Papierprodukte sowie Chemikalien auf. Der Dienstleistungshandel wird in der OECD-Studie nicht aufgegriffen.[185]

547   Die in der neueren Literatur enthaltenen Schätzungen, wonach die nichttarifären Handelshemmnisse nicht 10 bis 20, sondern bis zu 50 Prozent des Welthandels betreffen, ist auf die begrifflich breitere Fassung der NTH zurückzuführen. Die Berechnungen von *Andrzej Olechowski* und der OECD beschränkten sich auf die an der Grenze neben den Zöllen, zollgleichen Abgaben und Belastungen eingesetzten nichttarifären Handelshemmnisse. *Dominick Salvatore* hingegen zählt auch die Selbstbeschränkungsabkommen der USA und der EU, die landesinternen Subventionen und Steuervergünstigungen sowie die immer häufiger verhängten Antidumpingzölle und Ausgleichsabgaben zu den nichttarifären Handelshemmnissen.[186]

### 6.3.3 Die nichttarifären Handelshemmnisse im Güterhandel

548   Bedarf ein Handelspartner eines Grenzschutzes, muss er sich der Zölle oder zollgleichen Abgaben bedienen. Die nichttarifären Handelshemmnisse sind zu beseitigen. Diese Grundausrichtung der Welthandelsordnung findet sich in Art. XI GATT. Vom Verbot der nichttarifären Handelshemmnisse darf abgesehen werden, erstens zur Behebung einer Mangelsituation, zur Förderung des Exportmarketing sowie zum Schutz der Landwirtschaft und der Fischerei (Art. XI:2 GATT), zweitens aus Gründen der Zahlungsbilanz und des Zahlungsverkehrs (Art. XII und XV GATT) und drittens zur Unterstützung der wirtschaftlichen Entwicklung (Art. XVIII GATT). Die folgenden Ausführungen erörtern zunächst das allgemeine Verbot der nichttarifären Handelshemmnisse. Anschliessend wird auf die zugestandenen Ausnahmen – abgesehen von Art. XII, XV und XVIII GATT – eingetreten. Die Beschränkungen zum Schutz der Zahlungsbilanz sowie zur Förderung der wirtschaftlichen Entwicklung

---

185 Die länder- und produktweisen Berechnungen über die Bedeutung der NTH finden sich in: *OECD* (1996), Indicators of Tariff and Non-Tariff Trade Barriers, Paris, S. 46ff.
186 Vgl. *Salvatore, Dominick* (1993), Protectionism and world welfare: introduction, und Trade protectionism and welfare in the United States, in: *Salvatore, Dominick,* Hrsg., Protectionism and world welfare, Cambridge, S. 1 und 311ff.

kommen hier nicht zur Sprache, weil diese zwei Sachbereiche später gesondert behandelt werden.[187]

*Allgemeines Verbot*

Nach Art. XI:1 GATT dürfen bei der Ein- und Ausfuhr von Gütern zwischen Vertragsparteien ausser Zöllen, Abgaben und sonstigen Belastungen anderweitige "Verbote oder Beschränkungen, sei es in Form von Kontingenten, Einfuhr- und Ausfuhrbewilligungen oder in Form von anderen Massnahmen" weder erlassen noch beibehalten werden. Was unter Zöllen, Abgaben und sonstigen Belastungen zu verstehen ist, wurde weiter oben erklärt.[188] Art. XI GATT handelt von den nichttarifären Handelshemmnissen schlechthin und erfasst auch die mengenmässigen und wertmässigen Handelsschranken, die Höchst- und Mindestpreisvorschriften, die Einforderung von Import- und Exportlizenzen, die administrativen Vorkehrungen sowie allen anderen Handelsauflagen und Schikanen, die ein Handelspartner beim Grenzübertritt der Ware vorschreiben und anwenden kann.[189] Die offene Aufzählung der Handelshemmnisse "in Form von Kontingenten, Einfuhr- und Ausfuhrbewilligungen oder in Form von anderen Massnahmen" verdeutlicht, dass damit alle nichttarifären Handelshemmnisse gemeint sind und nicht nur die mengenmässigen Vorschriften, wie der Überschrift des Art. XI GATT entnommen werden könnte.[190]

549

Der Ausschuss für Marktzutritt des GATT-Rats hat am 1. Dezember 1995 die Formalitäten für das Notifizierungsverfahren der mengenmässigen Beschränkungen gemäss Art. XI GATT beschlossen. Die Vertragspartner verpflichten sich, sämtliche mengenmässigen Restriktionen, die sie am 31. Januar 1996 unterhielten, zu melden. Diese Notifizierung ist alle zwei Jahre zu

550

---

187 Vgl. die Stellung der Entwicklungsländer, Rz 571ff., besonders den Abschnitt über den "Entwicklungsartikel" XVIII GATT, Rz 608ff.
188 Vgl. Rz 494ff.
189 Ein Überblick über mögliche Handelshemmnisse mit Beispielen aus der GATT-Streitschlichtung findet sich in: *GATT* (1994), Analytical Index, Genf, S. 289ff.
190 Vgl. Panelbericht Japan – Trade in Semi-Conductors vom 4.5.1988, in: *GATT* (1989), BISD 35th S, S. 116ff. und 153ff., Ziff. 104ff.; vgl. auch *GATT* (1994), Analytical Index, Genf, S. 287f.

wiederholen, wobei die inzwischen vorgenommenen Änderungen herauszustreichen sind. Zu melden sind: die vollständige Beschreibung der von den mengenmässigen Massnahmen betroffenen Produkte und Zolltarifzeilen, die Darstellung der effektiven Beschränkung, die Begründung der GATT–Konformität, die Analyse der Auswirkungen auf den internationalen Handel und die Erläuterung der administrativen Vorgehensweise (im Sinne von mehr Transparenz). Das WTO-Sekretariat ist für die Veröffentlichung der gemeldeten Massnahmen verantwortlich.[191]

*Ausnahmen vom allgemeinen Verbot*

551   Ausgenommen vom allgemeinen Verbot, das für nichttarifäre Handelshemmnisse gilt, sind gemäss Art. XI GATT Massnahmen zur Verhütung oder Behebung einer Mangelsituation, Massnahmen zur Förderung des Exportmarketing sowie Massnahmen zum Schutz der Landwirtschaft und der Fischerei.

552   *Ausnahmen im Fall einer Mangelsituation:* Art. XI:2(a) GATT erlaubt die vorübergehende Anwendung von Ausfuhrverboten oder –beschränkungen, "um einen kritischen Mangel an Lebensmitteln oder anderen für die ausführende Vertragspartei wichtigen Waren zu verhüten oder zu beheben". Die Verbote und Beschränkungen sind "vorübergehend" anzuwenden, das heisst auf die Dauer der kritischen Verhältnisse zu beschränken. Die Worte "verhüten" und "beheben" weisen darauf hin, dass es nicht nur um die Beseitigung einer bestehenden, sondern ebenso um die Abwendung einer voraussehbaren oder befürchteten Krise geht. Das GATT bezieht sich somit auch auf vorsorgliche Massnahmen. Von einem "kritischen" Mangel an Lebensmitteln oder anderen wichtigen Waren ist die Rede, wenn der Landesbedarf an Lebensmitteln oder anderen wichtigen Produkten zu bisher üblichen Bedingungen nicht mehr gewährleistet oder wegen höherer Auslandpreise ein Abfliessen von lebens-

---

191 Decision on Notification Procedures for Quantitative Restrictions, adopted by the Council for Trade in Goods on 1 December 1995, veröffentlicht in: *Hummer/Weiss*, S. 652ff. (englische Fassung). Im Anhang der Entscheidung findet sich die in der Notifizierung zu verwendenden Abkürzungen. Ob dieser Formalismus viel zur Erhöhung der Transparenz beiträgt, muss sich erst zeigen.

notwendigen Gütern ins Ausland zu befürchten ist [192]. Bei den "anderen wichtigen Waren" handelt es sich nach einer Interpretation aus dem Jahr 1947 vor allem um erschöpfbare ("exhaustible") Rohstoffe,[193] was aber nicht zwingend gewerbliche und industrielle Produkte ausschliessen muss. Beispiele von Massnahmen nach Art. XI:2(a) GATT sind das australische Exportverbot für Merino–Schafe in den vierziger Jahren und die US–Exportbeschränkungen für Sojabohnen in den siebziger Jahren. Die australische Regierung bezweckte mit dem Exportverbot für Merino–Schafe, den durch eine Dürre dezimierten Tierbestand zu halten.[194] Im gleichen Sinne kam es in den siebziger Jahren zu den US–Exportrestriktionen für Sojabohnen. Die weltweite Zunahme des Fleischkonsums, teils einkommensbedingt, teils eine Folge der sich veränderten Konsumgewohnheiten, führte Ende der sechziger und zu Beginn der siebziger Jahre zu einer zusätzlichen Nachfrage nach Futtermitteln für die Tiermast. Diese Mehrnachfrage konzentrierte sich zunächst auf Fischmehl (eiweisshaltiges Futtermittel). Als 1973 der peruanische Fischfang und damit das Angebot von Fischmehl zurückging, wich die Nachfrage auf US–Sojabohnen aus. Die Angst der US–Regierung, die steigende Auslandnachfrage könnte – bei relativ niedrigen Lagerbeständen – eine gesicherte Inlandversorgung zu angemessenen Preisen in Frage stellen, veranlasste sie im Juli 1973, ein Exportverbot zu verfügen. Dem Embargo folgte wenige Wochen später ein System der Exportbewilligungspflicht, das im September des gleichen Jahres wieder aufgehoben wurde.[195] Auch wenn diese Exportverbote Australiens und der USA auf Widerstand und Kritik in Europa und Japan stiessen, war das Vorgehen GATT–konform – dies umso mehr, als die Exporterschwernisse wieder aufgehoben wurden, sobald der australische Tierbestand an Merino–Schafen und die US–Versorgung mit Sojabohnen aufgrund guter Ernteergebnisse gesichert waren.

---

192 Vgl. GATT–Revisionsbericht vom 2., 4. und 5. März 1955 (Quantitative Restrictions) in: *GATT* (1955), BISD 3rd S, S. 191, Ziff. 73.
193 Vgl. *UN* (1947), Doc. E/PC/T/A/SR/40, S. 1f.
194 Vgl. *GATT* (1994), Analytical Index, Genf, S. 297.
195 Vgl. *Senti, Richard* (1975), Monopolisierung im internationalen Rohwarenhandel, Diessenhofen, S. 9.

Dritter Teil

553 *Ausnahmen zur Förderung des Exportmarketing:* Art. XI:2(b) GATT erlaubt "Ein- und Ausfuhrverbote oder Ein- und Ausfuhrbeschränkungen, die zur Anwendung von Normen oder Vorschriften über die Sortierung, die Einteilung nach Güteklassen und den Absatz von Waren im internationalen Handel notwendig sind". In Anlehnung an das Abkommen über Technische Handelshemmnisse sind Normen (Standards) und Vorschriften als Bestimmungen über die Qualität, die Zusammensetzung des Produkts, die Sortimentszugehörigkeit usw. zu beachten. Normen haben den Charakter nichtverbindlicher Empfehlungen, die Vorschriften sind verbindlich.

554 Bei der Interpretation und Anwendung der GATT-Bestimmung Art. XI:2(b) GATT stellt sich erstens die Frage nach dem Geltungsbereich und zweitens nach der Notwendigkeit. In den Genfer Verhandlungen zur Vorbereitung der Internationalen Handelsorganisation (ITO) herrschte die Meinung vor, Art. 20:2(b) der Havanna-Charta (der Art. XI:2(b) GATT entspricht) erfasse alle Marketingmassnahmen ("marketing regulations"). Darunter wären beispielsweise die australischen Butter-Exportlizenzen zur gleichmässigeren Verteilung der Ausfuhrmengen über eine bestimmte Periode gefallen, weil diese Massnahmen über die ganze Lizenzperiode den Export nicht kürzten oder einschränkten. Oder, um ein weiteres Beispiel zu nennen, die Bewirtschaftung der Agrarexporte wäre nach der Havanna-Charta erlaubt gewesen, wenn die Lagerkapazitäten im In- und Ausland dem jeweiligen Angebot nicht entsprochen hätten.[196] Eine abschliessende Zusammenstellung der erlaubten und nicht erlaubten Massnahmen ist weder möglich noch sinnvoll, denn je nach Umfeld kann eine Norm oder Vorschrift handelshemmend wirken oder nicht. Vielmehr ist im Sinne der Präambel des Abkommens über Technische Handelshemmnisse die Notwendigkeit dieser Massnahmen zu hinterfragen.[197]

555 Grundsätzlich ist eine Massnahme "notwendig", wenn keine weniger GATT-widrigen Instrumente zur Erreichung des gleichen Ziels eingesetzt werden können[198] und die Zielsetzung als solche mit dem Sinn und Geist des

---

196 Vgl. *GATT* (1994), Analytical Index, Genf, S. 298.
197 Vgl. Abkommen über Technische Handelshemmnisse Rz 1120.
198 In Anlehnung an *Diem, Andreas* (1996), Freihandel und Umweltschutz in GATT und WTO, Baden-Baden, S. 144.

GATT-Vertragswerks übereinstimmt. Der Bericht über die Neugestaltung des GATT im Jahr 1955 hält fest, dass die in Art. XI:2(b) GATT erwähnten Massnahmen, die über das hinausgehen, was zur Anwendung der Normen und Vorschriften notwendig ist und eine unzumutbare Behinderung des Handels ("unduly restrictive effect on trade") verursachen, mit der Zielsetzung des GATT eindeutig ("clearly") unvereinbar sind.[199] So hat beispielsweise Ende der achtziger Jahre das "Panel" im Zwist zwischen den USA und Kanada über den Export von unverarbeitetem Hering und Lachs darauf hingewiesen, dass es nicht das Ziel des GATT sein könne, über Exportrestriktionen bei einem Produkt den Auslandabsatz eines anderen Produkts zu fördern. Kanada verbot den Export von unverarbeitetem Hering und Lachs mit dem Argument, ohne diese Massnahme seien die kanadischen Fischverarbeiter nicht in der Lage, mit den ausländischen Anbietern von verarbeiteten Produkten zu konkurrieren. Würde eine solche Argumentation zugelassen, hätte das gemäss "Panel" zur Folge, dass jeder Import- oder Exportschutz zugunsten der heimischen Industrie rechtens wäre. Die in Art. XI:2(b) GATT gewährten Ausnahmen vom Verbot der Anwendung von nichttarifären Handelshemmnissen haben jedoch, so das "Panel", allein der Verbesserung des Absatzes sowie des Beschaffungs- und Absatzmarketing dieses einen Produkts und nicht der Verbesserung der Absatzchancen und die Erhaltung oder Erhöhung des Marktanteils eines anderen Produkts zu dienen.[200]

In Art. XI:2(b) GATT werden Marketing-Massnahmen angesprochen, die für einen reibungslosen internationalen Handels notwendig sind, die nicht durch weniger GATT-widrige Massnahmen ersetzt werden können und der Grundidee des GATT nicht widersprechen. 556

*Ausnahmen zum Schutz der Landwirtschaft und der Fischerei:* Die wohl bedeutsamste Ausnahme vom Verbot der nichttarifären Handelshemmnisse betrifft die Einfuhr von Erzeugnissen der Landwirtschaft und der Fischerei. Nach Art. XI:2(c) GATT sind Einfuhrbeschränkungen bei Erzeugnissen der 557

---

199 *GATT* (1955), BISD 3rd S, S. 189f.
200 Panelempfehlung Canada – Measures Affecting Exports of Unprocessed Hering and Salmon vom 22.3.1988, in: *GATT* (1989), BISD 35th S, S. 98ff. und 112f., Ziff. 4.3; vgl. auch *GATT* (1994), Analytical Index, Genf, S. 298f.

Landwirtschaft und der Fischerei in jeder Form erlaubt, wenn sie "zur Durchführung von staatlichen Massnahmen erforderlich sind" und dazu beitragen,

– die Angebotsmengen gleichartiger oder substituierbarer Produkte auf dem Inlandmarkt, sei es im Verkauf oder in der Produktion, zu reduzieren,

– die momentanen Überschüsse gleichartiger oder substituierbarer Produkte über kostenlose oder vergünstigte Abgaben an bestimmte Verbrauchergruppen zu beseitigen, oder

– die Produktion von tierischen Erzeugnissen, "die vollständig oder grösstenteils von der eingeführten Ware unmittelbar abhängt", mengenmässig zu beschränken. Für diesen dritten Fall wird vorausgesetzt, dass die Inlandproduktion relativ geringfügig ist.

Die Punkte zwei und drei sind inhaltlich Sonderfälle des Punktes eins.

558    Mit diesen Ausnahmen hat das GATT vor dem Agrarprotektionismus beziehungsweise den Interessen der Agrarlobbyisten kapituliert.[201] Die GATT-Bestimmungen sind so angelegt, dass die Importbeschränkungen zu flankierenden Massnahmen einer landwirtschaftlichen Binnenmarktpolitik mit Höchstpreisen und einer garantierten Absatzsicherung werden. Diese Regelung geht, wie *Jimmye S. Hillman* belegt,[202] auf Sektion 22 des "US–Agricultural Adjustment Act" von 1933 zurück, die Importbeschränkungen für Agrarprodukte zulässt, die Teil eines staatlichen Agrarprogramms sind.

---

201  *Dam, Kenneth W.* (1970), The GATT, Law and International Economic Organization, Chicago u.a., S. 257ff.
202  *Hillman, Jimmye S.* (1996), Nontariff Agricultural Trade Barriers Revisited, Working Paper des International Agricultural Trade Research Consortium (IATRC), Nr. 2, St. Paul, S. 6.

Art. XI:2(c) GATT hat Sektion 22 des US–Agrargesetzes von 1933 weitgehend übernommen, jedoch mit der Bedingung, dass die Importbeschränkungen zwingend an eine Einschränkung der Inlanderzeugung zu knüpfen sind. *Jimmye S. Hillman* nimmt an, dass die fehlende Bereitschaft der USA, diese Kontrollbedingung zu akzeptieren, zur US–Forderung nach einem "Agrar–Waiver" geführt hat. *Jimmye S. Hillman* spricht in diesem Zusammenhang von "the celebrated Section 22 waiver". Hillman, Jimmye S. (1993), Agriculture in the Uruguay Round: A United States Perspective, in: Tulsa Law Journal, Vol. 28, Nr. 4, S. 765. Eine Darstellung der US–Gründe für einen "Waiver" findet sich in: *GATT* (1955), BISD 3rd S, S. 32ff.

Der Einsatz der nach Art. XI:2(c) GATT erlaubten Ausnahmemassnahmen 559
ist an verschiedene Bedingungen geknüpft: Erstens, das GATT lässt die Ausnahmen nur zu, wenn sie zur Durchsetzung der einheimischen Agrarpolitik notwendig sind, ohne dabei den Begriff der Notwendigkeit näher zu definieren. Zweitens müssen sich die Ausnahmeregeln auf gleiche, gleichartige oder Ersatzprodukte beziehen. Produktmässig dürfen nur jene Importe mit Schutzmassnahmen belegt werden, welche die einheimischen Produkte direkt oder indirekt konkurrieren. Die Formulierung "in jeglicher Form" bezieht sich, wie den Anmerkungen und ergänzenden Bestimmungen zu Art. XI GATT zu entnehmen ist, "auch auf wenig veredelte und noch verderbliche Erzeugnisse, die in unmittelbarem Wettbewerb mit dem frischen Erzeugnis stehen und bei unbehinderter Einfuhr die dem frischen Erzeugnis auferlegten Beschränkungen unwirksam machen könnten". Drittens bedeutet der Hinweis auf die "Beschränkung der landeseigenen Angebotsmenge", dass eine Regierung nur Schutzmassnahmen ergreifen darf, wenn sie gleichzeitig Massnahmen zur landeseigenen Produktionsverminderung verhängt.[203] Als die USA im Jahr 1951 Schutzmassnahmen für ihre Milchprodukte beschlossen, ohne gleichzeitig eine Produktionskürzung im eigenen Land vorzunehmen, betrachteten die VERTRAGSPARTEIEN des GATT diese Massnahme als so schwerwiegend, dass sie die Niederlande gemäss Art. XXIII GATT zu entsprechenden Gegenmassnahmen ermächtigten.[204] Viertens darf der Import von Agrargütern höchstens im gleichen Ausmass wie die inländische Produktion eingeschränkt werden. Bei der Ermittlung dieses Verhältnisses ist auf den früheren Importanteil abzustellen. Dabei sind Schwankungen, die durch künstliche und GATT-widrige Massnahmen verursacht sind, gemäss den Anmerkungen und ergänzenden Bestimmungen zu Art. XI:2, letzter Satz, GATT nicht zu berücksichtigen. Fünftens ist eine Beschränkung der auslandabhängigen Produktion von tierischen Erzeugnissen nur erlaubt, wenn die Inlandproduktion einer Ware verhältnismässig geringfügig ist. Eine nähere Präzisierung der "Geringfügigkeit" fehlt im Vertragstext. Sechstens hat die Vertragspartei, die

---

203 *Dam, Kenneth W.* (1970), The GATT, Law and International Economic Organization, Chicago u.a., S. 259.
204 *GATT* (1953), BISD 1st S, S. 32f.

Handelsbeschränkungen erlässt, genaue Angaben über die zugelassene Gesamtmenge, über den Gesamtwert und über die Geltungsdauer der Beschränkungen zuhanden des WTO–Sekretariats und der WTO–Mitglieder zu veröffentlichen.

560 Zu Art. XI:2(c) GATT gibt es eine breite GATT–Streitschlichtungspraxis. Interpretationsbedarf zeigte sich vor allem bei der Abgrenzung von Importrestriktionen und Importverboten, bei der Definition der Gleichheit und der Gleichartigkeit agrarischer Produkte, bei der Abklärung der Notwendigkeit von Massnahmen und bei der Umschreibung des Bergriffs des Angebotsüberschusses.[205] Seit dem Bestehen der WTO beziehungsweise des WTO–Agrarabkommens werden die Verletzungen des Art. XI:2(c) GATT stets auch auf der Rechtsgrundlage dieses Sonderabkommens beurteilt. Bekannte Fälle der WTO–Streitschlichtung der letzten Jahre, die sich auf Art. XI GATT und das Agrarabkommen beziehen, sind die Klage der Vereinigten Staaten gegen Indien mit seinen rund 2700 Zollzeilen, die in Ergänzung zu den Zollabgaben auch Mengenbeschränkungen enthalten (Indien wird in Anerkennung der erfolgten Panelempfehlung die Mengenbeschränkungen auf den 1.4.2000 bzw. 1.4.2001 aufheben), die Klage der USA gegen japanischen Quarantänevorschriften, die nach Ansicht der Vereinigten Staaten für viele Produkte zu undifferenziert und dadurch handelshemmend angewandt werden (Japan hat im Sinne der Panelempfehlung am 14.1.2000 versprochen, mit den USA Konsultationen über die Neuordnung der Quarantänevorschriften zu führen), und die Klage Neuseelands gegen die EU beziehungsweise Grossbritannien wegen der EU–Butterklassierung, die eine bestimmte neuseeländische Buttersorte von dem Neuseeland zugesprochenen Importkontingent ausnimmt (Neuseeland hat die Klage am 24.2.99 zurückgezogen; eine Einigung zwischen den Parteien folgte am 11.11.1999).[206]

---

205 Eine Zusammenfassung der wichtigsten Schiedsgerichtsverfahren zu Art. XI:2(c) GATT findet sich in *GATT* (1994), Analytical Index, Genf, S. 299ff.
206 Die Bestellung dieser drei "Panels" erfolgte am 18.11.1997. Eine Übersicht über den Verlauf der Verfahren findet sich in: URL http://www.wto.org./wto/dispute/bulletin.htm, Februar 2000.

*Ausnahmen zum Schutz der Zahlungsbilanz*

In Abweichung von Art. XI GATT darf eine Vertragspartei gemäss Art. XII:1 GATT "zum Schutz ihrer finanziellen Lage gegenüber dem Ausland und zum Schutz ihrer Zahlungsbilanz Menge und Wert der zur Einfuhr zugelassenen Ware [...] beschränken". Diese Ausnahmeerlaubnis ist an die Voraussetzung gebunden, dass die unmittelbare Gefahr einer bedeutenden Abnahme der Währungsreserven besteht oder die Währungsreserven sich auf einem sehr niedrigen Stand befinden. Die Anwendung von nichttarifären Handelshemmnissen zum Schutz der Zahlungsbilanz ist zudem verbunden mit der Verpflichtung, Zeitpläne für die Beseitigung der Einfuhrbeschränkungen zu erstellen, Konsultationen mit dem Zahlungsbilanzausschuss zu führen usw. Auf die Detailbestimmungen der Anwendung der NTH in diesem Ausnahmefall wird im Kapitel über den Schutz der Zahlungsbilanz eingetreten.[207]

561

*Ausnahmen zugunsten der Entwicklungsländer*

Die in Art. XII GATT zugelassenen Ausnahmen vom Verbot der nichttarifären Handelshemmnisse zum Schutz der Zahlungsbilanz werden in Abschnitt B, Ziff. 9 des Art. XVIII GATT zugunsten der Drittweltländer wiederholt und erweitert: "Zum Schutz ihrer finanziellen Lage gegenüber dem Ausland und zur Sicherung angemessener Reserven für die Durchführung ihres wirtschaftlichen Entwicklungsprogramms kann eine Vertragspartei [...] das allgemeine Niveau ihrer Einfuhren regeln, indem sie Menge oder Wert der zur Einfuhr zugelassenen Waren beschränkt". Sie darf aber die Einfuhr nur beschränken, "um der drohenden Gefahr einer bedeutenden Abnahme ihrer Währungsreserven vorzubeugen oder eine solche Abnahme aufzuhalten, oder um ihre Währungsreserven, falls diese unzureichend sind, in massvoller Weise zu steigern". Über die einzelnen Bestimmungen der in Art. XVIII GATT aufgeführten Ausnahmen orientiert das Kapitel über die Sonderbestimmungen des GATT zugunsten der Entwicklungsländer.[208]

562

---

207 Vgl. Rz 826ff.
208 Vgl. Rz 607ff.

### Nichtdiskriminierende Anwendung der mengenmässigen Beschränkungen

563 Art. XI GATT ist stets in Verbindung mit Art. XIII GATT zu verstehen und zu interpretieren. Ziff. 1 des Art. XIII GATT wiederholt vorerst die allgemeine Meistbegünstigungspflicht und hält fest, dass wenn irgendwelche mengenmässigen Beschränkungen für Einfuhren aus oder Ausfuhren nach einem anderen GATT-Partner zur Anwendung gelangen, auch "die Einfuhr einer gleichartigen Ware aus dritten Ländern oder die Ausfuhr einer gleichartigen Ware nach dritten Ländern entsprechend verboten oder beschränkt wird".[209]

564 Art. XIII:2 GATT zählt die Bedingungen für den Einsatz von Einfuhrbeschränkungen auf. Vorerst ist eine Streuung des Handels mit dieser Ware anzustreben, "die soweit möglich den Anteilen entspricht, welche ohne solche Beschränkungen voraussichtlich auf die verschiedenen Vertragsparteien entfallen würden". Unter dieser Voraussetzung sind folgende Bedingungen zu beachten: (1) Falls es möglich ist, sind Kontingente festzusetzen, welche die Gesamtmenge der zugelassenen Einfuhren umfassen (ev. nach Lieferländern aufgeteilt). Die Höhe dieser Kontingente ist zu veröffentlichen. (2) Ist die Festsetzung von Kontingenten nicht durchführbar, sind Einfuhrlizenzen oder Einfuhrbewilligungen zu erteilen. (3) Ist eine einvernehmliche Aufgliederung der Kontingente, der Einfuhrlizenzen und der Einfuhrbewilligungen auf die Liefer- und Bezugsländer nicht möglich, sind die zugeteilten Ländermengen so zu berechnen, dass sie "ihrem Verhältnis an der mengen- oder wertmässigen Gesamteinfuhr dieser Ware während einer früheren Vergleichsperiode entsprechen". Ausserdem sind keine Bedingungen und Formalitäten einzuführen, die eine volle Ausnutzung der Kontingente verhindern.

565 Die Vertragsparteien, die mengenmässige Beschränkungen anwenden, sind aufgefordert, den interessierten Liefer- und Abnehmerländern entsprechende Informationen und Auskünfte zu erteilen.

---

[209] Vgl. die von *John H. Jackson* gewählte Darstellungsweise. *Jackson, John H.* (1969), World Trade and the Law of GATT, Indianapolis u.a., S. 305ff.

## 6.3.4 Die nichttarifären Handelshemmnisse im Dienstleistungsbereich

Zum Schutz von landeseigenen Dienstleistungen und ihren Erbringern setzen die WTO-Mitglieder nichttarifäre Handelshemmnisse in Form von administrativen Erschwernissen, staatlichen Konzessionen und Lizenzen, Berufszulassungsbestimmungen, Sonderabgaben sowie Einreise-, Aufenthalts- und Niederlassungsvorschriften usw. ein.[210]

566

Die Bedeutung der nichttarifären Handelshemmnisse im internationalen Handel mit Dienstleistungen kann – im Gegensatz zu jener der Zölle im Güterhandel – quantitativ nicht oder nur näherungsweise bemessen werden. Aber die Tatsache, dass sich viele Länder, die für eine Neuordnung des Dienstleistungshandels eintraten, sich nicht für eine kurzfristige Liberalisierung dieses Handelsbereichs im Sinne der GATT-Ordnung entschliessen wollten, zeigt, wie sehr die Handelspartner am bestehenden Dienstleistungsschutz an der Grenze interessiert sind und welch grosse Bedeutung sie dem gegenwärtig geltenden nichttarifären Protektionismus und der nationalen Handlungsfreiheit beimessen.[211]

567

Das Dienstleistungsabkommen verdeutlicht, wie die WTO die nichttarifären Handelshemmnisse im Dienstleistungsbereich auf längere Sicht zu beseitigen versucht. In der Präambel des Dienstleistungsabkommens findet sich der Wunsch, das Wirtschaftswachstum über eine Liberalisierung des Dienstleistungshandels zu fördern. Nach Art. II GATS haben die Vertragsparteien das Prinzip der Meistbegünstigung zu achten, es sei denn – hier weicht das GATS vom GATT ab – ein Vertragspartner mache Ausnahmen geltend. Die Ausnahmen sollen grundsätzlich einen Zeitraum von zehn Jahren nicht überschreiten. Die Vertragsabsicht geht also dahin, das Prinzip der Meistbegünstigung im Verlauf des kommenden Jahrzehnts bestmöglich zu verwirklichen. Zur Verbesserung der Markttransparenz verlangen Art. III und IV GATS von allen

568

---

210 Über die begriffliche Abgrenzung der Dienstleistungen und die in diesem Handelsbereich eingesetzten nichttarifären Handelshemmnisse vgl. Rz 1217ff.
211 Die Ministererklärung vom 20.9.1986 hält fest: "Such framework shall respect the policy objectives of national laws and regulations applying to services [...]". *GATT* (1987), BISD 33rd S, S. 28.

Partnerstaaten, die bestehenden nichttarifären Handelshemmnisse zu veröffentlichen und Informationsstellen zugunsten der Entwicklungsländer einzurichten. Die Art. V und V$^{bis}$ GATS erlauben den Partnerstaaten die Bildung von Freihandelsräumen im Dienstleistungs- und ganz besonders im Bereich des Arbeitsmarkts, analog zu den Freihandelsräumen im Gütermarkt gemäss Art. XXIV GATT. "In Bereichen, in denen spezifische Bindungen übernommen werden, stellen die Mitglieder sicher", so Art. VI GATS, "dass alle allgemein geltenden Massnahmen, die den Handel mit Dienstleistungen betreffen, angemessen objektiv und unparteiisch angewendet werden". Die Mitglieder haben rechtsprechende, schiedsrichterliche oder administrative Instanzen zur Überprüfung von Entscheidungen der Behörden mit Auswirkungen auf den Handel mit Dienstleistungen einzusetzen. Art. VII GATS ermächtigt jedes Partnerland, "die Ausbildung oder Berufserfahrung, Voraussetzungen, Lizenzen oder Zulassungen eines bestimmten Landes an[zu]erkennen" und mit einem anderen Land bilaterale Vereinbarungen und Absprachen zu treffen. Analog zu Art. XIX GATT ermächtigt das GATS in Art. X das Ergreifen sogenannter Notstandsmassnahmen, um unter bestimmten Voraussetzungen bereits gewährte Zugeständnisse zurückzunehmen. Art. XII, XIV und XIV$^{bis}$ GATS erlauben nichttarifäre Handelshemmnisse zum Schutz der Zahlungsbilanz, der öffentlichen Sicherheit, des Lebens und der Gesundheit von Menschen, Tieren und Pflanzen sowie aus Sicherheitsgründen. Nicht anzuwenden ist das Prinzip der Meistbegünstigung bei der öffentlichen Beschaffung von Dienstleistungen.

569   Besondere und vom GATT abweichende Regelungen gelten nach Art. XVI bis XVIII GATS für die Öffnung des Markts (Marktzutritt) und die Inlandgleichbehandlung. Der freie Marktzutritt und das Inländerprinzip bilden im Dienstleistungsbereich keine für alle Vertragspartner gleichermassen geltenden Grundverpflichtungen. Jedes Land führt in einer Liste auf, welchen Dienstleistungen es freien Marktzutritt und Inlandgleichbehandlung gewährt.

570   Die bisherigen Ausführungen machen deutlich, wie im Handelsbereich der Dienstleistungen eine Ordnung im Entstehen ist, die längerfristig auf einen Abbau der nichttarifären Handelshemmnisse abzielt, sich zurzeit aber wegen des Widerstands einzelner Vertragspartner auf ein "Einfrieren" des Status quo beschränkt.

## 7. Die Stellung der Entwicklungs– und Reformländer

Die GATT–Geschichte begann in den vierziger Jahren mit elf Industriestaaten, elf Entwicklungsländern und einem Staatshandelsland. Heute (Anfang 2000) zählt die WTO 136 Mitglieder, 35 Industriestaaten und 101 Entwicklungs– und Reformländer,[212] wobei eine genaue Abgrenzung zwischen Industrie– und Nicht–Industriestaaten oft nur schwer vorzunehmen ist. Trotz der zahlenmässig starken Vertretung der wirtschaftlich schwachen Handelspartner entfallen rund vier Fünftel des von der WTO abgedeckten Güter– und Dienstleistungshandels auf die Industriestaaten. Dies veranlasst nicht selten zur Aussage, die WTO sei, wie seinerzeit das GATT, von den Industriestaaten für die Industriestaaten gemacht worden, eine Organisation, welche die Interessen der multinationalen Konzerne wahre und auf die Bedürfnisse der wirtschaftlich schwächeren Staaten nicht oder nur am Rande Rücksicht nehme: "GATT was designed, primarily, for a market–oriented economic system".[213]

571

Der folgende Abschnitt geht den Fragen nach, wie die Anliegen der wirtschaftlich schwächeren Staaten im Verlauf der Zeit im GATT und in der WTO wahrgenommen wurden und welche Sonderstellung diese Handelspartner im heutigen WTO–Vertragswerk einnehmen.

572

### 7.1 Die schrittweise Integration der wirtschaftlich schwächeren Staaten

Die gegenwärtige Stellung der Entwicklungsländer in der Welthandelsordnung ist das Ergebnis jahrelanger Auseinandersetzungen und Verhandlungen.

573

---

212 Die Begriffe "Entwicklungsland", "Drittweltland", "wirtschaftlich schwacher Staat" und "Nicht–Industriestaat" werden ohne Werturteil synonym verwendet. Die Reform– oder Transformationsländer sind jene ehemaligen Staatshandelsländer des Sowjetblocks, die auf einen marktwirtschaftlichen Kurs umgeschwenkt sind. Vgl. auch Rz 276.

213 *UNCTAD* (1983), UNCTAD VI, Doc. TD/274, Belgrad.

Sie begannen in den vierziger Jahren, als der Nord–Süd–Gegensatz zur Kenntnis genommen wurde. Weitere Etappen waren der Haberler–Bericht in den fünfziger Jahren und die auf diesem Bericht fussende Erweiterung des GATT–Vertrags in den sechziger Jahren. In den siebziger Jahren folgten das Allgemeine Präferenzsystem und die Ermächtigungsklausel und anfangs der neunziger Jahre die in der Uruguay–Runde zugestandenen Sonderrechte.

### 7.1.1 Der Nord–Süd–Konflikt

574   Die ersten beiden US–Vorschläge zur Schaffung einer Internationalen Handelsorganisation[214] waren von der Idee getragen, die verstärkte Zusammenarbeit im Aussenhandel und der Abbau der bestehenden Handelshemmnisse förderten und stärkten die wirtschaftliche Entwicklung aller Teilnehmerländer, auch jene der Entwicklungsländer. Auf die spezifischen Belange der Nicht–Industriestaaten traten die damaligen Vorschläge zur Neuordnung des Welthandels nicht ein.

575   Zur ersten Auseinandersetzung zwischen Nord und Süd kam es an der Londoner Konferenz 1946. Dabei ging es den Konferenzteilnehmern, wie *John H. Jackson* analysiert, weniger um Freihandel oder Protektionismus und Nationalismus oder Internationalismus, sondern um die Verteidigung und Stärkung der landeseigenen Wirtschaftsinteressen. Die Industriestaaten verlangten möglichst offene Exportmärkte für ihre gewerblichen und industriellen Produkte bei gleichzeitigem Schutz der eigenen Landwirtschaft. Die Entwicklungsländer kämpften um liberale Agrarmärkte im Ausland und den Schutz der noch jungen Industrie im Inland.[215] Schliesslich bildete die Londoner Konferenz eine Arbeitsgruppe mit der Aufgabe, ein Sonderkapitel über die Belange der wirtschaftlich schwachen Staaten zu verfassen. Im Mittelpunkt der Diskussion standen die Fragen, ob mengenmässige Importrestriktionen ausschliesslich zum Schutz der Landwirtschaft und der Fischerei zulässig seien (Standpunkt der Industriestaaten) oder ob in Ergänzung dazu auch mengenmässige Schutzmassnahmen zugunsten der wirtschaftlichen Entwicklung erlaubt werden

---

214  Vgl. Rz 25ff.
215  Vgl. *Jackson, John H.* (1969), World Trade and the Law of GATT, Indianapolis u.a., S. 628ff.

müssten (Begehren der wirtschaftlich schwächeren Staaten). Die damals als "Dritte Welt" bezeichneten Länder waren nicht in der Lage, ihre Anliegen durchzusetzen und mengenmässige Importrestriktionen zur Förderung ihrer wirtschaftlichen Entwicklung auszuhandeln.[216]

Damit war aber die Diskussion über die Entwicklungsproblematik nicht ausgestanden. An der 1947 in Lake Success durchgeführten Konferenz einigten sich die Verhandlungsdelegationen darauf, einen Teil des ITO–Entwicklungskapitels als Art. XVIII in den GATT–Text aufzunehmen.[217] Es handelte sich um die Zollschutzerlaubnis beim Aufbau eines bestimmten Wirtschaftszweigs und um die Gewährung mengenmässiger Restriktionen aus Zahlungsbilanzgründen. 576

Die Entwicklungsländer erachteten die angebotene Lösung weder mit Blick auf eine künftige ITO noch in Bezug auf den GATT–Entwurf als ausreichend und forderten weitere Verhandlungen. Die Fortsetzung der Gespräche fand im gleichen Jahr in Genf statt. Die Vertreter der Industriestaaten verlangten für das Ergreifen von Schutzmassnahmen zugunsten entwicklungsfähiger und förderungswürdiger Industrien die Zustimmung des GATT beziehungsweise der ITO. Die Drittweltländer misstrauten diesem Erlaubnisvorbehalt durch ein Organ, das sich aus "unsympathetic industrialized members" zusammensetze und den wirtschaftlich schwächeren Staaten naturgemäss nicht gewogen sei. Die Anwendung von Schutzmassnahmen bedürfe nicht der vorherigen Zustimmung durch das GATT beziehungsweise durch die ITO. 577

Die Drohung wichtiger Nicht–Industriestaaten wie der Volksrepublik China, Indiens und Libanons, die am 21. November 1947 eröffnete Konferenz von Havanna zu verlassen, brachte die Verhandlungen in Schwierigkeiten. Um die sich abzeichnende Krise zu überwinden, befasste sich ein separater Ausschuss mit dem Thema der Entwicklungsfragen. Der von diesem Ausschuss vorgelegte Vorschlag fand schliesslich die Zustimmung der Verhandlungspartner und wurde 1948 an der zweiten Session des GATT von 1948 als Art. XVIII in das GATT–System eingebaut. Auch die neue Fassung hielt für das 578

---

216 Kap. III der *Havanna–Charta*.
217 Der damalige Art. XVIII GATT entspricht Art. 13 der *Havanna–Charta*.

Ergreifen von Schutzmassnahmen am Prinzip der GATT–Zustimmung fest. Eine Ausnahme bildeten Massnahmen, die sich auf Zahlungsbilanzschwierigkeiten gemäss Art. XII und XIV GATT bezogen. Da die Entwicklungsländer aber in der Regel unter Zahlungsbilanzdefiziten litten, gewährte diese Neuregelung den Nicht–Industriestaaten einen relativ breiten Spielraum.

579 Bei der Revision des GATT im Jahr 1955 stand Art. XVIII des Abkommens erneut zur Diskussion. Das bisherige Konzept der Entwicklungsmassnahmen wurde so umformuliert, dass die wirtschaftliche Entwicklung mit der Zielsetzung des Allgemeinen Zoll– und Handelsabkommens übereinzustimmen habe. Diese (etwas konstruierte) Fassung liess jedoch den Schluss zu, dass analog zu Art. XIX GATT ein Land immer dann ohne vorherige Zustimmung Schutzmassnahmen ergreifen darf, wenn Importe die eigene Wirtschaft ernsthaft schädigen oder bedrohen.

580 Art. XVIII GATT leistete anfänglich ohne Zweifel einen Beitrag zur Lösung des Nord–Süd–Konflikts, vermochte aber nicht ein weiteres Auseinanderdriften der Wirtschaft der Industrie– und Nicht–Industriestaaten zu verhindern. Auch erwies sich die in der Session von 1955 verfolgte Strategie als Fehlschlag, mit zusätzlichen Kapitalströmen die Wirtschaft der schwächeren Staaten in dem Masse zu beleben, dass mengenmässige Importrestriktionen sich erübrigten.[218]

### 7.1.2 Der Haberler–Bericht

581 Um die Entwicklungsproblematik zu vertiefen, beschlossen die VERTRAGSPARTEIEN im Jahr 1957, den internationalen Handel einer eingehenden Analyse zu unterziehen. Der Auftrag ging an eine Expertengruppe unter der Leitung von *Gottfried Haberler*:[219]

> "Taking note of the concern expressed in the course of this examination regarding certain trends in international trade, in particular the failure of the trade of less developed

---

218 Vgl. *GATT* (1955), BISD 3rd S, S. 49.
219 Die Experten waren: *Oliveira Campos* (Nationalbank Brasilien), *Gottfried Haberler* (Harvard Universität), *James Mead* (Universität Cambridge) und *Jan Tinbergen* (Institut für Wirtschaftsstudien, Rotterdam).

countries to develop as rapidly as that of industrialized countries [...] the CONTRACTING PARTIES decide: that there shall be an export examination of past and current international trade trends and their implications, with special reference to the factors referred to above."[220]

Der 1958 vom GATT veröffentlichte Haberler–Bericht[221] unterschied im Rohstoffhandel zwischen kurz– und langfristigen Exporterlöseinbrüchen. Nach Ansicht der Experten waren die kurzfristigen Erlösausfälle Ende der fünfziger Jahre die Folge der sinkenden Rohstoffpreise und nicht das Ergebnis abnehmender Exportmengen. Der Preisdruck wiederum rühre von der damaligen Nachfrageverflachung in Nordamerika und Westeuropa her. Die sinkenden Preise auf dem Rohstoffmarkt bewirkten bei gleichzeitig anziehenden Preisen für gewerbliche und industrielle Importprodukte insgesamt eine Verschlechterung der "Terms of Trade" zu Lasten der Entwicklungsländer.

582

Der Bericht wies auf die Versechsfachung der Exporte der Erdölstaaten während der Jahre 1928 bis 1955 hin, während die Exporte von agrarischen Rohstoffen um 40 und diejenigen der tropischen Nahrungsmittel um bloss 15 Prozent zugenommen hatten. Diese Entwicklung erkläre, warum die Zahlungsbilanzsituation vor allem in den nicht–erdölexportierenden Staaten besorgniserregend sei.

583

Aufgrund des Haberler–Berichts lancierten die VERTRAGSPARTEIEN des GATT im November 1958 ein Programm zugunsten der Drittweltstaaten.[222] Zur Diskussion standen drei Alternativen: (1) die Möglichkeit eines weiteren Zollabbaus, (2) der Abbau von nichttarifären Handelshemmnissen und die Verbesserung der Einkommensbeihilfen zum Schutz der Landwirtschaft sowie (3) die Beseitigung anderer Handelshemmnisse, welche die Exporterlöse der Entwicklungsländer beeinträchtigten.

584

Drei Ausschüsse bearbeiteten diese Vorschläge. Der erste klärte die Möglichkeit der Durchführung einer neuen Handelsrunde ab. Der zweite untersuchte den in den einzelnen Ländern herrschenden Agrarprotektionismus und

585

---

220 *GATT* (1958), BISD 6th S, S. 18.
221 *Haberler–Bericht*, Kurztitel für: *GATT* (1958), Trends in International Trade, A Report by a Panel of Experts, Genf..
222 *GATT* (1958), BISD 7th S, S. 27f.

seine Auswirkungen auf den internationalen Handel. Der dritte Ausschuss befasste sich mit den Exporterlösen der Drittweltländer und ihren Verbesserungsmöglichkeiten. Die Ergebnisse dieser Arbeiten flossen in die fünfte Handelsrunde des GATT (Dillon–Runde) ein.[223]

### 7.1.3 Der IV. Teil des GATT–Vertrags

586    Die mageren Ergebnisse der Dillon–Runde, die Forderung der Nicht–Industrieländer nach Zollpräferenzen und die massive Kritik von *Raúl Prebisch,* dem Generalsekretär der UNCTAD,[224] veranlassten die 1963 im Rahmen des GATT tagenden Minister

> "[to recognize] the need for an adequate legal and institutional framework to enable the Contracting Parties to discharge their responsibilities in connexion with the work of expanding the trade of less–developed countries.
> The Ministers of the less–developed countries and of the EEC recognized that there was urgent need for an amplification of the objectives and for revision of the principles and rules of the General Agreement [...]".[225]

587    Der für die Vertragsrevision verantwortliche Ausschuss schlug im folgenden Jahr vor, die Entwicklungsfragen in einem zusätzlichen vierten Teil des GATT–Abkommens zu regeln.[226] Die Verabschiedung des neuen Vertragstexts erfolgte an der Sonderministertagung im Jahr 1964. Am 27. Juni 1966 trat Teil IV des GATT unter der Bezeichnung "Handel und Entwicklung" für jene Vertragsparteien in Kraft, die das im Februar 1965 zur Zeichnung aufgelegte Protokoll unterzeichnet hatten.[227]

588    Mit Teil IV des GATT wird der wirtschaftlichen Entwicklung der Nicht–Industriestaaten auf unverbindliche Weise Rechnung getragen. Ähnlich einer

---

223  Vgl. Rz. 128ff.
224  *Prebisch, Raúl* (1964), Towards a New Trade Policy for Development, Report by the Secretary–General of the UNCTAD, New York, S. 52.
225  *GATT* (1964), BISD 12th S, S. 45.
226  "Committee on the Legal and Institutional Framework of GATT in Relation to Less–Developed Countries".
227  Teil IV des GATT ist der einzige Vertragsteil des GATT mit einem besonderen Titel. Nicht unterzeichnet haben das Protokoll Frankreich, Gabun, Nicaragua, Senegal und Südafrika.

Gesetzespräambel enthält der Text allgemeine Zielvorstellungen und Grundsätze, ohne dabei – von einer Ausnahme abgesehen – zu normativen Bestimmungen vorzustossen. Diese eine Ausnahme ist das Versprechen der Industriestaaten in Art. XXXVI:8 GATT, in den Verhandlungen mit den Entwicklungsländern auf reziproke Zugeständnisse zu verzichten.

Teil IV des GATT hat die Drittweltländer nicht wesentlich besser gestellt. 589
Viele Probleme wie die Präferenzierung der Handelsgüter aus den Nicht–Industriestaaten, der Abbau des Agrarprotektionismus der Industrieländer, die Öffnung des Arbeitsmarkts zugunsten der Entwicklungsländer und die Verbesserung des Technologietransfers sind in den neuen Vertragsbestimmungen nicht angesprochen. Zudem werden die in Teil IV des GATT aufgeführten Verpflichtungen durch Ausnahmen unterlaufen und entpuppen sich als politische Leerformeln. Insofern ist verständlich, dass mit der Erweiterung des GATT–Vertrags die Auseinandersetzung um die Stellung der wirtschaftlich schwächeren Staaten in der Welthandelsordnung nicht beendet war.

### 7.1.4 Das Allgemeine Präferenzsystem und die Ermächtigungsklausel

Bereits während der Ausarbeitung des Teils IV des GATT verlangten mehrere Nicht–Industrieländer (u.a. Brasilien, Chile und Indien) eine Neufassung des Art. I GATT, um in Abweichung vom Meistbegünstigungsprinzip eine Präferenzierung der wirtschaftlich weniger entwickelten Staaten zu ermöglichen.[228] Aus dieser Zeit stammen die ersten Präferenzabkommen zwischen den Entwicklungsländern. So schlossen beispielsweise im Jahr 1967 Indien, Ägypten (damals unter dem Namen "Vereinigte Arabische Republik") und Jugoslawien ein Präferenzabkommen ab, "um im Interesse der Handelsförderung neue Techniken der Kooperation zwischen den Entwicklungsländern zu erproben".[229]. Die VERTRAGSPARTEIEN billigten die Vereinbarung für eine Zeitdauer von fünf Jahren unter der Bedingung, dass Drittstaaten dadurch 590

---

228 Zum geschichtlichen Verlauf der Präferenzfrage vgl. *Yusuf, Abdulqawi A.* (1980), "Differential and More Favourable Treatment": The GATT Enabling Clause, in: Journal of World Trade Law, Vol. 14, Nr. 6, S. 488f.
229 *GATT* (1969), BISD 16th S, S. 84.

nicht benachteiligt und alle Änderungen dem GATT unverzüglich mitgeteilt würden.[230] Das wichtigste vom GATT anerkannte Präferenzabkommen zwischen Entwicklungsländern trat am 11. Februar 1973 in Kraft. Am Abkommen beteiligten sich insgesamt 16 Staaten, darunter Brasilien, Indien, Israel, Pakistan, Spanien, Südkorea und die Türkei.[231]

591   In den sechziger Jahren verstärkten die Entwicklungsländer den Druck auf die Industriestaaten, die Präferenzierung zugunsten der Dritten Welt allgemein und nicht von Fall zu Fall zu regeln.[232] Den an der UNCTAD I im Jahr 1964 vorgetragenen Präferenzen stimmte vier Jahre später die UNCTAD II in Neu Delhi zu. Gleichzeitig begannen einzelne Industriestaaten, wie zum Beispiel Australien, nationale Präferenzgesetze auszuarbeiten. Um das Ausbrechen dieser Länder aus dem GATT–Recht zu verhindern, gewährte das GATT spezifische Ausnahmen ("Waivers"),[233] ohne sich auf eine allgemeingültige Regelung der Präferenzen im GATT zu einigen. Dagegen erarbeitete die UNCTAD einen eigenen Vorschlag zur Schaffung eines Allgemeinen Präferenzsystems ("Generalized System of Preferences", GSP).[234] Alsbald nahm das GATT seine Arbeiten über die Gewährung von Präferenzen wieder auf und erwog drei Alternativen: (1) die fallweise Gewährung von Ausnahmebewilligungen in Form von "Waivers", (2) die Aufnahme von Präferenzbestimmungen in das GATT–Vertragswerk und (3) die Regelung der erlaubten Präferenzierung über eine einstimmige Erklärung ("unanimous declaration").[235] Am 25. Juni 1971 entschieden sich die GATT–Partner für ein Allgemeines Präferenzsystem über

---

230   Der Entscheid bzw. der Bericht über dieses Abkommen finden sich in: *GATT* (1969), BISD 16th S, S. 17ff. bzw. 83ff.
231   *GATT* (1975), BISD 21st S, S. 126ff.
232   Für eine Präferenzierung der Entwicklungsländer sprach sich vor allem der Generalsekretär der UNCTAD, *Raúl Prebisch*, aus. Vgl. *Prebisch, Raúl* (1964), Towards a New Trade Policy for Development, Report by the Secretary General of the UNCTAD, New York, S. 34ff.
233   Vgl. *GATT* (1966), BISD 14th S, S. 23.
234   *UNCTAD,* Agreed Conclusions of the Special Committee on Preferences, Doc. TD/B/330, 1. Teil.
235   Eine Analyse dieser drei Alternativen findet sich in: *Espiell, Héctor Gros* (1974), GATT: Accommodating Generalized Preferences, in: Journal of World Trade Law, Vol. 8, Nr. 4, S. 341ff.

die Gewährung von "Waivers", das den einzelnen GATT–Vertragsparteien das Recht zubilligte, im Handelsverkehr mit Entwicklungsländern von der Meistbegünstigungspflicht abzuweichen und Präferenzen anzubieten. Die gewährten Konzessionen waren den VERTRAGSPARTEIEN zu melden und unterlagen einer jährlichen Kontrolle durch das GATT–Sekretariat.[236]

Die 1971 getroffene Präferenzenregelung erwies sich für die Industriestaaten und die Drittweltländer als nicht zufriedenstellend. Sie bot weder den einen noch den anderen Staaten ausreichende Rechtssicherheit. Vor diesem Hintergrund ist verständlich, warum die Handelspolitik und damit die Frage der Präferenzierung der Entwicklungsländer im Mittelpunkt der Tokio–Verhandlungen stand. Mehr und mehr kam die Überzeugung auf, die Position der wirtschaftlich schwächeren Staaten über eine grundsätzliche Ausnahme von der Meistbegünstigungspflicht zu verbessern. Eine "Framework Group" erarbeitete gegen den Widerstand mehrerer GATT–Vertragspartner den Vorschlag einer allgemeinen "Ermächtigungsklausel" ("Enabling clause"),[237] dem die VERTRAGSPARTEIEN am 28. November 1979 zustimmten.[238]

592

### 7.1.5   Die Entwicklungsfragen in der Uruguay–Runde

Obwohl der Anstoss zu einer neuen GATT–Runde nicht von den Entwicklungsländern ausging, wurden ihre Anliegen während der Uruguay–Runde stark beachtet. Auch die Wahl von Punta del Este in Uruguay als Eröffnungsort der Verhandlungen (weitere Offerten lagen von Kanada mit Montreal und der EG mit Brüssel vor) war eine bewusste Beachtung der Anliegen der wirtschaftlich ärmeren Länder. Der Grund dieser Ausrichtung auf die Interessen der Drittweltländer mag neben politischen Überlegungen und ernsthaften handels-

593

---

236 Die Veröffentlichung des Entscheids über "Generalized System of Preferences" findet sich in: *GATT* (1972), BISD 18th S, S. 24ff.

237 Eine Darstellung der Argumente für und gegen die Ermächtigungsklausel findet sich in: *Espiell, Héctor Gros* (1974), GATT: Accommodating Generalized Preferences, in: Journal of World Trade Law, Vol. 8, Nr. 4, S. 341ff.; *Yusuf, Abdulqawi* A. (1980), "Differential and More Favourable Treatment": The GATT Enabling Clause, in: Journal of World Trade Law, Vol. 14, Nr. 6, S. 491ff.

238 Vgl. Rz 597, Anmerkung 245.

politischen Problemen[239] auch die damals starke Verschuldung dieser Länder und deren Rückwirkungen auf die Wirtschaft der Industriestaaten gewesen sein.[240] Die Ministererklärung vom 20. September 1986 zur Lancierung der Uruguay-Runde griff diesen Sachverhalt auf und sprach von den "nachteiligen Auswirkungen der andauernden finanziellen und monetären Instabilität in der Weltwirtschaft, der Verschuldung zahlreicher weniger entwickelter Vertragsparteien und der Wechselbeziehungen zwischen Handel, Währung, Finanzen und Entwicklung". Das Ziel der Verhandlungen soll eine stärkere Liberalisierung und Ausweitung des Welthandels insbesondere zum Nutzen der "weniger entwickelten Vertragsparteien" sein. Die Minister sicherten den Entwicklungsländern zu, die in der Ermächtigungsklausel von 1979 zugestandene Bevorzugung beizubehalten und beim Abbau der Zölle und der nichttarifären Handelshemmnisse auf Gegenleistungen zu verzichten. In den künftigen Verhandlungen sei den Handelsbereichen tropische Erzeugnisse, Textilien und Bekleidung, Agrarerzeugnisse und Dienstleistungen besondere Aufmerksamkeit zu schenken.[241]

594   Im Beschluss vom 15. Dezember 1993 unterstrichen die Minister, "dass die am wenigsten entwickelten Länder [...] nur in dem Masse Verpflichtungen und Zugeständnisse eingehen müssen, wie sie mit ihrer eigenen Entwicklung, den Finanz- und Handelsbedürfnissen sowie ihren verwaltungstechnischen und institutionellen Fähigkeiten vereinbar sind". Auch sollen die in den verschiedenen Abkommen aufgestellten Regeln "in einer flexiblen und unterstützenden Weise Anwendung finden".[242] Neben diesem Grundsatzbeschluss der Minister kam es zu keinen neuen Sondervereinbarungen zugunsten der Nicht-Industrieländer. Ihre Interessen fanden lediglich in den bestehenden Abkommenstexten in Form explizit erwähnter Ausnahmen Berücksichtigung. Im

---

239  Vgl. Rz 271ff.
240  Über das Ausmass der Verschuldung der Länder der Dritten Welt in den siebziger und achtziger Jahren vgl. *IMF* (jährlich), Annual Report, Washington, DC.
241  Teil I, A, B und D und Teil II der Ministererklärung vom 20.9.1986, veröffentlicht in: *Hummer/Weiss,* S. 280ff.
242  Beschluss der Minister über Massnahmen zugunsten der am wenigsten entwickelten Länder vom 15.12.1993, Ziff. 1 und Ziff. 2(iii), veröffentlicht in: *Hummer/Weiss,* S. 537f. (deutsche Fassung); *WTO,* The Legal Texts, S. 440f. (englische Fassung).

Bereich der tropischen Produkte stand die Zollreduktion im Vordergrund. Im Textilhandel ging es um die Beseitigung der mengenmässigen Importquoten (z.T. auch gegen den Widerstand jener Länder, die über solche Quoten verfügten). Im Agrarsektor setzten sich die Entwicklungsländer für eine weitere Öffnung der Absatzmärkte in den Industriestaaten ein. Ferner verlangten die Länder der Dritten Welt die Beibehaltung der Präferenzierungsmöglichkeiten. Schliesslich wehrten sie sich gegen einen selektiven Einsatz der Schutzklausel und gegen sogenannte "freiwillige" Selbstbeschränkungsabkommen. Die Industrieländer wiederum konzentrierten ihre Anstrengungen auf die Liberalisierung der Produktbereiche mit hoher Wertschöpfung (Maschinen, Geräte und chemische Produkte) und sprachen sich im Handel mit den Entwicklungsländern für eine je nach Entwicklungsstand differenzierte Bevorzugung aus.

Beim Abschluss der Uruguay–Runde gab der Delegierte Mexikos im Namen der lateinamerikanischen Länder, der Delegierte Ägyptens im Namen der afrikanischen Staaten und der Delegierte Bangladeschs im Namen der wirtschaftlich ganz armen Länder ihrer Enttäuschung über die Verhandlungsergebnisse Ausdruck, die nach ihrer Ansicht für die Länder der Dritten Welt zu knapp ausgefallen seien. Die getroffenen Vereinbarungen müssten daher nicht als Endergebnis, sondern als Teilresultat künftiger Bemühungen und Verhandlungen verstanden werden.[243]

595

## 7.2 Die heute geltenden Sonderbestimmungen

Der erste Abschnitt zeigt die Sonderstellung der wirtschaftlich weniger entwickelten Länder aufgrund des Präferenzbeschlusses und der Ermächtigungsklausel. Anschliessend folgen die Sonderbestimmungen in den Verträgen GATT, GATS und TRIPS.

596

### 7.2.1 Die Präferenzierung

Die völkerrechtlichen Grundlagen der den Entwicklungsländern gewährten Präferenzen sind der GATT–Beschluss über das Allgemeine Präferenzsystem

597

---

243 Über die Stellungnahmen der einzelnen Länder vgl. *Croome, John* (1995), Reshaping the World Trading System, Genf, S. 242f., 252f. und 369ff.

vom 25. Juni 1971[244] und die Ermächtigungsklausel vom 28. November 1979[245], ergänzt durch das Abkommen vom 13. April 1988 (in Kraft getreten am 1.1.1996) über das Globale Präferenzsystem, in dem sich 48 Länder der "Gruppe der 77" an der UNCTAD–Konferenz in Belgrad gegenseitig Präferenzen zusichern.[246]

598   Der Beschluss über das Allgemeine Präferenzsystem von 1971 erlaubt den Industriestaaten, Ursprungsprodukte aus Drittweltstaaten oder deren Integrationsräumen zollmässig günstiger zu behandeln als Erzeugnisse aus anderen Märkten. Die Präferenzierung soll den Handel der begünstigten Partner fördern, beruht nicht auf Gegenseitigkeit und darf für die übrigen Staaten keine zusätzlichen Handelshemmnisse darstellen. Die mit diesem Beschluss gewährte Ausnahme von der Meistbegünstigung galt vorerst für eine Zeitspanne von zehn Jahren. Die Befristung wurde durch die Ermächtigungsklausel von 1979 aufgehoben.[247]

599   Ziff. 1 der Ermächtigungsklausel hält fest, dass die Vertragsparteien des GATT, ungeachtet des Meistbegünstigungsprinzips, "den Entwicklungsländern eine differenzierte und günstigere Behandlung gewähren" dürfen, ohne diese Vorteile anderen Vertragsparteien weitergeben zu müssen. Die Ermächtigungsklausel findet gemäss Ziff. 2 Anwendung auf:

"(a) präferenzielle Zollbehandlungen seitens der entwickelten Vertragsparteien für Waren mit Ursprung in Entwicklungsländern gemäss dem System der Allgemeinen Präferenzen;

(b) differenzierte und günstigere Behandlung in Bezug auf die Bestimmungen des Allgemeinen Abkommens betreffend nichttarifäre Massnahmen [...];

(c) regionale oder weltweite Vereinbarungen, die weniger entwickelte Vertragsparteien zum gegenseitigen Abbau oder zur gegenseitigen Beseitigung von Zöllen

---

244  Veröffentlicht in: *Hummer/Weiss,* S. 255ff,

245  Entscheidung der Vertragsparteien des GATT über differenzierte und günstigere Behandlung, Gegenseitigkeit und verstärkte Teilnahme der Entwicklungsländer ("Ermächtigungsklausel" bzw. "Enabling clause") vom 28.11.1979, veröffentlicht in: *Hummer/Weiss,* S. 259ff. (deutsche Fassung); *GATT* (1980), BISD 26th S, S. 203ff. (englische Fassung).

246  Agreement on the Global System of Trade Preferences Among Developing Countries (GSTP), veröffentlicht in: *Hummer/Weiss,* S. 263ff. Vgl. Rz 604.

247  Gemäss Ziff. 2(a) der Ermächtigungsklausel.

und [...] zum gegenseitigen Abbau oder zur gegenseitigen Beseitigung nichttarifärer Massnahmen auf Erzeugnissen, die diese weniger entwickelten Länder voneinander einführen, schliessen;

(d) besondere Behandlung zugunsten der am wenigsten entwickelten Länder unter den Entwicklungsländern im Rahmen allgemeiner oder spezifischer Massnahmen zugunsten der Entwicklungsländer."

Die in der Ermächtigungsklausel vorgesehene differenzierte und günstigere Behandlung der wirtschaftlich schwachen Staaten und Integrationsräume ist nach Ziff. 3 der Klausel so zu gestalten, dass daraus für Drittstaaten keine Handelshemmnisse erwachsen sowie der weitere Zollabbau nicht behindert und den Entwicklungs-, Finanz- und Handelsbedürfnissen der begünstigten Länder "in positiver Weise" Rechnung getragen wird. Die vorgesehenen Massnahmen sind dem GATT- beziehungsweise dem WTO-Sekretariat zu melden. Interessierten Drittstaaten ist das Recht auf Konsultationen einzuräumen. Ziff. 5 hält fest, dass die Industriestaaten für die erteilten Präferenzen von den begünstigten Staaten keine Gegenleistungen erwarten.[248]

600

Auf der Grundlage der Ziff. 2(a) und (b) haben die meisten Industriestaaten sogenannte Präferenzgesetze erlassen. Dabei ist zwischen der allgemeinen und der selektiven oder graduellen Präferenzierung zu unterscheiden. Die allgemeine Präferenzierung besteht darin, sämtliche Ursprungsprodukte aus den Entwicklungsländern als zollfrei zu erklären. Die Beschlüsse sind in der Regel zeitlich beschränkt, werden alle fünf oder zehn Jahre erneuert und enthalten eine Schutzklausel für sensible Produkte. Der allgemeinen Präferenzierung bedienen sich vorwiegend die kleineren Staaten.[249] Im Gegensatz zur allgemeinen Präferenzierung macht die selektive oder graduelle Präferenzierung die Höhe der gewährten Präferenzspanne vom Entwicklungsstand des begünstigten Landes abhängig. Die Präferenzen werden vorübergehend und nach Massgabe des Bedarfs zugesprochen und schrittweise entzogen, wenn die entsprechenden Voraussetzungen nicht mehr gegeben sind. So hat beispielsweise Malaysia, eines der bisher bedeutendsten Präferenzländer der USA, anfangs 1997 die Präferenzierung wegen seines wirtschaftlichen Auf-

601

---

248 Eine Zusammenstellung der "Waivers" für Integrationsräume findet sich in: *Hummer/Weiss,* S. 247.
249 Vgl. z.B. das Zollpräferenzabkommen der Schweiz, in: SR 632.91.

schwungs verloren.²⁵⁰ Selektive oder graduelle Präferenzen gewähren vor allem die marktmächtigen Handelspartner USA und EU.

602  Ziff. 2(c) der Ermächtigungsklausel hält fest, dass die Drittweltländer auch unter sich Präferenzen in Abweichung von der Meistbegünstigung gewähren dürfen, wenn sie im Sinne des Art. XXIV GATT regionale oder weltweite Integrationsräume schaffen. Diese Ermächtigung ist dahin zu interpretieren, dass die "Süd–Süd–Integrationen" den formellen Anforderungen des Art. XXIV GATT nicht notwendigerweise entsprechen müssen.²⁵¹

603  Ziff. 2(d) der Ermächtigungsklausel schliesslich räumt den "am wenigsten entwickelten Ländern unter den Entwicklungsländern" eine Sonderstellung ein: Sie sind, wie die Ausführungen über die Zusatzabkommen zeigen werden, fast ausnahmslos von allen WTO–Verpflichtungen ausgenommen.²⁵²

604  Das am 1. Januar 1996 in Kraft getretene Globale Präferenzsystem der "Gruppe der 77"²⁵³ geht auf die UNCTAD 1988 in Belgrad zurück und erfasst 48 Länder. Das Abkommen, zusammen mit den Länderlisten, wurde dem GATT auf der Basis der Ermächtigungsklausel notifiziert. Gegenstand der Listen sind die Zölle, die zollähnlichen Abgaben, die nichttarifären Handelshemmnisse sowie die allgemeinen und sektoralen Handelsbestimmungen. Das Abkommen unterzeichneten vor allem die Länder Lateinamerikas, viele afrikanische und arabische Staaten sowie die handelsmässig wichtigen Staaten Asiens.²⁵⁴

605  Länder und Ländergruppen mit handelspolitischer Macht wie die USA und die EU setzen die Präferenzen nicht selten als handelspolitisches Instrument mit anderweitiger Zweckbestimmung ein. Höhere Präferenzen werden gewährt, wenn das begünstigte Land Programme zur Bekämpfung der Drogenproduktion und des Drogenhandels unterhält oder eine wirksame Umweltschutzpolitik betreibt. Zurückgenommen werden die Präferenzen, wenn dem

---

250 *US* (1997), Economic Report of the President, Washington, DC, S. 254.
251 Vgl. *Hummer/Weiss*, S. 248.
252 Vgl. Rz 999ff.
253 Veröffentlicht in: *Hummer/Weiss*, S. 263ff.; vgl. auch Rz 597, Anmerkung 246.
254 Die Länderliste findet sich in: *Hummer/Weiss*, S. 278.

Land Sklavenarbeit, Drogenhandel und Geldwäscherei nachgewiesen werden kann oder wenn Produkte aus Strafanstalten auf den Markt gelangen.[255]

Welcher Welthandelsanteil und welche Länder von der Präferenzierung tatsächlich profitieren, ist äusserst schwierig zu beurteilen. Unter Berücksichtigung, dass Erdöl und Erdölprodukte sowie Textilien und Agrarprodukte nicht präferenziert werden (die Industriestaaten nehmen in der Regel die sogenannten "sensiblen" Produkte aus), entfallen in den Industriestaaten schätzungsweise 1 bis 2 Prozent der gesamten Importe der gewerblichen und industriellen Güter auf zollbegünstigte Erzeugnisse. Aus der Sicht der Industriestaaten ist somit der Anteil der präferenzierten Importe bescheiden. Demgegenüber beträgt der präferenzierte Exportanteil in den Ländern der Dritten Welt zwischen 15 bis 20 Prozent ihrer totalen Exporte und macht damit einen nicht zu unterschätzenden Handelsanteil aus.[256]

## 7.2.2 Die Sonderbestimmungen im GATT

Die GATT-Sonderbestimmungen zugunsten der wirtschaftlich schwächeren Staaten lassen sich in drei Gruppen gliedern: (1) die Bestimmungen des Entwicklungsartikels XVIII GATT, (2) die Bestimmungen des Teils IV des GATT und (3) die Sonderbestimmungen in den Zusatzabkommen des GATT.

*Art. XVIII GATT: Entwicklungsartikel*

Art. XVIII GATT geht auf die Session 1954/55 zurück und trat in der heutigen Form am 7. Oktober 1957 in Kraft.[257] Im Jahr 1979 beschlossen die VERTRAGSPARTEIEN, Art. XVIII, Abschnitt A und C, so zu ergänzen, dass unter aussergewöhnlichen Umständen bei der Durchführung von Wirtschafts-

---

255 Vgl. EG–Verordnung Nr. 1256/96, in: *EG*, ABl. L 160/1 vom 29.6.1996.
256 *US* (1997), Economic Report of the President, Washington, DC, S. 253. Vgl. auch *GATT* bzw. *WTO* (jährlich), International Trade bzw. Annual Report, International trade statistics, Genf.
257 Die Berichte der vorbereitenden Arbeitsgruppe finden sich in: *GATT* (1955), BISD 3rd S, S. 170ff., 205f. und 215.

entwicklungsprogrammen von den bisherigen Vorschriften abgewichen und die Schutzmassnahmen beschleunigt eingeführt werden dürfen.[258]

609     Art. XVIII GATT besteht aus einer Präambel und den Abschnitten A bis D. In Ziff. 1 der Präambel anerkennen die Vertragsparteien, "dass sich die Ziele dieses Abkommens leichter durch eine fortschreitende Entwicklung der Wirtschaft erreichen lassen und dass dies insbesondere für die Vertragsparteien gilt, deren Wirtschaft nur einen niedrigen Lebensstandard zulässt und sich in den Anfangsstadien der Entwicklung befindet". Die gewählte Formulierung "in den Anfangsstadien der Entwicklung" bezieht sich gemäss Anmerkungen und ergänzende Bestimmungen zu Art. XVIII GATT "nicht nur auf Vertragsparteien, die ihre wirtschaftliche Entwicklung erst begonnen haben, sondern auch auf Vertragsparteien, die ihre Wirtschaft industrialisieren, um eine übermässige Abhängigkeit von der Grundstoffproduktion zu beseitigen.[259] Ziff. 2 und 3 der Präambel ermächtigen die Vertragsparteien, unter besonderen Umständen Schutzmassnahmen zur "Hebung des allgemeinen Lebensstandards ihrer Bevölkerung" zu treffen. Soweit diese Massnahmen die Erreichung der gesteckten Ziele erleichtern, seien sie gerechtfertigt. Die Ziff. 4 bis 6 der Präambel unterscheiden zwischen Ländern, deren Wirtschaft nur einen niedrigen Lebensstandard zulässt, und Ländern, die sich wirtschaftlich entwickeln. Je nachdem gelten die Abschnitte A, B und C oder D. Art. XVIII GATT kann gemäss Ziff. 5 auch von den wirtschaftlich schwachen Rohstoffländern in Anspruch genommen werden, wenn sie durch starke Exporterlöseinbussen betroffen sind.

610     Abschnitt A des Art. XVIII GATT erlaubt den Drittweltstaaten und den besonders auf Rohstoffe ausgerichteten Ländern mit starken Exporterlöseinbussen, die in den Listen gebundenen Zölle zu ändern oder zurückzunehmen, wenn dies der "Errichtung eines bestimmten Wirtschaftszweigs zur Hebung des allgemeinen Lebensstandards ihrer Bevölkerung" dient. Die VERTRAGSPARTEIEN sind bei Listenänderungen zu benachrichtigen. Das Einholen einer

---

258 Entscheid über Schutzmassnahmen zu Entwicklungszwecken vom 28.11.1979 (Safeguard Action for Development Purposes), in: *Hummer/Weiss*, S. 757f. (deutsche Fassung); *GATT* (1980), BISD 26th S, S. 209f. (englische Fassung).
259 Anmerkungen und ergänzende Bestimmungen zu Art. XVIII:1 und 4, Ziff. 2, GATT.

Genehmigung ist nicht erforderlich (im Gegensatz zu Art. XXVIII:4 GATT, gemäss dem auch Listenänderungen unter besonderen Umständen der Zustimmung durch die VERTRAGSPARTEIEN bedürfen). Listenänderungen verlangen Kompensationsverhandlungen mit den betroffenen Vertragsparteien. Führen die Verhandlungen zu keiner Einigung, "kann" (eine "Muss–Vorschrift" besteht nicht) die Vertragspartei, die das Zugeständnis ändern oder zurücknehmen will, die Angelegenheit den VERTRAGSPARTEIEN zur Prüfung vorlegen. Kommen die VERTRAGSPARTEIEN zum Schluss, dass die angebotenen Ausgleichsmassnahmen angemessen sind, ist die Antrag stellende Vertragspartei ermächtigt, die Liste zu ändern und die ausgleichende Regelung in Kraft zu setzen. Erachten hingegen die VERTRAGSPARTEIEN das Ausgleichsangebot als nicht ausreichend, haben die von der Listenänderung betroffenen Parteien das Recht, Gegenmassnahmen in Form von gleichwertigen Listenänderungen vorzunehmen.

In Abschnitt B des Art. XVIII GATT anerkennen die Vertragsparteien, dass die wirtschaftliche Entwicklung in Ländern mit einem niedrigen Lebensstandard oder einer Wirtschaft im Aufbau zu Zahlungsbilanzschwierigkeiten führen kann. Diesen Ländern wird erlaubt, zum Schutz ihrer Finanzen und zur Sicherung angemessener Währungsreserven mengen– und wertmässige Importrestriktionen zu ergreifen. Damit werden die in Art. XII GATT allen Vertragsparteien gewährten Ausnahmen zum Schutz der Zahlungsbilanz explizit für die wirtschaftlich schwachen Staaten wiederholt.[260] Die Übernahme der zahlungsbilanzbezogenen Restriktionen von Art. XII GATT in den Entwicklungsartikel XVIII GATT erfolgte darum, weil die wirtschaftlich schwächeren Staaten chronisch unter Zahlungsbilanzdefiziten litten und Art. XII GATT wiederholt anriefen.[261] In der folgenden Übersicht werden einige wichtige Bestimmungen der Art. XII und XVIII:B GATT einander gegenübergestellt.

611

---

260 Eine Änderung, die in diesem Zusammenhang immer wieder erwähnt wird, ergibt sich aus dem Vergleich zwischen Art. XII:2(a) und XVIII:9(a) GATT. In Art. XII GATT ist die Rede von "unmittelbar drohender Gefahr", während Art. XVIII GATT allein von der "drohenden Gefahr" spricht. Vgl. dazu *GATT* (1994), Analytical Index, Genf, S. 465ff.

261 Vgl. *GATT* (1994), Analytical Index, Genf, S. 337ff.

**Übersicht 17: Die Gegenüberstellung von Art. XII und XVIII:B GATT**

| | Art. XII | Art. XVIII:B |
|---|---|---|
| Erwähnung des Entwicklungsstands der Vertragspartei | – | 4(b) und 8 |
| Grundsätzliche Erlaubnis zum Ergreifen von Importrestriktionen zum Schutz der finanziellen Lage und zum Schutz der Zahlungsbilanz | 1 | 9 |
| Vorbehalte | 2(a) | 9(a) und (b) |
| Wieder–Abbau der getroffenen Restriktionen | 2(b) | 11, 2. Satz |
| Produktweise Differenzierungsmöglichkeit | 3(b) | 10, 1. Satz |
| Unnötige Schädigung, Mindestimporte, Schutz des geistigen Eigentums | 3(c) | 10, 2. Satz ff. |
| Binnenwirtschaftspolitik | 3(a) und (d) | 11, 1. Satz |
| Überprüfung und Konsultation | 4(a) und (d) | 12(a) bis (d) und (f) |
| Erlaubte Gegenmassnahmen | 4(d) | 12(c) |
| Rücktrittsmöglichkeit | – | 12(e) |

Quelle: In Anlehnung an die Tabelle in *GATT* (1994), Analytical Index, Genf, S. 346.

612    In Art. XVIII:8 GATT anerkennen die Vertragsparteien – im Gegensatz zu Art. XII GATT –, dass die Zahlungsbilanzschwierigkeiten der Entwicklungsländer die direkte Folge ihrer Bemühungen um die Ausweitung der Inlandmärkte und der mangelnden Stabilität ihrer Austauschverhältnisse im Aussenhandel sein können. Diese Erkenntnis mag seinerzeit politisch opportun gewesen sein, materiellrechtlich bringt sie nichts. Das Kernstück des Abschnitt B ist Ziff. 9, wonach die wirtschaftlich schwachen Länder unter bestimmten Voraussetzungen "zum Schutz ihrer finanziellen Lage gegenüber dem Ausland und zur Sicherung angemessener Reserven für die Durchführung ihres wirtschaftlichen Entwicklungsprogramms" die Menge oder den Wert ihrer Einfuhr beschränken dürfen.

613    Ziff. 10 des Art. XVIII:B GATT erlaubt die produktweise Differenzierung der Einfuhrbeschränkungen, um auf diese Weise "der Einfuhr von Waren den

Vorrang zu geben, die für ihr wirtschaftliches Entwicklungsprogramm besonders wichtig sind". Im übrigen gelten für das Ergreifen von Importrestriktionen nach Art. XVIII:B GATT folgende Bedingungen: Erstens ist bei der Beurteilung der Notwendigkeit von Importrestriktionen die Verfügbarkeit von Auslandkrediten oder anderen Hilfsquellen gebührend zu berücksichtigen. IMF-Kredite sind beispielsweise wie Währungsreserven zu beurteilen und verbieten das Ergreifen von Importrestriktionen (Ziff. 9). Zweitens sind die Importquoten so anzuwenden, dass sie eine unnötige Schädigung der Handels- und Wirtschaftsinteressen anderer Vertragsparteien vermeiden und die Einfuhr von Waren in handelsüblichen Mindestmengen nicht in "unbilliger Weise" verhindern. Der Begriff "unbillig" ist so zu interpretieren, dass stets jene Massnahme zu wählen ist, die dem Handelspartner den geringsten Schaden zufügt und am wenigsten GATT-widrig ist. Drittens sind die getroffenen Importrestriktionen wieder aufzuheben, wenn die wirtschaftliche Lage des Landes sie nicht mehr rechtfertigt. Eher fragwürdig ist in diesem Zusammenhang die vertragliche Bestimmung, dass die Vertragsparteien nicht verpflichtet sind, Beschränkungen aufzuheben oder zu ändern, "wenn eine Änderung ihres wirtschaftlichen Entwicklungsprogramms die [...] Beschränkungen unnötig machen würde" (Ziff. 11, letzter Satz). Wenn nämlich eine Änderung des Entwicklungsprogramms die Importrestriktionen hinfällig werden liesse, sind diese Massnahmen im Sinne der Ziff. 10 nicht mehr notwendig.

Ergreift oder verschärft eine Vertragspartei ihre Importrestriktionen, hat sie mit den VERTRAGSPARTEIEN Konsultationen über die Zahlungsbilanzschwierigkeiten, die Abhilfemassnahmen und die etwaigen Auswirkungen dieser Beschränkungen zu führen. Folgern die VERTRAGSPARTEIEN, die Beschränkungen seien GATT-widrig, können sie gemäss Art. XVIII:12(c)i GATT der Vertragspartei raten, die Beschränkungen in geeigneter Weise zu ändern. Sind sie der Meinung, der Verstoss sei "schwerwiegend", sprechen sie die "Empfehlung" aus, die kritisierten Massnahmen aufzuheben oder zu ändern. Kommt die angesprochene Partei dieser Empfehlung nicht nach, kann eine geschädigte Vertragspartei nach Art. XVIII:12(c)ii und (d) GATT von ihren Zugeständnissen entbunden werden. Beeinträchtigt die Rücknahme von Verpflichtungen das Entwicklungsprogramm eines Landes, hat dieses nach

614

Ziff. 12(e) das Recht, innert 60 Tagen nach der schriftlicher Kündigung vom GATT– beziehungsweise WTO–Vertrag zurückzutreten (Ziff. 12(e)).[262]

615 Gemäss Abschnitt C des Art. XVIII GATT sind die Drittweltländer berechtigt, auch Schutzmassnahmen anderer Art als Listenänderungen (Abschnitt A) und zahlungsbilanzbedingte Restriktionen (Abschnitt B) zu ergreifen. Im Unterschied zu den ersten beiden Abschnitten des Art. XVIII GATT müssen in einem solchen Fall die VERTRAGSPARTEIEN zustimmen. Art. XVIII:14 GATT hält fest: "Die betreffende Vertragspartei notifiziert den VERTRAGSPARTEIEN die besonderen Schwierigkeiten, denen sie bei der Verwirklichung des in Absatz 13 genannten Ziels [staatliche Förderung eines Wirtschaftszweigs zur Hebung des allgemeinen Lebensstandards der Bevölkerung] begegnet, und gibt an, welche die Einfuhr berührende Massnahme sie zur Behebung dieser Schwierigkeiten einzuführen beabsichtigt".

616 Handelt es sich bei den betroffenen Produkten um Nicht–Listenprodukte, entscheiden die VERTRAGSPARTEIEN – nach Konsultationen mit dem antragstellenden Vertragspartner – über die Notwendigkeit der vorgeschlagenen Massnahmen. Kommt es in dreissig Tagen nach der Notifikation zu keiner Konsultationsaufforderung durch die VERTRAGSPARTEIEN, oder stimmen die VERTRAGSPARTEIEN den unterbreiteten Massnahmen innerhalb von neunzig Tagen nicht zu, darf die Antrag stellende Vertragspartei die Massnahmen einleiten. Den betroffenen Handelspartnern steht jedoch das Recht zu, über die Aussetzung gleichwertiger Zugeständnisse Gegenmassnahmen zu ergreifen.

617 Bezieht sich die Massnahme auf ein Listenprodukt, ist die beantragende Vertragspartei gemäss Art. XVIII:18 GATT verpflichtet, mit allen Vertragsparteien, mit denen die ursprünglichen Zugeständnisse vereinbart worden sind, oder die ein wesentliches Interesse an diesen Zugeständnissen haben,

---

262 Die Bezeichnung "Empfehlung" ist somit nach GATT–Recht verpflichtend, denn nach Art. XVIII:12(c)ii GATT erteilen die VERTRAGSPARTEIEN "entsprechende Empfehlungen, um sicherzustellen, dass [...]". Folgt eine Vertragspartei den Empfehlungen der VERTRAGSPARTEIEN nicht, hat sie Gegenmassnahmen in Form der Aussetzung von Vertragsverpflichtungen durch andere Parteien zu gewärtigen. Vgl. dazu die Diskussion über die Verbindlichkeit der Empfehlung im Bereich der WTO–Streitschlichtung Rz 357.

Konsultationen zu führen. Die VERTRAGSPARTEIEN werden den Massnahmen zustimmen, wenn nach ihrer Auffassung das in Absatz 13 genannte Ziel durch Massnahmen, die mit den anderen Bestimmungen dieses Abkommens vereinbar sind, nicht erreicht werden kann, und wenn sie sich überzeugt haben,

"(a) dass mit diesen Vertragsparteien bei den obengenannten Konsultationen eine Einigung erzielt worden ist, oder

(b) [...] dass die Vertragspartei, die diesen Abschnitt in Anspruch nimmt, sich in jeder zumutbaren Weise bemüht hat, eine Einigung herbeizuführen, und dass die Interessen anderer Vertragsparteien hinreichend gewahrt sind".

Das Anrufen des Abschnitts C des Art. XVIII GATT berechtigt nicht, von den Artikeln I (Meistbegünstigung), II (Listen der Zugeständnisse), VIII (Gebühren und Förmlichkeiten im Zusammenhang mit der Einfuhr und Ausfuhr) und XIII:2(d) GATT (nichtdiskriminierende Anwendung mengenmässiger Beschränkungen) abzuweichen. 618

Abschnitt D des Art. XVIII GATT richtet sich an die Vertragsparteien, die nicht unter Ziff. 4(b) des betreffenden Artikels fallen, deren Wirtschaft einen höheren Lebensstandard zulässt und die sich nicht mehr in den Anfangsstadien der Entwicklung befinden. Nach heutiger Terminologie handelt es sich bei diesen Vertragsparteien um die sogenannten Schwellenländer wie beispielsweise die lateinamerikanischen Staaten Argentinien, Brasilien und Mexiko sowie die ostasiatischen Länder Indonesien, Malaysia, Philippinen, Singapur, Südkorea und Thailand. Diese Länder dürfen von den GATT–Bestimmungen abweichen und Schutzmassnahmen in Form von mengen– und wertmässigen Importrestriktionen treffen, wenn die VERTRAGSPARTEIEN zustimmen. Die VERTRAGSPARTEIEN führen mit dem Antrag stellenden Land Konsultationen und lassen sich in ihrem Beschluss von den in Abschnitt C niedergelegten Erwägungen leiten. 619

In der Entscheidung über Schutzmassnahmen zu Entwicklungszwecken vom 28. November 1979 anerkennen die VERTRAGSPARTEIEN, dass eine zögerliche Durchführung von Schutzmassnahmen zu Schwierigkeiten bei der Verwirklichung von Entwicklungsprogrammen in wirtschaftlich schwachen Staaten führen kann. Sie beschliessen daher, dass Massnahmen, die unter die Abschnitte A und C des Art. XVIII GATT fallen, beschleunigt, das heisst nach der Notifizierung unverzüglich eingeführt werden dürfen. Dieses Zuge- 620 ständnis entbindet die Vertragsparteien nicht von den übrigen Verpflichtungen des Art. XVIII GATT.

*Teil IV GATT: Handel und Entwicklung*

621     Der vierte Teil des GATT über "Handel und Entwicklung" besteht aus drei Artikeln. In Art. XXXVI GATT bestätigen die Vertragsparteien, dass die Verwirklichung der GATT–Ziele für die weniger entwickelten Vertragsparteien besonders dringend ist und die Ausfuhrerlöse für die wirtschaftliche Entwicklung dieser Staaten von lebenswichtiger Bedeutung sein können. Gleichzeitig weisen sie auf die grosse Kluft zwischen den Industriestaaten und den Nicht–Industriestaaten hin usw. Mit dieser (nicht sehr originellen) Erkenntnis kommen die Vertragsparteien in Art. XXXVI:3 GATT zum Schluss, es müssten konstruktive Anstrengungen unternommen werden, "um sicherzustellen, dass die weniger entwickelten Vertragsparteien entsprechend den Bedürfnissen ihrer wirtschaftlichen Entwicklung am Wachstum des Welthandels teilhaben". Die folgenden Abschnitte fordern für die Entwicklungsländer einen "verstärkten Zugang zu den Märkten zu günstigen Bedingungen" sowie eine kontinuierliche Zusammenarbeit zwischen den VERTRAGSPARTEIEN und den internationalen Kreditinstitutionen. Alle diese Feststellungen münden in Ziff. 9 in den (einzigen) konkreten Vorschlag, beim Abbau oder bei der Beseitigung von Zöllen und sonstigen Handelsschranken auf Produkten aus den Drittweltländern auf Gegenleistungen zu verzichten (im Gegensatz zu Art. XXVIII$^{bis}$ GATT, der Verhandlungen auf "der Grundlage der Gegenseitigkeit" fordert). Dieser Vorschlag ist mit dem Beschluss über das Allgemeine Präferenzsystem von 1971 und die Ermächtigungsklausel von 1979 verwirklicht worden.

622     Art. XXXVII GATT ist mit dem vielversprechenden Titel "Verpflichtungen" (Commitments) überschrieben und enthält einen Katalog von Bestimmungen, die "im grösstmöglichen Umfang, das heisst, soweit nicht zwingende Gründe einschliesslich Rechtsgründen dem entgegenstehen", eingesetzt werden sollen. Die Industriestaaten werden aufgefordert, von einer unangemessenen Zolleskalation abzusehen sowie die Zölle, die nichttarifären Handelshemmnisse und die Steuern nicht zulasten der Entwicklungsländer zu erhöhen. Zudem soll die Handelsspanne beim Wiederverkauf von Produkten aus Ländern der Dritten Welt so niedrig als möglich gehalten werden. Auch die

Nicht–Industrieländer werden aufgefordert, sich gegenseitig Handelserleichterungen zu gewähren. Für den Fall einer Verletzung dieser "Verpflichtungen" sieht Art. XXXVII:2 GATT die Möglichkeit von Konsultationen vor, was aber bis heute noch nie von einer Vertragspartei verlangt wurde.[263]

Art. XXXVIII GATT schliesst mit einer allgemein gehaltenen Aufzählung von gemeinsamen Massnahmen, welche die Vertragsparteien zugunsten der wirtschaftlich schwächeren Staaten treffen sollen. Erneut geht es um die Verbesserung der Zugangsbedingungen zu den Weltmärkten und die Stabilisierung der Absatzmärkte für Grundstoffe. Weiter ist die Rede von einer "geeigneten Zusammenarbeit" in der Handels– und Entwicklungspolitik mit den Vereinten Nationen und insbesondere mit den Institutionen, die der UNCTAD nahestehen. Die lit. c bis f schliessen mit der Aufforderung an die Vertragsparteien, an der Analyse "der Entwicklungspläne und –politik der einzelnen weniger entwickelten Vertragsparteien sowie an der Prüfung des Verhältnisses zwischen Handel und Hilfe mit dem Ziel mit[zu]wirken, konkrete Massnahmen zur stärkeren Entwicklung eines Exportpotentials und zum erleichterten Zugang der Erzeugnisse der auf diese Weise entwickelten Wirtschaftszweige zu den Ausfuhrmärkten zu erarbeiten". 623

Die materiellrechtlichen Bestimmungen des Teils IV des GATT sind eher dürftig. Die Erweiterung des GATT um Teil IV widerspiegelt aber das Stimmungsbild der damaligen Diskussion wieder, die in den folgenden Jahren zur Regelung der Präferenzen und zur Einigung über die Ermächtigungsklausel führte. 624

## 7.2.3 Die Sonderbestimmungen in den Zusatzabkommen

Es folgt eine Zusammenfassung der wichtigsten Drittwelt–Sonderbestimmungen der Zusatzabkommen. 625

Nach Art. 15 des Abkommens zur Durchführung des Art. VI GATT (Antidumpingabkommen) wollen die WTO–Mitgliedstaaten bei der Erwägung von Antidumpingmassnahmen "die spezifische Lage der Entwicklungsland- 626

---

263 Vgl. *GATT* (1994), Analytical Index, Genf, S. 987 (Paragraph 2).

Dritter Teil

Mitglieder besonders in Betracht" ziehen. Vor der Anwendung von Antidumpingabgaben seien "die Möglichkeiten von konstruktiven Abhilfen" zu prüfen. Diese nicht sehr griffige Empfehlung stammt aus der Tokio–Runde und hat seither keine Änderung erfahren. Es kam ihr bisher auch keine grosse Bedeutung zu, weil die Drittweltstaaten vor der Uruguay–Runde dem Antidumpingabkommen fast ausnahmslos fern standen und nur selten in Antidumpingverfahren verwickelt waren.[264] Ob sich an dieser Situation mit dem Inkrafttreten des Antidumpingabkommens als multilaterale Verpflichtung etwas ändert, kann vorerst mangels Erfahrung nicht beurteilt werden.[265]

627  Das Abkommen zur Durchführung des Art. VII des GATT (Zollwertabkommen) erörtert in Teil III die "besondere und differenzierte Behandlung" der Entwicklungsländer. Art. 20 des Abkommens erlaubt den WTO–Drittweltländern, die dem Zollwertabkommen bisher nicht angehörten,[266] die Anwendung der neuen Vertragsverpflichtungen für drei bis fünf Jahre ab dem Zeitpunkt des Inkrafttretens der WTO auszusetzen. Reichen die zugestandenen Übergangsfristen nicht aus, ist gemäss Anhang III eine Verlängerung "wohlwollend" zu prüfen. Zudem wird von den Industriestaaten erwartet, dass sie den Entwicklungsländern technische Hilfe in Form von Personalschulung, Durchführungsprogrammen und Informationsbeschaffung leisten. Schliesslich dürfen sich die wirtschaftlich schwächeren Staaten nach Art. 4 auch vorbehalten, bei der Berechnung des Zollwerts von der zugelassenen Umkehrung abzusehen. Wenn der effektive Preis der Ware selbst oder einer gleichen oder gleichartigen Ware nicht ermittelbar ist, gilt als Zollwert der im Einfuhrland erzielte Verkaufspreis unter entsprechender Berücksichtigung der Kosten und der Gewinnmarge, und nicht die Herstellkosten im Herkunftsland.[267]

628  Das Abkommen über Subventionen enthält in Teil VIII, Art. 27:1 bis 15, detaillierte Bestimmungen über die "besondere und differenzierte Behandlung von Entwicklungsland–Mitgliedern". Die beiden Grundelemente der Sonder-

---

264  Vgl. die Zusammenstellungen der Antidumpingverfahren in den Berichten des Antidumpingkomitees in: *GATT* (jährlich), BISD.
265  Vgl. Rz 1140ff.
266  Das betrifft ca. 80 Länder; vgl. *GATT* (1995), BISD 40th S, S. 312.
267  Vgl. Rz 824ff.

regelung sind erstens die Anerkennung der besonderen Bedeutung der Subventionen für die Wirtschaftsförderungsprogramme der Nicht-Industriestaaten und zweitens die gänzliche oder teilweise Befreiung der Entwicklungsländer vom Verbot der Exportsubventionen und der Subventionen auf inländischen gegenüber eingeführten Gütern. Vom Verbot der Exportsubventionen ganz befreit sind die wirtschaftlich am wenigsten entwickelten Länder sowie die in Anhang VII des Abkommens aufgezählten Staaten Ägypten, Bolivien, Elfenbeinküste, Dominikanische Republik, Ghana, Guatemala, Guyana, Indien, Indonesien, Kamerun, Kenia, Kongo, Marokko, Nicaragua, Nigeria, Pakistan, Philippinen, Senegal, Sri Lanka und Zimbawe, solange das jährliche Pro-Kopf-Einkommen in diesen Ländern unter 1000 US$ liegt. Den übrigen Entwicklungsländern wird eine Übergangsfrist von acht Jahren ab dem Datum des Inkrafttretens der WTO, also bis zum Jahr 2003, eingeräumt. Während dieser Zeit haben diese Länder das Recht, Exportsubventionen zur Verwirklichung ihrer Wirtschaftsprogramme zu gewähren. Das Verbot der Subventionierung von einheimischen gegenüber eingeführten Gütern wird – im Gegensatz zum Verbot von Exportsubventionen – für die Drittweltländer nicht aufgehoben, sondern in der Anwendung zeitlich erstreckt. Für die wirtschaftlich schwächsten Staaten gilt eine Übergangsfrist von acht Jahren und für die übrigen eine Frist von fünf Jahren. Während dieser Zeit dürfen einheimische Erzeugnisse gegenüber Importprodukten gefördert werden. Verboten ist das Erhöhen der bestehenden Subventionen. Eine Verlängerung der Ausnahmefristen ist möglich, bedingt aber eine jährliche Überprüfung durch den Ausschuss für Subventionen und Ausgleichsmassnahmen. Erlangt ein Land die Ausfuhrwettbewerbsfähigkeit für ein Erzeugnis (d.h. einen Welthandelsanteil von wenigstens 3.25% in zwei aufeinander folgenden Jahren), sind die Subventionen in den wirtschaftlich rückständigsten Entwicklungsländern in acht und in den übrigen in zwei Jahren zu beseitigen. Die restlichen Bestimmungen des Teils VIII des Subventionsabkommens beziehen sich auf die Feststellung einer Schädigung durch Subventionen und auf die erlaubten Abhilfemassnahmen unter Berücksichtigung der besonderen Verhältnisse der schwachen Wirtschaftslage dieser Drittweltländer.[268]

---

268 Vgl. Rz 840ff.

629 Im Abkommen über Schutzmassnahmen erfahren die Entwicklungsländer nach Art. 9:1 insofern eine Bevorzugung, als kleine Marktanteile von Schutzmassnahmen ausgenommen sind. Schutzmassnahmen gegen Drittweltländer dürfen nur ergriffen werden, wenn der Handelsanteil der betreffenden Ware 3 Prozent der totalen Importe im Einfuhrland überschreitet oder die totalen Einfuhren aus mehreren Ländern mit einem Anteil von weniger als 3 Prozent zusammen über 9 Prozent erreichen. Art. 9:2 erlaubt den Nicht–Industriestaaten, die Dauer der Schutzmassnahmen maximal von acht auf zehn Jahre zu verlängern und gegen Importprodukte, die nach dem Inkrafttreten der WTO bereits Gegenstand einer solche Massnahme waren, erneut Schutzmassnahmen einzuführen, "und zwar nach einer Frist, die der Hälfte jenes Zeitraums entspricht, in dem eine solche Massnahme angewendet worden ist, vorausgesetzt, dass die Frist der Nichtanwendung mindestens zwei Jahre beträgt". Wichtiger als diese Prozent– und Fristenberechnungen, die mangels statistischer Unterlagen und durchführbarer Produktvergleiche ohnehin kaum möglich sind, ist die Bestimmung, dass die Schutzmassnahmen nicht selektiv nach Ländern eingesetzt werden dürfen, sondern "ohne Rücksicht auf ihren Ursprung" anzuwenden sind.[269]

630 In der Präambel des Agrarabkommens verpflichten sich die Vertragsparteien, "bei der Durchführung ihrer Marktzutrittsverpflichtungen die besonderen Bedürfnisse und Bedingungen der Entwicklungsland–Mitglieder voll in Betracht [zu] ziehen, indem sie für eine weitergehende Verbesserung der Zutrittsmöglichkeiten und Zutrittsbedingungen für landwirtschaftliche Waren [...] sorgen". Das Agrarabkommen ist in der Folge so angelegt, dass die strukturelle Neuausrichtung des internationalen Agrarhandels zwar die Industriestaaten und die Nicht–Industriestaaten betrifft, für die Entwicklungsländer aber in der Regel längere Übergangsfristen und geringere Abbauverpflichtungen vorsieht. Die beschlossene Liberalisierung ist in zehn statt in sechs Jahren durchzuführen. Anstelle eines Zollabbaus von durchschnittlich 36 und mindestens 15 Prozent gilt für die Drittweltländer eine Zweidrittelverpflichtung von 24 und 10 Prozent. Die internen Stützungen sind statt um 20 um 10 Prozent zu ermässigen, und anstelle der Subventionskürzung von wertmässig

---

[269] Art. 2:2 des Abkommens über Schutzmassnahmen. Vgl. auch Rz 911ff.

36 und mengenmässig 21 Prozent tritt ein Abbau von 24 und 14 Prozent. Zudem sind die wirtschaftlich ärmsten Länder von allen Verpflichtungen des Abkommens ausgenommen.[270]

Im Abkommen über sanitarische und phytosanitarische Massnahmen gehen die Vertragspartner von der Annahme aus, die Anwendung der gesundheitspolizeilichen und pflanzenschutzrechtlichen Massnahmen treffe die Entwicklungsländer besonders stark. Diese Länder bedürften deshalb besonderer Unterstützung. Die technische Hilfe ist nach Art. 9 auf den Gebieten der Verarbeitungstechnologie, der Forschung und der Infrastruktur, einschliesslich der Einrichtung nationaler Normensetzungsorgane, und in Form von Beratung, Krediten, Schenkungen und Zuschüssen zu leisten. Falls für die Erfüllung der sanitarischen und phytosanitarischen Vorschriften beträchtliche Investitionen notwendig sind, haben die Importländer eine entsprechende technische Hilfe zugunsten der wirtschaftlich schwachen Exportländer in Betracht zu ziehen, um auf diese Weise deren Marktzutritts–Chancen zu verbessern. Eine besondere und differenzierte Behandlung erfahren die am wenigsten entwickelten Mitgliedsländer. Das Komitee ist nach Art. 11 ermächtigt, "solchen Ländern auf Verlangen bestimmte zeitlich begrenzte Ausnahmen von der Gesamtheit oder eines Teils der Verpflichtungen im Rahmen dieses Übereinkommens zu gewähren".[271]

631

Das Kernstück des multilateralen Textilabkommens ist die sukzessive Beseitigung der bilateralen Textilvereinbarungen bis zum Jahr 2005. Da diese Vereinbarungen ausnahmslos zwischen den Industriestaaten (insbesondere den USA, der EU und Japan) einerseits und den Entwicklungsländern andererseits bestehen, hat diese Reorientierung des Textilhandels Folgen für alle Staaten, unabhängig ihres Entwicklungsgrades. Bisherige Vertragspartnerstaaten wie beispielsweise Hongkong, Indien, Makao, Pakistan, Singapur und Thailand werden ihre angestammten Handelskontingente verlieren und müssen sich der zunehmenden Konkurrenz durch die übrigen Textilanbieter aussetzen. Andererseits haben die bisher vom Handel ausgeschlossenen Länder die Möglichkeit, neu in den Textilhandel einzusteigen. Für die Industriestaaten

632

---

270 Vgl. Rz 1001ff.
271 Vgl. Rz 1053ff.

dürfte der Wettbewerb im Textilbereich härter werden, falls sie nicht zu den Schutzmassnahmen greifen, die ihnen aufgrund des Textilabkommens weiterhin zustehen. Art. 6 des Abkommens erlaubt das Verhängen von Restriktionen bei einem plötzlichen Anstieg der Einfuhrmenge einer Ware, wenn "dem inländischen Wirtschaftszweig, der ähnliche oder unmittelbar konkurrierende Waren erzeugt, ein erheblicher Schaden entsteht oder zu entstehen droht." Bei der Anwendung der vorübergehenden Schutzklausel ist den "am wenigsten entwickelten Mitgliedstaaten [...] in allen Einzelheiten [...] eine deutlich günstigere Behandlung" als den anderen Vertragspartnern zu gewähren. Eine Bevorzugung sollen auch jene Länder der Dritten Welt erfahren, deren Textil– und Bekleidungsausfuhren einen nur geringen Teil ihrer Gesamtexporte ausmachen oder deren Handel sich auf Wollprodukte beschränkt und in den Einfuhrländern mit Blick auf den gesamten Textil– und Bekleidungshandel nicht von grosser Bedeutung ist. Ob diese etwas unbestimmten Vorschriften zu einer effektiven Begünstigung der Entwicklungsländer führen werden, muss vorerst offen bleiben.[272]

633    Das Abkommen über Technische Handelshemmnisse bezweckt, über die Erhöhung der Transparenz, über die Vereinheitlichung der technischen Vorschriften und Normen sowie über die Zusammenarbeit mit bereits bestehenden internationalen Standardisierungsorganisationen einen Beitrag zur Verbesserung der internationalen Handelsbeziehungen zu leisten. Die Vertragsparteien halten in der Präambel des Abkommens fest, "dass für die Entwicklungsländer bei der Ausarbeitung und Anwendung technischer Vorschriften und Normen und von Verfahren für die Konformitätsbewertung mit technischen Vorschriften und Normen besondere Schwierigkeiten auftreten können [...]". Art. 12 des Abkommens sichert den Entwicklungsländern insofern eine Sonderstellung zu, als bei der Ausarbeitung und Anwendung technischer Vorschriften, Normen und Verfahren ihre besonderen Entwicklungs–, Finanz– und Handelsbedürfnisse zu berücksichtigen sind. Damit wird sichergestellt, dass solche technische Vorschriften, Normen und Verfahren "keine unnötigen Hemmnisse für die Ausfuhren von Entwicklungsland–Mitgliedern schaffen". Zudem sollen die Vertragspartnerstaaten den wirtschaftlich schwachen Staaten

---

272  Vgl. Rz 1077ff.

technischen Beistand leisten und notfalls Ausnahmen von den Verpflichtungen aus diesem Abkommen zugestehen.[273]

Nach Art. 2 des Übereinkommens über handelsbezogene Investitionsmassnahmen (TRIMS) darf kein WTO-Mitglied Investitionsmassnahmen anwenden, die dem Inländerprinzip (Art. III GATT) und den Bestimmungen über die Beseitigung der mengenmässigen Handelsschranken (Art. XI GATT) zuwiderlaufen. Diese Grundausrichtung gilt auch für die Entwicklungsländer, sofern sie nicht nach Art. 4 TRIMS zeitlich befristete Ausnahmen aufgrund des Art. XVIII GATT (Unterstützung der wirtschaftlichen Entwicklung), der Vereinbarung über die Zahlungsbilanzbestimmungen des GATT[274] und der Erklärung betreffend Handelsmassnahmen aus Zahlungsbilanzgründen von 1979[275] geltend machen können. Investitionsmassnahmen, die beim Inkrafttreten der WTO am 1. Januar 1995 nicht abkommenskonform waren, mussten gemäss Art. 5 des Übereinkommens innerhalb 90 Tagen dem GATT-Rat gemeldet und im Verlauf der folgenden zwei Jahre beseitigt werden. Für die Entwicklungsländer galt anstelle von zwei Jahren eine Übergangsfrist von fünf Jahren und für die am wenigsten entwickelten Länder eine solche von sieben Jahren. Für Länder mit besonderen Schwierigkeiten sieht das Abkommen die Möglichkeit einer zeitlich unbegrenzten Fristverlängerung vor.[276]

634

Im Gegensatz zu den bisher besprochenen Zusatzabkommen, die vor allem auf die Bedürfnisse der Industriestaaten ausgerichtet sind und nur vereinzelt Ausnahmen zugunsten der Entwicklungsländer enthalten, bezieht sich das Abkommen über die Versandkontrolle ausschliesslich auf Handelsfragen der Nicht-Industriestaaten, das heisst die Bedingungen, die in diesen Ländern bei der Exportkontrolle durch private Kontrollorgane einzuhalten sind: das Prinzip der Meistbegünstigung, das Inländerprinzip, die Beschränkung der Kontrolle auf das eigene Zollhoheitsgebiet, die Auskunftspflicht der Kontrollstellen, den

635

---

273 Vgl. Rz 1120ff.
274 Vereinbarung über die Zahlungsbilanzbestimmungen des GATT vom 15.4.1994 (in Ergänzung zu Art. XII GATT), veröffentlicht in: *Hummer/Weiss*, S. 658ff.
275 Erklärung betreffend Handelsmassnahmen aus Zahlungsbilanzgründen vom 28.11.1979 (in Ergänzung zu Art. XII und XVIII:B GATT), veröffentlicht in: *Hummer/Weiss*, S. 672ff.
276 Vgl. Rz 759ff.

vertraulichen Umgang mit den Kontrollergebnissen, die Vermeidung unnötiger zeitlicher Verzögerungen und die Bekanntgabe der Kontrollergebnisse innerhalb von fünf Tagen. Das Abkommen über die Versandkontrolle war nicht Gegenstand der Vorbereitung der Uruguay-Runde. Den Anstoss zu einer vertraglichen Regelung gab das GATT-Sekretariat im Jahr 1990, nachdem die Versandkontrolle durch private Firmen in Drittweltstaaten zu ständigen Spannungen in den Nord-Süd-Beziehungen, aber auch innerhalb der Exportländer geführt hatte. Die Entwicklungsländer waren selber an einer möglichst reibungslosen Exportkontrolle in ihren eigenen Ländern interessiert und stellten mit diesem Abkommen sicher, dass bei den Kontrollen ihre nationalen Gesetze eingehalten werden.[277]

636   Das Abkommen über Ursprungsregeln enthält im Vertragstext keine Sonderbestimmungen zugunsten der wirtschaftlich schwachen Staaten. Von Bedeutung für die Drittweltländer ist hingegen die "Gemeinsame Erklärung in Bezug auf präferenzielle Ursprungsregeln", die dem Abkommen als Anhang II beigefügt ist. Den einzelnen WTO-Mitgliedern steht danach das Recht zu, in Ergänzung zu den der Dritten Welt gewährten tarifären und nichttarifären Handelspräferenzen auch präferenzielle Ursprungsregeln zu gewähren. Die Erklärung hält fest, dass die entsprechenden Verwaltungsvorschriften klar zu definieren und die Zolltarifnummern und Berechnungsmethoden transparent zu gestalten sind, die rechtlichen Unterlagen veröffentlicht werden, die Bestimmungen nicht rückwirkend zur Anwendung gelangen und die Vertraulichkeit der Informationen gewährleistet wird.[278]

637   Das Hauptanliegen des Abkommens über das Einfuhrlizenzverfahren ist, die mit Handelslizenzen verbundenen administrativen Umtriebe auf ein Minimum zu beschränken und so auszugestalten, dass sie nicht handelshemmend und nicht diskriminierend wirken, wobei nach Art. 1:2 des Abkommens "die Ziele der wirtschaftlichen Entwicklung und die Finanz- und Handelsbedürfnisse der Entwicklungsland-Mitglieder in Betracht zu ziehen sind". Das Abkommen über das Einfuhrlizenzverfahren gilt seit dem Inkrafttreten der

---

277 Vgl. *Croome, John* (1995), Reshaping the World Trading System, Genf, S. 190f. Vgl. auch Rz 1154ff.
278 Vgl. Rz 1171ff.

WTO am 1. Januar 1995 für alle WTO–Mitglieder.[279] Die 24 Entwicklungsländer, die mit der WTO neu zum multilateralen Welthandelssystem stiessen, konnten eine Verschiebung der Anwendung um höchstens zwei Jahre beantragen.[280] In Art. 3(j) des Abkommens werden die Vertragsparteien aufgefordert, bei der Lizenzzuteilung jene Importeure besonders zu berücksichtigen, "die Waren mit Ursprung in Entwicklungsland–Mitgliedern und insbesondere in den am wenigsten entwickelten Entwicklungsland–Mitgliedern einführen".[281]

### 7.2.4 Die Sonderbestimmungen im GATS

Vor der Eröffnung der Uruguay–Runde in Punta del Este am 14. September 1986 stellten sich mehrere Entwicklungsländer gegen den Einbezug der Dienstleistungen in die bevorstehende Handels–Runde.[282] Die Liberalisierung des grenzüberschreitenden Dienstleistungsverkehrs werde die noch jungen Dienstleistungsbetriebe (Banken, Versicherungen und Transportunternehmen) in den Nicht–Industriestaaten aus dem Markt drängen.[283] Der in Punta del Este getroffene Kompromiss bestand darin, den Dienstleistungshandel zwar nach Wunsch der USA in das Verhandlungsspektrum aufzunehmen, bei den Liberalisierungbestrebungen aber den politischen Zielsetzungen einzelstaatlicher Rechtsvorschriften Rechnung zu tragen.[284]

638

In der Präambel des GATS äussern die Vertragsparteien den Wunsch, ein multilaterales Regelwerk für den Handel mit Dienstleistungen zur "Förderung des Wirtschaftswachstums aller Handelspartner sowie der Weiterentwicklung

639

---

279 Die Anmerkung zu Art. 1:2 lautet: "Die Grundlage, der Umfang oder die Dauer einer Massnahme, zu deren Durchführung ein Lizenzverfahren eingeführt wird, werden durch dieses Übereinkommen nicht in Frage gestellt".
280 Vgl. *Hummer/Weiss,* S. 999, Anmerkung 5.
281 Vgl. Rz 1185ff.
282 Die sogenannten Hardliner waren: Ägypten, Argentinien, Brasilien, Indien, Jugoslawien, Kuba, Nicaragua, Nigeria, Peru und Tansania.
283 Über den Verlauf der Vorberatungen vgl. *Croome, John* (1995), Reshaping the World Trading System, Genf, S. 30ff.
284 Vgl. Ministererklärung vom 20.9.1986, Teil II, veröffentlicht in: *Hummer/Weiss,* S. 290.

der Entwicklungsländer zu schaffen". Über die Verbesserung ihrer Dienstleistungskapazität, Effizienz und Wettbewerbsfähigkeit mögen die "Beteiligung der Entwicklungsländer am Handel mit Dienstleistungen und die Ausweitung ihrer Dienstleistungsausfuhren" gestärkt werden. Im Sinne der Ministererklärung von 1986 münden diese sehr allgemein gehaltenen Hinweise in die Anerkennung der Tatsache, dass die Entwicklungsländer ermächtigt werden, "zur Erreichung ihrer nationalen politischen Ziele die Erbringung von Dienstleistungen in ihrem Hoheitsgebiet zu regeln und neue Vorschriften hierfür einzuführen". Zudem sollen "schwerwiegende Probleme der am wenigsten entwickelten Länder eine besondere Berücksichtigung erfahren".

640  Bei der Durchsicht des GATS–Texts nach Sonderbestimmungen fällt auf, dass im GATS grundsätzlich alle Mitgliedstaaten, sowohl die Industriestaaten wie die Entwicklungsländer, das Recht haben, Ausnahmen vom Meistbegünstigungs– und Inländerprinzip einzuführen. Viele Länder haben von diesem Recht Gebrauch gemacht und sich dadurch eine Sonderposition geschaffen.[285] In Ergänzung zu diesem Ausnahmerecht enthält der Vertrag einige zusätzliche Regelungen, die sich auf die spezifischen Probleme der Drittweltstaaten beziehen.

641  Eine erste Sonderbestimmung enthält Art. III:4 GATS. Die Errichtung von Auskunftsstellen ist für Länder der Dritten Welt nicht an die übliche Frist von zwei Jahren gebunden. Der Vertrag sieht für diese Länder eine "flexiblere Lösung" vor, ohne genau zu definieren, was unter "flexibler" zu verstehen ist.

642  Der eigentliche "Entwicklungsartikel" IV GATS weist in Ziff. 1 darauf hin, dass die Beteiligung der wirtschaftlich schwachen Staaten am Dienstleistungshandel durch die in Teil III und Teil IV des Vertrags erlaubten Ausnahmen erleichtert werde. Art. IV:2 GATS wiederholt nochmals die Fristenerstreckung für die Errichtung von Auskunftsstellen. Ziff. 3 verlangt eine besondere Rücksichtnahme auf die ärmsten Entwicklungsländer. Materiellrechtliche Sonderbestimmungen zugunsten der wirtschaftlich schwachen Staaten enthält Art. IV GATS nicht.

---

285  Vgl. Rz 1224ff.

Art. V GATS erlaubt bei einer "Süd–Süd–Integration", die dabei einzuhaltenden Bedingungen (umfassender sektoraler Geltungsbereich, Beseitigung der Diskriminierung) unter Berücksichtigung des allgemeinen Entwicklungsstands nicht nach gleich strengen Massstäben zu beurteilen wie bei der Integration von Industriestaaten.

643

Art. XXV GATS schliesslich regelt die technische Zusammenarbeit zwischen den GATS–Partnern. Im Gegensatz zu den Industriestaaten, die in ihrer Zusammenarbeit auf die von ihnen zu schaffenden Auskunftsstellen verwiesen werden, erfahren die Entwicklungsländer eine Unterstützung durch das GATS–Sekretariat.

644

Zusammenfassend ist festzuhalten, dass das GATS keine ins Gewicht fallenden Sonderbestimmungen für die Entwicklungsländer enthält. Den Ländern steht ohnehin das Recht zu, vorrangig nationales Recht anzuwenden und gewünschte Sonderregelungen gegenüber Drittstaaten über Listen zu realisieren (über die Ausnahmen von der Meistbegünstigungs– und Inlandgleichbehandlungspflicht).

645

### 7.2.5 Die Sonderbestimmungen im TRIPS

Die Minister forderten am 20. September 1986 in Punta del Este, die handelsrelevanten Aspekte der Rechte an geistigem Eigentum einschliesslich des Handels mit nachgeahmten Waren in der Uruguay–Runde zu berücksichtigen. Ein angemessener Schutz der Rechte an geistigem Eigentum trage zur Verringerung der Verzerrung und Behinderung des internationalen Handels bei.[286] Am vertraglichen Ausbau des Schutzes des geistigen Eigentumsrechts waren vor allem die Industriestaaten interessiert, die in diesem Schutz Handelsvorteile und die Förderung von Forschung und Entwicklung sahen. Die Entwicklungsländer sprachen sich vorerst gegen einen gemeinsamen Schutz aus, teils weil ihre Firmen nur wenige geistige Eigentumsrechte zu schützen hatten, teils weil sie sich vor künftigen Zahlungen für entsprechende Eigentumsrechte

646

---

286 Ministererklärung vom 20.9.1986, Teil I, Lit. D, veröffentlicht in: *Hummer/Weiss*, S. 287f.

(z.B. Patente) fürchteten.[287] Im Verlauf der Verhandlungen entschieden sich die Nicht–Industriestaaten nach anfänglichen Bedenken für eine aktive Beteiligung an der Ausarbeitung des Vertragstexts. Als Gründe dieses Gesinnungswandels werden unter anderem die Bevorzugung multilateraler Lösungen vor unilateralen Druckversuchen durch die USA und die EU sowie die steigende Gefahr von Fälschungen und Nachahmungen auch im Handel zwischen den Nicht–Industriestaaten genannt.[288]

647 Die Präambel des TRIPS hebt die "besonderen Bedürfnisse der am wenigsten entwickelten Mitgliedsländer" hervor und unterstreicht die Absicht, diesen Ländern über entsprechende Gesetze "eine gesunde und tragfähige technologische Grundlage zu schaffen". Der in den mehrjährigen Verhandlungen zunächst verfolgte Ansatz einer differenzierten Behandlung der Nicht–Industriestaaten wurde später fallen gelassen und die Bevorzugung dieser Länder auf die Erstreckung von Anwendungsfristen beschränkt. Grundsätzlich sind die TRIPS–Bestimmungen spätestens ein Jahr nach Inkraftsetzung anzuwenden. Für die wirtschaftlich schwachen Staaten gilt nach Art. 65:2 TRIPS eine Frist von fünf Jahren (ausgenommen die Meistbegünstigungs– und Inlandgleichbehandlungspflicht).[289] Für die Einführung von Patenten im Bereich Pharmazeutika und Lebensmittel ist nach Art. 65:5 eine Fristverlängerung von bis zu zehn Jahren möglich. Für die wirtschaftlich ganz armen Staaten kann der TRIPS–Rat diese Frist unbeschränkt aufschieben.

648 Insgesamt ist festzuhalten, dass die Entwicklungs– und Reformländer, sieht man von den längeren Übergangsfristen ab, im TRIPS keine Sonderstellung besitzen. In der Fachliteratur wird das Fehlen einer TRIPS–Sonderregelung für wirtschaftlich schwache Staaten positiv beurteilt. Der allgemeingültige Schutz des Technologietransfers verbessere das Investitionsklima und die Voraus-

---

287 Über die Kontroverse zwischen den Industrie– und Entwicklungsländern vgl. *Croome, John* (1995), Reshaping the World Trading System, Genf, S. 131ff.
288 Vgl. *Cottier, Thomas* (1992), Intellectual Property in International Trade Law and Policy: The GATT Connection, in: Aussenwirtschaft, 47. Jg., H. I, S. 88f.; *Häberli, Christian* (1995), Das GATT und die Entwicklungsländer, in: *Cottier, Thomas,* Hrsg., GATT–Uruguay Round, Bern, S. 157f.
289 Die gleiche Fristverlängerung gilt gemäss Art. 65:3 TRIPS für die Reformstaaten, "die sich im Übergang von der Planwirtschaft zur Marktwirtschaft befinden".

setzungen zur Forschungstätigkeit in diesen Ländern. Zudem werde durch die Einhaltung des TRIPS der Druck der Industriestaaten, unilaterale Sanktionsmassnahmen zu verhängen, nachlassen.[290]

## 7.3 Wirtschaftliche Rechtfertigung oder politischer Druck

Die WTO erlaubt den Drittweltstaaten, Sondermassnahmen zur Verbesserung ihrer Handelsmöglichkeiten zu ergreifen, in der Überzeugung, dass über eine effizientere Durchführung der Entwicklungsprogramme die Wirtschaft gestärkt und der allgemeine Lebensstandard verbessert wird.[291] Die wirtschaftstheoretische Rechtfertigung bietet die Theorie des Erziehungszolls. Sie besagt, dass unter gewissen Voraussetzungen jungen Industrien die Möglichkeit zu bieten sei, in einer relativ ungestörten Konkurrenzsituation die Produktion aufzunehmen, auszubauen und zu festigen, damit sie nach einer gewissen "Schonzeit" in der Lage seien, mit den ausländischen Anbietern zu konkurrieren. Der "Erziehungsprozess" erfolge über die Schaffung sozialer Ersparnisse und über das Prinzip "learning by doing". In einem Land, das bisher noch keine Erfahrungen in der industriellen Fertigung und im Management sowie keine diesbezügliche Infrastruktur besass, diene der Importschutz gleichsam als Auslöser und Promotor des wirtschaftlichen Wachstums.

649

Die Forderung nach Erziehungsschutz widerspricht dem auf der Ausnützung von komparativen Kostenvorteilen beruhenden Prinzip der internationalen Arbeitsteilung nicht. "Die komparativen Kosten werden", wie *Klaus Rose* und *Karlhans Sauernheimer* erläutern, "durch solche Zölle nur geändert, die Handelsströme nur in andere Betten umgelenkt, aber es sind die (neuen) komparativen Kostendifferenzen, die die Richtung der neuen Ströme

650

---

290 Häberli, Christian (1995), Das GATT und die Entwicklungsländer, in: *Cottier, Thomas,* Hrsg., GATT–Uruguay Round, Bern, S. 159f.
291 Vgl. Art. XVIII:1 und 2 GATT.

bestimmen"²⁹². Es ist somit nicht erstaunlich, dass schon vor über hundert Jahren *Friedrich List* (Deutschland) und *Alexander Hamilton* (USA) die Theorie des Erziehungszolls vorgetragen haben. Die beiden Ökonomen forderten einen temporären Importschutz zugunsten der jungen Industrien in Deutschland und in den USA zum Aufbau ihrer Positionen in einer relativ ungestörten Konkurrenzsituation, um auf diese Weise den Anschluss an die britische Industrie zu finden.

651  *Klaus Rose* und *Karlhans Sauernheimer* betonen aber in ihrem Lehrbuch "Theorie der Aussenwirtschaft", dass eine Erziehungsschutzmassnahme nur gerechtfertigt ist, wenn sie Ersparnisse externer Natur erbringt, das heisst wenn "andere Produzenten die Erfahrungen, welche in einem Unternehmen gewonnen wurden, kostenlos übernehmen können"²⁹³. Sind dagegen die Ersparnisse interner Natur, so sind hohe Anfangskosten vom Unternehmer zunächst selber zu tragen und mit späteren Gewinnen auszugleichen. In der Regel ist es ausserordentlich schwierig, im konkreten Fall externe Ersparnisse zu "orten", das heisst zu entscheiden, ob die Schutzmassnahmen wirtschaftlich gerechtfertigt sind oder nicht. *Klaus Rose* und *Karlhans Sauerheimer* zitieren in diesem Zusammenhang *Gottfried Haberler*:

> "Es ist verhältnismässig leicht, die Möglichkeit externer Ersparnisse einzusehen und die daraus folgenden Schlüsse für die Wirtschaftspolitik theoretisch abzusehen. Es ist jedoch unendlich schwieriger, das tatsächliche Vorhandensein solcher Möglichkeiten ex ante zu diagnostizieren [...]. Zwischen der Theorie der Wirtschaftspolitik und ihrer halbwegs rationellen praktischen Durchführung besteht ein Abgrund, der nur schwer zu überbrücken ist".²⁹⁴

652  Zu Beginn der siebziger Jahre erhob *Harry G. Johnson* aufgrund einer Studie von *Ronald Coase* und anderen Ökonomen der Universität Chicago einen

---

292 *Rose/Sauernheimer* (1992), Theorie der Aussenwirtschaft, 11. A., München, S. 606.
293 *Rose/Sauernheimer* (1992), Theorie der Aussenwirtschaft, 11. A., München, S. 609.
294 *Haberler, Gottfried* (1954), Die Gleichgewichtstheorie des internationalen Handels, Schriften des Vereins für Sozialpolitik, N.F., Bd. 10, Berlin, S. 49, zitiert nach *Rose/Sauernheimer* (1992), Theorie der Aussenwirtschaft, 11. A., München, S. 610.

weiteren Einwand gegen den Schutz junger Industrien.[295] Gemäss Coase–Theorem schenkt die traditionelle Schule der Tatsache zu wenig Beachtung, dass die Privatwirtschaft stets dahin strebt, das zu integrieren, was nach komparativ statischer Betrachtungsweise als externe Ersparnisse gegolten hat. Mit anderen Worten: Ersparnisse, die für einzelne Firmen als extern, für die Gesamtbranche dagegen als intern betrachtet werden, bilden für die einzelnen Firmen einen Anreiz zu expandieren, um von den sogenannten externen Ersparnissen zu profitieren: "For this reason", folgt *Herbert Grubel* bei der Behandlung des Coase–Theorems, "if there are such externalities, the market would respond to them and there would be no need for tariff protection"[296].

653 Sind gemäss Coase–Theorem Erziehungsschutzmassnahmen zugunsten der Privatwirtschaft in der Regel nicht gerechtfertigt, kann daraus der Umkehrschluss für staatliche Betriebe abgeleitet werden. Staatsbetriebe spielen in den Entwicklungs– und Transformationsländern eine wichtig Rolle. Ist eine Produktionsstätte verstaatlicht, hat sie sämtliche externen Ersparnisse integriert, weil sie selber einen Teil des Staats darstellt. Das heisst, dass die betriebsinternen zusammen mit den betriebsexternen Ersparnisse insgesamt die staatsinternen Ersparnisse bilden. Indem der Staat sich selber vorfinanziert beziehungsweise seinen jungen Industrien einen Schutz in Form von Betriebssubventionen oder eines Importschutzes gewährt, macht er das, was das Coase–Theorem von den privaten Firmen fordert: Temporäre Vorfinanzierung mit Blick auf eine Verrechnung mit später anfallenden Gewinnen. Gemäss Coase–Theorem sind bei staatlichen Unternehmen gerade wegen des Integrationseffekts externer Ersparnisse Erziehungsschutzmassnahmen somit gerechtfertigt. Ob die staatliche Vorfinanzierung in Form von direkten Hilfen oder Importzöllen erfolgt, ist in Bezug auf den Erziehungseffekt nicht relevant. Die wirtschaftstheoretische Rechtfertigung von Erziehungsmassnahmen bei staatlichen Betrieben soll indessen nicht über die Tatsache hinwegtäuschen, dass es auch in diesen Fällen schwierig sein wird, das tatsächliche Vorhandensein von externen Ersparnissen ex ante zu diagnostizieren.

---

295 *Johnson, Harry G.* (1970), A New View of the Infant Industry Argument, in: *McDougall/Snape*, Hrsg., Studies in International Economics, Amsterdam.
296 *Grubel, Herbert G.* (1981), International Economics, Homewood u.a., S. 156.

654  Zusammenfassend können also Art. XVIII GATT und die vielen Sonderschutzmassnahmen in den übrigen WTO–Verträgen wirtschaftstheoretisch gerechtfertigt sein, auch wenn es schwierig ist, die externen Ersparnisse im Voraus festzustellen. Fragwürdig ist indessen, alle diese Massnahmen als entwicklungspolitische Instrumente für Vertragspartnerstaaten mit niedrigem Einkommen einzusetzen. Industriebetriebe und Branchen im Aufbau sind auch in fortgeschrittenen Wirtschaften zu finden. Mit anderen Worten, die WTO–Erlaubnis zum Erziehungsschutz sollte nicht von der Wahl der Länder, sondern vom Vorhandensein kostenbedingter Ersparnisse abhängen.

655  Viele der im WTO–Vertragswerk aufgeführten Sonderbestimmungen zugunsten der wirtschaftlich schwachen Staaten sind jedoch nicht wirtschaftlich bedingt, sondern sind Ausdruck und Folge eines politischen Drucks, den diese Länder während der jahrelangen Verhandlungen auf die übrigen Teilnehmerstaaten ausgeübt haben. Die Industriestaaten haben diesem Druck nachgegeben, teils weil sie für sich selber ähnliche Ausnahmen beanspruchen (z.B. im Bereich der Landwirtschaft), teils weil es sich bei diesen Ländern um künftig interessante Absatzmärkte handelt.

## 8. Der Schutz der Umwelt

656  Die umweltrelevanten Bestimmungen der WTO zählen Rechte und Pflichten auf, die von den Vertragspartnern im grenzüberschreitenden Handel mit Gütern und Dienstleistungen zur Erhaltung und Verbesserung der Lebensgrundlage und Lebensqualität der Menschen, Tiere und Pflanzen geltend gemacht werden können beziehungsweise eingehalten werden müssen.

657  In der unmittelbaren Nachkriegszeit standen die Umweltschutzfragen nicht oder nur am Rand zur Diskussion. Priorität hatten die Konsolidierung des Friedens, der Wiederaufbau der im Krieg zerstörten Infrastruktur und Wirtschaft sowie die Deckung des täglichen Konsumgüterbedarfs. In den folgenden Jahrzehnten zeichnete sich eine Wende ab. Die Auswirkung des Handels, die neuen Produktionsverfahren mit den damit verbundenen Gefahren für den Menschen und seine Umwelt sowie die effektiv eingetretenen Umweltkatastrophen

(Seveso 1976, Tschernobyl und Schweizerhalle 1986, Alaska 1989) rückten die Umweltprobleme mehr und mehr in den Vordergrund der staats- und wirtschaftspolitischen Auseinandersetzungen.

Die Ausführungen über den Umweltschutz gliedern sich in drei Abschnitte. Der erste Abschnitt zählt die umweltrelevanten Bestimmungen der geltenden Welthandelsordnung auf. Der zweite Abschnitt erörtert die zunehmende Berücksichtigung der Umweltschutz-Aspekte bei der Interpretation und Anwendung der WTO-Bestimmungen. Der dritte Abschnitt schliesst mit der Frage nach den Folgen eines stärkeren WTO-Bezugs auf den Umweltschutz.

## 8.1 Die umweltrelevanten Bestimmungen der WTO

Die im WTO-Vertragswerk aufgeführten umweltrelevanten Bestimmungen gehen auf die neben der WTO bestehenden internationalen Abkommen über Umweltschutz, auf das GATT von 1947, die Vereinbarungen der "Umweltkonferenz" von Rio de Janeiro im Jahr 1992 und die Beschlüsse der WTO zurück.

### 8.1.1 Der institutionelle Rahmen

Gemäss einer GATT-Studie aus dem Jahr 1993 beziehen sich 19 der 140 internationalen Umweltschutzabkommen auf den grenzüberschreitenden Handel mit Tieren oder Pflanzen.[297] Die ältesten beiden Abkommen stammen aus den Jahren 1933 und 1940 und betreffen den Handel mit wilden Tieren und Pflanzen. In den fünfziger Jahren folgten vier Abkommen über den Handel mit

---

297 *GATT* (1993), Trade Provisions Contained in Multilateral Environmental Agreements, Doc. TRE/W/1/Rev. 1 vom 14.10.1993. *Robert E. Hudec* weist auf eine Studie hin, in der weitere fünf handelsrelevante Umweltschutzvereinbarungen erwähnt sind. Vgl. *Hudec, Robert E.* (1996), GATT Legal Restraints on the Use of Trade Measures against Foreign Environmental Practices, in: *Bhagwati/Hudec,* Hrsg., Fair Trade and Harmonization, Prerequisites for Free Trade?, Cambridge u.a., S. 98 und 160, Anm. 13. Die Aussage der GATT-Umweltgruppe, die handelsrelevanten Bestimmungen der multilateralen Abkommen seien "unusual and not a widespread phenomenon" wirkt auf dem Hintergrund der bestehenden Abkommen nicht überzeugend. Vgl. *GATT* (1995), BISD 40th S, S. 78, Ziff. 14.

Seehunden und Fellen von Seehunden sowie mit geschützten Pflanzen. Jüngeren Datums sind die Vereinbarungen über phytosanitarische Massnahmen, den Transport von Tieren und den Schutz einzelner Tierarten. Die für den internationalen Handel wohl bedeutendsten Abkommen sind das Washingtoner Übereinkommen von 1973 über den internationalen Handel mit gefährdeten Arten freilebender Tiere und Pflanzen, das Wiener Übereinkommen von 1985 zum Schutz der Ozonschicht und das Basler Übereinkommen von 1989 über die Kontrolle des grenzüberschreitenden Transports gefährlicher Abfälle und ihrer Entsorgung.[298] Handelsrelevante Umweltschutzbestimmungen enthalten auch die regionalen Freihandelsverträge wie der EG- und der NAFTA-Vertrag.[299]

661 Im Rahmen der GATT- beziehungsweise der WTO-Umweltbestimmungen zeichnete sich im Verlauf der Jahrzehnte eine interessante Entwicklung ab. Während der Vorbereitungsarbeiten für die später nicht zustande gekommene ITO kamen die Umweltschutzfragen nicht zur Sprache. Demzufolge fehlten hinweise auf die Umwelt in der Präambel des GATT von 1947. In den ersten GATT-Jahren vermieden es die Vertragsparteien, im GATT die Umweltproblematik zu hinterfragen, obwohl nach der Veröffentlichung "Die Grenzen des Wachstums" durch den "Club of Rome"[300] diese Fragen aktuell waren und die GATT-Partner im Jahr 1971 mit Blick auf die Stockholmer "Conference on Human Environment" von 1972 eine Arbeitsgruppe für Umweltschutzmassnahmen und internationalen Handel (Group on Environmental Measures

---

298 Die Vertragstexte finden sich in jeder nationalen Gesetzessammlung.
299 *EGV* Art. 308 ermächtigt die Gemeinschaft für den Fall, dass im Vertrag die hierfür erforderlichen Befugnisse nicht vorgesehen sind, geeignete Vorschriften zu erlassen. Bei der Vertragsrevision 1987 wurden die Umweltschutzziele in den Vertragstext aufgenommen. Einheitliche Europäische Akte, Titel VII, Umwelt, Art. 130r und 130s. In der NAFTA verpflichten der Hauptvertrag und das Zusatzabkommen über den Umweltschutz die Vertragsparteien, die Handelsvereinbarungen in Übereinstimmung mit dem Schutz und der Erhaltung der Umwelt anzuwenden. Die NAFTA-Staaten sind gebunden, Produkte, die wegen ihrer Gefährlichkeit im eigenen Land nicht verkauft werden dürfen, auch nicht zum Export nach den Partnerstaaten zuzulassen. Vgl. *Senti, Richard* (1996), NAFTA, Nordamerikanische Freihandelszone, Zürich, S. 113.
300 *Meadows/Meadows/Randers/Behrens* (1972), The Limits to Growth, New York.

and International Trade) geschaffen haben.[301] Selbst in der Ministererklärung zur Uruguay–Runde von 1986 war bloss von einer möglichst weitgehenden Liberalisierung des Rohstoffhandels ("fullest liberalization of trade in natural resource–based products") die Rede. Die Umweltschutzproblematik wurde auch zu Beginn der Uruguay–Runde noch nicht thematisiert.[302] Die Hauptziele der neuen Welthandelsordnung waren die Öffnung der Märkte, die gegenseitige Nichtdiskriminierung in den Handelsbeziehungen und der Abbau der Handelshemmnisse.

Eine formelle Neuausrichtung der GATT–Umweltschutzpolitik folgte mit dem Dunkel–Bericht Ende 1991. In seiner Präambel schlug der Dunkel–Bericht vor, die Handels– und Wirtschaftsbeziehungen auf "developing the optimal use of the resources of the world at sustainable levels" auszurichten.[303] Die Neuerung im Dunkel–Bericht bestand also darin, dass anstelle von "voller Erschliessung der Hilfsquellen der Welt" von einer "optimalen Nutzung der natürlichen Ressourcen auf einem dauerhaften Niveau" die Rede war.

662

Von grosser Bedeutung für die Weiterentwicklung der GATT–Umweltschutzpolitik war schliesslich die Konferenz für Umwelt und Entwicklung (United Nations Conference on Environment and Development, UNCED), die im Juni 1992 in Rio de Janeiro durchgeführt wurde. Sensibilisiert durch die in den letzten Jahren eingetretenen Umweltkatastrophen forderte die UNCED das GATT und die damals noch nicht abgeschlossene Uruguay–Runde auf, die Umweltaspekte vermehrt in die neue Welthandelsordnung einzubeziehen, dass heisst:

663

---

301 Auf die Tatsache, dass die GATT–Arbeitsgruppe für Umweltschutzmassnahmen während 20 Jahren weder getagt noch in anderer Form die Arbeit aufgenommen hat, wurde im Zusammenhang der WTO–Zielsetzung bereits hingewiesen. Vgl. Rz 369, Anmerkung 8.

302 Ministererklärung vom 20.9.1986, veröffentlicht in Hummer/Weiss, S. 280ff. Der Hinweis auf den Rohstoffhandel findet sich auf S. 285. Die Formulierung der Ministererklärung wurde von der Arbeitsgruppe Tropische Produkte übernommen. Vgl. *GATT* (1987), FOCUS, Newsletter Nr. 43, Genf, S. 4. Die Formulierungen "international economic environment" und "trade environment" sind nicht im Sinne von "Umweltschutz", sondern als "Entwicklung des internationalen Wirtschaftsumfelds" zu verstehen.

303 *Dunkel–Bericht*, S. 91, 2. Absatz.

- die Zusammenhänge zwischen Umwelterfordernissen und internationalem Handel zu analysieren,

- den Dialog zwischen den Umweltvertretern und der Wirtschaft zu fördern,

- die ergriffenen Umweltschutzvorschriften in Übereinstimmung mit den internationalen Verpflichtungen zu bringen und

- darüber zu wachen, dass die Umweltschutzmassnahmen, einschliesslich die Gesundheits- und Sicherheitsvorschriften, zu keiner willkürlichen und ungerechtfertigten Diskriminierung sowie zu keiner verschleierten Beschränkung des internationalen Handels führen.[304]

664     Ein Jahr nach der Rio Konferenz 1992 beauftragte das Verhandlungskomitee der Uruguay-Runde den Ausschuss für Handel und Entwicklung, das Verhältnis zwischen Handels- und Umweltschutzmassnahmen zur Förderung einer dauerhaften Entwicklung zu analysieren und entsprechende Empfehlungen auszuarbeiten.[305] Zudem beschlossen die Minister am 14. April 1994, "einen allen Mitgliedern der WTO offenstehenden Ausschuss für Handel und Umwelt (Committee on Trade and Environment, CTE) zu schaffen"[306]. Dieses Gremium erhielt den Auftrag, der ersten WTO-Ministerkonferenz (Singapur 1996) Bericht über die bestehenden Umweltschutzprobleme zu erstatten und Vorschläge über das weitere Vorgehen auszuarbeiten. Seit 1997 finden im Rahmen der WTO entsprechende Symposien statt, über deren Verlauf die CTE Bulletins, die WTO-Jahresberichte sowie FOCUS und WTO-Press Release informieren.[307]

---

304 *UNCED*, Agenda 21, Textwiedergabe des für das GATT relevanten Kapitels 2, Ziff. 2.1 - 2.48, in: *GATT* (1993), BISD 39th S, S. 316ff.

305 Der Text des Beschlusses vom 15.12.1993 ist veröffentlicht in: *WTO*, The Legal Texts, S. 457f. (englische Fassung).

306 Der Ministerentscheid ist veröffentlicht in: *Hummer/Weiss,* S. 542ff. (deutsche Fassung); *WTO*, The Legal Texts, S. 469ff. (englische Fassung). Vgl. auch Rz 306.

307 Vgl. *WTO* (1998), Annual Report 1998, Special topic: Globalization and trade, Genf, S. 123ff.; *WTO* (1999), FOCUS, Newsletter Nr. 38, Genf, S. 3ff.; WTO (1999), Press Release vom 30. Juli, Genf (Trade and Environment Bulletin).

## 8.1.2 Die Präambel des GATT und der WTO

In der Präambel des GATT erklärten sich die Regierungen bereit, ihre Handelsbeziehungen auf "die volle Erschliessung der Hilfsquellen der Welt" ("full use of the resources") auszurichten, was als "ungehinderter Zugang zu den Rohstoffen" und nicht als ein sorglicher Umgang mit den Rohstoffen und als eine dauerhafte Erhaltung der Umwelt verstanden werden kann.[308]

665

Die Präambel der WTO hingegen übernimmt den im Dunkel–Bericht vorgeschlagenen Ansatz, wenn auch in abgeschwächter Form. Die optimale Nutzung der Hilfsquellen wird in der WTO nicht als gleichwertiges Ziel neben die Erhöhung des Wohlstands usw. gestellt. Sie ist der "Ausweitung der Produktion und des Handels" untergeordnet. Die WTO–Mitglieder anerkennen, dass ihre Handels– und Wirtschaftsbeziehungen auf die Ausweitung der Produktion und des Handels mit Waren und Dienstleistungen ausgerichtet sind, "while allowing for the optimal use of the world's resources in accordance with the objective of sustainable development" ("unter Berücksichtigung einer optimalen Nutzung der Ressourcen").[309]

666

Diese Gewichtsverlagerung zugunsten der Produktion und des Handels sowie zum Nachteil des Umweltschutzes (WTO–Präambel im Vergleich zu Dunkel–Bericht) scheint auf GATT–interne Auseinandersetzungen zurückzugehen. Bei aller Anerkennung der Umweltschutzerfordernisse warnten die GATT–Verwaltung und die Vertreter der Entwicklungsländer vor der Gefahr, über Handelsmassnahmen das länderweise unterschiedliche Umweltschutzniveau korrigieren zu wollen. Mit Umweltschutzmassnahmen werde das Risiko eines neu aufkommenden Handelsprotektionismus eingegangen.[310]

667

---

308 Vgl. *GATT* (1953, 1959, 1966, 1970, 1986 und 1994), Analytical Index, Genf, Präambel; *Jackson, John H.* (1969), World Trade and the Law of GATT, Indianapolis u.a., S. 26 und 126; *Senti, Richard* (1999), GATT–WTO, Die neue Welthandelsordnung nach der Uruguay–Runde, 2. A., Zürich, S, 40f. Vgl. die früheren Ausführungen über die Ziele des WTO–Vertragswerks, Rz 369ff.
309 Abs. 1 der Präambel der WTO–Vereinbarung.
310 Vgl. *GATT* (1993), Activities 1992, Genf, S. 81. Vgl. auch die Ausführungen des stellvertretenden GATT–Generaldirektors *Charles R. Carlisle* in: *GATT* (1993), FOCUS, Newsletter Nr. 97, Genf, S. 4.

### 8.1.3 Der Artikel III GATT

668  Art. III GATT verpflichtet die Vertragspartner, Güter aus anderen Märkten "hinsichtlich aller Gesetze, Verordnungen und sonstigen Vorschriften über den Verkauf, das Angebot, den Einkauf, die Prüfung, Verteilung oder Verwendung" nicht ungünstiger zu behandeln als Güter aus dem Binnenmarkt. Diese Verpflichtung der Gleichbehandlung[311] bezieht sich auf gleiche, gleichartige sowie unmittelbar konkurrierende oder zum gleichen Zweck geeignete Erzeugnisse. Wie aber ist die Gleichheit und Gleichartigkeit der Produkte zu definieren? Sind sich Güter, bei deren Fertigung die Umwelt ungleich stark belastet wird, ohne jedoch produktprägend zu sein, einander gleich? Oder sind Waren, die sich in der Substanz gleichen, aber im Verbrauch die Umwelt unterschiedlich stark belasten, ungleich? Je nach Produktdefinition kommt das Inlandprinzip zum Tragen oder nicht. Vor dem Hintergrund derartiger Fragen wird deutlich, warum dem Art. III GATT in der WTO–Umweltdiskussion eine wachsende Bedeutung zukommt und warum dieser Artikel im Mittelpunkt vieler GATT– beziehungsweise WTO–Streitschlichtungsverfahren steht.[312]

### 8.1.4 Der Artikel XI des GATT

669  Art. XI GATT verbietet den Vertragsparteien die Einführung und Beibehaltung von mengenmässigen Handelsschranken in Form von Kontingenten oder anderen Massnahmen. Davon ausgenommen sind gemäss Art. XI:2 GATT:

– Ausfuhrverbote und –beschränkungen zur vorübergehenden Verhütung oder Behebung eines kritischen Mangels an Lebensmitteln oder anderen für die exportierende Vertragspartei wichtigen Waren (Art. XI:2(a)),

– Ein– und Ausfuhrverbote oder Ein– und Ausfuhrbeschränkungen zur Anwendung von Normen, Sortierungsvorschriften und Güteklassen (Art. XI:2(b)), und

– Beschränkungen der Einfuhr von Erzeugnissen der Landwirtschaft und der Fischerei zur Unterstützung von staatlichen Massnahmen, die dazu dienen,

---

311  Vgl. die Ausführungen über das Inländerprinzip, Rz 422ff.
312  Vgl. die Neudefinition der Produktgleichheit aus der Sicht des Umweltschutzes, Rz 720ff.

die inländische Erzeugung gleichartiger oder ähnlicher Produkte zu beschränken (Art. XI:2(c)i), das zeitlich beschränkte inländische Überangebot von gleichartigen oder ähnlichen Produkten zu beseitigen (Art. XI:2(c)ii) und die Produktion eines tierischen Erzeugnisses, die weitgehend von Futtermittelimporten abhängt, mengenmässig zu beschränken, sofern die Inlandproduktion verhältnismässig geringfügig ist (Art. XI:2(c)iii).

Die in lit. a gewählte Formulierung enthält eine Beschränkung der Massnahmen auf die notwendige Dauer. Die beiden Worte "verhüten" und "beheben" weisen darauf hin, dass es den Gründern des GATT nicht nur um die Beseitigung einer bestehenden, sondern auch um die Verhütung einer voraussehbaren oder befürchteten Krise geht. Art. XI:2(a) GATT schliesst somit vorsorgliche Massnahmen ein. Von einem "kritischen Mangel" ist nach GATT die Rede, wenn der Landesbedarf an Lebensmitteln oder anderen wichtigen Waren zu bisher üblichen Bedingungen nicht mehr gedeckt werden kann oder wegen höherer Auslandpreise eine Verlagerung von lebensnotwendigen Gütern ins Ausland zu befürchten ist.[313] Bei den "anderen wichtigen Waren" handelt es sich nach einer Interpretation aus dem Jahr 1947 vor allem um erschöpfbare ("exhaustible") Produkte.[314]

670

Die in lit. b aufgezählten Ausnahmen zur Anwendung von Normen, Sortierungsvorschriften und Güteklassen sind zum Teil umweltrelevant, zum Teil beziehen sie sich auf die Abwicklung des Handels. Soweit diese Ausnahmen den Schutz des Lebens und der Gesundheit von Menschen, Tieren und Pflanzen betreffen, sind sie durch Art. XX GATT (allgemeine Ausnahmen) abgedeckt. Werden solche Massnahmen mit Blick auf einen reibungslosen Ablauf des Handels eingeführt, fallen sie nicht unter die umweltrelevanten GATT–Bestimmungen.

671

Die in lit. c gestatteten Importbeschränkungen sind als flankierende Massnahmen der landwirtschaftlichen Binnenmarktpolitik zu verstehen. Den einzelnen Ländern werden Instrumente zur Durchsetzung und Verteidigung ihrer

672

---

313 *GATT* (1955), BISD 3rd S, S. 191.
314 Vgl. *UN* (1947), Doc. E/PC/T/A/SR/40, S. 1f.

Agrar–Hochpreispolitik im Inland zur Verfügung gestellt. Punkt zwei und drei sind Spezialfälle von Punkt eins.

673   Art. XI GATT ist mit der Uruguay-Runde nicht verändert worden. Die für die Landwirtschaft wichtigen Neuerungen finden sich im Agrar- und SPS-Abkommen.[315]

### 8.1.5   Der Artikel XX GATT

674   Art. XX GATT erlaubt den Vertragspartnern, in Abweichung von den im GATT eingegangenen Verpflichtungen
- "notwendige Massnahmen zum Schutz des Lebens und der Gesundheit von Menschen, Tieren und Pflanzen"
- sowie Massnahmen zur Erhaltung erschöpfbarer Naturschätze zu ergreifen.

675   Die Massnahmen dürfen nach Art. XX GATT nicht so eingesetzt werden, "dass sie zu einer willkürlichen und ungerechtfertigten Diskriminierung zwischen Ländern, in denen die gleichen Verhältnisse bestehen, oder zu einer verschleierten Beschränkung des internationalen Handels führen". Massnahmen zur Erhaltung erschöpfbarer Naturschätze setzen Programme voraus, welche "die inländische Produktion oder den inländischen Verbrauch" beschränken.[316]

676   Die unscharfe Formulierung des Art. XX hat in den letzten Jahren grosse Interpretationsprobleme bereitet. Die Frage der "Notwendigkeit" in lit. a und

---

[315] Vgl. Rz 879ff.

[316] Als Beispiel dafür, wie Art. XX(b) GATT interpretiert werden kann, vgl. die beiden Panelberichte von 1991 und 1994 über den Streit zwischen den USA und Mexiko über ein US-Importverbot für Thunfisch: Panelbericht US – Restrictions on Imports of Tuna I vom 3.9.1991, veröffentlicht in: *GATT* (1993), BISD 39th S, S. 155ff.; Panelbericht US – Restrictions on Imports of Tuna II vom 16.6.1994, veröffentlicht in: *GATT* Doc. DS29/R. – Als Beispiel der Interpretation des Art. XX(g) GATT vgl. Panel- und Rekursbericht US – Import Prohibition of certain Shrimp and Shrimp Products vom 12.10.1998, veröffentlicht in *URL* http://www.wto.org./, September 1999. Indien, Malaysia, Pakistan und Thailand vertraten die Meinung, das US-Importverbot von Krevetten (Garnelen) verstosse gegen die Welthandelsordnung. Die USA rechtfertigten ihr Importverbot mit Art. XX(g) GATT. Das Berufungsorgan kam zum Schluss, die US-Massnahme möge nach Art. XX(g) GATT gerechtfertigt sein, verstosse aber gegen die Einführung in Art. XX GATT.

b des Art. XX GATT wird dahin ausgelegt, dass keine alternative Massnahme zur Erreichung des vorgegebenen Ziels zur Verfügung steht, die nicht oder in geringerem Masse gegen die Bestimmungen des GATT verstösst.[317]

Schwierig zu beantworten ist auch die Frage, ob sich Art. XX(b) GATT allein auf die Umwelt im eigenen Hoheitsgebiet bezieht oder ob ebenso Massnahmen zum Schutz extraterritorialer Umweltgüter (Umweltgüter in einem Partnerland oder gemeinsame Umweltgüter wie internationale Gewässer oder Atmosphäre) gemeint sind. Das "Panel" US–Thunfisch/Delphine I kam zum Schluss, die extensive Auslegung des Art. XX(b) sei nicht akzeptabel, "da sie dazu führen würde, dass jede Vertragspartei einseitig die Politik zum Schutz von Leben und Gesundheit auch jenseits ihres Hoheitsbereichs bestimmen könnte, von der andere Vertragsparteien nicht abweichen könnten, ohne mit Handelsbeschränkungen rechnen zu müssen"[318]. Die Verbalinterpretation von Art. XX führt zu einem anderen Ergebnis: Indem lit. f ausdrücklich vom Schutz des "nationalen" Kulturguts spricht, im Gegensatz zu lit. b, in dem das Wort "national" fehlt, dürfe angenommen werden, in lit. f handle es sich um den nationalen, wogegen in lit. b um den allgemeinen, das heisst internationalen Schutz der Umweltgüter. Andernfalls hätte der Gesetzgeber "national" beigefügt.[319] Die Ausdehnung des erlaubten Umweltschutzes auf extraterritoriale Gebiete wird oft, wie die Ausführungen weiter unten belegen, durch das Abkommen über sanitarische und phytosanitarische Massnahmen begründet. Die Präambel dieses Abkommens spricht von einer Verbesserung des gesund-

677

---

317 Vgl. Panelbericht Thailand – Restrictions on Importation of and Internal Taxes on Cigarettes vom 7.11.1990, veröffentlicht in: *GATT* (1991), BISD 37th S, S. 200ff., Ziff. 74f.; Panelbericht US – Restrictions on Imports of Tuna II vom 16.6.1994, veröffentlicht in: *GATT* Doc. DS29/R, Ziff. 5.35. Vgl. auch: *Diem, Andreas* (1996), Freihandel und Umweltschutz in GATT und WTO, Baden–Baden, S. 64; *Schlagenhof, Markus* (1995), Trade Measures Based on Environmental Processes and Production Methods, in: Journal of World Trade, Vol. 29, Nr. 6, S. 135ff.

318 Panelbericht US – Restrictions on Imports of Tuna I vom 3.9.1991, veröffentlicht in: *GATT* (1993), BISD 39th S, S. 155ff., Ziff. 5.27; Formulierung von: *Diem, Andreas* (1996), Freihandel und Umweltschutz in GATT und WTO, Baden–Baden, S. 113.

319 Vgl. *Diem, Andreas* (1996), Freihandel und Umweltschutz in GATT und WTO, Baden–Baden, S. 115, mit weiteren Literaturangaben.

heitspolizeilichen und pflanzenschutzrechtlichen Umfelds "im Gebiet aller Mitglieder" der WTO.[320]

678 Unklar ist auch der Vorbehalt, dass entsprechende Massnahmen nur getroffen werden dürfen, wenn sie nicht "zu einer willkürlichen und ungerechtfertigten Diskriminierung zwischen Ländern, in denen gleiche Verhältnisse bestehen, oder zu einer verschleierten Beschränkung des internationalen Handels führen". Handelt es sich tatsächlich um GATT–Ausnahmen vom Meistbegünstigungs– und Inländerprinzip? Bieten Art. III und XI GATT nicht genügend Spielraum zum Schutz von Menschen, Tieren und Pflanzen, da jedes Land ohnehin frei ist, entsprechende Gesetze, Verordnungen und sonstige Vorschriften über den Verkauf, das Angebot usw. unter der Voraussetzung zu erlassen, dass diese Gebote keine Diskriminierung verursachen? Ist Diskriminierung im Sinne des GATT nicht immer ungerecht? Was ist unter "verschleierter Beschränkung des internationalen Handels" zu verstehen?[321] Die Entstehungsgeschichte von Art. XX zeigt, dass zunächst die Ausnahmebestimmung festgelegt worden ist und der Verweis auf die Einhaltung der Prinzipien der Meistbegünstigung und der Inlandgleichbehandlung erst in einer späteren Phase folgte. Mit anderen Worten: Mit dem anfänglich vorliegenden Ausnahmenkatalog gaben sich die Gründerstaaten eine Freikarte zur Aufrechterhaltung bereits bestehender oder neu zu ergreifender Schutzmassnahmen. Die späteren Vorbehalte in Form eines Einleitungsabschnitts sind hingegen ein Rückführen der Schutzmassnahmen in die allgemeine GATT–Pflicht.[322]

---

320 Ob diese Formulierung im Sinne der Extraterritorialität zu verstehen ist, darf aufgrund der Begriffsbestimmung in Ziff. 1(a), (c) und (d) des Anhangs A des SPS–Abkommens in Frage gestellt werden. Anhang A definiert die sanitarischen und phytosanitarischen Massnahmen ausdrücklich als Instrumente zum Schutz des Lebens und der Gesundheit von Menschen, Tieren und Pflanzen "im Territorium des Mitglieds". Vgl. auch Rz 1953ff.
321 Zu diesen Fragen vgl. Panelbericht US – Taxes on Automobiles vom 11.10.1994, veröffentlicht als GATT Doc. DS31/R; Panelempfehlung US – Measures Affecting Alcoholic and Malt Beverages vom 19.6.1992, veröffentlicht in: *GATT* (1993), BISD 39th S, S. 206ff.
322 *Senti, Richard* (1986), GATT, System der Welthandelsordnung, Zürich, S. 277. Vgl. die Ausführungen zu den "allgemeinen Ausnahmen", Rz 944ff.

## 8.1.6  Das Agrarabkommen

Von den internen Hilfen zugunsten der Landwirtschaft, welche die Vertragsparteien senken müssen, sind gemäss Art. 6:1 des Übereinkommens über die Landwirtschaft und Anhang 2 Ziff.1 jene Massnahmen und Infrastrukturleistungen ausgenommen, die im Rahmen eines Umweltschutzprogramms erfolgen. Die betreffende Förderung dürfe "keine oder höchstens geringe Handelsverzerrungen oder Auswirkungen auf die Erzeugung" hervorrufen und habe folgende zwei Kriterien zu erfüllen: Erstens die Stützung muss im Rahmen eines aus öffentlichen Mitteln finanzierten staatlichen Programms erfolgen und darf nicht die Form eines direkten Geldtransfers vom den Verbraucher zum Landwirten annehmen. Zweitens die Hilfe soll sich nicht wie eine Preisstützung für die Erzeuger auswirken.

679

Die im Rahmen von Umwelt- und Erhaltungsprogrammen gewährten Zahlungen an die Landwirtschaft sind gemäss Anhang 2 Ziff. 12(a) und (b) an die Erfüllung bestimmter Bedingungen in Bezug auf die Erzeugungsmethoden oder auf die eingesetzten Betriebsmittel gebunden. Die Höhe der Zahlungen ist auf die Sonderaufwendungen "infolge der Erfüllung des staatlichen Programms" oder auf den durch das Programm erlittenen Einkommensverlust zu begrenzen. Insofern handelt es sich in diesem Zusammenhang um Kompensationsleistungen und nicht um zusätzliche Agrahilfen.

680

Weder das Agrarabkommen selbst noch Anhang 2 des Abkommens zählen abschliessend die zulässigen Umwelt- und Erhaltungsprogramme auf. Mit dem Hinweis darauf, dass die beigelegte Liste nicht erschöpfend ist, enthält das Agrarabkommen beim Umweltschutz weitgehend eine "Carte blanche".

681

## 8.1.7  Das Abkommen über sanitarische und phyto-sanitarische Massnahmen

Das Abkommen über sanitarische und phytosanitarische Massnahmen (SPS-Abkommen) fasst die Umweltschutzbestimmungen in der Präambel sowie in den Art. 2, 3 und 4 zusammen.

682

In der Präambel bekräftigen die WTO-Mitglieder, "dass kein Land daran gehindert werden soll, Massnahmen zum Schutz des Lebens oder der Gesund-

683

heit von Menschen, Tieren oder Pflanzen zu treffen", sofern diese Massnahmen keine willkürliche oder ungerechtfertigte Diskriminierung bewirken und zu keiner verschleierten Beschränkung des internationalen Handels führen.[323] Gleichzeitig äussern sie den Wunsch, die Gesundheit von Menschen und Tieren und die pflanzenschutzrechtliche Lage "im Gebiet aller Mitglieder zu verbessern".[324] Die Harmonisierung dieser Massnahmen sei zu fordern, "ohne dass die Mitglieder gezwungen werden, das ihnen angemessen erscheinende Schutzniveau des Lebens oder der Gesundheit von Menschen, Tieren oder Pflanzen zu ändern". Das Übereinkommen ermächtigt die Vertragspartner, sowohl an die importierten Güter als auch an die einheimischen Produkte die gleichen gesundheitspolizeilichen und pflanzenschutzrechtlichen Ansprüche zu stellen.

684    Art. 2 des Abkommens konkretisiert das in der Präambel angesprochene Recht, Schutzmassnahmen ergreifen zu dürfen. Die Vertragspartner sind gehalten, gesundheitspolizeiliche und pflanzenschutzrechtliche Massnahmen nur in dem Umfang zu verfügen, "wie dies zum Schutz des Lebens oder der Gesundheit von Menschen, Tieren oder Pflanzen notwendig ist". Ferner müssen die eingesetzten Massnahmen auf wissenschaftlichen Grundsätzen beruhen, es sei denn, das einschlägige wissenschaftliche Beweismaterial reiche nicht aus. Art. 2 des Abkommens wiederholt die in Art. XX GATT aufgestellten Bedingungen: Die Vorkehren dürfen zu keiner willkürlichen oder ungerechtfertigten Verletzung der Prinzipien der Meistbegünstigung und der Inlandgleichbehandlung führen und keine verschleierte Beschränkung des internationalen Handels enthalten.

685    "Mit dem Ziel", so Art. 3, "eine möglichst weitgehende Harmonisierung der gesundheitspolizeilichen und pflanzenschutzrechtlichen Massnahmen zu erreichen, stützen sich die Mitglieder bei ihren gesundheitspolizeilichen oder pflanzenschutzrechtlichen Massnahmen auf internationale Normen, Richtlinien oder Empfehlungen, soweit diese bestehen". Die Massnahmen, die den

---

323 Formulierung in Anlehnung an Art. XX GATT.
324 In Rz 1056 wird darauf hingewiesen, dass die Präambel des SPS-Abkommens im Zusammenhang mit Anhang A Ziff. 1(a), (c) und (d) zu lesen ist. In Anhang A ist vom "Territorium des Mitglieds" die Rede.

internationalen Normen, Richtlinien oder Empfehlungen entsprechen, "gelten als notwendig zum Schutz des Lebens oder der Gesundheit von Menschen, Tieren oder Pflanzen und als im Einklang mit den einschlägigen Bestimmungen" des Abkommens.[325]

In Art. 4 verpflichten sich die Vertragspartner zur gegenseitigen Anerkennung von unterschiedlichen gesundheitspolizeilichen oder pflanzenschutzrechtlichen Massnahmen mit vergleichbarem Schutzniveau.[326]

686

### 8.1.8 Das Abkommen über Technische Handelshemmnisse

Die Präambel des Abkommens über Technische Handelshemmnisse wiederholt den bereits im GATT niedergelegten Grundsatz, dass kein Land daran gehindert werden darf, das Leben oder die Gesundheit von Menschen, Tieren oder Pflanzen sowie die Umwelt zu schützen.[327] Der Zusatz "Umwelt", der in Art. XX GATT fehlt, ist tautologischer Art. Die Massnahmen sind gemäss Präambel so anzuwenden, dass sie zu keiner willkürlichen und ungerechtfertigten Diskriminierung zwischen den Ländern führen und keine verschleierte Beschränkung des internationalen Handels darstellen (Übereinstimmung mit der Präambel des Abkommens über Technische Handelshemmnisse und der Einführung in Art. XX GATT).

687

Analog zum SPS-Abkommen erlaubt das Abkommen über Technische Handelshemmnisse von den Importgütern die gleichen Standards zu fordern, wie von den im Inland auf den Markt gebrachten Produkten. Die Vertragspartner haben aber gemäss Art. 2 dafür zu sorgen, dass die technischen Vorschriften nicht "unnötige Hemmnisse für den internationalen Handel" schaffen, also "nicht handelsbeschränkender als notwendig" sind, um ein "berechtigtes Ziel" zu erreichen. Bei der Aufzählung der berechtigten Ziele greift der Vertragstext auf den in der Präambel erwähnten Schutz des Lebens

688

---

325 Vgl. Panelbericht US – EC Measures Concerning Meat and Meat Products (Hormones) vom 18.8.1997, vor allem Ziff. IV.73ff., veröffentlicht in *URL* http://www.wto.org./, September 1999.
326 Über die Ziele und den allgemeinen Inhalt des SPS-Abkommens vgl. Rz 1056ff.
327 Zur begrifflichen Abgrenzung der technischen Handelshemmnisse vgl. Rz 1125.

Dritter Teil

und der Gesundheit von Menschen, Tieren und Pflanzen sowie Umwelt zurück.

689   Bestehen keine einschlägigen internationale Normen oder weicht der Inhalt des Entwurfs einer technischen Vorschrift wesentlich vom technischen Inhalt einschlägiger internationaler Normen ab und ergeben sich daraus dringende Probleme bei der Sicherheit und Gesundheit sowie beim Umweltschutz, ist ein Land gemäss Art. 2:9 und 2:10 des Abkommens über Technische Handelshemmnisse berechtigt, in Abweichung vom üblichen Verfahren (gegenseitige Information, Durchführung einer Vernehmlassung), unverzüglich entsprechende Vorschriften zu erlassen.

### 8.1.9 Das Abkommen über Subventionen und Ausgleichsmassnahmen

690   Das Subventionsabkommen verbietet grundsätzlich alle staatlichen Beihilfen, die an eine Ausfuhrleistung gekoppelt sind oder den Verbrauch von Inlandgütern gegenüber importierten Erzeugnissen begünstigten. Davon gibt es – neben den Sonderregeln zugunsten der Landwirtschaft – zwei wichtige Ausnahmen. Die eine Ausnahme besteht gemäss Art. 8:2(b) des Subventionsabkommens in der Gewährung von Beihilfen an benachteiligte Regionen, wobei die Benachteiligung längerfristig und an der Einkommenshöhe und dem Beschäftigungsgrad ablesbar sein muss.[328] Die zweite Ausnahme bezieht sich nach Art. 8:2(c) auf spezifische "Beihilfen zur Förderung der Anpassung bestehender Einrichtungen an neue durch Gesetze und/oder Verordnungen angeordnete Umwelterfordernisse, die grössere Beschränkungen und finanzielle Lasten für Unternehmen zur Folge haben". Dabei gilt die Voraussetzung, dass es sich bei den Subventionen um eine einmalige Massnahme handelt, die Beihilfen eine gewisse Kostenschwelle nicht überschreiten und unmittelbar an die von einem Unternehmen geplante Verminderung der Emissionen und Verschmutzung gebunden und angemessen sind.

---

328   Das Abkommen enthält keine Liste über die möglichen Ursachen der Benachteiligung. Es ist anzunehmen, dass umweltrelevante Gründe durchaus mitberücksichtigt werden dürfen.

## 8.1.10 Das Allgemeine Dienstleistungsabkommen

Das Allgemeine Abkommen über den Handel mit Dienstleistungen (GATS) ist mit einem generellen Ausnahmeartikel ausgestattet, der sich formal und materiell an Art. XX GATT anlehnt. Art. XIV(b) GATS lautet: "Unter der Voraussetzung, dass Massnahmen nicht in einer Weise angewendet werden, die zu willkürlicher oder unberechtigter Diskriminierung unter den Ländern, in denen gleiche Verhältnisse bestehen, oder zu einer verschleierten Beschränkung des Handels mit Dienstleistungen führen, wird eine Bestimmung dieses Abkommens nicht so ausgelegt, dass sie die Annahme oder Durchsetzung von Massnahmen eines Mitglieds verhindert, die erforderlich sind: [...], b) um das Leben oder die Gesundheit von Menschen, Tieren und Pflanzen zu schützen"[329].

## 8.1.11 Das Abkommen über handelsbezogene Aspekte des geistigen Eigentums

Das Abkommen über handelsbezogene Aspekte des geistigen Eigentums (TRIPS) enthält umweltrelevante Bestimmungen in Abschnitt 5 über die Patente. Art. 27:2(b) besagt, dass die Mitglieder der WTO beziehungsweise die Vertragspartner des TRIPS Erfindungen von der Patentierung ausschliessen können, "wenn das Verbot ihrer gewerblichen Verwertung innerhalb ihres Gebiets zum Schutz der öffentlichen Ordnung oder der guten Sitten einschliesslich des Schutzes des Lebens oder der Gesundheit von Menschen, Tieren oder Pflanzen oder zur Vermeidung einer ernsten Beeinträchtigung der Umwelt notwendig ist".

## 8.1.12 Das Abkommen über das öffentliche Beschaffungswesen

Analog zu den multilateralen WTO-Abkommen enthält auch das plurilaterale Übereinkommen über das öffentliche Beschaffungswesen in Art. XXIII:2 eine allgemeine Ausnahmeklausel. Danach dürfen die Bestimmungen des

---

329 Vgl. die Interpretation von "willkürlich", "unberechtigt", "verdeckte Beschränkung" und "erforderlich" bzw. "notwendig" unter Rz 674ff.

Abkommens die Vertragsparteien nicht daran hindern, "Massnahmen zu beschliessen oder durchzuführen zum Schutz [...] des Lebens und der Gesundheit von Menschen, Tieren und Pflanzen [...]", unter dem Vorbehalt, "dass die [...] Massnahmen nicht so angewendet werden, dass sie zu einer willkürlichen oder ungerechtfertigten Diskriminierung zwischen Ländern, in denen die gleichen Bedingungen herrschen, oder zu einer verschleierten Beschränkung des internationalen Handels führen".

## 8.1.13 Die Gewährung von "Waivers"

694   Schliesslich besitzt die Ministerkonferenz gemäss Art. IX:3 der WTO–Vereinbarung (bzw. Art. XXV GATT) das Recht, "unter aussergewöhnlichen Umständen [...] ein Mitglied von einer Verpflichtung aus dem vorliegenden Abkommen oder einem der Multilateralen Handelsabkommen zu entbinden". Die Gewährung einer Ausnahme (eines "Waivers") erfordert drei Viertel der Mitgliederstimmen. Nach Ansicht der GATT–Umweltgruppe reicht diese Ausnahmemöglichkeit grundsätzlich aus, um Umweltprobleme über Handelsmassnahmen zu lösen. Weitergehende Bestimmungen würden, so die GATT–Umweltgruppe, wenig effizient sein und das Gleichgewicht zwischen eingegangenen Pflichten und zugestandenen Rechten im Rahmen des GATT stören ("disturbing the balance of rights and obligations").[330] Diese Grundhaltung wird freilich nicht von allen Mitgliedern der Umweltgruppe getragen. Einzelne Mitglieder der Umweltgruppe verlangen klarere Richtlinien zur Erteilung von "Waivers" und verweisen auf die Problematik der zeitlichen Beschränkung sowie den Ausnahmecharakter der WTO–Vereinbarung.[331] Andere fragen sich, wie mit dem gegenwärtigen Ausnahmeartikel extra-

---

330  *GATT* (1995), BISD 40th S, S. 75ff., Ziff. 21f.
331  Nach Ansicht dieser WTO–Mitglieder beziehen sich Art. IX der WTO–Vereinbarung und Art. XXV GATT ausschliesslich auf "aussergewöhnliche Umstände". Es sei fragwürdig, ob multilaterale Umweltschutzabkommen von der WTO als "Ausnahmen" behandelt werden dürften. Vgl. dazu die ausführliche Stellungnahme der WTO–Umweltgruppe in: *GATT* (1995), BISD 40th S, S. 75ff., Ziff. 23.

territoriale und gemeinsame Umweltprobleme angegangen werden können.³³²
Die in den letzten Jahren verfassten Panelberichte lassen in der Tat die Vermutung aufkommen, dass mit dem vorliegenden Ausnahmeartikel nicht alle Umweltfragen im gegenseitigen Einvernehmen zu lösen sind.

## 8.2 Neue Trends in der WTO–Umweltschutzpolitik

Seit einigen Jahren werden bei der Deutung der GATT– beziehungsweise der WTO–Bestimmungen zunehmend umweltschutzrelevante Aspekte berücksichtigt. Im Vordergrund stehen vor allem drei Neuausrichtungen: Die Begriffe "Produkt" und "Produktgleichheit" erfahren eine stärkere Umweltbezogenheit, die Extraterritorialität der WTO–Umweltschutzpolitk gewinnt an Bedeutung und anstelle der bisherigen wirtschaftspolitischen Ausrichtung treten vermehrt umweltrelevante Ziele.

695

### 8.2.1 Die Neudefinition der Produktgleichheit

Die Definition der Gleichheit und Ähnlichkeit der Produkte wird im GATT seit jeher diskutiert, ohne dass sich die Vertragspartner auf eine allgemeingültige Begriffsbestimmung einigen konnten. Im GATT–Bericht des Jahres 1970 über die Warenbesteuerung an der Grenze empfahl eine GATT–Arbeitsgruppe, die Produktgleichheit sei von Fall zu Fall abzuklären. Als Kriterien gelte es zu berücksichtigen: die Verwendung des Endprodukts in einem bestimmten Markt, die von Land zu Land unterschiedlichen Konsumgewohnheiten sowie die Eigenschaften und Qualitäten des Produkts selbst.³³³ Mehrere der folgenden Panelberichte beriefen sich auf diese Begriffsdarstellung, so derjenige über die US–Steuern auf Erdöl von 1987,³³⁴ über die japanischen

696

---

332 In der GATT–Sprache ist die Rede von "transboundary and global environmental problems" und von der Schaffung eines "environmental window". *GATT* (1995), BISD 40th S, S. 81, Ziff. 24.
333 *GATT* (1972), BISD 18th S, S. 101f., Ziff. 18.
334 Panelbericht US – Taxes on Petroleum and certain imported Substances vom 17.6.1987, veröffentlicht in: *GATT* (1988), BISD 34th S, S. 136ff., Ziff. 5.1.1.

Grenzsteuern auf Wein und anderen alkoholischen Getränken von 1987[335] sowie über die US-Alkoholischen Getränke von 1992.[336] In den neuesten Panelempfehlungen kommen, wie die folgenden Ausführungen belegen, die Kriterien von Gesundheit und Umweltbelastung im Verbrauch und in der Herstellung einer Ware mehr und mehr zur Geltung.

*Berücksichtigung von Gesundheitsaspekten*

697   Im Zwist US-Alkoholische Getränke von 1992 ging es unter anderem um die Frage, ob Bier mit einem höheren Alkoholgehalt das gleiche Produkt darstelle wie Bier mit einem niedrigeren Alkoholgehalt. Einzelne Bundesstaaten der USA schränkten die Zahl der Verkaufsstellen von Bier mit einem Alkoholgehalt von über 3.2 Vol.-% mit dem Argument ein, die Verkaufsrestriktionen trügen zum Schutz des Lebens und der Gesundheit des Menschen sowie zur Hebung der öffentlichen Moral bei. Kanada hingegen sah in einer Differenzierung des Produkts Bier nach Alkoholgehalt und in der daraus abgeleiteten unterschiedlichen Behandlung eine Verletzung des GATT. Bei allen Bierarten handle es sich unabhängig vom Alkoholgehalt um das "gleiche" Produkt. Kanada verwies dabei auf die in den USA auf Bundesebene geltende Regelung, wonach allein zwischen Bier mit Alkohol und alkoholfreiem Bier unterschieden wird, und auf die Tatsache, dass auch im US-Zolltarif alle Bierarten unter die gleiche Tarifnummer fallen.[337] Das GATT-Panel hielt in seiner Beurteilung fest, das GATT verfolge nicht die Absicht, die internen Abgaben und Rechtsvorschriften zu harmonisieren, sondern habe zum Ziel, eine einseitige Begünstigung der inländischen Erzeugung zu verhindern. Würden Produkte eines Sortiments als "gleich" erklärt, so verunmögliche dies den einzelnen

---

335 Panelbericht Japan – Customs Duties, Taxes and Labelling Practices on Imported Wines and Alcoholic Beverages vom 10.11.1987, veröffentlicht in: *GATT* (1988), BISD 34th S, S. 83ff., Ziff. 5.5.

336 Panelbericht US – Measures Affecting Alcoholic and Malt Beverages vom 19.6.1992, veröffentlicht in: *GATT* (1993), BISD 39th S, S. 206ff., Ziff 5.23ff. In den Ziff. 5.71 und 5.72 werden auch umweltrelevante Beurteilungskriterien miteinbezogen.

337 Panelbericht US – Measures Affecting Alcoholic and Malt Beverages vom 19.6.1992, veröffentlicht in: *GATT* (1993), BISD 39th S, S. 206ff., Ziff. 3.120ff.

Staaten, in diesem Bereich eine eigenständige Wirtschafts- und Umweltschutzpolitik zu betreiben, das heisst die Autonomie der einzelnen Staaten wäre aufgrund einer zu engen Produktdefinition in Frage gestellt. Das "Panel" kam zum Schluss, auch wenn Bier mit einem höheren oder niedrigeren Alkoholgehalt von der Substanz her als sehr ähnlich zu betrachten sei, handle es sich doch aus gesundheitlicher und moralischer Sicht um unterschiedliche Güter.[338]

*Umweltschutzrelevante Aspekte im Verbrauch*

Ähnlich wie im Streitfall über US-Alkoholische Getränke Gesundheitsaspekte zur Diskussion standen, wurden im Handelskonflikt über US-Steuern auf Automobilen Umweltschutzkriterien berücksichtigt.[339] Die Vereinigten Staaten belasten seit 1978 bestimmte Automobile mit einer Steuer, die vom jeweiligen Treibstoffverbrauch abhängt ("Gas Guzzler Tax"). Autos mit einer Fahrleistung von mehr als 22.5 Meilen pro Gallon Treibstoff sind seit 1990 steuerfrei. Modelle mit 12.5 bis 22.5 m/g unterliegen einer Steuer von US$ 1'000.- bis 6'400.- und Modelle mit unter 12.5 m/g einer Steuer von US$ 7'700.-. Nach Ansicht der EG verletzte diese unterschiedliche Besteuerung den im GATT niedergelegten Gleichheitsbegriff der Produkte. Alle Automobile seien "gleiche" Produkte und müssten daher gleich behandelt werden. Die Autos hätten die gleichen physikalischen Eigenschaften, die gleichen Bauteile und erbrächten den gleichen Nutzen. Unterschiede im Treibstoffverbrauch führten nicht zu anderen Produkten, die unterschiedlich behandelt werden dürften. Die Vereinigten Staaten hingegen vertraten die Meinung, der unterschiedliche Treibstoffverbrauch beziehungsweise die unterschiedliche Belastung der Umwelt lasse die Autos zu unterschiedlichen Produkten werden. Die Steuer diene der Erhaltung fossiler Brennstoffe und trage zur Erhaltung der erschöpfbaren Naturschätze bei.

698

---

338 Panelbericht US – Measures Affecting Alcoholic and Malt Beverages vom 19.6.1992, veröffentlicht in: *GATT* (1993), BISD 39th S, S. 206ff., Ziff. 5.74.
339 Panelbericht US – Taxes on Automobiles vom 11.10.1994, veröffentlicht als GATT Doc. DS31/R.

699 Der Panelbericht US–Steuern auf Automobilen hielt an seiner Empfehlung fest, Art. III diene nur der Verhinderung einer rechtlichen Warendifferenzierung zum Schutz der inländischen Produktion. Das GATT verbiete seinen Partnern nicht, unterschiedliche politische Ziele zu verfolgen. In diesem Sinne sei zwischen Zielsetzung und Wirkung einer Massnahme ("aim and effect") zu unterscheiden. Eine Massnahme habe den Schutz der heimischen Wirtschaft zum *Ziel,* wenn ihre Begründung darauf hindeute, "dass eine Änderung der Wettbewerbschancen zugunsten des inländischen Erzeugnisses das angestrebte Ergebnis gewesen und nicht nur die zufällige Folge der Umsetzung eines legitimen politischen Ziels [sei]". Im Gegensatz dazu habe eine Massnahme die *Wirkung,* die einheimische Wirtschaft zu schützen, wenn sie inländischen Anbietern bessere Wettbewerbsbedingungen gewähre als Importeuren, und zwar gleichgültig, ob sich dabei die Importmenge ändere oder nicht. Eine Verschiebung der Aussenhandelsströme könne auf viele Ursachen zurückgeführt werden.[340]

700 Das GATT–Panel kam zum Ergebnis, das Ziel der Vereinigten Staaten sei nicht der Schutz der einheimischen Autoindustrie, sondern eine Besteuerung von Autos mit hohem Treibstoffverbrauch als Anreiz zum Kauf von verbrauchsgünstigeren Autos und als Beitrag zur Einsparung fossiler Brennstoffe. Einem Land sei es unbenommen, so das "Panel", ein politisches Ziel zu verfolgen, das in seiner Auswirkung die ausländischen Anbieter und Angebote ungünstiger behandle als die eigenen Anbieter und Angebote. Die Automobilhersteller der Vereinigten Staaten und im Ausland könnten Fahrzeuge mit hohen und niedrigen Treibstoffverbrauchswerten herstellen. Die Besteuerung der Autos nach Treibstoffverbrauch verändere die Wettbewerbsbedingungen nicht und sei nicht einem Schutz der inländischen Produktion gleichzustellen. Ausländische Autos mit einem höheren Verbrauchswert an Treibstoffen seien daher nicht inländischen Produkten mit einem niedrigeren Treibstoffverbrauch gleichzusetzen, seien also nicht gleiche oder gleichartige Produkte.[341]

---

340 Panelbericht US – Taxes on Automobiles vom 11.10.1994, veröffentlicht als GATT Doc. DS31/R, Ziff. 5.10.
341 Panelbericht US – Taxes on Automobiles vom 11.10.1994, veröffentlicht als GATT Doc. DS31/R, Ziff. 5.26.

*Umweltschutz in Herstellung und Verarbeitung*

Eine weitere Frage ist der Einbezug der Herstellungs- und Verarbeitungsmethoden ("Process and Production Method", PPM) in die Definition des Produkts. Nach traditionellem GATT-Recht ist unbestritten, dass Unterschiede in der Herstellung und Verarbeitung eines Guts keine unterschiedliche Behandlung der Ware rechtfertigen, solange sich diese Unterschiede nicht im Handelsprodukt selbst manifestieren oder vermuten lassen, das heisst nicht produktprägend sind.[342] Diese Rechtsvorstellung gründet zweifelsohne auf der Befürchtung, die Berücksichtigung von Herstellungs- und Verarbeitungsmethoden bei der Beurteilung der Produktgleichheit öffne dem Handelsprotektionismus Tür und Tor.[343]

701

Wenn aber Erzeugnisse wegen der unterschiedlichen Umweltbelastung im Konsum in unterschiedliche Produktkategorien eingeteilt und in der Wertvorstellung der Verbraucher als nicht gleiche Güter beurteilt werden, so ist es nur noch ein kleiner Schritt zur Produktdifferenzierung aufgrund unterschiedlicher Herstellungs- und Verarbeitungsmethoden. Dies umso mehr, als den WTO-Vertragstexten nicht zu entnehmen ist, dass bei der Beurteilung einer Ware nur physisch feststellbare Unterschiede im Endprodukt und nicht auch andere Kriterien wie unterschiedliche Produktions- und Verarbeitungsmethoden oder damit zusammenhängende ethische Aspekte berücksichtigt werden dürfen. Die Diskussion über diese Frage ist nicht abgeschlossen. Die traditionelle Interpretation hält an der Meinung fest, die Herstellungs- und Verarbeitungsmethoden dürften nur insofern berücksichtigt werden, als sie sich in physisch feststellbaren Eigenschaften des Produkts niederschlagen. Dabei wird unter anderem auf das Abkommen über technische Handelshemmnisse verwiesen, das von den Produktmerkmalen oder den auf diese bezogenen Herstellungs- und Verarbeitungsmethoden spricht ("product characteristics or their related

702

---

342 Vgl. Panelbericht US – Restrictions on Imports of Tuna II vom 16.6.1994, veröffentlicht als GATT Doc. DS29/R, Ziff. 5.9; *Diem, Andreas* (1996), Freihandel und Umweltschutz in GATT und WTO, Baden-Baden, S. 99; *Schlagenhof, Markus* (1995), Trade Measures Based on Environmental Processes and Production Methods, in: Journal of World Trade, Vol. 29, Nr. 6, S. 135ff.

343 Vgl. *GATT* (1992), International Trade 90–91, Vol. I, Genf, S. 22.

processes and production methods"[344]). Demnach dürfte beispielsweise der Import von Medikamenten aus Risikoerwägungen verboten werden, wenn deren Erzeugung im Ausland nachweislich den im Inland als notwendig erachteten hygienischen Anforderungen nicht entspricht. Der Import von Stahl hingegen, dessen Produktion im Ausland wegen fehlender Filteranlagen die Umwelt übermässig stark verschmutzt, dürfte nicht untersagt werden, weil sich die Umweltverschmutzung im Endprodukt nicht niederschlägt, also nicht produktprägend ist.[345] Andererseits zeigen die von den Umweltschutz- und Konsumentenorganisationen in den letzten Jahren geforderten Etikettierungsvorschriften (Eier von Hühnern aus Bodenhaltung, Fleisch von Tieren aus artgerechter Haltung, Thunfisch, gefangen nach Delphin-schonenden Methoden, Gen-Sojabohnen), dass bei der Beurteilung der Produktgleichheit sowohl der Umweltbezug in Herstellung und Verarbeitung als auch ethische Aspekte mitberücksichtigt werden können. Thunfisch, "Delphin-schonend" gefangen, wäre demnach nicht das gleiche Produkt wie Thunfisch, bei dessen Fangmethoden mehr als eine vorgegebene Anzahl Delphine getötet werden; Fleisch von Tieren, die artgerecht gehalten werden, nicht das gleiche Fleisch wie dasjenige von Tieren, die zu Tode gequält werden. Falls solche Kriterien bei der Beurteilung der Produktgleichheit zugelassen werden (die Panelempfehlung US-Thunfisch/Delphine II scheint in diese Richtung zu gehen), erlaubt dies den Importländern, die als unterschiedlich definierten Produkte auch anders zu behandeln.[346]

---

344 Ziff. 1 des Anhangs 1 des Abkommens über Technische Handelshemmnisse.
345 Vgl. Argumentation und Beispiele in: *Rege, Vinod* (1994), GATT Law and Environment-Related Issues Affecting the Trade of Developing Countries, in: Journal of World Trade, Vol. 28, Nr. 3, S. 110f.
346 Zum Einbezug der Herstellungsverfahren vgl. die "Entschliessung zur Welthandelsorganisation (WTO)" des Europäischen Parlaments vom November 1996, in der sich das Parlament "für eine Revision von Art. XX des GATT dahingehend" ausspricht, "dass es WTO-Vertragsparteien ermöglicht wird, gegen Erzeugnisse sowie gegen *Herstellungsverfahren* [Hervorhebung durch RS], die mit globalen Auswirkungen auf die Umwelt verbunden sind, auf der Grundlage von multilateralen Umweltabkommen handelsbeschränkende Massnahmen zu ergreifen". *EG,* ABl. C 166 vom 10.6.1996, S. 260.

## 8.2.2 Die Ausweitung des Umweltschutzes auf extraterritoriale Bereiche

Bei den Umweltgütern unterscheidet die Fachliteratur zwischen inländischen und extraterritorialen Gütern. Bei den inländischen Umweltgütern handelt es sich um den Schutz des Lebens und der Gesundheit von Menschen, Tieren, Pflanzen und Umwelt im eigenen Hoheitsgebiet, bei extraterritorialen Gütern um den Umweltschutz in anderen Ländern oder um gemeinsame Umweltgüter wie Tiere, Pflanzen, Luft, Wasser, Klima und Atmosphäre (Ozonschicht).

Die Schutzwürdigkeit der inländischen Umweltgüter ist in den internationalen Abkommen über den Pflanzenschutz, über den Handel mit gefährdeten Arten freilebender Tiere und Pflanzen und über die Entsorgung gefährlicher Abfälle sowie im GATT–Recht 1947 und in den Vertragsbestimmungen der WTO unbestritten. Jedem Staat steht das Recht zu, zum Schutz von Menschen, Tieren und Pflanzen im eigenen Hoheitsgebiet Massnahmen zu treffen. Fraglich ist hingegen, ob ein WTO–Mitglied das vertragliche Recht besitzt, Import– oder Exportbeschränkungen zum Schutz der Umweltgüter ausserhalb seiner Jurisdiktion zu erlassen.

Um den Wandel in der Rechtsauffassung über diese Frage aufzuzeigen, wird nachfolgend der Panelbericht Thunfisch/Delphine I mit der Panelempfehlung Thunfisch/Delphine II verglichen.

Im Handelskonflikt Thunfisch/Delphine I von 1991 ging es um das Problem, ob die Vereinigten Staaten den Import von Thunfisch aus Ländern verbieten dürfen, deren Fangmethoden den "Zufang" von Delphinen durch die Art der eingesetzten Schleppnetze nicht auf eine vorgegebene Anzahl beschränken. Die USA verteidigten ihr Importverbot für Thunfisch aus dem ost–tropischen Pazifik mit dem Argument, eine solche Massnahme sei notwendig, um die Delphine vor der Ausrottung zu bewahren. Das Washingtoner Artenschutzabkommen verpflichte einen Staat sogar, den Import von bedrohten Tierarten zu verbieten. Das Gegenargument der klagenden Handelspartner EG und Niederlande lautete, die Vereinigten Staaten hätten nicht das Recht, ausserhalb ihres eigenen Hoheitsgebiets ("outside its jurisdiction") rechtsbestimmend einzugreifen.

707 Das GATT-Panel war sich einig, Art. XX(b) des GATT beziehe sich ausschliesslich auf den Schutz der Menschen, Tiere und Pflanzen im eigenen Hoheitsgebiet. Dies ergebe sich aus der Entstehungsgeschichte dieses Artikels in den vierziger Jahren (historische Interpretation).[347] Die extensive Interpretation von Art. XX(b) durch die USA hätte zur Folge, dass jedem Staat das Recht zustehen würde, über das Schutzniveau in anderen Staaten zu bestimmen. Dies wiederum würde die Welthandelsordnung des GATT in Frage stellen. Mit dieser Überlegung und unter Mitberücksichtigung der Frage nach der Notwendigkeit dieser Massnahme entschied das GATT-Panel, die USA seien nach Art. XX(b) nicht berechtigt, den Import von Thunfisch aus anderen Ländern wegen deren Fangmethoden zu verbieten.[348]

708 Im US-Thunfisch/Delphine II von 1994 wurde der gleiche Zwist dahin revidiert, dass Art. XX(b) keine geographische Einschränkung des Schutzes von Umweltschutzgütern enthalte. Ein Land sei berechtigt, Massnahmen zum Schutz von extraterritorialen Umweltgütern unter der Voraussetzung zu ergreifen, dass die Massnahmen notwendig sind, was aber im vorliegenden Fall verneint wurde.[349]

709 Die revidierte Panelempfehlung ist nicht so auszulegen, dass ein Land das Schutzniveau und die Umweltschutzbestimmungen ausserhalb des eigenen Hoheitsgebietes bestimmen und vorschreiben, das heisst im Ausland rechtsetzend tätig werden darf. Dagegen steht es einem Land aufgrund des neuen Berichts zu, ein Handelsprodukt (oder eine grenzüberschreitende Dienstleistung) auch nach umweltrelevanten und ideellen Kriterien zu definieren, deren Einhaltung vom Ursprungsland dieses Produkts bestimmte Produktions- und Verarbeitungsmethoden verlangt. Insofern ist der Panelbericht Thunfisch/Delphine II eine logische Folge der differenzierteren und stärker umweltschutzbezogenen Produktbeurteilung im Inland. *Andreas Diem* kommt

---

347 Panelbericht US – Restrictions on Imports of Tuna I vom 3.9.1991, veröffentlicht in: *GATT* (1993), BISD 39th S, S. 155ff., Ziff. 5.26.
348 Eine ausführliche Darstellung des Entscheids Thunfisch/Delphine I findet sich in: *Diem, Andreas* (1996), Freihandel und Umweltschutz in GATT und WTO, Baden-Baden, S.112ff.
349 Inzwischen schlossen die USA mit Mexiko einen Vertrag über Thunfisch-Fangmethoden zum Schutz der Delphine im Pazifik ab.

in seiner Analyse des Panelberichts Thunfisch/Delphine II zum Ergebnis, Wortlaut und Systematik des Art. XX(b) sprächen "eher für als gegen die Zulässigkeit von Massnahmen zum Schutz extraterritorialer Umweltgüter. Die spätere Übung zeigt zwar noch keinen konkreten neuen Meinungskonsens der GATT-Vertragsparteien in Bezug auf das GATT. Doch zeichnen sich bereits Konturen einer neuen Rechtsüberzeugung ab. Der Schutz extraterritorialer Umweltgüter kann Handelsbeschränkungen rechtfertigen, wenn sie auf möglichst breiter internationaler Basis vereinbart wurden und notwendig sind, um die Wirksamkeit von Umweltschutzmassnahmen zu unterstützen. Das allgemeine Umweltvölkerrecht verpflichtet alle Staaten, Importe und Exporte zu unterlassen, wenn durch sie extraterritoriale Umweltgüter erheblich geschädigt werden. Eine teleologische Auslegung macht klar, dass das GATT notwendige Massnahmen zum Gesundheitsschutz dem Freihandel überordnet".[350]

### 8.2.3 Die Neubildung politischer Ziele

Die GATT-Rechtsprechung geht von dem in Art. III:1 GATT festgehaltenen Grundsatz aus, dass Handelshemmnisse in Form von Abgaben, Belastungen, Gesetzen, Verordnungen usw. "nicht derart angewendet werden sollen, dass sie die inländische Erzeugung schützen". Ist aber das gesetzte Ziel nicht der Schutz der eigenen Wirtschaft, das heisst nicht die Verbesserung der Wettbewerbssituation der landeseigenen Anbieter, dürfen solche Massnahmen unter der Voraussetzung zum Einsatz gelangen, dass sie nicht gegen das Prinzip der Gleichbehandlung von gleichen Produkten (Prinzip der Inlandgleichbehandlung) verstossen. Was aber heisst in diesem Falle "gleiche" Produkte? Mit Rücksichtnahme auf die Freiheit eines Landes zur Gestaltung dieser politischen Ziele (insbesondere die umweltpolitischen Ziele) hält das "Panel" über US-Alkoholische Getränke fest: Es sei zwingend, die Definition der Produktgleichheit im Zusammenhang mit Art. III GATT auf eine Art und Weise vorzunehmen, dass sie nicht unnötig die Freiheit eines Staates in seiner Recht-

710

---

350 *Diem, Andreas* (1996), Freihandel und Umweltschutz in GATT und WTO, Baden-Baden, S. 131.

setzung und in der Festlegung der politischen Ziele einschränke. Je nach Zielsetzung der getroffenen Massnahmen sei die Gleichheit der Produkte unterschiedlich zu definieren.[351] Damit zeichnet sich eine Neuausrichtung in der Gewichtung der politischen Ziele ab, indem neben dem Schutz der Wirtschaft der Schutz der Umwelt in den Vordergrund rückt.

711    Zu einem analogen Urteil kommt das "Panel" im Zwist über die US-Steuern auf Automobilen von 1994. Das "Panel" war überzeugt, dass die im Jahr 1978 eingeführte Treibstoffsteuer nicht zum Schutz der Autoindustrie der Vereinigten Staaten eingeführt wurde, sondern effektiv aus Gründen des Umweltschutzes. Die "Gas Guzzler Tax" habe daher nicht die Wirkung, die Angebotsposition der einheimischen Produzenten zu verbessern. Somit sei es den USA erlaubt, die Fahrzeuge mit einem hohen Treibstoffverbrauch zusätzlich zu besteuern beziehungsweise die Gleichheit der Produkte nach dem Kriterium Treibstoffverbrauch zu beurteilen und die Autos je nach Umweltverträglichkeit in verschiedene Kategorien einzuteilen.[352]

## 8.3    Die möglichen Auswirkungen auf die WTO

712    Traditionelle "Freihändler" mögen die Hypothese vertreten, das oberste Ziel der WTO sei ein möglichst freier und offener Weltmarkt. Umweltschutzanliegen seien demnach dieser Priorität unterzuordnen. Die Regierungen und die internationalen Organisationen hätten auf marktverzerrende Interventionen zu verzichten. Der Umweltschutz dürfe nicht als Instrument des Protektionismus missbraucht werden.

713    Umweltschützer hingegen stellen die Forderung auf, der Freihandel sei dem Umweltschutz zu unterstellen. Oberstes Ziel der wirtschaftlichen Tätigkeit sei die Erhaltung und Verbesserung der Lebensqualität. Die Ausweitung des

---

351  Panelbericht US – Measures Affecting Alcoholic and Malt Beverages vom 19.6.1992, veröffentlicht in: *GATT* (1993), BISD 39th S, S. 206ff., Ziff. 5.25 und Ziff. 5.72.

352  Panelbericht US – Taxes on Automobiles vom 11.10.1994, veröffentlicht als GATT Doc. DS31/R.

Handels führe indessen zu einer erhöhten Produktion und damit zu einer immer stärkeren Umweltbelastung.³⁵³

Die heute von der WTO vertretene Welthandelsordnung scheint mehr und mehr ein System zu sein, in dem handelspolitische Massnahmen auf die Erhaltung und Schonung der Umwelt abgestützt sind und die Umweltschutzbestimmungen mit Rücksicht auf die handelspolitischen Erfordernisse getroffen werden. Massnahmen zum Schutz des Lebens und der Gesundheit der Menschen, Tiere und Pflanzen dürfen ergriffen werden, wenn keine wirkungsvolleren Alternativen verfügbar sind, die WTO–Grundsätze nicht willkürlich und ungerechtfertigt verletzt werden und die Eingriffe keiner verschleierten Beschränkung des Handels gleichkommen. Insofern sind die Zielsetzungen der Welthandelsordnung und des Umweltrechts als komplementär zu verstehen: Eine "gute" Welthandelsordnung ist umweltgerecht, und ein "gutes" Umweltrecht ist WTO–konform. 714

Ein weiterer Ausbau des Umweltschutzes als notwendige Folge der zunehmenden Umweltgefährdung und der veränderten Wertvorstellungen lässt die Hypothese zu, dass in einer Welthandelsordnung der Zukunft der Umweltschutz und die soziale Sicherung an Bedeutung gewinnen und die Bemühungen um einen möglichst freien und offenen Markt abnehmen. 715

Welche Folgen hat diese Entwicklung auf die künftige Welthandelsordnung? Die Berücksichtigung des Kriteriums Umweltschutz bei der Definition der "Produktgleichheit" verändert das Inventar der umweltrelevanten WTO–Bestimmungen: Die bisher erarbeiteten Übersichten über die heute geltenden umweltrelevanten Handelsbestimmungen der WTO treffen immer weniger zu 716

---

353 Eine Gegenüberstellung der verschiedenen Argumente zusammen mit entsprechenden Literaturhinweisen findet sich u.a. bei: *Schlagenhof, Markus* (1995), Trade Measures Based on Environmental Processes and Production Methods, in: Journal of World Trade, Vol. 29, Nr. 6, S. 121f.; *Petersmann, Ernst–Ulrich* (1993), International Trade Law and International Environment Law, in: Journal of World Trade, Vol. 27, Nr. 1, S. 43ff.; über die verschiedenen "Reformperspektiven" der deutschen GRÜNEN–Fraktion, des Europäischen Parlaments und des Deutschen Bundestags vgl. *Gramlich, Ludwig* [1997], Umweltschutz als Grund für versteckte Handelsdiskriminierungen?, Zur Diskussion um die Vereinbarung von Umweltstandards in der WTO, Technische Universität Chemnitz (Vervielfältigung), S. 1ff.

und sind allmählich überholt. Umweltrelevant sind nicht nur jene WTO–Bestimmungen, die ausdrücklich die Umwelt und den Schutz der Menschen, Tiere und Pflanzen betreffen. Erfasst sind alle Bestimmungen, die von der Gleichheit und der Gleichartigkeit der Güter und Dienstleistungen und von einzelnen umweltrelevanten politischen Ziele sprechen. Indem in die Interpretation der WTO–Bestimmungen auch umweltrelevante Aspekte der Produktbenutzung, der Herstellung und der Verarbeitung sowie ideelle und ethische Werte miteinfliessen, ist ein viel breiteres Umfeld der Welthandelsordnung umweltbezogen, als dies bisher der Fall war. Betroffen sind vor allem die Artikel I, II:2(a), III:2 und 4, VI:1(a) und (b), IX:1, XI:2(c), XIII:1 und XVI:4 GATT sowie die WTO–Zusatzabkommen, die auf dem Meistbegünstigungs– und Inländerprinzip beruhen.

717  Die Anerkennung der Produktions– und Verarbeitungsmethoden als Kriterien der Produktgleichheit ist eine logische Folge der heutigen WTO–Rechtspraxis: Aus der Anerkennung des umweltpolitischen Bezugs im Güterverbrauch folgt, dass auch die Produktions– und Verarbeitungsmethoden berücksichtigt werden müssen. Wenn ein Produkt, das im Endverbrauch umweltbelastend ist, einem anderen Gut, das im Verbrauch umweltschonend ist, nicht gleichgestellt wird, so ist auch ein Produkt, das in der Herstellung und in der Verarbeitung die Umwelt belastet, nicht gleich einem Gut, das die Umwelt schont.

718  Mit dieser Neudefinition der Produktgleichheit findet im Völkerrecht das Eingang, was in der Ökonomie, in der Nutzentheorie und in der Marktlehre seit Jahren gang und gäbe ist, nämlich die Differenzierung eines Produkts nach der Wertschätzung: Ein im Verbrauch umweltschonendes Gut ist nicht das gleiche wie ein im Verbrauch umweltbelastendes Gut; ein in der Produktion und in der Verarbeitung umweltschonendes Erzeugnis entspricht nicht einem Gut, das bei der Gewinnung oder in der Produktion die Umwelt belastet.

719  Es besteht durchaus die Möglichkeit, den Kriterienkatalog zu erweitern: Die Zugeständnisse an den Umweltschutz präjudizieren die Beantwortung der Frage, ob bei der Bewertung der Produkte nicht auch arbeitsrechtliche und sozialpolitische Kriterien berücksichtigt werden müssten Zu nennen sind insbesondere die Zulassung von Kinderarbeit und die soziale Sicherheit der Erwerbstätigen, der Arbeitslosen und der Betagten sowie die Respektierung

der Vereinigungsfreiheit. Auf dieser Basis könnte ein Land den Import von Gütern aus einem Land mit einem niedrigeren sozialen Schutz mit der Begründung verbieten, das Produkt sei beispielsweise von unterversicherten Arbeitskräften gefertigt worden. Ein Produkt von nicht oder schlecht versicherten Beschäftigten sei ethisch und ideell nicht das Gleiche wie ein Produkt von sozial besser gestellten Arbeitskräften. Oder ein Kleidungsstück aus einem Land mit Kinderarbeit sei nicht das gleiche Gut wie ein Erzeugnis aus einem Land ohne Kinderarbeit. Die Vereinigung der Südostafrikanischen Staaten (Association of Southeast Asian Nations, ASEAN) sowie die Staats- und Regierungschefs der G–15 haben sich bisher vehement gegen den Versuch der Industriestaaten gewehrt, soziale Fragen wie Kinderarbeit auf die Traktandenliste der ersten WTO–Ministerkonferenz im Dezember 1996 zu nehmen.[354]

720 Die Anerkennung der Produktions- und Verarbeitungsmethoden als Kriterium der Produktgleichheit impliziert die Akzeptanz von Schutzmassnahmen mit extraterritorialen Auswirkungen: In den bisherigen Panelempfehlungen werden die Vertragstexte immer wieder auf die Frage hin analysiert, ob sie die Vertragspartner zu Massnahmen mit extraterritorialer Wirkung ermächtigen oder nicht. Dabei wird extraterritoriale Beeinflussung nicht als direkte Einflussnahme auf die Rechtsetzung oder Rechtsprechung des anderen Lands verstanden, sondern als faktische Einwirkung auf die Wirtschaft des Herkunftslands. Alle diese Fragen werden hinfällig, wenn sich die Vertragspartner über die Definition der Produktgleichheit einigen. Wenn Fleisch von Tieren, die artgerecht gehalten werden, dem Fleisch aus nicht artgerecht geführten Betrieben nicht gleichgesetzt wird, steht einem WTO–Mitglied auch unter Einhaltung des Prinzipien der Meistbegünstigungs- und Inländerprinzips das Recht zu, den Verkauf von nicht artgerecht produzierten Erzeugnissen zu verbieten.

721 Es besteht die Gefahr, dass sich zwischen Protektionisten und Umweltschützern eine "unheilige" Allianz bildet: Jede staatliche Intervention schränkt

---

[354] Vgl. *NZZ* vom 23.7.1996, Nr. 169, S. 23 und *NZZ* vom 5.11.1996, Nr. 258, S. 25. Eine übersichtliche Behandlung der Sozialklausel mit weiterführender Literatur findet sich in: *Sautter, Hermann* (1995), Sozialklauseln für den Welthandel – wirtschaftsethisch betrachtet, in: Hamburger Jahrbuch für Wirtschafts- und Gesellschaftspolitik, 40. Jahr, Hamburg, S. 227ff.

die Tätigkeit einzelner Anbieter ein, so dass die Konkurrenten in irgendeiner Form profitieren. So wird es den US-Anbietern von Thunfisch recht sein, wenn ausländische Anbieter vom Inlandmarkt ferngehalten werden. Auch die Hersteller von Kleinautos begrüssen eine besondere Besteuerung von grossen Autos, genauso wie die Brauer von Bier mit einem niedrigen Alkoholgehalt ein Verkaufsverbot von Bier mit einem höheren Alkoholgehalt befürworten.

722　Die Unternehmer und ihre Verbände bedienen sich im Kampf um Wettbewerbsvorteile stets jener Mittel, die für sie in Bezug auf Protektionismus am kostengünstigsten und effizientesten sind. Je mehr der Umweltschutz, das Arbeitsrecht und die Sozialpolitik in die multilaterale Handelspolitik einwirkt, desto intensiver werden sich die Lobbyisten der einheimischen Wirtschaft dieser Instrumente bedienen, um den Schutz an der Grenze zu erhöhen.[355]

723　Die WTO steht vor der heiklen Aufgabe, einen Mittelweg zwischen Handelsliberalisierung und Umweltschutz zu finden: Mit der Reorientierung der Welthandelsordnung auf umweltrelevante und soziale Ziele läuft die WTO aus der Sicht der Freihandelsvertreter Gefahr, an Substanz zu verlieren. Anstelle international einheitlicher Handelsregeln werden vermehrt nationale Regeln des Umwelt- und Sozialschutzes treten – Elemente, die den Handel und die gegenseitige Zusammenarbeit in Produktion und Verarbeitung erschweren.

724　Soll dieses Problem über eine flexiblere Interpretation der bestehenden WTO-Regeln angegangen werden, oder sind die WTO-Bestimmungen zu ändern? Nach Ansicht einzelner Fachleute reicht eine flexiblere Interpretation der geltenden Bestimmungen zur Lösung der Umweltschutzprobleme aus. "Angesichts der Komplexität der Beziehungen von Freihandel und Umweltschutz", so *Andreas Diem*, sei zudem nicht damit zu rechnen, "dass die Vertragsparteien in absehbarer Zeit eine alle zufriedenstellende Formel finden werden, die inhaltlich aussagekräftig ist und dennoch den nötigen Spielraum zugunsten des Umweltschutzes eröffnet".[356]

---

[355] Ähnliche Allianzen bildeten sich bei der Diskussion um die NAFTA. Vgl. *Senti, Richard* (1996), NAFTA, Zürich, S. 18ff.
[356] *Diem, Andreas* (1996), Freihandel und Umweltschutz in GATT und WTO, Baden-Baden, S. 188.

**Vierter Teil**

# Das Allgemeine Zoll–
# und Handelsabkommen (GATT)

Vierter Teil

725  Die vertraglichen Bestimmungen über den Güterhandel finden sich in Anhang 1A des WTO-Vertragswerks. Der erste Teil des Anhangs 1A enthält den GATT-Text und die Übereinkommen zur Durchführung der einzelnen GATT-Artikel.[1] Der zweite Teil des Anhangs 1A besteht aus den Zusatzabkommen über die Landwirtschaft, die sanitarischen und phytosanitarischen Massnahmen, den Textilhandel, die technischen Handelshemmnisse, die Investitionsmassnahmen, die Versandkontrolle, die Ursprungsregeln und die Einfuhrlizenzen. Nachdem der vorangehende dritte Teil die für alle Abkommen der WTO geltenden Grundsätze behandelt hat (Meistbegünstigung, Inländerprinzip, Reziprozität usw.), beschränken sich die folgenden Ausführungen auf jene GATT-Vorschriften, die den Güterhandel betreffen und bisher nicht erörtert worden sind. Die auf einzelne GATT-Artikel bezogenen Durchführungsvereinbarungen wie zum Beispiel das Übereinkommen zur Durchführung des Art. VI GATT (Antidumpingabkommen) oder das Übereinkommen über Subventionen (Art. XVI GATT) werden im Zusammenhang mit den jeweiligen GATT-Artikeln besprochen.[2] Die Behandlung der eigenständigen Zusatzabkommen über die Landwirtschaft, die sanitarischen und phytosanitarischen Massnahmen, den Textilhandel usw. folgt im anschliessenden fünften Teil unter dem Titel "Die GATT-Zusatzabkommen".[3]

726  Die im vierten Teil gewählte Reihenfolge der Themen entspricht dem Aufbau des GATT-Texts, ergänzt durch die den einzelnen GATT-Artikeln direkt zugeordneten Übereinkommen. Eine Zusammenstellung dieser Abkommen bietet die folgende Übersicht.

---

1  Die Anhänge 1B und 1C enthalten das Allgemeine Abkommen über den Dienstleistungshandel und das Abkommen über handelsbezogene Aspekte des geistigen Eigentums.

2  Das GATT unterscheidet formaljuristisch zwischen den "Understandings" im ersten Teil und den "Agreements" im zweiten Teil des Anhangs 1A. Materiellrechtlich ist diese Unterscheidung irrelevant. Im deutschen Sprachgebrauch werden "Vereinbarungen", "Übereinkommen", "Übereinkünfte" und "Abkommen" gleichbedeutend verwendet.

3  Die hier gewählte Gliederung erfolgt in Anlehnung an die Vertragstextwiedergabe in: *Hummer/Weiss* und *WTO,* The Legal Texts.

## Übersicht 18: Die den GATT-Artikeln direkt zugeordneten Übereinkommen [4]

Art. II:1(b) Listen der Zugeständnisse
Ergänzung: Übereinkommen über die Auslegung des Art. II:1(b) GATT.

Art. VI Antidumping und Ausgleichszölle
Ergänzung: Übereinkommen zur Durchführung des Art. VI GATT.

Art. VII Zollwert
Ergänzung: Übereinkommen zur Durchführung des Art. VII GATT.

Art. XVI Subventionen
Ergänzung: Übereinkommen über Subventionen und Ausgleichsmassnahmen.

Art. XVII Staatliche Handelsmassnahmen
Ergänzung: Übereinkommen über die Auslegung des Art. XVII GATT.

Art. XIX Schutzmassnahmen bei der Einfuhr bestimmter Waren
Ergänzung: Vereinbarung über Schutzmassnahmen.

Art. XXIV Zollunion und Freihandelszonen
Ergänzung: Übereinkommen über die Auslegung des Art. XXIV GATT.

Art. XXV Gemeinsames Vorgehen der Vertragsparteien
Ergänzung: Übereinkommen betreffend Ausnahmegenehmigungen von Verpflichtungen.

Art. XXVIII Änderung der Listen
Ergänzung: Übereinkommen über die Auslegung des Art. XXVIII GATT.

---

[4] Vgl. *Hummer/Weiss*, S. 553ff.; *WTO*, The Legal Texts, S. 20ff.

Vierter Teil

# 1. Die begriffliche Abgrenzung

727 Die GATT–Regeln beziehen sich auf "Waren", "Güter", "Erzeugnisse" und "Produkte", ohne diese Begriffe näher zu definieren.[5] Da das GATT aber verschiedentlich auf die sogenannten Listenprodukte verweist, die Listen jedoch nur Güter der nationalen Zolltarife enthalten, darf angenommen werden, dass alle jene Produkte, die in einem nationalen Zolltarif vorkommen, Gegenstand der GATT–Regeln sind. Dies schliesst nicht aus, dass auch "Waren", die nicht in nationalen Zolltarifen aufgeführt werden, "Waren" im Sinne des GATT sind.

728 Nicht unter die GATT–Erzeugnisse fallen die Dienstleistungen. Diese sind Gegenstand des Allgemeinen Dienstleistungsabkommens (GATS). Gemäss GATS sind Dienstleistungen Wertschöpfungen, die von den Personen direkt verbraucht werden, die nicht physischer Natur, nicht anfassbar, nicht sichtbar und nicht haltbar sind.[6] Aus dem Umkehrschluss ergibt sich, dass im Gegensatz zu den Dienstleistungen die Waren nicht direkt konsumiert werden beziehungsweise nicht unmittelbar verbraucht werden müssen, aufbewahrt werden können, anfassbar, sichtbar und haltbar sind, und dass sie einer Person "beim Handeln auf die Füsse fallen können".[7]

729 Das in der Tokio–Runde ausgehandelte Abkommen über das öffentliche Beschaffungswesen hält fest, dass dann von "Waren" die Rede ist, wenn die in sie eingegangenen Dienstleistungen 50 Prozent des Warenwerts nicht übersteigen. Liegt der Wertanteil der Dienstleistungen über 50 Prozent, spricht das Abkommen von "eigentlichen Dienstleistungsaufträgen".[8]

---

5   Z.B. in Art. I:1 GATT ("eine Ware, die aus einem anderen Land stammt oder für dieses bestimmt ist"), Art. III:1 GATT ("das Angebot, den Einkauf, die Beförderung, Verteilung oder Verwendung von Waren"), Art. VI:1 GATT (Dumpingpreise von Waren), Art. X:1 GATT (Zollwert von Waren), Art. XI GATT (nichttarifäre Handelshemmnisse bei der Einfuhr von Waren).
6   Vgl. Rz 1207ff.
7   In Anlehnung an *UNCTAD* (1994), Liberalizing International Transactions in Services, A Handbook, New York u.a., S. 1.
8   Art. I:1(a) des Abkommens über das öffentliche Beschaffungswesen, veröffentlicht in: *GATT* (1980), BISD 26th S, S. 33ff.

Die Waren können je nach Verarbeitungsgrad in Rohstoffe, verarbeitete Produkte und, je nach Wirtschaftssektor, in Agrar- und Industrieprodukte unterteilt werden. Diese Gliederung ist für die Berechnung der Zolleskalation, für die Sonderbestimmungen in der Landwirtschaft und für die Drittweltländer von Bedeutung. Für das Verständnis des GATT als Vertrag sind diese Zuordnungen nicht relevant.

## 2. Die Bedeutung des Güterhandels

Der internationale Güterhandel hat sich in den 50 Jahren seit dem Zweiten Weltkrieg je nach Produktbereich unterschiedlich stark ausgeweitet. Der Agrarhandel nahm in dieser Zeitspanne volumenmässig um das Fünffache zu, der Handel mit Mineralien und Erdöl um etwa das Achtfache und der Handel mit gewerblichen und industriellen Erzeugnisse um rund das Dreissigfache.[9] Der grenzüberschreitende Handel mit gewerblichen und industriellen Produkten weist über all die Jahre hinweg höhere Wachstumsraten auf als das weltweite Sozialprodukt.[10] Die Gründe für die überproportionale Zunahme des internationalen Handels sind: technisch verbesserte und ständig kostengünstigere Transportmöglichkeiten, erleichterte Kommunikation, Konvertibilität der Währung und vereinfachte Zahlungsmöglichkeiten, kostensparende Produktion durch Produktionsverlagerung ("Economies of scale" durch Massenproduktion) sowie Abbau der Importzölle und der nichttarifären Handelshemmnisse.

Wertmässig entfallen heute knapp 11 Prozent des totalen Welthandels auf den Handel mit landwirtschaftlichen Gütern, nämlich 8.6 Prozent auf verarbeitete Nahrungsmittel und 2.3 Prozent auf agrarische Rohstoffe. Von annähernd gleicher Bedeutung wie der Agrarhandel ist der Handel mit Erdöl, Mineralien und Erzen. Die wertmässig wichtigsten Handelsgüter sind die gewerblichen

---

9 Vgl. *WTO* (1999), Annual Report 1999, International trade statistics, Genf, S. 10.
10 Vgl. die Studien der UNCTAD in: *UNCTAD* (verschiedene Jahrgänge), Handbook of International Trade and Development Statistics, New York (Teil "Special studies").

und industriellen Güter. Sie stellen fast drei Viertel des Welthandels mit Gütern. Bei den Gewerbe- und Industriegütern sind die wichtigsten Produktgruppen: Maschinen und Transportmittel, Chemikalien, Halbfertigfabrikate, Bekleidung und Textilien (in der Reihenfolge ihrer handelsmässigen Bedeutung, wobei sich je nach Gliederung und Zuteilung die Reihenfolge ändert).

**Übersicht 19: Die wichtigsten Welthandelsgüter nach Abschluss der Uruguay-Runde (Exportzahlen 1997, einschliesslich EU-Intrahandel)**

|  | in Mrd. US$ | Anteil in % |
|---|---|---|
| Agrarprodukte | 580 | 10.9 |
| Nahrungsmittel | 458 | 8.6 |
| Rohprodukte | 121 | 2.3 |
| Mineralien, Erze, Erdöl | 598 | 11.3 |
| Erdöl | 435 | 8.2 |
| Industrieprodukte | 3'927 | 74.0 |
| Maschinen und Transportmittel | 2'098 | 39.6 |
| Chemikalien | 490 | 9.2 |
| Halbfertigfabrikate | 399 | 7.5 |
| Bekleidung | 177 | 3.3 |
| Textilien | 155 | 2.9 |
| Übrige Konsumgüter | 468 | 8.8 |
| Total | 5'305 | 100.0 |

*WTO* (1998), Annual Report 1998, International trade statistics, Genf, S. 73.

733 Die beiden wichtigsten Handelspartner sind die EU und die USA mit zusammen fast 40 Prozent der weltweiten Güterimporte und Güterexporte. Zählt man die nächst beiden wichtigsten Exporteure beziehungsweise Importeure dazu, Japan und Hongkong (beim Export) und Japan und Kanada (beim Import), ist

## Der GATT-Hauptvertrag

über 50 Prozent des Welthandels abgedeckt. Weitere wichtige Handelspartner mit Anteilen von knapp 2 bis fast 5 Prozent Welthandelsanteil sind Korea, China (als Nicht-WTO-Mitglied), Singapur, Taiwan (ebenfalls als Nicht-WTO-Mitglied), Mexiko, Malaysia und Schweiz (wobei die Reihenfolge je nach Export oder Import leicht variiert). Auf die zwölf bedeutsamsten Handelspartner entfallen insgesamt drei Viertel des Welthandels. Diese Grössenverhältnisse bilden sehr oft einen Schlüssel, um die Handelsverhandlungen und die Verhandlungsergebnisse zu verstehen.

**Übersicht 20: Die wichtigsten Exporteure von Gütern nach Abschluss der Uruguay-Runde (Exportzahlen 1996 ohne EU-Intrahandel)**

|  | in Mrd. US$ | Anteil in % |
|---|---|---|
| Asien | 1'309 | 35.4 |
| Japan | 411 | 11.1 |
| China | 151 | 4.1 |
| Nordamerika | 861 | 23.3 |
| USA | 689 | 18.6 |
| Westeuropa | 827 | 22.4 |
| EU (15) | 625 | 16.9 |
| Lateinamerika | 249 | 6.7 |
| Zentral- und Osteuropa | 169 | 4.6 |
| Mittlerer Osten | 165 | 4.5 |
| Afrika | 116 | 3.1 |
| Total | 3'696 | 100.0 |

Zusammengestellt und berechnet nach *WTO* (1997), Annual Report 1997, Vol. II, S. 1, 28 und 41.

Vierter Teil

**Übersicht 21: Die wichtigsten Importeure von Gütern nach Abschluss der Uruguay–Runde (Importzahlen 1996 ohne EU–Intrahandel)**

|  | in Mrd. US$ | Anteil in % |
|---|---|---|
| Asien | 1'318 | 34.4 |
| Japan | 349 | 9.1 |
| China | 139 | 3.6 |
| Nordamerika | 994 | 26.0 |
| USA | 818 | 21.4 |
| Westeuropa | 799 | 20.9 |
| EU (15) | 617 | 16.1 |
| Lateinamerika | 273 | 7.1 |
| Zentral– und Osteuropa | 174 | 4.6 |
| Mittlerer Osten | 143 | 3.7 |
| Afrika | 127 | 3.3 |
| Total | 3'828 | 100.0 |

Zusammengestellt und berechnet nach *WTO* (1997), Annual Report 1997, Vol. II, S. 1, 28 und 41.

## 3. Der Abkommensinhalt

734    Der dritte Teil der vorliegenden Veröffentlichung handelt von den Grundelementen des WTO–Vertragswerks, der gemeinsamen Zielsetzung, den Prinzipien der Meistbegünstigung und der Inlandgleichbehandlung usw. Alle diese Elemente ziehen sich wie ein roter Faden durch die WTO–Verträge. Ohne im folgenden nochmals auf diese Grundelemente einzutreten, werden nun die verbleibenden GATT–Bestimmungen besprochen, teils in Themenbereiche zusammengefasst, teils auf spezifische Abkommensartikel ausgerichtet.

## 3.1 Die Sonderbestimmungen

Der folgende Abschnitt tritt auf die Spielzeitkontingentierung im Kinobereich, die Transitfreiheit, die Bestimmungen über die Gebühren und die Formalitäten im grenzüberschreitenden Handel, die Ursprungsbezeichnungen und die Veröffentlichungspflicht von Handelsvorschriften ein. Die Überschrift "Sonderbestimmungen" wurde in Anlehnung an Art. IV GATT beziehungsweise Sektion E des Teils IV (Handelspolitik) der Havanna–Charta gewählt. Auf diese Weise wird verdeutlicht, dass es sich um Ausnahmen von den allgemeinen GATT–Grundsätzen handelt. 735

### 3.1.1 Die Bestimmungen für Kinofilme

Art. III:10 GATT (Inländerprinzip) führt mit dem Hinweis, dieser Artikel klammere die Einführung oder Beibehaltung von "mengenmässigen Beschränkungen für belichtete Kinofilme" nicht aus, zu Art. IV GATT über. 736

Art. IV GATT erlaubt den Vertragsparteien, bei Kinofilmen vom Inländerprinzip abzuweichen und innerstaatliche Vorschriften in Form von Spielzeitkontingenten beizubehalten oder neu einzuführen. Diese Ausnahme wird in der Regel mit kulturpolitischen Argumenten begründet,[11] obwohl der Verhandlungsgang in der Uruguay–Runde vermuten lässt, dass bei der Forderung dieser Sonderbestimmung der Schutz der einheimischen Filmindustrie gegenüber der ausländischen Konkurrenz eine Rolle spielt.[12] 737

Die Bewilligung zur Abweichung vom Inländerprinzip ist nach Art. IV(b) GATT an die Einhaltung der Meistbegünstigungspflicht gebunden. Die den 738

---

11 Vgl. die Literaturhinweise in: *Jackson, John H.* (1969), World Trade and the Law of GATT, Indianapolis u.a., S. 293.
12 Wie 1991 die USA, gestützt auf Art. XXII:1 GATT, Konsultationen über die Zulassung von Filmen im europäischen Fernsehen verlangten, argumentierten die damaligen EG, diese Fragen fielen in den Handelsbereich der Dienstleistungen und könnten nicht nach Art. XXII GATT erörtert werden. Aber auch in den folgenden Verhandlungen über die Dienstleistungen waren die EG nicht bereit, den Handel mit audiovisuellen Dienstleistungen zu liberalisieren. Der Druck von Seiten der einheimischen Filmindustrie war zu stark. *GATT* (1994), Analytical Index, Genf, S. 192; vgl. auch Rz 1281ff.

ausländischen Filmen zugestandenen Spielzeitkontingente dürfen – von einer Ausnahme abgesehen – "weder rechtlich noch tatsächlich nach Lieferländer aufgeteilt werden". Die Ausnahme betrifft die länderweise zugeteilten "Altkontingente", die ausländischen Filmen bestimmten Ursprungs einen Mindestanteil an der Spielzeit vorbehalten. Die Mindestanteile dürfen nicht über den Stand vom 10. April 1947 erhöht werden. Wie Rückfragen beim WTO–Sekretariat sowie bei den nationalen Verwaltungsstellen Deutschlands, Frankreichs und der Schweiz ergaben, sind in diesen Ländern die Bestimmungen über die sogenannten Altkontingente (Kontingente aus der Zeit vor 1947) aufgehoben worden oder werden nicht mehr angewandt.[13]

739   Spielzeitkontingente nach Art. IV(b) GATT bestehen gegenwärtig noch in vielen Entwicklungsländern. Da seit der Zeit der GATT–Gründung von der Vermutung ausgegangen werden muss, dass eine freiwillige Preisgabe der Kontingente auf Widerstand stösst, schlägt Art. IV(d) GATT vor, die Einschränkung, Lockerung oder Beseitigung von Spielzeitkontingenten in künftige Handelsverhandlungen aufzunehmen.

### 3.1.2   Die Transit–Freiheit

740   Unter Transitverkehr versteht Art. V:1 GATT Waren, Wasserfahrzeuge und andere Beförderungsmittel, die sich auf der Durchfahrt durch das Gebiet einer Vertragspartei von einer Grenze zur anderen befinden, wobei der Ausgangs– und der Bestimmungsort ausserhalb der Grenzen der durchquerten Vertragsparteien liegen muss. Art. V GATT bezieht sich gemäss Ziff. 7 nicht auf Luftfahrzeuge auf dem Durchflug, jedoch auf die "Durchfuhr von Waren (einschliesslich Gepäck) auf dem Luftweg". Zum Durchfuhrverkehr gehören auch das Umladen, die Einlagerung, das Umpacken und die Änderung der Beförde-

---

13  In Frankreich bestehen gemäss Auskunft des Centre national de la cinématographie (CNC) noch derartige Bestimmungen, werden aber zurzeit ignoriert. Auskunft des Rechtsdienstes CNC, Juli 1996. Die Schweiz kannte seit Ende der dreissiger Jahre Filmimportkontingente (nach Filmtiteln, nicht nach Spielzeit). Im Jahr 1992 wurden sämtliche Importkontingente in diesem Handelsbereich aufgehoben. Vgl. Art. 29 der Filmverordnung vom 24.6.1992, in: *SR* 443.11.

rungsart. Nicht unter Art. V GATT fällt der Personenverkehr.[14] Grundsätzlich handelt es sich beim Transitverkehr um eine Dienstleistung, die Gegenstand des GATS und nicht des GATT wäre. Der Durchfuhrverkehr wurde indessen zusammen mit anderen Sonderbestimmungen ins GATT aufgenommen, weil der Warenhandel nicht ohne Einbezug dieser Dienstleistung einheitlich geregelt werden kann. Ausserdem ist darauf hinzuweisen, dass es bei der Ausarbeitung des ursprünglichen GATT kein Dienstleistungsabkommen gab und es daher nicht möglich war, den Durchfuhrverkehr anderweitig zu regeln.[15]

741 Art. V GATT enthält drei Ordnungsvorschriften: Erstens verlangt das GATT in Art. V:2 und 5 die Einhaltung der Meistbegünstigungspflicht. Bei der Wahl der Verkehrswege, der finanziellen Belastung und der Formalitäten darf aufgrund "der Flagge der Wasserfahrzeuge, des Ursprungs-, Herkunfts-, Eingangs-, Austritts- oder Bestimmungsorts oder aufgrund von Umständen, die das Eigentum an den Waren, Wasserfahrzeugen oder anderen Beförderungsmitteln" keine unterschiedliche Behandlung des Durchfuhrverkehrs erfolgen. Die am Tag des Inkrafttretens des GATT bestehenden Beförderungsvorschriften für präferenziert behandelte Importgüter wurden davon nicht berührt. Nach Rückfrage beim WTO-Sekretariat bestehen aber heute keine derartigen Präferenzen mehr. Zweitens ist das Inländerprinzip zu beachten. Der Transitverkehr ist, analog zur Beförderung von einheimischen Gütern, von Zöllen und anderen Abgaben zu befreien; ausgenommen sind Beförderungskosten und sonstige Belastungen, die auch für einheimische Produkte anfallen. Die ausländischen Waren, Wasserfahrzeuge und anderen Beförderungsmittel sollen bei der Durchfuhr nicht ungünstiger behandelt werden als einheimische Waren, Wasserfahrzeuge und andere Beförderungsmittel. Drittens haben die Beförderungskosten und sonstigen Belastungen dem aus der Durchfuhr

---

14  Im Barcelona-Übereinkommen über die Freiheit des Durchgangverkehrs und dem dazu erlassenen Statut von 1921, dessen Text als Vorlage zu Art. V GATT diente, ist auch der Personenverkehr miteinbezogen. In den Verhandlungen in Lake Success, NY, 1947, wurde der Personenverkehr aus dem Entwurf zu Art. V GATT ausgeschlossen mit dem Argument, der Personenverkehr sei Sache der Einwanderungsgesetzgebung und nicht des Handelsabkommens. Vgl. Barcelona-Übereinkommen, in: *SR* 0.740.4 und 0.740.41; *GATT* (1994), Analytical Index, Genf, S. 196.
15  In der Havanna-Charta sind die Durchfuhrbestimmungen Gegenstand des Art. 33.

entstehenden Verwaltungsaufwand und den Kosten der erbrachten Dienstleistungen zu entsprechen, das heisst die Kosten haben verhältnismässig zu sein und dürfen nicht willkürlich angesetzt werden.[16]

742    Art. V GATT bildet eine Ergänzung zu den Art. I und III GATT. Die Transport– und Verwaltungsdienste sind nach den Prinzipien der Nichtdiskriminierung zu erbringen.

### 3.1.3 Die Gebühren und Formalitäten im Aussenhandel

743    Art. VIII GATT über Gebühren und Belastungen bei der Ein– und Ausfuhr von Gütern scheint auf den ersten Blick eine einfache und klare Vertragsbestimmung zu sein. Trotzdem gab diese Regelung in der Vergangenheit bereits mehrmals Anlass zu Streitschlichtungen. Die wesentlichen Elemente des Art. VIII sind in Ziff. 1(a) aufgezählt: Erstens, die Gebühren und Belastungen im Zusammenhang mit der Einfuhr oder Ausfuhr von Waren haben den ungefähren Kosten der erbrachten Dienstleistungen zu entsprechen.[17] Zweitens, die an der Grenze erhobenen Gebühren und Belastungen dürfen nicht dem Schutz der einheimischen Wirtschaft dienen. Drittens ist es nicht erlaubt, diese

---

16  Die Anmerkungen und ergänzenden Bestimmungen zu Art. V GATT halten fest, für die Beförderungskosten gelte der Grundsatz, dass es sich um gleichartige Waren handeln müsse, die unter gleichartigen Bedingungen auf derselben Strecke befördert werden. Diese Klarstellung wäre in Bezug auf die Meistbegünstigung und das Inländerprinzip nicht notwendig gewesen, weil diese Bedingungen in Art. I und III des GATT bereits enthalten sind.

17  Im Panelbericht US – Customs User Fee von 1988 wird die Meinung vertreten, es handle sich bei den hier erbrachten Staatsleistungen nicht um Dienstleistungen im ökonomischen Sinne. Diese Leistungen seien von den Importeuren weder erwünscht bzw. verlangt, noch gingen sie als Wertmehrung ins Produkt ein. Demgegenüber kann festgehalten werden, dass ein Produkt, das dank der "erlittenen" Verwaltungstätigkeit in einem anderen Markt, d.h. im Importland verkauft werden darf, einen anderen Wert darstellt als ein Gut, das in diesem Markt nicht zugelassen ist. Insofern handelt es sich doch um eine Wertmehrung, um eine Dienstleistung im ökonomischen Sinne, auch wenn der Importeur diese Zulassungserlaubnis lieber gratis oder kostengünstiger erhielte. Auf jeden Fall ist dem Importeur der Marktzutritt mehr wert als die bezahlten Gebühren und Belastungen, sonst würde er auf den Import verzichten. Vgl. GATT, Panelbericht US – Customs User Fee vom 2.2.1988, veröffentlicht in: *GATT* (1989), BISD 35th S, S. 245ff., Ziff. 76f.

Grenzabgaben in eine Besteuerung der Einfuhr oder Ausfuhr von Waren mit dem Ziel der Äufnung von Staatseinnahmen umzuwandeln. In Ergänzung zu diesen drei Grundsätzen anerkennen die Vertragsparteien die Notwendigkeit, die Zahl und Verschiedenartigkeit der hier angesprochenen Gebühren und Belastungen zu senken, die Grenzformalitäten auf ein Minimum zu reduzieren und die beim Grenzübertritt zu unterbreitenden Dokumente möglichst zu vereinfachen. Die Strafen für Verletzungen von Zollvorschriften und Zollverfahrensbestimmungen sollen nicht willkürlich streng sein, vor allem nicht für Verfehlungen, die offensichtlich ohne betrügerische Absicht und ohne grobe Fahrlässigkeit begangen worden sind.

Auf Antrag einer anderen Vertragspartei oder des GATT-Rats hat jede Partei die Anwendung ihrer Gesetze und sonstigen Vorschriften im Hinblick auf Art. VIII GATT zu überprüfen. 744

Die Bestimmungen des Art. VIII GATT über Gebühren und Belastungen gelten sowohl für die Amtstätigkeit der direkten Grenzabfertigung der Ein- und Ausfuhr von Gütern als auch für Regierungs- und Amtshandlungen, die indirekt auf den grenzüberschreitenden Handel einwirken. Was unter solchen Regierungs- und Verwaltungstätigkeiten zu verstehen ist, geht aus der beigefügten Aufzählung hervor: konsularische Amtshandlungen (die Ausstellung von Konsularfakturen und konsularischen Bescheinigungen), mengenmässige Beschränkungen, Bewilligungen, Devisenkontrolle, Statistik, beizubringende Unterlagen, Nachweise und Bescheinigungen, Analysen und Untersuchungen, Quarantäne, gesundheitspolizeiliche Überwachung und Desinfektion. 745

Dass mit Art. VIII GATT nur die effektiven Kosten der auf das einzelne Handelsprodukt bezogenen staatlichen Leistung zu verstehen sind, verdeutlicht der Panelbericht "US-Customs User Fee" von 1988: Die USA führten im Jahr 1986 eine Importbearbeitungsgebühr zur Deckung sämtlicher Kosten der US-Zolldienststellen ein.[18] Diese Gebühr berechnete sich nach dem Zollwert der importieren Güter und betrug 0.22 Prozent im Fiskaljahr 1987 und 0.17 Prozent in den folgenden Jahren. Das "Panel" kam in seiner Analyse zum Ergebnis, die in Art. VIII GATT angesprochenen Gebühren und Belastungen hätten 746

---

18  Die Gebühr bezog sich auf Passagiere, Transportleistungen und Güter. Im Rahmen des GATT standen nur die Abgaben auf Güterimporten zur Diskussion.

sich ausschliesslich auf die Abfertigungskosten der einzelnen Güterimporte zu beziehen ("the approximate cost of customs processing for the individual entry in question") und dürften nicht sämtliche Kosten der Zolldienststellen abdecken. Die Bezugsgrösse sei stets die erbrachte Leistung der Amtsstelle, die für die administrative Abwicklung der Einfuhr eines Guts verantwortlich sei. Der Wert des Gutes dürfe nicht als Referenzgrösse gelten.[19]

### 3.1.4 Die Ursprungsbezeichnung

747  Art. IX GATT regelt im Sinne seiner Überschrift die Kennzeichnung der Herkunft des Produkts, nicht den Ursprung als solchen. Die Definition des Ursprungs ist Gegenstand des Abkommens über die Ursprungsregeln.[20]

748  Art. IX:1 GATT verlangt von den Vertragsparteien, bei Vorschriften über die Produktkennzeichnung die Meistbegünstigungspflicht einzuhalten. Waren aus dem Gebiet anderer Vertragsparteien sollen bei der Kennzeichnung "eine nicht weniger günstige Behandlung als gleichartige Waren eines dritten Landes" erfahren. Im Gegensatz zum Meistbegünstigungsprinzip wird das Inländerprinzip in Art. IX GATT nicht erwähnt. Darum folgerte das "Panel US–Restrictions on Imports of Tuna" im Jahr 1991, der vorliegende Artikel beziehe sich nur auf die Kennzeichnung des Ursprungs der Importgüter und nicht auf die Kennzeichnung der Produkte im allgemeinen.[21] Die fehlende Erwähnung des Inländerprinzips bildet indessen keinen Freipass zum Schutz der einheimischen Güter und deren Anbieter durch willkürliche und ungerechtfertigte Kennzeichnungsvorschriften der Importgüter. Eine Benachteiligung der

---

19  Zudem hält das Panel fest, die Verwaltungsaufwände, die mit diesen Gebühren gedeckt würden, enthielten auch Tätigkeiten, die mit dem Güterimport nichts zu tun hätten, so beispielsweise die Personenkontrolle auf den Flughäfen und die Bearbeitung der Exportdokumente. Allein schon aus diesem Grund sei die US–Gebührenregelung für Importgüter mit Art. VIII GATT unvereinbar. GATT, Panelbericht US – Customs User Fee, in: *GATT* (1989), BISD 35th S, S. 245ff., Ziff. 125. Vgl. in diesem Zusammenhang auch die Stellungnahmen zu den wertbezogenen Gebühren in Venezuela und Tunesien (Beitrittsverhandlungen) in: *GATT* (1994), Analytical Index, Genf, S. 253.
20  Vgl. Rz 1171ff.
21  Panelbericht US – Restrictions on Imports of Tuna I vom 3.9.1991, veröffentlicht in: *GATT* (1993), BISD 39th S, S. 155ff., Ziff. 5.41.

Importwaren gegenüber den einheimischen Angeboten widerspricht Art. III GATT, der die Gleichstellung ausländischer Erzeugnisse nicht nur in Bezug auf die inländischen Abgaben und sonstigen Belastungen, sondern auch auf dem Gebiet der Rechtsvorschriften verlangt.[22]

In Art. IX:2 GATT unterstreichen die Vertragsparteien die Wünschbarkeit, die mit der Kennzeichnung der Herkunft verbundenen Schwierigkeiten und Behinderungen, die für den Handel und für die Produktion der Ausfuhrländer entstehen können, auf ein Minimum zu beschränken.[23] Dabei ist, wie Art. IX:2 GATT in Anlehnung an Art. XX(b) GATT (Schutz des Lebens und der Gesundheit von Menschen, Tieren und Pflanzen) festhält, "die Notwendigkeit, den Verbraucher vor missbräuchlich verwendeten oder irreführenden Bezeichnungen zu schützen, gebührend zu berücksichtigen"[24]. 749

Die Kennzeichnung der Ware kann vor dem Grenzübertritt erfolgen, ist aber auch im Zeitpunkt der Einfuhr gestattet. Zudem soll die Kennzeichnung keine übermässig hohen Kosten verursachen und auf eine Art und Weise erfolgen, dass die Erzeugnisse nicht ernsthaft beschädigt oder wesentlich im Wert vermindert werden. Die gewählten Formulierungen sind vage und haben schon 750

---

22   Auf die Verpflichtung der Beachtung des Inländerprinzips verweist auch der Bericht über die Ursprungsbezeichnungen vom 21.11.1958. *GATT* (1959), BISD 7th S, S. 117, Ziff. 2. – Dass hingegen die Bezeichnung "Dolphin Safe" nicht unter Art. IX GATT fällt, liegt auf der Hand. Art. IX bezieht sich auf die Kennzeichnung der Herkunft und nicht auf die Kennzeichnung der Produkteigenschaft, d.h. nicht auf das Produkt als solches. Vgl. Panelbericht US – Restrictions on Imports of Tuna I vom 3.9.1991, veröffentlicht in: *GATT* (1993), BISD 39th S, S. 155ff., Ziff. 5.41.
23   Ziff. 2 wurde Art. IX GATT in der Session 1954/55 beigefügt. *GATT* (1955), BISD 3rd S, S. 205ff., Ziff. 21.
24   In den Jahren 1956 und 1958 stand Ziff 2 des Art. IX GATT in zwei Arbeitsgruppen zur Diskussion. Die damals ausgearbeiteten Vorschläge zielten auf eine Vereinheitlichung der Kennzeichnungen, die Schaffung von Verwaltungsstellen zur beschleunigten Grenzabfertigung der Importe, die Beschränkung der Kennzeichnung auf Produktbereiche, deren Beschriftung zur Information der Letztverbraucher unerlässlich ist, und die Meldepflicht neu eingeführter oder geänderter Kennzeichnungsvorschriften usw. ab. Mehrere Vertragsparteien folgten für kurze Zeit dieser Meldepflicht. Seit 1961 sind hingegen keine Meldungen mehr eingegangen. Die Vorschläge der Arbeitsgruppen finden sich in: *GATT* (1957), BISD 5th S, S. 102.; *GATT* (1959), BISD 7th S, S. 30ff. und 117; *GATT* (1994), Analytical Index, Genf, S. 264, Par. 2.

zur Frage Anlass gegeben, ob Markierungen mit schädigender Wirkung nicht GATT–widrig seien.²⁵

751 Abschliessend empfiehlt Art. IX GATT den Vertragsparteien, von besonderen Abgaben und Strafen abzusehen, wenn die Vorschriften über die Kennzeichnung vor der Einfuhr nicht beachtet wurden, die Unterlassung nicht zu einer übermässigen Verzögerung des Imports führte und die Kennzeichnung nicht bewusst irreführend war. Ferner fordert der Schlussabschnitt des Art. IX GATT zur Zusammenarbeit zwischen den Vertragsparteien auf, um zu verhindern, dass Kennzeichnungen dazu verwendet werden, "den wirklichen Ursprung einer Ware zum Nachteil besonderer regionaler oder geographischer Bezeichnungen von Waren aus dem Gebiet einer Vertragspartei unrichtig anzugeben, die diese Bezeichnungen gesetzlich schützt". Aufgrund dieser Rechtslage hatte ein "Panel" im Jahr 1987 darüber zu befinden, ob und in welchem Ausmass die japanischen Anbieter von Wein und anderen Alkoholika französische und englische Bezeichnungen wie "château", "réserve", "vin rosé", "whisky" und "brandy" verwenden dürfen, ob die Warenkennzeichnung den japanischen Ursprung des Produkts nicht verwische und ob sich Japan der fehlenden Zusammenarbeit mit den übrigen Vertragspartnern schuldig mache. Das "Panel" kam zum Schluss, die japanischen Etikettierungsvorschriften würden den japanischen Ursprung des Getränks trotz der Verwendung ausländischer Bezeichnungen ausreichend klarstellen. Japan habe sich nicht der mangelnden Zusammenarbeit schuldig gemacht.²⁶

### 3.1.5 Die Veröffentlichung und Anwendung von Handelsvorschriften

752 Die Transparenz im internationalen Handel ist, wie im Teil über die Grundelemente des WTO–Vertragswerks ausgeführt wurde,²⁷ ein Erfordernis, dem die WTO–Mitglieder in allen Teilbereichen nachzuleben haben. Die anschlies-

---

25 *GATT* (1994), Analytical Index, Genf, S. 265, Par. 4.
26 Panelbericht Japan – Customs Duties, Taxes and Labelling Practices on Imported Wines and Alcoholic Beverages vom 10.11.1987, veröffentlicht in: *GATT* (1988), BISD 34th S, S. 83ff., Ziff. 5.14ff.
27 Vgl Rz 451ff.

senden Ausführungen beschränken sich auf einige GATT–spezifische Aspekte, die im Teil über die Grundelemente der WTO nicht erwähnt sind.

Art. X GATT ist zweigeteilt. Der erste Abschnitt behandelt die Informationspflicht im Güterhandel und der zweite die Anwendung der Informationsbestimmungen. Gegenstand der Informationspflicht sind gemäss Art. X:1 GATT: 753

> "Die bei einer Vertragspartei geltenden Gesetze, sonstigen Vorschriften, Gerichts– und Verwaltungsentscheidungen von allgemeiner Bedeutung, welche die Tarifizierung oder die Ermittlung des Zollwerts von Waren, die Sätze von Zöllen, Abgaben und sonstigen Belastungen, die Vorschriften, Beschränkungen und Verbote hinsichtlich der Einfuhr und Ausfuhr sowie die Überweisung von Zahlungsmitteln für Einfuhren oder Ausfuhren betreffen oder sich auf den Verkauf, die Verteilung, Beförderung, Versicherung, Lagerung, Überprüfung, Ausstellung, Veredelung, Vermischung oder eine andere Verwendung dieser Waren beziehen [...]".

Zu veröffentlichen sind auch internationale Vereinbarungen zwischen Regierungen und Regierungsstellen der Vertragsparteien. Die Liste ist breit konzipiert, um möglichst alle handelsrelevanten Informationen zu erfassen. Ausgenommen sind lediglich internationale Abkommen mit Nicht–Vertragspartnern und vertrauliche Informationen, "deren Veröffentlichung die Durchführung der Rechtsvorschriften behindern oder sonst dem öffentlichen Interesse zuwiderlaufen oder die berechtigten Wirtschaftsinteressen bestimmter öffentlicher oder privater Unternehmen schädigen würde". 754

Art. X:2 GATT schreibt vor, dass beschlossene Massnahmen nicht vor ihrer Veröffentlichung in Kraft gesetzt werden dürfen. So hat das "Panel" im Jahr 1988 eine EG–Quotenzuteilung bei Äpfelimporten als GATT–widrig erklärt, weil Lizenzanträge vor der Veröffentlichung der Quotenregelung eingereicht wurden.[28] 755

Schliesslich verpflichten sich die Vertragsparteien in Art. X:3(a) GATT, die Gesetze und Vorschriften über die Transparenz "einheitlich, unparteiisch und gerecht" anzuwenden. Sie sind gehalten, einen entsprechenden Rechtsschutz in Form von unabhängigen Gerichten oder Verwaltungsverfahren beizu- 756

---

28  Panelbericht EEC – Restrictions on Imports of Apples Complaint by the US vom 22.6.1989, in: *GATT* (1990), BISD 36th S, S. 135ff., Ziff. 5.22.

## Vierter Teil

behalten oder so bald wie möglich einzurichten, um unter anderem Verwaltungsakte in Zollangelegenheiten unverzüglich überprüfen und richtigstellen zu können. Diese Gerichte und Verfahren müssen von den Verwaltungsbehörden unabhängig sein. Die Behörden sind verpflichtet, die Entscheide der Gerichte durchzusetzen. Verfahren, die zur Zeit des Inkrafttretens des GATT in der Kompetenz der Behörden lagen, durften weitergeführt werden, wenn sie auf Antrag der VERTRAGSPARTEIEN ihre Objektivität und Unparteilichkeit beweisen konnten.

757   Im Verlauf der letzten Jahrzehnte haben sich die Vertragsparteien des GATT immer wieder von neuem verpflichtet, ihre Handelsvorschriften offenzulegen.[29] Dabei sind bei der Notifizierung folgende Bereiche zu unterscheiden: Zölle (Art. II, XVIII, XXVII und XXVIII GATT), nichttarifäre Handelshemmnisse (Art. XII, XVIII und XXI GATT), internationaler Zahlungsverkehr (Art. XV GATT), Subventionen (Art. XVI GATT), Staatshandel (Art. XVII GATT), wirtschaftliche Entwicklung (Art. XVIII GATT), Schutzmassnahmen (Art. XIX GATT), Streitschlichtung (Art. XXII und XXIII GATT), institutionelle Fragen (Art. XXV und XXXI GATT), wirtschaftliche Integration (Art. XXIV GATT) sowie Handel und Entwicklung (Art. XXXVII GATT).[30]

758   Die in Art. X GATT verbrieften Informationspflichten widerspiegeln das Grundkonzept der WTO–Welthandelsordnung. Der gegenseitige Austausch der Ware "Information" hat nach den gleichen Prinzipien zu erfolgen wie der Austausch von Handelsgütern. Die Informationsbestimmungen des GATT sind "einheitlich, unparteiisch und gerecht" anzuwenden, das heisst nach den Prinzipien der Meistbegünstigung und der Inlandgleichbehandlung. Die Bekanntgabe von Massnahmen muss vor deren Inkrafttreten erfolgen, um die einheimischen Anbieter nicht zu begünstigen.

---

29  Ein Überblick über die einzelnen Dokumente findet sich in: *GATT* (1994), Analytical Index, Genf, S. 277, Anm. 27.

30  Eine ausführliche Liste der GATT–Artikel, ergänzt durch zusätzliche GATT–Vorschriften findet sich in: *GATT* (1994), Analytical Index, Genf, S. 278ff.

## 3.2 Die Antidumpingmassnahmen

Die Antidumpingordnung verfolgt zwei Ziele: Zum einen will sie die Wettbewerbsverfälschung im internationalen Handel durch private Preisunterbietungen und unfaire Angebotspraktiken verhindern (im Gegensatz zur Wettbewerbsverfälschung durch Subventionen der öffentlichen Hand). Zum anderen dient sie der Einschränkung des Missbrauchs von Gegenmassnahmen zum Schutz der eigenen Wirtschaft.

Für die fünfziger bis siebziger Jahre wurde nachgewiesen, dass die Zahl der Dumpingverfahren mit dem jeweiligen Konjunkturverlauf stark korreliert. Nach Berechnungen von *Stephen P. Magee* führte zum Beispiel in den USA in den Jahren 1953 bis 1977 eine Zunahme der Arbeitslosigkeit um 10 Prozent (z.B. von 5.0 auf 5.5 Prozent) zu einer zahlenmässigen Zunahme der Dumpingverfahren um rund 9 Prozent. Bei steigender Arbeitslosigkeit und sinkender Gewinnrate übten die Arbeitgeber– und Arbeitnehmerverbände einen zusätzlichen Druck auf die Regierung und die Politiker aus. Stieg hingegen die Inflationsrate um einen Prozentpunkt (z.B. von 7 auf 8 Prozent), gingen die Dumpingverfahren als Folge des jeweils einsetzenden Drucks von Konsumenten und ihren Vertretern um fast 6 Prozent zurück.[31] Die gleiche Feststellung gilt ab Ende siebziger Jahre bis heute. Während der konjunkturellen Abschwächung anfangs der achtziger Jahre und in der ersten Hälfte der neunziger Jahre stiegen die Antidumpingfälle stark. In Phasen des wirtschaftlichen Aufschwungs, wie zum Beispiel in der zweiten Hälfte der achtziger Jahre, nahmen die Antidumpingverfahren dagegen zahlenmässig ab.[32]

Die folgenden Ausführungen geben einen Überblick über die zahlenmässige Bedeutung der Antidumpingverfahren. Anschliessend werden die Antidumpingbestimmungen des GATT und des Übereinkommens zur Durchführung des Artikels VI GATT (Antidumpingabkommen) dargestellt. Da dem Dumping und den Antidumpingmassnahmen im internationalen Handel eine

---

31 *Magee, Stephen P.* (1982), Protectionism in the United States, (Vervielfältigung), zit. in: *Frey, Bruno S.* (1984), The public choice view of international political economy, in: International Organization, 38. Jg., H. 1, S. 211.

32 Vgl. *Steele, Keith,* Hrsg. (1996), Anti–Dumping under the WTO: A Comparative Review, London u.a., S. 3.

grosse Bedeutung zukommt – seit Jahrzehnten entfallen 10 Prozent aller GATT- beziehungsweise WTO-Streitschlichtungsverfahren auf Dumpingfragen –, wird dieses Thema relativ ausführliche behandelt.

### 3.2.1 Die zahlenmässige Entwicklung der Antidumpingmassnahmen

762   Seit den achtziger Jahren veröffentlicht der Antidumpingausschuss die Zahlen der jährlich von den GATT-Partnern eingeleiteten Antidumpingverfahren, der provisorisch und definitiv ergriffenen Antidumpingmassnahmen sowie des Bestandes der in Kraft stehenden Antidumpingabgaben. In den Jahren 1985 bis 1998 eröffneten die GATT-Vertragspartner insgesamt über 2000 Antidumpingverfahren. Auf Argentinien, Australien, die EU(15) und die Vereinigten Staaten entfielen je ein Fünftel bis ein Sechstel aller Verfahren. Die restlichen Fälle verteilten sich auf Kanada, Südafrika, Mexiko, Indien, Brasilien, Neuseeland, Südkorea und Türkei sowie die übrigen WTO-Mitglieder (für die aufgeführten Länder in absteigender Reihenfolge der Anzahl Verfahren). Die Antidumpingverfahren haben im Verlauf der letzten Jahre zahlenmässig stark zugenommen; 1980 waren es 81, 1990 fast 100 und ab 1995 jährlich rund 200.[33] Zurzeit bedienen sich die Industriestaaten und die Entwicklungsländer zu ungefähr gleichen Teilen der Antidumpingverfahren. Im Gegensatz dazu waren es in den sechziger und siebziger Jahren vor allem die Industriestaaten, die sich mit diesen Verfahren gegen die Billigimporte aus den wirtschaftlich schwächeren Staaten Asiens und Osteuropas zur Wehr setzten.[34] Die eingeleiteten Verfahren haben in den meisten Fällen zur Verhängung von provisorischen und definitiven Antidumpingzöllen geführt. Übersicht 22 enthält eine länderweise Zusammenstellung der in den Jahren 1985 bis 1998 eingeleiteten Antidumpingverfahren und der Ende 1998 in Kraft stehenden Massnahmen.

---

33   Vgl. *GATT* (1981), BISD 27th S, S. 47; *GATT* (1991), BISD 37th S, S. 301; *WTO* (ab 1995), Annual Reports, Genf.
34   *OECD* (1995), The New World Trading System, Paris, S. 110.

## Übersicht 22: Eingeleitete Antidumpingverfahren und in Kraft stehende Antidumpingmassnahmen

| Handelspartner | Eingeleitete Verfahren, total 1985–1998 | Am 31.12.1998 in Kraft stehende Massnahmen |
|---|---|---|
| Argentinien | 369 | 39 |
| Australien | 399 | 57 |
| Brasilien | 64 | 28 |
| EU (15) | 352 | 161 |
| Indien | 77 | 49 |
| Kanada | 187 | 77 |
| Südkorea | 48 | 28 |
| Mexiko | 108 | 84 |
| Neuseeland | 52 | 26 |
| Südafrika | 136 | 57 |
| Türkei | 10 | 34 |
| USA | 345 | 326 |

Die Zusammenstellung bezieht sich auf jene Länder, in denen am 31.12.1998 über 20 Antidumpingmassnahmen in Kraft standen. Die Angaben wurden zusammengestellt gemäss Angaben in: *WTO* (jährlich) Annual Reports, Genf 1996–1999; weitere Angaben finden sich in: *OECD* (1995), The New World Trading System, Paris, S. 110; *GATT* (1997), BISD 41st S, Vol. I, S. 218ff.

Von den im Verlauf der Jahre ergriffenen Antidumpingmassnahmen standen am 31. Dezember 1998 (zurzeit letzte verfügbare Zahlen) insgesamt 1011 in Kraft, rund ein Drittel in den USA und ein knapper Fünftel in der EU. Die übrigen Massnahmen verteilen sich auf eine Vielzahl von Ländern.[35]

In den Jahren 1948 bis 1989 entfielen von insgesamt 207 durchgeführten GATT- Schlichtungsverfahren 20 Fälle oder rund 10 Prozent auf Antidum-

---

35 *WTO* (1999), Annual Report 1999, Genf, S. 59.

pingmassnahmen. Bei einem Drittel der Antidumpingverfahren stellte das "Panel" eine Verletzung des GATT–Rechts fest; dies entspricht der höchsten Verletzungsquote aller Arten von Zwisten. Im Durchschnitt lag der Verletzungsnachweis bei den Streitschlichtungsempfehlungen 1948 bis 1989 bei etwa 10 Prozent.[36] Mit der Verbesserung der Streitschlichtung in der WTO bestand die Hoffnung, die Verhängung von Antidumpingmassnahmen würde wegen der Aufwertung der Verbindlichkeit der Schlichtungsbeschlüsse abnehmen. Wie die letzten Zahlen zeigen, entfallen auch nach 1995 in der WTO wieder etwa 10 Prozent der Verfahren auf Antidumpingfälle, also relativ gleichviel wie seinerzeit im GATT.[37]

### 3.2.2 Die US–Antidumpinggesetzgebung als Grundlage der GATT–Regelung

765   Unmittelbar nach dem Zweiten Weltkrieg veröffentlichte das US–Staatsdepartement die ersten Vorschläge zu einer Neuordnung des Welthandels. Danach sollten sich die Mitglieder der neu zu schaffenden Internationalen Handelsorganisation (ITO) unter anderem verpflichten, "to subscribe to a general definition of the circumstances under which antidumping and countervailing duties may properly be applied to products imported from other members"[38].

766   Ein Jahr später folgten in dem von den Vereinigten Staaten vorgelegten Vorschlag einer Internationalen Handelsorganisation konkrete Antidumpingregelungen,[39] die später ohne wesentliche Änderungen von der Havanna–Charta[40] und vom GATT übernommen wurden. Grundkonzept und viele Einzelbestimmungen entsprechen der damaligen US–Antidumpinggesetzgebung.

---

36   *Hudec/Kennedy/Sgarbossa* (1993), A Statistical Profile of GATT Dispute Settlement Cases: 1948–1989, in: Minnesota Journal of Global Trade, Vol. 2, Nr. 1, S. 90.
37   *URL* http://www.wto.org./wto/dispute/bulletin.htm, Dezember 1999.
38   *US Department of State* (1945), Proposals for Expansion of World Trade and Employment, Publication 2411, November, Washington, DC, C:III, Sec. A:3.
39   *US Department of State* (1946), Suggested Charter for an International Trade Organization of the United Nations, Publication 2598, September, Washington, DC, Art. 11.
40   Art. 34 der Havanna–Charta.

Die ersten US-Antidumpingbestimmungen finden sich im "Revenue Act" von 1916.[41] Aufgrund dieses Gesetzes verhängten die USA eine Geldstrafe ("fine"), wenn die Importe nach den Vereinigten Staaten zu einem niedrigeren Preis als im Herkunftsland auf den Markt kamen und die US-Industrie gefährdeten ("intent to destroy or injure"). Die beiden Kriterien Unterpreisigkeit und Schädigung finden sich in den US-Antidumpinggesetzen von 1921 und 1930 sowie in den 1980 revidierten Antidumpingbestimmungen.[42]

Nach US-Recht von 1921 und 1930 ist von Dumping die Rede, wenn

1. die Ware in den USA billiger angeboten wird als im Ursprungsland (Preiskriterium). Falls im Ursprungsland kein Verkauf stattfindet, wenn

2. die Ware in den USA billiger angeboten wird als auf dem Markt eines Drittlandes (modifiziertes Preiskriterium). Falls auf dem Ursprungsmarkt und dem Markt eines Drittlandes kein Verkauf stattfindet, wenn

3. die Ware unter den Herstellkosten im Erzeugerland exportiert wird (Kostenkriterium). Die Herstellkosten errechnen sich aufgrund der Angaben über Material- und Fertigungskosten sowie der Gemeinkosten und Gewinnmargen.[43]

---

41  *US Revenue Act von 1916*, § 801, 39 Stat. 798 (oft als "Antidumping Act von 1916" bezeichnet).

42  Eine detaillierte Darstellung des heute geltenden US-Antidumpingrechts (mit Hinweisen auf Rechtsquellen) findet sich bei *Palmeter, N. David* (1996), United States, in: *Steele, Keith,* Hrsg., Anti-Dumping under the WTO: A Comparative Review, London u.a., S. 261ff.

43  In den USA werden folgende Kostenelemente zur Ermittlung der Herstellkosten aufaddiert:
– *Sämtliche Material- und Verarbeitungskosten* für die Herstellung des Produkts, d.h. die direkt anrechenbaren Material- und Arbeitskosten sowie die indirekt zurechenbaren Gemeinkosten.
– *Beitrag für allgemeine Ausgaben und Gewinn.* Es gelten folgende Mindestsätze: Allgemeine Ausgaben (z.B. für Verwaltungsaufwand) von mindestens 10 % der Material- und Verarbeitungskosten sowie mindestens 8 % Gewinn der totalen Kosten (totale Kosten = Material- und Verarbeitungskosten plus Beitrag für allgemeine Ausgaben).
– *Verpackungskosten und andere Ausgaben.* Darunter fallen z.B. Transport- und Versicherungskosten.

Vierter Teil

769 Die US–Handelsgesetze von 1974 und 1979 brachten eine Ausweitung des Kostenkriteriums auf Fälle, in denen die Verkaufspreise im Ursprungsland die Produktionskosten nicht decken.[44]

### 3.2.3 Das Entstehen der GATT–Antidumpingbestimmungen

770 Bei der Neugestaltung der Welthandelsordnung verlangten mehrere Delegierte, über die damalige US–Regelung des Preisdumping hinauszugehen und auch das sogenannte Service–, Währungs– und Sozialdumping zu berücksichtigen.[45] Gegenstand des Servicedumping sind die Frachtkosten, das heisst die Verbilligung der Exporte über nicht kostendeckende Transportleistungen. Beim Währungsdumping handelt es sich um die Exportverbilligung in Form von Paritätsgarantien und Devisenzuteilungen.[46] Von Sozialdumping ist die Rede, wenn Produkte aus Märkten ohne soziale Sicherheit, aus Ländern mit Kinderarbeit, aus Gefangenenlagern oder aus Strafanstalten zu Preisen auf den Weltmarkt gelangen, mit denen private Unternehmer der jeweiligen Importländer nicht konkurrieren können. Die Verhandlungsdelegationen einigten sich schliesslich auf die Kriterien des Preisdumping nach US–Vorschlag. Meinungsverschiedenheiten bestanden anfänglich über das Ausmass der Schädigung, welche das Ergreifen von Gegenmassnahmen erlaubt: Muss es sich um eine "hauptsächliche" ("serious"), "bedeutsame" ("material") oder eine "unbestimmte" Schädigung handeln, damit Gegenmassnahmen zugelassen sind? Hat die Preisdifferenz zwischen Inland– und Exportpreis eine gewisse Höhe (z.B. wenigstens 5 % des Inlandpreises) zu betragen, bis eine Gegenmassnahme gerechtfertigt ist? Darf eine starke Schädigung mit so etwas wie einer Strafmassnahme beantwortet werden? Ist vor dem Ergreifen von Gegenmassnahmen das Einverständnis des GATT einzuholen? Die schliesslich in Art. VI:6(a) GATT getroffene Formulierung lautet, dass Gegenmassnahmen nur verhängt werden dürfen, wenn die Vertragspartei feststellt, "dass durch das

---

44 Trade Agreements Act von 1979, Section 773(b).
45 Vgl. *Dam, Kenneth W.* (1970), The GATT, Law and International Economic Organization, Chicago u.a., S. 174ff.; *Jackson, John H.* (1969), World Trade and the Law of GATT, Indianapolis u.a., 404ff.
46 Dazu zählen auch Exportrisikogarantien von privaten Organisationen. Hilfen der Staatsbank oder der öffentlichen Hand fallen unter Subventionen.

Dumping [...] ein bestehender inländischer Wirtschaftszweig bedeutend geschädigt wird oder geschädigt zu werden droht oder dass dadurch die Errichtung eines inländischen Wirtschaftszweigs erheblich verzögert wird".

Im Jahr 1955 wurde Art. VI GATT in dem Sinne ergänzt, dass bei "schwer gutzumachender Schädigung" Sofortmassnahmen ohne vorherige Billigung durch das GATT erlaubt sind. Es handelt sich hier um die erste und einzige Änderung des GATT-Textes über Dumping. 771

Eine starke Beachtung fand das Dumping während der Kennedy-Runde. Die Vereinigten Staaten versuchten, auch die nichttarifären Handelshemmnisse in die Handelsrunde einzubringen. Hinterher mussten sie verärgert feststellen, dass die Verhandlungspartner vor allem jene Handelshemmnisse in den Vordergrund rückten, welche die USA einsetzten, und zwar ganz besonders das US-Antidumpinggesetz. Nach einem kurzen Zögern versuchte die US-Delegation die Antidumpingkontroverse über eine detaillierte Regelung zu ihren Gunsten zu wenden. So entstand der Antidumpingkodex. Er band zwar den USA in manchen Verfahrensfragen die Hände, schränkte aber im übrigen vor allem in den beiden Ländern Kanada und Grossbritannien den Handlungsspielraum ein. Kanadas Antidumpinggesetzgebung war nämlich insofern nicht GATT-konform, als Antidumpingmassnahmen nicht an die Bedingung einer wirtschaftlichen Schädigung gebunden waren. Auch in Grossbritannien fand damals nach US-amerikanischer Einschätzung ein Missbrauch der Antidumpingmassnahmen zum Schutz der eigenen Wirtschaft statt. Aus der Sicht der USA überwogen die mit dem GATT-Antidumpingkodex verbundenen Vorteile die dadurch in Kauf zu nehmenden Nachteile. Erstens verpflichtete das Abkommen die Kanadier zur GATT-Konformität, was wegen der Aussenhandelstruktur Kanadas vor allem den USA zugute kam. Zweitens konnten auf diese Weise vielen Dumpingverfahren Grossbritanniens gegen die USA gestoppt werden, und drittens stellte die Vereinbarung inhaltlich die Weiche für das künftige Antidumpinggesetz der damaligen EWG. Mit anderen Worten: Die Vereinigten Staaten erblickten im GATT-Antidumpingabkommen ein Mittel zum Abbau der US-Exportdiskriminierung. 772

Das Antidumpingabkommen von 1967 mit seinen Detailbestimmungen war, wie *Kenneth W. Dam* zu Recht sagt, eher ein Suchen nach Kompromisslösungen zwischen den unterschiedlichen Dumpingpraktiken einiger wich- 773 tiger Handelspartner und weniger eine gezielte Anstrengung, die bestehenden Lücken und Schwächen in der Antidumpingregelung des GATT auszufüllen und zu verbessern.[47] Dies umso mehr, als der Antidumpingkodex von 1967 nur für 19 der damals 80 Partnerstaaten des GATT in Kraft trat.

774  Während der Tokio–Runde wurde das Antidumpingabkommen in zweifacher Hinsicht geändert: Erstens ging es um die Abgrenzung des Antidumpingabkommens gegenüber dem neu entworfenen Übereinkommen über Subventionen und Ausgleichsmassnahmen und zweitens um Präzisierungen bei der Festlegung des Schadens, der Sonderstellung der Entwicklungsländer, der Konsultationen und der Streitschlichtung. Das in der Tokio–Runde revidierte Übereinkommen zur Durchführung des Art. VI GATT wurde am 12. April 1979 beschlossen und trat am 1. Januar 1980 für 17 GATT–Vertragspartner in Kraft.[48]

775  Erneut zur Diskussion stand das plurilaterale Antidumpingabkommen während der Uruguay–Runde. Unterschiedliche Vorstellungen über die Neugestaltung des Abkommens bestanden zwischen den Industriestaaten und den Drittweltländern. Die Industriestaaten, besonders die EU und die USA, vertraten die Ansicht, ihre Wirtschaft werde durch unfaire Dumpingpraktiken der wirtschaftlich schwächeren Staaten beeinträchtigt. Die Entwicklungsländer meinten ihrerseits, die grossen Handelsmächte missbräuchten die Antidumpingmassnahmen zu einem unangemessenen Schutz ihrer Wirtschaftsinteressen. Zudem würden die EU und die USA mit der Einführung neuer Antidumpingmassnahmen die Standstill–Vereinbarung von Punta del Este missachten und unfairen Druck auf die laufenden Verhandlungen ausüben. Die Gespräche in den Jahren 1986 bis 1990 endeten mit einem Vertragsentwurf zuhanden der Brüsseler–Konferenz von 1990 in Form einer Liste ungelöster Probleme. Die 1991 wieder aufgenommenen Gespräche dauerten bis zum Abschluss der Uru-

---

47 *Dam, Kenneth W.* (1970), The GATT, Law and International Economic Organization, Chicago u.a., S. 174f.
48 Der Abkommenstext ist veröffentlicht in: *BBl* 1979 III 285ff. (deutsche Fassung); *GATT* (1980), BISD 26th S, S. 171ff. (englische Fassung). Die Vertragspartner waren: Brasilien, EWG, Finnland, Grossbritannien im Namen Hongkongs, Indien, Japan, Jugoslawien, Kanada, Norwegen, Österreich, Rumänien, Schweden, Schweiz, Spanien, Tschechoslowakei, Ungarn und USA.

guay-Runde am 15. Dezember 1993. Es kam zu keiner grundsätzlich neuen Antidumpingordnung, sondern lediglich zu folgenden "Änderungen im Detail"[49]: Revision der begrifflichen Abgrenzung von Dumping und Kausalzusammenhang zwischen Dumping und Schädigung, Aufnahme einer de minimis-Klausel zur Nichtberücksichtigung von Preis-Kleinstabweichungen und zeitliche Befristung von verhängten Gegenmassnahmen ("sunset clause").[50] Die Unterzeichnung des nun multilateralen Abkommens zur Durchführung des Art. VI des GATT (Agreement on Interpretation of Article VI of the GATT) erfolgte am 15. April 1994 und das Inkrafttreten am 1. Januar 1995.[51]

### 3.2.4 Die Definition des Dumping

In Anlehnung an die US-Rechtsordnung der zwanziger und dreissiger Jahre sprechen Art. VI GATT und Art. 2 des Abkommens zur Durchführung des Art. VI GATT von Dumping, wenn gleiche Waren aus einem Land unter ihrem normalen Wert auf den Markt eines anderen Landes gelangen, wenn der Exportwert einer Ware unter seinem Normalwert liegt. "Gleichartige Ware" ("like product") bedeutet nach Art. 2.6 des Antidumpingabkommens eine Ware, "die mit der betreffenden Ware identisch ist, das heisst, ihr in jeder Hinsicht gleicht, oder in Ermangelung einer solchen Ware eine andere Ware, die zwar der betreffenden Ware nicht in jeder Hinsicht gleicht, aber charakteristische Merkmale aufweist, die denen der betreffenden Ware sehr ähnlich sind". Was versteht das GATT unter dem "Normalwert", und wann ist dieser Wert unterschritten? Für den Preisvergleich schlägt das GATT vor:

776

---

49   *Berg/Peters* (1996), Antidumping: Instrument der EG-Industriepolitik, in: *Frenkel/Bender*, Hrsg., GATT und neue Welthandelsordnung, Wiesbaden, S. 115. Eine Zusammenfassung der in der Uruguay-Runde beschlossenen Antidumpingneuerungen findet sich in: *Croome, John* (1995), Reshaping the World Trading System, Genf, S. 304.

50   In den USA bestanden zu dieser Zeit Antidumpingmassnahmen mit einer Zeitdauer von bis zu 20 Jahren.

51   Der Abkommenstext ist veröffentlicht in: *Hummer/Weiss*, S. 571ff. (deutsche Fassung); *WTO*, The Legal Texts, S. 168ff. (englische Fassung).

1. Werden die Exportgüter artgleich auf dem Markt des Ausfuhrlandes verkauft, gilt nach Art. 2.1 des Antidumpingabkommens als Vergleichsbasis der im Exportland für das gleiche Produkt bezahlte Preis. Von Dumping ist dann die Rede, wenn der Exportpreis der gleichen Ware unter dem im normalen Handelsverkehr im Herkunftsland bezahlten Preis liegt. Kommt das Erzeugnis im Ausfuhrland nicht in den Handelsverkehr oder lassen die Verkäufe auf dem Inlandmarkt des Ausfuhrlandes wegen der "besonderen Marktlage" oder wegen "allzu geringer Verkaufsmengen" keinen eindeutigen Preisvergleich zu, so erfolgt nach Art. 2.2 des Abkommens

2. die Berechnung der Dumpingspanne entweder aufgrund eines Vergleichs zwischen dem Preis des Exportguts nach dem Bestimmungsland und dem repräsentativen Preis der in ein Drittland verkauften gleichartigen Ware oder

3. aufgrund der Herstellkosten im Ursprungsland, zuzüglich eines angemessenen Betrags für die Verwaltungs-, Vertriebs- und Gemeinkosten sowie für die Gewinnmarge.

Von einer "besonderen Marktlage" ist die Rede, wenn wirtschaftliche oder politische Turbulenzen und Unregelmässigkeiten bestehen. Von "allzu geringen Verkaufsmengen" spricht das Abkommen, wenn die auf den Inlandmarkt des Ausfuhrlandes gebrachten Waren weniger als 5 Prozent der nach dem Bestimmungsland ausgeführten Güter betragen, es sei denn, es gelinge der Nachweis, dass auch bei weniger als 5 Prozent ein korrekter Preisvergleich möglich ist.

777 Für die Wahl der Preisvergleiche (Heim- oder Drittlandpreis beziehungsweise Herstellkosten) ist vor allem Art. 2.2.1 des Antidumpingabkommens von Bedeutung. Er besagt, dass für den Fall, dass die Heim- oder Drittlandpreise die Stückkosten beziehungsweise die Herstellkosten (inklusive Verwaltungs-, Vertriebs- und Gemeinkosten sowie Gewinnmarge) während einer längeren Zeitspanne (in der Regel eines Jahres) für wesentliche Verkaufsmengen unterschreiten, die Herstellkosten zum Preisvergleich herangezogen

werden dürfen.[52] Wenn also ein Anbieter seine Produkte auch auf dem Heim- und Drittmarkt zum gleichen Preis wie im Bestimmungsland verkauft, der Preis aber längerfristig nicht kostendeckend ist, schliesst dies die Feststellung von Dumping nicht aus. Bezogen auf die Herstellkosten wird die Dumpingspanne grösser als im Vergleich zu den nicht kostendeckenden Heim- und Drittlandpreisen. Sind die Heim- oder Drittlandpreise höher als die Herstellkosten, gelten diese als Vergleichsbasis. Nach Art. 2.2.1 des Antidumpingabkommens ist der Exportpreis stets mit der höheren Preisbasis zu vergleichen (um die eigene Wirtschaft bestmöglich zu schützen).

Die Herstellkosten wiederum sind nach Art. 2.2.2 des Antidumpingabkommens so zu ermitteln, dass sie sämtliche durch das Produkt verursachten fixen und variablen Kosten erfassen. Bei der in diesem Artikel reichlich komplizierten Umschreibung der Kostenberechnung handelt es sich um das, was in der Betriebswirtschaft unter Vollkostenrechnung verstanden wird. Ist die Ermittlung der Herstellkosten mangels entsprechender Unterlagen nicht möglich, verweist Art. 2.2.2 des Antidumpingabkommens erstens auf einen Vergleich mit den Kosten und dem Gewinn der vom Exporteur im Inland verkauften gleichartigen Produkte. Ist dies nicht möglich, gilt zweitens der Vergleich mit den Kosten und mit dem Gewinn der von anderen Unternehmen im Inland verkauften gleichartigen Produkten. Ist auch dies nicht möglich, kann drittens auf "jede andere angemessene Methode" (was immer das heissen mag) zurückgegriffen werden.

Problematisch sind nach Art. 2.3 des Antidumpingabkommens Preisvergleiche, wenn die Produkte an betriebseigene Auslandfilialen oder an Unternehmen mit engen geschäftlichen Beziehungen verkauft werden. Unter diesen Voraussetzungen verlangt das Abkommen die Berechnung des Ausfuhrpreises auf der Basis des Preises, zu der die Ware erstmals an einen "unabhängigen

---

52  Die Verkaufspreise liegen unter den Stückkosten bzw. Herstellkosten, "wenn die Behörden feststellen, dass der gewogene durchschnittliche Verkaufspreis der betreffenden Verkäufe zur Feststellung des Normalwerts unter den gewogenen durchschnittlichen Stückkosten liegt, oder dass der Umfang der Verkäufe unter den Stückkosten nicht unter 20 Prozent der betroffenen Verkäufe, die zur Feststellung des Normalwerts verwendet werden, liegt". Art. 2.2.1, Anm. 5 des Antidumpingabkommens.

Käufer" weitergegeben wird. Gelangen die Waren nicht an einen unabhängigen Käufer oder erfahren sie vor einem Weiterverkauf eine Verarbeitung und Wertmehrung, wird der Ausfuhrpreis "auf einer von den Behörden festzusetzenden angemessenen Grundlage" errechnet. Auch hier trifft man auf eine unbestimmte Formulierung.

780   Erfordert der Preisvergleich eine Währungsumrechnung, gilt der Wechselkurs des Verkaufstags. Ist der Wechselkurs an den Tag des tatsächlichen Verkaufs des betreffenden Exportguts gebunden, ist die Umrechnung anhand des Devisenterminkurses vorzunehmen.

781   Üblicherweise erfolgen die Untersuchungen auf der Grundlage eines Vergleichs zwischen dem gewogenen durchschnittlichen normalen Wert und einem gewogenen Preisdurchschnitt aller vergleichbaren Ausfuhrgeschäfte oder auf der Grundlage von Ausfuhrgeschäft zu Ausfuhrgeschäft. Bestehen indessen systematische Preisunterschiede von Käufer zu Käufer, von Region zu Region oder von Zeitabschnitt zu Zeitabschnitt, und können diese Unterschiede weder in der Gewichtung der Preise noch von Ausfuhrgeschäft zu Ausfuhrgeschäft berücksichtigt werden, darf nach Art. 2.4.2 des Antidumpingabkommens "ein normaler auf einer gewogenen durchschnittlichen Grundlage erstellter Wert mit Preisen von einzelnen Ausfuhrgeschäften verglichen werden". Vor allem diese letzte Formulierung ist unklar und gibt zu unterschiedlichen Interpretationen Anlass. Was heisst "ein normaler auf einer gewogenen durchschnittlichen Grundlage erstellter Wert"? Welche Anzahl von Ausfuhrgeschäften sind in die Berechnung einzubeziehen? Wie ist der "Zeitraum" zu messen? Welche "einzelnen" Ausfuhrgeschäfte sind zu erfassen?

782   Art. 2.5 des Antidumpingabkommens regelt das Drittland–Dumping. Gelangt die Ware von Land A in das Land B und von Land B in das Land C, erfolgt der Preisvergleich zwischen den Ländern B und C. Ist das Land B nur Transitland ohne Wertmehrung oder ist im Land B keine vergleichbare Preisgrundlage zu eruieren, kann sich der Preisvergleich direkt auf die Länder A und C beziehen.

## 3.2.5 Die Feststellung der Schädigung, der Bedrohung und der Verzögerung der wirtschaftlichen Entwicklung

Die Vertragsparteien sind sich in Art. VI:1 GATT einig, dass Dumping, "durch das Waren eines Landes unter ihrem normalen Wert auf den Markt eines anderen Landes gebracht werden" zu verurteilen ist, "wenn es eine bedeutende Schädigung eines im Gebiet einer Vertragspartei bestehenden Wirtschaftszweigs verursacht oder zu verursachen droht, oder wenn es die Errichtung eines inländischen Wirtschaftszweigs erheblich verzögert". Was versteht das Abkommen unter einer "bedeutenden Schädigung", einer "Bedrohung" und einer "Verzögerung der wirtschaftlichen Entwicklung"? In diesem Zusammenhang ist auch der Begriff "bestehender" und "inländischer" Wirtschaftszweig näher zu definieren.

783

*Schädigung eines Wirtschaftszweigs*

Die Abklärung der "bedeutenden Schädigung" ("material injury") im Sinne des Art. VI GATT erfordert nach Art. 3.1 des Antidumpingabkommens die "objektive Prüfung" dreier Aspekte, erstens des Umfangs der gedumpten Importe, zweitens der Auswirkungen auf die Preise gleichartiger Waren auf dem Inlandmarkt und drittens der Folgen der Einfuhren für die einheimischen Produzenten dieser Güter.

784

In Bezug auf den Umfang der Importe prüfen die Behörden nach Art. 3.2 des Antidumpingabkommens, ob und in welchem Ausmass die Importe zugenommen haben, "entweder absolut oder im Verhältnis zur Erzeugung oder zum Verbrauch im einführenden Mitglied". Die vertraglichen Bestimmungen enthalten keine näheren Angaben darüber, ob die Einfuhren mengen- oder wertmässig zu erfassen sind und welcher Zeitraum zu berücksichtigen und auf welche Referenzbasis abzustellen ist. Mit welchen Schwierigkeiten und Unsicherheiten das Erfassen des Umfangs der Einfuhren verbunden sein kann, verdeutlicht beispielsweise der Panelbericht über den Lachsstreit zwischen Norwegen und den USA von 1994. Nach den Berechnungen der Vereinigten Staaten nahm der Lachsimport aus Norwegen während der Zeitspanne 1987 bis 1989 zu,

785

während Norwegen für die Jahre 1988 bis 1990 eine Abnahme ihrer Exporte nach den USA nachwies.[53]

786 Bei der Überprüfung der Auswirkungen der Einfuhren auf die Preise ist zweitens der Frage nachzugehen, ob und in welchem Ausmass die Importe im Vergleich zum Inlandangebot gleicher Waren zu Preisunterschreitungen führen, einen erheblichen Druck auf das Preisniveau ausüben oder zur Verhinderung von Preiserhöhungen beitragen. Wie schwierig eine solche Frage zu beantworten ist, zeigt beispielsweise der Streitfall USA – Südkorea von 1993. Als die chemische Industrie Südkoreas die Produktion von Kunstharzen aufnahm und zur Markteinführung auf niedrige Preise setzte, senkten auch die US–Produzenten ihre Preise zur Verteidigung ihrer Marktposition. Nach Ansicht der Südkoreaner verursachten die US–Lieferanten den Preiskrieg. Die Vereinigten Staaten dagegen vertraten die Meinung, die südkoreanischen Anbieter seien die Marktleader und die US–Preise hätten sich lediglich dem südkoreanischen Niveau angepasst.[54]

787 An dritter Stelle sind die Auswirkungen der Dumpingeinfuhren auf den inländischen Wirtschaftszweig zu untersuchen. Die Prüfung der Auswirkungen hat sich nach Art. 3.4 des Antidumpingabkommens auf "alle relevanten Wirtschaftsfaktoren und Wirtschaftsindizes, welche die Lage dieses Wirtschaftszweiges beeinflussen" zu beziehen. Solche Elemente sind unter anderem die tatsächliche und potentielle Verringerung des Absatzes, des Gewinns, der Produktion, des Marktanteils, der Produktivität, der Kapazitätsauslastung, des Cash flow, der Beschäftigung, der Löhne und des Wachstums. In den bisherigen Streitschlichtungsverfahren[55] standen in der Regel der Verlust an Marktanteilen und Arbeitsplätzen im Mittelpunkt, weil diese Argumente politisch gewichtiger und schlagkräftiger sind als Hinweise auf betriebseigene Vorteile.

---

53 Panelbericht Imposition of Anti–Dumping Duties on Imports of Fresh and Chilled Atlantic Salmon from Norway vom 27.4.1994, in: *GATT* (1997), BISD 41st S, Vol. I, S. 229ff., Ziff 236.

54 Panelbericht Korea–Anti–Dumping Duties on Imports of Polyacetal Resins form the US vom 27.4.1993, in: *GATT* (1995), BISD 40th S, S. 205ff., Ziff. 77 und 300.

55 Vgl. z.B. Panelbericht New Zealand – Imports of Electrical Transformers from Finland vom 18.7.1985, in: *GATT* (1986), BISD 32nd S, S. 55ff., Ziff. 3.13.

## Bedrohung eines Wirtschaftszweigs

Dumpingeinfuhren sind nicht nur bei einer effektiven Schädigung der inländischen Wirtschaft zu verurteilen, sondern auch bei einer Bedrohung. Die Feststellung der Bedrohung muss aber nach Art. 3.7 des Antidumpingabkommens "auf Tatsachen und nicht lediglich auf Behauptungen, Vermutungen oder entfernten Möglichkeiten" beruhen. Die Bedrohung muss klar voraussehbar sein und unmittelbar bevorstehen. In Anlehnung an Anmerkung 10 zu Art. 3.7 des Abkommens kann zum Beispiel von Bedrohung die Rede sein, wenn aufgrund einer bereits getätigten Investitionen mit Sicherheit anzunehmen ist, dass in naher Zukunft Einfuhren zu Dumpingpreisen einsetzen werden.

## Verzögerung der wirtschaftlichen Entwicklung

Schliesslich spricht Art. VI:1 GATT auch von der Möglichkeit, dass Dumpingeinfuhren den Aufbau eines inländischen Wirtschaftszweigs erheblich verzögern können und daher abzulehnen sind. Das Antidumpingabkommen von 1967 verlangte in Art. 3:a analog zum Tatbestand der Bedrohung, dass die Feststellung einer Verzögerung sich auf konkrete Beweise und nicht bloss auf Behauptungen oder entfernte Möglichkeiten abstützen müsse. Dies treffe zum Beispiel zu, wenn Fabrikanlagen bereits im Bau oder die Maschinen schon bestellt seien.[56] Das Antidumpingabkommen von 1994 geht in Art. 3 (Feststellung der Schädigung) auf die Verzögerung im Aufbau eines Wirtschaftszweigs nicht mehr ein, obwohl diesem Tatbestand in Art. VI GATT und in Art. 10 des Antidumpingabkommens (Rückwirkungen) nach wie vor Rechnung getragen wird. Grundsätzlich darf daher angenommen werden, dass der Begriff "Schaden" sowohl als effektive Schädigung wie auch als eine Bedrohung oder eine Verzögerung im Aufbau eines Wirtschaftszweigs verstanden werden muss.[57]

## Definition des inländischen Wirtschaftszweigs

Nach Art. 4.1 des Antidumpingabkommens bezeichnet der Begriff "inländischer Wirtschaftszweig" alle "inländischen Erzeuger gleichartiger Waren

---

56 Antidumpingabkommen von 1967, in: *GATT* (1968), BISD 15th S, S. 24ff.
57 Vgl. US–Trade Agreements Act von 1979, Sec. 731f.

oder diejenigen unter ihnen, deren Erzeugung insgesamt einen erheblichen Anteil an der gesamten Inlandserzeugung dieser Ware ausmacht". Sind inländische Produzenten mit den ausländischen Lieferanten von angeblich gedumpten Waren in irgendeiner Form liiert, besteht die Möglichkeit, diese Firmen auszuklammern und nur die übrigen einheimischen Unternehmen einzubeziehen. Unter aussergewöhnlichen Umständen besteht die Möglichkeit, den einheimischen Markt in verschiedene Wettbewerbsmärkte aufzuteilen, zum Beispiel wenn sich das ausländische Angebot ausschliesslich auf eine bestimmte Marktregion konzentriert.[58] Integrationsräume mit gemeinschaftlichen Binnenmärkten gelten sinngemäss als einheitliche Marktgebiete.

### 3.2.6 Die Einleitung des Verfahrens

791   Vermuten die Vertreter eines Wirtschaftszweigs das Vorliegen eines Dumping, steht ihnen nach Art. 5 des Antidumpingabkommens das Recht zu, von der Behörde ihres Staates eine Untersuchung zur Feststellung des Dumping und eine Abklärung der Schädigung zu beantragen. Der schriftliche Antrag hat die Beweismittel für das Vorliegen des Dumping, der Schädigung oder Bedrohung und für den Kausalzusammenhang zwischen Dumping einerseits und Schädigung oder Bedrohung andererseits zu enthalten. Dem Antrag sind beizufügen: Angaben über den betroffenen Wirtschaftszweig, die gehandelte Ware, den Handelspreis und die festgestellten Auswirkungen der Importe. Die Behörde darf dem Antrag nur nachkommen, wenn dieser von Produzenten mit einem Anteil von mehr als 25 Prozent der Inlandproduktion unterstützt wird und die Dumpingspanne mehr als 2 Prozent des Ausfuhrpreises ausmacht.[59] Nach der Einleitung der Untersuchung teilt die Behörde den angeblich betroffenen Exporteuren und den Regierungen der Ausfuhrländer den Wortlaut des schriftlichen Antrags mit und ermöglicht sämtlichen von der Untersuchung tangierten Parteien, ihre Interessen zu verteidigen. Art. 6 und 12 des Antidumpingabkommens enthalten die Einzelbestimmungen des Verfahrens: die einzuhaltenden Fristen, den Umgang mit vertraulichen Informationen, die Beweis-

---

58   In Analogie zu US–Trade Agreements Act von 1979, Sec. 771(4)C.
59   De minimis–Klauseln finden sich auch im US–Trade Agreements Act von 1979, Sec. 771(4)A.

führung, die öffentliche Bekanntmachung der Untersuchungseröffnung, die Veröffentlichung der Untersuchungsergebnisse und die zu ergreifenden Gegenmassnahmen. Das Verfahren ist so anzulegen, dass sowohl dem Schutz suchenden Wirtschaftszweig als auch den davon betroffenen Handelspartnern volle Transparenz und Wahrung ihrer Interessen gewährleistet werden. Die Behörde ist verpflichtet, die Untersuchung normalerweise innerhalb eines Jahrs, höchstens in 18 Monaten abzuschliessen.

### 3.2.7 Die Festlegung von Antidumpingzöllen

Kann Dumping nachgewiesen werden, liegt eine effektive Schädigung oder eine Bedrohung eines einheimischen Wirtschaftszweigs oder eine Verzögerung einer wirtschaftlichen Entwicklung vor, und besteht zwischen Dumping einerseits und Schädigung beziehungsweise Bedrohung oder Verzögerung andererseits ein Kausalzusammenhang, hat der davon betroffene Handelspartner das Recht, Gegenmassnahmen in Form von Antidumpingzöllen zu ergreifen. Dabei ist zwischen vorläufigen und definitiven Gegenmassnahmen zu unterscheiden. 792

*Vorläufige Gegenmassnahmen*

Vorläufige Gegenmassnahmen dürfen nach Art. 7.1 des Antidumpingabkommens getroffen werden, wenn 793

- eine Untersuchung eingeleitet wurde, eine öffentliche Bekanntmachung darüber erfolgt ist und die davon betroffenen Parteien Gelegenheit hatten, ihre Interessenstandpunkte darzulegen,
- die Behörde Dumping und schädigende Auswirkungen auf einen inländischen Wirtschaftszweig feststellt und
- die Behörde die entsprechenden Gegenmassnahmen als notwendig erachtet, um schädigende Auswirkungen des Dumping während des weiteren Verfahrens zu verhindern.

Vorläufige Gegenmassnahmen können in Form von Zöllen oder Sicherheitsleistungen durch Barhinterlegung oder Bürgschaft erfolgen. Der vorläufige 794

Antidumpingzoll darf frühestens 60 Tage nach Einleitung der Untersuchung verfügt werden und hat im Rahmen der festgestellten Dumpingspanne zu liegen. Die Anwendungsdauer der vorläufigen Gegenmassnahmen ist auf vier Monate begrenzt, kann aber auf sechs oder neun Monate verlängert werden. Eine Ausdehnung auf neun Monate ist nur zulässig, wenn die Zölle niedriger sind als die Dumpingspanne.

795   Ist ein Exporteur bereit, seinen Preis "in zufriedenstellender Form" zu ändern oder die Ausfuhr zu Dumpingpreisen in das betreffende Gebiet einzustellen, so dass die schädigende Wirkung der Importe wegfällt, kann die Behörde gemäss Art. 8 des Abkommens das Verfahren und damit auch die vorläufigen Gegenmassnahmen aussetzen. Die Kann–Vorschrift ist nach Anmerkung 19 des Art. 8.1 des Antidumpingabkommens nicht so auszulegen, "dass eine Fortsetzung des Verfahrens bei gleichzeitiger Erfüllung von Preisverpflichtungen gestattet ist". Ausgenommen sind Fälle, in denen Art. 8.4 des Abkommens gilt (Fortführung der Untersuchung auf Antrag des Exporteurs). Preiserhöhungen dürfen die Dumpingspanne nicht überschreiten. Reicht eine niedrigere Preiserhöhung zur Beseitigung der Schädigung aus, sind weitere Preiserhöhungen nicht erwünscht.

*Definitive Gegenmassnahmen*

796   Kommt während der Dauer der vorläufigen Gegenmassnahmen zwischen den Handelspartnern keine einvernehmliche Lösung zustande, erlaubt Art. 9 des Antidumpingabkommens die Erhebung eines definitiven Antidumpingzolls in der maximalen Höhe der Dumpingspanne. Reicht ein niedriger Zoll zur Beseitigung der Schädigung, Bedrohung oder Behinderung der Wirtschaftsentwicklung aus, ist der niedrigere Zollsatz anzuwenden.

797   Die Antidumpingzölle sind nach dem Prinzip der Meistbegünstigung auf allen Dumpingimporten, unabhängig der Herkunft, zu erheben. Die Behörde nennt den oder die Lieferanten von Dumpingwaren. Handelt es sich um mehrere Lieferanten eines Landes und ist aus praktischen Gründen die Aufführung aller Lieferanten nicht möglich, kann die Behörde anstelle der einzelnen Lieferanten das Lieferland bezeichnen.

798   Nach Art. 10 des Antidumpingabkommens werden die Antidumpingzölle in der Regel erst ab dem Zeitpunkt, zu dem die Dumpingeinfuhr und dessen

Schaden festgestellt wurde, erhoben. Übersteigt der definitive Antidumpingzoll den vorerst provisorisch verfügten Zoll, darf die Differenz nicht nachverlangt werden; liegt er dagegen tiefer, ist die Differenz "je nach Lage des Falls" zurückzuerstatten. Zurückzuzahlen sind die Zolleinnahmen auch dann, wenn nachträglich festgestellt wird, dass kein Dumping und/oder keine Schädigung vorliegt. Rückwirkend ist die Erhebung eines endgültigen Zolls nach Art. 10.6 des Abkommens erlaubt, wenn die Behörde den Beweis erbringen kann, "dass schon früher Dumpingeinfuhren eine Schädigung verursacht haben oder, dass der Importeur wusste oder hätte wissen müssen, dass der Exporteur Dumping betreibt und dass dies eine Schädigung verursachen würde", oder wenn vorgängige Einfuhren die Wirkung eines Antidumpingzolls ernsthaft in Frage stellen (z.B. über den raschen Aufbau eines Lagers). In diesen Fällen darf ein Zoll rückwirkend auf 90 Tage erhoben werden.

Die Antidumpingzölle bleiben nach Art. 11:1 "nur so lange und nur in dem Umfang in Kraft", wie dies zur Beseitigung der schädigenden Wirkung des Dumping notwendig ist. Ergeben Zwischenabklärungen, dass Antidumpingzölle nicht mehr notwendig sind, sind sie mit sofortiger Wirkung aufzuheben. Ungeachtet dieser Bestimmungen ist gemäss Art. 11.3 des Antidumpingabkommens "jeder endgültige Antidumpingzoll nicht später als fünf Jahre nach seiner Festsetzung" aufzuheben, es sei denn, die Behörde kommt aufgrund einer neuen Untersuchung zum Schluss, "dass die Aufhebung des Zolls voraussichtlich zu einem Andauern oder Wiederkehren von Dumping und Schädigung führen würde". Die Neuüberprüfung erfolgt auf eigenes Betreiben oder auf Antrag eines inländischen Wirtschaftszweigs.

799

*Massnahmen zugunsten von Drittstaaten*

Eine besondere Dumpingsituation liegt vor, wenn das Land A Güter zu Dumpingpreisen nach dem Land C exportiert, das diese Güter nicht selber produziert und daher durch die Billigimporte keinen Schaden erleiden kann (sondern von den günstigen Angeboten des Landes A profitiert). Von den Billigangeboten betroffen sind die Drittländer, wie beispielsweise das Land B, die wegen der Dumpingangebote des Landes A aus dem Markt des Landes C gedrängt werden.

800

Vierter Teil

801   Nach Art. 14.1 des Antidumpingabkommens steht der Behörde des Landes B das Recht zu, im Importland C einen Antrag auf Gegenmassnahmen zu Lasten des Landes A zu stellen. Der Antrag hat Angaben über die Unterpreisigkeit der Angebote des Landes A und die schädigende Wirkung dieser Konkurrenzangebote auf die Wirtschaft im Land B zu enthalten. Das Land B hat keinen Rechtsanspruch auf ein Prüfungsverfahren im Land C. Das Importland ist in seiner Entscheidung frei, ob es dem Antrag des Landes B entsprechen will oder nicht. Wird indessen im Land C ein Verfahren gegen das Land A eröffnet, ist der GATT-Rat zu informieren.[60]

### 3.2.8   Die institutionellen Bestimmungen

802   Handelt der erste Teil des Antidumpingabkommens von der Definition des Dumping, den Auswirkungen und den Gegenmassnahmen, ist der zweite Teil mit den Artikeln 16 und 17 dem Antidumpingausschuss und der Streitbeilegung gewidmet.

803   Das Abkommen sieht einen Antidumpingausschuss (Committee on Anti-Dumping Practices) vor, der aus den Vertretern aller Vertragsparteien besteht. Der Ausschuss kommt jährlich zweimal oder auf Antrag eines Vertragspartners zusammen. Der Ausschuss ist von den Vertragsparteien über die Änderungen ihrer nationalen Antidumpinggesetze, das Ergreifen von Antidumpingmassnahmen und die Durchführung von Streitschlichtungsverfahren zu informieren. Im Gegenzug orientiert der Ausschuss über die laufenden Verfahren und verhängten provisorischen und definitiven Antidumpingmassnahmen.[61]

804   Die Vertragspartnerländer sind verpflichtet, einander ausreichend zu informieren. Ist ein Partner der Meinung, dass durch einen oder mehrere Vertragspartner ein ihm aus dem Abkommen "unmittelbar oder mittelbar erwachsener Vorteil zunichte gemacht oder geschmälert oder die Erreichung eines Ziels des

---

60   Über die Informationserfordernisse vgl. den Beschluss des Antidumpingausschusses über Informationsvorschriften vom 26.4.1994, in: *GATT* (1997), BISD 41st S, S. 228.

61   Die Jahresberichte werden veröffentlicht in: *GATT* (jährlich), BISD.

Übereinkommens behindert" wird, hat er nach Art. 17.3 des Abkommens – analog zu Art. XXII GATT – das Recht, im Hinblick auf eine Beilegung der bestehenden Differenzen Konsultationen mit dem oder den betreffenden Partnern zu verlangen. Führen die Verhandlungen zwischen den Vertragsparteien zu keiner einvernehmlichen Lösung und hat ein Vertragspartner definitive Antidumpingmassnahmen oder Preisverpflichtungen gegenüber einem anderen Partner eingeführt, kann der davon betroffene Vertragspartner die Angelegenheit dem Streitschlichtungsorgan (DSB) unterbreiten, das auf Ersuchen ein "Panel" zur Beurteilung des Streitfalls einsetzt. Das Prozedere der Streitschlichtung richtet sich nach Art. XXIII GATT und der Streitschlichtungsvereinbarung von 1994.[62]

### 3.2.9 Anstehende Probleme

Wie eingangs dieses Abschnitts über Antidumping erwähnt, dient die WTO–Antidumpingordnung einerseits dem Schutz gegen unfaire Dumpingimporte und andererseits der Verhinderung des Missbrauchs von Gegenmassnahmen. Welchem der beiden Problembereiche grössere Bedeutung zukommt, ist von Produktbereich zu Produktbereich und von Handelsgebiet zu Handelsgebiet verschieden und schwer zu beurteilen. Tatsache ist, dass in den letzten Jahren die Antidumpingfälle zahlenmässig stark gestiegen sind und dass in konjunkturell schwierigeren Zeiten häufiger zu Dumping und Gegenmassnahmen gegriffen wird als in wirtschaftlich guten Zeiten. 805

Dass sich die Antidumpingmassnahmen heute einer derartigen Beliebtheit erfreuen, mag das Ergebnis des in den letzten Jahrzehnten erfolgten Zollabbaus sein. Weil der Zollschutz in vielen Handelsbereichen an Bedeutung verloren hat, konzentrieren sich die Schutzinteressen auf die Einführung nichttarifärer Handelshemmnisse, unter anderem auf das Verhängen von Antidumpingmassnahmen zur Verhinderung billiger Importe. Besonders die USA und die EU bedienen sich häufig dieses Instruments. Auf die "zwei Grossen" entfielen Ende der neunziger Jahre gegen 60 Prozent aller in Kraft stehenden Antidum- 806

---

62  Vgl. Rz 335ff.

## Vierter Teil

pingmassnahmen.[63] Diese Situation beleuchtet, wie *Keith Steele* im Vorwort seiner ländervergleichenden Antidumpingstudie sagt, drei Aspekte: Erstens, die Vertragspartner (Regierungen und Behörden) nehmen sich bei der Interpretation und Anwendung des Antidumpingabkommens grosse Freiheiten heraus, um die in der WTO ausgehandelten Bestimmungen zum Schutz der eigenen Wirtschaft und zur Bekämpfung der Auslandkonkurrenz einzusetzen. Zweitens, die Vertreter der einzelnen Wirtschaftszweige haben mit grossem Geschick gelernt, die Antidumpingmassnahmen gegen die unliebsame Konkurrenz aus dem Ausland zu fordern. Bei vermuteten Preisunterbietungen wird unverzüglich eine Antidumpinguntersuchung verlangt, was für die Anbieter und Konkurrenten mit grossen Umtrieben und Kosten verbunden ist und oft zu freiwilligen Preisanhebungen führt. Drittens machen sich auch die "Opfer" der Antidumpingmassnahmen die Erfahrungen zu Nutze und revidieren und verschärfen ihre eigenen Antidumpinggesetze, um auf der modifizierten Rechtsgrundlage ebenfalls eine aktive Antidumpingpolitik betreiben zu können. Neue Antidumpinggesetze entstanden in den letzten Jahren in Japan (1980), in Taiwan (1984, WTO–Beitrittskandidat), in Südkorea (1986), in Neuseeland (1987/88), in Südafrika (1992) und in Mexiko (1993).[64]

807  Die Dumping– und Antidumpingproblematik beschäftigt wie kaum ein anderer Bereich der Aussenhandelspolitik die Juristen, Politologen und Ökonomen. In der Fachliteratur der Juristen stehen unter anderem prozedurale Fragen im Vordergrund, die Interpretation und Fassbarkeit der Begriffe "fairer Handel", "Schädigung" und "Bedrohung" sowie komparative Länderstudien über WTO–Antidumpingrecht und nationale Antidumpinggesetzgebung. Von besonderem rechtlichen Interesse sind zurzeit die internationalen Wettbewerbs– und Kartellfragen. Mit der immer intensiveren Globalisierung der Weltwirtschaft kommt den wettbewerbswidrigen Praktiken der einzelnen Handelspartner eine zunehmende grenzüberschreitende Bedeutung zu. Es sind Bestrebungen im Gang, die internationalen Wettbewerbsfragen im Rahmen

---

63  Vgl. Übersicht 22 auf S. 345. Bei solchen Zahlenangaben ist indessen zu berücksichtigen, dass auf die beiden Partner USA und EU auch die grössten Welthandelsanteile entfallen.

64  Vgl. die einzelnen Länderstudien in: *Steele, Keith,* Hrsg. (1996), Anti–Dumping under the WTO: A Comparative Review, London u.a.

eines WTO–Abkommens anzugehen.[65] Die Vertreter der Politischen Ökonomie hingegen beschäftigen die Fragen, unter welchen Voraussetzungen die Politiker die Forderungen der einheimischen Wirtschaftszweige berücksichtigen, welchen Handelsinstrumenten sie den Vorzug geben und in welcher Beziehung Antidumpingmassnahmen zu Arbeitslosigkeit, Konsumentenforderungen und Wahlaussichten stehen.[66] Die Ökonomen schliesslich versuchen abzuklären, welchen Effekt die geltenden Antidumpingbestimmungen auf die Handelsstruktur der einzelnen Länder oder die Handelsströme und deren Stärke und Umleitung haben und wie sich die getroffenen Gegenmassnahmen auf die Handelspreise und damit auf die Produzenten– und Konsumentenrente der Exporteure und Importeure auswirken.[67] So haben beispielsweise empirische Untersuchungen für den Zeitraum 1980 bis 1985 belegt, dass in den USA die Aufnahme eines Antidumpingverfahrens den Handel bereits halb so stark einschränkt, wie die effektive Erhebung von Antidumpingzöllen ("investigation effect"). Die gegen das Versprechen der Verfahrenseinstellung

---

[65] Vgl. u.a. *Akakwam, Philip A.* (1996), The Standard of Review in the 1994 Antidumping Code: Circumscribing the Role of GATT Panels Reviewing National Antidumping Determinations, in: Minnesota Journal of Global Trade, Vol. 5, H. 2, S. 277ff.; *Bronckers, Marco C.E.J.* (1996), Rehabilitating Antidumping and other Trade Remidies through Cost–Benefit Analysis, in: Journal of World Trade, Vol. 30, Nr. 2, S. 5ff.; *Palmeter, David* (1996), A Commentary on the WTO Anti–Dumping Code, in: Journal of World Trade, Vol. 30, Nr. 4, S. 43ff.; *Steele, Keith,* Hrsg. (1996), Anti–Dumping under the WTO: A Comparative Review, London u.a.; *Tietje, Christian* (1998), Normative Grundstrukturen der Behandlung nichttarifärer Handelshemmnisse in der WTO/GATT–Rechtsordnung, Berlin, S. 287ff.; *WTO* (1997), Annual Report 1997, Vol. I, Genf, S. 30ff. (Veröffentlichung einer Sonderstudie über"Trade and competition policy"); *Zäch, Roger,* Hrsg. (1999), Towards WTO Competition Rules, Bern u.a.

[66] Vgl. u.a. *Baldwin, Robert E.,* Hrsg. (1991), Empirical studies in commercial policy, Chicago; *Frey, Bruno S.* (1985), Internationale Politische Ökonomie, München, S. 49ff.; *Rosendorff, B. Peter* (1996), Voluntary Export Restraints, Antidumping Procedure, and Domestic Politics, in: The American Economic Review, Vol. 86, Nr. 3, S. 544ff.

[67] *Finger, Michael J.* (1995), Subsidies and Countervailing Measures and Anti–Dumping Agreements, in: *OECD,* The New World Trading System, Paris, S. 105ff.

ausgehandelten Preiszugeständnisse hatten sogar die gleiche Wirkung wie die dafür nicht eingeführten Antidumpingmassnahmen ("suspension effect").[68]

808 Die WTO-Antidumpingregelung hat seine endgültige Form noch nicht gefunden. Die aufwendigen und langwierigen Verfahren sind für kleine Anbieter äusserst handelshemmend. Diese sind nämlich nicht in der Lage, sich im Behördeverfahren des Bestimmungslandes ihrer Produkte wirklich Gehör zu verschaffen, und verfügen im heimischen Markt nicht über den politischen Einfluss, ihre eigene Regierung vor die WTO-Streitschlichtung zu bemühen. Zudem haben die Schlichtungsverfahren des GATT beziehungsweise der WTO belegt, dass kein Handelshemmnis so oft die Welthandelsordnung verletzt hat wie die Antidumpingregelung. Die künftigen WTO-Verhandlungen werden auf folgende Punkte eintreten müssen: Beschränkung der Antidumpingverfahren und -massnahmen auf effektive Wettbewerbsverfälschungen, stärkere Mitberücksichtigung der Verbraucherinteressen statt alleinige Ausrichtung auf die Forderungen des Gewerbes und der Industrie, Schwächung oder Abschaffung der nationalen Behördeverfahren zugunsten eines einheitlichen Verfahrens im Rahmen der WTO sowie zeitliche Straffung und inhaltliche Vereinfachung der Verfahren.

## 3.3 Die Berechnung des Zollwerts

809 Auf welchem Basiswert und welcher Produktklassierung eine Zollberechnung aufbaut, ist im Aussenhandel eine wichtige Frage. Unsicherheiten bei der Festlegung des Basiswerts und bei der Produktklassierung durch die Behörden hemmen den Handel ebenso wie hohe Zollsätze und zollähnliche Belastungen – besonders, wenn Basiswert und Klassierung auch als Bemessungsgrundlage für Steuern, administrative Abgaben, Kommissionen und Lizenzgebühren dienen.

810 Vor dem Inkrafttreten des Übereinkommens zur Durchführung des Art. VII GATT am 1. Januar 1981 basierte die Zollwertberechnung auf dem Vertrags-

---

68 *Staiger/Wolak* (1996), Differences in the Uses and Effects of Antidumping Law across Import Sources, in: *Krueger, Anne O.,* Hrsg., The Political Economy of American Trade Policy, Chicago, S. 386f.

text des Art. VII GATT, ergänzt durch Art. II und X GATT über die Änderung und Offenlegung der Berechnungsmethoden. In Art. VII:1 und 2 GATT verpflichteten sich die GATT–Partner, die vertraglich festgelegten Bewertungsgrundsätze für die Berechnung der Zölle und der zollähnlichen Belastungen anzuwenden und den Zollwert aufgrund des "wirklichen Werts der eingeführten Waren" zu berechnen.[69] Der "wirkliche Wert" einer Ware entsprach gemäss GATT dem Preis, "zu dem diese oder eine gleichartige Ware im normalen Handelsverkehr unter Bedingungen des freien Wettbewerbs in dem durch die Rechtsvorschriften des Einfuhrlandes bestimmten Zeitpunkt und Ort verkauft oder angeboten" wurde. Zum "wirklichen Wert" zählten gemäss Anmerkungen und ergänzenden Bestimmungen zu Art. VII:2 GATT alle im Rechnungspreis nicht enthaltenen rechtlich zulässigen Kosten, die zu den echten Elementen des "wirklichen Werts" gehören. Nicht zu berücksichtigen waren die im Ausfuhrland erlassenen internen Abgaben (Steuerbegünstigungen). Der Hinweis "normaler Handelsverkehr unter Bedingungen des freien Wettbewerbs" war dahin zu verstehen, dass diese Berechnungsart nicht für Handelsgeschäfte galt, bei denen Käufer und Verkäufer voneinander abhängig waren und wenn neben dem aufgeführten Preis auch andere Leistungen berücksichtigt und verrechnet wurden (z.B. zwischen Mutter– und Tochterfirmen). Bei Nichtfeststellbarkeit des wirklichen Werts einer Ware war nach Art. VII:2(c) GATT der Zollwert aufgrund des Werts zu ermitteln, "der dem wirklichen Wert [den man nicht kannte] am nächsten" lag.

### 3.3.1 Das Entstehen der Zusatzbestimmungen

Die ursprünglich im GATT niedergelegten Regeln zur Zollwertbestimmung reichten zu einer einvernehmlichen Ermittlung des Zollwerts zwischen den Handelspartnern sehr oft nicht aus. In vielen Fällen war der aktuelle Wert nicht eruierbar, weil nationale Gesetze aus der Zeit vor dem Entstehen des GATT in Kraft standen sowie in Europa und in Nordamerika unterschiedliche Zoll-

---

69  In den Anmerkungen und ergänzenden Bestimmungen zu Art. VII GATT wird ausdrücklich darauf verwiesen, dass mit "sonstigen Belastungen" nicht die internen Abgaben, das heisst die Steuern, gemeint sind. Vgl. dazu den Bericht der GATT–Arbeitsgruppe vom 26.2.1955, in: *GATT* (1955), BISD 3rd S, S. 205ff., Ziff. 13.

**Vierter Teil**

systeme galten, in Europa die Brüsseler Zollnomenklatur (Brussels Tariff Nomenclature, BTN)[70] und in den USA und in Kanada die Standard Klassifizierung (Standard International Trade Classification, SITC)[71]. Zu Diskussionen Anlass gab in den ersten Jahrzehnten des GATT auch das "American Selling Price System" (ASP), das der Berechnung des Zollwerts den Binnenhandelspreis zu Grunde legte (vor allem im Bereich der chemischen Handelsprodukte).

812  Im Jahr 1975 führten die Bemühungen zur Vereinheitlichung der Zollwertberechnung zu ersten Verhandlungen in einer eigens dafür geschaffenen GATT–Arbeitsgruppe. Das anfänglich angestrebte Konzept eines einheitlichen Zollsystems konnte nicht verwirklicht werden. Die Gegensätze zwischen Nord und Süd einerseits sowie zwischen Europa und den USA andererseits waren zu gross, um kurzfristig gemeinsame Regeln zu finden. Die Arbeitsgruppe beschränkte sich in der Folge auf die Erarbeitung einer einheitlichen Berechnungsmethode des Zollwerts und berücksichtigte die unterschiedlichen Interessenlagen der Industriestaaten und der Entwicklungsländer in zwei Dokumenten, dem Abkommen zur Durchführung des Art. VII des GATT (Agreement on Implementation of Article VII of the GATT) für die Industriestaaten[72] und dem Protokoll zum Zollwertabkommen (Protocol to the Agreement on Implementation of Article VII of the GATT) für die Drittweltstaaten.[73] Die beiden 1979 vorgelegten Dokumente wurden bis Ende 1980 von 26 GATT–Staaten unterzeichnet und traten für diese Vertragspartner am 1. Januar 1981 auf plurilateraler Basis in Kraft.

813  In der Uruguay–Runde wurde das Abkommen zur Durchführung des Art. VII GATT erneut beraten. Indien, Brasilien und Kenia (im Namen mehrerer

---

70  Die Brüsseler Zollnomenklatur stammte aus dem Jahr 1950 und wurde in den siebziger Jahren von insgesamt etwa 100 Ländern, besonders den europäischen Ländern, angewandt.

71  Die Standard Klassifizierung ging auf das Jahr 1962 zurück und hatte ihre Rechtsgrundlage im Tariff Act von 1930. Sie wurde in den USA und in Kanada angewandt.

72  Der Abkommenstext ist veröffentlicht in: *BBl* 1979 III 415ff. (deutsche Fassung); *GATT* (1980), BISD 26th S, S. 116ff. (englische Fassung).

73  Der Protokolltext ist veröffentlicht in: *GATT* (1980), BISD 26th S, S. 151ff. (englische Fassung).

afrikanischer Staaten) verlangten für die Nicht–Industriestaaten Kompetenzen zur individuellen Preisfestsetzung. Vor allem Brasilien wies auf die Gefahr der Kapitalflucht über zu hohe Importpreis–Notierungen hin. Die unterbreiteten Vorschläge fanden bei den übrigen Partnern keine Zustimmung.[74] Schliesslich einigte sich die Verhandlungsgruppe auf die Fortführung der bisherigen Zollwertbestimmungen mit drei Neuerungen: Erstens, anstelle der bisherigen Vereinbarung, der Ende 1994 lediglich 29 der damals 123 GATT–Partner angehörten, trat ein allgemein verbindliches multilaterales Abkommen. Zweitens, die Streitschlichtung wurde im Sinne der Art. XXII und XXIII GATT dem allgemeinen WTO–Streitschlichtungsverfahren unterstellt. Drittens wurden für die Entwicklungsländer, vor allem für diejenigen, die bisher dem Abkommen nicht angehört hatten, Sonderbestimmungen eingeführt. Die Unterzeichnung des modifizierten Übereinkommens zur Durchführung des Art. VII des GATT (Understanding on the Interpretation of Art. VII of the GATT) erfolgte am 15. April 1994 mit Inkrafttreten am 1. Januar 1995.[75]

### 3.3.2 Die Berechnungsmethoden

Das heute geltende Abkommen enthält für die Ermittlung des Zollwerts fünf Berechnungsmethoden und eine sogenannte Auffangklausel. Die einzelnen Methoden stehen in hierarchischer Folge hintereinander. Ist der Zollwert nicht nach der ersten Methode berechenbar, kommt die zweite Methode zur Anwendung usw. Bei der vierten und fünften Methode besteht auf Antrag des Importeurs die Möglichkeit, die Reihenfolge umzukehren. 814

*Erste Methode:* Der Zollwert der eingeführten Ware entspricht gemäss Art. 1 des Abkommens dem Transaktionswert, das heisst dem für die importierte Ware tatsächlich bezahlten oder zu bezahlenden Preis. Falls in diesem Preis die Provisionen und Maklerlöhne (ausgenommen Einkaufsprovisionen) sowie die Container– und Verpackungskosten nicht eingeschlossen sind, müssen sie dazu gezählt werden. Zu berücksichtigen sind auch die Werte der unentgeltlichen Beigaben wie Materialien, Werkzeuge, Programme und Pläne – Werte, 815

---

74 *Croome, John* (1995), Reshaping the World Trading System, Genf, S. 214f.
75 Der Vereinbarungstext ist veröffentlicht in: *Hummer/Weiss*, S. 609ff. (deutsche Fassung); *WTO*, The Legal Texts, S. 197ff. (englische Fassung).

Vierter Teil

die im normalen Handelsverkehr integrale Teile des üblichen Kaufpreises darstellen. Frei ist ein Land im Entscheid über den Einbezug der Transportkosten bis zur Grenze sowie der Lade-, Entlade- und Versicherungskosten. Sind Käufer und Verkäufer geschäftlich miteinander verbunden, ist ein Land nicht verpflichtet, den effektiv bezahlten Preis als zollrelevant anzuerkennen. Bei Nichtanerkennung des bezahlten Preises als Zollwert hat der Importeur nach Art. 1:2(b) des Zollwertabkommens nachzuweisen, dass der deklarierte Wert dem Zollwert gleicher oder ähnlicher Waren im gleichen Einfuhrland "sehr nahe" kommt.

816    *Zweite Methode:* Ist der Zollwert der eingeführten Ware nach der ersten Methode nicht berechenbar, gilt nach Art. 2 des Abkommens als Zollwert der Preis einer gleichen Ware, die in ungefähr gleicher Menge auf der gleichen Handelsstufe zu ungefähr der gleichen Zeit aus dem gleichen Land stammt. Die Berücksichtigung der Nebenkosten erfolgt nach den Vorschriften der ersten Methode. Liegen mehrere Vergleichspreise vor, ist der niedrigste anzuwenden.

817    *Dritte Methode:* Ist der Zollwert nach Art. 1 und 2 des Zollwertabkommens nicht ermittelbar, kommt Art. 3 des Abkommens zur Anwendung. Als Berechnungsbasis dient der Handelspreis einer gleichartigen (nicht gleichen) Ware. Findet kein Handel mit gleichartigen Gütern auf der gleichen Handelsstufe in ungefähr gleichen Mengen statt, sind vergleichsweise andere Handelsstufen mit anderen Handelsmengen beizuziehen und entsprechende Berichtigungen vorzunehmen. Können mehrere Handelswerte errechnet werden, ist analog zur zweiten Methode der niedrigste Preis einzusetzen.

818    Ist es nicht möglich, den Zollwert der eingeführten Ware nach den ersten drei Methoden zu berechnen, gelangt nach Art. 4 die vierte oder fünfte Methode zum Einsatz, wobei dem Importeur auf Antrag hin das Recht zusteht, die Reihenfolge umzukehren.

819    *Vierte Methode:* Wird die eingeführte Ware in dem Zustand, in dem sie importiert wird, im Einfuhrland auf den Markt gebracht, entspricht der Zollwert nach Art. 5 des Abkommens dem im Inland erzielten Verkaufspreis der gleichen oder gleichartigen Ware unter Abzug der Verkaufsprovisionen, der übrigen Verkaufskosten, des üblichen Gewinnzuschlags sowie der Beförde-

rungs–, Lade–, Entlade– und Versicherungskosten. Gelangt das importierte Gut nicht unverändert in den Verkauf, sondern geht es als Vorprodukt in die Weiterverarbeitung ein, gilt der Verkaufspreis des Endprodukts als Referenzpreis, wobei die durch die Be– und Verarbeitung bewirkte Wertmehrung und den beim Verkauf des unveränderten Produkts erlaubten Abzügen Rechnung zu tragen ist. Die Zollwertbestimmung hat vor Ablauf von 90 Tagen zu erfolgen. In der Fachsprache ist die vierte Methode unter dem Begriff "deduktive" Methode bekannt, weil man von einem oberen Wert ausgeht und entsprechende Korrekturen nach unten vornimmt.

*Fünfte Methode:* Lässt sich der Preis einer Ware nicht erfassen, muss nach Art. 6 des Abkommens der Zollwert aufgrund der Produktionskosten berechnet werden. Die Produktionskosten ergeben sich aus den direkten Material– und Arbeitskosten sowie den indirekten Kosten (Gemeinkostenzuschlag), ergänzt durch einen für den betreffenden Handelsbereich üblichen Gewinnzuschlag. Diese Methode wird wegen des Zusammenzählens der verschiedenen Kosten– und Gewinnelemente als "additive" Methode bezeichnet.

*Die Auffangklausel:* Erweist sich die Berechnung des Zollwerts einer Ware nach den fünf aufgeführten Methoden aus irgend einem Grund als unmöglich, kommt die Auffangklausel zum Einsatz. Art. 7:1 des Abkommens bestimmt für diesen Fall, dass der "Zollwert durch zweckmässige Methoden, die mit den Grundsätzen und allgemeinen Bestimmungen dieses Abkommens sowie mit Art. VII GATT vereinbar sind, sowie auf der Grundlage von im Einfuhrland verfügbaren Daten zu ermitteln" ist. Diesem Grundsatz folgt in Art. 7:2 des Abkommens eine Liste von Faktoren, die bei der Zollwertberechnung *nicht* als Basis verwendet werden dürfen, wie zum Beispiel der Verkaufspreis der im Einfuhrland hergestellten Waren, der Inlandpreis der Ware im Ausfuhrland, andere Herstellkosten als jene, die nach der fünften Methode errechnet wurden, der Ausfuhrpreis der Ware nach einem anderen Land, Mindestzollwerte und willkürliche oder fiktive Werte. Die Anmerkung zu Art. 7 des Anhang I des Abkommens rät, die nach der Auffangklausel ermittelten Zollwerte möglichst auf früher berechnete Zollwerte abzustützen. Beim Einbezug der Berechnungsmethoden der Art. 1 bis 6 stehe ein "angemessener Spielraum bei der Anwendung solcher Methoden im Einklang mit den Zielsetzungen und Bestimmungen des Art. 7". Die in den Anmerkungen aufgeführten Beispiele

Vierter Teil

für einen "angemessenen Spielraum" beziehen sich auf die Ausweitung der Definition der Gleichheit und Gleichartigkeit der Produkte, den Verarbeitungszustand der eingeführten Produkte und die Frist von 90 Tagen.

### 3.3.3 Die Institutionen und die Streitbeilegung

822   Im Rahmen des Abkommens zur Durchführung des Art. VII GATT bestehen zwei Organe, das Komitee für den Zollwert, im Abkommen als "Komitee" (Committee on Customs Valuation) bezeichnet, und das Technische Komitee für den Zollwert, im Abkommen als "Technisches Komitee" (Technical Committee on Customs Valuation) aufgeführt. Beide Gremien setzen sich aus Vertretern der Vertragsparteien zusammen. Das Komitee tritt jährlich mindestens einmal zusammen. Seine Verfahrensordnung vom 24. Oktober 1995 beruht auf der Verfahrensordnung des Allgemeinen Rats.[76] Das Komitee befasst sich mit Problemen, die ihm von den Vertragspartnern vorgelegt werden, insbesondere mit Fragen der Übereinstimmung von nationalem und WTO-Recht. Die Jahresberichte fassen die jeweiligen Beratungsergebnisse zusammen.[77] Das Technische Komitee tagt jährlich wenigstens zweimal und arbeitet unter der Aufsicht des Rats für die Zusammenarbeit auf dem Gebiet des Zollwesens (Customs Co-operation Council, CCC). Das Technische Komitee ist nach Anhang II des Abkommens für die einheitliche Auslegung und Anwendung des Abkommens verantwortlich. Seine Aufgaben umfassen die Untersuchung technischer Probleme, die bei der Anwendung der Bewertungssysteme der Mitglieder vorkommen, die Bewertungsverfahren und Bewertungspraktiken, die Analyse der Auswirkungen des Abkommens in technischer Hinsicht, die Unterrichtung und Beratung der Vertragspartner usw.

823   Die Streitbeilegung kann auf zwei Ebenen erfolgen, nämlich über das nationale Beschwerdeverfahren oder über die WTO-Streitschlichtung. Jede Vertragspartei hat für den Importeur oder für jede andere Person in Bezug auf die Zollwertermittlung ein nationales Beschwerdeverfahren einzurichten. Die Entscheide einschliesslich Begründung sind dem Beschwerdeführer schrift-

---

76   Vgl. *Hummer/Weiss*, S. 621.
77   Veröffentlicht in: *GATT* (jährlich), BISD.

lich mitzuteilen. Zur Beilegung zwischenstaatlicher Differenzen kann auch die WTO–Streitschlichtung gemäss Art. XXII und XXIII GATT angerufen werden. Das zur Behandlung des Zwists eingesetzte "Panel" kann auf Ersuchen einer Partei oder aufgrund eines eigenen Entscheids das Technische Komitee mit der Prüfung technischer Fragen beauftragen. Die Zusammenarbeit mit dem Technischen Komitee ist für das "Panel" nicht verpflichtend.

### 3.3.4 Die Sonderstellung der Dritten Welt

Entwicklungsländer, die das Zollwertabkommen von 1979 nicht unterzeichnet haben, dürfen die Anwendung des neuen Abkommens von 1994 für einen Zeitraum von längstens fünf Jahren ab dem Zeitpunkt des Inkrafttretens am 1. Januar 1995 aufschieben. Ein solcher Entscheid ist dem WTO–Sekretariat zu melden. In einigen wenigen Bereichen (z.B. bei der Anwendung der additiven Methode) besteht die Möglichkeit einer dreijährigen Verlängerung des Aufschubs. Reicht die den Drittweltländern zugestandene Verlängerung der Nichtanwendung des Abkommens nicht aus, gewährt Anhang III des Abkommens diesen Ländern das Recht eines weiteren Aufschubs, wobei die Vertragspartner nach Anhang III Ziff. 1 "ein derartiges Ersuchen selbstverständlich in Fällen wohlwollend prüfen werden, in denen das betreffende Entwicklungsland–Mitglied einen stichhaltigen Grund hiefür nachweisen kann". Die Industriestaaten werden aufgefordert, den wirtschaftlich schwächeren Staaten auf Antrag technische Hilfe in Form von Personalschulung, Informationsbeschaffung und Beratung zu leisten.

824

### 3.3.5 Die Grundausrichtung der Zollwertberechnung

Ein Vergleich zwischen den Bestimmungen in Art. VII GATT, dem Zollwertabkommen von 1979 und dem seit 1. Januar 1995 geltenden neuen Zollwertabkommen verdeutlicht die allen gemeinsame Absicht, bei der Berechnung des Zollwerts nationale Unterschiede auszuräumen, die Berechnungsmethoden nach Treu und Glauben zu gestalten, beim Fehlen von Daten und Informationen nach objektiven Alternativlösungen zu suchen und über alledem die Prinzipien der WTO, insbesondere dasjenige der Meistbegünstigung, zu beachten. Der seinerzeitige Neuheitswert des plurilateralen Kodex

825

der Tokio–Runde bestand darin, die länderspezifischen Zollwertbestimmungen durch eine einheitliche Zollwertberechnung zu ersetzen und ein Stück GATT wirksam werden zu lassen, ohne den GATT–Vertrag als solchen ändern zu müssen. Die Neuheit des Abkommens der Uruguay–Runde liegt in der Ausdehnung des Geltungsbereichs des Abkommens auf alle WTO–Mitglieder und die Unterstellung der Streitschlichtung unter das allgemeine WTO–Verfahren. Ungelöste Probleme bleiben die Definition der Gleichheit und Gleichartigkeit der Produkte, die Erfassung der Herstellkosten sowie die Auslegung der "Angemessenheit" bei Produktvergleichen.[78]

## 3.4 Der Schutz der Zahlungsbilanz und die nicht–diskriminierende Anwendung mengenmässiger Handelsschranken

826   Die Ausarbeitung der ITO–Statuten und des ersten GATT–Texts fiel in eine Zeit, in der viele Staaten unausgeglichene Zahlungsbilanzen aufwiesen und unter Devisenmangel litten. Zur Lösung dieser Probleme wurden in Bretton Woods im US–Bundesstaat New Hampshire der Internationale Währungsfonds (IMF) und die Weltbank (IBRD) gegründet (nach dem Verhandlungsort auch unter der Bezeichnung "Bretton Woods–Institutionen" bekannt).[79] In Anlehnung an und in Übereinstimmung mit Art. VIII und XIV IMF übernahm das GATT in den Art. XII, XIII und XIV die Ausnahmebestimmungen zum Schutz der finanziellen Lage und der Zahlungsbilanz der Vertragspartner. Art. XII GATT erfuhr in den Jahren 1954/55 eine Revision im Konsultationswesen (Ziff. 4 des Art. XII) und trat in der heutigen Form am 7. Oktober 1957 in

---

78   Vgl. u.a. *Hayward/Long* (1996), Comparative Views of U.S. Customs Valuation Issues in Light of the U.S. Customs Modernization Act, in: Minnesota Journal of Global Trade, Vol. 5, H. 2, S. 311ff. Analoge Zollwertprobleme bestehen in der NAFTA. Vgl. auch *Baker & M<sup>c</sup>Kenzie,* Hrsg. (1994), NAFTA Handbook, Chicago, S. 43ff.

79   Unterzeichnung der Bretton Woods Konvention am 22.7.1944, Inkrafttreten der Konvention am 27.12.1945 und Aufnahme der Geschäftstätigkeit am 25.6.1946 (IBRD) bzw. am 1.3.1947 (IMF).

Kraft.[80] Die beiden Art. XIII und XIV GATT gelten noch heute in ihrer ursprünglichen Fassung. Die 1970 und 1979 erfolgten Vertragsergänzungen beziehen sich ausschliesslich auf Verfahrensfragen und sind materiellrechtlich nicht relevant.[81]

### 3.4.1 Die Beschränkung zum Schutz der Zahlungsbilanz

Nach Art. XII:1 GATT darf eine Vertragspartei zum Schutz ihrer finanziellen Lage gegenüber dem Ausland und zum Schutz ihrer Zahlungsbilanz von dem in Art. XI GATT festgehaltenen Verbot der Anwendung nichttarifärer Handelshemmnisse abweichen und "Menge und Wert der zur Einfuhr zugelassenen Waren nach Massgabe der folgenden Bestimmungen dieses Artikels beschränken". Die "folgenden Bestimmungen" betreffen die Währungsreserven. Das Einführen, Beibehalten oder Verschärfen der Importbeschränkungen nach Art. XII:2 GATT ist nur erlaubt, wenn diese "erforderlich" sind, erstens um einer unmittelbar drohenden Abnahme der Währungsreserven vorzubeugen oder eine solche Abnahme zu verhindern, oder zweitens, um die bereits sehr niedrigen Währungsreserven aufzustocken. In beiden Fällen sind besondere Umstände wie die Verfügbarkeit von Auslandkrediten oder anderer Hilfsquellen zu berücksichtigen. Bei einer Verbesserung der finanziellen Lage sind die handelshemmenden Massnahmen zunächst abzubauen und letztlich aufzuheben. Die Vertragspartner, die sich dieser Ausnahmen bedienen, haben nach Art. XII:3 GATT darauf zu achten, dass ihre Güter und Produktionsfaktoren nicht auf eine unwirtschaftliche Art verwendet werden (z.B. zur Errichtung von Prestigebauten oder zur unangemessenen militärischen Aufrüstung) und jene Instrumente zum Einsatz gelangen, die den internationalen Handel möglichst wenig beeinträchtigen.

827

Nach Art. XII:3(d) GATT ist eine Vertragspartei, "die im übrigen nach diesem Artikel handelt", nicht verpflichtet, "Beschränkungen deswegen aufzuheben oder zu ändern, weil eine Änderung ihrer Wirtschaftspolitik die von der

828

---

80  Eine begründende Darstellung der vorgenommenen Änderung findet sich im Revisionsbericht vom 2., 4. und 5. März 1955, in: *GATT* (1955), BISD 3rd S, S. 170ff., Ziff. 3–11; vgl. auch *GATT* (1958), BISD 6th S, S. 39.
81  Vgl. *GATT* (1994), Analytical Index, Genf, S. 331.

Vertragspartei nach diesem Artikel angewandten Beschränkungen unnötig machen würde". Die Begründer des IMF und der ITO beziehungsweise des GATT wollten die Souveränität der einzelnen Staaten in der Binnenwirtschaftspolitik respektieren. Es ist daher durchaus möglich, dass eine Vertragspartei durch die Beibehaltung binnenwirtschaftlicher Massnahmen eine zahlungsbilanzpolitische Lage entstehen oder fortbestehen lässt, die sie zum Ergreifen oder Beibehalten bereits geltender Einfuhrbeschränkungen ermächtigt. Diese GATT-Bestimmung wird in der Literatur unterschiedlich beurteilt: Nach *Gerard* und *Victoria Curzon* ist es das Verdienst der Briten, die keynesianische Doktrin der Priorität der Vollbeschäftigung vor dem Freihandel ins GATT eingebracht zu haben.[82] *Kenneth W. Dam* hingegen beurteilt Art. XII:3(d) GATT als "den abartigen Einfluss der GATT-Regeln". Diese Vertragsbestimmung erlaube den Vertragsparteien, eine Binnenwirtschaftspolitik zu betreiben, die den Zielsetzungen der Welthandelsordnung zuwiderlaufe. So erhalte zum Beispiel ein Land, das eine inflationsanheizende Politik betreibe, eine Freikarte, mengenmässige Handelsrestriktionen jeglicher Art einzusetzen und beizubehalten, um auf diese Weise eine Verschlechterung der Zahlungsbilanz abzuwehren.[83]

829    Art. XII:4 GATT zusammen mit mehreren ergänzenden Vereinbarungen, Erklärungen und Verfahrensvorschriften[84] enthalten detaillierte Angaben über das Vorgehen beim Einsatz von zahlungsbilanzbegründeten Handelsschranken. Führt eine Vertragspartei neue Handelshemmnisse ein oder erhöht sie das

---

82   *Curzon/Curzon* (1976), The Management of Trade Relations in the GATT, in: *Shonfield, Andrew*, Hrsg., International Economic Relations of the Western World 1959–1971, London u.a., S. 149.

83   *Dam, Kenneth W.* (1970), The GATT, Law and International Economic Organization, Chicago u.a., S. 157.

84   Balance-of-Payments Import Restrictions – Consultation Procedures, in: *GATT* (1972), BISD 18th S, S. 48ff.; Balance-of-Payments Import Restrictions, Procedures for Regular Consultations on Balance-of-Payments Restrictions with Developing Countries vom 19.12.1972, in: *GATT* (1974), BISD 20th S, S. 47ff.; Erklärung betreffend Handelsmassnahmen aus Zahlungsbilanzgründen vom 29.11.1979, veröffentlicht in: *Hummer/Weiss*, S. 672ff.; Vereinbarung über die Zahlungsbilanzbestimmungen des GATT 1994 vom 15.4.1994, veröffentlicht in: *Hummer/Weiss*, S. 658ff.; Rules of Procedure for Meetings of the Committee on Balance-of-Payments Restrictions vom 8.12.1995, veröffentlicht in: *Hummer/Weiss*, S. 346.

Niveau der bestehenden Schranken, hat sie, wenn möglich vorausgehend oder bis spätestens vier Monate nach Einführung oder Verschärfung der Massnahmen, Konsultationen mit dem Komitee für Zahlungsbilanzbeschränkungen aufzunehmen. Gegenstand der Konsultationen sind die Art der Zahlungsbilanzschwierigkeiten, die möglichen Abhilfemassnahmen und die zu erwartenden Auswirkungen der Handelsschranken auf die eigene Wirtschaft und diejenige der Vertragspartner. Alle aus Zahlungsbilanzgründen ergriffenen Massnahmen überprüft das Komitee in in regelmässigen Zeitabständen. Für die Entwicklungsländer gilt ein vereinfachtes Verfahren. Das Komitee erstattet dem Allgemeinen Rat Bericht über die stattgefundenen Konsultationen. Die WTO-Mitglieder müssen die zahlungsbilanzbedingten Handelsschranken vor oder spätestens dreissig Tage nach ihrer Veröffentlichung dem Allgemeinen Rat melden und danach dem WTO-Sekretariat einen jährlichen Bericht zustellen, der über die Art der Handelsschranken, die Zusatzbestimmungen, die betroffenen Zollzeilen, die Dauer, die gesetzlichen Änderungen, die Verordnungen, die politischen Erklärungen und öffentlichen Verlautbarungen informiert. Ziff. 13 der Erklärung betreffend Handelsmassnahmen aus Zahlungsbilanzgründen vom 28. November 1979 verweist schliesslich auf die Möglichkeit der Streitschlichtung für den Fall, dass der Ausschuss für Zahlungbsbilanzbeschränkungen zur Feststellung gelangt, "dass eine Einfuhrbeschränkung, die von einer zur Konsultation gerufenen Vertragspartei zum Schutz der Zahlungsbilanz getroffen worden ist, mit Art. XII, Art. XVIII Abschnitt B oder dieser Erklärung unvereinbar ist". Der Ausschuss ist ermächtigt, in seinem Bericht an den Allgemeinen Rat Empfehlungen über die Anwendung der Art. XXII und XXIII GATT auszusprechen.

Die ausführlichen Vertragsbestimmungen über die Beschränkungen zum    830
Schutz der Zahlungsbilanz in Art. XII GATT zusammen mit den zusätzlichen Vereinbarungen und Erklärungen über die Zahlungsbilanzbestimmungen verdeutlichen die Schwierigkeit, diese Sachverhalte abschliessend zu definieren und inhaltlich so abzugrenzen, dass sie nicht zu ungerechtfertigten und willkürlichen Schutzmassnahmen missbraucht werden. Einen Überblick über die

**Vierter Teil**

von 1979 bis 1993 durchgeführten Konsultationen bietet die länderweise Zusammenstellung im Analytical Index des GATT.[85]

## 3.4.2 Die nicht-diskriminierende Anwendung mengen-mässiger Handelsschranken

831 Wenn Importe oder Exporte von Gütern von und nach einem Vertragspartnermarkt mengenmässig eingeschränkt oder verboten werden, sind nach Art. XIII GATT die Ein- und Ausfuhren von gleichen oder gleichartigen Gütern von und nach allen anderen Vertragsparteien gleich zu behandeln. Um diesem Grundsatz nachzuleben, verlangt Art. XIII:2 GATT, Kontingente und Lizenzen so auf die Lieferländer "zu streuen", dass die zugeteilten Handelsmengen den Anteilen entsprechen, die ohne Beschränkung bestanden hätten.[86] Offenbar waren sich die Verfasser der GATT-Bestimmung der Vieldeutigkeit dieser Forderung bewusst und suchten in Art. XIII:2(b) GATT einen gangbaren Weg zur Erfüllung dieser Bedingung. Ist nämlich die Festsetzung von länderbezogenen Kontingenten nicht durchführbar, können die Importbeschränkungen in Form von Einfuhrlizenzen oder -bewilligungen erteilt werden, die keine Lieferländer vorschreiben; es wird den Importeuren die Wahlfreiheit bei der Herkunft der Ware belassen.[87] Dabei verlangt Art. XIII:3 GATT von den Ländern, die wert- und mengenmässigen Importbeschränkungen anwenden, eine offene Informationspolitik. Die Auskünfte haben sich auf die in letzter Zeit verfügten Kontingente, Länderzuteilungen, Lizenzen und Bewilligungen zu beziehen. Nicht zu veröffentlichen sind die Namen der Import- und Exportfirmen.

---

85 *GATT* (1994), Analytical Index, Genf, S. 361.

86 Welche Probleme sich in diesem Zusammenhang ergeben können, zeigt z.B. ein Handelsstreit zwischen Norwegen und Hongkong. Hongkong klagte Norwegen an, bei der Quotenzuteilung übergangen worden zu sein, was gegen Art. XIII GATT verstosse. Vgl. Panelbericht Norway – Restrictions on Imports of Certain Textile Products vom 18.6.1980 in: *GATT* (1981), BISD 27th S, S. 119ff.

87 Im Vertragstext werden die Begriffe Einfuhrlizenzen und Einfuhrbewilligungen in einer Art angewendet, als würde es sich um etwas anderes als um Kontingente handeln. Der vom GATT-Text gemachte Unterschied besteht darin, dass Kontingente länderbezogen und Lizenzen und Bewilligungen nicht länderbezogen sind, eine in der Ökonomie nicht gebräuchliche Unterscheidung.

Nach Art. XIV:2 GATT darf eine Vertragspartei in Anlehnung an Art. VIII  832
und XIV IMF vom Prinzip der Meistbegünstigung abweichen, "wenn die Vorteile für sie selbst oder die beteiligten Vertragsparteien den Schaden erheblich überwiegen, der dadurch für den Handel anderer Vertragsparteien entsteht". Diese Ausnahme wurde seinerzeit in die Havanna–Charta und ins GATT aufgenommen, weil in der unmittelbaren Nachkriegszeit einzelne Vertragspartner wegen der fehlenden Konvertibilität der Währungen unausgeglichene Handelsbilanzen gegenüber einzelnen Handelspartnern aufwiesen. Diesen Staaten erlaubte das GATT die Festlegung von Individualkontingenten als Mittel der länderweisen Kurs– und Handelsbilanzpflege. In der Vordringlichkeit relativ ausgeglichener Handelsbilanzen sah man damals die Rechtfertigung der Verletzung des Meistbegünstigungsprinzip, das heisst der unterschiedlichen Behandlung der Handelspartner.[88] Abgesehen davon, dass das länderweise Abwägen und Vergleichen von Vor– und Nachteilen problematisch ist, hat sich die Anwendung dieser GATT–Bestimmung mit der Einführung der Konvertibilität Ende der fünfziger Jahre erübrigt.

### 3.4.3 Die Zusammenarbeit zwischen GATT und IMF

Art. XV GATT weist auf die Beziehung des GATT zum IMF hin. Der heutige GATT–Text entspricht weitgehend Art. 24 der Havanna–Charta und verfolgt grundsätzlich zwei Ziele: Zum einen werden die GATT–Vertragspartner aufgefordert, eine Aussenhandelspolitik zu betreiben, die sowohl auf das GATT als Handelsorganisation und den IMF als Organisation der Währungsordnung abgestimmt ist. Zum anderen verlangt der Vertrag vom GATT als multilaterales Organ, mit dem IMF zusammenzuarbeiten und die eigene Tätigkeit auf diejenige des IMF abzustimmen.[89]  833

Art. XV:2 GATT verpflichtet die VERTRAGSPARTEIEN, bei der Behandlung von Fragen über die Währungsreserven, die Zahlungsbilanz oder den Zahlungsverkehr den IMF zu konsultieren und dessen Urteil darüber, was im  834

---

88  *Wilcox, Clair* (1949), A Charter for World Trade, New York, S. 81.
89  Revisionsbericht 1954/55, Bericht der Untergruppe GATT–IMF, in: *GATT* (1955), BISD 3rd S, S. 195ff.

Einzelfall unter "bedeutender Abnahme", unter einem "niedrigen Stand" usw. zu verstehen ist, zu akzeptieren. Nach Art. XV:4 GATT haben die Vertragsparteien des GATT auf Massnahmen zu verzichten, die den Zielen des IMF zuwiderlaufen. Art. XV:6ff. handelt schliesslich von der IMF-Mitgliedschaft der GATT-Vertragspartner. Vertragsparteien, die nicht Mitglied des IMF sind, werden aufgefordert, innerhalb einer bestimmten Frist (entweder bis 1.11.1949 oder vier Monate nach Unterzeichnung des GATT-Vertrags)[90] dem IMF beizutreten oder eine Sonderlösung mit dem GATT zu treffen. Indonesien, Kuba, Neuseeland und Tschechoslowakei beantragten zu Beginn der fünfziger Jahre entsprechende "Waivers". In den sechziger Jahren wurden für die Schweiz, die damals dem IMF nicht angehörte, die Sonderbestimmungen ins Beitrittsprotokoll aufgenommen. Die Schweiz verpflichtete sich, bei Paritätsänderungen Konsultationen und Kompensationsverhandlungen mit den betroffenen GATT-Partnern zu führen.[91]

835   Die Währungsfragen als solche haben aber im GATT bis zu Beginn der siebziger Jahre wenig Beachtung gefunden. Erst der Zusammenbruch des fixen Wechselkurssystems im Jahr 1971 veranlasste die Minister, in ihrer Tokio-Erklärung 1973 festzuhalten, dass sich die Politik der Liberalisierung des Welthandels nur erfolgreich fortsetzen lasse, "wenn parallel dazu Anstrengungen unternommen werden, um ein Währungssystem zu errichten, welches die Weltwirtschaft vor Erschütterungen und Ungleichgewichten [...] bewahrt"[92]. Im Verlauf der Tokio-Runde fanden die monetären Fragen wiederum kaum weitere Beachtung. Im November 1984 äusserten sich die VERTRAGSPARTEIEN erneut besorgt über die Währungsstabilität, ohne jedoch entsprechende Massnahmen vorzusehen.[93] Auch die Uruguay-Runde ging nicht auf Währungsfragen ein.

---

90   Vgl. *GATT* (1994), Analytical Index, Genf, S. 403.
91   Vgl. Arrangements and Procedures for the Accession of Switzerland vom 17.11.1956, in: *GATT* (1957), BISD 5th S, S. 40ff., Ziff. 11.
92   Ministererklärung vom 14.9.1973, veröffentlicht in: *GATT* (1974), BISD 20th S, S.19ff., Ziff. 7; in der Übersetzung des *BBl* 1979 III 95.
93   Stellungnahme zu "Exchange Rate Fluctuations and their Effect on Trade", in: *GATT* (1985), BISD 31st S, S. 15.

## 3.4.4 Die Beurteilung der Zahlungsbilanzbestimmungen

Welch grosse Bedeutung den quantitativen Restriktionen zum Schutz der finanziellen Lage und der Zahlungsbilanz in der ersten Nachkriegszeit zukam, verdeutlichen die GATT-Berichte zu Art. XII und XIV GATT der Jahre 1950 bis 1960.[94] Der Bericht 1957 hält zum Beispiel fest, dass in Australien, Brasilien, Finnland und Indien, von wenigen Ausnahmen abgesehen, alle Importe einer mengenmässigen Beschränkung in Form von Einfuhrlizenzen unterliegen, Frankreich und Österreich mengenmässige Importbestimmungen für die meisten Importe aus dem Dollar- und Pfund-Sterling-Raum anwenden, die Bundesrepublik Deutschland Importquoten für gut 20 Prozent der Zollpositionen unterhält usw.[95] In den späteren Berichten überwiegen mehr und mehr die Hinweise auf den Abbau der Kontingente sowie der Ein- und Ausfuhrlizenzen. So erwähnt beispielsweise der Bericht von 1960, dass Finnland, Grossbritannien, Indien, Italien, Japan und Österreich die Quoten für Importe aus dem Dollarraum abgeschafft, Frankreich, Norwegen und Schweden ihre Freilisten erweitert und Ghana sowie Malaysia den Import aus Japan liberalisiert hätten.[96] Ab 1965 sind mengenmässige Importrestriktionen aus Zahlungsbilanzgründen selten. Frankreich führte 1968 kurzfristig vereinzelte Quoten ein, und Spanien rief 1973 noch ein letztes mal Art. XII GATT an.[97]

836

In Anlehnung an die GATT-Erklärung von 1970, wonach die Zahlungsbilanz-Konsultationen nebst den mengenmässigen auch andere Handelsrestriktionen zu berücksichtigen haben ("full consultations procedures"),[98] fordert die Erklärung von 1979, die Zahlungsbilanzprobleme nicht allein aus der Sicht von Art. XII GATT zu beurteilen, sondern auch Art. XVIII GATT (staatliche Unterstützung und wirtschaftliche Entwicklung) in die Kon-

837

---

94 Balance-of-payments import restrictions, Reports, vgl. Index, in: *GATT* (1997), BISD 41st S, Vol. II, S. 751f.
95 Vgl. *GATT* (1957), BISD 5th S, S. 68ff.
96 *GATT* (1961), BISD 9th S, S. 66ff.
97 *Roessler, Frieder* (1975), Selective Balance-of-Payments Adjustment Measures Affecting Trade: The Roles of the GATT and the IMF, in: Journal of World Trade Law, Vol. 9, Nr. 6, S. 629 und 653.
98 *GATT* (1972), BISD 18th S, S. 48ff.

sultationen einzubeziehen.[99] Die Verknüpfung von Art. XII mit Art. XVIII GATT verlangte jedoch die Mitberücksichtigung der Entscheidung von 1972, gemäss der für die Drittweltstaaten ein vereinfachtes Konsultationsverfahren gilt.[100] In diesem Zusammenhang ist auch die ministerielle Entscheidung vom 12. April 1989, die ein Zusammenlegen und Harmonisieren der allgemeinen Handelsüberwachung und Zahlungsbilanz–Konsultationen vorsieht,[101] zu beachten wie die Vereinbarung über die Zahlungsbilanzbestimmungen des GATT vom 15. April 1994 (Understanding on the Balance–of–Payments Provisions of the GATT), die vor allem auf die Anwendung "preisbezogener Massnahmen" (Massnahmen, die den Handel am wenigsten beeinträchtigen) drängt.[102] Im März 1993 beklagte sich der Vorsitzende des Zahlungsbilanzausschusses, viele Länder kämen ihrer Konsultationspflicht nicht nach.[103] Zurzeit werden Zahlungsbilanzprobleme und zahlungsbilanzbegründete Massnahmen mit Bangladesch, Nigeria, der Slowakei und Tunesien beraten.[104]

838 *Frieder Roessler* zeigt in einer Untersuchung über die Handelsmassnahmen zur Beeinflussung der Zahlungsbilanz, dass der Abbau der mengenmässigen Restriktionen in den ersten Jahrzehnten des GATT den Schutz der einheimischen Wirtschaft nicht minderte. Vielmehr zeichnete sich zu jener Zeit eine Verlagerung des Schutzes von mengenmässigen Beschränkungen auf Produktionssubventionen, Zollzuschläge und Importdepots ab. Gemäss Art. XVI:1 GATT sind die Vertragsparteien frei, Produktionssubventionen zu gewähren. Den davon betroffenen Partnern steht das Recht zu, schädigende Einflüsse auf ihren Handel durch Ausgleichsabgaben aufzufangen. Zollzuschläge wider-

---

99 *GATT* (1980), BISD 26th S, S. 205ff., Ziff. 1.
100 "[...] contribute substantially to easing the way for all developing countries to define their position regarding their restrictions in relation to the GATT provisions". *GATT* (1974), BISD 20th S, S. 47ff., Ziff. 4.
101 *GATT* (1990), BISD 36th S, S. 403ff.
102 Der Vereinbarungstexts ist veröffentlicht in: *Hummer/Weiss,* S. 658ff. (deutsche Fassung); *WTO,* The Legal Texts, S. 27ff. (englische Fassung).
103 *GATT* (1994), Analytical Index, Genf, S. 351.
104 Vgl. Bericht des Ausschusses für Zahlungsbilanz–Restriktionen, jährlich veröffentlicht in: *WTO,* Annual Report, Genf. Vgl. z.B. *WTO* (1997), Annual Report 1997, Vol. I, Genf, S. 134ff.; *WTO* (1999), Annual Report 1999, Genf, S. 93f.

sprechen zwar Art. II GATT, doch sind unter besonderen Umständen nach Art. XXV:5 GATT Ausnahmen möglich. Von den Industriestaaten erhoben Dänemark (1971–72), Frankreich (1955–58), Grossbritannien (1964–66) und die USA (1971) Zollzuschläge, ohne je vom GATT entsprechende "Waivers" erhalten zu haben. Analog zu den Zollzuschlägen stehen auch die Importdepots im Widerspruch zu Art. II GATT. Trotzdem erfreuten sich die Depots in den siebziger und achtziger Jahren grosser Beliebtheit. Importdepots verlangten Australien (1955–56), Dänemark (1969–71), Frankreich (1957–59), Grossbritannien (1968–70), Italien (1974, 1976–77, 1981–82), Japan (1955–70) und Spanien (1969–70).[105]

Abschliessend ist festzuhalten, dass die heute geltenden Zahlungsbilanzbestimmungen des GATT in manchen Bereichen nicht einfach zu verstehen sind.[106] Erstens stammen die GATT–Regeln aus der Zeit des Systems der fixen Wechselkurse. Das GATT enthält zwar keine Einschränkung auf ein bestimmtes Wechselkurssystem, so dass die damals geschaffenen Vorschriften auch in einem System der flexiblen Wechselkurse Geltung haben. Aus ökonomischer Sicht ist aber festzuhalten, dass dem System flexibler Wechselkurse ein Automatismus der Selbstregulierung der Zahlungsbilanz innewohnt, der zusätzliche Massnahmen zum Schutz der Zahlungsbilanz erübrigt. Zweitens verlangt Art. XII:2(b) GATT den stufenweisen Abbau der Schutzmassnahmen, wenn die Lage es rechtfertigt. Art. XII:3(d) GATT lässt aber zu, dass eine Wirtschaftspolitik nicht geändert werden muss, auch wenn deren Änderung die nach Art. XII GATT ergriffenen Massnahmen hinfällig werden liesse. Die Ökonomen erblicken in diesem Zugeständnis an die Binnenwirtschaftspolitik eine grosse Schwäche des GATT beziehungsweise der WTO.

839

---

105 *Roessler, Frieder* (1975), Selective Balance–of–Payments Adjustment Measures Affecting Trade: The Roles of the GATT and the IMF, in: Journal of World Trade Law, Vol. 9, Nr. 6, S. 622ff., Anhang, S. 653. Vgl. auch *GATT* (jährlich), International Trade (Trade by major Areas and Countries).
106 Zwei Aufsatzsammlungen zum Thema internationale Handelspolitik und Zahlungsbilanzprobleme finden sich in: *Letiche, John M.*, Hrsg. (1992), International Economic Policies and Their Theoretical Foundations, 2. A., San Diego u.a., S. 701ff.; *Salvatore, Dominick*, Hrsg. (1993), Protectionism and world welfare, Cambridge, S. 219ff. Vgl. auch *Nadal Egea, Alejandro* (1996), Balance–of–Payments Provisions in the GATT and NAFTA, in: Journal of World Trade, Vol. 30, Nr. 4, S. 5ff.

Vierter Teil

## 3.5 Die neue Subventionsordnung

840     Subventionen sind Beihilfen, finanzielle Beiträge oder Begünstigungen der öffentlichen Hand zugunsten einzelner Firmen, Branchen oder Regionen zur Verbesserung ihrer Wettbewerbssituation auf dem in- und ausländischen Markt. Der öffentlichrechtliche Charakter dieser Unterstützung unterscheidet die Subventionen von den Dumpingmassnahmen, die privatrechtlicher Natur sind.

841     Im Verlauf der GATT-Geschichte ist vor allem folgenden Subventionen grosse Bedeutung zugekommen: den Agrarerstattungen und -beihilfen der europäischen Staaten und der USA, den Subventionen zugunsten der Kohle- und Stahlindustrie der EU, Rumäniens, Südafrikas und Brasiliens sowie den staatlichen Beiträgen im Textil- und Bekleidungssektor, im Schiffs- und Flugzeugbau sowie in der Motorfahrzeugindustrie vieler Industrie- und Nicht-Industrieländer. Nach Berechnungen der OECD betragen die Subventionen (ohne Agrarbeihilfen) der Industriestaaten etwa 2 Prozent ihres Nettosozialprodukts. Davon entfällt schätzungsweise die Hälfte sektorspezifisch auf die Kohle- und Stahlindustrie sowie den Schiffsbau.[107]

842     Die zunehmende Bedeutung der Subventionen in den letzten Jahrzehnten mag auf verschiedene Gründe zurückzuführen sein: Vor allem in Phasen der wirtschaftlichen Rezession verstärkte sich der Druck auf die Politiker und die öffentliche Verwaltung, Arbeitsplätze im eigenen Land zu erhalten und zu schaffen und in diesem Zusammenhang für den Absatz überschüssiger Produkte zu sorgen. Ausserdem handelt es sich bei den Subventionen um Massnahmen, die politisch und administrativ einfacher zu realisieren sind als Zollgesetzänderungen oder internationale Absatzvereinbarungen. Schliesslich wollen die Politiker wiedergewählt werden und sind darum bereit, einzelnen Firmen, Branchen und Regionen zu helfen. Sie können sich in der Regel der

---

[107] *OECD* (1993), Industrial Policy in OECD Countries, Annual Review 1992, zit. nach *Hoekman/Kostecki* (1995), The Political Economy of the World Trading System, Oxford, S. 106.

Zustimmung der nichtbegünstigten Wirtschaftskreise sicher sein, weil diese darauf zählen, bei Bedarf ebenfalls vom Staat unterstützt zu werden.[108]

Das Grundproblem der Subventionsregelung liegt darin, dass alle Handelspartner sich der weltweit schädigenden Wirkung der Subventionen bewusst sind, aber auf den Einsatz dieser Massnahmen zum Schutz ihrer eigenen Wirtschaft nicht verzichten wollen. Diese Ambivalenz kommt im Text des plurilateralen Subventionsabkommens von 1979 deutlich zum Ausdruck. Die Signatare heben in Art. 8.1 der Vereinbarung hervor, "dass Subventionen nachteilige Auswirkungen auf die Interessen anderer Unterzeichner haben können", und halten in Art. 11.1 fest, "dass andere Subventionen als Ausfuhrsubventionen sehr häufig als wichtige Instrumente zur Förderung sozial- und wirtschaftspolitischer Ziele verwendet werden; sie [die Unterzeichner des Abkommens] beabsichtigen nicht, das Recht der Unterzeichner, solche Subventionen zur Erreichung dieser und anderer wichtiger von ihnen als wünschenswert erachteter politischer Ziele zu gewähren, einzuschränken".

Wie ist es zur heute geltenden WTO-Subventionsordnung gekommen? Was beinhalten die einzelnen Subventionsbestimmungen?

### 3.5.1 Vom ITO-Vorschlag zur heutigen WTO-Subventionsordnung

In den Verhandlungen über die Schaffung der Internationalen Handelsorganisation (ITO) zögerten mehrere Länderdelegationen (vor allem diejenige der USA), ihre bisherige Subventionspraktiken aufzugeben. Schliesslich einigten sie sich in den Art. 25 und 26 der Havanna-Charta auf die Pflicht zur Veröffentlichung von Subventionen einschliesslich Einkommens- und Preisstützungen sowie auf das Verbot von Exportsubventionen, die direkt oder indirekt zu einem unterpreisigen Angebot im Partnerland führen. Auch soll ein Handelspartner, der Subventionen gewährt, mit einem anderen Handelspartner, der sich dadurch geschädigt oder bedroht fühlt, bereit sein, über die

---

108 Die Politische Ökonomie zeigt noch und noch solche Beispiele. Vgl. *Baldwin, Robert E.* (1988), Trade Policy in a Changing World Economy, New York u.a., S. 105ff.

Vierter Teil

Möglichkeit der Begrenzung der Subventionen zu verhandeln. Ausgenommen von der Subventionsordnung wurden die Hilfen zugunsten der Rohstoffe und der landwirtschaftlichen Erzeugnisse.[109]

846   Bei der Übernahme von Teil IV der Havanna–Charta ins GATT fielen die Subventionsbestimmungen bis auf die Notifizierungspflicht weg. Als Begründung galt, die neue Subventionsordnung werde einen integralen Teil der ITO bilden und später zusammen mit den ITO–Statuten in Kraft treten. Der Fehlschlag mit der ITO führte dazu, dass neben der Meldepflicht in Art. XVI GATT und der Ausgleichszollregelung in Art. VI:3 GATT keine weiteren internationalen Bestimmungen über die Subventionspolitik im GATT bestanden.[110]

847   Die GATT–Revision 1955 brachte insofern eine Rückbesinnung, als mit der einsetzenden Handelsliberalisierung die früheren ITO–Subventionsbestimmungen – wenn auch in abgeschwächter Form – als Art. XVI Abschnitt B ins GATT aufgenommen wurden.[111] Abschnitt B weist ausdrücklich auf die nachteiligen Wirkungen der Subventionen hin und untersagt die Gewährung von Exportbeihilfen. Die neuen Bestimmungen traten mit der Erklärung vom 19. November 1960, die von allen Industriestaaten unterzeichnet wurde, am 14. November 1962 in Kraft.[112]

---

109 Havanna–Charta, Art. 25 (Allgemeine Bestimmungen über Subventionen), Art. 26 (Zusätzliche Bestimmungen über Ausfuhrsubventionen) und Art. 27 und 28 (Sonderbehandlung der Rohstoffe und der landwirtschaftlichen Erzeugnisse).

110 Vgl. Art. XVI des ursprünglichen GATT–Texts vom 1.1.1948, veröffentlicht in: *UN* (1947), General Agreement on Tariffs and Trade, Final Act, UN Publications Sales No. 1947.II.10–Vol. I. Eine übersichtliche Darstellung der damaligen Subventionsdiskussion findet sich in: *Phegan, Colin* (1982), GATT Art. XVI.3: Export Subsidies and "Equitable shares", in: Journal of World Trade Law, Vol. 16, Nr. 3, S. 251ff.

111 Zu den Liberalisierungsbestrebungen kam es im GATT nach der Überwindung der Angst vor einer nachkriegsbedingten Arbeitslosigkeit und Inflation und nachdem die Vereinigten Staaten für ihre Agrarpolitik einen Waiver vom GATT erhalten hatten. Ausdruck dieser Aufbruchstimmung sind die Einbringung von Art. XXVIII$^{bis}$ GATT und die Deklaration von 1958 über den Freihandel. Vgl. *GATT* (1959), BISD 7th S, S. 27ff.

112 Vgl. *GATT* (1961), BISD 9th S, S. 32f. Ein Überblick über die Reformvorschläge und die einzelnen Subventionsberichte findet sich in: *GATT* (1994), Analytical Index, Genf, S. 411ff.

## Der GATT-Hauptvertrag

Trotz der durchgeführten GATT-Revision blieb eine Divergenz zwischen den USA und den europäischen Staaten bestehen. Die US-Regierung war gemäss Handelsgesetz von 1930 (einem Gesetz, das nach US-amerikanischem Recht dem GATT vorging) berechtigt, subventionierte Importe mit Ausgleichsabgaben zu belasten. Dabei war nach der US-Interpretation kein Schadensnachweis zu erbringen, wie dies für die übrigen GATT-Partner gemäss Art. VI GATT erforderlich war. Dem Begehren der Vereinigten Staaten nach einem Abbau der Subventionen stand die Forderung vieler GATT-Vertragspartner gegenüber, ebenfalls Ausgleichsabgaben ohne Schadensnachweis verhängen zu dürfen. Die meisten Verhandlungsdelegierten waren weniger an einer Neuregelung der Subventionsordnung als an einer Umgestaltung der Kompetenzen zur Ergreifung von Gegenmassnahmen interessiert.[113]

848

Während der Kennedy-Runde zeichnete sich bei den Verhandlungsdelegationen die Bereitschaft ab, die Abwehrmassnahmen gegen Subventionen jenen gegen Antidumping gleichzustellen. Eine 1967 ins Leben gerufene GATT-Arbeitsgruppe übernahm die Aufgabe, das Problem der Subventionen und der Gegenmassnahmen weiter zu verfolgen und entsprechende Vorschläge auszuarbeiten. Aufgrund der Berichte von 1971 und 1977[114] begannen in der Tokio-Runde Verhandlungen über die Neugestaltung der Subventionsordnung in Form eines GATT-Zusatzabkommens. Im Sommer 1978 lag ein erster Vertragsentwurf vor, der im Herbst des gleichen Jahres den VERTRAGSPARTEIEN unterbreitet und am 12. April 1979 in diesem Rahmen beschlossen wurde. Das Abkommen zur Auslegung und Anwendung der Art. VI, XVI und XXIII des GATT (Subventionskodex, Agreement on Interpretation and Application of Articles VI, XVI and XXIII of the GATT) trat am 1. Januar 1980 in Kraft.[115] Von den damals fast 90 GATT-Partnern unterzeichneten 25 Partner,

849

---

113 Vgl. *Rivers/Greenwald* (1979), The Negotiation of a Code on Subsidies and Countervailing Measures, in: Journal of Law and Policy in international Business, Vol. XI, H. 4, S. 1460.

114 Vgl. *GATT* (1994), Analytical Index, Genf, S. 414.

115 Der Abkommenstext ist veröffentlicht in: *BBl* 1979 III 257ff. (deutsche Fassung); *GATT* (1980), BISD 26th S, S. 56ff. (englische Fassung). Eine Darstellung des Abkommens von 1980 findet sich in: *Senti, Richard* (1986), GATT, System der Welthandelsordnung, Zürich, S. 173ff.

Vierter Teil

vor allem die Industriestaaten, das Abkommen.[116] Ende 1994 zählte das plurilaterale Abkommen 39 Vertragspartner.[117]

850 In den achtziger Jahren kam es zu mehreren internationalen Streitfällen über die Gewährung von Subventionen. Betroffen waren unter anderem die Produkte Weizenmehl, Teigwaren und Ölsaaten. In den Schlussberichten der jeweiligen Streitschlichtungsverfahren wiesen die "Panels" verschiedentlich darauf hin, das die bestehenden rechtlichen Grundlagen (Art. VI und XVI GATT sowie das Subventionsabkommen) unklar, unzureichend und nur schwierig anzuwenden seien.[118] Beim Auftakt zur Uruguay–Runde verlangten die Minister aufgrund dieser Kritik, die Verhandlungen über die Subventionen und Ausgleichsmassnahmen auf der Grundlage der Überprüfung der Art. VI und XVI GATT sowie des Subventionsabkommens zu führen, "um die GATT–Disziplin für alle den internationalen Handel beeinflussenden Subventionen und Ausgleichsmassnahmen zu verbessern"[119]. Die Verhandlungsfronten verliefen ähnlich wie zehn Jahre zuvor in der Tokio–Runde: Die USA verlangten von den übrigen Staaten einen weiteren Abbau der Exportsubventionen, und die Gegenpartner von den Vereinigten Staaten den Verzicht auf protektionistische Ausgleichsmassnahmen. Einig waren sich die Regierungen lediglich in der gemeinsamen Sorge um die Belastung des Staatshaushalts durch die Subventionen.

851 Die Subventionsverhandlungen kamen in der Uruguay–Runde nur zögerlich voran. Ein erster Problembereich war die begriffliche Gliederung der öffentlichen Beiträge in verbotene, bedingt erlaubte oder anfechtbare und erlaubte oder nicht anfechtbare Subventionen. Einig waren sich die meisten Verhandlungspartner, dass die Exportsubventionen für gewerbliche und industrielle Produkte nicht erlaubt sein sollen. Ob aber Subventionen für Grundprodukte (primary products) und landwirtschaftliche Erzeugnisse zu

---

116 Vgl. *GATT* (1982), BISD 28th S, S. 27.
117 Vgl. *GATT* (1997), BISD 41st S, Vol. II, S. 460.
118 Vgl. *Collins–Williams/Salembier* (1996), International Disciplines on Subsidies, in: Journal of World Trade, Vol. 30, Nr. 1, S. 8.
119 Ministererklärung vom 20.9.1986, veröffentlicht in: *Hummer/Weiss,* S. 280ff. (Absatz "Subventionen und Ausgleichsmassnahmen", S. 287).

verbieten seien, wurde bereits unterschiedlich beurteilt. Bei den erlaubten Subventionen standen die sozial-, regional- und umweltschutzpolitisch begründeten Beihilfen der öffentlichen Hand sowie die handelsmässig unbedeutenden Subventionen (de minimis Subventionen) zur Diskussion. Ein zweiter Problemkreis waren die Gegenmassnahmen, ihre Begründung und ihre Einsatzmöglichkeiten bei Umgehungsgeschäften (z.B. bei der Subventionierung von Vorprodukten oder einzelnen Bestandteilen der Handelsgüter). Schliesslich stritten die Vertragsparteien auch darüber, ob die neue Ordnung nur die Subventionen der Zentralregierungen abzudecken habe, oder ob auch die Beiträge der Bundesländer, Provinzen und lokalen Behörden zu berücksichtigen seien. Der im Jahr 1990 in Brüssel vorgelegte Vorschlag war nicht endgültig, und die ungelösten Probleme konnten auch an der Ministertagung nicht ausgeräumt werden. Die im Sommer 1992 wieder aufgenommenen Verhandlungen bezogen sich auf Fragen der Begriffsabgrenzung und zusätzlich auf die Stellung der Entwicklungsländer. Schliesslich einigten sich die Verhandlungsparteien auf ein Verbot aller "spezifischen" Subventionen, das heisst der Subventionen, die sich nach Art. 2.2 des Abkommens auf bestimmte Unternehmen in einer bezeichneten geographischen Region innerhalb der Zuständigkeit der Bewilligungsbehörde beziehen. Wirtschaftlich schwächeren Staaten gewährt die Vereinbarung langfristige Übergangszeiten; und die ärmsten Entwicklungsländer sind von jeglicher Verpflichtung befreit. Die Schlussfassung des Abkommens ist, wie *John Croome* darlegt, ein ausserordentlich fragiler Ausgleich von unterschiedlichen Interessen.[120] Konkret bedeutet das, dass die Subventionsfragen in künftigen Handelsrunden erneut aufgegriffen werden müssen. Die Unterzeichnung des Abkommens über Subventionen und Ausgleichsmassnahmen (Agreement on Subsidies and Countervailing Measures) folgte am 15. April 1994 mit Inkrafttreten am 1. Januar 1995.[121] Im Gegensatz zum Subventionsabkommen von 1980 ist die neue Vereinbarung für alle WTO-Mitglieder verbindlich.

---

120 *Croome, John* (1995), Reshaping the World Trading System, Genf, S. 303.
121 Der Abkommenstext ist veröffentlicht in: *Hummer/Weiss,* S. 682ff. (deutsche Fassung); *WTO,* The Legal Texts, S. 264ff. (englische Fassung).

## 3.5.2 Die gegenwärtig geltende Subventionsordnung

852 Die wichtigsten Subventionsbestimmungen der WTO finden sich in Art. VI und XVI GATT und im Abkommen über Subventionen und Ausgleichsmassnahmen. Im Gegensatz zum Tokio–Abkommen ist die WTO–Vereinbarung klar strukturiert. Der erste Teil nimmt eine begriffliche Abgrenzung der Subventionen vor. Die Teile zwei, drei und vier handeln von den verbotenen, bedingt erlaubten und erlaubten Subventionen. Der fünfte Teil ist den Gegenmassnahmen gewidmet. Die Teile sechs bis neun stellen das Subventionskomitee vor, regeln die Notifizierung, umschreiben die Sonderbehandlung der Entwicklungsländer und betreffen das Streitschlichtungsverfahren.

*Definition der Subventionen*

853 Nach Art. 1.1 des Abkommens gilt als Subvention "ein finanzieller Beitrag einer Regierung oder öffentlichen Körperschaft im Gebiet eines Mitglieds" oder "jede Form der Einkommens– oder Preisstützung", die im Sinne des Art. XVI GATT die Wirkung hat, die Ausfuhr einer Ware aus dem Gebiet des Subventionen gewährenden Landes zu erhöhen oder die Einfuhr einer Ware in dieses Gebiet zu verhindern.[122] Die finanziellen Beitragsleistungen können erfolgen in Form

- von direkten Kapitaltransfers wie allgemeinen Zuschüssen, Darlehen, Kapitalaufstockungen oder Darlehensgarantien,

- eines Verzichts oder einer Nichteinforderung von fälligen staatlichen Einnahmen wie Steuern; die Befreiung einer ausgeführten Ware von Zöllen oder Steuern und die Rückerstattung von Zöllen oder Steuern für ausgeführte Waren gelten definitionsgemäss nicht als Subventionen, wenn die Befreiung und Rückerstattung die den Inlandverbrauch belastenden

---

122 Im Wirtschaftsrecht wird in der Regel der Begriff "Beihilfe" verwendet, um in den Worten von *Volkmar Götz* "eine Verengung auf Leistungssubventionen (Geld– und Sachleistungen) zu vermeiden und auch Verschonungssubventionen zu erfassen, durch die Kostenbelastungen vermindert werden." *Götz, Volkmar* (1998), Subventionsrecht, in: *Dauses, Manfred A.,* Hrsg., Handbuch des EG–Wirtschaftsrechts, München, H III, Rz 1.

Abgaben nicht überschreiten (z.B. Rückerstattung der Mehrwertsteuer beim Export der Güter),[123]

– einer Bereitstellung von Waren durch die Regierung in einem Ausmass, das über die allgemeine Infrastruktur hinausgeht; darunter fallen auch übermässige Aufkäufe von Waren durch den Staat,[124] und

– einer staatlichen Beitragsleistung an eine Fondseinrichtung oder einer Aufforderung an ein privates Organ, solche Zahlungen zu leisten.[125]

Art. 1.2 und 2 des Subventionsabkommens unterscheiden zwischen "spezifischen" und "nicht spezifischen" Subventionen. Spezifisch sind die Subventionen, wenn sie sich ausdrücklich auf ein Unternehmen, einen Wirtschaftszweig oder eine Gruppe von Unternehmen oder Wirtschaftszweigen einer bestimmten Region im Zuständigkeitsbereich der Bewilligungsbehörde beziehen. Spezifische Subventionen sind verboten, es sei denn, es könne der Nachweis erbracht werden, dass sie sich nicht nachteilig auf die Interessen der Handelspartner auswirken. In diesem Fall sind sie "bedingt erlaubt". Subventionen sind nicht spezifisch, wenn die Bewilligungsbehörde objektive Kriterien oder Bedingungen für die Berechtigung und das Ausmass von Subventionen erstellt. Gemäss Fussnote 2 zu Art. 2.1(b) des Abkommens müssen die Kriterien und Bedingungen in ihrer Wirkung neutral sein. Sie dürfen "keine bestimmten Unternehmen gegenüber anderen bevorzugen" und haben "ihrer Natur und horizontaler Anwendung nach, wie Anzahl der Beschäftigten oder Unternehmensgrösse, wirtschaftlich" zu sein. Nicht spezifische Subventionen sind erlaubt. In der Fachliteratur wird die staatliche Unterstützung von kleinen und mittleren Betrieben nicht als spezifisch und daher als erlaubt beurteilt.[126]

854

---

123 Vgl. Fussnote 1 zu Art. 1.1(a)ii des Subventionsabkommens.
124 In diesem Zusammenhang stellt sich die Frage, ob darunter auch Marktentlastungskäufe von Gütern zu verstehen sind, die der Staat anschliessend in Form von Hilfsaktionen ins Ausland verschenkt.
125 Zum Begriff der staatlichen Beihilfe: *Götz, Volkmar* (1998), Subventionsrecht, in: *Dauses, Manfred A.*, Hrsg., Handbuch des EG-Wirtschaftsrechts, München, H III, Rz 20ff.
126 Vgl. z.B. *Zampetti, Americo B.* (1995), The Uruguay Round Agreement on Subsidies, in: Journal of World Trade, Vol. 29, Nr. 6, S. 12.

855 So klar wie die in Art. 1 des Abkommens vorgenommene allgemeine Abgrenzung der Subventionen ist, so verschwommen sind die Bestimmungen in Art. 2 über die Spezifität der Subventionen. Dementsprechend häufig sind in der WTO Konsultationen und Streitschlichtungsfälle. In den ersten vier Jahren seit Inkrafttreten des Subventionsabkommens haben sich etwa 30 Zwiste oder rund ein Fünftel aller Schlichtungsanträge auf Subventionsfragen bezogen. Gegenstand der Konsultationen und Streitbeilegungen waren beispielsweise die Sonder–Kredite Australiens zugunsten der Autolederindustrie, die Steuerbegünstigung der Exportindustrie in Belgien, Frankreich, Griechenland, Grossbritannien, Irland und den Niederlanden, die Sonderbesteuerung der Vereinigten Staaten von Foreign Sales Corporations (FSC) und die Unterstützung der Auto–Exportindustrie Brasiliens usw.[127]

*Verbotene Subventionen*

856 Art. 3 des Abkommens verbietet alle Subventionen (mit Ausnahme der im Agrarabkommen vorgesehenen Beihilfen), die gänzlich oder tatsächlich von der Ausfuhrleistung abhängig oder an die Bedingung geknüpft sind, inländische statt ausländische Waren zu verwenden. "Tatsächlich" ("in fact") bedeutet, dass die Gewährung einer Subvention an die Ausfuhrleistung gebunden ist, gleichgültig, ob eine entsprechende rechtliche Grundlage besteht oder nicht. Die blosse Tatsache, dass Exportunternehmen Subventionen erhalten, spricht noch nicht für Exportsubventionen im Sinne der Vereinbarung.[128]

857 Anhang I des Abkommens listet die Ausfuhrsubventionen auf. Darunter fallen direkte Subventionen nach Massgabe der Ausfuhrleistungen, Devisenbelastungsverfahren im Sinne einer Einfuhrprämie, Transport– und Frachtgebührenermässigungen für Exportgüter, die Bereitstellung von staatlich verbilligten Vorprodukten und Dienstleistungseinrichtungen für die Export-

---

127 Vgl. *URL* http://www.wto.org./wto/dispute.htm, März 2000. Am 24.2.2000 hat die Appellationsbehörde der WTO den US–Rekurs gegen den Panelentscheid vom 8.10.1999 abgelehnt und damit bestätigt, dass die von den USA zugelassenen FSC gegen geltendes WTO–Recht (gegen Art. 3.1(a) und 3.3 des Subventionsabkommens) verstossen und bis zum 1.10.2000 aufzuheben sind.

128 Vgl. Fussnote 4 zu Art. 3.1(a) des Subventionsabkommens.

produktion, Steuervergünstigungen, Steuernachlässe und Steuerfreibeträge, der Erlass und die Rückerstattung von Einfuhrzöllen, die Gewährung von Exportkreditgarantien, Exportkreditversicherungen und Ausfuhrkrediten sowie "jede andere Belastung der Staatskasse, die eine Ausfuhrsubvention im Sinne des Art. XVI GATT 1994 darstellt".

*Bedingt erlaubte Subventionen*

Nach Art. 5 des Subventionsabkommens soll kein Vertragspartner durch die Gewährung von Subventionen "nachteilige Auswirkungen auf die Interessen anderer Mitglieder verursachen". Als nachteilige Auswirkungen erwähnt das Abkommen die Schädigung eines inländischen Wirtschaftszweigs wegen überhöhter Einfuhren oder eines übermässigen Preisdrucks, die Vernichtung oder Schmälerung von Vorteilen im Sinne des GATT sowie die ernsthafte Schädigung oder Bedrohung der Interessen eines anderen Vertragspartners.[129]

Das wohl heikelste Problem in diesem Zusammenhang ist die Klärung des Begriffs "ernsthafte Schädigung" oder "Drohung einer ernsthaften Schädigung". Wann ist eine Schädigung als "ernsthaft" einzustufen? Art. 6 des Abkommens unterscheidet zwischen einer ernsthaften und einer möglichen Schädigung. Ernsthaft ist die Schädigung nach Art. 6.1, wenn das Total der Subventionen 5 Prozent des Warenwerts übersteigt, wenn die Subvention zur Deckung von wiederkehrenden Betriebsverlusten eines Unternehmens dient (davon ausgenommen sind einmalige Beiträge für langfristige Entwicklungsprojekte und für die Linderung akuter sozialer Probleme) oder wenn die Subventionen einem direkten Erlass von Schulden an die Regierung und Zuschüssen zur Deckung der Schuldenrückzahlung gleichkommen.

Was ist eine "mögliche" Schädigung? Nach Art. 6.3 des Abkommens "kann" eine ernsthafte Schädigung entstehen, wenn

– die Subvention die Einfuhr gleichartiger Produkte eines anderen Anbieters im Markt des subventionierenden Mitgliedstaats verdrängt oder verhindert,

---

[129] Die Anmerkung zu Art. 5(c) des Subventionsabkommens weist ausdrücklich darauf hin, dass eine ernsthafte Schädigung die "Drohung ernsthafter Schädigung" miteinschliesst.

- die Subvention die Ausfuhr gleichartiger Produkte eines anderen Handelspartners nach dem Drittlandmarkt (in den die Produkte des subventionierenden Staats gelangen) verdrängt oder verhindert,

- die Subvention zu einer bedeutenden Preisunterschreitung durch die subventionierte Ware im Vergleich mit dem Preis einer gleichartigen Ware eines anderen Handelspartners auf dem gleichen Markt führt und

- die Subvention zu einem im Vergleich zu den letzten drei Jahren signifikanten Wachstum des Marktanteils führt.

861　Da sich die Gesetzgeber der Schwierigkeit des Beweises einer Marktverdrängung, Marktverhinderung und Preisunterschreitung bewusst waren, hielten sie in den Ziff. 4ff. des Art. 6 des Abkommens einige Grundsätze fest: Eine Verdrängung und Verhinderung von Ein– und Ausfuhren liegt vor, wenn eine Änderung der relativen Marktanteile zum Nachteil nicht–subventionierter gleichartiger Waren eingetreten ist und zwar über einen angemessen repräsentativen Zeitraum von wenigstens einem Jahr. Die "Änderung der relativen Marktanteile" bedeutet vertragsgemäss a) die Erhöhung des Marktanteils der subventionierten Ware, b) ein Stagnieren des Marktanteils der subventionierten Ware unter Umständen, unter denen er beim Fehlen der Subvention zurückgegangen wäre und c) ein langsameres Zurückgehen des Marktanteils der subventionierten Ware, als dies beim Fehlen der Subvention der Fall gewesen wäre.[130] Keine Marktverdrängung oder Marktverhinderung findet statt, wenn zu der betreffenden Zeit im beschwerdeführenden Land ein Ausfuhrverbot oder eine Ausfuhrbeschränkung für gleichartige Waren bestanden hat, wenn das Einfuhrland, das über ein Handelsmonopol verfügt, aus nichtkommerziellen Gründen eine Umleitung der Importgüter in einen anderen Markt veranlasste, bei Naturkatastrophen, Streiks, Transportunterbrechungen oder sonstigen Fällen höherer Gewalt, bei Absprachen mit dem beschwerdeführen-

---

130 Illustrative Beispiele von Marktanteilsberechnungen und –schätzungen finden sich im Streitfall Australien – Frankreich wegen der angeblich subventionierten Getreideexporte nach Indonesien, Malaysia und Ceylon (Sri Lanka). Panelbericht French Assistance to Exports of Wheat and Wheat Flour vom 21.11.1958, in: *GATT* (1959), BISD 7th S, S. 46ff.

den Land, bei freiwilligen Einschränkungen sowie bei Nichtübereinstimmung mit den Normen und anderen Rechtsvorschriften des einführenden Landes.

Was versteht das Übereinkommen unter "Preisunterschreitung". Im Sinne des Abkommenstexts erfolgt die Feststellung einer Preisunterschreitung aufgrund eines Preisvergleichs zwischen einer subventionierten und einer nicht subventionierten gleichartigen Ware auf dem gleichen Markt zum gleichen Zeitpunkt.[131] Dabei ist nach Art. 6.5 des Abkommens "den Preisvergleich beeinflussenden Faktoren in angemessener Weise Rechnung zu tragen". Bestehen keine Möglichkeiten eines direkten Preisvergleichs, kann von "Einheitswerten der Ausfuhren" ausgegangen werden.

862

*Erlaubte Subventionen*

Zwei Arten von Subventionen sind zugelassen. Wie bereits erwähnt, werden jene Subventionen erlaubt, die nicht spezifisch sind, sich also nicht auf ein Unternehmen oder auf einen Wirtschaftszweig oder auf eine Gruppe von Unternehmen oder auf Wirtschaftszweige einer bestimmten Region innerhalb der Zuständigkeit der Bewilligungsbehörden beziehen. Ebenfalls gestattet sind Subventionen, die zwar spezifisch sind, aber gewisse Bedingungen erfüllen. Diese Bedingungen werden in Art. 8.2 des Abkommens aufgezählt und reichen von sehr allgemeinen bis zu äusserst detaillierten Abgrenzungen, wie die folgenden Beispiele belegen:

863

- Beihilfen für Forschungstätigkeiten, die von den Unternehmen oder höheren Bildungs- und Forschungszentren auf Vertragsbasis mit Unternehmen durchgeführt werden und nicht mehr als 75 Prozent der Kosten für industrielle Forschung oder 50 Prozent der Kosten für "Entwicklungstätigkeit vor dem Wettbewerb" betragen und sich nicht ausschliesslich auf die

---

131 Vgl. die Beispiele solcher Preisvergleiche in den Panelberichten Income Tax Practices Maintained by France, Belgium and Netherlands vom 12.11.1976, veröffentlicht in: *GATT* (1977), BISD 23rd S, S. 114ff., 127ff. und 137ff.

Personalkosten, die Kosten für Instrumente, Ausrüstung, Fachberatung usw. beziehen.[132]

– Beihilfen für benachteiligte Regionen im Gebiet eines Vertragspartners. Es wird vorausgesetzt, dass das Gebiet klar umschrieben ist und effektiv unter wirtschaftlichen Schwierigkeiten (mit unterdurchschnittlichem Einkommensniveau und überdurchschnittlich hoher Arbeitslosigkeit) leidet.

– Beihilfen zur Förderung der Anpassung bestehender Einrichtungen an neue Umweltschutzvorschriften, vorausgesetzt, es handelt sich um einmalige, nicht wiederkehrende Massnahmen, die 20 Prozent der Anpassungskosten nicht überschreiten.

864   Die Subventionen, die sich auf Art. 8 des Abkommens beziehen, sind vor ihrer Gewährung von der sie verfügenden Regierung dem Komitee zu melden. Die Notifizierung hat alle jene Angaben zu enthalten, die den übrigen Vertragspartnerstaaten die Überprüfung des Programms auf seine Abkommenskonformität hin erlauben.

865   Übersicht 23 auf Seite 397 vermittelt einen Überblick über die verschiedenen Arten von Subventionen nach WTO-Recht.

*Vorgehen bei vermuteten Vertragsverletzungen*

866   Die Art. 4, 7 und 9 des Subventionsabkommens enthalten die Bestimmungen für den Fall, dass ein Grund zur Annahme besteht, ein Land gewähre zu Unrecht Subventionen oder die Subventionen führten zu schwer zu beseitigenden Schädigungen. Liegt eine derartige Situation vor, hat der davon betroffene Vertragspartner das Recht, das Subventionen gewährende Land um Konsultationen zu ersuchen. Das Ersuchen um Konsultationen hat eine Zusammenfassung und Darstellung der verfügbaren Beweise für das Bestehen und die Art

---

132  In den Anmerkungen zu Art. 8.2(a) des Subventionsabkommens finden sich zusätzliche Bestimmungen über die Nichtanwendung dieser Vorschriften auf die Zivilluftfahrzeugindustrie, die Überprüfung der Bestimmungen durch das Komitee für Subventionen und Ausgleichsmassnahmen, die Ausnahme der Grundlagenforschung und die Definition des Ausdrucks "Entwicklungstätigkeit vor dem Wettbewerb" (Schaffung von Prototypen und Ausführung von Pilotprojekten).

## Übersicht 23: Die Gliederungen der Subventionen in der WTO

*Allgemeiner Begriff der Subventionen*

- Finanzieller Beitrag einer Regierung oder einer öffentlich rechtlicher Körperschaft sowie
- jede Form der Einkommens- oder Preisstützung,

die direkt oder indirekt den Export von Gütern und Dienstleistungen steigert oder die Einfuhr von Gütern und Dienstleistungen reduziert. Für den Agrarhandel gelten die Bestimmungen des Agrarabkommens.

| *Spezifische Subventionen* | | *Nicht spezifische Subvention* |
|---|---|---|
| Die Subvention bezieht sich auf ein Unternehmen, einen Wirtschaftszweig oder eine Gruppe von Unternehmen oder Wirtschaftszweigen einer bestimmten Region im Zuständigkeitsbereich der Bewilligungsbehörde. | | Die Subvention ist „neutral" und bevorzugt keine bestimmte Unternehmung oder bestimmte Gruppe von Unternehmungen. |

| *Verbotene Subventionen* | *Anfechtbare bzw. bedingt erlaubte Subventionen* | *Erlaubte Subventionen* |
|---|---|---|
| • Wenn von Ausfuhrleistung abhängig (Begünstigung des Exports)<br>• Wenn vom Inlandverbrauch abhängig (Begünstigung der Inlandproduktion) | Wenn keine nachteiligen Auswirkungen auf die Interessen anderer Mitglieder und keine ernsthafte Schädigung der Wirtschaftszweige anderer Mitglieder | • Spezifische Subventionen für Forschung und Entwicklung sowie regional- und umweltschutzbedingte Beiträge<br>• Nichtspezifische Subventionen, d.h. neutrale Beiträge |

der fraglichen Subventionen zu enthalten. Die Konsultationen haben zum Ziel, auf bilateraler Basis eine einvernehmliche Lösung zu finden. Kommt es zwischen den Streitparteien innerhalb einer bestimmten Frist (die Verfahrensfristen, die im gegenseitigen Einvernehmen verlängert werden können, finden sich in der nachfolgenden Übersicht) zu keinem Einvernehmen, besteht für verbotene und bedingt erlaubte Subventionen die Möglichkeit, die Angelegenheit dem WTO–Streitschlichtungsorgan (DSB) vorzulegen. Für vermutlich erlaubte Subventionen ist das Komitee zuständig. Das Streitschlichtungsorgan muss ein "Panel" mit der Erarbeitung eines Berichts betrauen. Stehen die verbotenen Subventionen zur Diskussion, "kann" der Unterausschuss auf die Ständige Sachverständigengruppe (Permanent Group of Experts, PGE) zurückgreifen, jedoch mit der Auflage, die Schlussfolgerung der Sachverständigengruppe als verbindlich zu akzeptieren. Der Schlussbericht des Unterausschusses geht an das Streitschlichtungsorgan zur Genehmigung. Gegen diesen Entscheid kann Berufung eingelegt werden. Bei Ablehnung des Rekurses wird das Subventionen gewährende Land aufgefordert, seine Subventionspraxis entsprechend zu ändern. Falls das Subventionen gewährende Land dem Beschluss des DSB nicht nachkommt, ermächtigt das Streitschlichtungsorgan das antragstellende Land zu Gegenmassnahmen. Das Gleiche gilt im Bereich der erlaubten Subventionen für die Nichtannahme des Schlussberichts des Komitees (d.h. für den Fall eines Komitee–Beschlusses, dass die Subventionen entgegen der vorgängigen Vermutung doch nicht erlaubt sind). Die Einzelheiten der unterschiedlichen Vorgehensweisen je nach Art der Subvention sind in Übersicht 24 auf Seite 399 zusammengestellt.

867    Die Art. 10ff. des Subventionsabkommens weisen auf Art. VI GATT hin, beschreiben die Einleitung des Verfahrens und die anschliessende Prüfung, definieren die Beweismittel und erforderlichen Auskünfte, enthalten die Verfahrensregeln bei Konsultationen, legen die Richtlinien für die Berechnung der Höhe der Subventionen im Sinne des Vorteils für den Empfänger und für die Feststellung der Schädigung fest und grenzen den Begriff "inländischer Wirtschaftszweig" ab. Im weiteren unterscheidet das Abkommen zwischen vorläufigen Massnahmen und definitiven Ausgleichszöllen. Vorläufige Massnahmen dürfen nur getroffen werden, wenn eine Untersuchung tatsächlich eingeleitet wurde, eine öffentliche Bekanntmachung darüber erfolgte und die

## Übersicht 24: Das Vorgehen bei vermuteten Vertragsverletzungen im Subventionsbereich

| Verbotene Subventionen (Art. 4) | Bedingte erlaubte Subventionen (Art. 7) | Erlaubte Subventionen (Art. 9) |
|---|---|---|
| | Besteht ein Grund zur Annahme, dass eine Subvention – gleichgültig ob verboten, bedingt erlaubt oder erlaubt – zu Unrecht gewährt wird oder nur schwer zu beseitigende Schäden verursacht, kann ein davon betroffenes Land das Subventionen gewährende Land um Konsultationen ersuchen. | |
| Falls in 30 Tagen keine einvernehmliche Lösung, Weiterzug an DSB | Falls in 60 Tagen keine einvernehmliche Lösung, Weiterzug an DSB | Falls in 60 Tagen keine einvernehmliche Lösung, Weiterzug ans Komitee |
| Einsetzung eines Unterausschusses durch DSB | | Schlussbericht des Komitees in 120 Tagen (Abklärung der Frage ob Subvention effektiv erlaubt oder nicht). |
| Miteinbezug der PGE möglich (Schlussfolgerung der PGE verbindlich) | | |
| Schlussbericht des Unterausschusses in 90 Tagen | Schlussbericht des Unterausschusses in 120 Tagen | |
| Annahme des Schlussberichts des Unterausschusses durch DSB innerhalb von 30 Tagen, ausser bei einstimmiger Ablehnung oder Berufung | | |
| Recht auf Berufung innerhalb von 60 Tagen nach Verteilung des Berichts | | |
| Rekursentscheid in 30 – 60 Tagen | Rekursentscheid in 60 – 90 Tagen | |
| Entscheid des DSB über Rekursentscheid in 20 Tagen | | |
| Bei Nichtbefolgung des Entscheides, Ermächtigung zu Gegenmassnahmen nach vorgegebener Frist | nach 6 Monaten | nach 6 Monaten |

interessierten Parteien ausreichend Gelegenheit hatten, Auskünfte oder Stellungnahmen abzugeben. Eine vorläufige Massnahme darf frühestens 60 Tage nach Einleitung der Untersuchung für maximal vier Monate verhängt werden.

868   Die Behörde des von der Subvention benachteiligten Landes trifft den Entscheid eines definitiven Ausgleichszolls. Dabei hat dieses Land darauf zu achten, dass alle Subventionen gewährenden Handelspartner nach dem Meistbegünstigungsprinzip gleich behandelt werden. Der Ausgleichszoll darf – analog zu den Antidumpingabgaben – nicht höher als die gewährte Subvention sein. Der Ausgleichszoll wird nach Art. 21 des Abkommens nur solange und nur in dem Umfang erhoben, "wie dies notwendig ist, um die schädigende Subventionierung unwirksam zu machen". Ein verfügter Ausgleichszoll ist spätestens fünf Jahre nach seiner Einführung wieder aufzuheben, es sei denn, die für den Ausgleichszoll verantwortliche Behörde stelle vor Ablauf der Schutzmassnahmen erneut fest, die Aufhebung des Ausgleichszolls hätte eine Fortdauer oder Wiederkehr der Subventionswirkung und Schädigung der Wirtschaft zur Folge.

*Position der Entwicklungsländer*

869   Die Sonderbehandlung der wirtschaftlich schwächeren Staaten bezieht sich nach Art. 27 des Subventionsabkommens auf drei Punkte:

870   Art. 27.2 des Abkommens nimmt einzelne Entwicklungsländer von den Subventionsvorschriften gänzlich aus. Dazu gehören nach Anhang VII des Abkommens die von der UNO als "wenigsten entwickelt" bezeichneten Länder und alle jene Staaten, deren Sozialprodukt unter 1000 US$ pro Kopf und Jahr liegt. Namentlich erwähnt werden in diesem Zusammenhang viele afrikanische Staaten sowie Bolivien und Nicaragua.

871   Eine weitere Sonderbehandlung erhalten die Nicht–Industriestaaten nach Art. 27.3ff. des Abkommens in Form langer Übergangsfristen. Für die Entwicklungsländer tritt das Subventionsabkommen von 1995 erst in fünf bis acht Jahren nach 1995 in Kraft, und zwar in fünf Jahren für die Subventionen, die an den Inlandverbrauch der Waren gebunden sind, und in acht Jahren für die übrigen Subventionen. In begründeten Fällen ist in Absprache mit dem Komitee eine Verlängerung der Fristen möglich. Während der Übergangsfristen

dürfen die Subventionen nicht erhöht werden, sondern sind, wenn immer möglich, abzubauen. Erreicht ein Entwicklungsland bei einer bestimmten Ware die "Wettbewerbsfähigkeit", verlangt das Abkommen für die im Anhang erwähnten Länder einen Abbau der Subventionen in acht Jahren, für die übrigen Länder in zwei Jahren. "Ausfuhrwettbewerbsfähigkeit" liegt gemäss Abkommen vor, wenn der Ausfuhranteil der betreffenden Handelsware in zwei aufeinander folgenden Jahren einen Welthandelsanteil von wenigstens 3.25 Prozent erreicht.

Eine Sonderstellung nehmen die wirtschaftlich schwächeren Staaten schliesslich auch bei der Anwendung der Abhilfemassnahmen ein. Gegen die bedingt erlaubten Subventionen dieser Länder dürfen die davon betroffenen Staaten keine Abhilfemassnahmen ergreifen. Art. 27.8 des Abkommens geht dabei von der Vermutung aus, dass die von den Entwicklungsländern gewährten Subventionen keine ernsthafte Schädigung im Sinne des Abkommens verursachen. Diese Zurückhaltung wird nach Art. 27.9 des Abkommens aufgehoben, wenn die Subventionen Zollzugeständnisse oder andere Verpflichtungen aus dem GATT in einer Weise zunichte machen oder schmälern, "dass die Einfuhren von gleichartigen Waren eines anderen Mitglieds in den Markt des subventionierenden Entwicklungsland–Mitglieds verdrängt oder behindert werden, oder, dass eine Schädigung eines inländischen Wirtschaftszweigs auf dem Markt eines einführenden Mitglieds vorliegt". Schliesslich ist jede Untersuchung über einen Ausgleichszoll für eine Ware mit Ursprung in einem Nicht–Industriestaat einzustellen, wenn die Subventionen 2 Prozent des Warenwerts nicht übersteigen und die Menge der subventionierten Einfuhren unter 4 Prozent der gesamten Einfuhr gleicher Waren liegt, es sei denn, die Summe der Einfuhren aus Ländern mit einem Anteil von weniger als 4 Prozent übersteige insgesamt den Anteil von 9 Prozent. 872

*Institutionen*

Die Verwaltung der WTO–Subventionsordnung obliegt dem Subventionskomitee und der Ständigen Sachverständigengruppe (Permanent Group of Experts, PGE). Das Komitee setzt sich aus den Vertretern aller Mitgliedstaaten der WTO zusammen und die Ständige Sachverständigengruppe aus "fünf unabhängigen Personen mit hohem Ausbildungsstand". Das Komitee tritt 873 jährlich mindestens zweimal zusammen, die Ständige Sachverständigengruppe je nach Bedarf. Die Hauptaufgabe des Komitees ist die Beratung der Mitglieder bei der Gewährung von Subventionen und beim Ergreifen von Ausgleichsabgaben. Eine Sonderaufgabe erfüllt das Komitee in Streitfällen bei erlaubten Subventionen. Können sich die Streitparteien nicht einigen, hat das Komitee innerhalb von 120 Tagen einen Streitschlichtungsbericht zu verfassen und, falls sich die Parteien auch aufgrund dieses Berichts nicht zusammenfinden, nach sechs Monaten über die Ermächtigung zu Sondermassnahmen zu befinden. Die Verfahrensordnung der Sitzungen des Komitees geht auf den 16. September 1996 zurück und ist auf die Ordnung des Allgemeinen Rats abgestützt.[133] Die Ständige Sachverständigengruppe steht in Streitschlichtungsverfahren über verbotene und bedingt erlaubte Subventionen dem durch das DSB eingesetzten Unterausschuss zur Verfügung. Seine Entscheide und Vorschläge sind für den Unterausschuss verbindlich.

### 3.5.3 Die Notwendigkeit weiterer Verhandlungen

874    Mit den Subventionsbestimmungen stellt die WTO den einzelnen Vertragsparteien ein Instrument zur Einflussnahme auf die Wirtschaftspolitik ihrer Handelspartner zur Verfügung. Dabei steht jede Regierung, wie zu Beginn dieses Kapitels erwähnt, vor der Interessenabwägung zwischen nationaler Wirtschaftsförderung und internationalem Freihandel. Dieser Konflikt wird durch die multinationalen Subventionsregeln, wie auch immer sie geändert werden, nicht beigelegt. Zur Diskussion stehen heute Fragen des sachlichen Geltungsbereichs und der Klageberechtigung.

875    Die gegenwärtig geltende Subventionsordnung bezieht sich auf den Güterhandel. Der grenzüberschreitende Dienstleistungshandel, obwohl seit der Uruguay-Runde Gegenstand eines selbständigen WTO-Vertrags, wird durch die Art. VI und XVI GATT und das Subventionsabkommen nicht abgedeckt. Die Wahl dieser Konstruktion nach dem Zweiten Weltkrieg, als der Dienstleistungshandel knapp 10 Prozent des Güterhandels ausmachte, ist ver-

---

133 Der Text der Verfahrensordnung ist veröffentlicht in: *Hummer/Weiss*, S. 743f. (englische Fassung).

ständlich. Dass aber heute bei einem Anteil von bald 25 Prozent die Dienstleistungen nach wie vor nicht berücksichtigt werden, ist eher erstaunlich. Dieser Sachverhalt wird von ehemaligen Verhandlungsdelegierten damit erklärt, dass ein Einbezug der Dienstleistungen in die Subventionsordnung vor der Finalisierung des Dienstleistungsabkommens nicht möglich gewesen wäre. In der nächsten Handelsrunde werde es unumgänglich sein, die grenzüberschreitenden Dienstleistungen der Subventionsordnung zu unterstellen.

876 Die gleiche Frage stellt sich bei den Investitionsmassnahmen. Aufgrund des Art. 1 des Abkommens über handelsbezogene Investitionsmassnahmen (TRIMS) kann die Meinung vertreten werden, nur jene Investitionen würden von der Subventionsordnung tangiert, die sich auf den Handel mit Gütern beziehen. Wie aber steht es mit Investitionsmassnahmen im Bereich der Dienstleistungen? Auch diese Frage wird in den kommenden Verhandlungen diskutiert werden müssen.[134]

877 Die Subventionsbestimmungen in Art. VI und XVI GATT und das Subventionsabkommen beschränken sich im Bereich des Güterhandels auf die gewerblichen und industriellen Erzeugnisse. In Bezug auf Agrarsubventionen verweisen die Vertragstexte auf das Landwirtschaftsabkommen. Es wird ein Handelsbereich von der allgemeinen Subventionsordnung ausgeklammert, der von besonderer Bedeutung ist. Im Agrarbereich sind weiterhin interne Stützungen (produktspezifische Preis– und Absatzstützung, Preiszuschläge, Preisvorschriften, Preisgarantien usw.) und direkte Exportsubventionen erlaubt. Sie spielen für viele Länder und viele Produkte eine wichtige Rolle.[135] Sollte es gelingen, in einer nächsten Runde den Agrarhandel stärker in die allgemeine Welthandelsordnung zu integrieren, wird es unumgänglich sein, die heutigen Subventionsbestimmungen des GATT und des Subventionsabkommens auf den Agrarhandel auszuweiten und die heute geltenden Subventions–Ausnahmebestimmungen im Landwirtschaftsabkommen aufzuheben.

878 Private Wirtschaftskreise kritisieren an der heutigen Subventionsordnung, dass sie nicht zur Einreichung einer Klage berechtigt sind. Konsultationen zu

---

134 Vgl. zu diesem Problem *Zampetti, Americo B.* (1995), The Uruguay Round Agreement on Subsidies, in: Journal of World Trade, Vol. 29, Nr. 6, S. 26.
135 Vgl. Rz 1029ff.

fordern und Klagen einzureichen, ist allein den Regierungen der WTO–
Mitglieder vorbehalten. Die privaten Firmen, deren Existenz von der jeweiligen Wettbewerbssituation abhängt, sind zu solchen Aktionen nicht legitimiert. Ob und in welcher Form diese Frage in einer künftigen Verhandlung angegangen wird, ist heute schwierig zu beurteilen.[136]

879  Zusammenfassend hat die GATT– beziehungsweise WTO–Subventionsordnung während der Uruguay–Runde zwar wichtige Neuerungen erfahren, doch hat sie ohne Zweifel noch nicht ihre endgültige und alle Bereiche des internationalen Handels umfassende Form erreicht.[137]

## 3.6 Der Staatshandel

880  Die nach dem Zweiten Weltkrieg entworfene Welthandelsordnung gründete auf der Überzeugung, ein möglichst freier und vom Staat unbehelligter grenzüberschreitender Handel hebe den Lebensstandard und verbessere die Beschäftigungslage. Staatliche Eingriffe seien allein aus Gründen der Gesundheit, Sicherheit und Sittlichkeit gerechtfertigt. Vor diesem Hintergrund verlangten die USA, auch den Staatshandel zu liberalisieren und die Staatshandelsunternehmen den privaten Unternehmen gleichzusetzen. Im Staatshandel seien analog zur Privatwirtschaft die Prinzipien der Meistbegünstigung und der Inlandgleichbehandlung einzuhalten und der Protektionismus auf die Erhebung eines Zolls zu beschränken.

---

136 Vgl. *Zampetti, Americo B.* (1995), The Uruguay Round Agreement on Subsidies, in: Journal of World Trade, Vol. 29, Nr. 6, S. 27.

137 Zur Diskussion über die aktuellen Probleme der internationalen Subventionsregelung vgl. *Bourgeois, Jacques H. J.*, Hrsg. (1991), Subsidies and international trade, Deventer u.a.; *Collins–Williams/Salembier* (1996), International Disciplines on Subsidies – The GATT, the WTO and the Future Agenda, in: Journal of World Trade, Vol. 30, Nr. 1, S. 5ff.; *Cunnare/Stanbrook*, Hrsg. (1996), Dumping and Subsidies: The law and procedures governing the imposition of anti–dumping and countervailing duties in the EC, 3. A., London u.a.; *Götz, Volkmar* (1998), Subventionsrecht, in: *Dauses, Manfred A.*, Hrsg., Handbuch des EG–Wirtschaftsrechts, München, H III; *Senti, Richard* (1991), Improving GATT Disciplines Relating to Subsidies, in: *Oppermann/Molsberger*, Hrsg., A New GATT for the Nineties and Europe '92, Baden–Baden; *Zampetti, Americo B.* (1995), The Uruguay Round Agreement on Subsidies, in: Journal of World Trade, Vol. 29, Nr. 6, S. 5ff.

881 Wie den Dokumenten der Londoner Konferenz 1946 zu entnehmen ist, wurden die US-Vorschläge als Richtlinien verstanden, die bei der Behandlung konkreter Probleme hätten ergänzt und differenziert werden müssen. Anfänglich stimmten die übrigen Vertragspartnerstaaten diesem Ansatz zu. In der Folge aber forderten die europäischen Länder, in denen der Staatshandel in der Nachkriegszeit grosse Bedeutung hatte, das Recht zu weiterreichenden Staatseingriffen. Zudem dürfe der Staatshandel nicht engeren Beschränkungen unterworfen werden als der private Handel – eine Absicht, die den US-Vorschlägen unterstellt wurde.[138] In Rücksichtnahme auf diese Reaktionen legten die USA im Jahr 1946 eine revidierte Fassung vor,[139] die später mit nur geringfügigen Abweichungen in die Havanna–Charta[140] und ins GATT[141] integriert wurde.

### 3.6.1 Die Unterscheidung zwischen kommerziellem Staatshandel und öffentlicher Beschaffung

882 Der Staatshandel oder der staatliche Handel steht für den Import und Export von Gütern und Dienstleistungen im Namen und auf Rechnung einer Regierungsstelle oder einer mit staatlichen Privilegien und Kompetenzen ausgestatteten privaten Firma. Dabei wird zwischen dem kommerziellen Staatshandel und dem öffentlichen Beschaffungswesen unterschieden. Der kommerzielle Staatshandel bezieht sich auf den Kauf und Verkauf von Gütern und Dienstleistungen, die zum Wiederverkauf oder zur Erzeugung und Bereitstellung von zum Verkauf vorgesehenen Gütern und Dienstleistungen dienen.

---

138 *US Department of State* (1945), Proposals for Expansion of World Trade and Employment, Publication 2411, November, Washington, DC, Chapter III, Sec. E.; Übersicht über den Verlauf der Londoner Konferenz vgl. *Jackson, John H.* (1969), World Trade and the Law of GATT, Indianapolis u.a., S. 334ff.

139 *US Department of State* (1946), Suggested Charter for an International Trade Organization of the United Nations, Publication 2589, September, Washington, DC, Art. 26 bis 28.

140 Havanna–Charta, Art. 29–32.

141 Der Miteinbezug des Staatshandels in die GATT–Ordnung hat in der Literatur grosse Beachtung gefunden. Vgl. *Jackson, John H.* (1969), World Trade and the Law of GATT, Indianapolis u.a., S. 333ff. (mit entsprechenden Literaturhinweisen).

Vierter Teil

Die öffentliche Beschaffung betrifft dagegen den Kauf und Verkauf von Gütern und Dienstleistungen zum staatlichen Eigengebrauch und -verbrauch.

883    Der kommerzielle Staatshandel ist in Art. XVII und II GATT und in den Anmerkungen und ergänzenden Bestimmungen zu Art. XVII und II GATT geregelt, erweitert durch die am 15. April 1994 unterzeichnete Vereinbarung über die Auslegung des Art. XVII des GATT (Understanding on the Interpretation of Article XVII of the GATT).[142] Art. XVII GATT enthält den Grundsatz der Nichtdiskriminierung sowie die Vorschriften der Notifizierungs- und Informationspflicht. Die Ziffern 1 und 2 des Art. XVII GATT stammen aus der Zeit der GATT-Gründung. Die Ziffern 3 und 4 gehen auf die Revision des GATT von 1955 zurück. In Ergänzung zu Art. XVII GATT regelt Art. II:4 GATT das Einfuhrmonopol im Zusammenhang mit den von den Vertragspartnern eingegangenen Listenverpflichtungen. Die Anmerkungen und ergänzenden Bestimmungen zu Art. XVII und II GATT handeln von der Preisdifferenzierung beim Wiederverkauf durch den Staat, von den "ausschliesslichen und besonderen Vorrechten", von der "kommerziellen Erwägung", vom Begriff "Ware", vom Bezug zur Havanna-Charta, usw. In den Anmerkungen und ergänzenden Bestimmungen des GATT zu den Artikeln XI, XII, XIII, XIV und XVIII GATT werden die Begriffe "Einfuhrbeschränkungen" und "Ausfuhrbeschränkungen" auf die Tätigkeit des Staats angewendet.

884    Das öffentliche Beschaffungswesen ist Gegenstand eines plurilateralen Abkommens und wird in Teil 8 der vorliegenden Veröffentlichung behandelt.[143] Die folgenden Ausführungen beziehen sich ausschliesslich auf den Staatshandel, das heisst die allgemeine Staatshandelsordnung (Art. XVII GATT) und das Staatsmonopol (Art. II GATT).

## 3.6.2  Die Bestimmungen des Art. XVII GATT

885    Art. XVII GATT klärt die Frage, welche Güter und Dienstleistungen unter den kommerziellen Staatshandel fallen, was unter einem staatlichen Unterneh-

---

142  Der Vereinbarungstext ist veröffentlicht in: *Hummer/Weiss*, S. 746ff. (deutsche Fassung); *WTO*, The Legal Texts, S. 25f. (englische Fassung).
143  Vgl. Rz 1435ff.

men zu verstehen ist, und welche Verpflichtungen für den kommerziellen Staatshandel gelten.

*Erfassung von Waren und Dienstleistungen*

Gemäss Anmerkungen und ergänzenden Bestimmungen zu Art. XVII:2 GATT gelten die GATT–Bestimmungen ausschliesslich für Waren im handelsüblichen Sinne, nicht aber für die entgeltliche Inanspruchnahme oder Leistung von Diensten. Mit dem Inkrafttreten des Allgemeinen Dienstleistungsabkommens (GATS) ist diese Beschränkung dahingefallen. Art. XIII:1 GATS hält fest, dass nur jene Dienstleistungen, "die für staatliche Zwecke unter Vertrag genommen werden und nicht für die kommerzielle Weiterverwendung oder für eine kommerzielle Nutzung bestimmt sind", von der Meistbegünstigungspflicht des Art. II GATS ausgenommen sind. Daraus folgt, dass der kommerzielle Staatshandel mit Dienstleistungen den gleichen Bestimmungen und Bedingungen unterliegt wie der kommerzielle Staatshandel mit Waren. 886

Die GATT– und GATS–Vorschriften definieren freilich den Staatshandel nicht eindeutig. Wie weit die Interpretationsmöglichkeiten des Staatshandels auseinandergehen, zeigen die bisherigen GATT–Notifizierungen. So hat beispielsweise die seinerzeitige tschechoslowakische Regierung ihren gesamten Aussenhandel zum Staatshandel erklärt. Polen und Ungarn betrieben dagegen nach eigener Auffassung keinen Staatshandel. Kanada meldete seinerseits seine Crown Corporations (z.B. Weizenboards) als Staatshandelsorgane an, obwohl gerade diese Staatsbetriebe über grössere Handelsfreiheiten verfügten, als viele private Firmen anderer Staaten.[144] Dies erklärt auch, warum ein Versuch zu einer quantitativen Erfassung des Staatshandels kaum sinnvoll ist. In vielen Ländern werden die Produkte Futter– und Brotgetreide, Fleisch und Fleischwaren, Milch und Milcherzeugnisse, Mineralöl und Gas sowie deren Derivate staatlich gehandelt. Einzelne Staaten nehmen sich auch des Handels mit Gütern an, die für sie aus fiskalischen oder sicherheitspolitischen Gründen von Interesse oder wichtig sind, wie beispielsweise Alkoholika, Tabak, Salz, Zucker, Metalle, Chemikalien und Waffen. 887

---

144 Vgl. *Hoekman/Kostecki* (1995), The Political Economy of the World Trading System, Oxford, S. 109.

Vierter Teil

*Begriff des staatlichen Unternehmens*

888  Art. XVII GATT und Art. I des Abkommens über das öffentliche Beschaffungswesen sprechen ganz allgemein von "Vertragsparteien" und "staatlichen Stellen". Eine genauere Umschreibung findet sich in den Anhängen dieser Übereinkunft, in denen zwischen zentralen, regionalen und lokalen Staatsorganen ("entities") und einzelnen Behörden ("agencies") die Rede ist.

889  Art. XVII GATT bezieht sich auf Vertragsparteien, die ein "staatliches Unternehmen" errichten oder betreiben oder "einem Unternehmen rechtlich oder tatsächlich ausschliessliche oder besondere Vorrechte" gewähren. Als staatliche Unternehmen im Sinne des Art. XVII GATT gelten nach Ziff. 1 der Vereinbarung über die Auslegung des Art. XVII GATT

> "staatliche und nichtstaatliche Unternehmen, einschliesslich Vermarktungsstellen, denen ausschliessliche oder besondere Vorrechte gewährt worden sind, einschliesslich gesetzliche oder verfassungsmässige Befugnisse, bei deren Handhabung sie durch ihre Käufe oder Verkäufe das Ausmass oder die Richtung der Einfuhren oder Ausfuhren beeinflussen".

890  Staatliche "Marketing Boards", die nicht direkt im Handel tätig sind und sich ausschliesslich auf Marketingtätigkeiten beschränken, fallen nicht unter die Bestimmungen des Art. XVII GATT.[145] Den staatlichen Handelsunternehmen gleichgestellt sind private Unternehmen, die im Genuss staatlicher Vorrechte, Privilegien und Monopole sind, wie zum Beispiel ein privater Zusammenschluss von Viehproduzenten (Livestock Products Marketing Organization), dem das Exklusivrecht zusteht, Vieh zu importieren.[146]

---

145 Vgl. GATT-Bericht über die Notifizierung der staatlichen Handelsbetriebe vom 13.5.1959, in: *GATT* (1960), BISD, 8th S, S. 142ff., Ziff. 16.
146 Das "Panel" hat die südkoreanische Marketingorganisation einem staatlichen Handelsunternehmen gleichgestellt, weil ihr vom Staat das Exklusivrecht für Fleischimporte zugesprochen war. Der Hinweis Südkoreas, die Marketingorganisation administriere lediglich die Importquoten, ohne sie selber festlegen zu dürfen, stimmte das "Panel" in seiner Empfehlung nicht um. Vgl. Panelbericht Republic of Korea – Restrictions on Imports of Beef Complaint by the US vom 7.11.1989, in: *GATT* (1990), BISD 36th S, S. 268ff., Ziff. 114ff.

*Prinzip der Meistbegünstigung*

Art. XVII:1(a) GATT verpflichtet die Vertragspartner sicherzustellen, dass ein staatliches Unternehmen "bei seinen Käufen oder Verkäufen, die Einfuhren oder Ausfuhren zur Folge haben, die allgemeinen Grundsätze der Nicht-Diskriminierung beachtet, die nach diesem Abkommen für staatliche Massnahmen in Bezug auf die Ein- oder Ausfuhr durch Privatunternehmen vorgeschrieben sind". 891

Mit dem gleichen Ziel verlangen Art. II und Art. XIII GATS, kommerziellen Dienstleistungen oder ihren Erbringern aus anderen Mitgliedstaaten unverzüglich und bedingungslos eine Behandlung zu gewähren, die nicht weniger günstig ist als die, welche den gleichen Dienstleistungen oder Dienstleistungserbringern eines anderen Landes eingeräumt wird.[147] 892

Was die Meistbegünstigung im Zusammenhang mit den öffentlichen Unternehmen konkret besagt, verdeutlicht Art. XVII:1(b) GATT: Käufe und Verkäufe haben ausschliesslich auf kommerziellen Erwägungen wie Preis, Qualität, verfügbare Menge, Marktgängigkeit, Beförderungsverhältnisse usw. zu basieren. Zudem ist allen Vertragsparteien "eine ausreichende Möglichkeit zur Beteiligung an diesen Käufen und Verkäufen unter Bedingungen des freien Wettbewerbs und auf der Grundlage der üblichen Geschäftspraxis zu geben". 893

Die Anmerkungen und ergänzenden Bestimmungen zu Art. XVII:1 und 1(b) GATT enthalten zwei Ausnahmen vom Meistbegüstigungsprinzip, nämlich die Erlaubnis zur Preisdifferenzierung im Export und die Ermächtigung zur Bevorzugung von Ländern mit zweckgebundenen Krediten.[148] 894

Die staatlichen Stellen sind erstens gemäss Anmerkungen und ergänzenden Bestimmungen zu Art. XVII:1 GATT nicht an die Meistbegünstigungspflicht gebunden, wenn sie im Exporthandel aus kommerziellen Erwägungen eine Preisdifferenzierung vornehmen. *Kenneth W. Dam* betrachtet diese GATT-Bestimmung als asymmetrisch. Das ausdrückliche Ausklammern des Export- 895

---

147 Vgl. Rz 1225ff.
148 Art. XVII:2 GATT bezieht sich auf die öffentliche Beschaffung und wird im Zusammenhang mit dem Abkommen über das öffentliche Beschaffungswesen besprochen. Vgl. Rz 1435ff.

handels von der Meistbegünstigung bedeute eine Unterstellung des Importhandels unter die Meistbegünstigung. Es sei nicht einzusehen, warum das Exportmonopol anderen Bestimmungen unterworfen werde als das Importmonopson. In beiden Fällen handle es sich um eine Ausübung von staatlicher Marktmacht.[149] In diesem Zusammenhang ist darauf hinzuweisen, dass im Staatshandel die Einhaltung des Prinzips der Meistbegünstigung zur Gewährung eines möglichst freien Wettbewerbs zwar notwendig, aber nicht ausreichend ist. Die Gleichbehandlung der Importeure und Exporteure schützt nicht vor einer missbräuchlichen Ausübung der monopolistischen oder monopsonistischen Marktmacht. Die Import– und Exportpreise können für alle Handelspartner zu hoch oder zu niedrig angesetzt sein, um eine Monopol– beziehungsweise eine Monopsonrente zu realisieren. Das GATT verlangt deshalb neben dem Erfordernis der Nichtdiskriminierung, dass "ausschliesslich aufgrund kommerzieller Erwägungen" und unter Wahrung eines freien Wettbewerbs gehandelt wird. Die Gleichbehandlung der staatlichen Unternehmen mit den privaten setzt somit die Möglichkeit der Preisdifferenzierung sowohl im Einkauf wie im Verkauf, beim Import wie beim Export, voraus. Die Preise sind aber – und das ist das wesentliche – nach kommerziellen Erwägungen festzulegen. Beim Import ist die Preisdifferenzierung durch die auf dem Weltmarkt gängigen unterschiedlichen Offerten vorgegeben, so dass sich eine diesbezügliche separate GATT–Regelung erübrigt. Beim Export dagegen wird der Preis vom anbietenden Staat bestimmt. Analog zum Importeur soll sich auch der Exporteur den unterschiedlichen Marktgegebenheiten anpassen können. Die GATT–Zusatzbestimmung über die Möglichkeit der Preisdifferenzierung ist daher nicht eine Ausnahme von der allgemeinen Regelung des GATT,[150] sondern vielmehr eine Ergänzung dahin, dass dem Exporteur die gleichen Rechte zustehen wie dem Importeur. Dass bis heute noch keine Vertragspartei im GATT wegen der unterschiedlichen Offertenpreise vorstellig geworden ist, beweist, dass die GATT–Bestimmungen in diesem Sinn verstanden werden.

---

149 *Dam, Kenneth W.* (1970), The GATT, Law and International Economic Organization, Chicago u.a., S. 322f.
150 Vgl. dazu auch *Baban, Roy* (1977), State Trading and the GATT, in: Journal of World Trade Law, Vol. 11, Nr. 4, S. 340f.

Die zweite Ausnahme bezieht sich auf die erlaubte Begünstigung von Ländern mit zweckgebundenen Darlehen. Länder, die zweckgebundene Kredite gewähren, dürfen vom Darlehensempfänger gegenüber anderen Ländern bevorzugt behandelt werden. Dieser Ausnahme stimmten die Vertragsparteien an der Londoner Konferenz im Jahr 1946 auf Antrag Chinas mit der Begründung zu, ohne entsprechende Ausnahmen würden die Kredite an bedürftige Länder eingeschränkt werden.[151] Eine Überprüfung der Bedeutung dieser Ausnahme ist schwierig. Oft sind weder Kredite noch Zweckbindung bekannt. Eine Informationspflicht zuhanden des GATT oder der einzelnen interessierten Vertragsparteien des GATT besteht nicht. In vielen Fällen mag es sich bei den sogenannten zweckgebundenen Krediten darum handeln, dass ein Land die Verkäufe an einen Partnerstaat über einen Kredit finanziert. Es folgt somit nicht der Warenhandel dem Kredit, sondern der Kredit dem Warenhandel.

*Inländerprinzip*

Analog zur Meistbegünstigung ist die Einhaltung des Inländerprinzips geboten. Die in Art. XVII:2 GATT ausdrücklich erwähnte Ausnahme des staatlichen Handels für den Eigengebrauch und -verbrauch vom Inländerprinzip lässt den Umkehrschluss zu, dass staatliche Importe zum kommerziellen Wiederverkauf oder zur Erzeugung von Waren zum kommerziellen Verkauf dem Prinzip der Inlandgleichbehandlung unterliegen. Die gleiche Rechtslage gilt für die Dienstleistungen. Art. XIII GATS bestimmt, dass die Pflicht zur Inlandgleichbehandlung im Sinne von Art. XVII GATS für Dienstleistungen, "die für staatliche Zwecke unter Vertrag genommen werden", nicht gilt. Das besagt ebenfalls, dass Dienstleistungen, die für die kommerzielle Weiterverwendung oder für eine kommerzielle Nutzung bestimmt sind, dem Inländerprinzip unterliegen. Wie im Zusammenhang mit dem Allgemeinen Dienstleistungsabkommen dargelegt wird, handelt es sich aber bei der Pflicht der Inlandgleichbehandlung des GATS um eine "spezifische" Pflicht, das heisst um eine

---

151 Vgl. *Jackson, John H.* (1969), World Trade and the Law of GATT, Indianapolis u.a., S. 348.

Pflicht, die in spezifischen Listen eingegangen worden ist ("schedules of specific committments").[152]

898 Wie bei der Regelung der Meistbegünstigung ist beim Inländerprinzip das Abkommen über das öffentliche Beschaffungswesen zu konsultieren. Art. III:1(a) dieses Abkommens sagt:

> "In Bezug auf alle Gesetze, Vorschriften, Verfahren und Praktiken [...] behandeln die Vertragsparteien umgehend und bedingungslos die Waren oder Dienstleistungen anderer Vertragsparteien sowie Anbieter, die Waren oder Dienstleistungen anbieten, nicht ungünstiger als inländische Waren, Dienstleistungen und Anbieter".

899 Ausgenommen von dieser Bestimmung sind allein Zölle und zollähnliche Abgaben.[153] Das Abkommen über das öffentliche Beschaffungswesen unterscheidet beim Inländerprinzip nicht zwischen den Waren und den Dienstleistungen. Somit ist festzuhalten, dass in den Industriestaaten das Inländerprinzip für Güter sowohl des kommerziellen Staatshandels als auch für den staatlichen Eigengebrauch und -verbrauch verpflichtend ist. Lediglich jene kommerziellen Dienstleistungen sind von der Pflicht der Inlandgleichbehandlung ausgenommen, für die keine spezifische Listen bestehen.

*Notifizierungs- und Informationspflicht*

900 Die Notifizierungs- und Informationspflicht der Länder mit Staatshandel ist im 1957 in Kraft getretenen Art. XVII:4 GATT und in der Vereinbarung über die Auslegung des Art. XVII GATT vom 15. April 1994 geregelt.[154] Dabei ist zwischen drei Arten von Notifizierungs- und Informationspflichten zu unterscheiden:

– Die Vertragsparteien haben nach Art. XVII:4(a) GATT dem GATT-Rat beziehungsweise der aufgrund der Vereinbarung über die Auslegung des Art. XVII GATT geschaffenen Arbeitsgruppe sämtliche Handelswaren, die von Unternehmen der in Art. XVII:1 GATT bezeichneten Art ein- oder ausgeführt werden, zu melden.

---

152 Vgl. Rz 1259ff.
153 Was das GATT unter zollähnlichen Abgaben versteht, erklären Rz 494ff.
154 Vgl. Rz 883.

– Errichtet eine Vertragspartei ein staatliches Monopol oder wird dieses Monopol weitergeführt, hat die Vertragspartei auf Antrag einer anderen Vertragspartei, die mit diesem Monopolbetrieb einen "bedeutenden" Handel unterhält, die Preisdifferenz mitzuteilen, die zwischen Einkaufs- und Wiederverkaufspreis besteht. Der Preisaufschlag entspricht gemäss Anmerkungen und ergänzenden Bestimmungen zu Art. XVII:4(b) GATT der Spanne, "um die der vom Einfuhrmonopol für die eingeführte Ware geforderte Preis [...] den Preis bei der Anlieferung (landed cost) übersteigt". In zentralgeplanten Wirtschaften ist jedoch die Festlegung des Wiederverkaufspreises fragwürdig, da er nicht allein das Resultat von Angebot und Nachfrage ist, sondern auch die Folge eines politischen Entscheids darstellt, in den nichtwirtschaftliche Fakten einfliessen. Hat eine Vertragspartei begründeten Verdacht, der Staatshandel eines anderen Vertragspartners schädige ihre Interessen, kann sie beim GATT-Rat den Antrag stellen, Auskünfte über die Tätigkeit des Staatshandelslandes zu verlangen. Diese Auskunftspflicht bezieht sich auf die staatliche Handelstätigkeit im allgemeinen und nicht allein auf die staatlichen Monopole.

– Zur Verbesserung der Transparenz der Tätigkeiten der Staatshandelsunternehmen werden periodisch (in der Regel alle drei Jahre) Befragungen bei den Vertragsparteien durchgeführt. Der Beschluss, mit Hilfe eines Fragebogens mehr Informationen über den Staatshandel zu erhalten, stammt aus der zweiten Hälfte der fünfziger Jahre. Der bis vor kurzem verwendete Fragebogen ging auf das Jahr 1960 zurück.[155] Die im Rahmen des Art. XVII GATT geschaffene Arbeitsgruppe hat inzwischen einen neuen Fragebogen ausgearbeitet, dem der GATT-Rat im April 1998 zugestimmt hat.[156] Die Rechtsgrundlage des Einsatzes eines Fragebogens findet sich in der Vereinbarung über die Auslegung des Art. XVII des GATT.[157] Gegenstand des Fragebogens sind die Gründe der Errichtung von staatlichen Monopolen, die Rechtsgrundlagen des Staatshandels und das Ausmass des staatlichen

---

155 Veröffentlichung des damaligen Fragebogens in: *GATT* (1961), BISD 9th S, S. 184f.
156 Vgl. *WTO* (1999), Annual Report 1999, Genf, S. 61f.
157 Angaben über die schrittweise Einführung des Fragebogens finden sich in: *Senti, Richard* (1986), GATT, System der Welthandelsordnung, Zürich, S. 324.

Handelsvolumens. Die Umfrageergebnisse werden von der erwähnten Arbeitsgruppe analysiert und diskutiert. Länder, die auf die Beantwortung des Fragebogens verzichten wollen, können sich auf die GATT–Bestimmung berufen, wonach ihnen das Recht zusteht, Informationen aus Rücksicht auf das "öffentliche Interesse" und die "berechtigten Wirtschaftsinteressen" zurückzuhalten.

*Institutionelle Neuerungen*

901   Der GATT–Rat hat am 20. Februar 1995 eine Arbeitsgruppe zur Prüfung der Notifikationen und Gegen–Notifikationen ("notifications and counter-notifications") eingesetzt. Die Arbeitsgruppe führt die Befragung der Vertragspartner durch und fasst die Umfrageergebnisse zuhanden des GATT–Rats zusammen. Dem GATT–Rat steht das Recht zu, den Vertragsparteien "Empfehlungen bezüglich der Angemessenheit der Notifikation und der Notwendigkeit weiterer Informationen" auszusprechen.[158] Die Mitgliedschaft in der Arbeitsgruppe steht allen Vertragsparteien des GATT offen. Die Arbeitsgruppe erstellt jährlich einen Tätigkeitsbericht.[159]

## 3.6.3   Die Bestimmungen des Art. II GATT

902   Art. II:4 GATT hält im Zusammenhang mit den Listen der Zugeständnisse fest:

> "Wenn eine Vertragspartei für eine in der entsprechenden Liste zu diesem Abkommen angeführte Ware rechtlich oder tatsächlich ein Einfuhrmonopol[160] einführt, beibehält oder genehmigt, darf dieses Monopol keinen Schutz bewirken, der im Durchschnitt das in der Liste vorgesehene Ausmass übersteigt [...]".

903   Ausnahmen sind erlaubt, wenn diese in den Listen erwähnt oder ursprünglich zwischen den Vertragsparteien vereinbart worden sind. Im übrigen aber

---

158   Ziff. 5 der Vereinbarung über die Auslegung des Art. XVII des GATT.
159   Vgl. Berichterstattung in den Jahresberichten der WTO, z.B. in: *WTO* (1998), Annual Report 1998, Special topic: Globalization and trade, Genf, S. 92f.
160   In der Sprache der Ökonomie handelt es sich hier um ein "Einfuhrmonopson" und nicht um ein "Einfuhrmonopol".

dürfen Monopsone nicht dazu benützt werden, gewährte Zugeständnisse ausser Kraft zu setzen, um dadurch die inländischen Anbieter von gleichen oder gleichartigen Produkten zu schützen.

Für den Fall, dass keine Listenvereinbarungen zwischen den Vertragspartnern bestehen, verweisen die Anmerkungen und ergänzenden Bestimmungen zu Art. II:4 GATT auf die Havanna–Charta. Art. 31 der Havanna–Charta verlangt, analog zu den Zollverhandlungen nach Art. 17 der Havanna–Charta, die Aufnahme von Verhandlungen zwischen den Vertragsparteien mit dem Ziel, den protektionistischen Schutz der einheimischen Anbieter gleichartiger Produkte zu begrenzen oder abzubauen. Das Land, das ein Monopson einführt, beibehält oder genehmigt, wird aufgefordert, eine Obergrenze für Importabgaben auszuhandeln und bekanntzugeben beziehungsweise eine andere, beide Parteien zufriedenstellende Vereinbarung zu treffen ("any other mutually satisfactory arrangement"). Von diesen Bestimmungen darf aus sozialen, kulturellen, humanitären oder einkommenspolitischen Erwägungen abgewichen werden. 904

Die Fachliteratur der siebziger und achtziger Jahre weist auf eine mögliche Inkonsistenz zwischen dem GATT und der Havanna–Charta hin.[161] Art. 17 der Havanna–Charta beziehe sich lediglich auf den Zollabbau und nicht auf die Festlegung von Monopsonabgaben. Diese Tatsache bestätige, dass bereits 1955 in einer Arbeitsgruppe der Versuch unternommen worden sei, die Anmerkungen und ergänzenden Bestimmungen zu Art. II:4 GATT zu revidieren, um dadurch den Verweis auf die Havanna–Charta zu beseitigen und so die Interpretation dieser Bestimmungen zu klären.[162] Der unterbreite Vorschlag, der weitgehend den Text der Havanna–Charta übernahm, wurde indessen nicht 905

---

161 Vgl. *Baban, Roy* (1977), State Trading and the GATT, in: Journal of World Trade Law, Vol. 11, Nr. 4, S. 341ff.; *Dam, Kenneth W.* (1970), The GATT, Law and International Economic Organization, Chicago u.a., S. 324ff.; *Ianni, Edmond M.* (1982), The international Treatment of State Trading, in: Journal of World Trade Law, Vol. 16, Nr. 6, S. 491.

162 *GATT* (1955), BISD 3rd S, S. 222ff., Ziff. 26; der Vorschlagstext findet sich in: *Dam, Kenneth W.* (1970), The GATT, Law and International Economic Organization, Chicago u.a., S. 324f.

rechtskräftig, weil die in Art. XXX GATT für Änderungen des Teils I des Abkommens vorgesehene Einstimmigkeit nicht zustande kam.[163]

906  Die an den geltenden Anmerkungen und ergänzenden Bestimmungen zu Art. II:4(b) GATT geübte Kritik geht (zu) weit. Der Verweis auf Art. 31 der Havanna–Charta erfolgt für den Fall, dass zwischen den Vertragsparteien keine ausgehandelten Zugeständnisse vorliegen. Die Vertragsparteien werden aufgefordert, den monopsonbedingten Protektionismus zu limitieren oder zu reduzieren ("to limit or reduce"). Dabei soll, wie der Verweis auf Art. 17 der Havanna–Charta verdeutlicht, in der gleichen Art verhandelt werden wie beim Zollabbau ("to negotiate [...] in the manner provided for under Art. 17"). Die Anrufung von Art. 17 beschränkt sich somit allein auf die Verhandlungsweise, auf das produktweise Vorgehen beim Verhandeln und auf die Einhaltung der Reziprozität. Sie enthält keine Aufforderung zum Zollabbau. Hätte damals der 1957 in Kraft getretene Art. XXVIII$^{bis}$ des GATT bereits bestanden, wäre ein Verweis auf die Havanna–Charta hinfällig gewesen.[164] Weil indessen die Verhandlungsweise Ende der vierziger Jahre nicht ausreichend geregelt war, bediente man sich des Bezugs auf die Havanna–Charta, ein Vorgehen, das auch im Nachhinein als durchaus sinnvoll erscheint und die Konsistenz der GATT–Bestimmungen nicht beeinträchtigt.

### 3.6.4 Die Fortschreibung der Staatshandelsregeln

907  Das Ziel einer freiheitlich konzipierten Welthandelsordnung ist, den Schutz des staatseigenen Handels abzubauen und mit den Privilegien der staatlichen Unternehmen aufzuräumen. Die öffentliche Hand soll sich bei ihren Käufen und Verkäufen von Gütern und Dienstleistungen wie die privaten Firmen an die allgemeinen Grundsätze der Welthandelsordnung, die Prinzipien der Nichtdiskriminierung und der Inlandgleichbehandlung halten sowie ihre Entscheide ausschliesslich aufgrund kommerzieller Erwägungen wie Preis, Qualität und Menge fällen. Die ursprünglichen GATT–Regeln bezogen sich auf

---

163 Uruguay stimmt dem Vorschlag nicht zu. *GATT* (1968), BISD 15th S, S. 65.
164 Die Tatsache, dass 1955 ein Verfahrensartikel ins GATT eingebracht wurde, zeigt ebenfalls, dass man das Fehlen eines solchen Artikels im GATT als Mangel empfunden hat.

den Güterhandel. Mit dem Inkrafttreten des Allgemeinen Dienstleistungsabkommens erfolgte eine Ausweitung auf den Handel mit Dienstleistungen. Zudem wird das öffentliche Beschaffungswesen, wenigstens für die Länder, die sich am Abkommen über das öffentliche Beschaffungswesen beteiligen, mehr und mehr der multilateralen GATT–Ordnung unterstellt.

In welcher Richtung die Staatshandelsregeln fortgeschrieben werden, zeigen die bisherigen GATT– beziehungsweise WTO–Streitschlichtungsverfahren und die Neuverhandlungen mit den Staatshandelsländern. 908

Im Jahr 1955 stand das Tabak–Monopol von Haiti zur Diskussion. Der Regierung von Haiti wurde vorgeworfen, überhöhte Importabgaben auf Tabak zu erheben. Eine GATT–Verletzung konnte aber nicht nachgewiesen werden, da die diesbezüglichen Importzölle auf Tabak nicht listengebunden waren.[165] 1961 machte Uruguay geltend, ihre GATT–bedingten Exportvorteile würden durch die restriktiven Importpraktiken von vielen Ländern, unter anderem von den Staatshandelsländern, aufgehoben oder stark beeinträchtigt. Die damalige Tschechoslowakei argumentierte anhand von Statistiken, dass die Importe aus Uruguay während der vergangenen Jahre relativ stärker zugenommen hätten als die Gesamteinfuhren der Tschechoslowakei, und dass Uruguay im Sinne von Art. XVII GATT unter den gleichen nichtdiskriminierenden Bedingungen offerieren konnte wie jedes andere Land. Der Arbeitsausschuss des GATT sah sich aufgrund der vorgelegten Informationen nicht veranlasst, Uruguay im Sinne von Art. XXIII:2 GATT von der Erfüllung der Zugeständnisse oder sonstiger Verpflichtungen aus dem Abkommen zu entbinden.[166] Im Jahr 1967 standen im GATT auch die Vergütungen der *British Steel Corporation* zur Diskussion. Kunden, die während eines halben Jahres keine Stahlplatten importierten, erhielten einen Loyalitätsrabatt für Käufe vom staatlichen Unternehmen. Da aber diese Spezialvergütungen noch im gleichen Jahr aufgehoben wurden, erübrigten sich diesbezügliche GATT–Verhandlungen. Interessant sind in diesem Zusammenhang auch die beiden Streitfälle zwischen den USA und Kanada sowie zwischen den USA und Südkorea. Das kanadische Investitionsgesetz von 1973 verpflichtet ausländische Investoren, beim Kauf von 909

---

165 GATT, Doc. L/454 (1955), zit. nach *GATT* (1994), Analytical Index, Genf, S. 441.
166 Vgl. *GATT* (1963), BISD 11th S, S. 112f.

Vierter Teil

gewissen Produkten die kanadischen Anbieter zu bevorzugen und beim Verkauf gewisse Produktionsanteile zu exportieren und den Export auf eine Art und Weise zu gestalten, dass kanadische Firmen nicht benachteiligt werden. Ob die kanadischen Bestimmungen gegen Art. XVII:1(c) GATT verstossen, klärte das "Panel" nicht ab, nachdem es eine Verletzung des Art. III:4 GATT feststellte. Bei den Exportabsprachen hingegen konnte das "Panel" keine GATT–Regeln finden, welche die Exportabsprachen in der vorliegenden Form verboten hätten.[167] Im Streitfall USA – Südkorea wurde, wie bereits erwähnt, festgehalten, unter welchen Voraussetzungen Privatfirmen, die über staatliche Privilegien verfügen, unter die Bestimmungen des Staatshandels nach Art. XVII GATT fallen.[168] Staatshandelskonflikte sind im GATT selten. Der Grund dafür liegt nach *John H. Jackson* in der fehlenden Markttransparenz, oder wie *Roy Baban* meint, in der abschreckenden Wirkung der Notifizierungspflicht.[169]

910   Eine Fortschreibung der Staatshandelsregeln zeichnete sich auch in den Beitrittsverhandlungen mit den Staatshandelsländern ab. In den sechziger und siebziger Jahren wurden mit Polen, Rumänien und Ungarn Sonderbestimmungen als Bestandteil der Beitrittsprotokolle ausgehandelt. So verpflichtete im Jahr 1967 beispielsweise das Beitrittsprotokoll Polen, die jährlichen Importe um einen festen Prozentsatz zu erhöhen, anfänglich um 7 und später um 6 Prozent. Da es sich um nominale Wachstumsraten handelte, wurden diese bereits nach wenigen Jahren durch Inflation und Paritätsänderungen mehr als aufgewogen. Ähnliche Regelungen fanden sich in dem 1971 mit Rumänien und dem 1973 mit Ungarn ausgehandelten Beitrittsprotokoll.[170] In den letzten Jahren wurden mit Polen, Rumänien und Ungarn sogenannte Revisions-

---

167 Panelbericht Canada – Administration of the Foreign Investment Review Act vom 7.2.1984, in: *GATT* (1984), BISD 30th S, S. 140ff., Ziff. 5.4, 5.12, 5.17f. und 6.1f.

168 Panelbericht Republic of Korea – Restrictions on Imports of Beef Complaint by the US vom 7.11.1989, in: *GATT* (1990), BISD 36th S, S. 268ff. Ziff. 114f.

169 *Jackson, John H.* (1969), World Trade and the Law of GATT, Indianapolis u.a., S. 350f.; *Baban, Roy* (1977), State Trading and the GATT, in: Journal of World Trade Law, Vol. 11, Nr. 4, S. 345f.

170 Vgl. *Kostecki, Maciej M.* (1974), Hungary and GATT, in: Journal of World Trade Law, Vol. 8, Nr. 4, S. 401ff.; *Senti, Richard* (1986), GATT, System der Welthandelsordnung, Zürich, S. 339.

verhandlungen geführt und abgeschlossen. Beitrittsverhandlungen laufen zurzeit mit den Transformationsländern und mit China. Gegenstand dieser Verhandlungen ist unter anderem die Privatisierung der Staatsbetriebe und die Schaffung eines marktwirtschaftlichen Umfelds. Welcher Art die Verhandlungsergebnisse sein werden, ist zurzeit ungewiss.[171]

## 3.7 Die dringlichen Schutzmassnahmen

Die bisher erörterten Schutzmassnahmen richten sich gegen Handelsnachteile, die ein Vertragspartner durch das Verhalten eines anderen Vertragspartners erleidet, zum Beispiel wegen verteilter Exportsubventionen oder gedumpter Ausfuhrpreise, wegen Zolllistenänderungen oder restriktiver Staatshandelspraktiken. Bei Art. XIX GATT, auch Notstandsklausel oder Schutzklausel genannt, geht es um dringliche Schutzmassnahmen zur Abwehr und Korrektur einer überraschenden Handelsentwicklung. Die Ursachen können unter anderem veränderte Konsumgewohnheiten, selber eingegangene Verpflichtungen gegenüber anderen Vertragspartnern oder eigene Zollzugeständnisse sein. 911

Art. XIX GATT ist einer der neuralgischsten Punkte der Welthandelsordnung. Keine Bestimmung des GATT ist so oft zum Schutz der eigenen Wirtschaft angerufen und missbraucht worden wie die Notstandsklausel. Rund die Hälfte aller Streitschlichtungsverfahren des GATT und mehrere Verfahren der WTO beziehen sich auf diese GATT-Bestimmung. Im Rahmen der Verhandlungen der Uruguay-Runde wurden grosse Anstrengungen unternommen, die Schutzklausel mit dem Ziel neu zu fassen, den berechtigten Schutz für echte Notsituationen zu gewährleisten und den gängigen Missbrauch einzudämmen. 912

In Ergänzung zu Art. XIX GATT verlangt Art X GATS die Aufnahme von multilateralen Verhandlungen über die Frage der Schutzmassnahmen im Dienstleistungsbereich und gibt eine Frist von drei Jahren zur Ausformu- 913

---

171 *Hoekman/Kostecki* (1995), The Political Economy of the World Trading System, Oxford, S. 111f. Über den Stand der jeweiligen Verhandlungen vgl. WTO (jährlich), Annual Reports, Genf; z.B. *WTO* (1999), Annual Report 1999, Genf, S. 38f.

lierung der Schutzbestimmungen vor. Inzwischen hat sich eine Arbeitsgruppe (Working Party on GATS Rules) dieser Aufgabe angenommen.[172]

## 3.7.1 Das Entstehen der dringlichen Schutzmassnahmen

914 Die von der US-Regierung in der Nachkriegszeit verfolgte Politik der Marktöffnung ängstigte die US-amerikanische Industrie. Ihre Vertreter forderten von der Regierung einen Importschutz für den Fall, dass die gewährten Handelszugeständnisse die Einfuhr von Konkurrenzprodukten unverhältnismässig ansteigen liessen. Unter diesem Druck versprach die US-Administration im Jahr 1947 dem Kongress, alle künftigen Handelsverträge mit einer "Escape clause", einer Ausnahmeklausel, auszustatten. Sie erlaubt, bei unvorhergesehen höheren Importen gleicher oder gleichartiger Waren die vertraglich selber eingegangenen Verpflichtungen und Zugeständnisse zurückzunehmen.[173] Vier Jahre später ging diese Bestimmung in das US-Handelsgesetz von 1951 ein.[174] Im Sinne der dem Kongress gegebenen Versprechen plädierten die USA in Havanna für die "Escape clause" als integralen Bestandteil der ITO-Charta. Die in Art. 40 der Havanna-Charta festgehaltene Ausnahmeklausel findet sich schliesslich in Art. XIX GATT und hat heute – von

---

172 Vgl. *WTO* (1998), Annual Report 1998, Special topic: Globalization and trade, Genf, S. 100; *WTO* (1999), Annual Report 1999, Genf, S. 52ff. Die Arbeitsgruppe hat wegen der Schwierigkeit des Verhandlungsmandats den GATS-Rat um Fristverlängerung gebeten.

173 Der Wortlaut der "Escape clause" geht auf den Handelsvertrag der USA mit Mexiko von 1942 zurück: "If, as a result of unforeseen developments and of the concession granted on any article [...], such article is being imported in such increased quantities and under such conditions as to cause or threaten serious injury to domestic producers of like or similar articles, the Government of either country shall be free to withdraw the concession, in whole or in part, or to modify it to the extent and for such time as may be necessary to prevent such injury". Reciprocal Trade Agreement with Mexico vom 23.12.1942, Art. XI, 57 Stat. 833 (1943), zit. nach *Jackson, John H.* (1969), World Trade and the Law of GATT, Indianapolis u.a., S. 554.

174 US, Exec. Order Nr. 9832 vom 25.2.1947, 3 C.F.R. § 624. Trade Agreements Act von 1951, § 6(b), 65 Stat. 72. Über den politischen Hintergrund der "Escape clause" vgl. *Baldwin, Robert E.* (1988), Trade Policy in a Changing World Economy, New York u.a., S. 23 und 52; *Destler, I. Mac* (1992), American Trade Politics, 2. A., Washington, DC, u.a., S. 142f.

einer redaktionellen Ausnahme abgesehen – in der damaligen Form Bestand. Die 1957 vorgenommene Änderung bezog sich auf Ziff. 3(b) des Art. XIX GATT und ersetzte die Formulierung "Verpflichtungen oder Zugeständnisse" durch "Zugeständnisse oder sonstige Verpflichtungen"[175].

Die Ministererklärung 1986 von Punta del Este forderte die Verhandlungspartner auf, in der bevorstehenden Handelsrunde die Schutzklausel zu überarbeiten, den Begriff der ernsthaften Schädigung und Bedrohung klarer zu definieren sowie die Dauer der verhängten Massnahmen, die Konsultationen, die Notifizierungspflicht, die Überwachung und die Streitschlichtung genauer zu regeln.[176] Der in der Ministererklärung zusammengestellte Aufgabenkatalog war kaum umstritten. Zu reden gab vielmehr ein Problem, das von den Ministern aus Erwägungen des damaligen handelspolitischen Umfelds nicht angesprochen wurde, aber seit Jahren allenthalben zur Diskussion stand, nämlich das Problem der selektiven Anwendung von Schutzmassnahmen. 915

Befürwortet wurde das Prinzip der Selektivität vor allem von den ehemaligen Europäischen Gemeinschaften. Die EG vertraten die Ansicht, Schutzmassnahmen würden nur dann wirkungsvoll sein, wenn sie gezielt auf jene Länder ausgerichtet werden dürfen, die den Handel effektiv stören. Bestehe die Möglichkeit der Selektivität nicht, wichen die betroffenen Länder auf bilaterale Handelsvereinbarungen, das heisst auf den handelspolitischen Graubereich der "freiwilligen" Selbstbeschränkungsabkommen aus. Die Einhaltung der Meistbegünstigung mache bei der Anwendung von Schutzmassnahmen keinen Sinn. Für viele Länder aber war die Selektivität kein Verhandlungsthema. Vor allem die kleinen und wirtschaftlich schwächeren Staaten befürch- 916

---

175  In Kraft getreten am 10.7.1957.
176  Vgl. Abschnitt D der Ministererklärung vom 20.9.1986, veröffentlicht in: *Hummer/Weiss*, S. 280ff. bzw. 286. Die in der Ministererklärung angeregte Reform der Schutzklausel ist Ausdruck und Ergebnis jahrelanger Bestrebungen. Unter den zur Diskussion gestellten Vorschlägen sind vor allem jene der GATT-Arbeitsgruppe und des Atlantic Council zu erwähnen sowie das US-amerikanische Handelsgesetz von 1974, das den US-Präsidenten aufforderte, die "revision of Art. XIX of the GATT into a truly international safeguard procedure" an die Hand zu nehmen. Eine Übersicht über die damaligen Reformbestrebungen mit entsprechenden Quellenangaben findet sich in: *Senti, Richard* (1986), GATT, System der Welthandelsordnung, Zürich, S. 245ff.

teten, mit der Preisgabe des Meistbegünstigungsprinzips der Willkür der Handelsmächtigen ausgeliefert zu sein. Gegen das Prinzip der Selektivität sprach sich auch der Leutwiler–Bericht aus. Es entspreche nicht der Wahrheit, dass selektive Massnahmen die Handelsverzerrungen einschränken könnten. Im Gegenteil, Selektivität verhindere das Wirksamwerden komparativer Kostenvorteile und erhöhe über den Schutz ineffizienter Anbieter weltweit die volkswirtschaftlichen Kosten.[177] Die USA bezogen im Streit um die Selektivität nicht Stellung. Für sie war die Frage der Selektivität verhandelbar.

917    In der Uruguay–Runde standen vorerst die beiden Vorschläge von Brasilien einerseits und Australien, Hongkong, Korea, Neuseeland und Singapur andererseits zur Diskussion.[178] Brasilien verlangte neben einer Neudefinition der Schädigung und Bedrohung eine Sonderbehandlung der Entwicklungsländer. Der zweite Vorschlag forderte zudem den Einbezug der nichttarifären Handelshemmnisse als Schutzmassnahmen. Der von den USA nachgelieferte Vorschlag hielt am Prinzip der Meistbegünstigung fest, schloss aber selektive Massnahmen nicht aus.[179] Die EG verfolgten weiterhin die Idee selektiver Massnahmen. Wegen der bestehenden Meinungsdifferenzen war die Gruppe "GATT–Schutzklausel" an der Zwischenkonferenz von Montreal im Dezember 1988 nicht in der Lage, einen ausgearbeiteten Entwurf über die Revision der Schutzklausel vorzulegen.

918    In der zweiten Hälfte der Uruguay–Runde (1989 – 1990) kamen die Verhandlungen nicht weiter. Die einzelnen Vertragsparteien beharrten auf ihren Standpunkten. Die von der Verhandlungsgruppe geleistete Arbeit beschränkte sich auf die Umschreibung der Zielsetzung als "unambiguous non–discriminatory safeguard mechanism and a clear, staged and binding programme for dismanteling grey area measures"[180].

---

177  Der Leutwiler Bericht erwähnt in diesem Zusammenhang vor allem die bilateralen Abkommen im Handelsbereich Textilien und Bekleidung. *Leutwiler Bericht*, Empfehlung Nr. 9, S. 48f.
178  *Vgl. Croome, John* (1995), Reshaping the World Trading System, Genf, S. 68.
179  "Measures without the consent of the affected country". Zit. nach *Croome, John* (1995), Reshaping the World Trading System, Genf, S. 69.
180  *Croome, John* (1995), Reshaping the World Trading System, Genf, S. 300.

Der GATT-Hauptvertrag

In der Schlussphase der Uruguay-Runde standen die Schutzmassnahmen 919
nicht mehr im Mittelpunkt des Interesses. Vielmehr ging es darum, die bisherigen Verhandlungen mit einem Kompromiss abzuschliessen, in dem keinem Verhandlungspartner alles und allen Verhandlungspartnern etwas gegeben wurde. Die von den EG geforderte Selektivität wurde auf ein Minimum zurückgenommen, die Graubereiche waren innerhalb bestimmter Fristen abzubauen und die Drittweltländer erhielten eine Vorzugsbehandlung.[181] Die Unterzeichnung des Abkommens über Schutzmassnahmen (Agreement on Safeguards) fand am 15. April 1994 statt mit Inkrafttreten am 1. Januar 1995.[182] Die folgende Darstellung bezieht sich auf Art. XIX GATT und das diesen Artikel ergänzende Zusatzabkommen.

### 3.7.2 Der materielle Inhalt der Schutzklausel

Die Grundausrichtung der Schutzklausel findet sich in Art. XIX:1(a) GATT 920
und lautet:

> "Wird infolge unvorhergesehener Entwicklungen und der Auswirkungen der von einer Vertragspartei aufgrund dieses Abkommens eingegangenen Verpflichtungen, einschliesslich der Zollzugeständnisse, eine Ware in das Gebiet dieser Vertragspartei in derart erhöhten Mengen und unter derartigen Bedingungen eingeführt, dass dadurch den inländischen Erzeugern gleichartiger oder unmittelbar konkurrierender Waren in diesem Gebiet ein ernsthafter Schaden zugefügt wird oder zugefügt zu werden droht, so steht es dieser Vertragspartei frei, ihre hinsichtlich einer solchen Ware übernommene Verpflichtung ganz oder teilweise aufzuheben oder das betreffende Zugeständnis zurückzunehmen oder abzuändern, soweit und solange dies zur Verhütung oder Behebung des Schadens erforderlich ist".

Die GATT-Fassung der Schutzklausel ist allgemein gehalten und hat durch 921
viele Schiedsgerichtsentscheide und Arbeitspapiere des GATT und der WTO sowie durch das Zusatzabkommen über die Schutzmassnahmen eine entsprechende Ausdeutung erfahren.

---

181 Eine detaillierte Darstellung der einzelnen Verhandlungsphasen findet sich in: *Croome, John* (1995), Reshaping the World Trading System, Genf, S. 65ff., 196ff. und 300ff.
182 Der Abkommenstext ist veröffentlicht in: *Hummer/Weiss*, S. 760ff. (deutsche Fassung); *WTO*, The Legal Texts, S. 315ff. (englische Fassung).

Vierter Teil

*Unvorhergesehene Entwicklung*

922 "Unvorhergesehen" ist dahin zu verstehen, dass zum Zeitpunkt der Gewährung von Zugeständnissen in Form von Zollreduktionen oder Zollbeseitigungen die künftige Entwicklung des Handels und der Auswirkungen der eingegangenen Verpflichtungen nicht vorausgesehen werden kann, das heisst aufgrund der zurzeit vorliegenden Situation oder der gemachten Erfahrungen weder berechenbar noch abschätzbar noch in irgend einer Form zu erwarten ist.[183] So hat eine Arbeitsgruppe des GATT im Handelsstreit zwischen den USA und der damaligen Tschechoslowakei über den Handel mit Hüten und Pelzen festgehalten, dass beim Aushandeln von Zollkonzessionen immer mit modebedingten Nachfrageänderungen zu rechnen sei. Daher gelte die modebedingte Mehrnachfrage der US–Händler nach Hüten aus der Tschechoslowakei nicht als unvorhersehbar im Sinne von Art. XIX GATT. Dass aber diese modebedingte Veränderung der Hutnachfrage zu einem derart starken Zuwachs der Pelzimporte führen könne ("the degree to which the change in fashion affected the competitive sitation"), war nach Ansicht der GATT–Gruppe (aller Mitglieder ausser der Tschechoslowakei) eine Entwicklung, die nicht zu erwarten oder vorhersehbar war.[184] *John H. Jackson* fragt in diesem Zusammenhang zu Recht, ob die Voraussehbarkeit einer Entwicklung vom Ausmass der Handelsstromveränderung abhänge, und wenn dem so sei, ob der Vertragstext dieser Tatsache nicht Rechnung tragen sollte.[185] Mit dem Streitfall USA/Tschechoslowakei hat Art. XIX GATT an Glaubwürdigkeit verloren. Eine Neudefinition der vertraglich festgehaltenen Unvorhersehbarkeit wird in einer künftigen Handelsrunde notwendig sein.

*Überhöhte Importmenge*

923 Schutzmassnahmen dürfen ergriffen werden, wenn der Nachweis erbracht wird, dass die betreffenden Güter in derart überhöhten Mengen und zu derartigen Bedingungen eingeführt werden, dass sie eine entsprechende

---

183 Vgl. *GATT* (1994), Analytical Index, Genf, S. 479.
184 *GATT* (1994) Analytical Index, Genf, S. 479.
185 *Jackson, John H.* (1969), World Trade and the Law of GATT, Indianapolis u.a., S. 361.

Schädigung oder Bedrohung der inländischen Wirtschaft verursachen. Was heisst "überhöht"? Nach Art. 4:2(a) des Abkommens über Schutzmassnahmen sind "alle einschlägigen Umstände von objektiver und mengenmässiger Natur" zu prüfen, "die sich auf die Lage dieses Wirtschaftszweigs auswirken, im besonderen das Verhältnis und das Ausmass der Zunahme der Einfuhren der betreffenden Ware in absoluten und relativen Begriffen, den Anteil der erhöhten Einfuhren am inländischen Markt, Veränderungen der Verkaufsmenge, Erzeugung, Produktivität, Kapazitätsauslastung, Gewinne und Verluste und Beschäftigung". Das Einschieben des Wortes "relativ" geht auf Art. 40 der Havanna–Charta zurück. In den damaligen Verhandlungen beschlossen die Delegierten das Wort "relativ" in den Vertragstext aufzunehmen, um zu verdeutlichen, "that Art. 40 could apply in cases where imports had increased relatively to domestic production, even though there might not have been an absolute increase in imports as compared with a previous base period"[186]. Aus ökonomischer Sicht ist es durchaus sinnvoll, die Importmengenveränderungen im Zeitvergleich nicht nur nach ihrer absoluten Höhe zu bemessen, sondern auch im Verhältnis zum Inlandmarkt.[187] Werden aber die Importe als "zu hoch" beurteilt, weil die Produktivität im Inland gesunken ist (aus welchen Gründen auch immer), weil die Produktionskapazitäten der Binnenwirtschaft nicht ausgelastet sind (z.B. als Folge von Fehlinvestitionen) oder weil die Gewinne in den einheimischen Unternehmen zurückgehen beziehungsweise die Verluste steigen, so handelt es sich um Kriterien, welche die Anwendung der Schutzklausel sicher nicht rechtfertigen. Ein Hauptziel der WTO–Handelsordnung besteht darin, die Produktion dorthin zu verlagern, wo die komparativen Kostenvorteile am höchsten sind. Dies setzt gleichzeitig voraus, dass Produktionsrückgänge in Gebieten mit Standortnachteilen in Kauf genommen

---

186 Havana Reports, S. 83, Para. 11, zit. nach *GATT* (1994), Analytical Index, Genf, S. 479, Anm. 6.
187 In der Ökonomie werden derartige Vergleichsmethoden seit den fünfziger Jahren unter der Bezeichnung "Constant–Market–Shares–Analyse" angewandt. Vgl. die Zusammenstellung der diesbezüglichen Literatur in: *Senti, Richard* (1980), Constant–Market–Shares–Analyse des schweizerischen Exporthandels 1968 bis 1977, Arbeitspapier Nr. 22 des Instituts für Wirtschaftsforschung der ETH Zürich, S. 6f.

werden. Massnahmen zum Schutz unproduktiver Gewerbe- und Industriebetriebe widersprechen der WTO-Handelsordnung.

*Ernsthaftigkeit der Schädigung und Bedrohung*

924     Ein Land darf Schutzmassnahmen ergreifen, wenn die unvorhergesehenen Entwicklungen und Auswirkungen der eingegangenen Verpflichtungen zu einer ernsthaften Schädigung oder Bedrohung der inländischen Erzeuger gleichartiger oder unmittelbar konkurrierender Produkte führen. Art. 4:1(a) des Abkommens über Schutzmassnahmen definiert eine ernsthafte Schädigung als eine "bedeutende umfassende Schmälerung der Lage in einem inländischen Wirtschaftszweig" und eine ernsthafte Bedrohung als eine "klar bevorstehende" ernsthafte Schädigung. Die Feststellung einer Bedrohung muss sich auf effektive Tatsachen beziehen und darf nicht allein auf Behauptungen, Vermutungen oder entfernten Möglichkeiten beruhen. Der im Vertragstext verwendete Begriff "ernsthaft" ist in Anlehnung an die Diskussion über die US-Handelsgesetzgebung so zu verstehen, dass zwischen "ernsthaftem" und "hauptsächlichem" Schaden ("serious" und "major injury") zu unterscheiden ist. Von ernsthafter Schädigung ist die Rede, wenn in Ergänzung zu dieser Schädigung auch andere Schadenzufügungen bestehen, diese Schädigung von Bedeutung, aber nicht die bedeutenste ist. Im Gegensatz dazu ist eine hauptsächliche Schädigung die von allen Schadenzufügungen die bedeutenste. Alle anderen Schäden sind von geringerem Gewicht. Die im GATT gewählte Formulierung geht davon aus, dass die überhöhten Importe die inländischen Produzenten zwar schädigen oder bedrohen, dass aber neben den erhöhten Importen durchaus noch andere Faktoren vorliegen können, welche die Schädigung oder Bedrohung mitverursachen oder in Bezug auf Schädigung oder Bedrohung sogar gewichtiger als die überhöhten Importe sind.[188]

925     Gleichzeitig hält das Abkommen über Schutzmassnahmen fest, dass unter inländischen Erzeugern ein Wirtschaftszweig insgesamt gemeint ist. Es geht nach Art. 4:1(c) des Abkommens nicht um die Schädigung oder Bedrohung

---

[188] Über die Abgrenzung zwischen ernsthafter und hauptsächlicher Schädigung (serious and major injury) vgl. z.B. *Destler, I. Mac* (1992), American Trade Politics, 2. A., Washington, DC, u.a., S. 142.

einzelner Erzeuger, sondern um die Schädigung oder Bedrohung einer Gruppe von Produzenten, deren Erzeugnisse einen erheblichen Anteil an der gesamten inländischen Produktion dieser Waren erreichen. Was "erheblich" bedeutet, sagt das Abkommen nicht. Dagegen muss es sich bei den von diesen Unternehmen produzierten Waren um "gleichartige oder unmittelbar konkurrierende" Güter handeln. Im GATT wurde die Meinung vertreten, bei der Interpretation dieser Bestimmungen sei der besonderen Interessenlage der einzelnen Länder und ihrer sozial- und beschäftigungspolitischen Probleme Rechnung zu tragen.[189] Zusammenfassend ist festzuhalten, dass die Abklärung der Ernsthaftigkeit der Schädigung und Bedrohung eines inländischen Wirtschaftszweigs die Streitschlichtungsgremien stets vor grosse Schwierigkeiten stellt und kaum je zur Zufriedenheit aller Streitparteien beantwortet werden kann.

*Kausalzusammenhang zwischen erhöhtem Import und Schädigung oder Bedrohung*

Schutzmassnahmen nach Art. XIX GATT dürfen nur ergriffen werden, wenn zwischen überhöhten Importen und einer ernsthaften Schädigung oder Bedrohung eines einheimischen Wirtschaftszweigs ein Kausalzusammenhang besteht, das heisst die Schädigung oder Bedrohung der einheimischen Produzenten durch den Importhandel und nicht durch andere Faktoren verursacht wird. Art. 4:2(b) des Abkommens verlangt, dass "auf der Grundlage von objektivem Beweismaterial das Bestehen eines ursächlichen Zusammenhangs zwischen erhöhten Einfuhren der betreffenden Ware und der ernsthaften Schädigung oder der drohenden ernsthaften Schädigung" bewiesen wird. 926

*Verbot von Selbstbeschränkungsmassnahmen*

Art. 11:1(a) des Abkommens über Schutzmassnahmen untersagt Notstandsmassnahmen, die im Widerspruch zu Art. XIX GATT und des Abkommens stehen. Was damit konkret angesprochen wird, verdeutlicht Art. 11:1(b) des Abkommens, nämlich die freiwilligen Ausfuhrbeschränkungen, die bilateralen Absatzabsprachen und sonstigen "ähnlichen ausfuhr- oder einfuhrseitigen 927

---

189 *GATT* (1994), Analytical Index, Genf, S. 480.

Massnahmen". Jede derartige zum Zeitpunkt des Inkrafttretens der WTO wirksame Massnahme ist mit Art. XIX GATT und dem Abkommen über Schutzmassnahmen in Übereinstimmung zu bringen oder aufzuheben. Art. 11:2 des Abkommens verlangt zudem von den Vertragspartnern, innerhalb von sechs Monaten nach Inkrafttreten der WTO dem Komitee für Schutzmassnahmen zeitliche Angaben über die Abschaffung bestehender Massnahmen einzureichen. Der Terminkalender muss so gestaffelt sein, dass innerhalb einer Frist von höchstens vier Jahren, das heisst bis Ende 1998, derartige Massnahmen beseitigt oder in Einklang mit den WTO-Bestimmungen gebracht werden.[190] Der Anhang des Abkommens enthält die Ausnahme, die seinerzeit zwischen der damaligen EWG und Japan ausgehandelt wurde. Sie bezog sich auf die mengenmässige Begrenzung des Imports japanischer Personenwagen, Geländefahrzeuge, leichter Nutzfahrzeuge und leichter Lastwagen (bis zu 5 Tonnen). Dieses Abkommen lief Ende 1999 aus.[191]

928     Nichtstaatliche Massnahmen, die nach Inhalt und Absicht den staatlichen Selbstbeschränkungsabkommen gleichkommen, sollen von den WTO-Mitgliedern weder erlaubt noch unterstützt werden.

*Stellung der Entwicklungsländer*

929     Nach Art. 9 des Abkommens über Schutzmassnahmen dürfen keine Massnahmen gegen Einfuhren aus Entwicklungsländern verhängt werden. Eine Ausnahme besteht, wenn die Einfuhren aus einem Nicht-Industrieland mehr als 3 Prozent der Einfuhren der betreffenden Ware ausmachen oder die gesamten Einfuhren aus Ländern mit Anteilen von weniger als 3 Prozent zusammen mehr als 9 Prozent der Gesamteinfuhr der betreffenden Ware betragen. Zudem erhält ein Entwicklungsland das Recht, die Gesamtdauer der von ihm verfügten Schutzmassnahmen von acht auf zehn Jahre zu verlängern.

---

190 "[...]vorbehaltlich von nicht mehr als einer bestimmten Massnahme pro Mitglied, deren Dauer nicht über den 31. Dezember 1999 hinausgeht". Art. 11:2 des Abkommens über Schutzmassnahmen.
191 Art. 11:2 des Abkommens über Schutzmassnahmen.

### 3.7.3 Die Verfahrensvorschriften

Die Verfahrensvorschrift für das Ergreifen von Schutzmassnahmen finden sich in den Art. 5ff. des Abkommens über Schutzmassnahmen. Grundsätzlich gilt, dass kein Land mengenmässige Kürzungen vornehmen darf, die den Import unter die durchschnittliche Menge der letzten drei Jahre sinken lässt. Im weiteren enthält das Abkommen Bestimmungen über die bedingte Selektivität, die einzuhaltenden Fristen beim Ergreifen von Notstandsmassnahmen sowie die Notifikation und die Konsultationen.

930

*Bedingte Selektivität*

Wenn ein ernsthaft geschädigtes oder bedrohtes Land Schutzmassnahmen in Form von Kontingenten verfügt, sind die Zuteilungen nach Art. 5:1 des Abkommens möglichst so vorzunehmen, dass die Anteile mengen- und wertmässig den Lieferungen dieser Ware während eines früheren repräsentativen Zeitraums entsprechen. Die Schutzmassnahmen sollen nicht in einer länderdiskriminierenden Weise angewandt werden.[192]

931

Falls aber nach Art. 5:2(b) des Abkommens ein Vertragspartner den Nachweis erbringen kann, dass die Einfuhr einer Ware aus einem bestimmten Land innerhalb eines repräsentativen Zeitraums im Vergleich zur Gesamteinfuhr dieser Ware unverhältnismässig stark zugenommen hat, darf er von der in Art. 5:1 des Abkommens erwähnten Meistbegünstigungspflicht abweichen und länderspezifische Importkontingente verfügen. Das selektive Vorgehen ist allein für eine ernsthafte Schädigung und nicht für eine blosse Bedrohung vorgesehen. Zudem verlangt das Abkommen, dass vor dem Verhängen der selektiven Massnahmen Konsultationen unter der Schirmherrschaft des Komitees zu führen sind und jedem betroffenen Mitgliedland ausreichend Gelegenheit geboten wird, über den Streitfall zu verhandeln und die bevorstehenden Massnahmen zu prüfen. Die selektiven Massnahmen dürfen nur so lange eingesetzt werden, wie dies zur Verhinderung oder Beseitigung des ernsthaften Schadens

932

---

192 Zur Diskussion über die Meistbegünstigung in Art. XIX GATT vgl. *Senti, Richard* (1986), GATT, System der Welthandelsordnung, Zürich, S. 242ff.

Vierter Teil

notwendig ist beziehungsweise maximal vier Jahre. Eine Verlängerung ist im Gegensatz zu den übrigen Schutzmassnahmen nicht erlaubt.

*Vorläufigkeit und Dauer der Schutzmassnahmen*

933    Liegt der Beweis vor, dass das Aufschieben von Massnahmen schwer gutzumachende Schäden im Importland zur Folge hat, erlaubt Art. 6 des Abkommens vorläufige Schutzmassnahmen. Die Geltungsdauer dieser Massnahmen ist auf maximal 200 Tage begrenzt. Während dieser Zeit ist das ordentliche Verfahren (Konsultationen, Abklärung des Schadens und der Bedrohung) durchzuführen. Vorläufige Massnahmen müssen in Form von Zollerhöhungen erfolgen. Es besteht eine Rückerstattungspflicht, falls das ordentliche Verfahren die ernsthafte Schädigung oder Bedrohung des einheimischen Wirtschaftszweigs durch erhöhte Einfuhren verneint. Die Dauer der vorläufigen Massnahmen wird der Dauer der nachträglich verfügten ordentlichen Schutzmassnahmen zugerechnet.

934    Eine Schutzmassnahme darf nach Art. 7 des Abkommens nur so lange gelten, als sie notwendig ist, zunächst aber nicht länger als vier Jahre. Wird die Weiterführung einer Massnahme als erforderlich erachtet, ist eine Verlängerung um weitere vier Jahre möglich. Die Verschärfung der Massnahmen während der Verlängerungszeit ist nicht gestattet.[193] Zur Wiederherstellung des früheren Handelszustandes wird der die Schutzmassnahmen anwendende Partner aufgefordert, bei Massnahmen mit einer Dauer von über einem Jahr eine sukzessive Liberalisierung vorzunehmen. Besondere Vorschriften enthält Art. 10 des Abkommens über Schutzmassnahmen, die bereits vor dem Inkrafttreten der WTO bestanden haben. Diese Massnahmen sind "spätestens acht Jahre nach dem Zeitpunkt, zu dem sie erstmalig angewendet wurden oder fünf Jahre nach dem Inkrafttreten des WTO–Abkommens, je nachdem welcher Zeitpunkt der spätere ist", zu beenden.

---

[193] Zur Praxis über die Verlängerung der Schutzmassnahmen in der Zeit des GATT von 1948 bis 1994 vgl. *GATT* (1994), Analytical Index, Genf, S. 487.

## Notifizierungspflicht und Konsultationen

Die Vertragsparteien sind nach Art. 12 des Abkommens verpflichtet, dem Komitee für Schutzmassnahmen folgende Ereignisse zu melden: (1) die Einleitung einer Untersuchung über ernsthafte oder drohende Schädigung, versehen mit einer entsprechenden Begründung, (2) die Feststellung einer ernsthaften oder drohenden Schädigung, die durch erhöhte Einfuhren verursacht wurde und (3) die getroffene Entscheidung über die Anwendung oder Verlängerung einer Schutzmassnahme.

935

Bei der Feststellung einer ernsthaften oder drohenden Schädigung sind die entsprechenden Beweise, die genaue Beschreibung der Ware und der beabsichtigten Massnahmen, das Datum der Einführung dieser Massnahmen, die voraussichtliche Dauer der Massnahmen sowie der Zeitplan der vorgesehenen Liberalisierung vorzulegen. Der GATT–Rat oder das Komitee für Schutzmassnahmen können das Mitglied um zusätzliche Informationen ersuchen.

936

Jeder Vertragspartner, der Schutzmassnahmen einzuführen beabsichtigt, ist verpflichtet, die davon betroffenen Handelspartner zu benachrichtigen und ihnen ausreichende Konsultationsgelegenheiten einzuräumen. Die Ergebnisse der Verhandlungen sind dem GATT–Rat mitzuteilen.

937

Dem Komitee sind auch die Einführung oder Änderung von nationalen Gesetzen, Verordnungen und Verwaltungsvorschriften zu melden, die sich auf die Notstandsmassnahmen beziehen. Für die Notifizierung der nichtstaatlichen Massnahmen besteht eine Kann–Vorschrift. Vertrauliche Angaben sind von der Notifzierungspflicht ausgenommen. Bis März 1999 haben 83 WTO–Mitglieder ihre nationale Schutzordnung dem Komitee mitgeteilt.[194]

938

## Institutionelle Vorschriften

Unter der Leitung des GATT–Rats wird das bereits erwähnte Komitee für Schutzmassnahmen geschaffen, in dem alle Vertragspartner Einsitz nehmen können. Das Komitee hat zur Aufgabe, Bericht über die allgemeine Durch-

939

---

[194] Über den laufenden Stand der Notifizierung orientiert *WTO* (jährlich), Annual Report; vgl. z.B. *WTO* (1999), Annual Report 1999, Genf, S. 52f.

führung des Abkommens und die Einhaltung von Verfahrensvorschriften zu erstatten und die Beseitigung der zur Zeit des Inkrafttretens des WTO-Abkommens bestehenden Schutzmassnahmen und Selbstbeschränkungsabkommen sowie die Notifikationen zu überwachen. Die "Verfahrensordnung für Sitzungen des Komitees für Schutzmassnahmen" vom 22. Mai 1996 basiert auf der Verfahrensordnung des Allgemeinen Rats.[195]

### 3.7.4 Die ungelösten Probleme

940  Art. XIX GATT und das Abkommen über Schutzmassnahmen sind nach zwei Aspekten zu beurteilen: Einerseits billigen diese WTO-Bestimmungen den Vertragsparteien das Recht zu, jederzeit selber eingegangene Verpflichtungen, einschliesslich der Zugeständnisse von Zollreduktionen, unter bestimmten Voraussetzungen wieder zurückzunehmen und auf diese Weise bisherige Verhandlungsergebnisse in Frage zu stellen oder zunichte zu machen. Diese Schutzmöglichkeit gefährdet den gesicherten Bestand an gegenseitig gewährten und durchgeführten Liberalisierungsmassnahmen sowie die von der WTO angestrebte Welthandelsordnung der offenen Märkte. Andererseits ist festzuhalten, dass ohne Gewährung dieser Schutzklausel viele Vertragsparteien der WTO nicht oder nur in bescheidenem Masse bereit wären, ihre protektionistischen Handelshemmnisse abzubauen und ihre Märkte zu öffnen. Künftige Handelsentwicklungen und deren Auswirkungen sind nämlich nicht oder nur schwer abschätzbar, so dass der Widerstand der landesinternen Interessengruppen zu gross wäre, um unwiderrufliche Verpflichtungen und Zugeständnisse gegenüber dem Ausland einzugehen.

941  Ungelöst sind bei der Schutzklausel vor allem drei Probleme: die Interpretation der gegenwärtig geltenden Bestimmungen, die Frage der selektiven Anwendung der Schutzbestimmungen und die Regelung der sogenannten "Grauzone", das heisst der freiwilligen Selbstbeschränkungsabkommen. Viele Kriterien, nach denen die Berechtigung von Schutzmassnahmen beurteilt wird, sind quantitativ nicht eindeutig zuzuordnen und teilweise nicht messbar. Wann ist beispielsweise eine Entwicklung nicht vorhersehbar? Wann ist von

---

195 Veröffentlichung der Verfahrensordnung in: *Hummer/Weiss*, S. 771.

einer erhöhten Einfuhr die Rede? Wie ist der Schaden und die Bedrohung festzustellen? Dies sind Fragen, die nicht nach objektiven Kriterien zu beantworten sind. Eine Entwicklung kann unvorhersehbar sein, wenn überraschend Konkurrenzgüter oder die gleichen Güter in unerwartet hohen Mengen eingeführt werden. Bei sensiblen Gütern kann bereits eine kleine Nachfrageänderung zu Schwierigkeiten führen, während bei anderen Gütern eine Nachfragesteigerung erst spürbar wird, wenn sie eine Wachstumsrate von 10 und mehr Prozent aufweist. Die gleichen Schwierigkeiten bietet die Definition der Begriffe Schaden und Bedrohung.

Ein kaum zu lösendes Problem bleibt die selektive Anwendung der Schutzbestimmungen. Die gegenwärtige Minimallösung (die Beschränkung auf Schadenzufügung ohne Einbezug der Bedrohung, zeitliche Limitierung der Sanktionsbestimmungen und Komitee-Verfahren) befriedigt weder die Handelspartner, die für die Einführung der selektiven Massnahmen eingetreten sind (z.B. die EU), noch die Vertragsparteien, die sich von Anfang an strikte gegen die Selektivität gewehrt haben (die Entwicklungsländer und die kleineren Industriestaaten). Ob die Selektivität in einer nächsten Handelsrunde eine Lockerung oder Verschärfung erfahren wird, hängt von den bis dahin gemachten Erfahrungen mit dem bestehenden Abkommen über Schutzmassnahmen und der dann bestehenden Handelssituation ab.

Ob die in Art. 11:2 des Abkommens über Schutzmassnahmen geforderte Neuregelung der Selbstbeschränkungsabkommen (Aufhebung der Selbstbeschränkungsabkommen oder deren Anpassung an das geltende Recht) fristgerecht durchgeführt werden kann, ist zurzeit den WTO-Dokumenten nicht zu entnehmen.[196] Nach Auskunft des WTO-Sekretariats erweisen sich die diesbezüglichen "Bereinigungsarbeiten" als sehr langwierig und schwierig.

## 3.8 Die allgemeinen Ausnahmen

Die allgemeinen Ausnahmen in Art. XX GATT, die nach *John H. Jackson* "a series of exceptions that may be the most troublesome and most subject to

---

[196] Vgl. *WTO* (1998), Annual Report 1998, Special topic: Globalization and trade, Genf, S. 87; *WTO* (1999), Annual Report 1999, Genf, S. 52f.

## Vierter Teil

abuse of all the GATT exceptions"[197] bilden, gehen auf den US-Vorschlag 1945 zur Förderung des Welthandels und der Beschäftigung[198] zurück, der dem Vorschlag 1946 zur Schaffung der Internationalen Handelsorganisation[199] und der Havanna-Charta[200] als Grundlage diente. Die beiden Artikel 46 und 99 der Havanna-Charta finden sich heute im GATT als Art. XX (allgemeine Ausnahmen) und XXI (Ausnahmen zur Wahrung der Sicherheit). Die allgemeinen Ausnahmebestimmungen der Havanna-Charta und des GATT unterscheiden sich von den vorgängigen Formulierungen dadurch, dass sie an der Londoner Konferenz 1946 um den Vorbehalt der Meistbegünstigung und des Inländerprinzips erweitert wurden.[201] Die folgenden Abschnitte treten zunächst auf die Vorbehalte des Art. XX GATT und anschliessend auf die einzelnen Ausnahmebestimmungen ein.

### 3.8.1 Die Vorbehalte

945 Nach Art. XX GATT dürfen die anschliessend aufgezählten Massnahmen

"[...] nicht so angewendet werden, dass sie zu einer willkürlichen und ungerechtfertigten Diskriminierung zwischen Ländern, in denen gleiche Verhältnisse bestehen, oder zu einer verschleierten Beschränkung des internationalen Handels führen [...]".

946 Diese Vorbehalte sind eine Modifizierung der allgemeinen Pflicht zur Meistbegünstigung und Inlandgleichbehandlung. Verbietet Art. I GATT die Diskriminierung zwischen den Vertragsparteien im allgemeinen, spricht Art.

---

197 *Jackson, John H.* (1969), World Trade and the Law of GATT, Indianapolis u.a., S 741.

198 *US Department of State* (1945), Proposals for Expansion of World Trade and Employment, Publication 2411, November, Washington, DC, Sec. G.

199 *US Department of State* (1946), Suggested Charter for an International Trade Organization of the United Nations, Publication 2598, September, Washington, DC, Art. 32.

200 Die Havanna-Charta nahm die Ausnahmen zur Wahrung der Sicherheit nicht in das Kapitel der Wirtschaftspolitik auf, sondern in das den ganzen Vertrag abdeckende Kapitel IX.

201 Vgl. *GATT* (1994), Analytical Index, Genf, S. 519f.; *Jackson, John H.* (1969), World Trade and the Law of GATT, Indianapolis u.a., S. 741f. In der neueren WTO-Literatur werden diese Vorbehalte, der Vorspann des Artikels XX, oft auch als sog. "Chapeau" bezeichnet.

XX GATT von einer willkürlichen und ungerechtfertigten Benachteiligung. Untersagt Art. III GATT die Schlechterstellung der ausländischen Güter und Anbieter gegenüber den einheimischen grundsätzlich, beschränkt sich Art. XX GATT ausschliesslich auf die "verschleierte Beschränkung" des internationalen Handels. Wie die bisherige Interpretation des Vertragstextes und die GATT–Panelempfehlungen verdeutlichen, darf hinter diesen etwas merkwürdigen Formulierungen des Art. XX GATT nicht zuviel gesucht werden. Erstens geht es darum, Massnahmen nicht auf eine Art und Weise anzuwenden, dass sie zwischen den Vertragsparteien diskriminieren. So hat zum Beispiel das GATT–Panel im Streitfall USA – Kanada über den Import von Thunfischen und Thunfischprodukten die Behauptung, die gegen Kanada getroffenen Massnahmen seien willkürlich und ungerechtfertigt, mit dem Hinweis entkräftet, die gleichen Massnahmen seien auch gegen Costa Rica, Ecuador, Mexiko und Peru ausgesprochen worden; das Prinzip der Meistbegünstigung werde eingehalten.[202] Zweitens gilt, dass Art. XX GATT Ausnahmen zum Schutz von Leben und Gesundheit usw. zwar erlaubt, aber – und das ist der Vorbehalt – nicht in Form einer "verschleierten" oder "versteckten" Beschränkung des Handels. Diesem Erfordernis wird nachgelebt, wenn die verfügten Massnahmen in einer für die Handelspartner leicht zugänglichen Art öffentlich bekannt gegeben ("publicly announced") oder in einem offiziellen Publikationsorgan (z.B. im "Federal Register") veröffentlicht werden.[203]

### 3.8.2 Die einzelnen Massnahmen

Im zweiten Teil des Art. XX folgt die Aufzählung jener Massnahmen, die unter den im letzten Abschnitt erwähnten Vorbehalten ergriffen werden dürfen. Dabei ist für die in lit. a bis d aufgeführten Schutzmassnahmen der Notwendigkeitsnachweis zu erbringen.[204] Eine Massnahme ist nach bisheriger Rechtspraxis des GATT notwendig, wenn erstens mit dieser Massnahme das gesetzte

947

---

202 Panelbericht US – Prohibition of Imports of Tuna and Tuna Products from Canada vom 22.2.1982, in: *GATT* (1983), BISD 29th S, S. 91ff., Ziff. 4.8.
203 Vgl. die Panelberichte in: *GATT* (1994), Analytical Index, Genf, S. 521.
204 Es ist interessant festzustellen, dass in den deutschen Übersetzungen des Art. XX(a) bis (d) GATT das Wort "necessary" fehlt. Richtigerweise müssten lit. a bis d mit "Notwendige Massnahmen ..." beginnen.

Schutzziel erreicht wird und zweitens keine Alternative zur Verfügung steht, die weniger GATT–widrig ist.[205] Was ist unter dem Erreichen des Schutzziels zu verstehen? Die thailändische Einfuhrlizenz auf US–Zigaretten zur Verminderung des Zigarettenkonsums in Thailand wurde vom GATT als nicht geeignet und daher als nicht notwendig beurteilt, weil gleichzeitig ein ausreichendes Inlandangebot an Zigaretten zur Verfügung stand und mit der Importlizenzierung der Konsum nicht gemässigt werden konnte.[206] Im Gegensatz dazu wäre das EG–Importverbot von Hormonfleisch geeignet, eine Gesundheitsgefährdung in der EG zu vermeiden (falls eine Gefährdung nachgewiesen werden kann), weil in der EG ein Hormonverbot besteht. Wann ist eine Massnahme weniger GATT–widrig? Die thailändische Einfuhrlizenz auf US–Zigaretten zur Senkung des Zigarettenkonsum in Thailand wurde vom GATT auch deshalb als nicht notwendig erachtet, weil dieses Ziel über andere weniger GATT–widrige Massnahmen hätte erreicht werden können, wie zum Beispiel über eine Produktionseinschränkung, über ein Verkaufsverbot oder über eine hohe Tabaksteuer.[207]

948 Nach bisheriger Rechtspraxis liegt die Beweislast der Notwendigkeit bei dem Handelspartner, der eine Ausnahme von den GATT–Bestimmungen beansprucht: "[...] it is up to the contracting party seeking to justify measures

---

205 Der in diesem Zusammenhang immer wieder zitierte Paneltext lautet: "It was clear to the Panel that a contracting party cannot justify a measure inconsistent with other GATT provision as 'necessary' in terms of Article XX(d) if an alternative measure which it could reasonably be expected to employ and which is not inconsistent with other GATT provisions is available to it. [...] a contracting party is bound to use, among the measures reasonably available to it, that which entails the least degree of inconsistency with other GATT provisions". Panelbericht US Section 337 of the Tariff Act of 1930 vom 7.11.1989, in: *GATT* (1990), BISD 36th S, S. 345ff., Ziff. 5.25.

206 Panelbericht Thailand – Restrictions on Importation of and Internal Taxes on Cigarettes vom 7.11.1990, in: *GATT* (1991), BISD 37th S, S. 200f., Ziff. 23.

207 Panelbericht Thailand – Restrictions on Importation of and Internal Taxes on Cigarettes vom 7.11.1990, in: *GATT* (1991), BISD 37th S, S. 200ff., Ziff. 21ff. Eine übersichtliche Darstellung des Notwendigkeitsbegriffs in den einzelnen Panelberichten findet sich in: *Diem, Andreas* (1996), Freihandel und Umweltschutz in GATT und WTO, Baden–Baden, S. 64, 68f., 90f. und 144f.

[...] to demonstrate that those measures are 'necessary' [...]"²⁰⁸. Es folgt nun die Darstellung der einzelnen Ausnahmebestimmungen.

*Notwendige Massnahmen zum Schutz der öffentlichen Sittlichkeit*

Die in Art. XX(a) GATT festgehaltenen Ausnahmebestimmungen zum Schutz der öffentlichen Sittlichkeit ("public morals") gehen auf die Vorschläge der USA der Jahre 1945 und 1946 zurück. Ein Vertragspartner ist beispielsweise berechtigt, Importverbote für Medienprodukte (Kinofilme, CDs und Printerzeugnisse) zu verfügen, wenn diese Erzeugnisse die öffentliche Sittlichkeit gefährden, die Gewalt verharmlosen oder den Terrorismus verherrlichen. Die Anwendung dieser Ausnahmebestimmung hat bis heute keine ernsthaften Handelszwiste ausgelöst.

949

*Notwendige Massnahmen zum Schutz von Leben und Gesundheit*

Art. XX(b) GATT erlaubt Ausnahmemassnahmen, die ein Handelspartner zum Schutz des Lebens und der Gesundheit von Menschen, Tieren und Pflanzen als notwendig erachtet. Die in Art. XX(b) GATT gewählte Formulierung wurde von mehreren Abkommen der WTO wörtlich oder sinngemäss übernommen, so beispielsweise vom Abkommen über sanitarische und phytosanitarische Massnahmen (Präambel und Art. 2.10), vom Allgemeinen Dienstleistungsabkommen (Art. XIV(b)), vom Abkommen über handelsbezogene Aspekte des geistigen Eigentums (Art. 27:2(b)) und vom Abkommen über das öffentliche Beschaffungswesen (Art. XXIII:2).

950

Bei der ursprünglichen Ausarbeitung des Schutzartikels stand längere Zeit die Frage im Raum, ob handelspolitische Schutzmassnahmen von einem Importeur nur angerufen werden dürfen, wenn in seinem Land bereits gleichartige Schutzmassnahmen bestehen ("corresponding domestic safeguards under similar conditions"). Schliesslich sahen die Verhandlungspartner von einer

951

---

208 Vgl. die in dieser Frage übereinstimmenden Panelberichte in: *GATT* (1994), Analytical Index, Genf, S. 519.

Vierter Teil

derartigen Bedingung aus Angst ab, die Lieferländer zu sehr zu schwächen.[209] Enthielte Art. XX(b) GATT eine derartige Klausel, hätte der Hormonfall ohne Zweifel zu Gunsten der EU entschieden werden müssen, weil in der EU ein Hormonverbot besteht.

952　Art. XX(b) GATT ist in den vergangenen Jahren oft angerufen worden. Bekannt sind die bereits erwähnten Streitschlichtungsfälle über die thailändischen Zigaretten–Importrestriktionen von 1990,[210] die US–Thunfisch–Importbeschränkungen gegenüber Mexiko von 1991 und 1994 [211] und der Hormonfall USA – EU von 1997.[212]

953　Von besonderer Bedeutung ist in Art. XX(b) GATT die Veröffentlichungspflicht bei der Verhängung von Schutzmassnahmen. Die diesbezüglichen Havanna–Charta–Vorschriften Art. 38 (Veröffentlichung von Handelsbestimmungen) und 41 (Beratung) wurden als Art. X und XXII ins GATT aufgenommen und bilden heute, zusammen mit den Informationsbestimmungen der übrigen Abkommen die Grundlage der gegenseitigen Informationspflicht.[213] In Ergänzung zur allgemeinen Informationspflicht im GATT führten die Veröffentlichungen Grossbritanniens über den Schutz vor Maul– und Klauenseuche von 1969, die EG–Massnahmen gegen Tschernobyl–verstrahlte Nahrungsmittelimporte von 1986 und die Beschwerden Chiles gegen das Fruchtimportverbot der USA wegen Vergiftungsverdacht von 1989 zu weiteren Empfehlungen im GATT: (1) Eine Massnahme zum Schutz des Lebens und der Gesundheit soll nur in einem Masse und nur für eine Zeit ergriffen werden, als dies notwendig ist, (2) das Verfügen von Schutzmassnahmen ist dem GATT unverzüglich zu melden und (3) die von solchen Massnahmen betroffenen

---

209　Über die Argumente für und gegen die Aufnahme dieser Zusatzbestimmung vgl. *GATT* (1994), Analytical Index, Genf, S. 521.

210　Panelbericht Thailand – Restrictions on Importation of and Internal Taxes on Cigarettes vom 7.11.1990, in: *GATT* (1991), BISD 37th S, S. 200ff.

211　Panelbericht United States – Restrictions on Imports of Tuna vom 3.9.1991, in: GATT (1993), BISD 39th S, S. 155ff.; GATT, Panelbericht US – Restrictions on Imports of Tuna, GATT Doc. DS 29/R vom 16.6.1994.

212　Panelbericht US – EC Measures Concerning Meat und Meat Products (Hormones) vom 18.8.1997, WTO Doc. DS26/R/USA.

213　Vgl. Rz 451ff.

Handelspartner erklären sich bereit, über Verhandlungen eine einvernehmliche Lösung anzustreben.[214] Grundsätzlich geht diese Empfehlung nicht über das hinaus, was in den übrigen GATT–Bestimmungen festgelegt ist. Ihr Entstehen mag handelspolitisch zu verstehen sein.

Art. XX(b) GATT lässt, wie bei den GATT–relevanten Umweltschutzbestimmungen aufgezeigt worden ist,[215] viele Fragen offen: Dürfen die Vertragspartnerstaaten Umweltschutzmassnahmen mit extraterritorialen Auswirkungen ergreifen? Sind der umweltpolitische Bezug im Güterverbrauch sowie die Produktions– und Verarbeitungsmethoden als Kriterien der Produktgleichheit anzuerkennen? Darf der Kriterienkatalog auf weitere Aspekte wie arbeitsrechtliche und sozialpolitische Werte (z.B. Kinderarbeit oder soziale Sicherheit der Erwerbstätigen, der Arbeitslosen und Betagten) ausgeweitet werden? 954

*Notwendige Massnahmen für die Ein– oder Ausfuhr von Gold und Silber*

Der Import und der Export von Gold und Silber in Form von Zahlungsmitteln (zu verstehen als Münzen oder Währungsreserve–Barren) kann von jedem Vertragspartnerland ohne Rücksicht auf die GATT–Bestimmungen nach eigenem Gutdünken geregelt werden. Ist das Edelmetall hingegen ein integraler Bestandteil eines Handelsguts oder werden Münzen (wie z.B. "Maple Leaf" oder "Krugerrand") als Souvenir– oder Investitionsgut gehandelt, hat ein GATT–Panel die Meinung vertreten, dass auch diese Münzen zu einem Handelsgut nach Art. III:2 GATT würden, was die Einhaltung des Meistbegünstigungs– und Inländerprinzips erfordere. Kanada hat diese Rechtsauffassung nicht anerkannt.[216] 955

---

214 "Streamlined Mechanism for Reconciling the Interests of Contracting Parties in the Event of Trade–Damaging Acts", in: *GATT* (1990), BISD 36th S, S. 67.
215 Vgl. Rz 656.
216 Die Provinz Ontario belastete den Handel mit Krugerrand (Goldmünzen aus Südafrika) mit einer indirekten Steuer, nicht aber den Handel mit Maple Leaf (Goldmünzen aus Kanada) mit dem Argument, beim Krugerrand handle es sich um eine Handelsware, beim Maple Leaf dagegen um kanadisches Geld. Nach GATT–Schiedsgerichtsempfehlung von 1975 verstösst diese Massnahme gegen das Prinzip der Meistbegünstigung. Vgl. *GATT* (1994), Analytical Index, Genf, S. 529.

Vierter Teil

*Notwendige Massnahmen zur Anwendung von Gesetzen und sonstigen Vorschriften*

956     Jeder Staat kann gestaltend in seine Wirtschaft eingreifen. Diese Kompetenz macht aber nur Sinn, wenn dem Staat auch das Recht zusteht, Massnahmen zur Anwendung seiner Gesetze und sonstiger Vorschriften zu erlassen. Dies ist der Inhalt von Art. XX(d) GATT. Er besagt, dass das GATT einen Vertragspartner nicht daran hindern darf, Massnahmen zu beschliessen und durchzuführen, "die zur Anwendung von Gesetzen und sonstigen Vorschriften erforderlich sind". Unter "Gesetzen und sonstigen Vorschriften" fallen gemäss ausdrücklicher Erwähnung im Vertragstext auch die Bestimmungen über die Anwendung der Zollvorschriften, die Führung von Importmonopolen und staatlichen Handelsmonopolen nach Art. II:4 und XVII GATT, der Schutz der Patente, Marken und Copyrights sowie die Gesetze über den unlauteren Wettbewerb. Das Ergreifen von Massnahmen ist an drei Bedingungen gebunden: (1) Die zur Anwendung gelangenden Gesetze und Vorschriften müssen GATT-konform sein. (2) Die Massnahmen dürfen nicht willkürlich und ungerechtfertigt das Meistbegünstigungsprinzip verletzen und keine verschleierte Beschränkung des Handels enthalten (gemäss Einleitung des Art. XX GATT). (3) Die Massnahmen müssen zur Erreichung des gesetzten Ziels notwendig sein und die Alternativen darstellen, die am wenigsten GATT-widrig sind.

957     Als Beispiel der Anwendung von Art. XX(d) GATT mag der Bericht der GATT-Arbeitsgruppe von 1955 dienen. Er verdeutlicht, wie Haiti zur Durchführung seines Tabakregimes Importlizenzen für Tabakblätter, Zigarren und Zigaretten verfügen durfte.[217]

*Massnahmen über den Handel mit Waren aus Strafanstalten*

958     Es steht einem GATT-Partner frei, Importbeschränkungen und Exportförderungsmassnahmen zum Schutz der in Strafanstalten hergestellten Waren zu erlassen. Die davon betroffenen Handelsmengen sind weltwirtschaftlich

---

217 *GATT*, Bericht der GATT-Arbeitsgruppe über The Haitian Tobacco Monopoly, in: *GATT* (1955), BISD 4th S, S. 38ff.; vgl. auch *GATT* (1994), Analytical Index, Genf, S. 529.

unbedeutend. Der Einsatz solcher Massnahmen hat bis heute keinen Anlass zu handelspolitischen Diskussionen gegeben.

*Massnahmen zum Schutz des nationalen Kulturgutes*

Die GATT-Vertragspartner haben das Recht, Handelsmassnahmen (z.B. in Form von Exportverboten oder spezifischen Kontrollen an den Grenzen) "zum Schutz des nationalen Kulturguts von künstlerischem, geschichtlichem oder archäologischem Wert" zu erlassen. Interessant ist in diesem Zusammenhang der explizite Hinweis auf "national" (im Gegensatz zu Art. XX(b) GATT, in dem das Wort "national" fehlt). Massnahmen zum Schutz des internationalen beziehungsweise des extraterritorialen Kulturgutes sind damit ausgeschlossen. Auch diese Vertragsbestimmung hat bis heute zu keinen handelspolitischen Schwierigkeiten geführt.

*Massnahmen zur Erhaltung erschöpfbarer Naturschätze*

Unter den in Art. XX(g) GATT angesprochenen Naturschätzen werden im allgemeinen verstanden: Tiere und tierische Produkte (z.B. Fische), Pflanzen und Pflanzenprodukte (z.B. Holz) sowie mineralische Rohstoffe (Energieträger wie Erdöl sowie Metalle und Erze). Die Elektrizität fällt definitionsgemäss nicht unter erschöpfbare Naturschätze.[218]

Die Massnahmen in lit. g sind gegenüber jenen in lit. b (Schutz von Leben und Gesundheit) weiter gefasst, weil das Erfordernis der Notwendigkeit wegfällt. Das Ergreifen von Massnahmen zur Erhaltung erschöpfbarer Naturschätze ist erlaubt, auch wenn der Schutz durch andere weniger GATT-widrige Instrumente möglich wäre. Nach GATT-Interpretation genügt, dass die Gründe zur Erhaltung wichtiger Naturschätze wesentlich sind.[219] Freilich besteht gegenüber lit. b eine Einengung; die getroffenen Handelsmassnahmen

---

218 Vgl. *GATT* (1994), Analytical Index, Genf, S. 541.
219 "Wesentlich" bedeutet hier "vor allem" oder "an erster Stelle": "[...] a trade measure [...] had to be primarily aimed at the conservation of [...]". Panelbericht Canada – Measures Affecting Exports of Unprocessed Herring and Salmon vom 22.3.1988, in: *GATT* (1989), BISD 35th S, S. 98ff., Ziff. 4.6.

zum Schutz der natürlichen Ressourcen müssen durch "Beschränkungen der inländischen Produktion oder des inländischen Verbrauchs" ergänzt werden. Illustrative Panelempfehlungen zu Art. XX(g) des GATT finden sich in den achtziger Jahren. Eine Analyse des Zusammenhangs zwischen getroffener Massnahme und Erhaltung der erschöpfbaren Naturschätze nimmt der Panelbericht über das kanadische Exportverbot von unverarbeitetem Hering und Lachs vor. Das Streitschlichtungsorgan befand, dass ein Exportverbot von unverarbeiteten Fischen in der vorliegenden Form dem GATT widerspreche. Der Schutz der kanadischen Fischbestände hänge nicht von der Nationalität der die Fische verarbeitenden Firmen ab. Die getroffenen Massnahmen hätten lediglich den Schutz der kanadischen Fischverarbeitungsindustrie und nicht die Erhaltung der kanadischen Fischbestände zum Ziel. Die Massnahmen würden sich nicht auf "the conservation of exhaustible natural resources" beziehen.[220] Weiter ging das "Panel" im Zusammenhang mit dem kanadischen Exportverbot von unverarbeitetem Hering und Lachs und dem US–Importverbot von kanadischem Thunfisch und Thunfischprodukten der Frage nach, ob die inländische Produktion oder der inländische Verbrauch ausreichend eingeschränkt sei, um restriktive Aussenhandelsmassnahmen ergreifen zu dürfen. Die in Kanada bestehenden Fischfangbegrenzung wurden vom "Panel" im Sinne des Art. XX(g) GATT als ausreichend beurteilt.[221] Im Gegensatz dazu betrachtete das "Panel" die US–Vorschriften zur Einschränkung des Thunfischfangs als Voraussetzung eines Importverbots als nicht ausreichend, weil einzelne für den Handel bedeutsame Fischarten ausgeklammert wurden.[222]

*Massnahmen zur Durchführung internationaler Rohstoffabkommen*

962  Art. XX(h) GATT erlaubt Massnahmen, die sich aus der Verpflichtung internationaler Rohstoffabkommen ergeben. "Rohstoffe", "Rohprodukte" und "Rohwaren" ("primary commoditites") bezeichnen nach Art. 56 der Havanna–

---

[220] Panelbericht Canada – Measures Affecting Exports of Unprocessed Herring and Salmon vom 22.3.1988, in: *GATT* (1989), BISD 35th S, S. 98ff., Ziff. 5.1ff.

[221] Panelbericht Canada – Measures Affecting Exports of Unprocessed Herring and Salmon vom 22.3.1988, in: *GATT* (1989), BISD 35th S, S. 98ff., Ziff. 4.4.

[222] Panelbericht US – Prohibition of Imports of Tuna and Tuna Products from Canada vom 22.2.1982, in: *GATT* (1983), BISD 29th S, S. 91ff., Ziff. 4.10f.

Charta Erzeugnisse und Güter, die nicht oder nur in einem für den Transport und den Handel notwendigen und üblichen Ausmass verarbeitet sind. Internationale Rohstoffabkommen sind Vereinbarungen zwischen zwei oder mehreren Staaten (im Gegensatz zu privaten Vereinbarungen) zur Regelung des internationalen Handels mit Rohstoffen. Art. XX(h) GATT deckt zusammen mit seinen Anmerkungen und ergänzenden Bestimmungen alle internationalen Rohstoffabkommen ab, die dem GATT gemeldet werden und den Grundsätzen der ECOSOC–Resolution 1947 entsprechen. Bis zum Jahr 2000 sind dem GATT beziehungsweise der WTO keine internationalen Abkommen unterbreitet worden, noch hat je eine Vertragspartei eine diesbezügliche Streitschlichtung beantragt.[223]

Grundsätzlich geht es Art. XX(h) GATT darum, die in den Rohstoffabkommen (z.B. in den internationalen Kaffee–, Kakao– und Zuckerabkommen) ausgehandelten Export– und Importquoten, im Gegensatz zu üblichen Importquoten, anwenden zu dürfen. Die Rechtfertigung dieser Ausnahme besteht darin, dass es sich bei diesen Quoten nicht um einseitige protektionistische Schutzmassnahmen zugunsten der eigenen Wirtschaft gehe, sondern um mengen– und wertbezogene Instrumente zur Stabilisierung des Weltmarkts (was aber letztlich doch im Interesse der eigenen Wirtschaft liegt).[224]    963

*Massnahmen zur Beschränkung von Rohstoffausfuhren*

Art. XX(i) GATT erlaubt Massnahmen zur Beschränkung der Ausfuhr inländischer Rohstoffe, "die benötigt werden, um für eine Zeit, in der ihr Inlandpreis im Rahmen eines staatlichen Stabilisierungsprogramms unter dem Weltmarktpreis gehalten wird, einem Zweig der inländischen verarbeitenden Industrie die erforderlichen Mengen dieser Rohstoffe zu sichern". Diese GATT–Regelung geht auf eine Anregung Neuseelands zurück. Bei ansteigen-    964

---

223 *Vgl. GATT* (1994), Analytical Index, Genf, S. 543ff.; *WTO* (1999), Annual Report 1999, Genf.
224 Nicht unter diese GATT–Bestimmungen fallen Importquoten im Sinne des EU–Bananen–Regimes, weil dieser Regelung kein internationales Rohstoffabkommen zugrunde liegt. Art. XX(h) GATT stand im Bananenstreit bisher nicht zur Diskussion.

den Weltmarktpreisen wären die heimischen Rohstoffe (z.B. Leder) exportiert worden, so dass die eigene Verarbeitungsindustrie entweder der Rohstoffe verlustig gegangen wäre oder höhere Preise hätte entrichten müssen. Die Verwirklichung eines staatlichen Stabilisierungsprogramms erfordere daher – so die damalige Argumentation Neuseelands – die Möglichkeit, die Exporte entsprechend zu beschränken.[225]

965   Um diese Bestimmung nicht zu einer effektiv protektionistischen Massnahme ausufern zu lassen, stellt Art. XX(i) GATT die Bedingung, dass eine Beschränkung der Ausfuhr inländischer Rohstoffe zu keiner Steigerung der Exporte der einheimischen Verarbeitungsindustrie, zu keinem zusätzlichen Schutz der dadurch begünstigten einheimischen Wirtschaft und zu keiner Diskriminierung der ausländischen Handelspartner führen darf. Art. XX(i) GATT hat bis heute zu keinen Handelsstreitigkeiten Anlass gegeben.

*Massnahmen zur Überwindung von Mangelsituationen*

966   Art. XX(j) GATT ist ein Teilbereich dessen, was nach dem Zweiten Weltkrieg als Art. 45:1(b) i) bis iii) in der Havanna–Charta und über diese in Art. XX:II(a) bis (c) GATT zur Bewältigung der Nachkriegszeit aufgenommen wurde. Die einzelnen Vertragspartner erhielten das Recht, Massnahmen zu ergreifen, die den Erwerb oder die Verteilung von Mangelprodukten, die Preiskontrolle, den Abbau von Überschüssen und die Überführung der Kriegs– in eine Friedenswirtschaft bezweckten. Art. XX:II des damaligen GATT–Vertrags, letzter Abschnitt, enthielt die Zusatzbestimmung, dass diese Massnahmen aufzuheben seien, sobald die sie rechtfertigenden Verhältnisse nicht mehr bestünden, spätestens am 1. Januar 1951. Die VERTRAGSPARTEIEN besassen indessen die Kompetenz, für einzelne Produktbereiche eine Fristerstreckung vorzunehmen. Nach mehrmaliger Verlängerung fasste die Session 1954–55 den Beschluss, Art. XX:II(b) und (c) GATT sowie den letzten Abschnitt des Art. XX:II GATT aufzuheben und Art. XX:II(a) als Art. XX(j)

---

225   Vgl. *GATT* (1994), Analytical Index, Genf, S. 547.

GATT beizubehalten. Die heutige Fassung des Art. XX(j) GATT trat am 7. Oktober 1957 in Kraft.²²⁶

Materiell entspricht Art. XX(j) des GATT weitgehend Art. XI:2(a) des GATT. Dieser ermächtigt ebenfalls die Vertragsparteien, zur Verhütung eines kritischen Mangels an Lebensmitteln oder anderen für die ausführende Vertragspartei wichtigen Waren vom Verbot nichttarifärer Handelshemmnisse abzuweichen. Der Hinweis, Art. XI:2(a) GATT beziehe sich auf Mangelsituationen innerhalb der einzelnen Vertragspartner, während Art. XX(j) GATT internationale Mangelsituationen zum Gegenstand habe,²²⁷ ist dem Vertragstext nicht zu entnehmen, da Art. XX(j) GATT ausdrücklich auch die "örtlichen Mängel" anspricht. Art. XX(j) GATT hat in den letzten Jahren zu keinen Handelsdifferenzen zwischen den Vertragsparteien geführt.

## 3.9 Die Ausnahmen zur Wahrung der Sicherheit

Art. XXI GATT über die erlaubten Ausnahmen zur Wahrung der Sicherheit geht auf Art. 99 der Havanna–Charta zurück. Die Havanna–Charta gewährte allgemeine Ausnahmen zur Wahrung der Sicherheit, zum Schutz des Handels mit Kriegsmaterial, zum Abschluss von Sicherheitsbündnissen, zur Durchführung einzelner Länderabkommen²²⁸ und zur Regelung noch bestehender Friedensverträge aus der Zeit des Zweiten Weltkriegs oder noch zu schaffender Sonderregelungen für UNO–Treuhandschaften. Bei der Übernahme der Bestimmungen der Havanna–Charta in das Allgemeine Zoll– und Handelsabkommen stand das Ausmass der Ausnahmebestimmungen zur Diskussion. Eine zu extensive Interpretation der Sicherheitsbestimmungen wäre vermutlich mit der Gefahr protektionistischer Handelsmassnahmen unter dem Deckmantel der Sicherheit verbunden gewesen. Eine zu restriktive Auslegung hätte

---

226 Die Geltungsdauer der 1957 in Kraft gesetzten Fassung wurde in den Jahren 1960 und 1965 verlängert. 1970 folgte die Definitiv–Erklärung. Über die verschiedenen Ausnahmebestimmungen in der Havanna–Charta und im GATT. Vgl. *GATT* (1994), Analytical Index, Genf, S. 548ff.
227 Vgl. *GATT* (1994), Analytical Index, Genf, S. 549.
228 Anlage M der Havanna–Charta über die besonderen Bestimmungen für Indien und Pakistan.

dagegen die Vertragsparteien nicht davon abgehalten, trotzdem Sicherheitsmassnahmen zu ergreifen. Der heute geltende Vertragstext von Art. XXI GATT ist ein Kompromiss zwischen den damals vorgetragenen Standpunkten.[229] Art. XXI GATT findet sich fast wortgleich in Art. XIV$^{bis}$ des Allgemeinen Dienstleistungsabkommens, mit der Ergänzung, dass die Einführung und Aufhebung der Massnahmen dem GATS–Rat zu melden sind.

### 3.9.1 Die Ausnahmebestimmungen

969  Art. XXI des GATT erwähnt drei Bereiche sicherheitspolitischer Ausnahmen:

– Ausnahmen bei der Informationspflicht gemäss Art. XXI(a) GATT: Eine Vertragspartei darf Informationen und Auskünfte gegenüber anderen Vertragsparteien zurückhalten, wenn deren Preisgabe ihren wesentlichen sicherheitspolitischen Interessen zuwiderläuft. Der Entscheid, ob und in welchem Masse die Weitergabe von Informationen und Auskünften den eigenen Sicherheitsinteressen schadet, entscheidet jeder Vertragspartner in eigener Verantwortung.

– Ausnahmen nach Art. XXI(b)i, ii und iii GATT in Form von Massnahmen, die zum Schutz der landeseigenen Sicherheit notwendig sind: Die Frage der Notwendigkeit liegt wiederum im Ermessen der Vertragspartei, die Schutzmassnahmen ergreift. Das Abkommen zählt an dieser Stelle drei Massnahmenbereiche auf: Erstens Massnahmen in Bezug auf spaltbare Stoffe oder Rohstoffe, aus denen diese erzeugt werden, zweitens Massnahmen, die den Handel mit Kriegsmaterial oder die Truppenversorgung mit anderen Waren betreffen und drittens Massnahmen in Krisen– und Notzeiten.

– Massnahmen aufgrund von Art. XXI(c) GATT: Bei diesen Massnahmen handelt es sich um die Verpflichtungen, welche die Vertragspartner gegenüber der UNO zur Erhaltung des internationalen Friedens und der internationalen Sicherheit eingehen.

---

229 Über die Argumente für und wider eine extensive bzw. restriktive Interpretation von Art. XXI GATT vgl. *GATT* (1994), Analytical Index, Genf, S. 554.

Art. XXI GATT führte in der GATT–Geschichte immer wieder zu Auseinandersetzungen. Bekannt ist beispielsweise der Handelsstreit 1949 zwischen der damaligen Tschechoslowakei und den USA. Die Tschechoslowaken bezichtigten die US–Amerikaner des Verstosses gegen Art. I und XIII GATT (Meistbegünstigung und nichttarifäre Handelshemmnisse), weil die tschechoslowakischen Handelsfirmen im Rahmen des "European Recovery Program" wegen der im Vergleich zu den OECE–Staaten erschwerten Exportlizenzverfahren benachteiligt waren. Die USA rechtfertigten die unterschiedliche Behandlung der Tschechoslowakei mit Art. XXI GATT. Bei den Exportgütern der USA handle es sich um Produkte, die auch für militärische Zwecke verwendet werden könnten, was sie zu entsprechenden Restriktionen ermächtige.[230] Auf Art. XXI GATT bezogen sich unter anderem auch Ghana im Jahr 1961 mit dem Boykott Portugals,[231] die USA im Jahr 1962 mit dem Handelsembargo gegenüber Kuba,[232] Schweden im Jahr 1975 mit den Schuhimportquoten,[233] die EG, Australien und Kanada im Jahr 1982 mit den Boykotten gegen Argentinien (Falklandkrieg)[234] und die EG im Jahr 1991 mit dem Handelsembargo gegen Jugoslawien.[235]

970

Als Reaktion auf die im Zusammenhang mit dem Falklandkrieg von der EG, Australien und Kanada gegen Argentinien ergriffenen Massnahmen verlangte Argentinien in Genf eine klärende Interpretation des Art. XXI GATT. Nach informellen Gesprächen an der 38. Session des GATT stellten die VERTRAGSPARTEIEN in der "Decision Concerning Article XXI of the General

971

---

230 *GATT* (1952), BISD Vol. II, S. 28.
231 Ghana boykottierte Portugal, weil Portugal Angola unterstützte und Angola im Urteil Ghanas eine potentielle Gefahr für den Kontinent Afrika darstellte. *GATT* (1994), Analytical Index, Genf, S. 554.
232 GATT (1994), Analytical Index, Genf, S. 559; vgl. auch *Meng, Werner* (1997), Extraterritoriale Jurisdiktion in der US–amerikanischen Sanktionsgesetzgebung, in: Europäische Zeitschrift für Wirtschaftsrecht, H. 14, S. 423ff. (mit entsprechenden Literaturhinweisen).
233 Schweden betrachtete die Quotenbewirtschaftung der Schuhimporte als Teil der Sicherheitspolitik. Die Quoten wurden nach zwei Jahren aufgehoben. Vgl. *GATT* (1994), Analytical Index, Genf, S. 557.
234 *GATT* (1994), Analytical Index, Genf, S. 557.
235 *GATT* (1994), Analytical Index, Genf, S. 558.

Agreement" fest, dass Art. XXI GATT in der Tat eine grosse Unsicherheit für den internationalen Handel darstelle und die Interessen der Vertragspartner tangiere. Insofern sei eine gegenseitige Information unter den betroffenen Staaten wünschenswert.[236] Die von Argentinien gestellte Zusatzfrage, ob Gegenmassnahmen allein von den direkt beteiligten Staaten (im Falklandkrieg allein von Grossbritannien) oder von einem Kollektiv (z.B. den Mitgliedstaaten einer Zollunion) ergriffen werden dürften, blieb unbeantwortet. Der GATT-Rat hielt lediglich fest, dass die Frage offen und auf der Tagesordnung belassen werde.[237] Seither ist dieses Problem zwar wiederholt erörtert, aber nicht abschliessend behandelt worden.

*Art. XXI des GATT als politischer Freipass*

972 Art. XXI GATT ist in begrifflicher Hinsicht derart unbestimmt und in Bezug auf die Anwendung so stark dem Ermessen der einzelnen Vertragspartner überlassen, dass er keinen Beitrag zu einem freiheitlichen und offenen Weltmarkt leistet. In allen bisherigen Streitverfahren bestätigte das GATT, "every country must be the judge in the last resort on questions relating to its own security"[238].

973 Aus heutiger Sicht ist anzunehmen, dass die mächtigen Handelsländer nicht bereit sind, auf die Souveränitätsrechte in der Sicherheitspolitik zu verzichten, und zwar unabhängig davon, ob diese Ausnahmen im GATT aufgeführt werden oder nicht: "Whether explicitly provided or not, most states would probably exercise exceptions such as those stated in Art. XXI".[239] Damit wird, wie *Werner Meng* sagt, eine schwierige Rechtsfrage aufgeworfen: Erlauben Art. XXI GATT und der fast gleichlautende Art. XIV$^{bis}$ GATS den Vertragsparteien "in Kriegszeiten oder bei sonstigen ernsten Krisen in den internationalen Beziehungen" Massnahmen zu treffen, die von den Grundsätzen des

---

236 Bei dieser Feststellung ist es bis heute geblieben. Vgl. Text der "Decision Concerning Article XXI of the General Agreement" in: *GATT* (1994), Analytical Index, Genf, S. 559.
237 *GATT* (1982), FOCUS, Newsletter Nr. 14, Genf, S. 4.
238 Handelsstreit zwischen der Tschechoslowakei und den USA. *GATT* (1994), Analytical Index, Genf, S. 554.
239 *Jackson, John H.* (1969), World Trade and the Law of GATT, Indianapolis u.a., S. 748.

WTO–Vertragswerks abweichen? Sind die Vertragspartnerstaaten der WTO in ihrer Aussenhandelspolitik in Kriegs– und Notzeiten völlig frei? Darf das WTO–Panel wenigstens die Plausibilität der Argumente getroffener Massnahmen überprüfen, eventuell in Abwesenheit und ohne Zustimmung des Partners, der die Massnahmen zu treffen beabsichtigt oder getroffen hat?[240] Viele dieser Fragen sind offen und werden in der Fachliteratur unterschiedlich beantwortet.

Ob und in welchem Masse sicherheitspolitisch begründete Sanktionen letztlich auch wirtschaftlich wirksam, politisch klug und moralisch vertretbar sind, bilden Fragen, die immer wieder Anlass zu Auseinandersetzungen gaben und sicher auch in Zukunft weitere Diskussionen auslösen werden.[241]

## 3.10 Die Integrationsbestimmungen

Wie kaum in einem anderen Bereich der Welthandelsordnung vermengen sich Wirtschaft und Politik so sehr wie in der Integrationspolitik. So ist beispielsweise das erklärte Ziel der Montanunion von 1952 (Europäische Gemeinschaft für Kohle und Stahl, EGKS) die Sicherstellung des Weltfriedens, die Überwindung "jahrhundertealter Rivalitäten" und die Vermeidung "blutiger Auseinandersetzungen"; es folgen Bestimmungen über Wirtschafts–, Sozial–, Finanz–, Investitions– und Kartellfragen.[242] Die Nord–amerikanische Freihandelsassoziation (North American Free Trade Associa-

---

240 Was es heisst, einen "mächtigen" Partner in Abwesenheit zu verurteilen, hat der Internationale Gerichtshof in Den Haag im Jahr 1986 erfahren: Nach dem für die USA negativen Ausgang des Nicaragua–Falls (Military and Paramilitary Activities in and against Nicaragua), Nicaragua v. US, International Court of Justice, Reports 1986, 14, kündigten die USA ihre generelle Unterwerfung unter die Jurisdiktion des Gerichtshofs auf. Zit. nach *Meng, Werner* (1997), Extraterritoriale Jurisdiktion in der US–amerikanischen Sanktionsgesetzgebung, in: Europäische Zeitschrift für Wirtschaftsrecht, H. 14, S. 428.
241 Eine sorgfältige Aufarbeitung der neueren Literatur findet sich bei *Hahn, Michael J.* (1996), Die einseitige Aussetzung von GATT–Verpflichtungen als Repressalie, Berlin u.a.; *McGee, Robert W.* (1998), Trade Embargoes, Sanctions and Blockades, in: Journal of World Trade, Vol. 32, Nr. 4, S. 139ff.
242 Vgl. Präambel und Vertragstext der EGKS.

tion, NAFTA) spricht ausschliesslich von der Beseitigung der Zollschranken, der Intensivierung des grenzüberschreitenden Wettbewerbs, der Verbesserung der gegenseitigen Investitionsmöglichkeiten und dem Schutz der geistigen Eigentumsrechte; trotzdem sind sich alle drei Vertragsparteien ihres obersten Ziels der politischen Stabilität des nordamerikanischen Kontinents bewusst.[243] Zu diesem Ineinandergreifen von Wirtschaft und Politik kommt hinzu, dass sich die Integrationsprozesse seit Jahren wandeln und fortschreiben. Ursprünglich bezogen sie sich fast ausschliesslich auf den Abbau und die Vereinheitlichung der Zollschranken. Gegenstand der heutigen Zusammenschlüsse sind hingegen neben den Zollreduktionen die Beseitigung der nichttarifären Handelshemmnisse, die Liberalisierung der grenzüberschreitenden Dienstleistungen, die Öffnung der Finanz–, Investitions– und Kommunikationsmärkte, die Vergemeinschaftung der Fiskal–, Arbeits– und Sozialpolitik sowie die politische Abstimmung gegenüber Drittstaaten. Besonders deutlich zeigt sich dieser Wandel in der EU. Mit dem Vertrag von Amsterdam, der am 1. Mai 1999 in Kraft trat, ist aus der gegenseitigen Integration von EU–Binnenmarktprogramm und politischer Zusammenarbeit ein Integrations–Phänomen zwischen Staatenbund und Bundesstaat im Entstehen.[244] Die Integrationsbestrebungen sind im Verlauf der Zeit weit über das hinausgewachsen, was *Jacob Viner* und *Richard Lipsy*[245] sowie das GATT der vierziger und fünfziger Jahre darunter verstanden haben. Nach Ansicht von *Jagdish Bhagwati* bilden die heutigen Zusammenschlüsse eine echte Gefahr für die Weiterentwicklung der in den letzten Jahrzehnten aufgebauten Welthandelsordnung.[246]

---

243 Vgl. NAFTA–Vertrag, Allgemeiner Teil, Art. 102.

244 Vgl. Art. 1 Ziff. 5 des Vertrags von Amsterdam (Zielsetzung der Union).

245 Vgl. *Viner, Jacob* (1950), The Customs Union Issue, New York, S. 41ff.; *Lipsey, Richard G.* (1960), The Theory of Customs Unions, in: The Economic Journal, Vol. 52, S. 496ff. Beide Beiträge sind wieder–veröffentlicht in: *Letiche, John M.,* Hrsg. (1992), International Economic Policies and Their Theoretical Foundations, 2. A., San Diego u.a., S. 191ff.

246 *Bhagwati, Jagdish* (1997), Global Age, in: The World Economy, Vol. 20, Nr. 3, S. 259ff. Die gleichen Bedenken äusserte *Gottfried Haberler* bereits in den sechziger Jahren. Vgl. *Haberler, Gottfried* (1964), Integration and Growth of the World Economy in Historical Perspective, in: The American Economic Review, Vol. LIV, Nr. 1, S. 1ff.

Die nachstehenden Ausführungen weisen in einem ersten Abschnitt auf die Entstehung der GATT–Integrationsbestimmungen hin. Die Abschnitte zwei und drei handeln von der handelspolitischen Bedeutung der heutigen Integrationsräume und den in den verschiedenen WTO–Abkommen bestehenden Integrationsbestimmungen. Abschliessend wird auf die aktuellen Reformvorschläge und auf die anstehenden Probleme eingetreten.

### 3.10.1 Das Entstehen der Integrationsbestimmungen

Nach dem US–Vorschlag von 1945 sollte die neue Welthandelsordnung ein Land nicht daran hindern, einer Zollunion unter der Voraussetzung beizutreten, dass die Zollunion gewisse Kriterien erfüllt.[247] Die Aufzählung der Kriterien erfolgte ein Jahr später im Statutenentwurf der Internationalen Handelsorganisation: Die Bildung einer Zollunion darf nicht mit einer Zollerhöhung für Drittstaaten verbunden sein. Die Zollunion hat grundsätzlich annähernd den gesamten Handel zu erfassen. Es ist nicht erlaubt, sich auf einzelne Produkte oder Produktgruppen zu beschränken.[248] Dieser Vorschlag ging in seiner ursprünglichen Form als Art. 44 in die Havanna–Charta und als Art. XXIV in das GATT ein.

Die bei der Ausarbeitung der Havanna–Charta und des GATT anvisierten Ziele waren zweifacher Art. Erstens ging es um die Weiterführung der damals bereits bestehenden Zollunionen und Präferenzabkommen, an denen sich die künftigen GATT–Vertragsparteien beteiligten. Es handelte sich um die in Art. I:2(a) bis (d) GATT und in den Anhängen A bis D des GATT aufgeführten Commonwealth–Beziehungen Grossbritanniens (Anhang A des GATT), die Präferenzabkommen der Französischen Union, der Zollunion Benelux, der USA und Chiles (Anhänge B bis E des GATT), die Präferenzen der USA gegenüber Kuba (Art. I:2(c) GATT) und die Präferenzen zwischen Palästina

---

247 *US Department of State* (1945), Proposals for Expansion of World Trade and Employment, Publication 2411, November, Washington, DC, Sec. H:2.
248 *US Department of State* (1946), Suggested Charter for an International Trade Organization of the United Nations, Publication 2598, September, Washington, DC, Art. 33.

Vierter Teil

und Jordanien (Anhang F des GATT).[249] Die meisten damaligen Präferenzen und Ausnahmen – in der Literatur als "historische" Präferenzen und ihre multilaterale Rechtsabstützung als "Grossvaterklauseln" bezeichnet – bestehen heute nicht mehr, teils weil sich das politische Umfeld verändert hat, teils weil sie durch neue Zusammenschlüsse ersetzt wurden.[250] Zweitens war der Integrationsartikel des GATT auch politisch bedingt. Die USA waren an einem politisch geeinten und wirtschaftlich starken Europa interessiert und daher bereit, der Schaffung von regionalen Integrationsräumen auf Kosten des Prinzips der Meistbegünstigung zuzustimmen. Die Verhandlungsdelegationen gingen in Havanna so weit, die Herbeiführung einer grösseren Freiheit des Handels durch freiwillige Vereinbarungen zur Förderung der wirtschaftlichen Integration sogar als "wünschenswert" zu bezeichnen.[251]

979   Der damalige Vertragstext des Art. XXIV GATT ist – von geringfügigen Änderungen abgesehen – bis heute unverändert geblieben.[252] Im Verlauf der Uruguay-Runde weiteten sich die Integrationsbestimmungen vom Güter- auf den Dienstleistungsbereich aus. Die Vereinbarung über die Auslegung des Art. XXIV des GATT (Understanding on the Interpretation of Article XXIV of the GATT) wurde am 15. April 1994 unterzeichnet und trat am 1. Januar 1995 in

---

249   Im ursprünglichen GATT werden auch einzelne Maximal-Margen für bestehende Präferenzen aufgeführt. Vgl. Anhang G des GATT.

250   Eine ausführliche Darstellung der "historischen" Präferenzen findet sich in: *Jackson, John H.* (1969), World Trade and the Law of GATT, Indianapolis u.a., S. 264ff.

251   Interessant ist in diesem Zusammenhang die Stellungnahme der französischen Delegation, die im Verlauf der Verhandlungen Integrationsräume forderte, in der Absicht, "to facilitate the progressive freeing of trade [...] by promoting the maintenance, establishment and development between neighbouring countries, or countries which are closely related [...]". In dem dafür verantwortlichen Ausschuss begegnete diese Forderung starkem Widerstand mit der Begründung, es gehe nicht an, eine Ausnahme zur Verpflichtung zu machen. Auch die Entwicklungsländer sahen in einer solchen Integrationsregelung eine Bedrohung ihrer Unabhängigkeit in Form eines wirtschaftlichen Imperialismus. Die Folge davon war eine Umformulierung im Sinne des heutigen GATT-Texts. Über den geschichtlichen Hintergrund von Art. XXIV GATT vgl. *Haight, F. A.* (1972), Customs Unions and Free-Trade Areas under GATT, in: Journal of World Trade Law, Vol. 6, Nr. 4, S. 391ff. Die in der Anmerkung zitierte Stelle stammt von S. 395.

252   Über die vorgenommenen Änderungen vgl. *Jackson, John H.* (1969), World Trade and the Law of GATT, Indianapolis u.a., S. 578, Anm. 18.

Kraft.²⁵³ Am 6. Februar 1996 folgte die Errichtung eines Ausschusses über regionale Handelsvereinbarungen, auch "Regionalausschuss" genannt (Committee on Regional Agreements),²⁵⁴ dessen Verfahrensordnung am 2. Oktober 1996 beschlossen wurde.²⁵⁵ Art. XXIV GATT und Art. V und V$^{bis}$ GATS, die Vereinbarung über die Auslegung der GATT–Bestimmungen sowie der Entscheid über die Errichtung des Regionalausschusses und dessen Verfahrensregeln bilden die rechtliche Grundlage der WTO–Integrationsordnung.

### 3.10.2 Die weltwirtschaftliche Bedeutung der Integrationsräume

Die heute handelsmässig bedeutendsten Integrationsräume sind: die Europäische Union, welche die Europäische Gemeinschaft (EG, vor 1.11.1993 Europäische Wirtschaftsgemeinschaft, EWG), die Europäische Gemeinschaft für Kohle und Stahl (EGKS, die im Jahr 2002 ausläuft und voraussichtlich ersatzlos in die EG integriert wird) und die Europäische Atomgemeinschaft (EAG) umschliesst; die Nordamerikanische Freihandelszone (NAFTA); die Europäische Freihandelszone (EFTA); die Integrationsräume Afrikas (z.B. Westafrikanische Wirtschaftsgemeinschaft und Zentralafrikanische Zollunion), Arabiens (z.B. Arabischer Gemeinsamer Markt und Golf–Kooperationsrat), Asiens (z.B. Assoziation Südostasiatischer Nationen, ASEAN) und Lateinamerikas (z.B. MERCOSUR, LAFTA und Andenpakt); das Asiatisch–Pazifische Wirtschaftsforum (APEC).²⁵⁶

980

---

253 Das Abkommen ist veröffentlicht in: *Hummer/Weiss,* S. 792ff. (deutsche Fassung); *WTO*, The Legal Texts, S. 31 (englische Fassung).

254 Der Beschluss zur Errichtung des Komitees ist veröffentlicht in: Hummer/Weiss, S. 796ff. (englische Fassung).

255 Die Verfahrensordnung ist veröffentlicht in: *Hummer/Weiss,* S. 798ff. (englische Fassung).

256 APEC ist weder eine Zollunion noch eine Zollgemeinschaft, sondern eine neue Form der wirtschaftlichen und politischen Zusammenarbeit. Vgl. *Matsushita, Mitsuo* (1998), Asian Economic Regionalism – the APEC, in: *Kitagawa/Murakami/Nörr/ Oppermann/Shiono,* Hrsg., Das Recht vor der Herausforderung eines neuen Jahrhunderts: Erwartungen in Japan und Deutschland, Tübingen, S. 215ff.

Vierter Teil

981  Freihandelsverträge, Assoziationsabkommen und Präferenzvereinbarungen bestehen unter anderem zwischen der EG und den EFTA-Ländern, zwischen der EG und über 70 afrikanischen, pazifischen und karibischen Staaten (AKP-Abkommen), zwischen der EG und mehreren Mittelmeeranrainern und osteuropäischen Reformländern, zwischen der EFTA und den beiden eben genannten Staatengruppen sowie zwischen den Industriestaaten und den Entwicklungsländern in Form von Präferenzabkommen (im Rahmen des Allgemeinen Präferenzsystems, GSP). Bis heute wurden dem GATT-Sekretariat rund 100 Integrationsvereinbarungen notifiziert. Zurzeit (Herbst 1999) sind dem Regionalausschuss 72 Integrationsvereinbarungen gemeldet, die auf ihre GATT- beziehungsweise WTO-Konformität hin abgeklärt werden.[257] Zwischen den Industriestaaten und den Entwicklungsländern bestehen zurzeit rund 150 Präferenzabkommen.[258]

982  Vom gesamten Welthandel (Export und Import) entfallen im Jahr 1998 (letzte vollständige Zahlen) etwa 50 Prozent auf die Integrationsräume EU, NAFTA, ASEAN, EFTA und MERCOSUR (bezogen auf den Welthandel ohne Intrahandel der betreffenden Integrationsräume). Der bedeutendste Exporteur ist die EU mit einem Welthandelsanteil von 22.9 Prozent, gefolgt von der NAFTA mit 13.9, der ASEAN mit 7.2, der EFTA mit 9.2 und der MERCOSUR mit 1.7 Prozent. Auf der Importseite sind die Handelsanteile der EU und der NAFTA mit etwas über 20 Prozent fast anteilsgleich. Die Importanteile der ASEAN, der EFTA und der MERCOSUR entsprechen in etwa den Exportanteilen. Die detaillierten Angaben finden sich in Übersicht 25.[259]

---

257 *GATT* (1994), Analytical Index, Genf, S. 797ff.; *WTO* (1999), Annual Report 1999, Genf, S. 94f.

258 Die Zusammenstellung der Präferenzabkommen findet sich in: *Karsenty/Laird* (1987), The GSP, "Policy Options and the New Round", in: Weltwirtschaftliches Archiv, Bd. 123, S. 262ff.; *GATT* (1994), Analytical Index, Genf, S. 797ff.

259 Die Übersichten 25 und 26 wurden berechnet und zusammengestellt aufgrund der Daten in: *WTO* (1999), Annual Report 1999, International trade statistics, Genf, S. 3ff.
In Übersicht 26 wird die APEC separat ausgewiesen, weil sich dessen Intrahandel wegen der Doppelmitgliedschaft einzelner Länder nicht mit den Anteilen der übrigen Integrationsräume addieren lässt.

## Übersicht 25: Anteile einzelner Integrationsräume am Welthandel mit Gütern (ohne Intrahandel) 1998

|  | Export | | Import | |
|---|---|---|---|---|
|  | Mrd. US$ | % | Mrd. US$ | % |
| EU (15) | 813 | 22.9 | 801 | 23.0 |
| NAFTA | 494 | 13.9 | 759 | 21.8 |
| ASEAN (10) | 257 | 7.2 | 216 | 6.2 |
| EFTA | 92 | 2.6 | 123 | 3.5 |
| MERCOSUR (4) | 60 | 1.7 | 78 | 2.2 |
| Total | 1'716 | 48.3 | 1977 | 56.7 |
| Welthandel | 3'554 | 100.0 | 3488 | 100.0 |

## Übersicht 26: Intrahandel aufgrund der Exportzahlen einzelner Integrationsräume 1998

|  | Mrd. US$ | in % des Welthandels |
|---|---|---|
| EU (15) | 1'368 | 26.0 |
| NAFTA | 521 | 9.9 |
| ASEAN (10) | 72 | 1.4 |
| EFTA | 14 | 0.3 |
| MERCOSUR (4) | 20 | 0.4 |
| Total | 1'995 | 38.0 |
| Welthandel (Güter) | 5'270 | 100.0 |
| APEC | 1'625 | 31.6 |

## Vierter Teil

983 Der Intrahandel der EU (gemessen anhand der Intra-Exporte) entspricht einem guten Viertel und der Handel zwischen den NAFTA-Staaten liegt bei knapp 10 Prozent des Welthandels. Der Intrahandel der übrigen Integrationsräume ist bescheiden. Übersicht 26 fasst die einzelnen Zahlenangaben zusammen.

984 Die hier wiedergegebenen Zahlen beziehen sich auf den Güterhandel. Zu ungefähr gleichen Anteilen mag auch der grenzüberschreitende Dienstleistungshandel einzusetzen sein. Dienstleistungs-Handelszahlen stehen aber nur unvollständig zu Verfügung, so dass eine zuverlässige Zuordnung nicht möglich ist.[260]

985 Die in diesem Abschnitt aufgeführten Zahlen über die Welthandelsanteile und den Intrahandel der Integrationsräume geben Auskunft über die effektiven Handelsströme. Sie zeigen aber nicht auf, welchen Einfluss das Entstehen der Integrationsräume auf die Handelsbeziehungen zwischen den Handelspartnern ausgeübt hat, obwohl gerade dieses Kriterium im Zusammenhang mit den von der WTO verfolgten Zielen – Öffnung der Märkte und Nichtdiskriminierung – wichtig ist.

### 3.10.3 Die geltenden WTO-Bestimmungen

986 Die Integrationsbestimmungen der WTO finden sich in Art. XXIV GATT und der dazu gehörenden Vereinbarung über die Auslegung des Artikels sowie in Art. V und V$^{bis}$ GATS. Die Vertragstexte sind das Ergebnis verschiedener Verhandlungen, Änderungen und Ergänzungen. Sie wirken in der heute präsentierten Form oft unbestimmt und verwirrend.

*Zielsetzung*

987 Nach Art. XXIV:4 GATT ist das von der WTO angestrebte Ziel, über die Förderung der wirtschaftlichen Integration "eine grössere Freiheit des Handels herbeizuführen". Diese Zielsetzung gründet auf der Überlegung, lieber eine

---

[260] Vgl. die Angaben über "commercial services" in: *WTO* (1999), Annual Report 1999, International trade statistics, Genf, S. 5ff. und 190.

Zollreduktion und Beseitigung von Handelsschranken zwischen zwei oder einigen wenigen Mitgliedstaaten, als überhaupt keinen Zollabbau. Die optimale Lösung der WTO wäre ein weltweit zollfreier Handelsraum. Weil aber diese Lösung wirtschafts- und staatspolitisch nicht realisierbar ist, geht es der WTO darum, den Handel zwischen den an einem Integrationsraum teilnehmenden Gebieten zu erleichtern, ohne den Handel der übrigen Vertragspartner einzuschränken.

*Begriffliche Abgrenzung*

Art. XXIV:1 GATT betrachtet jedes Zollgebiet, gleichgültig, ob aus einem oder mehreren Ländern bestehend, als eigenständigen Vertragspartner, der das Meistbegünstigungs- und Inländerprinzip zu respektieren hat. 988

Ein Zollgebiet, das sich aus zwei oder mehreren Zollgebieten zusammensetzt, bildet nach Art. XXIV:8 GATT eine Zollunion oder eine Zollgemeinschaft. Von einer Zollunion ist die Rede, wenn zwischen den beteiligten Partnerstaaten die Zölle und beschränkenden Handelsvorschriften "für annähernd den gesamten Handel" beseitigt sind und gegenüber Drittstaaten "im wesentlichen dieselben Zölle und Handelsvorschriften" gelten, das heisst ein einheitlicher Aussenzolltarif besteht. Die heute bedeutendste Zollunion mit einem gemeinsamen Binnenmarkt und einem einheitlichen Aussenzolltarif ist die Europäische Gemeinschaft (EG). Um eine Zollgemeinschaft handelt es sich, wenn zwischen den Integrationspartnern die Zölle und die übrigen Handelsschranken "für annähernd den gesamten Handel mit den aus den teilnehmenden Gebieten der Zone stammenden Waren", das heisst den Ursprungsprodukten, beseitigt sind und gegenüber Drittstaaten weiterhin die individuellen Zolltarife der einzelnen Länder gelten. Anstelle von Zollgemeinschaft wird oft synonym der Begriff Freihandelszone oder Freihandelsvertrag verwendet. Die Begrenzung des Freihandels auf die sogenannten Ursprungserzeugnisse ist die logische Folge der Beibehaltung des individuellen Aussenzolltarifs. Wäre der gesamte Handel innerhalb der Zollgemeinschaft zollfrei, bestünde für Drittstaaten die Möglichkeit, ihre Güter über ein Niedrigzollland in die Zollgemeinschaft einzuführen und anschliessend zollfrei in ein Hochzollland zu verlagern. Was ist ein Ursprungserzeugnis? Bei der Beurteilung des Zonenursprungs wird zwischen zwei Kriterien unterschieden, zwischen dem 989

Kriterium der vollständigen Produktion und dem Kriterium der ausreichenden Be- oder Verarbeitung. Die vollständige Produktion setzt voraus, dass keine Vor- oder Hilfserzeugnisse aus einem Drittland stammen, dass also die gesamte Wertschöpfung im exportierenden Land der Zollgemeinschaft erfolgt. Diese Bedingung erfüllen in der Regel die Agrar- und Bergbauprodukte. Die Be- und Verarbeitung ist für eine Ware ausreichend, das heisst ursprungsbegründend, wenn sie in einem Masse stattfindet, dass das Produkt wegen der erfahrenen Wertmehrung die Zollposition wechselt.[261] Detaillierte Bestimmungen über die Ermittlung des Ursprungs finden sich im Abkommen über die Ursprungsregeln vom 15. April 1994.[262] Als Beispiel einer Zollgemeinschaft ist die Nordamerikanische Freihandelszone (NAFTA) zu erwähnen.

990 In Art. V des Allgemeinen Dienstleistungsabkommens ist anstelle der Zollunion und der Zollgemeinschaft von einer "Vereinbarung, die den Handel mit Dienstleistungen unter den Parteien der Vereinbarung liberalisiert", die Rede.

*Voraussetzungen*

991 Art. XXIV:5 GATT schliesst mit "dementsprechend" ("accordingly") unmittelbar an die Vorziffer an und stellt mit diesem Bezug auf den freien und marktoffenen Handel klar, dass die Schaffung von Integrationsräumen mit den allgemeinen Regeln des GATT übereinstimmen muss. Um diesem Erfordernis nachzukommen, sind drei Voraussetzungen zu erfüllen: die Nichtanhebung der Zölle und Handelsschranken gegenüber Drittstaaten, die Anwendung der Integrationsvereinbarung auf annähernd den gesamten Handel und die Notifizierung der Integration.

---

261 Beispiel einer nicht-ursprungsbegründenden Be- und Verarbeitung: Importiertes Garn wird gefärbt. Das gefärbte Garn verbleibt in der angestammten Zollposition und wird daher nicht zu einem Ursprungsprodukt des die Färbung vorgenommenen Landes. Beispiel einer ursprungsbegründenden Be- und Verarbeitung: Das importierte Garn wird gewoben und zu Kleidern verarbeitet. Die Kleider sind in einer anderen Zollposition als das Garn. Die Kleider sind Ursprungsprodukte des sie konfektionierenden Landes geworden. Da aber die Zolltarife ursprünglich nicht als Grundlage der Ursprungsregelung konzipiert worden sind, bestehen für einzelne Produkte Ausnahmebestimmungen (in Form von den Tarifen beigefügten Protokollen).

262 Vgl. Rz 1171.

Erstens, die Bildung einer Zollunion oder Zollgemeinschaft darf für Dritt- 992
staaten der WTO nicht mit Zöllen oder Handelsschranken verbunden sein, die
in ihrer Gesamtheit höher oder einschränkender sind als die allgemeine
Belastung vor der Schaffung der Zollunion oder Zollgemeinschaft. Die jahr-
zehntelang offene Frage, ob unter "Gesamtheit" und "allgemeiner Belastung"
der arithmetische Durchschnitt aller Zollpositionen oder die Zollbelastung
eines einzelnen Produkts zu verstehen sei,[263] wurde während der Uruguay-
Runde so beantwortet, dass "Gesamtheit" die "Gesamtbewertung der gewogenen Zollsätze und eingeforderten Zölle [collected duties]" bedeute. Diese
Bewertung müsse auf Einfuhrstatistiken abstellen, die für einen "vorangehenden repräsentativen Zeitraum" auf der Grundlage von Tariflinien mit Werten
und Mengen erhoben werden.[264] Mit anderen Worten ist der Gradmesser der
gesamten Zollbelastung das Verhältnis zwischen dem gesamten Importwert
und den tatsächlichen Zolleinnahmen.[265] Ziff. 2 der Vereinbarung über die
Auslegung des Art. XXIV GATT räumt in diesem Zusammenhang ein, eine
Gesamtbelastung des Handels durch nichttarifäre Handelshemmnisse wie
beispielsweise mengenmässige Handelsschranken sei jedoch nur schwer zu
berechnen und erfordere die Prüfung individueller Massnahmen.

Zweitens, die Integration hat gemäss Art. XXIV:8 GATT "annähernd den 993
gesamten Handel" ("substantially all the trade") der teilnehmenden Gebiete
der Zollunion oder der Zollgemeinschaft abzudecken. Die Formulierung
"annähernd der gesamte Handel" ist relativ unbestimmt. In der seinerzeitigen
Diskussion über die Anerkennung der EWG verlangten einzelne Vertragspartner des GATT, von annähernd dem gesamten Handel könne nur bei rund

---

263 Diese Meinungsverschiedenheiten gehen bis auf die Londoner Konferenz 1946 des
Vorbereitungsausschusses zurück. Vgl. *GATT* (1994), Analytical Index, Genf,
S. 747.
264 Vgl. Ziff. 2 der Vereinbarung über die Auslegung des Art. XXIV des GATT.
265 Diese Methode birgt die Gefahr in sich, dass Prohibitivzölle (Zölle, die den Import
unterbinden und daher zu keinen Zolleinnahmen führen) statistisch nicht berücksichtigt werden. Beim Bestehen prohibitiv hoher Zölle lassen die Anteilszahlen die
tatsächliche Zollbelastung als zu niedrig erscheinen.

80 Prozent des Handels die Rede sein.[266] Andere Meinungen gingen dahin, jede Zollvereinbarung habe nach ihren Verdiensten ("merits") beurteilt zu werden. Daher sei es unangebracht, einen festen Prozentsatz des erfassten Handelsanteils zu bestimmen.[267]

994  Die Aufnahme der Formulierung "annähernd der gesamte Handel" in den GATT–Vertrag ist nur schwer nachvollziehbar. Warum soll eine Diskriminierung im GATT verboten sein, um in den Worten von *Kenneth W. Dam* zu sprechen, ausser sie betrage 100 Prozent?[268] Nach *Frieder Roessler* rechtfertigt sich die Formulierung "annähernd der gesamter Handel" aufgrund folgender Überlegungen: Zum einen habe diese Bedingung eine binnenpolitische Funktion. Sie verunmögliche oder erschwere die Forderung einzelner "pressure groups" nach selektiven präferenziellen Importzugeständnissen an ihre Regierungen. Die Bedingung des "annähernd der gesamten Handel" verhindere eine zusätzliche binnenpolitisch geforderte Handelsumleitung. Zum anderen reduziere diese Integrationsvoraussetzung die Zahl der Zusammenschlüsse und damit das Ausmass der Abweichungen des Welthandels vom Prinzip der gegenseitigen Nichtdiskriminierung. Schliesslich sei zu berücksichtigen, dass die politischen Kräfte der den "annähernd gesamten Handel" abdeckenden Integrationsräume stark seien. Das GATT musste Zugeständnisse machen, wollte es nicht Gefahr laufen, diese Partner zu verlieren. "Annähernd der gesamte Handel" sei deshalb ein Kriterium zur Unterscheidung von politisch unvermeidbaren Verletzungen der Meistbegünstigungspflicht und politisch nicht relevanten Zusammenschlüssen. Es weise auf jenen Grenzbereich hin, in dem wirtschaftliche Überlegungen den politischen Erfor-

---

266 *GATT* (1958), BISD 6th S, S. 99.
267 *GATT* (1994), Analytical Index, Genf, S. 766.
268 *Dam, Kenneth W.* (1970), The GATT, Law and International Economic Organization, Chicago u.a., S. 289. Gleicher Meinung ist *F. A. Haight*. Das Integrationskonzept des GATT sei unlogisch. Die Tatsache nämlich, dass eine partielle Präferenzierung schlecht sei, sich aber verbessere, je mehr sie sich auf "annähernd den ganzen Handel" ausweite und sich einem alles umfassenden Präferenzsystem nähere, sei absurd. *Haight, F. A.* (1972), Customs Unions and Free–Trade Areas under GATT, in: Journal of World Trade Law, Vol. 6, Nr. 4, S. 398.

dernissen unterzuordnen seien.[269] Die Uruguay–Runde ist auf die Frage des
"annähernd gesamten Handels" nicht eingetreten.

Drittens, Art. XXIV:7 GATT und Ziff. 7ff. der Vereinbarung über die Auslegung des Art. XXIV GATT verpflichten die Vertragsparteien, die eine Zollunion oder Zollgemeinschaft bilden oder einer solchen beitreten, den geplanten Zusammenschluss dem 1996 geschaffenen Ausschuss über regionale Handelsvereinbarungen zur Überprüfung vorzulegen. Gegenstand der Untersuchung ist die Einhaltung der GATT–Vorschriften. Der Regionalausschuss erstellt zuhanden des GATT–Rats einen Bericht, allenfalls mit entsprechenden Änderungsempfehlungen. Der GATT–Rat hat das Recht, die "ihm geeignet erscheinenden Empfehlungen" an die Teilnehmerstaaten der Integration weiterzuleiten, was aber in der bisherigen GATT–Geschichte noch nie geschehen ist. Das Vorgehen, aus der Notifizierungspflicht ein Bewilligungserfordernis abzuleiten, ist vertragsrechtlich problematisch.

### 3.10.4 Offene Probleme

Das Ziel der WTO sind offene Märkte, die sich gegenseitig nicht diskriminieren sowie in– und ausländischen Gütern und Dienstleistungen und ihren Anbietern und Erbringern die gleiche Behandlung zusichern. In der Gewissheit, dass eine weltweite Integration aus institutionellen, politischen und wirtschaftlichen Erwägungen weder realistisch noch sinnvoll ist,[270] erlaubt das GATT die Schaffung regionaler Zollunionen und Zollgemeinschaften. Dabei macht das GATT die Schaffung der Integrationsräume von Bedingungen abhängig, die teils binnenpolitischer, teils GATT–strategischer Art sind.

Die gegenwärtig geltende WTO–Ordnung ist in sich nicht konsistent und hat in der Uruguay–Runde keine wesentliche Verbesserung erfahren. So verbietet

---

269 *Roessler, Frieder* (1992), The relationship between regional integration agreements and the multilateral trade order, Genf (Vervielfältigung), S. 5f.
270 Das GATT bzw. die WTO verfügte nie über institutionelle Strukturen mit zentralen Entscheidungsbefugnissen, die eine Einschränkung nationaler Souveränitätsrechte über das heutige Mass hinaus als akzeptabel erscheinen liessen. Die Absicht der GATT–Gründer war eine Welthandelsordnung nach dem Prinzip der Koordination. Vgl. dazu *Jackson, John H.* (1969), World Trade and the Law of GATT, Indianapolis u.a., S. 5f.

Vierter Teil

das GATT in Art. XXIV:5 integrationsbedingte Handelsschranken, greift aber in der folgenden Ziffer des gleichen Artikels die Verrechenbarkeit von Handelshemmnissen auf. Die neuen Vorschläge in der Vereinbarung über die Auslegung des Art. XXIV GATT über die Berechnung der Zollbelastungen sind unklar. Werden beispielsweise die Null–Positionen in die Rechnung miteinbezogen oder nicht? Auch ist weder der Widerspruch zwischen blosser Notifizierung und Erlaubnisvorbehalt geklärt, noch sind die Kompetenzen der Vertragsparteien abschliessend aufgezählt.

998   Der eigentliche Widerstreit zwischen WTO und Integration ergibt sich heute aus einer Entwicklung, die von den Gründern des GATT nicht vorausgeahnt werden konnte. Es handelt sich um die Tatsache, dass die seinerzeit in Betracht gezogenen Integrationsblöcke über blosse Zollvereinbarungen hinausgewachsen sind. Sie entwickeln sich mehr und mehr zu Markträumen mit einer gemeinsamen Binnenmarktpolitik im Wirtschafts–, Währungs–, Fiskal–, Sozial– und Umweltbereich. Fehlt in der Vergemeinschaftung des Binnenmarkts der Integrationsländer die gegenseitige Rechtsanerkennung für Drittstaaten, so können durch die Integration nichttarifäre Handelshemmnisse in Form unterschiedlicher Umweltschutzbestimmungen, geänderter Fiskalregelungen sowie neuer Normen, Standards usw. aufgebaut werden. Die Drittländer verlieren Marktanteile in den Staaten der Integrationsräume wegen des Ausschlusses von der gegenseitigen Rechtsanerkennung. In der WTO vom 1995 sind an zwei Stellen Ansätze ersichtlich, die zeigen, dass die neue Welthandelsordnung den veränderten Verhältnissen Rechnung zu tragen versucht. Die erste Neuausrichtung besteht darin, dass im vierten Abschnitt der Präambel der Vereinbarung über die Auslegung des Artikels XXIV GATT nicht mehr nur von Zöllen, sondern auch von "anderen restriktiven Handelsvorschriften" die Rede ist. Die zweite Neuerung betrifft Art. XXIV:5 GATT, der sich gemäss Ziff. 2 der Auslegungsvereinbarung auch auf nicht quantifizierbare Handelsvorschriften bezieht. Darunter sind ohne Zweifel Marktanteilseinbussen durch die Bildung von Integrationsräumen zu verstehen, die nicht durch grenzbezogene Handelsschranken entstehen, sondern durch Veränderungen in der Binnenmarktpolitik der betreffenden Länder.

**Fünfter Teil**

# Die GATT–Zusatzabkommen

Fünfter Teil

999	Die WTO kennt zwei Arten von Zusatzabkommen: Die einen führen bisherige GATT-Ausnahmen ins allgemeine Vertragsrecht zurück, die anderen schaffen neue Ausnahmen. Zur ersten Gattung gehören das Agrar- und das Textilabkommen. Der Handel mit Landwirtschaftserzeugnissen war, wie alle anderen Waren, ein integraler Bestandteil des GATT-Rechts. Mehrere Vertragspartner setzten sich aber über die GATT-Regeln hinweg, teils mit Billigung der übrigen Partner (über "Waivers" und Ausnahmeprotokolle), teils ohne Zustimmung der übrigen Vertragspartner (über eigenmächtige und GATT-widrige Agrarmarktordnungen). Das Landwirtschaftsabkommen versucht nun, den Agrarhandel wieder in das GATT zu integrieren beziehungsweise in das WTO-Recht einzubinden. Das gleiche Ziel verfolgt das Textilabkommen. Die seit langem geltende Quotenbewirtschaftung soll im Verlauf einer vorgegebenen Übergangszeit aufgehoben und der Handel mit Textilien und Bekleidung wieder dem übrigen Güterhandel gleichgestellt werden. Zur zweiten Gattung von Zusatzabkommen gehören die Übereinkünfte über sanitarische und phytosanitarische Massnahmen, die Investitionsmassnahmen, die Versandkontrolle, die Ursprungsregeln und die Einfuhrlizenzen. Diese Abkommen enthalten Bestimmungen, die von den allgemein geltenden Vorgaben des WTO-Rechts abweichen.

1000	Formalrechtlich kann zwischen den direkt GATT-bezogenen und den selbständigen Abkommen unterschieden werden. Die direkt GATT-bezogenen Abkommen wurden in Teil vier im Zusammenhang mit dem GATT-Hauptvertrag behandelt. Dieser Teil widmet sich den eigenständigen Vereinbarungen. Es handelt sich um die Abkommen über den Agrarhandel, über die Anwendung der sanitarischen und phytosanitarischen Massnahmen, über den Textil- und Bekleidungshandel, über die Technischen Handelshemmnisse, über die handelsbezogenen Investitionsmassnahmen, über die Versandkontrolle, über die Ursprungsregeln und über die Einfuhrlizenzverfahren. Die Reihenfolge entspricht jener in den WTO-Vertragstexten.[1]

---

1 Vgl. *Hummer/Weiss* (deutsche Fassung); *WTO*, The Legal Texts (englische Fassung).

## 1. Das Agrarabkommen

Nach *Kenneth W. Dam* hat das GATT im Agrarbereich versagt. Nicht nur übertreffe der effektive Protektionismus in der Landwirtschaft jenen anderer Wirtschaftszweige, es spräche auch viel dafür, dass der Agrarschutz weiter zunehme. Die Inlandpreise für Agrarerzeugnisse lägen in einigen Ländern bis zu 100 Prozent über den Importpreisen.[2]

1001

Ursprüngliche hatte das GATT die Absicht, den internationalen Handel mit Agrargütern dem übrigen Handel gleichzustellen. Die zugelassenen Ausnahmen bezogen sich auf Massnahmen zur Bekämpfung von Mangelsituationen bei Lebensmitteln, auf den Schutz von Standardvorschriften und Normen sowie auf flankierende Massnahmen zur Beseitigung von Produktionsüberschüssen. Diese Vorgaben wurden aber bald von mehreren GATT–Partnern als unzureichend erachtet: Die USA wiesen auf ihre eigene Agrargesetzgebung hin, die damalige EWG glaubte an die Notwendigkeit einer gemeinschaftlichen Agrarpolitik und die beitretenden Vertragsparteien wollten ihren bisherigen Besitzstand wahren.

1002

Die USA setzten sich bei der Ausarbeitung der Havanna–Charta für die Beibehaltung der in den USA praktizierten Schutzmassnahmen gemäss Anbauprogramm 1933 sowie die bereits gewährten Importquoten und Subventionen bei Zucker ein.[3] Der US–Landwirtschaft genügte Art. XI GATT, obwohl nach ihren Bedürfnissen "massgeschneidert", nicht. Schwierigkeiten zeichneten sich im Zusammenhang mit dem "Agricultural Adjustment Act" von 1933 ab. Der US–Präsidenten war ermächtigt, Schutzzölle oder mengenmässige Importbeschränkungen zu verhängen, falls einzelne Produkte oder Produkt-

1003

---

2   *Dam, Kenneth W.* (1970), The GATT, Law and International Economic Organization, Chicago u.a., S. 257.
3   *Brown, William A., Jr.* (1950), The United States and the Restoration of World Trade: An Analysis and Appraisal of the ITO Charter and the General Agreement on Tariffs and Trade, Washington, DC, S. 22ff.; *Jackson, John H.* (1969), World Trade and the Law of GATT, Indianapolis u.a., S. 319; *Hillman, Jimmye S.* (1993), Agriculture in the Uruguay Round: A United States Perspective, in: Tulsa Law Journal, Vol. 28, Nr. 4, S. 761ff. *Jimmye Hillman* zeigt, wie sich Art. XI GATT aus dem US–Agrargesetz von 1933 ableitet.

gruppen unter solchen Bedingungen oder in solchen Mengen nach den USA eingeführt werden, dass diese Importe die eigenen agrarpolitischen Massnahmen unwirksam machen oder der Zielsetzung der US-Agrargesetzgebung widersprechen.[4] Zur Beilegung dieses Gegensatzes zwischen dem relativ marktoffenen Ansatz des GATT und dem gesetzlich festgeschriebenen US-Agrarprotektionismus verlangten die Vereinigten Staaten im Jahr 1955 von den VERTRAGSPARTEIEN des GATT einen "Waiver" in Bezug auf die Art. II und XI des GATT "[...] to the extent necessary to prevent a conflict with such provisions of the General Agreement in the case of action required to be taken by the Government of the United States under Section 22 [des US Agricultural Adjustment Act 1933]"[5]. Diese Ausnahme wurde jährlich bis zum Inkrafttreten der WTO am 1. Januar 1995 verlängert.

1004  Die EWG vertrat 1957 die Meinung, die Bildung einer Zollunion entbinde sie von den in Art. XI GATT niedergelegten Verpflichtungen, sofern sich diese nachteilig auf die Bildung einer Zollunion auswirken und der Erreichung der gesteckten Ziele im Wege stehen. Die VERTRAGSPARTEIEN des GATT schlossen sich diesem Standpunkt zwar nicht an, verzichteten aber (aus politischen Erwägungen) auf einen entsprechenden Entscheid.[6] In der Folge baute die EWG eine Agrarordnung auf, die mit den GATT-Grundsätzen nicht ver-

---

4   Art. XI GATT "was largely tailor-made to United States requirements [...] the tailors cut the cloth too fine". Formulierung des ehemaligen GATT-Generalsekretärs *Eric Wyndham White* an einem Vortrag in 1960, "Europe and the GATT", im Europe House, London, zit. nach *Dam, Kenneth W.* (1970), The GATT, Law and International Economic Organization, Chicago u.a., S. 260, Anm. 7. Die Kompetenzen des US-Präsidenten sind festgehalten in: Sec. 22 of the Agricultural Adjustment Act von 1933, as re-enacted and amended, in: *GATT* (1955), BISD 3rd S, S. 36f.

5   *GATT* (1955), BISD 3rd S, S. 34f. Die VERTRAGSPARTEIEN weisen im Zusammenhang mit ihrem Entscheid auf das Recht von Gegenmassnahmen gemäss Art. XXIII GATT hin und bedauern (sich selbst), dem Druck der USA nachgegeben zu haben: "The CONTRACTING PARTIES declare, [...], that in deciding as aforesaid, they regret that circumstances make it necessary for the United States to continue to apply import restrictions which, in certain cases, adversely affect the trade of a number of contracting parties, impair concessions granted by the United States and thus impede the attainment of the objectives of the General Agreement".

6   *GATT* (1958), BISD 6th S, S. 11.

einbar war (u.a. in Bezug auf die Abschöpfungen an der Grenze und die Gewährung von Exporterstattungen).⁷

Später beitretenden GATT–Vertragsparteien wurden gegen entsprechende Gegenleistungen ähnliche Ausnahmen zugestanden. So heisst es zum Beispiel in der Erklärung zur provisorischen Vertragspartnerschaft der Schweiz von 1958: "Die Regierung der Schweizerischen Eidgenossenschaft behält ihren Standpunkt vor hinsichtlich der Anwendung der Bestimmungen des Art. XI des Allgemeinen Abkommens in dem Masse, als dies erforderlich ist, um der Regierung [...] zu erlauben, Einfuhrbeschränkungen [gemäss schweizerischem Landwirtschaftsgesetz vom 3.10.1951] zu treffen [...]."⁸

Das im GATT empfundene Unbehagen über den allenthalben praktizierten Agrarprotektionismus unterstreicht auch der von GATT–Generaldirektor *Arthur Dunkel* im Jahr 1983 in Auftrag gegebene und 1985 veröffentlichte Leutwiler–Bericht. Die Experten verlangten eine strengere Disziplinierung der Agrarhandelspartner. Ein Handelssystem sei zutiefst ungerecht, wenn es weniger leistungsfähige Produzenten über Handelshemmnisse und Exportsubventionen schütze, um leistungsfähigere Konkurrenten auf dem Weltmarkt zu verdrängen. Die effizienten Anbieter, darunter eine Reihe von Drittweltstaaten, hätten allen Grund, sich um ihre Rechte im internationalen Handelssystem betrogen zu fühlen. Der Expertenbericht kam zur Empfehlung:

> "Der Agrarhandel muss sich auf klarere und gerechtere Regeln abstützen. Es soll keine Sonderbehandlung für bestimmte Länder oder Produkte geben. Die leistungsfähigen Agrarproduzenten sollen in ihren Wettbewerbsmöglichkeiten nicht eingeschränkt werden".⁹

---

7   Nachdem die VERTRAGSPARTEIEN die EWG–Agrarpolitik nicht abschliessend beurteilen konnten, verzichteten sie auch auf eine Stellungnahme zur Entstehung der EFTA, die mit dem Verzicht auf den Einbezug des Agrarhandels dem in Art. XXIV GATT aufgestellten Erfordernis der Integration des "annähernd gesamten Handels" kaum entsprach. Vgl. *GATT* (1961), BISD 9th S, S. 20f. und 70ff.

8   Bundesbeschluss über die Genehmigung des provisorischen Beitritts der Schweiz zum GATT vom 10.6.1959, in: *AS* 1959, 1742 (deutsche Fassung); *GATT* (1959), BISD 7th S, S. 20 (englische Fassung).

9   Zweite Empfehlung des *Leutwiler–Berichts*, S. 42.

Fünfter Teil

1007  Die Ministererklärung von 1986 zur Eröffnung der Uruguay-Runde griff die Empfehlung des Leutwiler-Berichts auf und hielt fest:

> "Die Vertragsparteien kommen überein, dass es dringend notwendig ist, eine grössere Disziplin und Vorsehbarkeit im Welthandel mit Agrarerzeugnissen herbeizuführen, und zwar durch Korrektur und Verhütung von Beschränkungen und Verzerrungen einschliesslich solcher im Zusammenhang mit strukturbedingten Überschüssen, um Ungewissheit, Ungleichgewichte und Instabilität auf den Weltagrarmärkten zu verringern".[10]

1008  In der Uruguay-Runde befasste sich die 6. Arbeitsgruppe mit der Landwirtschaft. Die Verhandlungen verliefen abwechslungsreich und über längere Zeit nicht sehr erfolgversprechend, endeten aber schliesslich mit dem Abkommen über die Landwirtschaft (Agreement on Agriculture), den sogenannten Modalitäten (Modalities) und weiteren Dokumenten – einem Vertragswerk, das die spezifischen Merkmale des internationalen Agrarhandels berücksichtigt. Die Unterzeichnung des Abkommens erfolgte am 15. April 1994 und das Inkrafttreten am 1. Januar 1995.[11] Der erste Abschnitt der nachstehenden Ausführungen umreisst die weltweite Bedeutung des Agrarhandels; die anschliessenden Abschnitte treten auf den Inhalt des Agrarabkommens ein.[12]

## 1.1 Die Bedeutung des internationalen Agrarhandels

1009  Der von der WTO ausgewiesene Handel mit Nahrungsmitteln und agrarischen Rohstoffen (Kap. 1 – 24 des Zolltarifs), auf den sich das Agrarabkommen bezieht, betrug in der zweiten Hälfte der neunziger Jahre jährlich zwischen 500 und 600 Mrd. US$ oder etwa 10 Prozent des weltweiten Güterhandels. Diese Verhältniszahl ändert sich auch unter Berücksichtigung des

---

10  *Hummer/Weiss*, S. 285 (deutsche Fassung); *GATT* (1987), BISD 33rd S, S. 24 (englische Fassung).

11  Der Abkommenstext ist veröffentlicht in: *Hummer/Weiss*, S. 853ff. (deutsche Fassung); *WTO*, The Legal Texts, S. 39ff. (englische Fassung). *GATT*, Doc. UR-93-0250 bzw. MTN.GNG/MA/W/24 vom 20.12.1993 (zitiert als *GATT*, Modalities). Vgl. auch *Dunkel-Bericht*, S. L.19ff. (Agreement on modalities for the establishment of specific binding commitments under the reform programme).

12  Zu Art. XI GATT vgl. Rz 669ff.

EU-Agrarintrahandels nicht wesentlich. Der Anteil des Agrarhandels am Welthandel, der in den fünfziger und sechziger Jahren bei 15 bis 17 Prozent lag, ist während der letzten zwei Jahrzehnte relativ stabil geblieben.[13]

Die weltweit wichtigsten Exporteure von Nahrungsmitteln und landwirtschaftlichen Rohstoffen sind zurzeit die USA und die EU (exkl. Intrahandel) mit je 10 bis 15 Prozent des weltweiten Agrarhandels, Kanada mit knapp 5, Brasilien und China mit je etwa 3 sowie Thailand, Argentinien und Australien mit je etwas über 2.5 Prozent. Die wichtigsten Importeure von Nahrungsmitteln und agrarischen Rohstoffen sind Japan mit einem Anteil am gesamten Agrarhandel von etwas über 12 Prozent, die EU (exkl. EU-Intrahandel) mit rund 10, die USA mit 8, Hongkong mit 3, Kanada mit 2 sowie Mexiko, Südkorea und Volksrepublik China mit je rund 1.5 Prozent.[14]

## 1.2  Der Abkommensinhalt

Das Agrarabkommen beginnt mit der Präambel und klärt in Teil I die im Abkommen verwendeten Begriffe und erfassten Warengruppen. Teil II bezieht sich auf die von den Ländern eingegangenen Listenverpflichtungen als integralen Bestandteil des Abkommens. Die Teile III bis VII, die Hauptteile des Abkommens, regeln den Marktzutritt und die Verpflichtungen, die bei binnenwirtschaftlichen Stützungsmassnahmen und bei der Ausfuhrsubventionierung einzuhalten sind. Teil VIII verweist auf das Abkommen über die Anwendung der sanitarischen und phytosanitarischen Massnahmen. Die Teile IX und X befassen sich mit der besonderen Stellung der wirtschaftlich schwächeren Staaten. Die letzten Kapitel schliesslich gehen auf institutionelle Fragen ein. Der Text das Agrarabkommens ist allgemein gehalten und beschränkt sich auf das Grundsätzliche. Ausführungsbestimmungen finden sich in den "Modalities for the Establishment of Specific Binding Commitments under the Reform Programme" vom 20. Dezember 1993.

---

13  Vgl. *GATT* (jährlich), International Trade, Genf.
14  Vgl. *WTO* (1999), Annual Report 1999, International trade statistics, Genf, S. 76ff.

## 1.2.1 Die Grundausrichtung

1012    Die Präambel des Abkommens unterstreicht vier Schwerpunkte: (1) Als langfristiges Ziel wird die Schaffung eines "fairen und marktorientierten Handelssystems" angestrebt. Diese erste Zielvorgabe stammt aus der Erklärung von Montreal von 1988.[15] (2) Der vorliegende Vertrag soll einen Reformprozess einleiten. Die Verhandlungsdelegationen waren sich bewusst, dass mit der neuen Vereinbarung die anstehenden Agrarhandelsprobleme weder kurz- noch langfristig abschliessend zu lösen sind. Ihre Absicht war, einen ersten Schritt zu tun und die Richtung der künftigen Agrarhandelspolitik vorzuzeichnen. Dies ist der Grund, warum das Abkommen auf einen Umsetzungszeitraum von sechs Jahren befristet ist mit der Auflage, ein Jahr vor Ende dieser Periode den Fortschreibungsprozess aufzunehmen, die gemachten Erfahrungen zu analysieren und neue Lösungsvorschläge auszuarbeiten. (3) Die Unterhändler sind sich einig, dass eine Reform ohne konkrete Vorgaben nicht greift. Deswegen verlangt bereits die Präambel des Abkommens einen effektiven Abbau der Agrarzölle sowie eine schrittweise Senkung der landwirtschaftlichen Stützungs- und Schutzmassnahmen. Es sei eine erste "Korrektur" vorzunehmen. (4) Die Präambel garantiert schliesslich den Entwicklungsländern eine Sonderbehandlung über längere Übergangszeiten bei der Anwendung der ausgehandelten Liberalisierungsmassnahmen und über eine Verbesserung des Marktzutritts in ihren Absatzländern.

## 1.2.2 Die produktmässige Abgrenzung

1013    Teil I des Abkommens bezieht sich auf die Begriffe und auf die produktmässige Abgrenzung des Geltungsbereichs des Vertrags. Art. 1 definiert jene Begriffe, die im Abkommenstext gebraucht werden. Aus didaktischen Erwägungen sei an dieser Stelle auf eine Aufzählung und Erklärung dieser Fachausdrücke verzichtet; sie werden jeweils im Zusammenhang der einzelnen Vertragsvorschriften vorgestellt.

---

15   Erklärung von Montreal, Abschnitt Landwirtschaft, Ziff. 5. Veröffentlicht in: *GATT* (1989), FOCUS, Newsletter Nr. 61, Genf, S. 2ff. Die Erklärung von Montreal hält u.a. fest, dass das bis anhin im Agrarbereich geltende Handelssystem weder als fair noch als marktorientiert beurteilt werden könne.

Welche Handelsgüter als "landwirtschaftliche Ware" bezeichnet werden, klärt Art. 2 des Agrarabkommens und der dazu gehörende Anhang 1. Das Abkommen bezieht sich in der Hauptsache auf die HS-Zollkapitel 1 bis 24, das heisst auf lebende Tiere und Waren tierischen Ursprungs, Waren pflanzlichen Ursprungs, tierische und pflanzliche Fette und Öle sowie Waren der Nahrungsmittelindustrie. Nicht unter das Agrarabkommen fällt der Handel mit Fischen (HS-Kapitel 3) und Fischprodukten (HS-Kapitel 16).[16] Weiter erwähnt Anhang 1 des Agrarabkommens einige Produkte ausserhalb der HS-Kapitel 1 bis 24, die ihrer Natur nach landwirtschaftliche Produkte sind oder der landwirtschaftlichen Produktion nahe stehen. Es handelt sich um Mannit und Sorbit (HS-Kapitel 2905 43 und 44), etherische Öle (HS-Kapitel 3301), Kaseine, Albumine, Gelatine, Eiweissstoffe und Stärken (HS-Kapitel 3501 – 3505), Appretur und Ausrüstungsmittel (HS-Kapitel 3809 10), Fettsäuren (HS-Kapitel 3823 60), Häute und Felle (HS-Kapitel 4101 – 4103), Pelze (HS-Kapitel 4301), Rohseide (HS-Kapitel 5001 – 5003), Wolle und Tierhaare (HS-Kapitel 5101 – 5103), Rohbaumwolle (HS-Kapitel 5201 – 5203), Flachs (HS-Kapitel 5301) und Hanf (HS-Kapitel 5302).

1014

### 1.2.3 Die Bindung von Zugeständnissen

Nach Art. 3 des Agrarabkommens hat jeder Vertragspartner seine Zugeständnisse und Verpflichtungen in Listen festzuhalten und diese Listen bei der WTO zu hinterlegen. Einmal gewährte Zugeständnisse und Verpflichtungen dürfen nicht mehr autonom zurückgenommen und zu Lasten der anderen Vertragsparteien geändert werden. Importe in ein Gebiet, auf das sich die Listen beziehen, sind von allen Zöllen und zollähnlichen Importabgaben befreit, welche die in den Listen festgehaltenen Zölle und zollähnlichen Importabgaben übersteigen. Die Vertragspartner haben ebenso auf die Gewährung von Subventionen zugunsten einheimischer Erzeuger von landwirtschaftlichen Produkten zu verzichten, auf Subventionen, die über die in den Listen festgehaltenen Werte ("bezüglich Budgetausgaben und Mengen") hinausgehen. Verbesserungen zum Vorteil der Handelspartner dagegen sind jederzeit

1015

---

16  Im Gegensatz zum Agrarabkommen setzt Art. XI:2(c) GATT Landwirtschaft und Fischerei (Handel mit Fischen und Fischprodukten) einander gleich.

Fünfter Teil

erlaubt. Diese Listenverpflichtungen bilden einen wesentlichen Bestandteil des heutigen GATT– beziehungsweise des WTO–Vertragswerks. Art. 3 des Agrarabkommens entspricht sinngemäss Art. II GATT, wonach jede Vertragspartei "dem Handel der anderen Vertragsparteien eine nicht weniger günstige Behandlung" gewährt, "als in dem betreffenden Teil der entsprechenden Liste zu diesem Abkommen vorgesehen ist".[17]

### 1.2.4 Der Marktzutritt

1016    Als erstes Hauptziel strebt das Agrarabkommen die Verbesserung des gegenseitigen Marktzugangs an. Dieses Ziel soll nach Teil III, Art. 4 und 5 des Abkommens, über folgendes Vorgehen erreicht werden: Umrechnung aller bestehenden nichttarifären Handelshemmnisse in gebundene Zölle (Tarifizierung) mit anschliessendem Abbau sämtlicher Zölle nach einem vorgegebenen Zeitplan, Umwandlung der mengenmässigen Handelsschranken in Zollkontingente bei gleichzeitiger Zulassung von Zusatzimporten zu ebenfalls sukzessiv abzubauenden Zöllen, minimale Öffnung für bisher vom Markt ausgeschlossene Produkte, Zulassung von Schutzmassnahmen bei unerwarteten Mengen– oder Preisfolgen sowie Gewährung von Ausnahmebestimmungen für Nicht–Industriestaaten. Art. 4 des Agrarabkommens kann – zusammen mit Anhang C des Abkommens für sanitarische und phytosanitarische Massnahmen – auch im Rahmen der Streitschlichtung angerufen werden, wenn Kontrollen, Inspektionen und Genehmigungsverfahren an der Grenze auf eine

---

17   Ein illustratives Listenbeispiel ist die Liste Schweiz–Liechtenstein: Teil IV, Sektion II, enthält Angaben über die gewährten Exportsubventionen und die Mengen der subventionierten Exporte der Zollunion Schweiz–Liechtenstein. Als subventionierte Exportprodukte werden erwähnt: Milchprodukte (Käse), Zuchtvieh, Früchte, Kartoffeln und verarbeitete Agrarprodukte. Unter anderem heisst es, dass aufgrund der Basisjahre 1986 bis 1990 die beiden Länder den Export von Zuchtvieh mit jährlich 35 Mio SFr. subventioniert haben, und dass sie sich verpflichten, diese Subventionen im Verlauf von sechs Jahren nach Inkrafttreten des Vertrags auf 22.4 Mio. SFr. zu senken. Die Anzahl der subventionierten Exporttiere wird in der gleichen Zeitspanne von 14'307 auf 11'303 reduziert. Analoge Angaben finden sich für die übrigen oben erwähnten Agrargüter. *WTO* (1994), Uruguay Round, Liste LIX–Suisse–Liechtenstein, Liste de concessions, 15. April, Genf.

Weise angewendet werden, dass sie den Marktzutritt auf unzulässige Weise erschweren oder verhindern.

In Zölle umzurechnen (zu tarifizieren) sind mengenmässige Einschränkun- 1017 gen, Einfuhrabschöpfungen, Mindesteinfuhrpreise, Einfuhrlizenzvergaben nach Ermessen, nichttarifäre Handelshemmnisse staatlicher Handelsunternehmen, freiwillige Ein- und Ausfuhrbeschränkungen und ähnliche Grenzmassnahmen, die keine eigentlichen Zölle darstellen.[18] Ausgenommen von der Tarifizierungs- und Bindungspflicht sind die in Anhang 5 des Abkommens erwähnten Erzeugnisse, deren Importe während der Basisperiode 1986 bis 1988 nicht mehr als 3 Prozent des Binnenverbrauchs erreichten, die seit 1986 keine Exporthilfe erfahren haben und deren heimische Produktion wirksam eingeschränkt ist. Als Kompensation für diese Ausnahme von der Tarifizierung muss ein Land für jedes betroffene Produkt das Recht auf einen ständigen Mindestzugang zum Markt garantieren, der über den Verpflichtungen aus dem Übereinkommen liegt: 4 Prozent des Inlandkonsums zu Beginn und 8 Prozent zum Schluss des Sechsjahres-Zeitraums (statt 3 und 5 Prozent für tarifizierte Produkte[19]). Wenn diese Ausnahme über sechs Jahre hinausgeführt wird, ist der Mindestzugang weiter zu erhöhen. Von dieser Ausnahmemöglichkeit haben Japan, Südkorea, die Philippinen (für Reis) und Israel (für gewisse Fleisch- und Milchprodukte) Gebrauch gemacht.[20]

Die Tarifizierung erfolgt gemäss additiver oder Differenzmethode. Nach der 1018 additiven Methode entspricht der Maximalzoll der Summe der preislichen Belastungen der Basisjahre 1986 bis 1988 (Summe aus Zöllen und nichttarifären Handelshemmnissen). Der Importpreis zusammen mit dem totalen Grenzschutz (Maximalzoll) ergeben den geschützten Inlandpreis. Der Importschutz wird, wenn auch nur über Zölle statt über Zölle *und* nichttarifäre Handelshemmnisse, beibehalten. Für den ausländischen Anbieter ändert sich von der Grenzbelastung her nichts. Aber der Markt wird transparenter. In der EU ergibt sich der Zollschutz aus der Differenz zwischen dem um 10 Prozent erhöhten Interventionspreis und dem entsprechenden Marktpreis der Jahre

---

18  Vgl. Art. 4:2, Anm. 1 des Agrarabkommens.
19  Vgl. Rz 1022.
20  Vgl. *BBl* 1994 IV 149.

1986/88. Für Getreide gilt in der EU die Sonderregelung, dass der Einfuhrpreis einschliesslich aller Abgaben um 55 Prozent über dem Interventionspreis liegen darf. Bei einer Senkung des Weltmarktpreises von mehr als 30 Prozent sind Zusatzzölle erlaubt. Die additive Methode der Tarifizierung ist in der Übersicht 27 schematisch dargestellt.

**Übersicht 27: Die additive Methode der Tarifizierung**

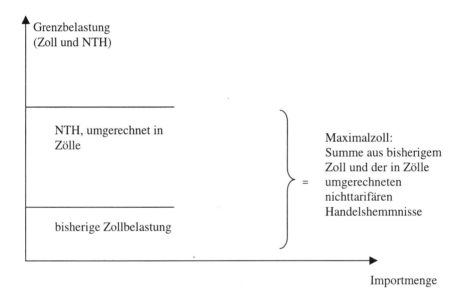

In Anlehnung an die Darstellung in: *BBl* 1994 IV 159.

1019  Die Differenzmethode kommt vor allem in jenen Produktbereichen zum Einsatz, in denen mengenmässige Importbeschränkungen in Zollkontingente umgewandelt und als solche weiterhin angewandt werden. Für die Kontingentsmenge gilt wie bisher Zollfreiheit oder ein tiefer Zollsatz, der nicht angehoben werden darf.[21] Über die Kontingentsmenge hinaus sind nun, im Gegensatz zu früher, weitere Importe zuzulassen. Für diese Zusatzmenge darf indessen ein Zollsatz berechnet werden, welcher der Differenz zwischen dem Inlandpreis und dem Auslandpreis entspricht. Als zeitliche Basis gilt der 1. September 1986. Die Differenzmethode ist in der Übersicht 28 aufgezeichnet. Die Verteilung der Kontingentsmenge ist Sache des jeweiligen Landes und erfolgt nicht selten über eine staatliche Zuteilung, Verlosung oder Versteigerung. Als problematisch erweist sich das (ökonomisch bevorzugte) Versteigerungsverfahren. Die durch die Versteigerung erzielte Rente (zu Gunsten des Staats) wirkt sich aus der Sicht der Exporteure wie eine zusätzliche Importabgabe aus.[22]

Die durch die Tarifizierung ermittelten Maximalzölle, die Kontingents- und Ausserkontingentszollansätze (KZA und AKZA), sind zu binden (zu konsolidieren) und der WTO zu notifizieren. Sie dürfen künftig nur noch gesenkt, nicht aber angehoben werden. 1020

Nach Ziff. 5 der "Modalities" sind die Zollsätze und die durch die Tarifizierung ermittelten Maximalzölle ("ordinary customs duties, including those resulting from tariffication") im Verlauf von sechs Jahren nach Inkrafttreten der WTO durchschnittlich um 36 Prozent und minimal um 15 Prozent zu senken. Der Durchschnitt bezieht sich auf die nicht handelsgewichteten Zollzeilen 1021

---

21 *GATT,* Modalities, Ziff. 12.
22 Man könnte sich handels- und marktgerechtere Verteilungssysteme vorstellen, indem z.B. (1) im Verlauf des Jahres alle Importe zum Normalsatz bzw. Zollzuschlag zu verzollen wären und am Ende des Jahres den Importeuren (und zwar allen) die dem Kontingent entsprechenden Zolleinnahmen im Verhältnis ihrer Importanteile rückvergütet würden. Dadurch wären die Kontingentsmengen zollfrei und die "Renten" kämen nicht allein dem kleinen Kreis der Kontingentsinhaber zugute (Abschaffung der "Kopfkissenrenten"), sondern allen Importeuren, oder (2) man würde den Importzoll aufgrund der Erfahrungszahlen (über die bisherigen Gesamtimporte) im vornherein um die Zollvergünstigung im Ausmass des Kontingents kürzen, um nachträglich die Differenzen abzurechnen. Die zweite Methode hätte den Vorteil, dem echten Preis-Importverhältnis näher zu kommen als die erste. Nicht beantwortet ist in diesen Vorschlägen die Frage, ob die Rückvergütungen an die Konsumierenden weitergegeben würden. Vgl. dazu *Stutzer, Alois* (1998), Auf dem Weg zum Freihandel für Agrargüter: Die Zuteilung von Zollkontingenten nach dem Durchschnittszollverfahren, Zürich (Vervielfältigung).

# Fünfter Teil

(im allgemeinen die HS–Tarifnummern mit sechs Ziffern). Dem Durchschnittswert von 36 Prozent ist keine allzu grosse Bedeutung zuzumessen, weil der Durchschnitt durch die Zollsenkung bei handelsmässig und agarpolitisch unbedeutenden Positionen relativ schnell erreicht wird. Wichtig hingegen ist die Vorschrift, dass jeder Zollsatz im Verlauf von sechs Jahren um minimal 15 Prozent abzubauen ist. Diese Zollreduktion ist unabhängig vom Handelsgewicht, also auch bei handelsmässig wichtigen Produktpositionen, vorzunehmen.

**Übersicht 28: Die Differenzmethode der Tarifizierung**

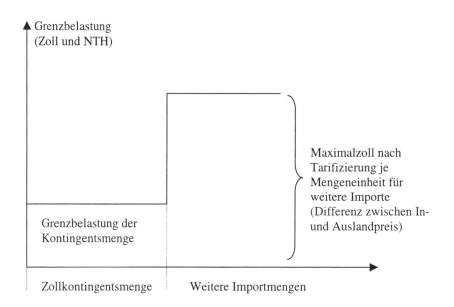

In Anlehnung an die Darstellung in: *BBl* 1994 IV 161.

Für Produktbereiche, die ein Land bisher ganz oder teilweise von seinem 1022
Markt ausgeschlossen hat, ist im ersten Jahr der Übergangszeit der Markt für
mindestens 3 Prozent des Inlandverbrauchs der Basisperiode 1986 bis 1988 zu
öffnen, gefolgt von einer Erweiterung auf 5 Prozent bis Ende der Übergangsperiode.[23]

Ergänzend zu den allgemeinen Schutzklauseln des GATT enthält Art. 5 des 1023
Agrarabkommens eine besondere Schutzklausel für den Fall eines unverhältnismässig starken Anstiegs der Importmenge oder eines überdurchschnittlich
massiven Einbruchs der Importpreise.

Die mengenbezogene Schutzklausel erlaubt eine Anhebung der bestehen- 1024
den Zollbelastung um bis zu einem Drittel, wenn die Importmengen eines Jahres einen gewissen Schwellenwert beziehungsweise eine gewisse Auslöseschwelle ("trigger level") überschreiten. Dieser Wert ist je nach
Selbstversorgungsgrad und Importanteil eines Landes unterschiedlich hoch:

– Bei einem Selbstversorgungsgrad von 90 Prozent und einem Importanteil von 10 Prozent darf ein Schutzzoll erhoben werden, wenn die zusätzlichen Einfuhren mehr als 25 Prozent über dem durchschnittlichen Import der letzten drei Jahre, für die Daten verfügbar sind, liegen.

– Bei einem Selbstversorgungsgrad von 70 bis 90 Prozent und einem Importanteil von 10 bis 30 Prozent darf ein Schutzzoll erhoben werden, wenn der zusätzliche Import mehr als 10 Prozent über den durchschnittlichen Einfuhren der letzten drei Jahre, für die Daten verfügbar sind, liegt.

– Bei einem Selbstversorgungsgrad von weniger als 70 Prozent und einem Importanteil von über 30 Prozent darf ein Schutzzoll erhoben werden, wenn der zusätzliche Import 5 Prozent über dem durchschnittlichen Import der letzten drei Jahre, für die Daten verfügbar sind, liegt.

Die Berücksichtigung der bisherigen Importe und des Selbstversorgungs- 1025
grads bewirkt, dass bei mengenmässig kleineren Importanteilen mit dem
Ergreifen von Schutzmassnahmen länger zuzuwarten ist als bei mengenmässig
grösseren Importanteilen, und dass eine Ausdehnung des Selbstversorgungsgrads mit einer Erhöhung des Schwellenwerts verbunden ist. Auf diese Weise

---

23 *GATT*, Modalities, Ziff. 5.

## Fünfter Teil

wird die Marktöffnung honoriert und die Ausdehnung der Eigenproduktion benachteiligt. Um die Frage, ob die jeweiligen Mengen- und Preisveränderungen im In- und Ausland ökonomisch bedingt und gerechtfertigt sind oder nicht (z.B. auf Grund von Produktivitätsfortschritten), kümmert sich das Agrarabkommen nicht. Im Automatismus der Anrufungsmöglichkeit der Agrarsonderschutzklausel liegt der Unterschied zu Art. XIX GATT.[24]

**Übersicht 29: Schutzmassnahmen bei Mehrimporten in Form einer Zollanhebung um bis zu einem Drittel der bisherigen Zollbelastung**

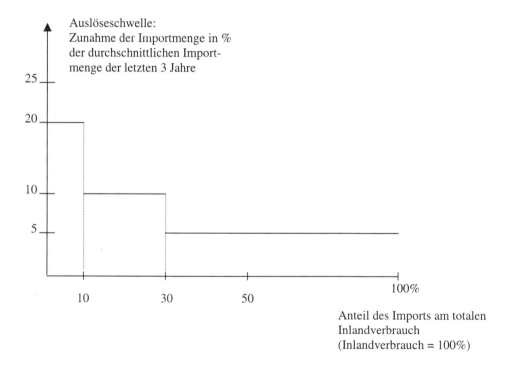

1026  Verursachen die Zugeständnisse einen Preiseinbruch im Importhandel und Preisturbulenzen auf dem einheimischen Markt, steht einem betroffenen Land ebenfalls das Recht zu, Schutzmassnahmen zu verhängen. Die preisbedingten

---

24  Vgl. Rz 911ff.

Schutzmassnahmen erfolgen gemäss Art. 5:5 des Agrarabkommens in fünf Abstufungen mit folgenden Auslöseschwellen:

- Fällt der aktuelle Importpreis[25] um weniger als 10 Prozent unter den Schwellenpreis beziehungsweise den Referenzpreis[26] der Jahre 1986 bis 1988, darf keine vorübergehende Zollerhöhung vorgenommen werden.
- Fällt der Importpreis um 10 bis 40 Prozent unter den Referenzpreis, beträgt der erlaubte Zusatzzoll 30 Prozent jenes Betrags, um welchen die Differenz 10 Prozent überschreitet.
- Fällt der Importpreis um 40 bis 60 Prozent unter den Referenzpreis, beträgt der erlaubte Zusatzzoll 50 Prozent jenes Betrags, um welchen die Differenz 40 Prozent überschreitet, plus dem Zusatzzoll der Vorstufe.
- Fällt der Importpreis um 60 bis 75 Prozent unter den Referenzpreis, beträgt der erlaubte Zusatzzoll 70 Prozent jenes Betrags, um welchen die Differenz 60 Prozent überschreitet, plus dem Zusatzzoll der zwei Vorstufen.
- Fällt der Importpreis um mehr als 75 Prozent unter den Referenzpreis, beträgt der erlaubter Zusatzzoll 90 Prozent jenes Betrags, um welchen die Differenz 75 Prozent überschreitet, plus dem Zusatzzoll der drei Vorstufen.

Sinkt zum Beispiel der Importpreis einer Ware um 80 Prozent unter den Referenzpreis der Jahre 1986 bis 1988, darf der importierende Staat einen Schutzzoll von 34.0 Prozent des Preisrückgangs in Ergänzung zum bereits bestehenden Zoll erheben (keine Abschöpfung für die ersten 10 % = 0%, + 30% von 30% = 9.0%, + 50% von 20% = 10%, + 70% von 15% = 10.5%, + 90% von 5% = 4.5%. Zusammen: 9.0 + 10 + 10.5 + 4.5 = 34.0% + bisheriger Zoll).

Die Übersichten 30 und 31 verdeutlichen, wie die Abschöpfung bei andauerndem Preisrückgang zwar progressiv zunimmt, aber doch nicht so hoch ist, dass ein Preiseinbruch nicht auf den Binnenmarkt durchschlagen könnte. Sie ist so konzipiert, dass ein Preiseinbruch zwar gebremst, aber nicht gänzlich aufgefangen wird.

---

25   Der Importpreis wird zu cif-Werten errechnet. Vgl. Art. 5:1(b) des Agrarabkommens.
26   Der Schwellenpreis entspricht dem Referenzpreis der Jahre 1986–1988, zu cif-Werten berechnet. Vgl Art. 5:1(b), Anm. 1 des Agrarabkommens.

**Übersicht 30: Grenzbelastung bei rückläufigen Preisen**

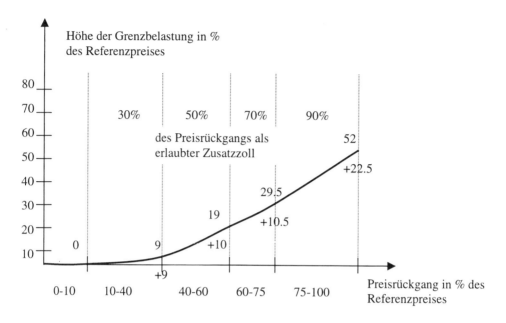

**Übersicht 31: Preisrückgang plus zusätzliche Grenzbelastung**

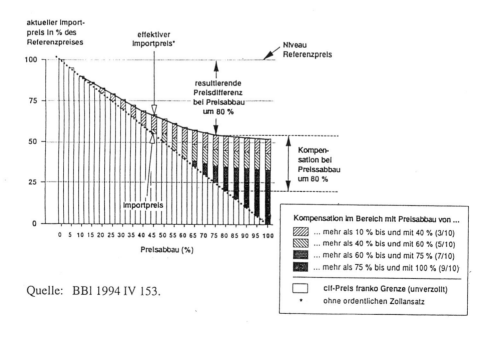

Quelle: BBl 1994 IV 153.

## 1.2.5 Der Abbau der internen Stützungen

Der zweite Kernbereich der WTO-Agrarmarktordnung ist der Abbau jener 1029
landesinternen Stützungsmassnahmen, die sich auf die Produktion und/oder
den internationalen Handel auswirken. Es geht um die Stützungsmassnahmen
in Form produktspezifischer Preis- und Absatzhilfen, die Preiszuschläge, die
Preisvorschriften, die Abnahmegarantien zu vorgegebenen Preisen, die Preisgarantien und die Transfers, die den Konsumentinnen und Konsumenten
zugunsten der Produktion aufgebürdet werden. Eine de minimis-Klausel sieht
vor, dass jene produktspezifischen Stützungen von der Abbauverpflichtung
ausgenommen sind, die weniger als 5 Prozent des Produktionswerts eines einzelnen Produkts oder insgesamt weniger als 5 Prozent des gesamten Produktionswerts betragen. Die rechtlichen Grundlagen über den Abbau der internen
Stützungen finden sich in Teil IV beziehungsweise in Art. 6 und 7 des Agrarabkommens und dessen Anhängen 2, 3 und 4 sowie in den Ziff. 8, 9 und 10 der
"Modalities" und deren Anhänge 4, 5 und 6.

Vom Abbau nicht betroffen sind jene internen Stützungsmassnahmen und 1030
Direktzahlungen, die den Aussenhandel und die Produktion nicht oder nur
geringfügig beeinflussen. Es handelt sich um Stützungen, die durch ein öffentlich finanziertes Regierungsprogramm und nicht über einen Transfer durch die
Konsumierenden erbracht werden und sich nicht wie eine Preisstützung für die
Produzenten auswirken. Als Beispiele zählt Anhang 2 des Agrarabkommens
folgende Hilfen auf: allgemeine staatliche Beiträge für Forschung, Ausbildung, Beratung, Kontrolle, Marktinformation und Infrastrukturleistungen
(Ausbau der Strassen, der Wasserversorgung, des Stromnetzes usw.), öffentliche Lagerhaltung und Nahrungsmittelvorsorge, inländische Nahrungsmittelhilfen, direkte Einkommensbeihilfen, die Beteiligung an Programmen zur Einkommenssicherung, Zahlungen bei Naturkatastrophen, Ruhestands-Programme, die Stillegung von Ressourcen, Investitionszuschüsse sowie
Umwelt- und regionale Hilfsprogramme.

Nicht zu senken sind gemäss Art. 6:5 des Agrarabkommens auch die Direkt- 1031
zahlungen im Rahmen von Programmen zur Produktionsbeschränkung, wenn
sich die Zahlungen auf bestimmte Flächen und Erträge sowie auf 85 oder

weniger Prozent der Grunderzeugungsmenge beziehen oder wenn sich die ausbezahlten Viehprämien auf eine feste Viehbestandesgrösse abstützen.[27]

1032   Wie werden die Hilfen berechnet, die abzubauen sind? Zunächst ist zwischen dem tatsächlich erfassbaren aggregierten Stützungsmass (Aggregate Measurement of Support, AMS) und dem gleichwertigen beziehungsweise äquivalenten Stützungsmass (Equivalent Measurement of Support, EMS) zu unterscheiden. Das AMS erfasst die jährlich einem Landwirt zukommenden geldwertmässigen Hilfen für jedes einzelne Agrarerzeugnis.[28] Es handelt sich um die Summe aller produktgebundenen Zuwendungen in Form von Preis- und Absatzgarantien. Besteht keine direkte Produktbezogenheit der Zuwendungen oder ist, wie Anhang 4, Ziff. 2 des Agrarabkommens sagt, die Berechnung dieser Komponente des AMS "nicht praktikabel", ist das äquivalente Stützungsmass "unter Heranziehung des angewandten amtlich geregelten Preises und der zum Erhalt dieses Preises berechtigten Produktionsmengen" oder "auf der Grundlage von budgetären Ausgaben, die zur Aufrechterhaltung des Erzeugerpreises gemacht werden", zu berechnen und zu schätzen. Das EMS wird auf der Grundlage des Subventionsbetrags so nahe wie möglich am ersten Verkaufsort des betreffenden landwirtschaftlichen Produkts berechnet. Beihilfen zugunsten der Verarbeiter werden in dem Masse berücksichtigt, als

---

27   Politiker und Medien sprechen von *Orange Box–Massnahmen*, wenn es sich um produktspezifische und daher abbaupflichtige Stützungen handelt. Von *Green Box–Massnahmen* ist die Rede, wenn es sich um nicht–abbaupflichtige Hilfen handelt, worunter einerseits allgemein jene Stützungen zu verstehen sind, die den Handel nicht oder nur minimal verzerren, und andererseits die in Anhang 2 des Agrarabkommens eigens aufgeführten Ausnahmen. Als *Blue Box–Massnahmen* werden schliesslich jene Beihilfen bezeichnet, über die sich die USA und die EU im Blair–House–Abkommen einigten. Es handelt sich dabei u.a. um die im EU–Agrarprogramm vorgesehenen Kompensationszahlungen sowie die in Norwegen und in den Oststaaten getätigten Agrarstützungen. Vgl. beispielsweise *International Agricultural Trade Research Consortium* (1994), The Uruguay Round Agreement on Agriculture: An Evaluation, IATRC Paper Nr. 9, UC Davis, S. 14.

28   AMS enthält gemäss OECD–Definition allein jene Stützungsmassnahmen, die "mehr als minimal" den Handel behindern ("[...] more than minimally trade distorting."). Im Gegensatz dazu bezieht sich PSE (vgl. dazu auch Rz 504) auf die Gesamtheit der agrarpolitisch bedingten jährlichen Einkommenstransfers von den einheimischen Konsumenten und Steuerzahlern an die Produzenten von landwirtschaftlichen Erzeugnissen. Vgl. *OECD* (1995), The Uruguay Round, Paris, S. 35ff.

sie wirklich den Erzeugern von landwirtschaftlichen Gütern zugute kommen. Spezifische Abschöpfungen und Gebühren, die von den Erzeugern bezahlt werden, sind nicht in das äquivalente Stützungsmass aufzunehmen.

Sind das aggregierte und das äquivalente Stützungsmass ermittelt, werden die beiden Werte zusammengezählt, um das Total des aggregierten Stützungsmasses (Total of Aggregate Measurement of Support, Total of AMS) zu erhalten. Die auf diese Weise errechnete Gesamtgrösse des Stützungsniveaus ist abzubauen. Als zeitliche Basis aller Berechnungen und Schätzungen gilt der Zeitraum 1986 bis 1988, wobei die nach 1986 bereits durchgeführte Beihilfensenkung anzurechnen ist. 1033

Der im Agrarabkommen vorgesehene Abbau der internen Stützungen besteht gemäss Ziff. 8 der "Modalities" darin, das Subventionsniveau in sechs gleichen Jahresraten insgesamt um durchschnittlich 20 Prozent zu vermindern. Die WTO-Agrarmarktordnung erlaubt eine produktweise unterschiedliche Beihilfenkürzung, solange der Durchschnitt von 20 Prozent eingehalten wird. Die verbleibende Gesamtstützung gilt als gebunden und darf nicht wieder erhöht werden.[29] Die wirtschaftlich schwächeren Länder müssen den Abbau der internen Subventionierung in Jahren vornehmen; die ärmsten Länder sind von jeder Reduktion ausgenommen. 1034

### 1.2.6 Die Reduktion der Exportsubventionen

Das dritte vom Agrarabkommen verfolgte Hauptziel ist der Abbau der Exportbeihilfen und der subventionierten Exportmengen. Die rechtlichen Grundlagen der Regelung der Exportsubventionen bilden der Teil V mit Art. 8 bis 11 des Agrarabkommens sowie die Ziffern 11 und 12 der "Modalities" und deren Anhänge 7 und 8. 1035

Unter die abzubauenden Subventionen zählt das Agrarabkommen folgende Staatshilfen: die direkten Subventionen der öffentlichen Hand einschliesslich der Sachleistungen an Firmen, Wirtschaftszweige oder Produzenten von Agrargütern, die Überlassung oder der Verkauf von Gütern zum Export aus 1036

---

29 Neue Subventionen sind erlaubt, solange diese das vereinbarte Gesamtniveau nicht überschreiten.

öffentlichen Lagern zu Preisen, die unter dem Marktpreis liegen, die staatlich finanzierten Zuwendungen an die Ausfuhr von landwirtschaftlichen Gütern, die staatlichen Beiträge an das Auslandmarketing (nicht aber für allgemeine Werbung), die Übernahme von Transport- und Frachtkosten im In- und Ausland für Exportgüter sowie die Beiträge, die indirekt, das heisst über die Subventionierung von Vor- und Nebenprodukten in die Exportprodukte eingehen. Für Entwicklungsländer gilt insofern eine Sonderregelung, als Investitionssubventionen, Beiträge zur Diversifizierung der landwirtschaftlichen Produktion und Unterstützungen an Landwirte mit einem niedrigen Einkommen nicht unter die abbaupflichtigen Subventionen fallen.

1037   Referenzperiode zur Berechnung des Ausgangsniveaus der Reduktionsverpflichtungen ist der Zeitraum von 1986 bis 1990. Um aber die in den neunziger Jahren erfolgten Subventionskürzungen einbeziehen und die künftigen Abbauverpflichtungen abschwächen zu können, einigten sich die Verhandlungspartner gemäss dem Blair-House-Abkommen am 20. November 1992 darauf, den Beginn des Subventionsabbaus auf das Datum 1991/92 festzulegen. Der nach Ablauf von sechs Jahren einzuhaltende Plafond bleibt indessen das Niveau von 1986 bis 1990 nach Berücksichtigung des vereinbarten Abbausatzes.[30]

1038   Die WTO-Agrarmarktordnung verlangt von den Industriestaaten einen Abbau der geldwertmässigen Exportsubventionen um 36 Prozent und der Menge der subventionierten Exporte um 21 Prozent, jeweils aufgeteilt in sechs gleich grosse Jahresraten. Für die Entwicklungsländer gelten Senkungssätze von 24 Prozent (zwei Drittel von 36%) beziehungsweise von 14 Prozent (zwei Drittel von 21%) in jeweils 10 Jahren. Die wirtschaftlich ärmsten Länder sind von jeder Abbauverpflichtung ausgenommen; aber sie dürfen die Exportsubventionen nicht aufstocken.

---

30   Art. 13 des Agrarabkommens ist 1996/97 erstmals im Sinne des Art. XXII GATT Gegenstand einer Auseinandersetzung zwischen WTO-Mitgliedern geworden. Ungarn wurde von mehreren WTO-Partnern vorgeworfen, bei der Gewährung von Exportsubventionen über ihre Zusagen in der Uruguay-Runde hinausgegangen zu sein. Vgl. *WTO* (1997), FOCUS, Newsletter Nr. 16, Genf, S. 6. Mehrere kleinere Fälle konnten bisher ausserhalb von Art. XXII GATT beigelegt werden (Auskunft von WTO-Delegierten).

Der Abbau von 36 Prozent geldwertmässigen Exportsubventionen gilt 1039
ebenso für verarbeitete Nahrungsmittel und damit auch für die Nahrungsmittelindustrie. Dagegen unterliegen die verarbeiteten Nahrungsmittel keinem mengenmässigen Subventionsabbau.

## 1.2.7  Die weiteren Bestimmungen

Die Art. 12 bis 21 des Agrarabkommens enthalten Bestimmungen über die 1040
Neueinführung von Ausfuhrbeschränkungen, die Anrechenbarkeit von inländischen Stützungsmassnahmen bei der Erhebung von Ausgleichsabgaben, die Anerkennung der sanitarischen und phytosanitarischen WTO–Vorschriften, die Vorzugsbehandlung der Entwicklungsländer sowie die Durch– und Weiterführung des Abkommens.

Ein Vertragspartner, der Ausfuhrverbote oder –beschränkungen plant, ist 1041
aufgrund von Art. 12 des Agrarabkommens verpflichtet, vor der Einführung dieser Massnahmen deren Auswirkungen auf den Aussenhandel abzuklären, den WTO–Landwirtschaftsausschuss zu informieren und die davon betroffenen Handelspartner zu konsultieren.

Art. 13 des Agrarabkommens (der im Jahr 2003 ausläuft) fordert die Partner- 1042
staaten auf, mit der Verhängung von Ausgleichsmassnahmen im Sinne des Subventionsabkommens zurückhaltend zu sein und die nach Anhang 2 des Agrarabkommens erlaubten Stützungsmassnahmen (Beiträge für Forschung, Ausbildung, Beratung, Kontrolle, Marktinformation usw.) nicht zum Anlass von Ausgleichszöllen zu nehmen. In der Fachsprache ist Art. 13 des Agrarabkommens als "Peace clause" bekannt.[31] Ferner verlangt Art. 14 des Abkommens, "dem Übereinkommen über sanitarische und phytosanitarische Massnahmen Wirksamkeit zu verleihen". Die beiden Art. 15 und 16 wiederholen die Verpflichtung, den wirtschaftlich schwachen Staaten eine Vorzugsbehandlung einzuräumen (in Form reduzierter Senkungsverpflichtungen und längerer Übergangszeiten).

---

31  Nach Auffassung von Sri Lanka erhebt Brasilien entgegen der Bestimmung in Art. 13(a) des Agrarabkommens Ausgleichsabgaben auf den Import von getrockneten Kokosnuss–Produkten. Vgl. Konsultationen zwischen Sri Lanka und Brasilien, in: URL http://www.wto.org/wto/dispute/bulletin.htm, November 1999.

1043 Art. 20 des Agrarabkommens schliesslich greift den in der Präambel bereits geäusserten Grundgedanken auf, über die Vereinbarung einen Prozess landwirtschaftlicher Reformen in Richtung auf eine Marktöffnung und eine Handelsliberalisierung einzuleiten. Fünf Jahre nach dem Inkrafttreten des Vertrags sollen die bisherigen Erfahrungen analysiert und längerfristige Ziele neu festgelegt werden.

## 1.3 Die Notwendigkeit weiterer Verhandlungen

1044 Vor und während der Uruguay–Runde wurde von verschiedenen Verhandlungspartnern, vor allem von den USA, die Forderung eingebracht, den internationalen Handel mit Agrarerzeugnissen den allgemeinen Regeln des GATT beziehungsweise der künftigen Welthandelsorganisation zu unterstellen. Die Agrarprodukte sollen international nach den gleichen Grundsätzen gehandelt werden können wie die gewerblichen und industriellen Waren. Die Existenz einer separaten Vereinbarung zeigt, dass sich die Verhandlungspartner zwar auf einige Gemeinsamkeiten, nicht aber auf eine völlige Integration des Agrarhandels in die Welthandelsordnung einigen konnten. Sonst hätte sich nämlich die Ausarbeitung eines eigenständigen Abkommens erübrigt.

1045 Das Agrarabkommen bezweckt die Lancierung eines längerfristigen Reformprozesses in Richtung auf eine Marktöffnung und auf einen Subventionsabbau in der Landwirtschaft hin. Darum hält das Abkommen auch fest, dass nach einer Übergangszeit von fünf Jahren die Agrarverhandlungen der Uruguay–Runde wieder aufgenommen und fortgesetzt werden müssen.

1046 Die Beurteilung des in der Uruguay–Runde Erreichten ist schwierig. Bilden die Tarifizierung und die damit angestrebte Transparenz, der vereinbarte Zollabbau und die minimale Marktöffnung, die Senkung der landesinternen Beihilfen und Exportsubventionen sowie das Verbot der Einführung neuer nichttarifärer Handelshemmnisse tatsächlich den Auftakt und den Neubeginn einer weiterführenden Liberalisierung des Agrarmarkts, sind die bisherigen Ergebnisse (aus ökonomischer Sicht) bedeutsam. Kommen die bevorstehenden Verhandlungen aber ins Stocken und findet die Liberalisierung des Agrarhandels keine Fortsetzung, nehmen sich die vorliegenden Resultate eher bescheiden aus. Damit stellt sich die Frage nach den in den künftigen Verhandlungen anzugehenden Problemen und nach den Erfolgschancen zu deren Lösung.

Mit der Tarifizierung allein sind die Handelshemmnisse nicht ausgeräumt, aber verhandelbarer geworden. Eine erste Aufgabe der künftigen Verhandlungen wird daher sein, die zum Teil sehr hohen Zölle im Agrarsektor (z.B. in Kanada bei Milchprodukten und beim Geflügelfleisch; in der EU bei Müllereierzeugnissen[32]) abzubauen. Zur Diskussion werden auch die Zollkontingente stehen. Die bestehenden Zollkontingente sind entweder auszuweiten oder durch die Senkung der Zusatzzölle zu "entschärfen". 1047

Zu überdenken ist die gegenwärtige Praxis der Zollbindung. Ein gebundener Zoll darf gesenkt, nicht aber angehoben werden. Das Ziel der Zollbindung ist die Schaffung von Transparenz und Sicherheit. Der Handelspartner soll vor unerwarteten Zollerhöhungen geschützt werden. Wenn aber, wie dies im Verlauf der Uruguay-Runde bekannt wurde, Länder (vor allem Drittweltländer) ihre Zölle auf einem Niveau binden, das über dem tatsächlich eingeforderten Zollsatz liegt, kann der effektive Zoll innerhalb der Bindung nach wie vor angehoben werden. Derartige Bindungen sind aus der Sicht der Handelssicherheit wertlos; sie schützen den Handelspartner nicht. Ihr Zustandekommen ist politisch bedingt. Eine Aufgabe der künftigen Verhandlungen wird sein, die Zollbindungen realitätsbezogener zu gestalten.[33] 1048

Keine definitive Regelung ist auch im landwirtschaftlichen Subventionswesen erzielt worden. Statt die landwirtschaftlichen Exportsubventionen, analog den Subventionen im Industriegüterbereich, zu beseitigen, beschränken sich die Verhandlungspartner auf eine blosse Verminderung sowie auf das Verbot der Neueinführung von Subventionen und Kompensationsleistungen. Die bisherigen Verhandlungen weisen somit bloss in die Richtung, in die weiter zu gehen ist. 1049

Das wohl schwierigste Problem in der künftigen Gestaltung der Agrarmarktordnung ist die Regelung der internen Beihilfen. Sie ist heute so ange- 1050

---

32 Vgl. *International Agricultural Trade Research Consortium* (1994), The Uruguay Round Agreement on Agriculture: An Evaluation, IATRC Paper Nr. 9, UC Davis, S. iii; *EG*, Amtsblatt L 142 vom 26.6.1995, Kapitel 11, Müllereierzeugnisse.
33 Vgl. *GATT* (1995), News of the Uruguay Round of MTN, April, Genf, S. 6.

legt, dass jeder Handelspartner die Möglichkeit besitzt, handelsbedingte Verluste und Ausfälle durch interne Massnahmen und Direktzahlungen aufzufangen und zu kompensieren. Anhang 2, Ziff. 1 des Agrarabkommens verlangt, die nichtreduktionspflichtigen Stützungsmassnahmen so zu gestalten, dass sie den Handel nicht oder nur geringfügig verzerren, aus öffentlich finanzierten Regierungsprogrammen stammen und nicht wie Preisstützungen wirken. Diese Formulierung erweckt den Anschein, als ob es produktions- und handelsneutrale Subventionen gäbe. Aus ökonomischer Sicht ist festzuhalten, dass Betriebsbeiträge, in welcher Form sie auch immer gewährt werden, längerfristig immer kosten- und preiswirksam sind und über den Preis den Aussenhandel beeinflussen beziehungsweise verfälschen.

1051   Die Cairns-Gruppe hat im April 1998 ihrer Befürchtung Ausdruck verliehen, dass in einzelnen Ländern (vor allem in Frankreich und Japan) die Landwirtschaft unter dem Vorwand der "Multifunktionalität" wieder zum früheren Agrarprotektionismus zurückfinde. Die Erhaltung der Bevölkerungsstruktur, die Sicherung der Arbeitsplätze, der Umweltschutz und regionale Erwägungen würden vorgeschoben, um die Agrarsubventionen und damit den landwirtschaftlichen Protektionismus wieder aufstocken zu können.[34]

1052   Im Sinne einer Gesamtwürdigung der WTO-Agrarmarktordnung kommt man zu dem Ergebnis, das die Studiengruppe "International Agricultural Trade Research Consortium" in ihrer Analyse des Weltagrarhandels festgehalten hat, dass die Uruguay-Runde einen grossen Beitrag zur Integration des Landwirtschaftsbereichs in die Welthandelsordnung geleistet hat, der in den Verhandlungen erzielte Liberalisierungsgrad aber noch bescheiden ist und "much remains to be done in future rounds of negotiations".[35]

---

34  Tagung der Cairns-Gruppe im April 1998, Berichterstattung in: *NZZ* vom 7.4.1998, Nr. 81, S. 25.

35  *International Agricultural Trade Research Consortium* (1994), The Uruguay Round Agreement on Agriculture: An Evaluation, IATRC Paper Nr. 9, UC Davis, S. iii.

## 2. Das Abkommen über die Anwendung der gesundheitspolizeilichen und pflanzenschutzrechtlichen Massnahmen

In der Ministererklärung zur Uruguay–Runde vom 20. September 1986 nimmt die Landwirtschaft einen relativ breiten Raum ein. Die Rede ist von der Marktöffnung, vom Abbau der Einfuhrhemmnisse, von der Verbesserung der Wettbewerbsbedingungen und – in einem separaten Abschnitt – von der "Minimierung der nachteiligen Auswirkungen von gesundheitspolizeilichen und pflanzenschutzrechtlichen Vorschriften und Hemmnissen auf den Handel mit Agrarerzeugnissen"[36]. Gemäss Ministererklärung und dem später erstellten Verhandlungskatalog der Uruguay–Runde waren die gesundheitspolizeilichen und pflanzenschutzrechtlichen Massnahmen von der Arbeitsgruppe Landwirtschaft zu behandeln. Der Zwischenbericht zuhanden der Konferenz von Montreal im Jahr 1988 hielt die vorläufigen Verhandlungsergebnisse fest und unterschied in Bezug auf die Landwirtschaft zwischen lang– und kurzfristigen Reform–Massnahmen einerseits sowie sanitarischen und phytosanitarischen Massnahmen andererseits. Bei den sanitarischen und phytosanitarischen Massnahmen seien folgende Ziele anzustreben: die Harmonisierung der gesundheitspolizeilichen und pflanzenschutzrechtlichen Massnahmen auf der Basis international anerkannter Richtlinien, die Stärkung des Art. XX GATT zum Schutz des Lebens und der Gesundheit von Menschen, Tieren und Pflanzen, die Schaffung von Transparenz über die Notifizierung der Massnahmen, die Gewährung gegenseitiger Konsultationsmöglichkeiten zur bilateralen Beilegung von Streitigkeiten, die Verbesserung der Streitschlichtung im GATT, die Rücksichtnahme auf wirtschaftlich schwächere Staaten und die Überprüfung dieses Programms mit Blick auf kurzfristige Lösungsmöglichkeiten.[37]

Als nach dem Fehlschlag der Brüsseler Konferenz im Jahr 1990 die Verhandlungen neu aufgenommen wurden, waren die sanitarischen und phytosa-

---

36 Ministererklärung vom 20.9.1986, Abschnitt D (Landwirtschaft), veröffentlicht in: *Hummer/Weiss,* S. 280ff. bzw. 286.
37 Mid–Term Review, in: *GATT* (1989), FOCUS, Newsletter Nr. 61, Genf, S. 6.

Fünfter Teil

nitarischen Massnahmen nach wie vor Bestandteil des Agrardossiers.[38] Dasselbe gilt für den Dunkel–Bericht von 1991.[39] Die Verselbständigung des sanitarischen und phytosanitarischen Bereichs zu einer eigenständigen multilateralen Übereinkunft erfolgte erst kurz vor der Unterzeichnung der WTO–Verträge in Marrakesch am 15. April 1994.[40] Das Abkommen über die Anwendung der gesundheitspolizeilichen und pflanzenschutzrechtlichen Massnahmen (Agreement on the Application of Sanitary und Phytosanitary Measures, SPS–Abkommen) trat zusammen mit dem WTO–Vertragswerk am 1. Januar 1995 in Kraft.[41]

## 2.1 Der Abkommensinhalt

1055   Das SPS–Abkommen besteht aus dem Vertragstext und drei Anhängen über die Definition der im Vertrag verwendeten Begriffe (Anhang A), über die erforderliche Schaffung von Transparenz (Anhang B) und über die Verfahren bei der Kontrolle, der Inspektion und der Genehmigung von SPS–Massnahmen (Anhang C). Der Vertrag beginnt mit den Zielen und behandelt anschliessend die allgemeinen Rechte und Pflichten der Vertragsparteien, die Harmonisierung und die gegenseitige Anerkennung der Massnahmen, die Bewertung der Risiken, die Transparenz usw.

### 2.1.1 Die Zielsetzung

1056   Das SPS–Abkommen verfolgt das Ziel, die Gesundheit von Menschen, Tieren und Pflanzen in allen Vertragsstaaten der WTO zu verbessern und ein

---

38   Vgl. *GATT* (1991), FOCUS, Newsletter Nr. 79, Genf, S. 2.
39   *Dunkel–Bericht*, Section L, Part C.
40   Anlass zu einem selbständigen SPS–Abkommen war nach *Thomas Cottier* der seit den achtziger Jahren schwelende Handelsstreit zwischen den USA und der damaligen EG betreffend das von der EG erlassene Importverbot von hormonbehandeltem Rindfleisch. *Cottier, Thomas* (1999), SPS Risk Assessment and Risk Management in WTO Dispute Settlement: Experience and Lessons, überarbeiteter Beitrag der Konferenz Risk Analysis and International Agreements vom 10./11. Februar, Melbourne (Vervielfältigung), S. 2.
41   Der Abkommenstext ist veröffentlicht in: *Hummer/Weiss*, S. 888ff. (deutsche Fassung); *WTO*, The Legal Texts, S. 69ff. (englische Fassung).

Regelwerk zu schaffen, das die negativen Auswirkungen der Schutzmassnahmen auf den Handel minimiert. Kein WTO-Mitglied ist gemäss Präambel des SPS-Abkommens verpflichtet, "sein als angemessen betrachtetes Ausmass an Schutz für Gesundheit von Menschen, Tieren oder Pflanzen zu ändern". Die Vertragspartner haben nach Art. 2:1 des SPS-Abkommens auch das Recht, neue Massnahmen unter der Voraussetzung zu treffen, "dass solche Massnahmen den Bestimmungen dieses Übereinkommens nicht entgegenstehen". In Anlehnung an Art. XX GATT verlangt die Präambel des SPS-Abkommens weiter, dass die sanitarischen und phytosanitarischen Massnahmen nicht so eingesetzt werden, "dass sie zu einer willkürlichen oder ungerechtfertigten Diskriminierung zwischen Mitgliedern, bei denen gleiche Verhältnisse bestehen, oder zu einer verschleierten Beschränkung des internationalen Handels führen". Der geforderte Verzicht auf Willkür und ungerechtfertigte Diskriminierung ist Ausdruck und Ergebnis der Erfahrung, wonach diese Art von Massnahmen nicht selten zum Schutz der landeseigenen Wirtschaft (vor allem der Landwirtschaft und der Nahrungsmittelindustrie) verhängt werden. Wegen dieser Befürchtung erachteten es die Verhandlungspartner der Uruguay-Runde als unerlässlich, die Massnahmen zur Nahrungsmittelsicherheit und zum Schutz der Menschen, Tiere und Pflanzen über die Festlegung von Grenzwerten für Pestizidrückstände sowie Vorschriften über die Etikettierung und die Inspektionsverfahren auf das Notwendige zu beschränken (Notwendigkeits-Erfordernis). Die Massnahmen haben auf wissenschaftlichen Grundsätzen zu beruhen und dürfen nicht ohne ausreichende wissenschaftliche Beweise eingeführt oder beibehalten werden (Wissenschaftlichkeits-Nachweis). Die SPS-Vereinbarung fordert die Teilnehmerstaaten auf, ihre Massnahmen auf bestehende internationale Normen, Richtlinien und Empfehlungen abzustützen (Harmonisierungs-Vorschrift) und vergleichbare Massnahmen der Partnerstaaten als gleichwertig anzuerkennen (Äquivalenz-Prinzip). Die Massnahmen sind überdies den örtlichen Anforderungen und Gegebenheiten anzupassen. Die Vertragspartner haben sich gegenseitig zu informieren. Schliesslich schafft das Abkommen einen Ausschuss für sanitarische und phytosanitarische Massnahmen und regelt die Streitschlichtung.

## 2.1.2 Das Notwendigkeits–Erfordernis

1057 Die Präambel des SPS–Abkommens beginnt mit der Feststellung, kein WTO–Mitglied dürfe von der Einführung und Anwendung von SPS–Massnahmen, die zum Schutz des Lebens und der Gesundheit von Menschen, Tieren und Pflanzen dienen, abgehalten werden. Zusätzlich verpflichtet Art. 2:2 des Abkommens die Vertragspartner, die Massnahmen nur in einem solchen Umfang anzuwenden, als dies notwendig ist. Der Begriff der Notwendigkeit enthält zwei Elemente: Erstens werden WTO– beziehungsweise handelsrelevante Schutzmassnahmen als notwendig erachtet, wenn keine weniger WTO–widrigen Alternativmassnahmen zur Verfügung stehen. Besteht die Möglichkeit, den Schutz der Menschen, Tiere und Pflanzen über Massnahmen zu garantieren, die den Handel nicht oder weniger einschränken als die im Rahmen der WTO ergriffenen Massnahmen, sind diese ersteren Massnahmen zu wählen.[42] Zweitens bezieht sich der Begriff der Notwendigkeit auf das Ausmass der Massnahmen. Reichen bestimmte Massnahmen zur Erreichung eines damit anvisierten Ziels aus, dürfen keine weiteren und strengeren Massnahmen ergriffen werden. Wenn zum Beispiel Fleischimportbeschränkungen gegenüber einem Land mit Seuchengefahr verhängt werden, mag es vielleicht berechtigt sein, diese Beschränkungen auf verschiedene andere Fleischsorten auszuweiten. Es wäre aber sicher nicht angemessen und nicht notwendig, wegen der Seuchengefahr auch Importverbote für elektrische Haushaltgeräte usw. zu erlassen. Das Abwägen der Notwendigkeit von Massnahmen ist ein ständiger Balanceakt zwischen dem, was von der Sache und Zielsetzung her als gerechtfertigt oder als nicht berechtigt erachtet wird.

## 2.1.3 Der Wissenschaftlichkeits–Nachweis

1058 Laut Präambel des SPS–Abkommens strebt die WTO die Schaffung eines multilateralen Rahmenwerks von Regeln und Disziplinen für die Entwicklung, Annahme und Durchführung von sanitarischen und phytosanitarischen Massnahmen an, um die negativen Auswirkungen einzelstaatlicher, nicht notwen-

---

42 Vgl. die Ausführungen über die "Notwendigkeit" in Art. XX(b) GATT und die in diesem Zusammenhang erwähnten Panelbericht, Rz 676 samt Anmerkungen.

diger und unangemessener Schutzmassnahmen zu minimieren. Geht ein Handelspartner mit seinen Schutzmassnahmen über das Niveau von internationalen Normen, Richtlinien und Empfehlungen hinaus, ist das nach Art. 3:3 des SPS–Abkommens erlaubt, wenn eine wissenschaftliche Begründung vorliegt, oder wenn ein Mitglied feststellt, dass dieser höhere sanitarische oder phytosanitarische Schutz angemessen ist. Gemäss Anmerkung zu Art. 3:3 des Abkommens liegt eine wissenschaftliche Begründung vor, "wenn ein Mitglied auf der Grundlage einer Prüfung und Bewertung verfügbarer wissenschaftlicher Angaben gemäss den einschlägigen Bestimmungen dieses Übereinkommens feststellt, dass die einschlägigen internationalen Normen, Richtlinien oder Empfehlungen nicht ausreichen, um das für angemessen erachtete Schutzniveau zu erreichen".

### 2.1.4 Die Harmonisierungs–Vorschrift

Art. 3:1 des SPS–Abkommens verlangt von den Vertragspartnern, ihre gesundheitspolizeilichen und pflanzenschutzrechtlichen Massnahmen "im weitestgehenden Umfang [...] auf allenfalls bestehende internationale Normen, Richtlinien oder Empfehlungen, soweit in diesem Übereinkommen [...] nichts anderes vorgesehen ist", abzustützen.[43] Im Zusammenhang mit den internationalen Gremien erwähnt Art. 3:4 des SPS–Abkommens die Kommission des Codex Alimentarius, das Internationale Tierseuchenamt sowie die

1059

---

43 Art. 3:1 des SPS–Abkommens enthält die Formulierung "To harmonize sanitary and phytosanitary measures [...], Members *shall* base their [...] measures [...]", was in dieser starken Formulierung (*shall*) so zu verstehen ist, dass die Vertragspartner verpflichtet sind, die internationalen Vorschriften anzuerkennen und anzuwenden. Anderslautende Massnahmen bilden somit gemäss Art. 3:3 des SPS–Abkommens die Ausnahme. Eine andere Meinung vertrat die Rekursinstanz im Hormonfleischstreit USA–EU; nach ihr ist Art. 3:3 "an autonomous right and not an 'exception' from a 'general obligation' under Art. 3:1". Die unterschiedliche Interpretation von Art. 3:1 ist deshalb wichtig, weil je nach Auslegung dieses Artikels die Beweislast der Vertragsverletzung beim Kläger oder Beklagten liegt. Zu dieser Meinungsverschiedenheit vgl. *Cottier, Thomas* (1999), SPS Risk Assessment and Risk Management in WTO Dispute Settlement: Experience and Lessons, überarbeiteter Beitrag zur Konferenz Risk Analysis and International Agreements vom 10./11. Februar, Melbourne (Vervielfältigung), S. 10ff. (mit entsprechenden Hinweisen auf die Panelberichte).

## Fünfter Teil

internationalen und regionalen Organisationen, die im Rahmen der internationalen Pflanzenschutzkonvention tätig sind.

### 2.1.5 Das Äquivalenz–Prinzip

1060   Die Vertragsparteien sind nach Art. 4:1 des SPS–Abkommens verpflichtet, gesundheitspolizeiliche und pflanzenschutzrechtliche Massnahmen anderer Länder, die von ihren eigenen Schutzmassnahmen abweichen, als gleichwertig anzuerkennen. Die Handelspartner müssen freilich nachweisen, dass ihre Massnahmen schutzmässig denjenigen des einführenden Landes entsprechen. Zur Abklärung der Gleichwertigkeit der Massnahmen ist dem importierenden Land die Möglichkeit zu bieten, die im Herkunftsland getroffenen Massnahmen zu kontrollieren und zu überprüfen.

1061   Art. 4:1 des SPS–Abkommens empfiehlt den Vertragsparteien, beim Vorliegen länderweise unterschiedlicher Massnahmen bilaterale oder multilaterale Vereinbarungen über deren gegenseitige Anerkennung auszuarbeiten und abzuschliessen.

### 2.1.6 Die Rücksichtnahme auf regionale Unterschiede

1062   Die Vertragspartner müssen nach Art. 6 des SPS–Abkommens ihre gesundheitspolizeilichen und pflanzenschutzrechtlichen Massnahmen den örtlichen Anforderungen und Gegebenheiten anpassen. Die Örtlichkeit kann sich auf eine bestimmte Region innerhalb eines Landes oder auf das ganze Land beziehen. Wenn also innerhalb eines Landes ein einzelnes Gebiet einen überdurchschnittlich hohen Krankheits– oder Schädlingsbefall aufweist, können für diese Region entsprechend strengere Schutzvorschriften erlassen werden. Schwächt sich der Krankheits– und Schädlingsbefall ab, sind auch die Schutzmassnahmen einzuschränken.[44] Exportländer, die behaupten, ihre Produktionsgebiete seien nicht von Krankheit und von Schädlingen heimgesucht, haben den entsprechenden Beweis zu erbringen und den ausländischen Abnehmerländern den Zutritt zur Inspektion und Kontrolle zu erlauben.

---

44   Vgl. Notwendigkeits–Erfordernis, Rz 1057.

## 2.1.7 Die Transparenz

Die Erfüllung der Vertragsvorschriften setzt voraus, dass sich die Vertragspartner gegenseitig umfassend informieren. Sie müssen sämtliche gesundheitspolizeilichen und pflanzenschutzrechtlichen Massnahmen sofort veröffentlichen und bekanntmachen. Dabei wird gemäss Art. 7 des SPS-Abkommens erwartet, dass Veröffentlichung und Bekanntgabe zeitlich so erfolgen, dass die betroffenen Handelspartner Gelegenheit haben, sich den neuen Vorschriften anzupassen. 1063

Jeder Vertragspartner hat eine Auskunftsstelle einzurichten, die über die bestehenden gesundheitspolizeilichen und pflanzenschutzrechtlichen Massnahmen Bescheid weiss und in der Lage ist, die entsprechenden Dokumente über die geltenden Vorschriften, über die Art der Kontrollen und Genehmigungsverfahren bei Nahrungsmittelzusätzen sowie über das Risikobewertungsverfahren zur Verfügung zu stellen. 1064

Bestehen keine internationale Normen, Empfehlungen oder Richtlinien, sind die Vertragspartner gehalten, die Einführung und Anwendung eigener Vorschriften den betroffenen Handelspartnern und dem WTO-Sekretariat zu melden. Die Notifizierung hat so frühzeitig als möglich zu erfolgen, um den Partnern Gelegenheit zu bieten, sich mit der Einführung der Vorschriften vertraut zu machen. 1065

Vertrauliche Informationen und Geschäftsgeheimnisse sind nicht zu veröffentlichen und weder der WTO noch den Handelspartnern mitzuteilen. 1066

## 2.1.8 Die Verwaltung und die Streitschlichtung

Die Verwaltung des SPS-Abkommens obliegt dem Ausschuss für sanitarische und phytosanitarische Massnahmen. Nach Art. 12 des SPS-Abkommens hat der Ausschuss ein ständiges Forum für Konsultationen zu bilden und ist für die Koordination und Integration der internationalen und nationalen Schutzsysteme zuständig. Gleichzeitig amtet das Komitee als Kontaktstelle zu den einschlägigen internationalen Organisationen auf dem Gebiet des sanitarischen und phytosanitarischen Schutzes, insbesondere zur Codex Alimentarius-Kommission, zum Internationalen Tierseuchenamt und zum Sekretariat 1067 der Internationalen Pflanzenschutzkonvention. Der Ausschuss ist beauftragt, ein Verfahren zur Überwachung des internationalen Harmonisierungsprozesses und der Verwendung internationaler Normen, Richtlinien und Empfehlungen auszuarbeiten. Zu diesem Zweck ist in den letzten Jahren eine Liste der internationalen Normen, Richtlinien und Empfehlungen erstellt worden. Mit dieser Liste soll die Transparenz im sanitarischen und phytosanitarischen Schutzbereich erhöht sowie der Import und der Export von Agrargütern und Nahrungsmitteln erleichtert und gefördert werden. Dem Ausschuss steht das Recht zu, einzelne Sachverhalte zu untersuchen und entsprechende Empfehlungen zu erteilen.

1068   Schliesslich war der Ausschuss verpflichtet, das Funktionieren des SPS–Abkommens drei Jahre nach Inkrafttreten und danach je nach Notwendigkeit zu untersuchen. Diese Arbeiten hat der SPS–Ausschuss im Jahr 1998 aufgenommen.[45]

1069   Für die Streitschlichtung im Bereich der sanitarischen und phytosanitarischen Massnahmen gelten die Bestimmungen der Art. XXII und XXIII des GATT und die WTO–Vereinbarung über die Streitschlichtung.

## 2.2   Die Probleme bei der Vertragsumsetzung

1070   Wie das SPS–Abkommen in die Praxis umgesetzt wird, verdeutlicht der im Schlichtungsverfahren der WTO beurteilte Zwist über den Handel mit Fleisch von Tieren, die mit Hormonen als Leistungsförderer gemästet wurden: Die EG–Landwirtschaftsminister verabschiedeten in den Jahren 1981, 1988 und 1996 vier Richtlinien, welche die Verwendung bestimmter Hormone als Leistungsförderer in der Tiermast sowie die Fleischeinfuhr von hormonbehandelten Tieren verbieten.[46] Für die USA, deren Fleischexporte durch dieses Verbot besonders betroffen waren, verstiess das von der EG verfügte Import-

---

45   Über den jeweiligen Stand der Arbeiten des SPS–Ausschusses orientiert der WTO–Jahresbericht. Vgl. z.B. *WTO* (1999), Annual Report 1999, S. 51f.

46   Richtlinien 81/602 EWG, 88/146 EWG, 88/299 EWG und 96/22 EG; verboten ist der Einsatz der Hormone Oestradiol–17β, Progesteron und Testosteron sowie der drei synthetischen Hormone Trenbolon, Zeranol und Melengestrol.

verbot von hormonbehandeltem Fleisch gegen das Abkommen über die Anwendung der sanitarischen und phytosanitarischen Massnahmen, weil dieses Verbot nicht notwendig sei, nicht auf wissenschaftlichen Grundsätzen beruhe sowie wissenschaftlich nicht ausreichend begründet und abgestützt werde (Art. 2:2 des SPS–Abkommens). Zudem führe das Verbot zu einer willkürlichen und ungerechtfertigten Diskriminierung zwischen den Mitgliedstaaten der WTO (Art. 3:3 des SPS–Abkommens). Schliesslich seien bei der Risikoeinschätzung die Bewertungsverfahren anerkannter internationaler Organisationen nicht berücksichtigt worden (Art. 5:1 des SPS–Abkommens). Der US–Klage schlossen sich die Länder Australien, Kanada, Neuseeland und Norwegen an. Die EG-Verteidigung argumentierte nicht mit dem Abkommen über die Anwendung der sanitarischen und phytosanitarischen Massnahmen, sondern wies die US–Anschuldigungen mit der Begründung zurück, hormonbehandeltes Fleisch sei dem nicht–hormonbehandelten Fleisch nicht gleichzusetzen. Es handle sich hier um zwei voneinander verschiedene Produkte, die gemäss Art. III:4 GATT auch unterschiedlich behandelt werden dürfen. Dabei werde ein aus dem Ausland stammendes Erzeugnis nicht ungünstiger behandelt als ein Inlandprodukt. Von einer Diskriminierung ausländischer Anbieter und Produkte sei keine Rede. Selbst unter der Voraussetzung, dass die Ungleichheit der Produkte in Frage gestellt würde, sei festzuhalten, dass Art. XX(b) GATT jedem Handelspartner erlaube, notwendige Massnahmen zum Schutz des Lebens und der Gesundheit von Menschen, Tieren und Pflanzen zu ergreifen.

Nach erfolglosen bilateralen Konsultationen zwischen den USA und der EG beantragten die USA die Bildung eines "Panels" zur Beurteilung des Streitfalls. Gemäss Begehren setzte das DSB am 20. Mai 1996 ein "Panel" mit dem Auftrag ein, den erwähnten Streitfall im Lichte der bestehenden WTO–Regeln zu überprüfen und einen Bericht zuhanden des DSB zu erstellen. Das "Panel" nahm die Arbeit im Herbst 1996 auf und schloss am 30. Juni 1997 seinen Bericht ab.[47] Aufgrund der gegebenen Ausgangslage hatte das "Panel" folgende Fragen anzugehen: Welches Recht gelangt primär zur Anwendung,

1071

---

47  Panelbericht US – EC Measures Concerning Meat and Meat Products (Hormones) vom 18.8.1997, Doc. WT/DS 26/R/USA.

Fünfter Teil

dasjenige des GATT-Textes oder des SPS-Abkommens? Welcher Partei kommt die Beweislast zu? Wie sind die Notwendigkeit, die Begründung der Risikobewertung und die Wissenschaftlichkeit zu beurteilen?

1072 Wie im nationalen Recht gilt auch auch im Völkerrecht der Grundsatz, dass Spezialrecht dem allgemeinen Recht vorgeht. In diesem Sinne entschied das "Panel", den Streitfall vorerst aus der Sicht der SPS-Übereinkunft zu beurteilen. Diesem Vorgehen lag die Überlegung zugrunde, dass eine Prüfung nach den GATT-Bestimmungen, wie sie auch immer ausfalle, anschliessend doch eine Bewertung aus der Sicht des SPS-Abkommens erfordere. Im Gegensatz dazu erübrige sich eine Beurteilung des Falls nach dem GATT-Text, wenn vorgängig eine Verletzung des SPS-Abkommens festgestellt werde.

1073 Welcher Partei obliegt die Beweislast? Das "Panel" hat wie folgt entschieden: Der klagenden Partei kommt grundsätzlich die Pflicht zu, die vermutete Vertragsverletzung durch den Handelspartner glaubhaft zu begründen. Im Verfahren selbst gehe indessen die Beweislast auf die beklagte Partei über, weil diese den Nachweis zu erbringen habe, dass sie den im SPS-Abkommen eingegangenen Verpflichtungen nachgekommen sei und mit den von ihr getroffenen Massnahmen das SPS-Abkommen nicht verletzt habe.[48]

1074 In den Hauptpunkten kam das "Panel" zum Ergebnis, dass die EG-Massnahmen gegen Art. 5:1 des SPS-Abkommens verstossen, weil sie nicht "auf einer den Umständen entsprechenden Bewertung der Risiken für das Leben oder die Gesundheit für Menschen, Tiere und Pflanzen beruhen [...]", das heisst auf Methoden der Risikobewertung, die von den zuständigen internationalen Organisationen entwickelt worden sind. Zudem dürfe eine Vertragspartei gemäss Art. 3:3 des SPS-Abkommens sanitarische oder phytosanitarische Massnahmen, die ein höheres gesundheitspolizeiliches oder pflanzenschutzrechtliches Schutzniveau bewirken als das, welches durch

---

[48] Panelbericht US – EC Measures Concerning Meat and Meat Products (Hormones) vom 18.8.1997, Doc. WT/DS 26/R/USA, Ziff. 8.49ff., 8.84ff. und 8.252. In diesem Zusammenhang ist auch Art. 5:6 des SPS-Abkommens zu konsultieren, der festhält, dass bei der Einführung und Beibehaltung von Massnahmen, für die keine internationalen Normen bestehen, die Partei, welche die Massnahmen trifft, die Gründe zu liefern hat. Vgl. auch Rz 1059.

Massnahmen auf der Grundlage der einschlägigen internationalen Normen, Richtlinien oder Empfehlungen erreicht würde, nur einführen oder beibehalten, "wenn eine wissenschaftliche Begründung vorliegt oder sich dieses höhere Niveaus als Folge des von einem Mitglied gemäss den einschlägigen Bestimmungen des Art. 5:1 bis 8 als angemessen festgelegten gesundheitspolizeilichen oder pflanzenschutzrechtlichen Schutzes ergibt". Die "wissenschaftliche Begründung" besteht gemäss Fussnote zu Art. 3:3 des SPS–Abkommens darin, dass ein Vertragspartner auf der Grundlage einer Prüfung und Bewertung verfügbarer wissenschaftlicher Angaben nachweisen kann, dass die einschlägigen internationalen Normen, Richtlinien oder Empfehlungen nicht ausreichen, um das für angemessen erachtete Schutzniveau zu erreichen. Da nach Ansicht des "Panels" die von der EG ergriffenen Massnahmen weder wissenschaftlich begründet sind, noch das höhere Schutzniveau der EG sich als Folge eines nach Art. 5:1 bis 8 des SPS–Abkommens als angemessen betrachteten Schutzes ergibt, hat das "Panel" die Klage der USA gutgeheissen und die Massnahmen der EG aus der Sicht der WTO als widerrechtlich erkannt.[49] Diese Wertung spricht nicht dagegen, dass die EG im Verkauf von Fleisch innerhalb der EU–Mitgliedstaaten entsprechende Etikettierungs– und Bezeichnungsvorschriften vorschreibt.[50] Diese Panel–Interpretation wurde von der EG an die Rekursinstanz weitergezogen, die ihre Stellungnahme im Dezember 1997 bekannt gab.

Die Empfehlung des "Panels" und der Berufungsinstanz können in drei Punkten zusammengefasst werden: 1075

- Die EG–Massnahmen beruhen, so das "Panel", nicht auf einer wissenschaftlich gesicherten Risikobewertung im Sinne von Art. 5:1 des SPS–Abkommens.

- Das "Panel" und die Rekursinstanz vertreten die Meinung, dass die EG willkürlich oder ungerechtfertigte Unterscheidungen in Bezug auf das Ausmass des sanitarischen Schutzes traf. Im Gegensatz zum "Panel" sieht

---

49 Panelbericht US – EC Measures Concerning Meat and Meat Products (Hormones) vom 18.8.1997, Doc. WT/DS 26/R/USA, Ziff. 9.1.
50 Panelbericht US – EC Measures Concerning Meat and Meat Products (Hormones) vom 18.8.1997, Doc. WT/DS 26/R/USA, Ziff. 8.274.

Fünfter Teil

die Rekursinstanz in den EG–Richtlinien keine Diskriminierung und keine verschleierte Behinderung des internationalen Handels im Sinne von Art. 5:7 des SPS–Abkommens.

– Der EG ist es nicht gelungen, die Abweichung von internationalen Standards gemäss Art. 3:3 des SPS–Abkommens wissenschaftlich zu begründen.[51]

1076  Das, was im SPS–Abkommen und im Panelbericht US–EG–Hormonfleisch als Wissenschaftlichkeit angesprochen wird, bezieht sich ausschliesslich auf naturwissenschaftliche, das heisst ernährungsphysiologische und biologische Werte. Die vom "Panel" konsultierten Experten waren denn auch ausschliesslich Biologen und Toxikologen. Die ihnen gestellten Fragen bezogen sich überwiegend auf die möglichen Folgen der Hormonverwendung bei den Tieren, auf die Auswirkungen des Konsums von hormonbehandeltem Fleisch auf die menschliche Gesundheit, auf die biologische Unterscheidbarkeit von mit oder ohne Hormonen gemästetem Fleisch und auf die wissenschaftliche Feststellbarkeit von Hormonrückständen im Fleisch. Die Antworten der Experten waren zum Teil sehr vorsichtig gehalten: Die Verabreichung einer zu hohen Dosis oder eine unsachgemässe Zusammensetzung der verabreichten Dosis könnten möglicherweise zu Rückständen und dadurch zu gesundheitlichen Schäden führen. Auch sollten, so die Experten, die erwähnten Hormone nicht bei Milchtieren eingesetzt werden, da sich in der Milch entsprechende Rückstände feststellen liessen. Abgesehen davon, dass die naturwissenschaftlichen Aussagen oft nicht endgültig sein können (man denke an die wissenschaftliche Beweisführung über die Übertragbarkeit des Rinderwahnsinns auf den Menschen[52]), ist festzuhalten, dass die bisherige Interpretation die

---

51  Die Aufteilung der Ergebnisse der Empfehlungen in drei Punkte erfolgt in Anlehnung an *Zdouc, Werner* (1998), Der WTO–Streitfall: Fleisch hormonbehandelter Tiere, Vortrag an der ECSA Jahrestagung, 23. Oktober, Wien (Vervielfältigung), S. 21.

52  Nachdem während mehrerer Jahre die Übertragbarkeit des Rinderwahnsinns (BSE) auf den Menschen in Abrede gestellt wurde, erhärteten britische Studien 1996 den Verdacht, dass eine Krankheitsübertragung doch möglich sei. Vgl. Berichterstattung über die diesbezüglichen Experimente und getroffenen Vorsichtsmassnahmen in: *NZZ* vom 24.10.1996, Nr. 248, S. 20 und *NZZ* vom 4.12.1997, Nr. 282, S. 20.

ideelen, psychologischen und ethischen Werte (Aspekte des Umweltschutzes, Art der Tierhaltung, Schlachtungsmethoden, subjektive Wertschätzung, Konsumgewohnheiten) ausgespart hat. Es handelt sich hierbei um subjektive Werte, die in der Nutzentheorie der Wirtschaftswissenschaft bei der Definition eines Produkts seit vielen Jahren berücksichtigt und einbezogen werden. Solche Elemente sind zwar nur schwierig oder nicht quantifizierbar. Trotzdem ist es fragwürdig, diese subjektiven Werte bei der Definition eines Produkts zu vernachlässigen.[53]

# 3. Das Abkommen über Textilien und Bekleidung

In den vierziger Jahren unterlag der Handel mit Textilien und Bekleidung den gleichen GATT–Vorschriften wie die übrigen Handelsgüter. Einzelne Vertragspartner setzten sich in den folgenden Jahren aber über die geltende Ordnung hinweg. Die USA unterhielten mit Japan und Grossbritannien mit Hongkong, Indien und Pakistan "freiwillige" Selbstbeschränkungsabkommen. Auch waren die damaligen EWG–Mitgliedstaaten nicht bereit, ihre bestehenden Importquoten aufzuheben. Und diejenigen Staaten, die 1955 einer Aufnahme Japans ins GATT mit Vorbehalt zugestimmt hatten, fühlten sich frei, den Handel mit dem Fernen Osten nach eigenem Gutdünken zu regeln.[54]  1077

Die folgenden Ausführungen treten auf die Handelsbestimmungen im Textil– und Bekleidungsbereich vor der Uruguay–Runde ein. Anschliessend wird aufgezeigt, wie die ehemaligen Handelsregelungen über das neue Textilabkommen in die WTO–Ordnung überführt werden sollen. Da der Handel mit  1078

---

53 Analoge Probleme zeichnen sich in Bezug auf die Umweltschutzbestimmungen ab.
54 Eine Zusammenstellung der Länder, die bei der Aufnahme Japans ins GATT Art. XXXV GATT (Nichtanwendung des Abkommens zwischen bestimmten Vertragsparteien) angerufen hatten, findet sich in: *GATT* (1994), Analytical Index, Genf, S. 958ff. Zu erwähnen sind in diesem Zusammenhang vor allem die europäischen Staaten und die Frankreich und Grossbritannien nahestehenden Entwicklungsländer sowie Australien und Neuseeland.

Fünfter Teil

Textilien und Bekleidung wie kaum ein anderer Bereich einem starken Strukturwandel unterworfen ist und spezifisch einzelne Länder betrifft, wird der Vertragsanalyse ein Abschnitt über die aktuelle Handelssituation vorangestellt.

## 3.1 Der Textil- und Bekleidungshandel

1079   In den fünfziger Jahren betrug der Produktionswert der Textil- und Bekleidungsindustrie knapp 15 Prozent der weltweiten Gütererzeugung. Mitte der neunziger Jahre lag dieser Wertanteil bei etwa 7 Prozent. Während der Anteil in den westlichen Industriestaaten von gut 10 auf 6 Prozent zurückfiel, verzeichneten die Entwicklungsländer eine Abnahme von 30 auf 7 und Japan von 18 auf 4 Prozent. Der Rückgang des Produktionswerts bezog sich in erster Linie auf die Textilindustrie und weniger auf die Bekleidungsindustrie.[55]

1080   Der wertmässige Anteil des Textil- und Bekleidungshandels am Welthandel beträgt seit den fünfziger Jahren 6 bis 7 Prozent. Während der letzten Jahrzehnte zeichnete sich eine Verlagerung vom Textil- auf den Bekleidungshandel ab. Der Textilhandel sank anteilmässig von etwa 6 auf 3 Prozent, während der Bekleidungshandel von 1 auf über 3 Prozent stieg.[56]

1081   Wie die Übersicht 32 zeigt, sind heute Deutschland, Italien, die Volksrepublik China, Südkorea und Taiwan die wichtigsten Exporteure von Textilien. Anteilmässig zurückgefallen sind in den letzten Jahrzehnten Japan, Grossbritannien, Frankreich, Belgien–Luxemburg und die USA. Beim Export von Kleidern nehmen gegenwärtig die Volksrepublik China, Italien, Hongkong, die USA und Deutschland die stärksten Positionen ein, während Frankreich und Grossbritannien im gleichen Zeitraum an Bedeutung stark verloren haben.

---

55   Entsprechende Daten finden sich in: *GATT* (1984), Textiles and Clothing in the World Economy, Genf, S. 21; *UN* (1996), Statistical Yearbook, New York, S. 16ff.; *WTO* (1999), Annual Report 1999, Genf, International trade statistics, Genf, S.121ff.

56   Vgl. *GATT* (1984), Textiles and Clothing in the World Economy, Genf, S. 39; *WTO* (1999), Annual Report 1999, Genf, International trade statistics, Genf, S.121ff.

## Übersicht 32: Die wichtigsten Exporteure von Textilien und Bekleidung in Prozenten der totalen Exporte

| | Textilien | | | Bekleidung | |
|---|---|---|---|---|---|
| Exporteure | 1963 | 1998 | Exporteure | 1963 | 1998 |
| Deutschland | 7.6 | 8.8 | China | 0.1 | 16.7 |
| Italien | 7.5 | 8.6 | Italien | 15.3 | 8.2 |
| China | 0.1 | 8.5 | Hongkong | 10.8 | 5.4 |
| Südkorea | 0.1 | 7.5 | USA | 4.1 | 4.9 |
| Taiwan | 0.1 | 7.3 | Deutschland | 6.7 | 4.3 |
| USA | 7.0 | 6.1 | Türkei | 0.1 | 3.9 |
| Frankreich | 9.0 | 5.0 | Frankreich | 9.0 | 3.2 |
| Belgien–Luxemburg | 7.2 | 4.9 | Grossbritannien | 5.0 | 2.7 |
| Japan | 12.8 | 4.0 | Südkorea | 0.1 | 2.6 |
| Grossbritannien | 10.1 | 3.6 | Indien | 0.1 | 2.4 |
| Indien | 7.7 | 3.3 | Thailand | 0.1 | 2.0 |
| Rest | 38.2 | 32.4 | Rest | 48.5 | 43.7 |

Berechnet nach: *GATT* (1984) Textiles and Clothing in the World Economy, Genf, S. 42f.; *WTO* (1999), Annual Report 1999, International trade statistics, S. 125 und 132 (die Exportzahlen Bekleidung für Hongkong und Japan beziehen sich auf die Jahre 1996).

Die wichtigsten Importeure von Textilien sind, wie der Tabelle 33 zu entnehmen ist, zurzeit die USA, die Volksrepublik China, Deutschland und Grossbritannien. Besonders zu beachten ist die zunehmende Bedeutung der Volksrepublik China, deren Welthandelsanteil in den letzten 35 Jahren von 0.1 auf 7.0 Prozent angestiegen ist. Anteilmässig zurückgefallen sind in den letzten Jahrzehnten vor allem die USA, Deutschland, die Niederlande und Kanada. Beim Import von Kleidern stehen die USA, Deutschland, Japan, Grossbritannien und Frankreich an erster Stelle. Der Handelspartner Japan, der in den fünfziger und sechziger Jahre fast keinen Bekleidungsimport ausgewiesen hat, fragt heute einen Welthandelsanteil von 7.9 Prozent nach. Abgenommen haben die

Importanteile Grossbritanniens, der Niederlande, Belgiens und Luxemburgs, der Schweiz und Kanadas.

**Übersicht 33: Die wichtigsten Importeure von Textilien und Bekleidung in Prozenten der totalen Importe**

| | Textilien | | | Bekleidung | |
|---|---|---|---|---|---|
| Importeure | 1963 | 1998 | Importeure | 1963 | 1998 |
| USA | 9.7 | 8.6 | USA | 17.7 | 29.9 |
| China | 0.1 | 7.0 | Deutschland | 11.8 | 12.0 |
| Deutschland | 11.0 | 7.0 | Japan | 0.1 | 7.9 |
| Grossbritannien | 5.9 | 5.3 | Grossbritannien | 8.2 | 6.4 |
| Frankreich | 2.7 | 4.8 | Frankreich | 3.1 | 6.3 |
| Italien | 2.1 | 4.2 | Italien | 1.4 | 3.1 |
| Japan | 0.1 | 2.8 | Belgien–Luxemburg | 3.2 | 2.8 |
| Belgien–Luxemburg | 3.3 | 2.8 | Niederlande | 6.8 | 2.8 |
| Kanada | 3.9 | 2.6 | Schweiz | 4.1 | 1.9 |
| Spanien | 0.1 | 2.1 | Kanada | 2.7 | 1.8 |
| Niederlande | 5.3 | 1.8 | Spanien | 0.1 | 1.7 |
| Rest | 55.7 | 51.0 | Rest | 40.8 | 23.4 |

Berechnet nach: *GATT* (1984) Textiles and Clothing in the World Economy, Genf, S. 42f.; *WTO* (1999), Annual Report 1999, International trade statistics, S. 125 und 132.

1083  Im Zusammenhang mit der Entwicklung des Textil– und Bekleidungshandels ist auf die Handelshemmnisse hinzuweisen. Die wichtigsten Handelsschranken bilden heute die hohen Zölle und die in bilateralen Abkommen ausgehandelten (oft "verfügten") Quoten. Die Importzölle auf Textilien und Bekleidung sind mit 10 bis 20 Prozent etwa drei– bis viermal so hoch wie die

Zölle der übrigen verarbeiteten Handelswaren.[57] Dieser Abstand hat sich in den letzten GATT-Runden vergrössert, da der Zollabbau auf Textilien und Bekleidung stets unter dem Durchschnitt der übrigen Zollsenkungen lag. Zudem ist die Tarifeskalation im Textil- und Bekleidungsbereich besonders hoch. Nach Berechnungen und Schätzungen des GATT-Sekretariats liegt der "effektive"[58] Zoll (im Gegensatz zum nominalen Zoll) bei den Industriegütern bei rund 10 Prozent, gegenüber etwa 45 Prozent bei Bekleidung, gut 50 Prozent bei Geweben und zwischen 50 bis 60 Prozent bei Strick- und Trikotwaren.[59]

Die in den letzten Jahren durchgeführten Zollreduktionen wurden zum Teil durch mengenmässige Importerschwernisse wieder ausgeglichen. Zu Beginn der Uruguay-Runde unterhielten die Mitgliedstaaten der damaligen EWG, die USA, Kanada, Österreich, Finnland und Schweden rund 100 bilaterale Importbeschränkungsabkommen mit Drittweltländern. Nach Schätzungen des GATT-Sekretariats fiel in den achtziger Jahren knapp die Hälfte des Textil- und Bekleidungshandels unter die Quotenregelung.[60] Keine derartigen bilateralen Abkommen unterhielten Japan und die Schweiz.  1084

## 3.2  Die Handelsregelung vor der Uruguay-Runde

Die US-Regierung stand jahrelang unter dem Druck der einheimischen Baumwollpflanzer und der Textilindustrie, den Importschutz gegenüber ausländischen Konkurrenzprodukten zu erhöhen und die eigenen Angebote zu subventionieren. Die Gewerkschaften spannten mit den Arbeitgeberverbänden zusammen und argumentierten mit dem Lohngefälle zwischen den USA und Japan. Als im Jahr 1955 die US-Regierung auf die Forderungen der "Pressure groups" einzutreten schien, erklärte sich Japan zum Abschluss eines  1085

---

57  *GATT* (1994), News of the Uruguay Round of MTN, April, Genf, S. 11.
58  Was unter Nominal- und Effektivzoll zu verstehen ist, wird in Rz 509 und der dieser Rz beigefügten Anmerkung erklärt.
59  *GATT* (1984), Textiles and Clothing in the World Economy, Genf, S. 67; *GATT* (1994), News of the Uruguay Round of MTN, April, Genf, S. 13.
60  Welche Länder mit welchen Handelspartnern Textil- und Bekleidungsabkommen unterhielten, zeigt die Studie *GATT* (1984), Textiles and Clothing in the World Economy, Genf, S. 83ff.

Selbstbeschränkungsabkommens bereit. Dieser Forderung nachzugeben, fiel den Japanern damals nicht schwer, weil Japans Regierung den Textilsektor ohnehin wirtschaftspolitisch zurückstellte und anderen Produktionsbereichen Priorität einräumte.

1086 In der 15. Session des GATT (1959) warnte die US-Delegation, "that sharp increases in imports, over a brief period of time and in a narrow range of commodities, could have serious economic, political and social repercussions in the importing countries"[61]. Die VERTRAGSPARTEIEN des GATT beschlossen, sich des Problems der Marktzerrüttung im Textil- und Bekleidungshandel anzunehmen. Es erging der Auftrag an das GATT-Sekretariat, für die folgende Session einen Bericht über dieses Thema auszuarbeiten. Der Hinweis auf die Marktzerrüttung war allgemein gehalten, richtete sich aber – wenn auch nicht namentlich erwähnt – gegen die wachsenden Textilexporte Japans, Indiens und Pakistans sowie der neu auf den Markt drängenden Länder Taiwan, Südkorea und Hongkong.[62]

1087 Im Rahmen des GATT entstand der Permanente Ausschuss zur Erarbeitung von Vorschlägen zur Beseitigung der Marktzerrüttungen. Weder im Beschluss der VERTRAGSPARTEIEN noch im begleitenden Hauptbericht wurde freilich die Textilwirtschaft erwähnt. Erst im Anhang des Berichts findet sich der Hinweis, dass sich die Mehrheit der Fälle von Marktzerrüttung auf den Handel mit Textilien und Bekleidung beziehe.[63]

1088 Als im Jahr 1961 die US-Administration ihren "Trade Expansion Act" vorbereitete, bat der US-Präsident die Zollkommission (Tariff Commission), die Importe von Textilien und Bekleidung in der Höhe der Rohbaumwoll-Exportsubventionen zu belasten, um ein Unterlaufen des einheimischen Baumwollprogramms und eine Schädigung der eigenen Textilwirtschaft zu verhindern. Die Zollkommission lehnte den Vorschlag des Präsidenten zur grossen Ent-

---

61 *GATT* (1963), BISD 11th S, S. 25ff.
62 Ein Darstellung der damaligen Handelssituation findet sich in: *Kock, Karin* (1969), International Trade Policy and the GATT 1947–1967, Stockholm, S. 148ff.; *Keesing/Wolf* (1980), Textile Quotas against Developing Countries, London, S. 14ff.
63 *GATT* (1961), BISD 9th S, S. 109.

täuschung der US-Textilwirtschaft ab.[64] Alsdann gelangte der Präsident der Vereinigten Staaten an das GATT mit dem Begehren, auf Ministerebene ein Abkommen oder eine Vereinbarung zwischen den Ländern mit besonderem Interesse an der Ein- und Ausfuhr von Textilprodukten und Bekleidung zu schaffen.[65] Nach Vorverhandlungen in Washington, DC, und bei der OECD, Paris, kam am 21. Juli 1961 ein einjähriges Abkommen über den Handel mit Textilien und Bekleidung (Arrangements Regarding International Trade) zustande.[66] Insgesamt beteiligten sich am sogenannten Kurzfristigen Baumwoll-Textilabkommen 19 Länder, unter ihnen die USA, die Mitgliedstaaten der damaligen EWG, Kanada, Österreich, Spanien, die Volksrepublik China, Japan, Indien und Pakistan. Völkerrechtlich ist das Kurzfristige Baumwoll-Textilabkommen eine eigenständige internationale Übereinkunft, also kein GATT-Abkommen, obwohl es in den offiziellen Dokumenten des GATT veröffentlicht wurde.

1089 Im Frühjahr 1962 folgten im Rahmen des GATT die Verhandlungen über das Langfristige Textilabkommen (Long-Term Arrangement Regarding International Trade in Cotton Textiles), das am 1. Oktober 1962 für eine Dauer von 5 Jahren in Kraft trat und in den Jahren 1967 und 1970 um je drei Jahre verlängert wurde.[67] Der Ständige Baumwoll-Textil-Ausschuss hatte die Aufgabe, das Funktionieren des Abkommens zu überwachen und jährlich einen Tätigkeitsbericht zu erstellen.

1090 Auch das Langfristige Textilabkommen hatte keinen Abbau von Handelsrestriktionen zur Folge. Die Konkurrenz zwischen den einzelnen Handelspartnern war wegen der steigenden Angebote und des Aufkommens der synthetischen Fasern zu gross, um eine gegenseitige Marktöffnung herbeizuführen. Der mengenmässige Anteil der synthetischen Fasern an der gesamten Textilerzeugung (Baumwolle, Wolle, Zellulose und synthetische Fasern) stieg in der

---

64 Vgl. *Kock, Karin* (1969), International Trade Policy and the GATT 1947-1967, Stockholm, S. 150.
65 "[...] to increase the export possibilities of less developed countries and territories and of Japan, while at the same time avoiding disruptive conditions in import markets". *GATT* (1962), GATT Activities 1961/62, S. 29.
66 Veröffentlicht in: *GATT* (1962), BISD 10th S, S. 18ff.
67 Der Abkommenstext ist veröffentlicht in: *GATT* (1963), BISD 11th S, S. 25ff.

Zeit 1960 bis 1973 von 4.7 auf 28.9 Prozent.[68] Um weitere Schutzmassnahmen zu verhindern und bestehende möglichst abzubauen, fanden ab 1972 Verhandlungen über eine Neugestaltung der Textilhandelsordnung statt. Das Ergebnis dieser Gespräche war das sogenannte Multifaserabkommen (Arrangement Regarding International Trade in Textiles), das am 1. Januar 1974 in Kraft trat und jeweils in Abständen von drei bis vier Jahren bis Ende 1994 verlängert wurde.[69] Ende 1994 zählte das Multifaserabkommen 42 Vertragspartner (die EU–Mitgliedstaaten als *ein* Partner gerechnet).[70]

1091   Die früheren beiden Abkommen bezogen sich ausschliesslich auf den Handel mit Textilien und Bekleidung aus Baumwolle. Das Multifaserabkommen erfasste auch die Erzeugnisse aus Wolle und synthetischen Fasern. Es strebte grundsätzlich einen Abbau der Handelshemmnisse und eine schrittweise Liberalisierung des Textil– und Bekleidungshandels an. Art. 3 und 4 des Abkommens ermächtigten aber die von einer Marktschädigung oder –bedrohung betroffenen Staaten, von den Exportländern Ausfuhrbeschränkungen zu verlangen. Unter aussergewöhnlichen und besonders kritischen Umständen durften die Abkommenspartner auch "jede von ihnen als zweckdienlich erachtete und gegenseitig annehmbare vorläufige Vereinbarung als Abhilfemassnahme treffen". Damit war die Schutzpolitik der Importstaaten von neuem rechtlich abgesichert.[71]

## 3.3   Der Inhalt des WTO–Textilabkommens

1092   In der zweiten Hälfte der Uruguay–Runde ging es darum, die verschiedenen Lösungsvorschläge der EG, der USA und mehrerer Entwicklungsländer auf

---

68   *CIRES* (1979), Information on Man–made Fibres, S. 6f., zit. nach *Keesing/Wolf* (1980), Textile Quotas against Developing Countries, London, S. 25.
69   Veröffentlicht in: *GATT* (1975), BISD 21st S, S. 3ff.
70   Vgl. *GATT* (1995), BISD 40th S, S. 526.
71   Eine informative Zusammenfassung der geschichtlichen Entwicklung der Textilvereinbarungen findet sich bei *Reinert, Kenneth A.* (2000), Give Us Virtue, But Not Yet: Safeguard Actions Under the Agreement on Textiles and Clothing, in: The World Economy, Vol. 23, Nr. 1, S. 26ff. Eine Darstellung der Inhalte der drei Vor–Uruguay–Textilabkommen findet sich in: *Senti, Richard* (1986), GATT, System der Welthandelsordnung, Zürich, S. 286ff.

einen gemeinsamen Nenner zu bringen und das Multifaserabkommen durch eine für alle WTO–Mitglieder verbindliche Textilübereinkunft zu ersetzen.[72] Der Verhandlungsausschuss für Textilfragen konzentrierte sich auf die Behandlung von sechs Kernfragen: (1) Wie können die im Multifaserabkommen erlaubten Beschränkungen sukzessive abgebaut und in die GATT– beziehungsweise WTO–Handelsordnung eingegliedert werden? (2) Wie sind die übrigen GATT–widrigen Handelsrestriktionen im Handel mit Textilien und Bekleidung zu beseitigen? (3) Wie ist der Schutzmechanismus in der Übergangszeit auszugestalten? (4) Welcher Art hat das Überwachungssystem zu sein? (5) Wie ist die GATT–Disziplin im Textil– und Bekleidungshandel zu stärken? (6) Welche Übergangszeiten schliesslich sind bei der Einführung einer neuen Handelsordnung vorzugeben? Die in der zweiten Halbzeit der Uruguay–Runde und vor der Ministerkonferenz in Brüssel (Dezember 1990) geführten Verhandlungen wurden zwar wegen der im Agrarbereich ungelösten Probleme kurzfristig unterbrochen, bildeten aber die Grundlage der Fortsetzungsgespräche im Frühjahr 1991. Ende 1991 einigte sich der Verhandlungsausschuss für Textilfragen auf die Handelsordnung, die am 20. Dezember 1991 in einer vorläufigen Fassung in den Dunkel–Bericht[73] und am 15. Dezember 1993 mit unwesentlichen Änderungen in das Dokument zum Verhandlungsabschluss der Uruguay–Runde einging. Die endgültige Verabschiedung des Textilabkommens (Agreement on Textiles and Clothing) folge am 15. April 1994 in Marrakesch mit Inkrafttreten am 1. Januar 1995.[74]

### 3.3.1 Die Zielsetzung

Das Textilabkommen entstand in der Absicht, den Handel mit Textilien und Bekleidung in einer Zeitspanne von zehn Jahren in die Handelsordnung der WTO zurückzuführen. Dazu galt es, die bestehenden Mengenkontingente und

1093

---

72  Vgl. Rz 215ff.

73  *Dunkel–Bericht*, S. O.1ff.

74  Der Abkommenstext ist veröffentlicht in: *Hummer/Weiss,* S. 907ff. (deutsche Fassung); *WTO*, The Legal Texts, S. 85ff. (englische Fassung). Über den Verlauf der Verhandlungen in der Uruguay–Runde vgl. *Croome, John* (1995), Reshaping the World Trading System, Genf, S. 41ff. und 66.

die WTO–widrigen Handelshemmnisse aufzuheben sowie die in der WTO geltenden Prinzipien der Meistbegünstigung und Inlandgleichbehandlung durchzusetzen. Das Textilabkommen ist eine Übergangsordnung, die gemäss Art. 9 nach Ablauf von zehn Jahren nicht verlängert werden darf. Die Verwirklichung des gesetzten Ziels soll zur Liberalisierung des Welthandels beitragen und vor allem die im Textil– und Bekleidungshandel tätigen wirtschaftlich schwächeren Staaten stärken. Die vom Abkommen erfassten Produkte sind im Anhang des Abkommens aufgeführt. Es handelt sich um rund 1000 Zollpositionen der Tarifkapitel 50 bis 63 (Seide, Wolle, Baumwolle, andere pflanzlichen Kunststoffe, synthetische Fasern, Gewebe, Stickereien, Bekleidung und Bekleidungszubehör).

### 3.3.2 Der Abbau der Handelsschranken

1094 Art. 2 des Textilabkommens befasst sich mit den im Rahmen der Art. 4, 7 und 8 des Multifaserabkommens beibehaltenen oder bilateral ausgehandelten mengenmässigen Beschränkungen. Art. 2:1 des Abkommens verlangt von den Vertragspartnern, die verhängten Mengenbeschränkungen dem Textilaufsichtsorgan (Textiles Monitoring Body, TMB) bis spätestens 60 Tage nach Inkrafttreten des WTO–Vertragswerks zu melden. Die Notifizierung muss alle Einzelheiten der Kontingentsvereinbarungen wie Höchstmenge, erlaubte und vorgeschriebene Zuwachsraten sowie Geltungsdauer und Verrechnungsmöglichkeiten der Vor– und Nachbezüge ("carry forwards" und "carry overs") enthalten. Nicht gemeldete Hemmnisse treten nach Ablauf der Meldefrist von 60 Tagen ausser Kraft. Neue mengenmässige Beschränkungen dürfen nur in Übereinstimmung mit dem ab 1. Januar 1995 geltenden Abkommen getroffen werden.

1095 Die Beseitigung der mengenmässigen Handelsschranken erfolgt nach Art. 2:6 und 8 des Textilabkommens in vier Zeitabschnitten:
- Erster Schritt: Auf den 1. Januar 1995 (d.h. auf den Zeitpunkt des Inkrafttretens der WTO) muss jeder Vertragspartner mindestens 16 Prozent des gesamten Volumens der Textil– und Bekleidungseinfuhren des Jahres 1990 den WTO–Regeln unterwerfen und quotenfrei zum Import zulassen.
- Zweiter Schritt: Auf den 1. Januar 1998 (drei Jahre nach Inkrafttreten der WTO) sind die Mengenbeschränkungen für weitere 17 Prozent des

Handelsvolumens 1990 zu beseitigen. Damit haben auf diesen Zeitpunkt insgesamt 33 Prozent des Handels von 1990 quotenfrei zu sein.

- Dritter Schritt: Auf den 1. Januar 2002 (vier Jahre nach dem zweiten Schritt) sind zusätzliche 18 Prozent der Textil- und Bekleidungsimporte 1990 vom Quotenhandel auszunehmen. Der dann erreichte Liberalisierungsgrad erreicht 51 Prozent.
- Vierter Schritt: Auf den 1. Januar 2005 (zehn Jahre nach Inkrafttreten der WTO) sind die noch verbleibenden Importquoten im Ausmass von 49 Prozent der ursprünglichen Quoten aufzuheben, so dass ab diesem Datum der gesamte Textil- und Bekleidungshandel den üblichen WTO-Vorschriften unterliegt.

Für die ersten drei Schritte verfügt der Vertrag, dass der Quotenabbau zu ungefähr gleichen Teilen auf die Warengruppen Kammgarn und Garn, Gewebe, Konfektionsware und Bekleidung zu verteilen ist. 1096

Mengenmässige Beschränkungen, die im Jahr vor dem Inkrafttreten der WTO in einem bilateralen Abkommen vereinbart wurden, sind nach Art. 2:13 des Textilabkommens rascher zu beseitigen. Die Beschleunigung bedeutet, dass die ausgehandelten Zuwachsraten (Quotenerhöhungen) in den ersten drei Jahren nach Inkrafttreten der WTO um jeweils 16 Prozent, in den folgenden vier Jahren um 25 Prozent und in den letzten drei Jahren der Übergangszeit um 27 Prozent zu erhöhen sind. 1097

Jedes Importland ist frei, bestehende Importschranken vor Ablauf der Übergangsfrist von zehn Jahren aufzuheben. Diesbezügliche Massnahmen haben das Prinzip der Meistbegünstigung einzuhalten. Sie sind drei Monate vor ihrer Inkraftsetzung dem Herkunftsland der davon betroffenen Waren und dem Textilaufsichtsorgan zu melden. 1098

Nach Art. 2:16 des Textilabkommens werden die im Multifaserabkommen getroffenen Flexibilisierungsbestimmungen, wonach innerhalb einer Gesamtquote Kompensationsmöglichkeiten zwischen Teilquoten im Ausmass von mindestens 5 bis 7 Prozent zu gewähren sind, unverändert beibehalten. Zudem darf die Übernahme früher nicht ausgenützter Quoten im Ausmass von bis zu 10 Prozent und der Vorbezug späterer Quoten im Ausmass von bis zu 5 Prozent nicht beschränkt werden. Die Kombination der "carry overs" und "carry 1099 forwards" soll insgesamt 10 Prozent der laufenden Quote nicht übersteigen. Diese Flexibilität habe dazu beizutragen, das Quotensystem den sich wandelnden Verhältnissen anzupassen.

1100  Änderungen der bilateral vereinbarten Mengenbeschränkungen sind nach Art. 4 des Abkommens erlaubt, wenn dadurch das Gleichgewicht der Rechte und Pflichten der Vertragsparteien nicht gestört und der bisher eingeräumte Marktzutritt nicht geschmälert wird. Die betroffenen Vertragsparteien sind über die bevorstehenden Anpassungen zu informieren und nach Möglichkeit zu konsultieren.

### 3.3.3   Der Abbau der übrigen Handelsschranken

1101  Art. 3 des Textilabkommens bezieht sich auf die ausserhalb des Multifaserabkommens bestehenden Handelshemmnisse, auf die einseitigen mengenmässigen Beschränkungen, auf die bilateralen Vereinbarungen und auf die sonstigen Massnahmen mit gleicher Wirkung. Analog zu den Bestimmungen im Multifaserabkommen sind auch diese Handelsschranken, unabhängig davon, ob mit der WTO vereinbar oder nicht, innerhalb von 60 Tagen nach dem Inkrafttreten der WTO dem Textilaufsichtsorgan zu melden. Das Textilabkommen verpflichtet die Vertragsparteien, die dem Textilaufsichtsorgan notifizierten Handelsschranken entweder innerhalb eines Jahres nach Inkrafttreten der WTO mit der geltenden Welthandelsordnung in Übereinstimmung zu bringen oder aufgrund eines dem Textilaufsichtsorgan mitgeteilten Programms bis zum Jahr 2005 (Ablauf des Textilabkommens) schrittweise abzubauen.

### 3.3.4   Die Massnahmen gegen die Umgehung des Abkommens

1102  Ist ein Vertragspartner der Auffassung, das Textilabkommen werde durch "Umladung, Umleitung [Verkauf über ein Drittland], falsche Angaben des Ursprungslands oder Ursprungsorts und Fälschung von amtlichen Papieren" umgangen und das Herkunftsland schaffe keine Abhilfe, darf er nach Art. 5 des Textilabkommens entsprechende Konsultationen mit dem Handelspartner verlangen. Kommt innerhalb von 30 Tagen keine einvernehmliche Lösung

## Die GATT-Zusatzabkommen

zustande, kann die Angelegenheit dem Textilaufsichtsorgan zur Beurteilung unterbreitet werden.

Liegen hinreichende Beweise vor, dass das Textilabkommen umgangen wird, dürfen die betroffenen Länder entsprechende Gegenmassnahmen ergreifen. Massnahmen dieser Art können sein: Zurückweisung von Einfuhren der betreffenden Waren oder, wenn die Waren schon eingeführt sind, die Anrechnung der Importe auf die dem tatsächlichen Ursprungsland zugeteilten Höchstmengen. 1103

### 3.3.5 Die Schutzklausel

Art. 6 des Textilabkommens erlaubt unter bestimmten Voraussetzungen, während der zehnjährigen Übergangszeit "vorübergehend" eine Schutzklausel anzuwenden. Die Schutzklausel betrifft alle vom Abkommen erfassten Waren, die nicht der allgemeinen WTO-Regelung unterstehen. Länder, die keine unter Art. 2 fallende Importbeschränkungen unterhalten oder der Verlängerung des Multifaserabkommens seit 1986 nicht zugestimmt hatten, mussten die Wahrung des Anrufungsrechts dieses Artikels dem TMB bis spätestens sechs Monate nach Inkrafttreten des Abkommens anmelden. Für nicht gemeldete Importbeschränkungen darf die Schutzklausel nicht angerufen werden. 1104

Schutzmassnahmen können nach Art. 6:2 ergriffen werden, wenn nachweislich "eine bestimmte Ware in derart erhöhten Mengen in das Gebiet des betreffenden Mitglieds eingeführt wird, dass dem inländischen Wirtschaftszweig, der ähnliche und/oder unmittelbar konkurrierende Waren erzeugt, ein erheblicher Schaden entsteht oder zu entstehen droht". Der Schaden ist aufgrund der Auswirkungen der Einfuhren auf die Lage des Wirtschaftszweigs, das heisst die Kapazitätsauslastung, die Lagerbestände, die Marktanteile, die Ausfuhren, die Löhne, die Beschäftigung, die Inlandpreise sowie die Gewinne und Investitionen festzustellen. Ein Schaden, der auf den technologischen Wandel oder auf die veränderten Konsumgewohnheiten zurückzuführen ist, berechtigt nicht zu Schutzmassnahmen. Die Schutzmassnahmen dürfen nach Art. 6:4 des Abkommens gezielt gegen das den Schaden verursachende Lieferland eingesetzt werden, ohne andere Länder einzubeziehen. Diese Ermächtigung zur 1105

Selektivität steht im Gegensatz zur Schutzklausel des Art. XIX GATT, die nach bisheriger Interpretation im Sinne der Meistbegünstigung anzuwenden ist.[75]

1106  Werden Schutzmassnahmen ergriffen, ist wie folgt vorzugehen: Ein Land, welches das Ergreifen von Schutzmassnahmen vorsieht, beantragt beim Textilüberwachungsorgan Konsultationen mit den betroffenen Handelspartnern. Das Gesuch hat "genaue und sachdienliche" Angaben über den beanstandeten Sachverhalt (Feststellung des Schadens oder der Bedrohung, Ausmass der vorgesehenen Importschranken) zu enthalten. Die angesprochenen Länder sind vertraglich verpflichtet, dem Ersuchen umgehend zu entsprechen und Konsultationen aufzunehmen. Der Vertrag sieht für die Konsultationen eine Frist von "normalerweise" 60 Tagen vor.

1107  Einigen sich die Verhandlungspartner auf Handelsbeschränkungen, ist die Höchstmenge gemäss Art. 6:8 des Textilabkommens auf einem Niveau festzulegen, das "nicht niedriger sein darf als die Höhe der Ausfuhren oder Einfuhren aus den betreffenden Mitgliedern in dem Zwölfmonatszeitraum, der zwei Monate vor dem Monat endet, in dem das Konsultationsersuchen gestellt wurde". Die Einzelheiten der getroffenen Vereinbarung sind dem TMB innerhalb von 60 Tagen zur Überprüfung mitzuteilen. Verständigen sich die Vertragspartner nicht, hat das geschädigte oder bedrohte Land das Recht, innerhalb von 30 Tagen nach Abschluss der Konsultationen entsprechende Handelsschranken zu verfügen. Die verhängten Massnahmen sind dem TMB mitzuteilen. Das Textilaufsichtsorgan erstellt von sich aus oder auf Antrag der betroffenen Handelspartner, denen während 60 Tagen ein Antragsrecht zusteht, einen Bericht über die Massnahmen. Für den Fall schwer wiedergutzumachender Schäden können die Fristen nach Art. 6:11 gekürzt werden.

1108  Die verordneten Schutzmassnahmen gelten für eine Dauer von drei Jahren, ohne Verlängerungsmöglichkeit, oder bis zur Unterstellung der betroffenen Waren unter die allgemeine Handelsordnung der WTO, wobei jeweils der frühere Zeitpunkt zur Anwendung gelangt.

---

75  Zur Diskussion über Meistbegünstigung und Selektivität in Art. XIX GATT vgl. *Senti, Richard* (1986), GATT, System der Welthandelsordnung, Zürich, S. 242f.; zur Frage der Selektivität in Art. XIX GATT vgl. auch Rz 931f.

## Übersicht 34: Das Ergreifen von Schutzmassnahmen im Handelsbereich Textilien und Bekleidung

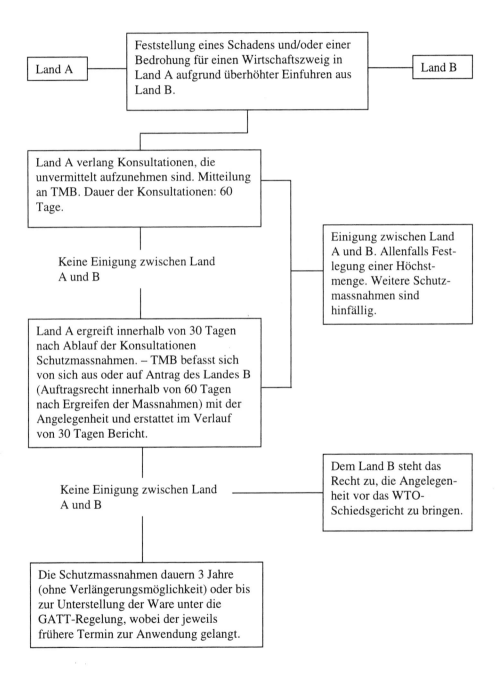

1109    Bei Importbeschränkungen, die länger als ein Jahr in Kraft stehen, ist für die folgenden zwölf Monate eine Erhöhung der Einfuhrmenge um mindestens 6 Prozent zu gewähren. Bei zwei aufeinander folgenden Jahren darf zudem die Höchstmenge durch Vorbezug und/oder Übernahme vom letzten Jahr um bis zu 10 Prozent überschritten werden (bei einem Vorbezug von maximal 5 %). Bestehen Restriktionen für mehr als eine Ware, sind Überschreitungen beim einzelnen Produkt von bis zu 7 Prozent erlaubt, solange die Gesamtmenge eingehalten wird. Bestand bereits im Jahr vor dem Ergreifen von Schutzmassnahmen eine Kontingentierung, darf die neue Höchstmenge nicht unter das Niveau des letzten Zwölfmonatszeitraums fallen. Die Übersicht 34 fasst das Verfahren bei der Verhängung von Schutzmassnahmen schematisch zusammen.

1110    Art. 6:6 des Textilabkommens verlangt bei der Anwendung der vorübergehenden Schutzklausel, die Entwicklungsländer zu begünstigen. Das gleiche gilt für Mitglieder, "deren Gesamtvolumen an Textil– und Bekleidungsausfuhren im Vergleich zum Gesamtvolumen der Ausfuhren anderer Mitglieder klein ist und auf die nur ein geringer Anteil der Gesamteinfuhren der betreffenden Ware in das Gebiet des einführenden Mitglieds entfällt". Eine Vorzugsbehandlung wird ferner den wirtschaftlich schwachen Ländern eingeräumt, die Waren aus Wolle exportieren und deren Wirtschaft vom Wollsektor abhängt. Schliesslich soll auch die Wiedereinfuhr von Textilien und Kleidern, die zur Be– oder Verarbeitung und anschliessenden Rücknahme in ein anderes WTO–Mitglied ausgeführt wurden, begünstigt werden (passiver Veredelungsverkehr).[76]

### 3.3.6   Die Überwachung und Durchführung des Abkommens

1111    Die Überwachung und Durchführung des Textilabkommens obliegt dem Textilaufsichtsorgan, das aus dem Vorsitz und zehn Mitgliedern besteht. Art. 8:1 des Abkommens verlangt eine ausgewogene und möglichst repräsentative Zusammensetzung des Gremiums sowie einen regelmässigen Wechsel der Mitglieder in angemessenen Zeitabständen. Das TMB amtet als ständiges

---

76    Zur Analyse der Schutzklausel vgl. *Reinert, Kenneth A.* (2000), Give Us Virtue, But Not Yet: Safeguard Actions Under the Agreement on Textiles and Clothing, in: The World Economy, Vol. 23, Nr. 1, S. 25ff. In der Arbeit von *Kenneth A. Reinert* findet sich auch eine detaillierte schematische Darstellung des Schutzverfahrens (S. 32).

Organ und tritt je nach Bedarf zusammen. Sofern das Abkommen nichts anderes vorsieht, ist das TMB gehalten, seine Empfehlungen und Feststellungen nach Möglichkeit innerhalb 30 Tagen abzugeben. Art. 8:2 des Abkommens hält fest, dass im TMB ein Konsens auch ohne Zustimmung jener Mitglieder zustande kommen kann, die in einem dem TMB zur Prüfung vorliegenden Sachgeschäft Partei sind.

Nach Art. 8:9 des Abkommens über Textilien und Bekleidung bemühen sich die Vertragspartner, den Empfehlungen des TMB "in vollem Umfang" nachzuleben. Ist ein Mitglied nicht in der Lage, die Vorschläge des TMB zu befolgen, hat es dies dem TMB innerhalb von 30 Tagen zur Neuüberprüfung mitzuteilen. Bleibt die Angelegenheit auch nach dem zweiten Anlauf ungelöst, ist jedes Mitglied berechtigt, den Fall dem Streitschlichtungsorgan der WTO vorzulegen sowie Art. XXIII GATT und die einschlägigen Bestimmungen der WTO-Vereinbarung über die Streitbeilegung in Anspruch nehmen. 1112

Die Oberaufsicht über das Textilabkommen und dessen Anwendung obliegt dem GATT-Rat, dem das Textilaufsichtsorgan jährlich Bericht erstattet. 1113

## 3.4 Ungelöste Probleme

Das in der Uruguay-Runde vereinbarte Textil- und Bekleidungsabkommen über den sukzessiven Abbau der bestehenden Importquoten und über die Eingliederung der verbleibenden Handelsrestriktionen in die allgemeine WTO-Ordnung ist ohne Zweifel ein grosser Fortschritt in Richtung Handelsliberalisierung. Inzwischen sind die ersten beiden Liberalisierungsschritte (Abbau des Quotenniveaus von 1990 um 16 und 17%) von den meisten Vertragsparteien realisiert worden. Die dritte Phase mit einer Quotenreduktion von 18 Prozent ist auf den 1. Januar 2002 vorgesehen. Auch diesem Liberalisierungsschritt sehen die Industriestaaten und Drittweltländer mit Zuversicht entgegen. Problematischer wird die vierte und letzte Liberalisierungsphase sein, die verlangt, dass innerhalb von drei Jahren die restlichen 49 Prozent der seinerzeitigen Quoten abzubauen sind. Ob dieser Liberalisierungsschritt in so kurzer Zeit gelingen wird, muss zurzeit eher in Frage gestellt werden. In vielen Industriestaaten wird diese mengenmässige Marktöffnung innerhalb von drei 1114

Jahren zu einem Konkurrenzdruck für die einheimische Textil- und Bekleidungsindustrie führen, den die Interessenvertreter dieser Branche sicher nicht ohne weiteres akzeptieren werden.[77] Neben der Problematik der Quotenregelung ist aber auch darauf hinzuweisen, dass der grenzüberschreitende Textil- und Bekleidungshandel nach wie vor mit massiven Zöllen belastet ist und eine hohe Zolleskalation aufweist.

1115   Gegenwärtig beträgt der handelsgewogene durchschnittliche Zollsatz der Industriestaaten für industrielle und gewerbliche Güter (ohne Erdöl) knapp 4 Prozent. Bei Textilien und Bekleidung hingegen liegt der Durchschnitt bei 12 Prozent.[78] Dieser Mittelwert ergibt sich aus den Null-Sätzen für unverarbeitete Seide, Wolle, Baumwolle und synthetische Fasern einerseits und den Zollsätzen von 15 und mehr Prozent für Gewebe, Bekleidung und Bekleidungszubehör andererseits. Zollsätze in solcher Höhe sind in anderen Handelsbereichen äusserst selten.[79]

1116   Die relativ hohen Zollschranken sind die Folge der letzten drei GATT-Runden, in denen die Zölle im Textil- und Bekleidungsbereich stets weniger abgebaut wurden als in den übrigen Produktbereichen. Betrug der durchschnittliche Zollabbau, wie Tabelle 35 zu entnehmen ist, in der Kennedy-Runde 33 Prozent, so lag die Zollsenkung bei Textilien und Bekleidung bei 6 bis 16 Prozent.[80] In der Tokio-Runde machte die durchschnittliche Zollermässigung ebenfalls 33 Prozent, im Textil- und Bekleidungsbereich aber nur 18 Prozent aus. In der Uruguay-Runde schliesslich wurde das allgemeine Zollniveau um 38 Prozent, im Textil- und Bekleidungsbereich um vergleichsweise bescheidene 22 Prozent gekürzt.

---

77   Über den Verlauf der Implementierung des Abkommens vgl. *WTO* (1999), Annual Report 1999, S. 46f.
78   *GATT* (1994), News of the Uruguay Round of MTN, April, Genf, S. 11.
79   Vgl. die Zolltarife der Kap. 50 – 63.
80   Der Durchschnitt von 6 bis 16 Prozent setzt sich zusammen aus der Zollsenkung von über 30 Prozent der USA und Japans sowie den zum Teil sehr niedrigen Zollermässigungen der übrigen Staaten.

## Übersicht 35: Vergleich zwischen allgemeiner Zollreduktion und Zollreduktion bei Textilien und Bekleidung

| GATT–Runden | Handelsgewogene durchschnittliche Zollreduktion der Industriestaaten für industrielle und gewerbliche Produkte in Prozenten des Importwerts (ohne Erdöl) | |
|---|---|---|
| | Alle Produkte | Textilien und Bekleidung |
| Kennedy–Runde (1964–67) | 33 | 6–16 |
| Tokio–Runde (1973–79) | 33 | 18 |
| Uruguay–Runde (1986–93) | 38 | 22 |

Quelle: *Liebich, Ferdinand K.* (1968), Die Kennedy Runde, Freudenstadt, S. 31 und 37ff.; *GATT* (1979), The Tokyo Round of Multilateral Trade Negotiations, S. 121; *GATT* (1994), News of the Uruguay Round of MTN, April, S. 11.

Die effektive Höhe der tatsächlich verrechneten Zölle ist aus den jeweiligen Zolltarifen ersichtlich. Wie die Übersicht 36 zeigt, erhob zum Beispiel die EG auf Baumwolle, roh, ungekämmt, gleichgültig, ob aus einem WTO–Land oder nicht, vor und nach der Uruguay–Runde, keinen Zoll. Die Importe von Garn, Gewebe und Hemden aus Nicht–WTO–Staaten (autonomer Zoll) wurden vor und nach der Uruguay–Runde mit Zöllen von 10, 17 und 21 Prozent belastet. Demgegenüber senkte die EG die Zölle im Verlauf der Uruguay–Verhandlungen und in den folgenden Jahren für Garn, Gewebe und Hemden aus WTO–Mitgliedstaaten (vertraglicher Zoll) von 6, 10 und 13 Prozent auf 4.8, 8.8 und 12.0 Prozent. Es ist anzunehmen, dass sich die Interessenvertreter der Textil– und Bekleidungsindustrie gegen einen weiteren Zollabbau wehren werden, weil mit dem neuen Textilabkommen bereits der Mengenschutz abgeschwächt wurde.

**Übersicht 36: EG–Zollsätze 1988 und 1999 für ausgewählte Produkte des Textil– und Bekleidungshandels in Prozenten**

| | | Zollsätze | | | |
|---|---|---|---|---|---|
| Zoll Kap. | Baumwollprodukte | 1988 | | 1999 | |
| | | autonom | vertraglich | autonom | vertraglich |
| 5201 | roh, ungekämmt | 0 | 0 | 0 | 0 |
| 5205 | Garne | 10 | 6 | 10 | 4.8 |
| 5208 | Gewebe | 17 | 10 | 17 | 8.8 |
| 6105 | Hemden | 21 | 13 | 21 | 12.0 |

Quelle: Zolltarife 1988 und 1995, veröffentlicht in: *EG*, ABl. Nr. L 298 vom 31.10.1988 und ABl. Nr. L 278 vom 28.10.1999. Autonom = Zollsatz für Importe aus Nicht–WTO–Mitgliedern; vertraglich = Zollsatz für Importe aus WTO–Mitgliedern.

1118    Übersicht 36 verdeutlicht, wie mit zunehmender Produktverarbeitung (Verarbeitung von roher Baumwolle zu Garn, von Garn zu Geweben und von Geweben zu Hemden) der Zollsatz steigt, und wie diese Zolleskalation die einheimischen Anbieter von verarbeiteten Textilien gegenüber den ausländischen Konkurrenten von gleichen und gleichartigen Produkten schützt.[81]

1119    Trotz des neuen WTO–Abkommens über Textilien und Bekleidung und der damit angestrebten Abschaffung der mengenmässigen Handelshemmnisse bleibt der Textil– und Bekleidungshandel wegen der hohen Zölle in vielen Industriestaaten weiterhin ein stark geschützter Handelsbereich. In den künftigen WTO–Verhandlungen wird es darum gehen müssen, die Zölle auf den verarbeiteten Textilprodukten weiter abzubauen. Ohne massiven Zollabbau wird es nicht möglich sein, die Märkte gegenseitig zu öffnen.

---

81  Vgl. Darstellung der Zolleskalation in: Rz 1083.

# 4. Das Abkommen über Technische Handelshemmnisse

Eine moderne Gesellschaft ist ohne ein Minimum gemeinsamer technischer Vorschriften und Normen zum Schutz des Lebens und der Gesundheit von Menschen, Tieren, Pflanzen und der Umwelt kaum denkbar. Die Einhaltung von technischen Vorschriften und Normen garantiert dem Konsumenten die angepriesene Produktqualität und Produktsicherheit, bietet dem Handeltreibenden die notwendige Markttransparenz und gewährleistet der Bevölkerung einen minimalen Umweltschutz. Das Mass der staatlichen Eingriffe und Vorschriften ist jedoch je nach politischer Ausformulierung des Schutzbedürfnisses und des Umweltbewusstseins der Gesellschaft von Staat zu Staat unterschiedlich. Das Ziel der WTO ist nicht die gegenseitige länderweise Anpassung und Gleichschaltung des Schutzes und der Sicherheit, sondern die Verhinderung des Missbrauchs der technischen Vorschriften und Normen als Instrumente der Diskriminierung und des Protektionismus.

1120

Grundsätzlich ist die Anwendung der technischen Vorschriften und Normen im Allgemeinen Zoll- und Handelsabkommen in Art. III (Gleichstellung ausländischer mit inländischen Waren auf dem Gebiet der inneren Abgaben und Rechtsvorschriften), Art. XI (allgemeine Beseitigung von mengenmässigen Beschränkungen) und Art. XX (allgemeine Ausnahmen) geregelt. Zudem befassen sich mehrere internationale Organisationen mit der Festlegung und Anwendung der technischen Vorschriften und Normen, so beispielsweise die Internationale Organisation für Normung (International Organization for Standardization, ISO), die Wirtschaftskommission der Vereinten Nationen für Europa (Economic Commission for Europe, ECE), die Internationale Kommission für Elektrotechnik (International Electrotechnical Commission, IEC) sowie der Codex Alimentarius der FAO.

1121

In den Vorarbeiten zur Tokio-Runde anfangs der siebziger Jahre wurde immer deutlicher, dass viele GATT-Vertragspartner die technischen Vorschriften und Normen in zunehmendem Masse als nichttarifäre Handelshemmnisse zum Schutz ihrer eigenen Wirtschaft einsetzen. Im damaligen GATT-Inventar der nichttarifären Handelshemmnisse entfielen von den 800 Notifikationen etwa 150 Meldungen auf technische Handelsschranken und

1122

Standardvorgaben wie Gesundheits-, Sicherheits- und Umweltschutzvorschriften, Zertifizierungsbedingungen und administrative Erschwernisse.[82] Um die nichttarifären Handelshemmnisse in Form technischer Vorschriften und Normen einzuschränken oder zu beseitigen, entstand zur Eröffnung der Tokio-Runde der sogenannte Standard-Kodex (Code for preventing Technical Barriers to Trade). Dieser Kodex diente den folgenden Verhandlungen als Grundlage einer allgemeinen Vereinbarung und führte zu dem am 12. April 1979 vom Verhandlungsausschuss der Tokio-Runde angenommenen und am 1. Januar 1980 in Kraft gesetzten Abkommen über Technische Handelshemmnisse (Agreement on Technical Barriers to Trade).[83] An der plurilateralen Vereinbarung beteiligten sich anfänglich 29 Staaten, nämlich die westlichen Industriestaaten und einige Schwellenländer wie Argentinien, Brasilien und Südkorea. Ende 1994, zur Zeit der Ablösung der Übereinkunft aus der Tokio-Runde durch das in der Uruguay-Runde ausgehandelte neue Abkommen, waren es 43 Staaten.[84] Seit der Uruguay-Runde ist das Abkommen über Technische Handelshemmnisse ein multilaterales Abkommen und verpflichtet alle WTO-Mitglieder.

## 4.1 Die Revision des ursprünglichen Abkommens

1123 Die Revisionsverhandlungen über das Abkommens über Technische Handelshemmnisse von 1980 erfolgten in der Uruguay-Runde in der Gruppe für Zusatzabkommen (MTN Agreements and Arrangements) und innerhalb dieser Gruppe im Ausschuss für Technische Handelshemmnisse (Code Committee). Die von den Regierungen eingebrachten Vorschläge bezweckten eine Verbesserung der Transparenz und damit eine erhöhte Rechtssicherheit. Zudem wurde der Geltungsbereich des Abkommens in stärkerem Masse auf regionale, lokale und nichtstaatliche Stellen ausgeweitet. Schliesslich enthielt die Vertragsrevision auch eine Verdeutlichung der gegenseitigen Anerkennung

---

82  *GATT* (1979), The Tokyo Round of Multilateral Trade Negotiations, Genf, S. 63.
83  Der Abkommenstext ist veröffentlicht in: *BBl* 1979 III 302ff. (deutsche Fassung); *GATT* (1980), BISD 26th S, S. 8ff. (englische Fassung).
84  Die jeweiligen Teilnehmerstaaten werden in den Jahresberichten veröffentlicht; vgl. *GATT* (jährlich), BISD.

der Konformitätsbewertung und die Einführung der Streitschlichtung im Sinne der Art. XXII und XXIII GATT und der WTO–Streitschlichtungsvereinbarung. Die Verbesserung der Transparenz stand im Mittelpunkt der US–Vorschläge. Die Erweiterung des Vertrags um einen Verhaltenskodex ging auf die Initiative der EG zurück.[85] Neben diesen zum Teil marginalen Änderungen stimmten die Verhandlungspartner dem bisherigen Text weitgehend zu. Das geltende Abkommen über Technische Handelshemmnisse (Agreement on Technical Barriers to Trade, TBT–Abkommen) wurde am 15. April 1994 unterzeichnet und trat am 1. Januar 1995 in Kraft.[86]

## 4.2  Der Abkommensinhalt

Das Abkommen über Technische Handelshemmnisse besteht aus dem Vertrag mit 15 Artikeln und den drei Anhängen über die Begriffsbestimmungen, über die Schaffung der Technischen Sachverständigengruppen und über den Kodex des guten Verhaltens für die Ausarbeitung, Annahme und Anwendung von Normen. Als Ergänzung dienen die Ministerbeschlüsse über das WTO–ISO–Normeninformationssystem und über die Überprüfung der Mitteilungen des ISO/IEC–Informationszentrums.

### 4.2.1  Die begriffliche Abgrenzung

Unter technischen Handelshemmnissen werden Behinderungen im grenzüberschreitenden Warenverkehr verstanden, die auf unterschiedliche Produktvorschriften, unterschiedliche technische Normen (Standards), die unterschiedliche Anerkennung und Handhabung dieser Vorschriften und Normen oder die Nichtanerkennung von im Ausland vorgenommenen Prüfungen oder Produktbewertungen zurückzuführen sind. Nach Anhang 1 des Abkommens gelten für das WTO–Abkommen die begrifflichen Abgrenzungen des ISO/IEC–Handbuches 2: 1991, "Allgemeine Begriffe und ihre Definitionen betreffend die Normung und verwandten Tätigkeiten":

---

85  Vgl. *Croome, John* (1995), Reshaping the World Trading System, Genf, S. 87.
86  Der Abkommenstext ist veröffentlicht in: *Hummer/Weiss,* S. 929ff. (deutsche Fassung); *WTO,* The Legal Texts, S. 138ff. (englische Fassung).

Fünfter Teil

– Die technischen Vorschriften oder Produktvorschriften ("technical regulations"): Bei den technischen Vorschriften handelt es sich um allgemeinverbindliche Rechtsvorschriften, in denen der Gesetzgeber festlegt, welche Bedingungen und Anforderungen eine Ware oder ihre dazugehörigen Verfahren und Produktionsmethoden erfüllen müssen, um in den Verkehr gebracht werden zu dürfen. Die Vorschriften beziehen sich auf die Zusammensetzung des Produkts, die Beschriftung, die Kennzeichnung, die Bildzeichen oder die Verpackung und dienen der Verfolgung legitimer Ziele wie dem Konsumenten- und Umweltschutz. Die Aufzählung der Vorschriften ist im Abkommen nicht abschliessend.

– Die Normen (Standards): Im Gegensatz zu den technischen Vorschriften, die allgemeinverbindlich sind, ist die Einhaltung der Normen freiwillig. Ihre Ausarbeitung und Bekanntmachung erfolgt in der Regel durch private Organisationen. Die Normen können sich analog zu den technischen Vorschriften auf die Zusammensetzung des Produkts, die Beschriftung, die Bildzeichen oder die Verpackung beziehen.

In den erläuternden Bemerkungen des Anhangs 1 wird in Ergänzung zu Art. 1:3 des Abkommens darauf hingewiesen, dass sich das TBT-Abkommen im Gegensatz zum ISO/IEC-Handbuch 2 nur auf Waren und ihre damit verbundenen Verfahren und Produktionsmethoden beschränkt und die Dienstleistungen ausschliesst. "Waren" bedeuten sowohl gewerbliche und industrielle Produkte als auch Agrarerzeugnisse. Keinen Bezug nimmt das Abkommen auf die sanitarischen und phytosanitarischen Massnahmen, die Gegenstand eines separaten Abkommens sind.[87] Vom Abkommen nicht erfasst werden auch die Einkaufsspezifikationen bei der öffent-

---

87 Die Aufzählung der sanitarischen und phytosanitarischen Massnahmen findet sich in Anhang A des SPS-Abkommens. Ob eine technische Vorschrift oder Norm zum Schutz des Lebens und der Gesundheit von Menschen, Tieren und Pflanzen unter das TBT- oder das SPS-Abkommen fällt, ist oft schwierig zu beurteilen. Vgl. dazu die diesbezügliche Diskussion in: Panelbericht US – EC Measures Concerning Meat and Meat Products (Hormones) vom 18.8.1997, WT/DS26/R/USA, Ziff. IV.240ff. Da beide Abkommen die Einhaltung der Grundprinzipien der Meistbegünstigung und Inlandgleichbehandlung zum Gegenstand haben, ist eine diesbezügliche Unterscheidung auch nicht relevant. Vgl. Art. 2:1 des TBT-Abkommen mit Art. 2:3 des SPS-Abkommens.

lichen Beschaffung; diese Fragen sind im Abkommen über das öffentliche Beschaffungswesen geregelt.[88]

- Verfahren zur Feststellung der Übereinstimmung oder Anerkennung der Konformitätsbewertung ("conformity assessment procedures"): Diese Begriffe beziehen sich auf mittelbar oder unmittelbar angewandte Verfahren zur Feststellung der Erfüllung der entsprechenden Erfordernisse in den technischen Vorschriften und Normen. Dabei geht es beispielsweise um die Kontrolle von Proben, die Vornahme von Prüfungen, die Auswertung von Resultaten sowie die Registrierung, Beglaubigung und Genehmigung von Ergebnissen.

- Internationale oder regionale Organisation: Damit sind diejenigen Organisationen angesprochen, denen alle oder einzelne WTO–Mitglieder beitreten können.

Abschliessend unterscheidet Anhang 1 des TBT–Abkommens zwischen Zentralregierung, regionaler Regierung (Regierung eines Bundeslandes, einer Provinz oder eines Kantons) und lokaler Regierung (Regierung einer Gemeinde). Von einer nichtstaatlichen Stelle ist die Rede, wenn der Stelle keine Regierungskompetenzen zukommen, was aber nicht ausschliesst, dass die nichtstaatliche Stelle offiziell ermächtigt ist, eine technische Vorschrift zu erlassen. 1126

### 4.2.2 Die Zielsetzung

In Übereinstimmung mit den übrigen WTO–Bestimmungen strebt das Abkommen über Technische Handelshemmnisse eine möglichst faire Anwendung der technischen Vorschriften und Normen an. Laut Präambel des Abkommens soll sichergestellt werden, "dass technische Vorschriften und Normen, einschliesslich Erfordernisse der Verpackung, Kennzeichnung und Beschriftung sowie Verfahren zur Konformitätsbewertung mit technischen Vorschriften und Normen keine unnötigen Hemmnisse für den internationalen Handel schaffen". Die Vereinbarung will bestehende Rechtslücken im herkömmlichen GATT–Vertrag ausfüllen. Das erklärte Ziel soll über den Verzicht auf gegen- 1127

---

88 Vgl. Rz 1435ff.

### Fünfter Teil

seitige Diskriminierung, über eine erhöhte Transparenz, über eine verstärkte Kooperation und über das Recht auf Klageführung und Gegenmassnahmen erreicht werden.

#### 4.2.3 Die Ausarbeitung, Annahme und Anwendung von technischen Vorschriften

1128    Art. 2 und 3 des TBT-Abkommens halten fest, dass die Zentralregierungen, die regionalen und lokalen Regierungsstellen sowie die nichtstaatlichen Stellen bei der Ausarbeitung, Annahme und Anwendung der technischen Vorschriften die Prinzipien der Meistbegünstigung und Inlandgleichbehandlung einzuhalten haben. Gleichzeitig sollen diese Stellen dafür bürgen, dass die technischen Vorschriften nicht in einer Art und Weise ausgearbeitet, angenommen und eingesetzt werden, dass sie den internationalen Handel unnötig behindern oder blockieren. Technische Handelsvorschriften sind in der am wenigsten handelshemmenden Form zu definieren. Sie dürfen nicht handelsbeschränkender sein als notwendig, um das Leben und die Gesundheit von Menschen, Tieren und Pflanzen sowie die Umwelt zu schützen. Gleichzeitig sollen die Vertragsparteien technische Vorschriften, die sie zur Erreichung bestimmter Ziele nicht mehr benötigen oder durch weniger handelsbeschränkende Massnahmen ersetzen können, aufheben. Sind technische Vorschriften aus Gründen des Konsumenten- oder Umweltschutzes notwendig und bestehen entsprechende internationale Regelungen oder steht deren Ausarbeitung bevor, werden die Vertragspartner angehalten, sich die internationalen Vorschriften, soweit möglich und sinnvoll, zu Eigen zu machen. Im Gegensatz zum Abkommen aus der Tokio-Runde enthält die neue Vereinbarung die Verpflichtung, andersartige technische Vorschriften von Partnerstaaten anzuerkennen, wenn diese die eigene Zielsetzung ausreichend erfüllen. Bestehen indessen keine internationale Regeln und sieht sich ein Partner dazu veranlasst, eigenständige Vorschriften zu erlassen, hat er diese in einer Form zu veröffentlichen, dass sie von den Handelspartnern verstanden werden. Die Notifizierung der betroffenen Staaten und des WTO-Sekretariats soll zu einem "angemessen frühen Zeitpunkt" erfolgen, so dass noch Stellungnahmen und Änderungen vorgenommen werden können. Die Meldepflicht gilt im gleichen

## 4.2.4 Die Ausarbeitung, Annahme und Anwendung von Normen

In Art. 4 des Abkommens verpflichten sich die Zentralregierungen, dass die ihnen zugeordneten Normenbehörden den in Anhang 3 des Abkommens wiedergegebenen Verhaltenskodex einhalten. Sie haben auch dafür zu sorgen, dass sich die regionalen, lokalen und nichtstaatlichen Stellen ihres Hoheitsgebiets diesem Kodex anschliessen.[89] Der Verhaltenskodex verlangt von allen genannten Organen die Einhaltung des Meistbegünstigungs- und Inländerprinzips sowie den Verzicht auf den Einsatz von Normen als Handelsschranken. Zudem müssen die inländischen Normenorganisationen mit den internationalen Organisationen zusammenarbeiten, um über die Harmonisierung der Normen Doppelspurigkeit und Überschneidungen zu vermeiden.

## 4.2.5 Die Bewertung der Konformität

Die Art. 5 bis 9 des TBT-Abkommens befassen sich mit den Verfahren und der Anerkennung der Konformitätsbewertung durch die Stellen der Zentral-, Regional- und Lokalregierungen sowie der nichtstaatlichen Stellen. Die Verfahren und die Anerkennung sind nach Art. 5 des Abkommens im Sinne des Meistbegünstigungs- und Inländerprinzips auszuarbeiten und anzuwenden. Die Vereinbarung soll dazu beitragen, die Konformitätsbewertung nicht aufgrund zeitlicher Verzögerungen, schwieriger Informationsbeschaffung oder administrativer Schikanen zu Handelshemmnissen ausarten zu lassen. Die eingereichten Informationen sind vertraulich zu behandeln. Für den Fall einer vermuteten Rechtsverletzung steht den Vertragspartnern das Beschwerderecht zu.

Nach Art. 6 des TBT-Abkommens stellen die Parteien sicher, dass Konformitätsbewertungen anderer WTO-Mitglieder, wenn immer möglich, aner-

---

[89] In welchem Ausmass die Normenorganisationen an das TBT-Abkommen gebunden sind, vgl. *Müller-Graff, Peter-Christian* (1998), Normung und Welthandelsrecht – Verpflichtungen aus dem Übereinkommen über technische Handelshemmnisse, in: DIN-Mitteilungen, 77. Jg., Nr. 6., S. 411ff.

## Fünfter Teil

kannt werden, auch wenn sie nach anderen Verfahren vorgenommen wurden. Die Anerkennung setzt aber voraus, dass die ausländischen Verfahren nicht weniger vertrauenswürdig sind als die eigenen. Das Abkommen ermutigt die Partnerstaaten, über die gegenseitige Anerkennung von Konformitätsbewertungsverfahren zu verhandeln und entsprechende Vereinbarungen abzuschliessen. In den Art. 7 und 8 wird festgehalten, dass die Zentralregierungen auch für die Einhaltung der Konformitätsbewertung durch die regionalen, lokalen und nichtstaatlichen Stellen verantwortlich sind.

1132  Art. 9 des Abkommens schliesslich fordert die Vertragspartner auf, für den Fall, dass ein positiver Nachweis der Übereinstimmung mit einer technischen Vorschrift oder Norm verlangt wird, internationale Systeme für die Feststellung der Übereinstimmung auszuarbeiten und anzunehmen. Das Abkommen verlangt, in solchen Vereinbarungen den Art. 5 und 6 des TBT–Abkommens nachzuleben.

### 4.2.6  Die gegenseitige Information

1133  Nach Art. 10 des TBT–Abkommens ist jeder Partner verpflichtet, eine Informationsstelle zu unterhalten. Sie muss in der Lage sein, den anderen Vertragspartnern Auskunft über die im eigenen Land angenommenen oder vorgeschlagenen technischen Vorschriften und Normen, die angewandten Bewertungsverfahren, die eigene Mitgliedschaft oder Teilnahme an internationalen Organisationen und die benützten Veröffentlichungsorgane zu erteilen und entsprechende Dokumente zur Verfügung zu stellen. Neu ist gegenüber dem früheren Abkommen, dass die im Rahmen des Abkommens ausgehandelten bi– und plurilateralen Vereinbarungen über technische Vorschriften, Normen und Verfahren den übrigen WTO–Mitgliedern unter Angabe der Vereinbarungsinhalte und der davon betroffenen Produkte mitzuteilen sind. Gleichzeitig hat diese Information eine Einladung zu Konsultationen und zu einem möglichen Vertragsbeitritt zu enthalten. Abschliessend hält Art. 10 des Abkommens fest, dass die Mitteilungen und Veröffentlichungen in der Regel in keiner anderen Sprache als der eigenen Amtssprache zu erfolgen haben. Unterlagen und Angaben, die den eigenen Sicherheitsinteressen zuwiderlaufen, müssen nicht weitergegeben werden.

### 4.2.7 Die Zusammenarbeit zwischen den Vertragsparteien

Art. 11 des TBT–Abkommens fordert die Vertragspartner auf, den anderen Ländern, vor allem den Drittweltstaaten, technische Hilfe bei der Errichtung nationaler Normenorganisationen anzubieten und sie dabei zu beraten. Die Industriestaaten haben den Entwicklungsländern "eine differenzierte und günstigere Behandlung" zu gewähren und deren Entwicklungs–, Finanz– und Handelsbedürfnisse in Betracht zu ziehen, um gemäss Art. 12:3 sicherzustellen, "dass solche technischen Vorschriften, Normen und Verfahren zur Feststellung der Übereinstimmung keine unnötigen Hemmnisse für die Ausfuhren von Entwicklungslandmitgliedern schaffen". In Ergänzung dazu verlangt Art. 12:4 von den Industriestaaten die Anerkennung, "dass von den Entwicklungslandmitgliedern nicht erwartet wird, internationale Normen, die für ihre Entwicklungs–, Finanz– und Handelsbedürfnisse nicht geeignet sind, als Grundlage für ihre technischen Vorschriften oder Normen einschliesslich der Prüfmethoden, zu verwenden". Schliesslich kann der Ausschuss für technische Handelshemmnisse den Nicht–Industriestaaten auf ihr Ersuchen zeitlich befristete Ausnahmen von den vertraglichen Verpflichtungen gewähren.

1134

### 4.2.8 Die Streitbeilegung

Das in der Tokio–Runde ausgearbeitete Abkommen über Technische Handelshemmnisse sah ein von der allgemeinen GATT–Streitbeilegung abweichendes Verfahren vor. Führten die Konsultationen zu keiner Verständigung, musste sich der Ausschuss für technische Handelshemmnisse mit der Streitfrage befassen. Kam innerhalb dreier Monate keine Einigung zustande, nahm sich die Technische Sachverständigungsgruppe des Zwists an. War auch diese Gruppe erfolglos, ging der Fall an ein "Panel". Aufgrund der Berichte der Sachverständigungsgruppe und des "Panels" entschied schliesslich der Ausschuss für technische Handelshemmnisse über die Gegenmassnahmen.[90]

1135

---

90 Dieses Vorgehen erklärt, warum sich die GATT–Streitschlichtung bisher nicht mit der Verletzung des TBT–Abkommens zu befassen hatte. Vgl. *GATT* (1994), Analytical Index, Genf, S. 665ff.

Fünfter Teil

1136  Das geltende Abkommen über Technische Handelshemmnisse bindet die Streitschlichtung an die allgemeinen GATT-Bestimmungen nach Art. XXII und XXIII GATT und an die allgemeinen Regeln der WTO-Streitschlichtungsvereinbarung. Damit geht dem Ausschuss für technische Handelshemmnisse neu das Recht ab, über Gegenmassnahmen zu entscheiden.[91]

## 4.3 Die Grenzen des Abkommens

1137  Das Abkommen über die Anwendung der sanitarischen und phytosanitarischen Massnahmen und das Abkommen über Technische Handelshemmnisse weisen viele Gemeinsamkeiten auf, weichen aber in drei Bereichen voneinander ab: Die Anwendung von technischen Handelshemmnissen ist erstens an die Meistbegünstigungspflicht gebunden; das Abkommen über die Anwendung der gesundheitspolizeilichen und pflanzenschutzrechtlichen Massnahmen lässt ein diskriminierendes Vorgehen unter der Voraussetzung zu, dass es sich nicht um Willkür und um eine ungerechtfertigte Diskriminierung handelt. Zweitens sind die technischen Handelshemmnisse relativ strikt an internationale Standardvorschriften gebunden, während die sanitarischen und phytosanitarischen Eingriffe flexibler gestaltet werden dürfen. Bei den Gesundheitsvorschriften besteht eine relativ grosse Freiheit, landeseigene Umstände unter der Bedingung zu berücksichtigen, dass diese wissenschaftlich zu rechtfertigen sind. Drittens sind im Bereich der technischen Vorschriften keine provisorischen Massnahmen erlaubt, während sanitarische und phytosanitarische Massnahmen auf provisorischer Basis verfügt werden dürfen.[92]

1138  Bei einer abschliessenden Beurteilung des Abkommens über Technische Handelshemmnisse sind folgende drei Punkte zu erwähnen:

– Die Präambel des TBT-Abkommens gesteht den Vertragspartnern zu, Massnahmen zum Schutz des Lebens und der Umwelt zu treffen. Die Vor-

---

91  Ein Überblick über die aktuellen Streitfälle, die sich auf das TBT-Abkommen beziehen, findet sich in: *URL* http://www.wto.org./dispute, Dezember 1999.

92  Detaillierte Angaben über die Unterschiede zwischen den beiden Abkommen finden sich bei *Rege, Vinod* (1994), GATT Law and Environment-Related Issues Affecting the Trade of Developing Countries, in: Journal of World Trade, Vol. 28, Nr. 3, S. 106.

schriften, so Art. 2:2 des Abkommens, dürfen jedoch nicht handelseinschränkender sein als "notwendig", und die Verfahren sollen nach Art. 5:1 nicht in der Absicht ausgearbeitet werden, "unnötige" Hemmnisse zu schaffen. Der Begriff der "Notwendigkeit" kann unterschiedlich gedeutet werden. Einerseits ist das Ergreifen einer Massnahme als notwendig zu erachten, "wenn sie geeignet ist, das Ziel des Schutzes der Gesundheit [im Sinne des Art. XX des GATT] zu erreichen und das am wenigsten GATT-widrige zumutbare Mittel darstellt"[93]. Andererseits mag aber auch der Verzicht auf die Anwendung technischer Vorschriften, Normen und Verfahren notwendig sein (vor allem in Bezug auf Produktion und Export), wenn solche Massnahmen die Ausweitung und Diversifizierung der Ausfuhren der Entwicklungsländer hemmen würden.[94] Das Abkommen bietet keine Interpretationshilfe bei der Auslegung der Notwendigkeit der technischen Vorschriften, Normen und Verfahren.

– Schwierig zu deuten ist auch die von Art. XX GATT übernommene Formulierung, wonach Massnahmen nicht so angewendet werden dürfen, "dass sie als Mittel einer willkürlichen oder ungerechtfertigten Diskriminierung von Ländern, in denen die gleichen Verhältnisse bestehen, oder eine verschleierte Beschränkung des internationalen Handels darstellen"[95]. Unter "willkürlich" wird in der Regel "unangemessen" verstanden. "Ungerechtfertigt" dagegen weist auf eine Verletzung bestehender Rechtserlasse hin. Allen diesen Begriffen wohnt ein grosser Ermessensspielraum inne – eine Interpretationsbreite, die je nach Interessenlage unterschiedlich beurteilt wird. Unter Berücksichtigung der Entwicklungs-, Finanz- und Handelssituation kann eine Massnahme je nach Land als angemessen oder unangemessen, als gerechtfertigt oder ungerechtfertigt gelten.

– Es ist geradezu ein Merkmal neuerer internationaler Abkommen, den Entwicklungsländern eine Vorzugsbehandlung einzuräumen. Dabei kann es sich um eine GATT-konforme Zusage, um ein Scheinzugeständnis oder

---

93 *Diem, Andreas* (1996), Freihandel und Umweltschutz in GATT und WTO, Baden-Baden, S. 90 und 144.
94 Vgl. Art. 12:7 des Abkommens über Technische Handelshemmnisse.
95 Präambel des Abkommens über Technische Handelshemmnisse.

um eine wirtschaftspolitische Konzilianz vortäuschende Leerformel handeln. Auch im Abkommen über Technische Handelshemmnisse sind diese drei Elemente festzustellen. Erstens werden die Abkommenspartner angehalten, bei aussenwirtschaftspolitischen Entscheiden den besonderen Problemen der Entwicklungsländer, vor allem den ärmsten unter ihnen, Rechnung zu tragen und sie bei der Ausarbeitung der technischen Vorschriften, Normen und ihrer Anwendung zu unterstützen. Diese Ausrichtung des Vertrags entspricht Teil 4 des GATT und der Präambel der WTO–Vereinbarung. Zweitens handelt es sich um ein Scheinzugeständnis, wenn in Art. 12:3 des Abkommens die Vertragspartner aufgefordert werden, bei der Ausarbeitung und Anwendung technischer Vorschriften, Normen und Verfahren die besonderen Entwicklungs–, Finanz– und Handelsbedürfnisse der Nicht–Industriestaaten in Betracht zu ziehen, um keine "unnötigen" Handelshemmnisse aufzubauen. Diese Verpflichtung beschränkt sich nämlich nicht allein auf die wirtschaftlich schwachen Staaten, sondern gleichermassen auf alle Vertragspartner. Es ist, wie beispielsweise Art. 5:1 des Abkommens zu entnehmen ist, eines der Hauptziele des Abkommens, das Errichten von "unnötigen" Handelshemmnissen zu verhindern. Dass diese Prämisse auch den Handel mit den Entwicklungsländern einbezieht, ist selbstverständlich. Eine Leerformel ist drittens die Aufforderung des Abkommens zur Bevorzugung der Drittweltstaaten, weil eine "differenziertere und günstigere Behandlung"[96] relativ schnell an sachliche Grenzen stösst. Zu Recht führt der schweizerische Bundesrat in seiner Botschaft zum Abkommen über Technische Handelshemmnisse aus der Tokio–Runde an:

"So ist in Bereichen wie Sicherheit, Gesundheit, Umweltschutz usw. eine Senkung des in technischen Vorschriften verlangten Leistungsniveaus, um es den Möglichkeiten der Entwicklungsländer anzupassen, zum vornherein ausgeschlossen. In anderen Gebieten, in denen technische Vorschriften ein bestimmtes, im Interesse der Verbraucher festgelegtes Qualitätsniveau verlangen, hätten herabgesetzte Anforderungen für Produkte aus Entwicklungsländern sofort eine Minderung des Marktwerts solcher Produkte zur Folge".[97]

---

96 Art. 12:1 des Abkommens über Technische Handelshemmnisse.
97 *BBl* 1979 III 39f.

Trotz dieser Kritik am Abkommen über Technische Handelshemmnisse hat   1139
die neue Übereinkunft die Grenzen des politisch Machbaren bestmöglich ausgeschöpft. Die Transparenz, das Streitschlichtungsverfahren und damit die Rechtssicherheit haben eine Stärkung erfahren. Als Verbesserung ist weiter anzuerkennen, dass die Vereinbarung nicht nur für die Zentralregierungen gilt, sondern auch regionale, lokale und nichtstaatliche Stellen einschliesst. Zudem ist die Fortführung der Harmonisierungsbestrebungen in Bezug auf die technischen Vorschriften, auf die Normen und auf die Verfahren aus der Sicht eines möglichst offenen und freien Welthandels zu befürworten. Schliesslich darf nicht unterschätzt werden, dass im Gegensatz zum früheren das geltende Abkommen über Technische Handelshemmnisse alle WTO–Staaten und nicht nur einige wenige GATT–Vertragspartner bindet.

# 5. Das Abkommen über handelsbezogene Investitionsmassnahmen

Von einer ausländischen Direktinvestition ist die Rede, wenn ein Investor   1140
eines Landes (Herkunftsland) Vermögen im Ausland (Zielland) in der Absicht erwirbt, unmittelbar auf die Leitung und die Geschäftstätigkeit des ausländischen Unternehmens einzuwirken. Die ausländische Direktinvestition kann in Form einer Unternehmensgründung, eines Firmenerwerbs oder der Niederlassung einer Tochtergesellschaft oder Agentur erfolgen.[98] Die direkte Einflussnahme auf die Leitung und die Geschäftstätigkeit einer ausländischen Unternehmung ist das, was die ausländische Direktinvestition von der Portfolio– Investition in ausländischen Aktien, Obligationen oder anderen Wertpapieren unterscheidet. Die Portfolio–Investition ist ausschliesslich auf die Gewinnerzielung ausgerichtet und nicht auf die Teilnahme an der ausländischen Unternehmungsleitung.

Die zurzeit geschätzten weltweiten ausländischen Direktinvestitionen von   1141
2'500 Mrd. US$ entfallen zu knapp 10 Prozent auf die Land– und Forstwirt-

---

98   Vgl. z.B. *WTO* (1996), Annual Report 1996, Vol. I, Genf, S. 46; *WTO* (1996), FOCUS, Newsletter Nr. 13, Genf, S. 11.

schaft (Primärsektor), zu rund 40 Prozent auf die industrielle und gewerbliche Produktion (Sekundärsektor) und zu etwas über 50 Prozent auf den Dienstleistungsbereich (Tertiärsektor). In den letzten Jahren erfolgte eine anteilmässige Verlagerung vom Primär- auf den Tertiärsektor. Ursprünglich bestand der wichtigste Grund für ausländische Direktinvestitionen in der Sicherung der Rohstoffquellen. An ihre Stelle traten in den siebziger und achtziger Jahren vermehrt Investitionen in den Sekundärbereich zur Ausschaltung von Handelshemmnissen. Seither fliessen die Direktinvestitionen vor allem in den Dienstleistungssektor, besonders in den Finanzdienstleistungsbereich. Die bedeutendsten Investoren sind heute die USA mit etwa 30 Prozent, Grossbritannien, Japan und Deutschland mit je rund 10 Prozent sowie die Niederlande und die Schweiz mit je 6 bis 7 Prozent der weltweiten Direktinvestitionen.[99]

1142    Die Wachstumsraten der ausländischen Direktinvestitionen lagen in den letzten Jahrzehnten über jenen des Welthandels und der totalen Inlandproduktion. Dieser Trend mag auf verschiedene Faktoren wie kostensparende Arbeitsteilung, Senkung der internationalen Transport- und Kommunikationskosten, Deregulierung der Investitionsbestimmungen und Privatisierung der Staatsunternehmen zurückzuführen sein. War in den vergangenen Jahrzehnten der Aussenhandel mit Gütern und Dienstleistungen die wichtigste Form der wirtschaftlichen Interaktion zwischen den Ländern, kommt heute dem Absatz durch Auslandniederlassungen und dem Handel zwischen den multinationalen Unternehmen eine immer grössere Bedeutung zu. Mitte der neunziger Jahre machte der grenzüberschreitende Warenaustausch innerhalb dieser Unternehmungen einen Drittel des Welthandels mit Gütern und Dienstleistungen aus.[100]

1143    Wegen der wachsenden Bedeutung der ausländischen Direktinvestitionen und der in diesem Wirtschaftsbereich ebenfalls zunehmenden Hemmnisse verlangte die Ministererklärung von 1986 Verhandlungen über die Verhütung von

---

99   *Bank für Internationalen Zahlungsausgleich, BIZ* (1997), 67. Jahresbericht 1996/97, Basel, S. 35ff.
100  Eine Gegenüberstellung von Welthandel und ausländischen Direktinvestitionen, Bestand und Entwicklung, findet sich in: *Bank für Internationalen Zahlungsausgleich, BIZ* (1997), 67. Jahresbericht 1996/97, Basel, S. 35ff.

"handelsbeschränkenden und handelsverzerrenden Auswirkungen von Investitionsmassnahmen"[101]. Die vorgegebenen Ziele waren die Verbesserung der Rechtssicherheit der ausländischen Investoren, die gegenseitige Öffnung der Märkte und die Beseitigung der bestehenden Diskriminierung zwischen den Handelspartnern. Die treibenden Kräfte der Verhandlungen waren die USA und Japan. Die europäischen Länder gaben sich zurückhaltend und konzentrierten sich auf die Behandlung einzelner Teilaspekte. Die Entwicklungsländer schliesslich standen einer Liberalisierung der Direktinvestitionen ablehnend gegenüber. Die Verhandlungen gestalteten sich in der Folge schwierig und waren, wie *John Croome* festhält, "among the most frustrating and least productive of the Uruguay Round"[102]. Die letztlich zustande gekommene Vereinbarung über die handelsbezogenen Investitionsmassnahmen (Agreement on Trade–Related Investment Measures, TRIMS–Abkommen) wurde am 15. April 1994 unterzeichnet und trat am 1. Januar 1995 als multilaterales Abkommen in Kraft.[103]

## 5.1    Der Abkommensinhalt

Das TRIMS–Abkommen befasst sich allein mit Investitionsmassnahmen, die sich auf den Handel mit Waren beziehen und nicht mit den Direktinvestitionen als solchen (z.B in Bezug auf die Zulassung von Investitionen oder den Erwerb von Unternehmen oder die Gründung von Niederlassungen). Die neun Artikel und der Anhang der Vereinbarung verlangen, dass sich die mit den Direktinvestitionen verbundenen Massnahmen nicht handelshemmend oder handelsverzerrend auswirken dürfen und Art. III und XI GATT (Gleichstellung ausländischer mit inländischen Waren auf dem Gebiet der inländischen Abgaben und Rechtsvorschriften sowie allgemeine Beseitigung der mengenmässi-

1144

---

101   Zum Hinweis auf die handelsbezogenen Investitionsmassnahmen vgl. Ministererklärung vom 20.9.1986, veröffentlicht in: *Hummer/Weiss,* S. 280ff. bzw. 288.
102   *Croome, John* (1995), Reshaping the World Trading System, Genf, S. 138.
103   Der Abkommenstext ist veröffentlicht in: *Hummer/Weiss,* S. 962ff. (deutsche Fassung); *WTO,* The Legal Texts, S. 163ff. (englische Fassung).

gen Beschränkungen) nicht widersprechen.[104] Trotz dieses Verweises auf das geltende GATT-Recht stellt das Abkommen über handelsbezogene Investitionsmassnahmen doch der Beginn einer eigenständigen Investitionsregelung dar. Es ist ein erster Schritt in Richtung "einer international koordinierten Disziplinierung des Investitionsbereichs"[105].

1145　Das TRIMS-Abkommen bezieht sich gemäss Anhang der Vereinbarung ausschliesslich auf Massnahmen, die aufgrund innerstaatlicher Gesetze oder Verwaltungsvorschriften zwingend und durchsetzbar sind. Privatrechtliche Vorschriften unterliegen dem TRIMS-Abkommen nicht.[106] Nach Art. 1 des TRIMS-Abkommens fallen zudem nur jene Investitionsmassnahmen unter das Abkommen, die den Warenhandel betreffen. Die Investitionsmassnahmen des Dienstleistungshandels sind im Allgemeinen Dienstleistungsabkommen und der im GATS getroffenen Vereinbarung über Finanzdienstleistungen geregelt.[107] Schliesslich zählt der Anhang des TRIMS-Abkommens jene staatlichen warenhandelsbezogenen Investitionsmassnahmen abschliessend auf, die Gegenstand des Abkommens sind:

– Massnahmen, die mit Art. III:4 GATT unvereinbar sind, indem sie vom ausländischen Investor verlangen, eine bestimmte Menge Inlandware (z.B. im Verhältnis der lokalen Produktion) zu kaufen oder zu gebrauchen (Verfügung von "Local content"-Bestimmungen).

– Massnahmen, die mit Art. III:4 GATT unvereinbar sind, indem sie den Import von Vorprodukten mengen- oder wertmässig beschränken, um auf diese Weise den Investor zu vermehrten Inlandkäufen zu zwingen.

---

104　Das TRIMS-Abkommen belässt die Regelung der Investitionen unter dem Hoheitsrecht der einzelnen Staaten und geht nicht über das hinaus, was seit dem Kanada FIRA-Fall von 1984 bekannt ist. Vgl. Panelbericht Canada – Administration of the Foreign Investment Review Act, FIRA, vom 7.2.1984, in: *GATT* (1984), BISD 30th S, S, 140ff. und 157ff.; Panelbericht EC – Regime for the Importation, Sale and Distribution of Bananas vom 27.5.1997, in: *WTO* (1997), Doc. WT/DS27/R/USA, Ziff. IV.453 und IV.455.

105　*BBl* 1994 IV 202.

106　Vgl. Panelbericht EC – Regime for the Importation, Sale and Distribution of Bananas vom 27.5.1997 in: *WTO* (1997), Doc. WT/DS27/R/USA, Ziff. IV. 455.

107　Vgl. Rz 1272ff.

Die GATT-Zusatzabkommen

– Massnahmen, die mit Art. XI:1 GATT unvereinbar sind, indem sie den Import von Vorprodukten im Verhältnis zum Export einer Unternehmung einengen. Auch bei diesen Massnahmen geht es um den Schutz der einheimischen Angebote und Anbieter.

– Massnahmen, die mit Art. XI:1 GATT unvereinbar sind, weil sie die Devisenzuteilung für den Import von Vorprodukten mit den Deviseneinnahmen aus dem Export einer Unternehmung verknüpfen. Im Hintergrund dieser Vorschriften mögen die Überlegungen stehen, dass die Währungs- und Devisenpolitik nicht als indirekter "Investitionsschutz" missbraucht werden darf.

– Massnahmen, die mit Art. XI:1 GATT unvereinbar sind, indem sie die Exportmengen begrenzen.

Die beiden Hauptelemente des Abkommens sind die Einhaltung der GATT- 1146
Bestimmungen und der Abbau der nicht abkommenskonformen Investitionsmassnahmen. Die Vertragspartner verpflichten sich erstens gemäss Art. 2 bis 4 des TRIMS-Abkommens, handelsbezogenen Investitionsmassnahmen nicht auf eine Art und Weise anzuwenden, dass sie die in Art. III GATT eingegangene Verpflichtung des Inländerprinzips und das in Art. XI GATT niedergelegte Verbot der mengenmässigen Handelsbeschränkung verletzen.[108] Ausnahmen, die das GATT einräumt, gelten auch für den Bereich der handelsbezogenen Investitionsmassnahmen. Die Entwicklungsländer sind berechtigt, im Sinne des Art. XII GATT (Beschränkungen zum Schutz der Zahlungsbilanz)[109] und des Art. XVIII GATT (staatliche Unterstützung der wirtschaft-

---

108 So hält der Panelbericht über den Bananenstreit USA – EG fest, dass die EG mit ihren Bananenimportbestimmungen gleichzeitig das GATT, das GATS, das Agrarabkommen, das Abkommen über Einfuhrlizenzverfahren und das TRIMS-Abkommen verletze. Panelbericht EC – Regime for the Importation, Sale and Distribution of Bananas vom 22.5.1997 in: *WTO* (1997), Doc. WT/DS27/R/USA, in Ziff. 7.757f. Besteht zwischen dem GATT und einem Abkommen in Anhang 1A ein Konflikt, geht das Abkommen in Anhang 1A dem GATT vor. Vgl. General Interpretative Note to Annex 1A in: *WTO*, The Legal Texts, S. 20.
109 Vgl. die Erklärung betreffend Handelsmassnahmen aus Zahlungsbilanzgründen, 28.11.1978, und Vereinbarung über Zahlungsbilanzbestimmungen des GATT, 15.4.1994, veröffentlicht in: *Hummer/Weiss*, S. 672ff. und 658ff.

lichen Entwicklung) von den Grundverpflichtungen des TRIMS-Abkommens abzuweichen.

1147  Das zweite Hauptelement des Abkommens findet sich in Art. 5. Die Vertragspartner sind gehalten, alle handelsbezogenen Investitionsmassnahmen, die nicht mit dem Abkommen vereinbar sind, innerhalb von 90 Tagen nach dem Inkrafttreten der WTO dem GATT-Rat zu melden. Massnahmen, die im letzten halben Jahr vor dem Inkrafttreten der WTO angeordnet wurden, müssen nach Ablauf der Notifizierungsfrist beseitigt sein. Die übrigen Massnahmen sind innerhalb einer bestimmten Zeitspanne aufzuheben, in den Industriestaaten in zwei Jahren, in den wirtschaftlich schwächeren Staaten in fünf Jahren und in den ärmsten Ländern in sieben Jahren. Während der Übergangsfristen ist eine Verschärfung der geltenden Massnahmen nicht erlaubt. Hat ein Entwicklungsland bei der Durchführung der Bestimmungen besondere Schwierigkeiten, kann der GATT-Rat eine Fristerstreckung gewähren. Um Wettbewerbsverzerrungen zu verhindern, dürfen während der Übergangszeit neue Investitionen zu gleichen Bedingungen wie bisher vorgenommen werden, vorausgesetzt, sie beziehen sich auf die Produktion gleichartiger Güter. Die neu getroffenen Massnahmen sind ebenfalls dem GATT-Rat zu melden und zum gleichen Zeitpunkt wie die bestehenden aufzuheben.

1148  Art. 6 des TRIMS-Abkommens bekräftigt die in Art. 5 erwähnte Notifizierungspflicht mit dem Verweis auf Art. X GATT (Veröffentlichung der Handelsvorschriften) und den Ministerbeschluss über Verfahren zur Erfüllung von Notifizierungsverpflichtungen vom 15. Dezember 1995.[110] Art. 6 des Abkommens verlangt von den Vertragsparteien, ihren Handelspartnern auf Ersuchen hin Auskünfte zu erteilen und Konsultationen anzubieten. Für die Auskunftserteilung gelten die in Art. X GATT vorgegebenen Einschränkungen (Wahrung der legitimen Handelsinteressen der öffentlichen und privaten Unternehmen).

1149  Die Erledigung der laufenden Geschäfte obliegt dem Ausschuss für handelsbezogene Investitionsmassnahmen. Der Ausschuss berichtet jährlich dem GATT-Rat über die Aktivitäten im Rahmen des Abkommens. Für die Bei-

---

110 Veröffentlicht in: *Hummer/Weiss,* S. 526ff.

Die GATT–Zusatzabkommen

legung von Streitfällen ist die WTO–Streitschlichtung im Sinne der Art. XXII und XXIII GATT anzurufen.

Nach Art. 9 des TRIMS–Abkommens ist fünf Jahre nach Inkrafttreten der 1150 Vereinbarung die Wirksamkeit der Vertragsbestimmungen zu überprüfen. Im Verlauf dieser Überprüfung hat der GATT–Rat darüber zu entscheiden, ob das vorliegende Abkommen durch "Bestimmungen über Investitionspolitik und Wettbewerbspolitik" ergänzt werden soll.

### 5.1.1 Anstehende Schwierigkeiten

Trotz des Zustandekommens des TRIMS–Abkommens sind bei den 1151 handelsrelevanten Investitionsmassnahmen noch mehrere Probleme ungelöst: (1) Das Abkommen hält an der Aufteilung zwischen Güter– und Dienstleistungshandel fest und beschränkt sich ausschliesslich auf die den Güterhandel betreffenden Investitionsmassnahmen. Diese Abkommensausrichtung ist auf die Tatsache zurückzuführen, dass bei der Ausarbeitung der Vertragsbestimmungen das Allgemeine Dienstleistungsabkommen noch nicht bestanden hat und die Dienstleistungen von der damals geltenden Welthandelsordnung ausgenommen waren. Bei der Weiterentwicklung des TRIMS–Abkommens werden die Dienstleistungen einbezogen werden müssen, umso mehr als heute die Dienstleistungen über die Spitzentechnologie den Güterhandel mehr und mehr durchdringen. (2) Das TRIMS–Abkommen beschränkt sich auf den Grundsatz des Inländerprinzips, ohne die Meistbegünstigungspflicht zu erwähnen. Im Gegensatz dazu enthält beispielsweise der NAFTA–Vertrag eine Investitionsregelung, die der Meistbegünstigung bei Leitung und Geschäftstätigkeit Rechnung trägt.[111] (3) Das TRIMS–Abkommen bezieht sich auf einige wenige Investitionsmassnahmen wie "Local content" und Exportvorschriften, während – um beim Vergleich mit der Nordameri-

---

111 Art. 1103:1 des NAFTA–Vertrags lautet: "Each Party shall accord to investors of another Party treatment no less favorable than that it accords, in like circumstances, to investors of any other Party or of a non–Party with respect to the establishment, acquisition, expansion, management, conduct, operation, and sale or other disposition of investments". Ziff. 2 des gleichen Artikels bezieht sich mit der gleichen Formulierung auf die "Investments".

kanischen Freihandelszone zu bleiben – die NAFTA eine Vielzahl verschiedener Investitionsmassnahmen namentlich aufzählt. In der NAFTA sind auch jene Massnahmen untersagt, die Auslandinvestitionen unter bestimmten Voraussetzungen begünstigen (Kauf von lokalen Produkten oder Dienstleistungen, Begünstigung einheimischer Anbieter und Dienstleistungserbringer). (4) Das TRIMS-Abkommen verzichtet auf einen Eingriff in die Eigentumsverhältnisse ausländischer Investitionen sowie in die Verwaltung und Leitung ausländischer Unternehmen. In vielen Ländern bestehen nach wie vor Bestimmungen, dass ausländische Investoren nicht über die Mehrheit des Kapitals einer Unternehmung verfügen dürfen und die Leitung ausländischer Firmen durch einheimische Personen zu besetzen ist.[112] (5) Das TRIMS-Abkommen gewährt relativ lange Übergangsfristen für die Beibehaltung von Massnahmen, die dem Sinn und Geist der WTO-Ordnung widersprechen. Fraglich ist auch die Bestimmung, wonach die Ausnahmen für Entwicklungsländer unbefristet verlängert werden dürfen.[113]

1152 Nach Abschluss der Uruguay-Runde war eine Zeit lang unklar, in welchem Verhältnis das TRIMS-Abkommen der WTO zu dem damals in der OECD verhandelten Multilateralen Investitionsabkommen (Multilateral Agreement of Investments, MAI) stand. Mitte 1998 sind jedoch die Verhandlungen über MAI endgültig abgebrochen worden, weil sich einzelne Länder (z.B. Frankreich) nicht bereit erklären konnten, die in der WTO gewährte kulturelle Ausnahmeklausel und den Sonderstatus der EU-Mitgliedstaaten aufzugeben.[114] Es ist durchaus möglich, dass die Verhandlungen über ein multilaterales Investitionsabkommen in der OECD oder in der WTO unter anderen Vorzeichen wieder aufgenommen werden.

1153 Abgesehen von den noch nicht gelösten Problemen ist es dem Abkommen über handelsrelevante Investitionsmassnahmen aber gelungen, einige wenige Bereiche der ausländischen Direktinvestitionen allgemeinverbindlich in die

---

112 Vgl. Art. 1106 und 1107 des NAFTA-Vertrags.
113 Zu den ungelösten Problemen bei der Regelung der handelsbezogenen Investitionsmassnahmen vgl. *Sauvé, Pierre* (1994), A First Look at Investment in the Final Act of the Uruguay Round, in: Journal of World Trade, Vol. 28, Nr. 5, S. 8.
114 Vgl. *NZZ* vom 29.4.1998, Nr. 98, S. 21.

Welthandelsordnung einzubinden, dem Inländerprinzip zu einem ersten Durchbruch zu verhelfen, vereinzelte Handelshemmnisse aus dem Weg zu räumen, die Transparenz im Investitionsbereich zu erhöhen und die Streitigkeiten dem Streitschlichtungsverfahren der WTO zu unterstellen.[115]

# 6. Das Abkommen über die Versandkontrolle

Im Jahr 1988 brachte Indonesien in der Uruguay–Runde den Vorschlag ein, die internationale Versandkontrolle in einem eigenständigen Abkommen zu regeln. Die Arbeitsgruppe über nichttarifäre Handelshemmnisse nahm dieses Anliegen, das bereits vor Jahren im Zollwert–Ausschuss diskutiert worden war, in die laufenden Verhandlungen auf.[116] Bei der Versandkontrolle handelt es sich um ein Vorgehen, bei dem Regierungen von Importländern private Firmen beauftragen, den Versand von im Ausland bestellten Waren im Herkunftsland in Bezug auf Preis, Währungskurs, Finanzregelung, Qualität, Quantität usw. zu überprüfen. Ziel dieser Kontrolle ist, die Zoll- und Steuerumgehung zu reduzieren, die Kapitalflucht zu unterbinden und den kommerziellen Betrug zu erschweren. Dieser Inspektionsgesellschaften bedienen sich vor allem die Regierungen der Entwicklungsländer, deren Verwaltungsapparat zur staatlichen Kontrolle und Überwachung der Importe an der eigenen Grenze nicht genügend gerüstet ist. Die privaten Kontrollfirmen haben für die einzelnen Warenlieferungen eine Unbedenklichkeitsbescheinigung ("Clean report of findings") auszustellen. Darin ist unter anderem festgehalten, dass die Preise weder künstlich überhöht noch zu tief angesetzt sind, dass die Qualität und Quantität den in den Frachtdokumenten gemachten Angaben entsprechen usw.   1154

Der Vorschlag eines separaten Abkommens über die Versandkontrolle fand bei den Verhandlungsdelegationen Anklang. Die Industriestaaten waren an   1155

---

115 Einen ausführlichen Bericht über den Handel und die Direktinvestitionen, ergänzt durch ein breit angelegtes Verzeichnis weiterführender Literatur, findet sich in: *WTO* (1996), Annual Report 1996, Genf, Vol. I., S. 44ff.
116 Vgl. Jahresbericht des Ausschusses des Abkommens über den Zollwert, in: *GATT* (1987), BISD 33rd S, S. 216ff., Ziff. 12.

Fünfter Teil

einer effizienten und fristgerechten Grenzabfertigung der Handelsgüter interessiert, weil in der Vergangenheit vereinzelte Grenzkontrollen immer wieder mit zeitlichen Verzögerungen, überhöhten Kosten und anderen Handelshemmnissen verbunden waren. Die Entwicklungsländer erblickten in der Auslagerung der Grenzkontrollen an private Firmen die Möglichkeit, der Kapitalflucht sowie der Zoll- und Steuerumgehung einen Riegel zu schieben. Alle Parteien befürworteten zudem eine funktionierende Beschwerdeinstanz und eine unabhängige Streitschlichtungsstelle, um das Ausufern von Handelskonflikten einzudämmen.[117]

1156  Das Abkommen über die Versandkontrolle (Agreement on Preshipment Inspection, PSI-Abkommen) wurde am 15. April 1994 unterzeichnet und trat am 1. Januar 1995 als multilaterales Abkommen der WTO in Kraft.[118]

1157  Zurzeit bedienen sich rund 40 Regierungen privater Firmen zur Kontrolle und Überwachung ihrer Ein- und Ausfuhren. Davon gehören 35 Länder der WTO an.[119]

## 6.1  Der Anwendungsbereich

1158  In der Präambel des Abkommens nehmen die Vertragsparteien zur Kenntnis, dass sich Entwicklungsländer beim Import der Warenkontrolle im Herkunftsland bedienen. Das Recht der Versandkontrolle steht diesen Ländern zu, "so lang und insoweit die Überprüfung der Qualität, Quantität oder des Preises von eingeführten Waren erforderlich" ist. Die mit der Kontrolle beauftragten Firmen werden aufgefordert, die Grundsätze und Verpflichtungen des GATT zu achten und dafür zu sorgen, dass die Verfahren ohne zeitliche Verzögerung kostengünstig und transparent durchgeführt werden. Gleichzeitig äussern die Teilnehmerstaaten den Wunsch, Streitfälle aus diesem Abkommen rasch, wirksam und unparteiisch anzugehen und beizulegen.

---

117 Über den Verlauf der Verhandlungen in der Uruguay-Runde vgl. *Croome, John* (1995), Reshaping the World Trading System, Genf, S. 51f. und 189ff.
118 Der Abkommenstext ist veröffentlicht in: *Hummer/Weiss*, S. 968ff. (deutsche Fassung); *WTO*, The Legal Texts, S. 230ff. (englische Fassung).
119 *WTO* (1999), Annual Report 1999, Genf, S. 64.

Nach Art. 1:1 findet dieses Abkommen "auf alle im Gebiet eines Mitglieds 1159
vor dem Versand durchgeführten Kontrolltätigkeiten Anwendung, ob sie vertraglich vereinbart oder von der Regierung oder einer Regierungsstelle eines Mitglieds in Auftrag gegeben sind". Nach geltendem Recht erfordern Versandkontrollen, die im Interesse und im Auftrag einer ausländischen Regierung erfolgen, in allen Ländern eine Bewilligung, es sei denn, es handle sich um direkte Regierungskäufe. Keiner Bewilligung bedürfen Kontrollen, die von Spezialfirmen für private Auftraggeber vorgenommen werden.[120]

Als Kontrolle vor dem Versand gelten die Tätigkeiten, welche die Über- 1160
prüfung des Preises, des Währungskurses, der Finanzregelung, der Qualität, der Quantität sowie der zolltarifarischen Einstufung betreffen. Der Begriff "Kontrollstelle" oder "Stelle für die Kontrolle vor dem Versand" bezeichnet die Institution, die vertraglich oder im Auftrag eines WTO-Mitglieds Kontrollen vor dem Versand ausführt. Regierungsstellen selber haben kein Recht, auf dem Gebiet eines anderen Vertragspartners Kontrollen vorzunehmen. Die Vertragspartner sind auch nicht verpflichtet, ausländischen Regierungsstellen auf ihrem Gebiet Kontrollen vor dem Versand zu erlauben.[121]

Unter "Benutzermitglied" versteht Art. 1:2 des Abkommens ein Mitglied, 1161
"dessen Regierung oder Regierungsstellen die Anwendung der Kontrollen vor dem Versand vertraglich vereinbaren oder beauftragen".

## 6.2 Die Einzelbestimmungen des Vertrags

Das Abkommen verpflichtet die Importstaaten, gewisse Kriterien bei den 1162
von ihnen in Auftrag gegebenen Versandkontrollen einzuhalten, um auf diese Weise zur Harmonisierung der Kontrollkriterien und zu einer Verbesserung des internationalen Prüfstandards beizutragen. Schwerpunkte der vertraglichen Vereinbarung sind die Wahrung der Nichtdiskriminierung, die Schaffung von Transparenz und die gegenseitige Information.

---

120 Vgl. *BBl* 1994 IV 214.
121 Gemäss Anmerkung zu Art. 1:4 des PSI-Abkommens.

### 6.2.1 Die Nichtdiskriminierung

1163    Nach Art. 2:1 des PSI–Abkommens haben die Benutzermitglieder folgende Punkte zu beachten: (1) Bei der Versandkontrolle gilt die Meistbegünstigung. Die Verfahren sind "auf der gleichen Grundlage auf alle durch diese Kontrollen betroffenen Exporteure" anzuwenden. Der folgende Satz spricht von einer "einheitlichen Ausführung der Kontrolle durch alle Kontrollorgane". (2) Das Inländerprinzip ist zu beachten. Die Verfahren und Kriterien sind "objektiv", sachgerecht und nicht bewusst handelshemmend durchzuführen. Die Kontrollen dürfen nicht so vorgenommen werden, dass den Händlern wegen einer Verzögerung oder überhöhter Kosten Nachteile gegenüber den inländischen Anbietern entstehen. In diesem Zusammenhang weist Art. 2:2 des PSI–Abkommens auf Art. III GATT hin. Das Problem der Fristeneinhaltung ist in Art. 2:15ff. des Abkommens geregelt. Vereinbarte Termine sind zu beachten. Nach Abschluss der Kontrolle ist binnen fünf Arbeitstagen ein schriftlicher "Schlussbericht über die Feststellungen oder eine genaue schriftliche Erläuterung der Gründe für den Ablehnungsbescheid" auszustellen. Bei Ablehnung ist der Exporteur anzuhören. Die detaillierten Bestimmungen über das zeitliche Vorgehen und die Verzögerungen lassen vermuten, wo die effektiven Probleme bei der Versandkontrolle liegen. (3) Art. 2:3 des Abkommens bestimmt, dass die Kontrolle im Zollgebiet, aus dem die Waren ausgeführt oder in dem sie hergestellt werden, stattzufinden hat. Nur in Ausnahmefällen und mit Zustimmung beider Handelspartner darf ein anderer Kontrollort gewählt werden. (4) Schliesslich verlangt der Vertrag, dass die Mengen– und Qualitätskontrollen gemäss den im Kaufvertrag beschriebenen Normen durchzuführen sind. Enthält der Vertrag keine entsprechenden Vorschriften, gelten die einschlägigen internationalen Normen.[122] Im gleichen Sinne, wie das Prinzip der Nichtdiskriminierung die Importländer und Kontrollstellen verpflichtet, gilt Art. 3 des PSI–Abkommens auch für die Ausfuhrländer.

---

122 Was eine "einschlägige internationale Norm" ist, definiert die Fussnote zu Art. 2:4 des PSI–Abkommens: "Eine internationale Norm ist eine von einer Regierungsstelle oder Nichtregierungsstelle, deren Mitgliedschaft allen Mitgliedern offen steht, wenn eine von ihnen eine auf dem Gebiet der Normung anerkannte Tätigkeit ausübt, angenommene Norm".

## 6.2.2  Die Transparenz

Die gegenseitige Information zwischen Importeuren, Exporteuren und Kontrollstellen scheint eines der heikelsten Probleme in den Beziehungen zwischen den an einer Versandkontrolle beteiligten Partnern zu sein. Das Abkommen über die Versandkontrolle räumt der Transparenz mit Art. 2:5 bis 2:8 und mit Art. 3 einen relativ breiten Platz ein. Das Abkommen verlangt von den Vertragspartnern, alle Gesetze und Verordnungen, die sich auf die Kontrolle beziehen, in einer zugänglichen und verständlichen Form zu veröffentlichen und dem WTO–Sekretariat zu melden. Gemäss WTO–Jahresberichten notifizierten bis Februar 1999 insgesamt 30 Staaten entsprechende Kontrollvorschriften. In den Jahren seit der Uruguay–Runde meldeten 37 Regierungen, über keine entsprechenden gesetzlichen Bestimmungen zu verfügen.[123]

1164

Das Abkommen fordert die Benutzermitglieder auf, ihre Informationen an die für sie tätigen Versandkontrollstellen und ihre Ämter weiterzuleiten und dafür zu sorgen, dass diese Ämter den Exporteuren als Auskunftsstelle dienen. Schliesslich haben die Kontrollämter den Exporteuren eine Liste mit allen Auskünften auszuhändigen, die zur Erfüllung der Kontrollerfordernisse notwendig sind. Die Informationsstellen sind verpflichtet, den Exporteuren auf Ersuchen hin Auskünfte über die bestehenden Gesetze und Verordnungen, Verfahren und Kriterien sowie ihre Rechte und Rechtsmittel in Beschwerdeverfahren zu erteilen.

1165

## 6.2.3  Die vertraulichen Informationen

Art. 2:9 bis 2:13 des PSI–Abkommens bezieht sich auf den Umgang mit vertraulichen Informationen. Grundsätzlich ist kein Exporteur verpflichtet, vertrauliche Mitteilungen, welche die legitimen Handelsinteressen öffentlicher oder privater Unternehmen schädigen würden, weiterzugeben. Auch alle jene Informationen zuhanden der Kontrollstellen gelten als vertraulich, die noch nicht veröffentlicht wurden, Drittparteien nicht allgemein bekannt sind

1166

---

123 *WTO* (1996), Annual Report 1996, Genf, Vol. I, S. 108; *WTO* (1997), Annual Report 1997, Genf, Vol. I, S. 115; *WTO* (1998), Annual Report 1998, Special topic: Globalization and trade, Genf, S. 95; *WTO* (1999), Annual Report 1999, Genf, S. 64.

oder der Öffentlichkeit nicht auf andere Weise zur Verfügung stehen. Gegenüber den Regierungsstellen gilt insofern eine Ausnahmeregelung, als ihnen Informationen weitergegeben werden dürfen, sofern solche Mitteilungen "für Kreditbriefe, andere Zahlungsformen, Zollzwecke, Einfuhrlizenzverfahren oder Währungskontrollen üblicherweise notwendig sind". Dabei gilt für die Regierungsstellen die gleiche Geheimhaltungspflicht wie für die Kontrollstellen.

1167　Das PSI–Abkommen verpflichtet die Regierungen dafür zu sorgen, dass die Kontrollstellen keine Informationen über patentrelevante Herstelldaten und unveröffentlichte technische Vorschriften, keine Daten der internen Preisbildung, Kostenstruktur und Gewinnberechnung sowie keine Vertragsbestimmungen zwischen den Exporteuren und ihren Lieferanten einfordern.

### 6.2.4　Die Preiskontrolle

1168　Von besonderer Bedeutung sind die Preiskontrollen. Viele Länder befürchten, dass mit Hilfe falscher Warenpreise unerlaubterweise Kapital ins Ausland transferiert wird. Die Kontrollstelle hat gemäss Art. 2:20 des PSI–Abkommens das Recht, einen vertraglich vereinbarten Preis zurückzuweisen, wenn aufgrund von Preisvergleichen der Verdacht aufkommt, dass die Ware über– oder unterfakturiert ist. Die Kontrollstelle stützt ihre Vergleiche zur Prüfung des Ausfuhrpreises gemäss Art. 2:20(b) auf die Preise "für gleiche oder gleichartige Waren, die für die Ausfuhr aus demselben Ausfuhrland annähernd zur selben Zeit unter konkurrierenden und vergleichbaren Verkaufsbedingungen in Übereinstimmung mit den üblichen Handelspraktiken und netto anwendbaren Standardpreisnachlässen angeboten werden." Nicht zum Zwecke von Preisvergleichen herangezogen werden dürfen der Verkaufspreis für im Einfuhrland erzeugte Waren, Preise für Waren aus anderen Ausfuhrländern, die Erzeugungskosten und willkürliche oder fiktive Preise oder Werte. Die Bestimmungen dieser Übereinkunft sollen nicht den Warenhandel in seiner Vielfältigkeit einschränken, sondern einen Beitrag zur Verhinderung von Fälschungen und unerlaubten Kapitalbewegungen leisten.

## 6.2.5 Die Streitbeilegung

Das Streitbeilegungsverfahren des PSI-Abkommens unterscheidet zwischen Streitfällen unter den Regierungen beziehungsweise den Vertragspartnern einerseits und Streitfällen unter den Kontrollstellen und Exporteuren andererseits. Streitfälle zwischen den Mitgliedstaaten über das Funktionieren des Abkommens fallen unter die Art. XXII und XXIII GATT und unter die WTO-Vereinbarung über die Streitbeilegung. Zur Schlichtung von Konflikten zwischen den Kontrollstellen und den Exporteuren sieht das Abkommen in Art. 2:21 und Art. 4 des Abkommens ein eigenständiges Überprüfungsverfahren durch eine "Unabhängige Stelle" (Independent Entity, IE) vor. Die Schaffung der Unabhängigen Stelle und deren Verfahrensvorschriften gründen auf dem Beschluss des Allgemeinen WTO-Rats vom 13. Dezember 1995. Die Unabhängige Stelle nahm ihre Tätigkeit am 1. Mai 1996 auf.[124] Sie setzt sich aus sachkundigen Vertretern der Internationalen Organisation der Kontrollstellen (International Federation of Inspection Agencies, IFIA), der Internationalen Handelskammer (International Chamber of Commerce, ICC) und der WTO zusammen. Wünscht eine Kontrollstelle oder ein Exporteur einen Streitfall vorzubringen, verlangt der Antragsteller die Einsetzung eines Untersuchungsausschusses. Der Untersuchungsausschuss setzt sich aus drei Personen zusammen, die durch die Streitparteien aus einer Liste von Panelisten ausgewählt werden. Die Panelisten-Liste entstand in Zusammenarbeit mit den Vertragsparteien und den soeben erwähnten internationalen Organisationen und datiert ebenfalls vom 1. Mai 1996. Der Ausschuss hat innert acht Tagen einen Entscheid zu fällen. In Ausnahmefällen kann die Frist erstreckt werden. Der Entscheid ist für die Kontrollstellen und die Exporteure, also für die privaten Streitparteien, verbindlich, nicht aber für die Regierungen. Bis zum Jahr 1999 ist es zu keiner Streitschlichtung im Rahmen des unabhängigen Überprüfungsverfahrens gekommen.[125]

---

124 Vgl. *Hummer/Weiss*, S. 976, Anmerkung 2.
125 *WTO* (1999), Annual Report 1999, Genf, S. 65.

Fünfter Teil

## 6.3 Die Fortführung des Abkommens

1170  Das Abkommen über die Versandkontrolle ist ein Verhandlungsergebnis der Uruguay-Runde. Ob diese Vereinbarung längerfristig zum Tragen kommt, war bei der Inkraftsetzung anfangs 1995 ungewiss und kann auch im Frühjahr 2000 noch nicht beantwortet werden. Der Allgemeine Rat der WTO hat im Sinne des Art. 6 des PSI-Abkommens im November 1996 eine Arbeitsgruppe mit der Aufgabe betraut, das Funktionieren des Abkommens zu überprüfen und bis Ende 1997 einen Bericht vorzulegen. Dieser Bericht[126] konzentriert sich auf neun Verbesserungsvorschläge. Verlangt werden unter anderem eine Vereinheitlichung der internationalen Kontrollformulare, das Recht zur selektiven Kontrolle von Warenlieferungen, die Ermöglichung der Rechnungsprüfung der internationalen Kontrollstellen, die Verbesserung des Wettbewerbs zwischen den Kontrollstellen und die Analyse der Strukturen dieser Stellen. Die Tätigkeit der Arbeitsgruppe wurde inzwischen verlängert mit dem Auftrag, sich vertieft über die Aktivitäten und die Verhaltensweisen ("Code of conduct") der internationalen Inspektionsfirmen zu informieren.

# 7. Das Abkommen über die Ursprungsregeln

1171  Im GATT-Vertrag und in den Zusatzabkommen ist immer wieder die Rede von "Waren, die aus einem anderen Land stammen", von "gleichartigen Waren inländischen Ursprungs" und vom "Ursprungs- oder Ausfuhrland". Es wird freilich nicht definiert, was unter "Ursprung", "Ursprungsprodukt" oder "Ursprungsland" zu verstehen ist.[127] Doch spielt im internationalen Handel die Herkunft eines Produkts eine wichtige Rolle, weil in der Regel die Form der Grenzabfertigung mit der Herkunft des Handelsguts verknüpft ist. So kann beispielsweise das Produkt aus einem Entwicklungsland oder aus einem Land,

---

126 *WTO* (1998), Annual Report 1998, Special topic: Globalization and trade, Genf, S. 96.

127 Hinweise auf den Ursprung eines Produkts finden sich in: Art. I:1, II:1 und 2, III:1, 2, 4 und 8, VI:3, 4, 5 und 6, IX, XIII:1 und 2 sowie XIX:1 GATT und in Art. 6 des SPS-Abkommens.

mit dem ein Freihandels- oder Zollunionsvertrag besteht, zollfrei sein, während die Ware aus einem anderen WTO-Partnerland zu verzollen ist.

Als Ursprungskriterium dient grundsätzlich das Mass der am jeweiligen Ort erfolgten Wertmehrung. Von einem Ursprungsprodukt ist die Rede, wenn das Gut im Herkunftsland vollständig gewonnen, erzeugt, hergestellt oder ausreichend be- oder verarbeitet worden ist. Vollständig gewonnen, erzeugt oder hergestellt ist ein Produkt in einem Land, wenn keine Vor- oder Hilfsprodukte aus einem anderen Land stammen. Das trifft für die im eigenen Land abgebauten Mineralien zu, für die aus landeseigenen Materialien hergestellten Geräte und Möbel sowie die agrarischen Erzeugnisse. Ausreichend be- oder verarbeitet ist ein Gut, wenn es eine starke Veränderung und Wertmehrung erfahren hat, gemessen in Prozenten des gesamten Produktwerts oder definiert durch einen Zollpositionenwechsel. 1172

Ob und in welcher Form der Ursprung einer Ware im Rahmen der WTO definiert werden soll, stand in der Verhandlungsgruppe über nichttarifäre Handelshemmnisse der Uruguay-Runde zur Diskussion. Die ersten Vorschläge stammten 1989 von den Verhandlungsdelegationen Japans und der Vereinigten Staaten. Sie regten in Anlehnung an die damals durchgeführte Zolltarifharmonisierung an, die länderweise unterschiedlichen Ursprungsbestimmungen zu harmonisieren, eine gemeinsame Notifzierungspflicht einzuführen und zur Lösung hängiger Konflikte eine Streitschlichtungsstelle zu schaffen. Die europäischen Staaten standen anfänglich einer WTO-Ursprungsregelung ablehnend gegenüber und verwiesen die Behandlung dieser Fragen in den Kompetenzbereich des Brüsseler Zollkooperationsrats (Rat für die Zusammenarbeit auf dem Gebiet des Zollwesens, Customs Co-operation Council, CCC). Im Verlauf der Verhandlungen einigten sich die Delegierten auf eine Doppelstrategie der lang- und der kurzfristigen Problembewältigung. Auf lange Sicht sei ein Programm der Harmonisierung der Ursprungsregeln in Zusammenarbeit mit dem Brüsseler Zollkooperationsrat anzustreben. Bis zur Verwirklichung einer endgültigen Ursprungsregelung habe hingegen ein Übergangsabkommen zu gelten, das die Vertragspartner zu den Prinzipien der Meistbegünstigung, der Transparenz und der Zusammenarbeit verpflichte und das 1173

Fünfter Teil

eine gemeinsame Streitschlichtungsstelle vorsehe.[128] Die Unterzeichnung des Abkommens über die Ursprungsregeln (Agreement on Rules of Origin) fand am 15. April 1994 statt. Das Abkommen trat am 1. Januar 1995 als multilaterales Abkommen der WTO in Kraft.[129] Die Verhandlungen über die längerfristige Lösung der Ursprungsprobleme sind zwar nach dem Inkrafttreten des Vertrags angelaufen, aber inzwischen in Verzug geraten. Die folgenden Ausführungen beziehen sich auf das zurzeit geltende Abkommen.[130]

## 7.1 Die Zielsetzung

1174   Die Präambel des Abkommens über die Ursprungsregeln strebt die Erleichterung des internationalen Handels über "klare und vorhersehbare Ursprungsregeln", die Vermeidung unnötiger Handelshemmnisse und die Wahrung der Rechte der WTO–Mitglieder an. Die Vertragsbestimmungen hätten sicherstellen, dass die Ursprungsregeln in unparteiischer, transparenter, vorhersehbarer und neutraler Form ausgearbeitet und angewandt werden. Die Ursprungsregeln sollen weder als Instrumente der Binnen– und Aussenwirtschaftspolitik missbraucht werden noch zu eigentlichen Hemmnissen und Verzerrungen im Aussenhandel verkommen. Der Beitrag des Abkommens zu einer möglichst offenen und freien Welthandelsordnung habe darin zu bestehen, die Zeit bis zur Verwirklichung des in Teil IV der Vereinbarung vorgesehenen Arbeitsprogramms über die Harmonisierung der Ursprungsregeln zu überbrücken. Ferner habe die Übereinkunft dafür sorgen, dass bis dahin möglichst keine zusätzlichen Ursprungsregeln und administrativen Vorschriften erlassen, notwendige Änderungen nicht rückwirkend in Kraft gesetzt und bestehende Verpflichtungen in einer "konstanten, einheitlichen, unparteiischen und angemessenen Form" vollzogen werden.

---

128 Über den Verlauf der Verhandlungen in der Uruguay–Runde vgl. *Croome, John* (1995), Reshaping the World Trading System, Genf, S. 192f.

129 Das Abkommen ist veröffentlicht in: *Hummer/Weiss*, S. 980ff. (deutsche Fassung); WTO, The Legal Texts, S. 241ff. (englische Fassung).

130 Einen Überblick über die internationalen Bemühungen um eine Harmonisierung der Ursprungsregeln findet sich in: *Kaufmann, Donatus Bernhard* (1996), Ursprungsregeln, Baden–Baden, S 164ff.

## 7.2 Der Abkommensinhalt

Das Abkommen ist in vier Teile gegliedert und enthält zwei Anhänge. Der erste Teil definiert die Ursprungsregeln. Der zweite Teil ist der Anwendungsdisziplin von Ursprungsregeln gewidmet. Der dritte Teil erörtert die Notifizierung und die Überprüfung des Ursprungs sowie die Konsultationen und die Streitbeilegung. Der vierte Teil schliesst mit dem Hinweis auf die längerfristige Harmonisierung der Ursprungsbestimmungen im Rahmen eines künftigen Arbeitsprogramms. Die beiden Anhänge enthalten das Pflichtenheft des zu schaffenden Technischen Komitees und die Gemeinsame Erklärung über die präferenziellen Ursprungsregeln. 1175

### 7.2.1 Die begriffliche Abgrenzung der Ursprungsregeln

Im Sinne des Art. 1:1 des Abkommens sind Ursprungsregeln alle Gesetze, Verordnungen und administrativen Vorschriften, die ein WTO-Mitglied zur Bestimmung des Ursprungslands von Waren anwendet. Ausgeklammert sind Rechtssätze, die sich auf vertragliche oder autonome Handelssysteme zur Einräumung von Zollpräferenzen beziehen, die über das in Art. I:1 GATT festgehaltene Meistbegünstigungsprinzip hinausreichen. Art. 1:2 des Abkommens verweist beispielhaft auf verschiedene Rechtsgrundlagen der WTO, in denen von Ursprungsprodukten die Rede ist.[131] 1176

### 7.2.2 Die Anwendungsvorschriften

Bis zum Inkrafttreten des in Teil IV des Abkommens vorgesehenen Arbeitsprogramms haben die Vertragspartner nach Art. 2 dafür zu sorgen, dass 1177

– bei der Anwendung des Kriteriums des Zollpositionenwechsels genaue Angaben über die Zollposition (Nummer und Unternummer innerhalb der Tarifnomenklatur), bei der Anwendung des Prozentkriteriums genaue Hinweise auf die Berechnungsmethode und bei der Anwendung des Verar-

---

131 Meistbegünstigungsbehandlung nach Art. I, II, III, XI und XIII GATT; Ursprungskennzeichnungserfordernisse nach Art. IX GATT; Schutzmassnahmen nach Art. XIX GATT.

beitungskriteriums genaue Erklärungen über den ursprungsbegründenden Vorgang gegeben werden,

- die Ursprungsregeln nicht für handelspolitische Ziele missbraucht werden,
- die Ursprungsregeln den Handel nicht einschränken, stören oder verzerren,
- die Ursprungsregeln das Meistbegünstigungs- und Inländerprinzip nicht verletzen,
- die Ursprungsregeln in einer "konsistenten, einheitlichen, unparteiischen und angemessenen Form" angewendet und vollzogen werden,
- die Ursprungsregeln auf einem positiven Konzept beruhen, was nicht ausschliesst, dass auch Kriterien, die nicht ursprungsbegründend sind, aufgeführt werden dürfen,
- die Ursprungsregeln im Sinne von Art. X GATT sofort und in einer für Ausländer verständlichen Form veröffentlicht werden,
- die Feststellung des Warenursprungs sobald als möglich, nicht später als 150 Tage nach Antrag, erfolgt, wobei die Feststellungsmethoden in gleichbleibender Form für drei Jahre Gültigkeit haben,
- eine Änderung von Ursprungsregeln nicht rückwirkend in Kraft tritt,
- die Verwaltungstätigkeiten ohne Verzögerung durch gerichtliche, schiedsgerichtliche oder Verwaltungsinstanzen oder Verwaltungsverfahren überprüfbar sind und
- die vertraulichen Informationen von den Vertragspartnern nicht veröffentlicht und der Konkurrenz nicht zugänglich gemacht werden.

1178  Art. 3 des Abkommens über die Ursprungsregeln verlangt von den Vertragsparteien, die für die Übergangszeit eingegangenen Verpflichtungen auch im längerfristigen Rahmen des noch auszuhandelnden Arbeitsprogramms für die Harmonisierung einzuhalten. Art. 3 enthält eine ausführliche Liste dieser zu befolgenden Verpflichtungen (in Bezug auf die Definition des Ursprungs, den unparteiischen Vollzug der Ursprungsbestimmungen usw.). Diese Vertragsbestimmung bildet gleichsam die Klammer zwischen dem heute geltenden Abkommen und der für die Folgezeit vorgesehenen Ursprungsregelung.

## 7.2.3  Die institutionellen Vorschriften

Die im Rahmen des Abkommens über die Ursprungsregeln anfallenden Arbeiten werden vom Komitee für Ursprungsregeln (Committee on Rules of Origin), im Abkommenstext "Komitee" (Committee) benannt, und vom Technischen Komitee für Ursprungsregeln (Technical Committee on Rules of Origin), im Abkommenstext als "Technisches Komitee" (Technical Committee) bezeichnet, erledigt. Das Komitee setzt sich aus Vertretern aller Vertragsparteien zusammen und tagt je nach Bedarf, jedoch mindestens einmal pro Jahr. Das Komitee ist für die Durchsetzung des Abkommens verantwortlich, überprüft die Wirksamkeit der Vereinbarung und schlägt notfalls Änderungen vor.[132] Das Technische Komitee arbeitet unter der Aufsicht des Brüsseler Zollkooperationsrats. Jeder Vertragspartner hat das Recht, im Technischen Komitee vertreten zu sein. Die Aufgaben des Technischen Komitees sind in Anhang I des Abkommens festgelegt. Sie bestehen in der Abklärung und Prüfung spezifisch technischer Probleme beim Vollzug der Ursprungsregeln, in der Beschaffung von Informationen über die Ursprungsregeln, in der Beratung der Vertragspartner und in der Ausarbeitung von Berichten zuhanden des Komitees. Das wichtigste Anliegen des Technischen Komitees ist das Zusammenstellen des Arbeitsprogramms über die Ursprungsordnung, die im Anschluss an die gegenwärtig geltende Regelung in Kraft gesetzt werden soll.

1179

Nach Art. 5 des Abkommens waren zunächst alle Vertragspartner verpflichtet, innerhalb von 90 Tagen nach Inkrafttreten der WTO ihre Ursprungsregeln und diesbezüglichen richterlichen Entscheide und Verwaltungsvorschriften dem WTO-Sekretariat zu melden. Heute sind wesentliche Änderungen und neu einzuführende Ursprungsregeln 60 Tage vor der Inkraftsetzung so zu veröffentlichen, dass sich interessierte Parteien informieren können.

1180

Für die gegenseitige Konsultationspflicht und die Streitbeilegung gelten die Art. XXII und XXIII GATT sowie die WTO-Vereinbarung über die Streitschlichtung.

1181

---

132  Die vom Komitee am 16.11.1995 angenommene Verfahrensordnung beruht auf der vom Allgemeinen Rat am 31.7.1995 angenommenen Verfahrensordnung des GATT-Rats; vgl. *Hummer/Weiss*, S. 986, Anm. 2.

Fünfter Teil

### 7.2.4 Die Harmonisierung der Ursprungsregeln

1182   Gemäss Art. 9 des Abkommens über die Ursprungsregeln nimmt die Ministerkonferenz im Einvernehmen mit dem Brüsseler Zollkooperationsrat ein Arbeitsprogramm über die längerfristige Harmonisierung der Ursprungsregeln in Angriff. Nach Art. 9:2(b) des Abkommens sind das Komitee und das Technische Komitee "die geeigneten Organe für die Erledigung dieser Arbeiten". Das vorgegebene Ziel, das Arbeitsprogramm in drei Jahren abzuschliessen, konnte nicht eingehalten werden.[133]

1183   Nach Art. 9:4 des Abkommens über die Ursprungsregeln sind die Ergebnisse des Harmonisierungsprogramms dem heute geltenden Abkommen als Anhang beizufügen. Das Inkraftsetzen der Abkommensergänzung wird durch den Ministerrat erfolgen.

### 7.2.5 Die präferenziellen Ursprungsregeln

1184   Gemäss Anhang II des Abkommens über die Ursprungsregeln steht es den Vertragspartnern frei, präferenzielle Ursprungsregeln zugunsten von Entwicklungsländern einzuführen und zu unterhalten. Es handelt sich um Gesetze, Verordnungen und Verwaltungsvorschriften, die festhalten, welche Produkte aus welchen Ländern zollmässig bevorzugt werden. Die Vertragspartnerstaaten haben darauf zu achten, dass die Vorschriften klar definiert und veröffentlicht sind (in Bezug auf Zolltarifnummer, Berechnungsmethode und ursprungsbegründenden Vorgang), auf einem positiven Konzept beruhen und nicht rückwirkend in Kraft treten.[134]

---

133  Das Arbeitsprogramm sieht vor, die Produkte in drei Gruppen zu unterteilen: (1) die Produkte, die vollständig aus dem eigenen Land stammen, (2) die Produkte, die aufgrund der Be- und Verarbeitung einen Zollpositionenwechsel erfahren, und (3) die Produkte, deren Ursprung nach anderen Kriterien wie Prozent- oder Listenregeln beurteilt wird. Der Bericht vom 7.7.1998 ist veröffentlicht in: *WTO* (1998), Press Release, 9. Juli, Genf. – Wann das Komitee einen Schlussbericht vorlegen kann, ist zurzeit (April 2000) ungewiss. *URL* http://www.wto.org./wto/goods/rules.htm.

134  Vgl. die Ausführungen über die Stellung der Entwicklungsländer im Rahmen der WTO, Rz 571ff.

# 8. Das Abkommen über Einfuhrlizenzverfahren

Import- und Exportlizenzen sind staatliche Bewilligungen zur Einfuhr oder Ausfuhr einer bestimmten Ware in einer bestimmten Menge zu einer bestimmten Zeit von oder nach einem bestimmten Land. Das Recht unterscheidet zwischen "automatischen" und "nichtautomatischen" Lizenzen. Die automatischen Lizenzen werden "ohne weiteres" gewährt und dienen lediglich der Handelsstatistik. Die nichtautomatischen Lizenzen dagegen sind eigentliche Ein- oder Ausfuhrgenehmigungen zur staatlichen Durchsetzung mengenmässiger Kontrollen und Handelsschranken. 1185

Lizenzen kommen heute hauptsächlich im Importhandel vor, vor allem im Bereich Textilien und Bekleidung, oft auch im Agrar- und Rohstoffhandel. Im Bereich der gewerblichen und industriellen Handelsgüter sind Lizenzen eher selten. Nach Schätzungen des GATT erfordert etwa die Hälfte des Textil- und Bekleidungshandels Einfuhrlizenzen, was wertmässig einem Welthandelsanteil von 3 bis 4 Prozent entspricht.[135] Im Agrarbereich betreffen die Einfuhrlizenzen jene Erzeugnisse, welche die eigene Landwirtschaft konkurrenzieren, in den Industriestaaten vor allem Milchprodukte, Fleisch und Futtermittel. Exportlizenzen, die jedoch nicht Gegenstand des hier besprochenen Abkommens sind, werden im Handel mit Kriegsmaterialien aus Sicherheitsgründen angewandt, bei Rohprodukten wie Kaffee und Kakao zur Einhaltung der in den internationalen Vereinbarungen ausgehandelten Quoten und bei Giftmüll zur Durchsetzung der gegenseitig eingegangenen Umweltschutzvorschriften. 1186

Die Erteilung einer Ein- oder Ausfuhrlizenz beginnt mit der Einreichung eines Antrags des Importeurs oder Exporteurs an eine amtliche Stelle beziehungsweise eine privatrechtliche Organisation mit amtlichen Befugnissen. Aufgrund des Antrags und der beigelegten Dokumente und Unterlagen entscheidet die betreffende Stelle über die Import- oder Exporterlaubnis. Das Verfahren bietet den Amtsinhabern einen weiten Spielraum für Willkür und Protektionismus, indem sie beispielsweise je nach Nationalität der Händler oder je nach Herkunft der Handelsgüter unterschiedliche Anforderungen stellen, den einen Antrag umgehend bearbeiten und den anderen "auf die lange Bank" 1187

---

135 *GATT* (1984), Textiles and clothing in the World Economy, Genf, S. 63ff.

Fünfter Teil

schieben, oder die Erteilung der Lizenzen an unterschiedliche Bedingungen wie die Übernahme landeseigener Produkte binden. Mit anderen Worten, das Bestehen von Lizenzvorschriften kann für den Handel mit grossen Rechtsunsicherheiten und Benachteiligungen aller Art verbunden sein.

1188    Die Vertragspartner des GATT haben stets anerkannt, dass Ein- und Ausfuhrlizenzen unter bestimmten Voraussetzungen sinnvoll und notwendig sind. Ihr Bemühen galt daher nicht der Beseitigung oder Einschränkung der Lizenzen, sondern der Sicherstellung eines fairen Verfahrens. Lizenzen sollen in einer Form bewilligt werden, dass sie nicht zu versteckten Handelshemmnissen und zu einer willkürlichen und ungerechtfertigten Diskriminierung der Herkunftsländer und der Händler werden. Mit diesem Ziel entstand während der Tokio-Runde das plurilaterale Übereinkommen über Einfuhrlizenzverfahren (Agreement on Import Licensing Procedures), das am 12. April 1979 unterzeichnet wurde und am 1. Januar 1980 in Kraft trat.[136] Anfänglich zählte das Abkommen 19 und Ende 1994 insgesamt 30 Vertragspartner. 30 weitere Staaten hatten Ende 1994 Beobachterstatus.[137]

1189    Zu Beginn der Uruguay-Runde legten die USA und die damalige EG Änderungsvorschläge vor. Die Vereinigten Staaten verlangten eine Verminderung der Zahl der Lizenzen, sei es über eine zeitliche Begrenzung der gewährten Bewilligungen, sei es über eine Beschränkung der Lizenzen im Verhältnis zum Handelsvolumen. Die EG regten an, die vertraglichen Bestimmungen auf die Exportrestriktionen im allgemeinen auszuweiten.[138] Im Verlauf der Verhandlungen rückten die Delegierten mehr und mehr von solchen den Änderungsvorschlägen ab. Der von der Verhandlungsgruppe für zusätzliche Abkommen (MTN Agreements and Arrangements) 1990 in Brüssel vorgelegte Vertragsentwurf unterschied sich letztlich nur noch wenig vom Abkommen aus der Tokio-Runde. Die vorgenommenen Vertragsänderungen beziehen sich auf die Notifizierungspflicht und das Ersetzen unbestimmter Zeitvorgaben wie "so

---

136 Der Abkommenstext ist veröffentlicht in: *BBl* III 1979 451ff. (deutsche Fassung); *GATT* (1980), BISD 26th S, S. 154ff. (englische Fassung).
137 *GATT* (1981), BISD 27th S, S. 40; *GATT* (1997), BISD 41st S, S. 457.
138 Über die einzelnen Vorschläge vgl. *Croome, John* (1995), Reshaping the World Trading System, Genf, S. 90 und 213ff.

kurz wie möglich" durch konkrete Daten und Fristen. Das Abkommen über Einfuhrlizenzverfahren (Agreement on Licensing Procedures) wurde schliesslich in der bereits in Brüssel vorgelegten Fassung am 15. April 1994 unterzeichnet und trat am 1. Januar 1995 als multilaterales WTO-Abkommen in Kraft.[139]

## 8.1 Der Abkommensinhalt

Das Abkommen über Einfuhrlizenzverfahren besteht aus einer Präambel und acht Artikeln. Die Präambel definiert die Ziele des Abkommens. Der erste Artikel enthält allgemeine Bestimmungen begrifflicher Art und nimmt Bezug auf den GATT-Vertrag. Die nachfolgenden Artikel erörtern der Reihe nach die automatischen und nichtautomatischen Lizenzverfahren, die Überwachung des Abkommens und das Streitschlichtungsverfahren.

1190

### 8.1.1 Die Zielrichtung

Die Vertragspartner anerkennen in der Präambel des Abkommens, dass es sinnvoll sei, automatische Einfuhrlizenzverfahren für bestimmte Zwecke wie das Erstellen von Handelsstatistiken und die Kontrolle der Handelsströme einzusetzen. Auch dürften nichtautomatische Einfuhrlizenzverfahren angewandt werden, wenn sie "aufgrund der einschlägigen Bestimmungen des GATT erlassen worden sind" und den im GATT niedergelegten Grundsätzen und Verpflichtungen nicht zuwiderlaufen. Weil aber die Lizenzverfahren in der Vergangenheit von vielen Ländern zum versteckten Schutz der heimischen Wirtschaft und zur Diskriminierung einzelner Handelspartner missbraucht wurden (in Form langwieriger, komplizierter und kostspieliger Verfahren), bezwecke das Abkommen, die Verfahren zur Erteilung von Lizenzen zu vereinfachen, die administrativen Bestimmungen auf das Notwendige zu beschränken, die Zuteilung von Importbewilligungen transparenter zu gestalten und die Streitigkeiten auf eine rasche, wirksame und gerechte Art beizulegen.

1191

---

139 Der Abkommenstext ist veröffentlicht in: *Hummer/Weiss*, S. 996ff. (deutsche Fassung); *WTO*, The Legal Texts, S. 255ff. (englische Fassung).

## 8.1.2 Die allgemeinen Bestimmungen

1192 Art. 1 des Abkommens über Einfuhrlizenzverfahren begründet das Verfahren als einen Verwaltungsakt, bei dem die Einreichung eines Antrags oder anderer Unterlagen bei der zuständigen Behörde die Voraussetzung für die Einfuhr einer Ware in das betreffende Zollgebiet darstellt. Die Vertragspartner haben gemäss der allgemeinen Abkommensbestimmungen sicherzustellen, dass die Verfahren keine verschleierte Handelsbeschränkung, keine Handelsverzerrung und keine Diskriminierung der Handelspartner bewirken und mit den einschlägigen Bestimmungen des GATT und seinen Anhängen und Protokollen übereinstimmen. Die Verfahrensregeln sind neutral zu gestalten. Sie sind auf eine Art zu veröffentlichen, die den Regierungen und dem Handel die Möglichkeit garantiert, davon Kenntnis zu nehmen. Die Veröffentlichung der Verfahrensbestimmungen hat "soweit möglich" 21 Tage vor der Inkraftsetzung zu erfolgen. Ferner sind die Behörden aufgefordert, die Antragsformalitäten und Verfahren so einfach und klar wie möglich zu gestalten. Bestehen Abschlussfristen für die Einreichung von Anträgen, ist eine Einreichungszeit von nicht weniger als 21 Tagen zu gewähren. Für den Fall, dass die eingeräumten Importquoten nicht ausgeschöpft werden, ist die Möglichkeit einer Verlängerung der Antragsfristen vorzusehen. Zudem verlangt das Abkommen, dass die Anträge bei nicht mehr als drei Behörden einzureichen sind, geringfügige Fehler im Antrag keine Zurückweisung des Gesuchs zur Folge haben sowie Unterlassungen und irrtümliche Angaben ohne betrügerische Absicht nicht unverhältnismässig schwer bestraft werden. Auch sind Importe wegen geringfügiger Abweichungen von den bewilligten Importmengen oder Importgewichten nicht zurückzuweisen. In Ländern mit Devisenbewirtschaftung sollen die Lizenzinhaber in Bezug auf die Devisenzuteilung gleich behandelt werden wie Importeure von Waren ohne Lizenzpflicht. Art. 1 des Abkommens schliesst mit der Feststellung, dass die Vertragspartner nicht zur Preisgabe vertraulicher Angaben verpflichtet sind, "deren Veröffentlichung [...] dem öffentlichen Interesse zuwiderlaufen oder die berechtigten Wirtschaftsinteressen bestimmter öffentlicher oder privater Unternehmen schädigen würde".

### 8.1.3 Die automatischen Einfuhrlizenzverfahren

Die Bezeichnung "automatisch" umschreibt Lizenzverfahren, bei denen die Anträge "ohne weiteres", das heisst "in allen Fällen" bewilligt werden. Die automatischen Lizenzen dienen der Handelsstatistik und der Erfassung der Handelsströme, wenn keine anderen Verfahren zur Verfügung stehen. Art. 2 des Abkommens verlangt, dass die automatischen Lizenzverfahren so angewendet werden, dass sie den Handel mit Gütern nicht einschränken oder verzerren und die Handelspartner nicht diskriminieren. Keine Handelseinschränkung und –verzerrung liegt vor, wenn (1) jede Person, Unternehmung oder Institution, welche "die gesetzlichen Voraussetzungen für die Einfuhr von unter automatische Lizenzverfahren fallenden Waren erfüllt", gleichermassen berechtigt ist, Einfuhrlizenzen zu beantragen und zu erhalten, (2) der Lizenzantrag an jedem Arbeitstag vor Zollabfertigung der Ware eingereicht werden kann, und (3) ordnungsgemäss eingereichte Anträge möglichst und in jedem Fall innerhalb von höchstens zehn Arbeitstagen genehmigt werden. Die automatischen Einfuhrlizenzverfahren können so lange beibehalten werden, als dies notwendig ist, das heisst die mit ihnen verfolgten Ziele nicht auf eine andere Art und Weise erreicht werden.

1193

Für die Drittweltstaaten, die das in der Tokio–Runde ausgehandelte Abkommen nicht unterzeichnet und aus administrativen Gründen mit der Einhaltung der im neuen Abkommen festgelegten Abfertigungsfristen Schwierigkeiten hatten, bestand die Möglichkeit, die Anwendung dieser Bestimmungen während zweier Jahre nach Inkrafttreten des Abkommens auszusetzen. Inzwischen sind diese Fristen abgelaufen und Art. 2 gilt ausnahmslos für alle Vertragsparteien.

1194

### 8.1.4 Die nichtautomatischen Einfuhrlizenzverfahren

Die nichtautomatischen Einfuhrlizenzverfahren dienen der Durchsetzung effektiver Handelsschranken in Form von mengen– oder wertmässigen Importbeschränkungen. Dabei geht es im Abkommen nicht um eine Einflussnahme auf die effektiv gewährten Handelsmengen, die Dauer der Lizenzen oder die Auswahl der Lieferländer (die Erlaubnis zu mengenmässigen Importbeschränkungen stützt sich auf andere vertragliche Grundlagen wie z.B. Art.

1195

XI GATT, das Agrarabkommen oder das Textilabkommen ab), sondern gemäss Art. 3 des Abkommens über Einfuhrlizenzverfahren allein um die Abwicklung des Verfahrens. Die Erteilung einer Einfuhrbewilligung darf nicht zu einer zusätzlichen Handelsschranke, zu einer Handelsverzerrung oder zu einer Diskriminierung zwischen den Antragstellern oder Lieferländern führen. Verfolgen die Lizenzen andere Zwecke als die Durchführung von mengenmässigen Beschränkungen oder besteht für die Lizenznehmer die Möglichkeit, Ausnahmen oder Abweichungen von den Lizenzbedingungen zu beantragen, sind die Gesuchsteller entsprechend zu informieren. Auskunftspflicht besteht auch in Bezug auf die Aufteilung der Lizenzen auf die Lieferländer sowie die totalen Importmengen und –werte.

1196    Wendet ein Vertragspartner mengenbeschränkende Kontingente an, ist die mengen– oder wertmässige Gesamtquotenhöhe unverzüglich offen zu legen. Sind die Kontingente nach Lieferländern aufgeteilt, ist auch die länderweise Zuteilung bekannt zu geben.

1197    Jede Person, jedes Unternehmen und jede Institution soll die gleiche Chance haben, einen Lizenzantrag einzureichen und berücksichtigt zu werden. Bei Nichtberücksichtigung des Lizenzantrags sind die Gesuchsteller auf Anfrage hin über die getroffenen Zuteilungen zu informieren. Jedem Gesuchsteller steht zudem das Recht zu, von den innerstaatlichen Rechtsmitteln Gebrauch zu machen.

1198    Die Anträge sind von den Behörden in einer Frist von höchstens 60 Tagen zu behandeln. Die Geltungsdauer einer gewährten Lizenz ist so zu bemessen, dass auch Einfuhren aus entfernten Ländern zeitlich möglich sind, es sei denn, die Einfuhren sind zur Deckung eines unvorhergesehenen Bedarfs notwendig. Schliesslich schreibt das Abkommen vor, die Lizenzen in wirtschaftlich sinnvollen Partiengrössen zu erteilen, so dass möglichst alle Antragsteller berücksichtigt werden können.

1199    Aus der Sicht der Wirtschaftspolitik ist vor allem Art. 3:5(j) des Abkommens über die Kriterien der Verteilung der Kontingente interessant. Bei der Auf– und Zuteilung der Importquoten ist den bisherigen Einfuhrmengen der Antragsteller Rechnung zu tragen. Dabei ist zu berücksichtigen, ob die bisherigen Kontingente jeweils ausgeschöpft wurden. Bei Nichtausschöpfung sind entsprechende Kürzungen in der Neuzuteilung vorzunehmen. Neue Importeure und solche, die ihre Waren aus Entwicklungsländern beziehen, sollen bevorzugt behandelt werden. Ob und in welchem Masse diese Sollvorschriften zur Belebung der Konkurrenz und zur Begünstigung der Nicht–Industriestaaten beitragen, ist schwer zu beurteilen. Sind die Kontingente, so Art. 3:5(k) des Abkommens, nicht einzelnen Lieferländern zugeteilt, steht es den Lizenzinhabern frei, die Einfuhrquellen frei zu wählen.

### 8.1.5 Die Überwachung des Abkommens

Die Kontrolle des Abkommens über Einfuhrlizenzverfahren übt das Komitee für Einfuhrlizenzen (Committee on Import Licensing) aus.[140] Das Komitee informiert gemäss Art. 7 des Abkommens den GATT–Rat so oft wie notwendig, mindestens alle zwei Jahre. 1200

Die Vertragspartner melden dem Ausschuss jede Neueinführung und Änderung ihrer Lizenzverfahren innerhalb von 60 Tagen nach Bekanntgabe. Die Notifizierung hat zu enthalten: die Liste der betroffenen Waren, die staatlichen Auskunfts– und Antragsstellen, die Veröffentlichungsorgane der Verfahren, die Angaben über den Charakter der Lizenzen (automatische oder nichtautomatische Lizenzen), den Zweck und die Zielsetzung der Verfahren und die im Antragsverfahren einzuhaltenden Fristen. Gleichzeitig sind die Vertragsparteien gehalten, jährlich einen Fragebogen über die von ihnen angewandten Lizenzverfahren auszufüllen und dem Ausschuss einzureichen.[141] 1201

Für Konsultationen und die Streitbeilegung gelten die Bestimmungen der Art. XXII und XXIII GATT, ergänzt durch die WTO–Vereinbarung über die Streitschlichtung. 1202

---

140 Das Komitee beschloss seine Verfahrensordnung am 12.10.1995.
141 Bis Mitte 1999 haben insgesamt 60 Vertragspartner (die EU als *ein* Partner gezählt) ihre Lizenz–Gesetzgebung gemäss Art. 1.4(a) und 8.2(b) des Abkommens über Einfuhrlizenzverfahren dem Ausschuss gemeldet. Fragebogen wurden in dieser Zeitspanne von 78 Vertragspartnern eingereicht. Vgl. *WTO* (1997), Annual Report 1997, Genf, Vol. I, S. 113; *WTO* (1998), Annual Report 1998, Special topic: Globalization and trade, Genf, S. 93; *WTO* (1999), Annual Report 1999, Genf, S. 62 (die hier wiedergegebenen Zahlen ergeben sich aus der Addition der in den Jahresberichten aufgeführten Jahreszahlen).

## 8.2 Die längerfristigen Perspektiven

1203    Mit der vereinbarten Beseitigung der Handelskontingente bei Textilien und Bekleidung bis zum Jahr 2005[142] und der Umwandlung von Handelskontingenten in Zollkontingente bei gleichzeitigem Abbau der Zusatzzölle im Agrarhandel[143] wird die Bedeutung der Lizenzen im internationalen Handel stark zurückgehen. Übrig bleiben die Exportlizenzen im Rohstoffhandel, die aber vom vorliegenden Abkommen nicht erfasst werden. Es ist durchaus denkbar, dass das vorliegende Abkommen, falls dessen Inhalt nicht auf die Exportlizenzen ausgeweitet wird, in wenigen Jahren gegenstandslos sein könnte.

---

142 Gemäss Art. 2 des WTO–Textilabkommens.
143 Gemäss Art. 4 und 5 des WTO–Agrarabkommens.

**Sechster Teil**

# Das Allgemeine Abkommen über den Handel mit Dienstleistungen (GATS)

Sechster Teil

1204    Der internationale Dienstleistungshandel (auch unter der Bezeichnung "Handel mit invisibles" bekannt) erreichte in der unmittelbaren Nachkriegszeit etwa 10 Prozent des grenzüberschreitenden Güterhandels. Heute liegt dieser Anteil bei 20 bis 25 Prozent.[1] Die damals geringe Bedeutung des Dienstleistungshandels und die Schwierigkeit seiner statistischen Erfassung mögen erklären, warum in den ersten GATT–Verhandlungen die Dienstleistungen ausgeklammert blieben.[2] Mit der wachsenden Bedeutung des Dienstleistungshandels in den folgenden Jahrzehnten sowie den ersten Verhandlungen über technische Handelshemmnisse und Importlizenzen in der Tokio–Runde stellte sich die Frage nach der Schaffung einer internationalen Dienstleistungsordnung. Die VERTRAGSPARTEIEN des GATT forderten im Jahr 1982 die Mitgliedstaaten auf, ihren Dienstleistungshandel mit Blick auf eine multilaterale Regelung zu analysieren.[3] Im November 1984 beschlossen die VERTRAGSPARTEIEN, die gegenseitige Information über den Dienstleistungshandel auszubauen und die Möglichkeit einer multilateralen Vereinbarung abzuklären.[4] Die Überprüfung der Vorschläge führte zu keinem gemeinsamen Programm.[5] Das zusammengetragene Datenmaterial und die stattgefundenen Vorbesprechungen bildeten aber die Basis der Ministererklärung vom 20. September 1986. Darin werden die Vertragsparteien angehalten, in der lancierten Handelsrunde ein allgemeinverbindliches Dienstleistungsabkommen auszuarbeiten.[6] Die Verhandlungen wurden in der Uruguay–Runde erfolgreich

---

1   Vgl. Rz 1217ff.
2   Das heisst nicht, dass man sich im GATT der Diskriminierung im Dienstleistungshandel nicht bewusst war. Bereits anfangs der fünfziger Jahre wurde die Diskriminierung im Transportversicherungswesen untersucht. Aufgrund der Ergebnisse dieser Studie gelangte der Dienstleistungshandel auf die Traktandenliste der zehnten Session. Vgl. *GATT* (1955), International Trade 1954, Genf, S. 139f.
3   Ministererklärung vom 21.10.1982, veröffentlicht in: *GATT* (1983), BISD 29th S, S. 7ff. und 21f.
4   *GATT* (1985), BISD 31st S, S. 15f.
5   Vgl. *GATT* (1986), BISD 32nd S, S. 70ff.
6   Ministererklärung vom 20.9.1986, veröffentlicht in: *Hummer/Weiss*, S. 280ff. bzw. 289f., Teil II. Vor allem die Vereinigten Staaten zeigten sich an Verhandlungen über den Dienstleistungshandel interessiert. Vgl. Rz 252ff.

abgeschlossen.[7] Das Allgemeine Dienstleistungsabkommens (General Agreement on Trade in Services, GATS) wurde am 15. April 1994 unterzeichnet und trat am 1. Januar 1995 in Kraft.[8]

Mit dem Allgemeinen Dienstleistungsabkommen ist ein institutioneller Rahmen entstanden, in dem sich die Vertragsparteien zu weiteren Verhandlungen verpflichten. Diese Verhandlungen müssen gemäss Art. XIX GATS "spätestens fünf Jahre nach Inkrafttreten des WTO–Übereinkommens [d.h. im Jahr 2000] beginnen und danach regelmässig stattfinden, um schrittweise einen höheren Stand der Liberalisierung zu erreichen". 1205

Die folgenden Abschnitte enthalten zunächst eine begriffliche Abgrenzung der Dienstleistungen und treten anschliessend auf die handelsmässige Bedeutung der grenzüberschreitenden Dienstleistungen ein. Es folgen eine Zusammenfassung des Abkommensinhalts und einige Hinweise auf die spezifischen Merkmale der neuen Vereinbarung. 1206

## 1. Die begriffliche Abgrenzung

Seit jeher gibt es unterschiedliche definitorische Abgrenzungen, was unter Dienstleistungen zu verstehen ist. *Adam Smith* (1723–1780) unterteilte die "Güter" nach dem subjektiven Nutzen der Nachfrager in "produktive" und "unproduktive" wirtschaftliche Aktivitäten. Zu den produktiven Gütern zählte *Adam Smith* alle physischen Erzeugnisse wie Nahrungsmittel, Kleider und Maschinen. Als unproduktiv galt "die Arbeit eines niedrigen Dieners" und "die Arbeit mancher in der Gesellschaft hoch angesehener Personen". Diese Arbeit "ist unproduktiv, hat keinen Wert, schlägt sich in keinem dauerhaften verkäuflichen Gut nieder, das nach getaner Arbeit weiter besteht [...]. Zu dieser Klasse 1207

---

7 Über den Verlauf der Dienstleistungsverhandlungen in der Uruguay–Runde vgl. *Weiss, Friedl* (1995), The General Agreement on Trade in Services, in: Common Market Law Review, Vol. 32, S. 1179ff.; *Croome, John* (1995), Reshaping the World Trading System, Genf, S. 312ff. und 355ff.

8 Der Vertragstext ist veröffentlicht in: *Hummer/Weiss*, S. 1006ff. (deutsche Fassung); *WTO,* The Legal Texts, S. 325ff. (englische Fassung).

von Leuten zählen die Geistlichen, Anwälte, Spieler, Spassmacher, Musiker und Opernsänger"[9].

1208 Auch *Karl Marx* verneinte den ökonomischen Wert der Dienstleistungen. In Anlehnung an den Marxismus nahm die ehemalige UdSSR die Dienstleistungserbringung während Jahrzehnten nicht in die Berechnung des Volkseinkommens auf.[10]

1209 In den westlichen Industriestaaten wird seit dem Zweiten Weltkrieg zwischen physischen Gütern und Dienstleistungen unterschieden. Zu den Dienstleistungen zählen jene Wertmehrungen, die von Personen unmittelbar konsumiert, das heisst – wie merkwürdig das klingt – durch den Konsum zur Wertmehrung werden (z.B. das Gesundheits- und Ausbildungswesen, die Unterhaltung usw.), oder die in Form einer Wertmehrung in die physischen Güter eingehen (z.B. als Transport-, Lager- und Montageleistungen oder als Hightech-Ausrüstung).[11]

1210 Die Uruguay-Runde teilte die unternehmensnahen Dienstleistungen in Anlehnung an die UNO-Produkteklassierung in zwölf Gruppen ein: Bauwesen (Neubauten und Bauunterhalt), Gross- und Detailhandel sowie Gastgewerbe, Transport (See-, Schienen-, Strassen- und Luftverkehr), Kommunikation (Telekommunikation, Radio, Filmwesen), Finanzdienstleistungen (Bankleistungen ohne Versicherungen), Versicherungen, Unternehmensleistungen (Beratung, Miete, Marketing, Immobilienhandel), Vermögensverwaltung, Ausbildung, Gesundheitswesen (Human- und Veterinärmedizin), Freizeitbeschäftigung und kulturelle Dienste sowie Hausdienste.[12]

---

9 *Smith, Adam* (1976), An Inquiry into the Nature and Causes of the Wealth of Nations, Oxford, Vol. I, S. 330f.

10 Vgl. *Krommenacker, Raymond J.* (1984), World-Trade Services: The Challenge for the Eighties, Dedham, S. 4.

11 Eine chronologisch geordnete Darstellung der Autoren und ihrer Definitionen findet sich in: *Krommenacker, Raymond J.* (1984), World-Trade Services: The Challenge for the Eighties, Dedham, S. 3ff.; vgl. auch: *Zweifel, Peter,* Hrsg. (1993), Services in Switzerland, Berlin u.a., S. 2 ff.

12 *GATT* (1989), International Trade 1988/89, Vol. I, Genf, S. 49f. Zur Begriffsbildung vgl. auch *UNCTAD* (1994), Liberalizing International Transactions in Services, A Handbook, New York u.a., S. 1ff.

Bei der Veröffentlichung von statistischen Daten hält sich die WTO mangels   1211
international einheitlicher, vergleichbarer und vollständiger Unterlagen an die
IMF–Einteilung und unterscheidet zwischen drei Arten: Transportleistungen
(unterteilt in Seefracht, Personenflugverkehr und andere Transportleistungen),
Reiseverkehr und andere Dienstleistungen (unterteilt in Versicherungs–,
Bank–, Kommunikations– und andere Leistungen).[13]

Bei der Schaffung einer weltweiten Dienstleistungsordnung nahm die WTO   1212
eine Gliederung der Dienstleistungen nach dem Standortkriterium der
Erbringung und der Nutzung von Diensten vor. Art. I:2 GATS unterscheidet
zwischen vier wirtschaftlich relevanten (und vom Warenhandel abweichenden) Erbringungseigenheiten ("modes of supply") von Dienstleistungen:

1. Erbringung einer Dienstleistung durch eine Person oder eine Unternehmung im Land A für einen Kunden im Land B. Es handelt sich etwa um die
Planungsarbeiten eines Architekten im Land A für einen Bauherrn im Land
B oder um die Durchführung einer Studie im Land A für einen Auftraggeber im Land B ("cross–border supply").

2. Erbringung einer Dienstleistung im Land A bei gleichzeitiger Nutzung
durch einen Dienstleistungsnachfrager aus dem Land B. Darunter fallen
die Leistungen des Tourismus in Form der Nachfrage nach Hotelübernach-
tungen, Mahlzeiten und kulturellen Veranstaltungen im Land A durch
Touristen aus dem Land B ("consumption abroad").

3. Erbringung einer Dienstleistung durch einen Anbieter des Landes A im
Land B über eine kommerzielle Präsenz. Dies ist beispielsweise der Fall
bei Dienstleistungen der im Land B niedergelassenen Agenturen und Filia-
len von Banken und Versicherungen des Landes A ("commercial
presence").

4. Erbringung einer Dienstleistung durch einen Anbieter des Landes A im
Land B über die Präsenz natürlicher Personen im Land B. Zu dieser Gruppe
gehören beispielsweise Buchprüfungs– und Beratungsarbeiten von Per-

---

13  Vgl. *WTO* (1995), International Trade 1995, Genf, S. 28; *IMF* (1993), Balance of
Payments Statistics Yearbook 1993, 2. Teil, Washington, DC, S. 29.

sonen des Landes A, die sich zur Erledigung ihres Auftrags ins Land B begeben ("presence of natural persons").

1213 Gewährt ein Land Handelsfreiheit für eine Dienstleistung im Sinne der Ziffern 1 und 3 der vorangehenden Aufzählung, gilt diese Freiheit nach Art. XVI:1, Fussnote 8, GATS automatisch auch für die damit verbundenen grenzüberschreitenden Kapitaltransfers und Zahlungen.

1214 Das GATS erfasst gemäss Art. I:1 GATS alle den Handel mit Dienstleistungen betreffenden Massnahmen der Mitglieder. Unter den Begriff "Mitglieder" zählt Art. I:3 die zentralen, regionalen und lokalen Regierungen und Behörden sowie die nichtstaatlichen Stellen, die mit der Ausübung öffentlicher Aufgaben betraut sind.

1215 Nicht unter die GATS–Bestimmungen fallen die Leistungen der ausländischen Arbeitskräfte des Landes A, die Zugang zum Arbeitsmarkt des Landes B mit dem Ziel einer ständigen Anstellung suchen.[14]

1216 Vom Allgemeinen Dienstleistungsabkommen ausgeklammert sind zudem, wie später noch ausgeführt wird,[15] die Massnahmen zur Bekämpfung von schwerwiegenden Zahlungsbilanz– und aussenwirtschaftlichen Finanzschwierigkeiten (Art. XII GATS), die Massnahmen im Zusammenhang mit dem öffentlichen Beschaffungswesen (Art. XIII GATS), die Massnahmen zur Wahrung der öffentlichen Sittlichkeit und der öffentlichen Ordnung sowie diejenigen zum Schutz des Lebens und der Gesundheit von Menschen, Tieren und Pflanzen (Art. XIV GATS) und die Massnahmen zur Wahrung der Sicherheit (Art. XIV$^{bis}$ GATS). Das GATS schliesst auch jene Dienstleistungen nicht ein, die in Form einer Wertmehrung in ein physisches Gut eingehen und nicht mehr als 50 Prozent des gesamten Warenwerts darstellen. Diese Werte, wie zum Beispiel warengebundene Versicherungs–, Bank–, Transport– und Lagerleistungen, sind Bestandteil des Güterwerts und unterliegen im internationalen Handel der Welthandelsordnung für Güter, dem GATT.

---

14 Vgl. *Etter, Christian* (1994), Uruguay–Runde/WTO: Das neue Dienstleistungsabkommen GATS, Auswirkungen auf den Personenverkehr, Bern (Vervielfältigung), S. 10.
15 Vgl. Rz 1250.

## 2. Die wirtschaftliche Bedeutung des internationalen Dienstleistungshandels

Die wertmässige Erfassung der grenzüberschreitenden Dienstleistungen ist mit grossen Schwierigkeiten verbunden, weil zum Teil keine oder länderweise unterschiedliche Meldepflichten bestehen oder weil Abgrenzungen zu anderen Zahlungen, wie beispielsweise zu unentgeltlichen Leistungen, fehlen. Zudem bilden die Dienstleistungen oft einen integralen Bestandteil eines Handelsguts und werden als solche statistisch nicht besonders ausgewiesen, zum Beispiel elektronische Schaltungen und Computerprogramme als Teil einer Maschine. Die Statistiken über den Tourismus beruhen auf Schätzungen der Post und der Kreditkartenanstalten, die Transportleistungsstatistiken auf Schätzungen der Post und der Banken sowie die Versicherungs- und Finanzleistungsstatistiken auf Angaben der Versicherungsanstalten und Banken.[16] Das Sekretariat der WTO macht in seinen Veröffentlichungen darauf aufmerksam, dass es sich bei den vorgelegten Daten mangels besserer Grundlagen lediglich um geschätzte Richtgrössen handelt.[17]

1217

Der "reine" internationale Dienstleistungshandel (d.h. der nichtwarengebundene Handel mit Dienstleistungen) betrug im Jahr 1998 rund 1'320 Mrd. US$. Dies entspricht etwa einem Viertel des Warenexportwerts von rund 5'300 Mrd. US$.[18] In den letzten Jahrzehnten hat sich in der Bedeutung der verschiedenen Dienstleistungen ein Strukturwandel abgezeichnet. Der Anteil des Reiseverkehrs am Gesamtwert des grenzüberschreitenden Dienstleistungshandels stieg in den siebziger und achtziger Jahren von gut 20 auf über 30 Pro-

1218

---

16  Über die wertmässige Erfassung der grenzüberschreitenden Dienstleistungen vgl. *Petersen/Franzmeyer/Lahmann/Schultz/Weise* (1993), Die Bedeutung des internationalen Dienstleistungshandels für die Bundesrepublik Deutschland, Beiträge zur Strukturforschung H. 145, Deutsches Institut für Wirtschaftsforschung, Berlin, S. 40ff.

17  "... as such the figures should be viewed as indicating only rough orders of magnitude (this is particularly true as regards the figures for individual sectors)". *WTO* (1995), International Trade 1995, Genf, S. 11.

18  Detaillierte Statistiken finden sich in: *WTO* (1999), Annual Report 1999, International trade statistics, Genf, S. 74ff.; *OECD* (1996), Services: Statistics on International Transactions 1970–1992, Paris.

zent, während der Anteil der Transportleistungen (See-, Schienen-, Strassen- und Luftfracht) in der gleichen Zeitspanne von etwa 40 auf knapp 30 Prozent zurückfiel. Anteilmässig stark abgenommen, nämlich von 14 auf 4 Prozent, hat die Bedeutung der Dienstleistungen der öffentlichen Hand als Folge der Privatisierung von Staatsbetrieben (vor allem im Bereich Schienenverkehr und Telekommunikation). Die restlichen Dienstleistungen entfallen zu einem grossen Teil auf die Finanz- und Versicherungsleistungen. Ihr Anteil stieg von 20 Prozent im Jahr 1970 auf fast 40 Prozent in den neunziger Jahren.[19] Es ist zu vermuten, dass in den nächsten Jahren vor allem die unternehmensnahen Dienstleistungen wie Firmenberatung, Rechtsdienstleistungen, Datenverarbeitung, Marketing, Managementausbildung und Kommunikation weiter an Bedeutung zunehmen werden (bei entsprechenden Anteils-Rückgängen für Transportleistungen und Reiseverkehr).

1219   Auf die Vereinigten Staaten entfallen, wie die Übersicht 37 zeigt, 18.2 Prozent der weltweiten Exporte von Dienstleistungen (letzte verfügbare Zahlen). Die Anteile Grossbritanniens, Frankreichs, Deutschlands, Italiens und Japans liegen zwischen knapp 5 bis 8 Prozent. Die nächst wichtigen Exportländer von Dienstleistungen sind die Niederlande, Spanien und Belgien-Luxemburg mit einem Anteil von 2 bis 4 Prozent. Die Exportanteile der Nicht-Industriestaaten sind bescheiden und betragen in der Regel weniger als 1 Prozent. Auf der Importseite stehen die Vereinigten Staaten, Deutschland und Japan mit 8.5 bis fast 13 Prozent an vorderster Stelle; es folgen Grossbritannien, Frankreich und Italien mit je etwa 5 Prozent. Mit absteigenden Anteilen folgen die Niederlande mit 3.6, Kanada mit 2.7, Belgien-Luxemburg mit 2.6 und Österreich mit 2.3 Prozent. Die Importanteile der Nicht-Industriestaaten sind ebenfalls bescheiden und betragen jeweils weniger als 1 Prozent.

---

19   *WTO* (1999), Annual Report 1999, International trade statistics, Genf, S. 74ff. und 135ff.; vgl. auch *OECD* (1995), Services: Statistics on International Transactions 1970–1992, Paris, S. 28f.

## Übersicht 37: Die wichtigsten Exporteure und Importeure von Dienstleistungen (Welthandelsanteile im Jahr 1998)

| Exporteure | | Importeure | |
|---|---|---|---|
| USA | 18.2 | USA | 12.7 |
| Grossbritannien | 7.6 | Deutschland | 9.6 |
| Frankreich | 6.4 | Japan | 8.5 |
| Deutschland | 6.0 | Grossbritannien | 6.0 |
| Italien | 5.1 | Frankreich | 5.0 |
| Japan | 4.7 | Italien | 4.8 |
| Niederlande | 3.9 | Niederlande | 3.6 |
| Spanien | 3.7 | Kanada | 2.7 |
| Belgien–Luxemburg | 2.7 | Belgien–Luxemburg | 2.6 |
| Hongkong | 2.6 | Österreich | 2.3 |
| Zwischentotal | 60.9 | Zwischentotal | 57.8 |
| Rest | 39.1 | Rest | 42.2 |
| Total | 100.0 | Total | 100.0 |
| In Mrd. US$ | 1'320.0 | In Mrd. US$ | 1305.0 |

Quelle: *WTO* (1999), Annual Report 1999, International trade statistics, Genf, S. 5.

## 3. Der Abkommensinhalt

Die WTO–Dienstleistungsordnung enthält vier Bereiche: (1) das Allgemeine Dienstleistungsabkommen (GATS), (2) die dem GATS beigefügten Anhänge, (3) die Listen mit den nationalen Zugeständnissen und Ausnahmen sowie (4) die Ministerbeschlüsse und Protokolle, welche die Überprüfung des Abkommens, die Fortführung der Verhandlungen, das Streitschlichtungsverfahren und die Umweltschutzfragen behandeln.

Sechster Teil

## 3.1 Die Zielsetzung

1221   Das in den ersten beiden Absätzen der Präambel vorgegebene Ziel des Abkommens ist die Schaffung eines multilateralen Regelwerks für den internationalen Dienstleistungshandel, um auf diese Weise die Transparenz in der Aussenhandelspolitik, die Liberalisierung des Handels und das Wirtschaftswachstum zu fördern sowie die Entwicklung der Drittweltländer zu unterstützen. Diese Vorgabe stimmt mit jener der WTO–Akte überein, deren Präambel von der "Ausweitung der Produktion und des Handels mit Waren und Dienstleistungen" spricht.

1222   Der dritte Abschnitt der Präambel enthält unbestimmte und zum Teil fragwürdige Formulierungen. So verlangt das Abkommen Verhandlungen auf einer "gegenseitig nutzbringenden Basis" ("mutually advantageous basis") im Sinne von Art. XXVIII$^{bis}$ GATT. Anschliessend wird von gleichwertigen und ausgeglichenen Zugeständnissen gesprochen, ohne das von Land zu Land unterschiedliche Schutzniveau in Frage zu stellen. Im Gegensatz dazu fordert der nachfolgende Satz einen "gesamthaften Ausgleich von Rechten und Pflichten" ("overall balance of rights and obligations"), was der US–amerikanischen Forderung nach einem "fairen" Handel und einer Strategie der gegenseitig gleichen Marktzutrittsbedingungen entgegenkommt.[20]

1223   Absatz vier der Präambel räumt den Vertragspartnern das Recht ein, die Dienstleistungsordnung ihrer Hoheitsgebiete nach eigenem Ermessen zu regeln. Dieses Zugeständnis erlaubt den Vertragspartnern, einzelne Dienstleistungsbereiche weiterhin gegen die Auslandkonkurrenz schützen zu dürfen (vgl. den Verzicht der EU auf die Regelung der audiovisuellen Dienstleistungen und das Beharren der Drittweltländer auf dem Schutz der staatseigenen Unternehmen). Ohne dieses Zugeständnis hätten mehrere Staaten der Durchführung der Uruguay–Runde und dem Abschluss des Dienstleistungsabkommens nicht zugestimmt.[21]

---

20   In Anlehnung an Section 301 des US–Handelsgesetzes von 1974, revidiert und verschärft 1984 und 1988. Vgl. Rz 461ff.
21   Vgl. *GATT* (1986), FOCUS, Newsletter Nr. 39, Genf, S. 3; *GATT* (1986), FOCUS, Newsletter Nr. 41, Genf, S. 5.

## 3.2 Die allgemeinen Rechte und Pflichten

Die allgemeinen Rechte und Pflichten sind Gegenstand des Teils II des Dienstleistungsabkommens. Sie beziehen sich auf das Prinzips der Meistbegünstigung, die Schaffung von Transparenz, die Bevorzugung der Nicht-Industriestaaten, das Recht auf den Abschluss von Integrationsabkommen, die innerstaatliche Rechtsanpassung, die Anerkennung ausländischer Qualifikationsanforderungen, die Aufnahme gegenseitiger Konsultationen und das Ergreifen von Schutzmassnahmen.

### 3.2.1 Das Meistbegünstigungsprinzip

Art. II:1 GATS verpflichtet die Vertragspartner, Dienstleistungen und Dienstleistungserbringer aus einem Vertragspartnerland nicht ungünstiger zu behandeln als gleiche Dienstleistungen und Dienstleistungserbringer aus dem Markt eines anderen Handelspartners. Die Gleichbehandlung ist unverzüglich und bedingungslos zu gewähren. Das Prinzip der Meistbegünstigung wird in den Art. VII:3, VIII, X, XII:1, XIV, XV, XVI und XXI GATS sowie im Anhang zur Telekommunikation wörtlich wiederholt oder sinngemäss umschrieben.

Bei der grossen Heterogenität der Dienstleistungen, dem stark unterschiedlichen Entwicklungsstand der einzelnen Vertragspartner und der von Markt zu Markt verschiedenen Regulierungen des Dienstleistungshandels wäre es unmöglich gewesen, sich in der Uruguay-Runde auf einen Vertragstext mit für alle Beteiligten einheitlichen Meistbegünstigungsrechten und -pflichten zu einigen. Ausnahmen mussten zugestanden werden, um nicht den Verhandlungserfolg zu gefährden.[22] Diese Ausnahmen finden sich in den sogenannten allgemeinen Ausnahmen, den landesspezifischen Befreiungen, den "Waivers" und den Vorbehalten gegenüber den neu beitretenden Vertragspartnern.

---

22 *Wang, Yi* (1996), Most-Favoured-Nation Treatment under the General Agreement on Trade in Services – And its Application in Financial Services, in: Journal of World Trade, Vol. 30, Nr. 1, S. 99.

*Allgemeine Ausnahmen*

1227 Die allgemeinen mfn–Ausnahmen können alle Vertragspartner geltend machen, teils mit Erlaubnisvorbehalt, teils mit der Verpflichtung der Notifizierung und teils selbstausführend. Unter die allgemeinen Ausnahmen fallen folgende Bereiche:

- Im grenznahen Verkehr beziehungsweise sogenannten "kleinen Grenzverkehr" ist gemäss Art. II:3 GATS jedes Land frei, den angrenzenden Regionen Vorteile zur Erleichterung des Austauschs von örtlich erbrachten und genutzten Dienstleistungen zu gewähren.

- Analog zu Art. XXIV GATT nimmt Art. V GATS die wirtschaftliche Integration von der mfn–Verpflichtung aus. Das GATS erlaubt den Vertragspartnern, unter bestimmten, noch zu erläuternden Voraussetzungen, Freihandelsräume für den Dienstleistungshandel zu schaffen.[23]

- Trotz Meistbegünstigungspflicht können die Vertragspartner nach Art. V$^{bis}$ GATS unter bestimmten Bedingungen, die ebenfalls noch aufzuzeigen sein werden,[24] mit anderen Staaten eine volle Integration des Arbeitsmarkts vereinbaren.

- Keine Anwendung findet das Prinzip der Meistbegünstigung bei Einkäufen des Staats von Dienstleistungen zum Eigengebrauch. Diese Ausnahme wird aber durch das Abkommen über die öffentliche Beschaffung für viele Staaten, vor allem die Industriestaaten, aufgehoben.[25] Nach Art. XIII:2 GATS hat die Arbeitsgruppe "GATS–Rules" in den zwei Jahren nach Inkrafttreten des Vertrags über den Einbezug der öffentlichen Dienste und die Anwendung des mfn–Prinzips im öffentlichen Dienstleistungsbereich zu verhandeln.[26]

- Die allgemeinen Ausnahmen des Art. XIV GATS und die sicherheitspolitischen Ausnahmen des Art. XIV$^{bis}$ GATS entsprechen formell und materiell

---

23 Vgl. Rz 1240.
24 Vgl. Rz 1245ff.
25 Vgl. Rz 1251.
26 Die Arbeitsgruppe "GATS – Rules" hat bis heute (Ende 1999) noch keine Verhandlungsergebnisse vorgelegt.

den Ausnahmebestimmungen der Art. XX und XXI GATT. Keine GATS–Bestimmungen dürfen in einer Weise ausgelegt werden, dass sie eine Vertragspartei daran hindern, Massnahmen zu beschliessen oder durchzuführen, die dem Schutz des Lebens und der Gesundheit von Menschen, Tieren und Pflanzen, der Einhaltung von nationalen Gesetzen und Vorschriften (die nicht im Widerspruch zum Dienstleistungsabkommen stehen) oder dem Schutz der nationalen Sicherheit dienen.[27]

– Jeder Vertragspartner hat nach Art. XXI GATS das Recht, seine Zugeständnisse drei Jahre nach Inkrafttreten der Verpflichtung zu ändern oder zurückzunehmen. Mit den dadurch benachteiligten Handelspartnern sind Kompensationsverhandlungen aufzunehmen. Sind die Verhandlungsergebnisse nicht zufriedenstellend, ist eine Streitschlichtung einzuleiten. Folgt das Land, das die Zugeständnisse geändert hat, den Schlussfolgerungen der Streitschlichtung nicht, steht dem betroffenen Land das Recht auf Gegenmassnahmen zu, die selektiv, ohne Rücksicht auf das mfn–Prinzip über das den Schaden verursachende Land verhängt werden dürfen.

*Länderspezifische Ausnahmen*

Neben den allgemeinen mfn–Ausnahmen haben nach Art. II:2 GATS und dem auf dieser Rechtsgrundlage beruhenden Anhang die einzelnen Partner das Recht, weitere Massnahmen von der Meistbegünstigungspflicht auszunehmen. Als Voraussetzung gilt freilich, dass entsprechende Ausnahmelisten vor dem Inkrafttreten des Abkommens beim GATS–Rat hinterlegt worden sind. Insgesamt unterbreiteten 61 WTO–Mitglieder solche Listen.[28] Der Beitrittsartikel XII der WTO–Vereinbarung enthält keine Bestimmungen darüber, 1228

---

27 Es ist bemerkenswert, dass es in den Uruguay–Verhandlungen trotz der Anträge mehrerer Länder (z.B. Deutschlands, der Niederlande und Schwedens) nicht gelungen ist, den Umweltschutz als eigener Verweis in das Abkommen aufzunehmen. Der Umweltschutz scheint daher nicht in den vorhandenen Ausnahmebestimmungen enthalten zu sein, es sei denn, Art. XIV GATS werde im Sinne des Art. XX GATT angewandt. Vgl. Rz 674ff.

28 *Wang, Yi* (1996), Most–Favoured–Nation Treatment under the General Agreement on Trade in Services – And its Application in Financial Services, in: Journal of World Trade, Vol. 30, Nr. 1, S. 102.

Sechster Teil

ob später beitretende Vertragspartner ebenfalls Ausnahmelisten erstellen dürfen oder nicht. Da jedoch das WTO-Vertragswerk bei Rechten und Pflichten nicht zwischen Gründerstaaten und neuen Mitgliedern unterscheidet, ist anzunehmen, dass neu beitretenden Partnern das Recht auf die Erstellung individueller Ausnahmelisten ebenfalls zusteht.[29]

1229 Die in der Ausnahmeliste aufgeführten Massnahmen können nachträglich eingeschränkt, aber nicht ausgeweitet werden. Grundsätzlich sind die Ausnahmeregelungen nicht über zehn Jahre gültig, es sei denn, sie wurden als "unlimited" angemeldet. Dies war in der Tat oft der Fall. Ausnahmen mit einer Laufzeit von über fünf Jahren sind vom GATS-Rat periodisch auf ihre Rechtfertigung hin zu untersuchen. Die erste Überprüfung findet im Jahr 2000 statt.

1230 Die Listenausnahmen der EU betreffen die audiovisuellen Dienstleistungen (Produktion und Verbreitung audiovisueller Werke durch Sendung oder andere Formen der Übertragung an die Öffentlichkeit, Fernseh- und Rundfunkdienste), den Strassenverkehr (Personen und Fracht), die computergesteuerten Buchungssysteme (Verkauf von Luftverkehrsdienstleistungen), den Transport auf Binnenwasserstrassen, das Verlagswesen, die Nachrichtenagenturdienste, die Presseagenturdienste, die Direktversicherung mit Ausnahme der Lebensversicherung, die Finanzdienstleistungen sowie alle Aktivitäten im Bau-, Hotel- und Gaststättensektor.[30]

1231 Die Schweiz hat sich in folgenden Bereichen Ausnahmen vorbehalten: Fremdarbeiterrecht (Erteilung von Arbeitsbewilligungen), audiovisuelle Dienste (Erteilung von Konzessionen für den Betrieb von Fernsehen und Rundfunk), Banken- und Finanzdienstleistungen (Erteilung einer Zulassungsbewilligung aufgrund der erga omnes-Klausel) sowie Transportdienste (Personen- und Gütertransport auf Strasse und Schiene).[31]

---

29 *Wang, Yi* (1996), Most-Favoured-Nation Treatment under the General Agreement on Trade in Services – And its Application in Financial Services, in: Journal of World Trade, Vol. 30, Nr. 1, S. 103.

30 Vgl. die EU-Ausnahmeliste zu Art. II GATS, in: *Deutscher Bundestag – 12. Wahlperiode* (1994), Drucksache 12/7655 (neu), Bonn, S. 292ff.

31 *GATS* (1994), Switzerland, Final List of Article II (MFN) Exemptions, GATS/EL/83, April.

## Ausnahmen in Form von "Waivers"

Unter aussergewöhnlichen Umständen erlaubt das GATS auch Ausnahmen 1232 über einen "Waiver". Art. IX der WTO-Vereinbarung hält fest, dass ein Mitglied im Notfall von einer Verpflichtung aus der WTO-Vereinbarung oder einem multilateralen Handelsabkommen entbunden werden kann. Das antragstellende WTO-Mitglied muss dem GATS-Rat eine begründete Eingabe unterbreiten. Dieser erstellt innert einer Frist von höchstens 90 Tagen einen entsprechenden Bericht zuhanden des Ministerrats, der im Notfall mit drei Viertel der abgegebenen Stimmen entscheidet (das ursprüngliche GATT sah für die Gewährung eines "Waivers" die Zweidrittelmehrheit vor). Der Beschluss über die Aussetzung einer Verpflichtung, "für die ein Übergangszeitraum oder ein Zeitraum für eine stufenweise Durchführung gilt und die das antragstellende Mitglied zum Ende des massgebenden Zeitraums nicht eingehalten hat, wird nur durch Konsens gefasst"[32]. Der Entscheid des Ministerrats muss die ausserordentlichen Umstände, die allfälligen Bedingungen, unter denen der "Waiver" gewährt wird, und das Ablaufdatum der Ausnahmegenehmigung festhalten. Ausnahmen mit einer Laufzeit von über einem Jahr sind bis zur Aufhebung jährlich auf ihre weitere Berechtigung zu überprüfen. Die Erhöhung der Abstimmungshürde für "Waivers" von seinerzeit zwei Drittel auf drei Viertel der abgegebenen Stimmen der Ministerkonferenz, das Erfordernis des Konsens für die Verlängerung von Ausnahme-Zeiträumen und die Pflicht der ständigen Rechtfertigung der bewilligten Ausnahmen verdeutlichen die dem GATS zugrunde gelegte Absicht, die Beibehaltung und Neugewährung von mfn-Ausnahmen zu erschweren und das Prinzip der Meistbegünstigung zu stärken. Von der Waiver-Möglichkeit wurde bis anhin im GATS kein Gebrauch gemacht.

## Nichtanwendung von GATS-Bestimmungen

Schliesslich hat ein GATS-Partner nach Art. XIII der WTO-Vereinbarung 1233 das Recht, gegenüber einem neu beitretenden Vertragspartner die Anerken-

---

32  Art. IX:3, Anm. 4 der WTO-Vereinbarung. Die in den verschiedenen WTO-Verträgen erwähnten Abstimmungsmehrheiten wurden bis heute nicht praktiziert.

nung von GATS-Bestimmungen zu verweigern. Diese Nichtanerkennung muss der Ministerkonferenz vor der Beitrittsgenehmigung notifiziert werden. Gegenüber bisherigen GATT-Partnern gilt eine solche Ausnahme nur, wenn sie vor der Uruguay-Runde aufgrund von Art. XXXV GATT bereits bestanden hat. Die Ministerkonferenz kann die Wirkung dieser Ausnahme auf Antrag eines Mitgliedlands überprüfen und entsprechende Empfehlungen ausarbeiten. Die Nichtanwendung von GATS-Bestimmungen zwischen einzelnen Vertragspartnerstaaten gründet – analog zu Art. XXXV GATT – auf der Überlegung, dass bei einem Entscheid über den Beitritt eines Staats oder eines autonomen Zollgebiets mit Zweidrittelmehrheit die überstimmten Vertragsstaaten nicht zur Einhaltung von Vertragsinhalten gezwungen werden, über die sie nicht verhandelt oder denen sie nicht zugestimmt haben.[33]

### 3.2.2 Die Gewährung von Transparenz

1234　Das Dienstleistungsabkommen verlangt in Art. III GATS von den Signatarstaaten, alle Rechtsvorschriften und getroffenen Massnahmen im Geltungsbereich des Abkommens spätestens bei ihrem Inkrafttreten zu veröffentlichen oder anderweitig bekannt zu machen. Ausgenommen von der Veröffentlichungspflicht sind nach Art. III$^{bis}$ GATS vertrauliche Informationen, deren Bekanntgabe die Durchsetzung von Gesetzen behindert, dem öffentlichen Interesse widerspricht oder die berechtigten kommerziellen Interessen öffentlicher oder privater Unternehmen schädigt.

1235　Jeder Vertragspartner hat dem GATS-Rat jährlich über die Einführung neuer oder die Änderung bisheriger Rechtsgrundlagen des Dienstleistungshandels Bericht zu erstatten.

1236　Zwischen den Vertragspartnern besteht Auskunftspflicht. Die einzelnen Länder haben im Verlauf der ersten zwei Jahre nach Inkrafttreten der WTO Informationsstellen zugunsten der anderen Vertragsparteien einzurichten. Die Transparenzpflicht richtet sich kaum an die Industriestaaten, in denen die Veröffentlichung der Rechtserlasse eine Selbstverständlichkeit ist, sondern an

---

[33] Vgl. das Entstehen von Art. XXXV GATT in: *GATT* (1994), Analytical Index, Genf, S. 955ff.

wirtschaftlich schwächere Staaten, die oft ihre Gesetze und Grenzabfertigungsvorschriften aus "Spargründen" nicht veröffentlichen.

### 3.2.3 Die Begünstigung der Entwicklungsländer

Die Präambel des Dienstleistungsabkommens enthält die Absichtserklärung, die Entwicklungsländer vermehrt am grenzüberschreitenden Dienstleistungshandel zu beteiligen. Ihr Dienstleistungspotenzial soll über die Ausweitung ihrer Kapazität sowie über die Verbesserung ihrer Wettbewerbsfähigkeit ausgebaut werden. Das GATS sieht für die Drittweltstaaten – im Gegensatz zu Teil IV des GATT – kein "special and differential treatment" vor. Das Ziel des GATS ist nach Art. IV allein der vermehrte Einbezug und die zunehmende Beteiligung dieser Länder am weltweiten Dienstleistungshandel. 1237

Die Verbesserung der Marktsituation der Drittweltländer soll über eine weitere Öffnung und Liberalisierung der Märkte der Industriestaaten erfolgen. Drei Förderungsbereiche stehen im Vordergrund: 1238

1. Die Stärkung der inländischen Dienstleistungswirtschaft in den armen Ländern durch den erleichterten Zugang zur Technologie der Industriestaaten.

2. Die Verbesserung der Absatzwege für Dienstleistungen aus den wirtschaftlich schwächeren Staaten in die wohlhabenderen Länder.

3. Die Öffnung der Dienstleistungsmärkte der Industriestaaten für die Exporte der Entwicklungsländer. Der Vertrag fordert die Industriestaaten auf, diesbezügliche Abmachungen mit den wirtschaftlich schwächeren Handelspartnern zu vereinbaren.

Das GATS verpflichtet die Industriestaaten, innert zweier Jahre nach dem Inkrafttreten des WTO–Vertragswerks Informations– und Kontaktstellen für die Dienstleistungsanbieter aus den Entwicklungsländern zu schaffen. In den Aufgabenbereich dieser Stellen fallen die Analyse von möglichen Absatzmärkten für Dienstleistungen, die Förderung der beruflichen Qualifikation und deren Anerkennung sowie die Verbesserung der Technologie in der Dritten 1239

Welt.³⁴ Die eigentliche Begünstigung der wirtschaftlich schwächeren Staaten besteht im GATS darin, dass diesen Ländern die Möglichkeit eingeräumt wird, ihre Meistbegünstigungs– und Inlandgleichbehandlungsverpflichtung nach eigenem Gutdünken zu handhaben. Sie sind berechtigt, Teile ihres Dienstleistungshandels von der mfn–Pflicht auszunehmen und das Inländerprinzip auf ausgewählte Wirtschaftsbereiche zu beschränken. Wie die späteren Ausführungen zeigen werden, haben die Drittweltländer dieses Recht beansprucht und viele Dienstleistungen von der mfn–Pflicht ausgenommen und nur wenige Dienste dem Inländerprinzip unterstellt.³⁵

### 3.2.4 Das Recht auf Integration

1240   Im Zusammenhang mit der Meistbegünstigung wurde darauf hingewiesen, dass die GATS–Partner bei der Schaffung von zwischenstaatlichen Integrationsräume für den Dienstleistungshandel und den Arbeitsmarkt vom mfn–Prinzip abweichen dürfen.³⁶ Die Bildung gemeinsamer Markträume setzt – analog zu Art. XXIV GATT – folgende Bedingungen voraus: (1) Die Integrationsräume dürfen sich nach Art. V:1(a) GATS nicht auf einzelne Dienstleistungen oder Dienstleistungserbringer beschränken, sondern haben annähernd den gesamten Handel (in Bezug auf die Dienstleistungsbereiche, das Handelsvolumen und die Angebotsarten) zu erfassen. Auf eine Quantifizierung dessen, was "annähernd gesamter Handel" bedeutet, wird verzichtet.³⁷ (2) Nach Art. V:1(b) GATS sind die zwischen den Integrationspartnern bestehenden diskriminierenden Massnahmen zu beseitigen. Die Einführung neuer oder stärker diskriminierender Vorschriften ist untersagt. Das Dienstleistungsabkommen weist jedoch in Art. XI, XII, XIV und XIV^bis GATS darauf hin, dass aus Zahlungsbilanzgründen, zum Schutz der öffentlichen Ordnung, des Lebens und der Gesundheit von Menschen, Tieren und Pflanzen

---

34   Über die Stellung der Entwicklungsländer in der WTO vgl. Rz 571ff.
35   Vgl. Rz 1259ff.
36   Vgl. Rz 1227.
37   Über die in der GATT–Geschichte vorgebrachten Argumente für und wider die Bestimmung "substantially all the trade" in Art. XXIV:8(a) GATT, vgl. *Senti, Richard* (1994), Die Integration als Gefahr für das GATT, in: Aussenwirtschaft, 49. Jg., H. I, S. 145.

sowie aus sicherheitspolitischen Erwägungen ein Abweichen vom Verbot der Diskriminierung zulässig ist. (3) Besteht der Integrationsraum teilweise oder ausschliesslich aus Entwicklungsländern, räumt Art. V:3 GATS gewisse Erleichterungen ein. Der Geltungsbereich der Integration sowie die Abschaffung und Einführung von diskriminierenden Massnahmen sind "im Einklang mit dem Entwicklungsstand" der an der Integration beteiligten Länder "flexibler" anzuwenden. (4) Die Bildung des Integrationsraums darf nach Art. V:4 GATS für die übrigen Mitgliedstaaten der WTO nicht mit insgesamt höheren (im Vergleich zur Zeit vor der Integration) Handelshemmnissen verbunden sein. (5) Bei einer Veränderung von Listenzugeständnissen sind unter Einhaltung der vorgegebenen Verfahrensvorschriften entsprechende Verhandlungen mit den betroffenen Partnern aufzunehmen. Diese Vorschrift findet sich in Art. V:5 und Art. XXI GATS. (6) Den im Integrationsraum niedergelassenen juristischen Personen aus WTO–Mitgliedländern, die dem Integrationsraum nicht angehören, sind nach Art. V:6 GATS die gleichen Rechte zu gewähren wie den Firmen der Integrationspartner, sofern sie im Hoheitsgebiet der Vertragsparteien in "erheblichem Umfang Geschäfte" tätigen. Über das Mass des "erheblichen Umfangs" schweigt die Vereinbarung. (7) Die Schaffung und die Änderung von Integrationsräumen sind nach Art. V:7 GATS dem Dienstleistungsrat zu melden. (8) Nach Art. V:8 GATS hat ein Partner eines Integrationsabkommens keinen Anspruch "auf Ausgleich von Handelsvorteilen, die einem anderen Mitglied aus einer solchen Übereinkunft erwachsen". (9) Die Beteiligung einer Vertragspartei an einer Übereinkunft über die Bildung eines gemeinsamen Arbeitsmarkts setzt nach Art. V$^{bis}$ GATS voraus, dass die Vereinbarung die Staatsangehörigen der Vertragsparteien von der Pflicht zur Beschaffung von Aufenthalts– und Arbeitserlaubnissen freistellt. Die diesbezüglichen Abmachungen sind dem Dienstleistungsrat zu melden.

### 3.2.5 Die innerstaatliche Regelung

In jenen Dienstleistungsbereichen, in denen die Vertragsparteien spezifische Verpflichtungen eingegangen sind, haben sie nach Art. VI GATS dafür zu sorgen, dass die allgemein geltenden Massnahmen im Dienstleistungshandel "angemessen, objektiv und unparteiisch" angewendet werden. Art. VI GATS kommt eine besondere Bedeutung zu: Einerseits garantiert er das in der

1241

Präambel des Abkommens den Vertragspartnern zugestandene Recht, den Dienstleistungsbereich zur Erreichung der nationalen politischen Zielsetzungen zu regulieren, und andererseits hält er am Liberalisierungsziel des Dienstleistungshandels fest. Es ist zu vermuten, dass dieser Zielkonflikt zu künftigen Auseinandersetzungen zwischen den Vertragspartnern führen wird.[38]

1242　Jeder Vertragspartner hat unabhängige Beschwerdestellen einzurichten und entsprechende Beschwerde- und Rekursverfahren auszuarbeiten, um den Dienstleistungserbringern den Rechtsweg zu ermöglichen. Die neu zu schaffenden Rechtsstellen und Verwaltungsverfahren sind auf das nationale Recht abzustimmen.

1243　Ist für die Erbringung einer Dienstleistung eine Genehmigung erforderlich, müssen die staatlichen Stellen den Dienstleistungserbringer über Antragstellung und Verfahren informieren. Das GATS schreibt vor, dass die Partnerstaaten solche Anträge "innerhalb einer angemessenen Frist" behandeln und beantworten.

1244　Die Ziffern 4, 5 und 6 des Art. VI GATS fordern die Vertragsparteien auf, die Vorschriften über die Qualifikationserfordernisse, die technischen Normen, das Prüfverfahren und die Erteilung von Lizenzen nicht unnötig in einer Weise zu Handelshemmnissen ausarten zu lassen, welche die eingeräumten Zugeständnisse schmälern oder zunichte machen. Die Vorschriften sollen auf "objektiven und durchschaubaren Kriterien" beruhen, "nicht belastender als nötig" sein und im Falle von Lizenzverfahren die Erbringung der Dienstleistungen als solche nicht einschränken. Die Ausarbeitung der Bestimmungen über die Anerkennung von Qualifikationserfordernissen obliegt dem GATS-Rat und einer von ihm allenfalls eingesetzten Arbeitsgruppe.[39]

---

38　*Dietrich Barth* sagt in Bezug auf Art. VI GATS: "Das ist in einer Nussschale der inhärente Zielkonflikt des GATS. Über die Abgrenzung im konkreten Fall wird es sicher Auseinandersetzungen geben. Streitschlichtungsverfahren werden die 'Balance' der widersprüchlichen Zielvorstellungen herbeiführen müssen". Mündliche Stellungnahme von *Dietrich Barth* zu Art. VI GATS, Mai 1997.

39　Vgl. die Darstellung der Arbeitsprogramme in Rz 1254ff.

## 3.2.6 Die Anerkennung von ausländischen Qualifikationserfordernissen

Bei der Anerkennung der Ausbildung und der Berufserfahrung ausländischer Dienstleistungserbringer gilt nach Art. VII GATS die bedingte Meistbegünstigung. Es steht einem Vertragspartner frei, die in einem anderen Land durchlaufene Ausbildung und erworbene Berufserfahrung anzuerkennen, ohne dieses Zugeständnis unverzüglich und bedingungslos auf alle anderen Vertragspartner auszuweiten. Art. VII:2 GATS will lediglich, dass ein Land, das solche Vereinbarungen und Absprachen pflegt, den übrigen GATS–Partnern die Möglichkeit bietet, "über den Beitritt zu einem solchen Abkommen oder einer solchen Vereinbarung zu verhandeln oder ähnliche auszuhandeln". Ein Vertragspartner, dessen Anerkennung einer ausländischen Ausbildung und Berufserfahrung auf einem autonomen Entscheid beruht, muss jedem anderen WTO–Mitglied die Möglichkeit geben, den Beweis zu erbringen, dass die in seinem Land besuchten Schulen und gewonnenen Berufserfahrungen denjenigen des anderen Staats entsprechen und deshalb anzuerkennen sind. 1245

Auch wenn das Dienstleistungsabkommen bloss Empfehlungen ausspricht, sein Hauptanliegen ist die Anerkennung der Qualifikationserfordernisse der Dienstleistungserbringer auf eine Art und Weise, dass keine Diskriminierung zwischen den GATS–Mitgliedern und keine versteckte Behinderung des grenzüberschreitenden Dienstleistungshandels entsteht. In diesem Sinne verlangt das GATS von den Vertragspartnern, den GATS–Rat innerhalb eines Jahres nach dem Inkrafttreten des WTO–Vertragswerks über bestehende Anerkennungsvereinbarungen zu informieren. Auch Änderungen und Neuverhandlungen von Vereinbarungen sind zu melden, um anderen WTO–Mitgliedern die Wahrung ihrer Interessen zu garantieren. 1246

Der GATS–Vertragstext verdeutlicht, dass die gegenseitige Anerkennung von Qualifikationen stets ein heikles Thema ist und die Vertragspartner bei der Anerkennung der ausländischen Ausbildung und Berufserfahrung Zurückhaltung üben. Art. VII:5 GATS schliesst daher mit der Aufforderung, die Anerkennung "soweit wie möglich auf multilateral vereinbarte Kriterien" abzustützen. Zudem sei "in geeigneten Fällen mit entsprechenden zwischenstaatlichen und nichtstaatlichen Organisationen" zusammenzuarbeiten, "um 1247 gemeinsame internationale Normen und Kriterien für die Anerkennung sowie gemeinsame internationale Normen für die Ausübung der entsprechenden gewerblichen Tätigkeiten und Berufe im Dienstleistungsbereich auszuarbeiten und anzunehmen". Als erstes berät die GATS–Arbeitsgruppe "Professional Services" Richtlinien zur gegenseitigen Anerkennung von Wirtschaftsprüfer– und Buchprüfer–Diplomen.[40]

### 3.2.7 Die Stellung der Monopole

1248   Unter die allgemeinen Rechte und Pflichten der GATS–Partner fallen nach Art. VIII und IX GATS auch die Wettbewerbsbestimmungen über die Monopole und die monopolistischen Geschäftspraktiken der Dienstleistungserbringer. Ein Monopolverbot, das von einzelnen Verhandlungsdelegationen immer wieder gefordert wurde, war in der Uruguay–Runde nicht durchzusetzen, obwohl das Monopol anerkanntermassen den Marktzugang am wirksamsten verhindern kann. Die GATS–Vertragspartner haben dafür zu sorgen, dass die Dienstleistungserbringer mit Monopolstellung ihre Marktmacht nicht missbrauchen und nicht Geschäftspraktiken anwenden, die der Meistbegünstigung widersprechen. Wird ein Marktmachtmissbrauch vermutet, kann der Dienstleistungsrat einen Vertragspartner zur Offenlegung der entsprechenden Daten und Praktiken auffordern mit dem Ziel, die angeblichen Wettbewerbsbehinderungen über Konsultationen und Verhandlungen zu beseitigen. Verleiht ein Staat einem Dienstleistungserbringer seines Hoheitsgebiets Monopolrechte, ist der GATS–Rat drei Monate vor Gewährung dieser Rechte zu informieren.

### 3.2.8 Die Ausnahmebestimmungen

1249   Der Abkommensteil über die allgemeinen Rechte und Pflichten enthält grundsätzlich vier Bereiche von Ausnahmen: (1) die Ausnahmen zum Schutz

---

40   Über die Tätigkeiten der Arbeitsgruppe "Professional Services" orientiert der WTO–Jahresbericht. Vgl. z.B. *WTO* (1998), Annual Report 1998, Special topic: Globalization and trade, Genf, S. 101; *WTO* (1999), Annual Report 1999, Genf, S. 71.

## Das Dienstleistungsabkommen

der Zahlungsbilanz (Art. XII GATS), (2) die Ausnahmen zugunsten der öffentlichen Beschaffung (Art. XIII GATS), (3) die allgemeinen Ausnahmen (Art. XIV GATS) und (4) die Ausnahmen zur Wahrung der Sicherheit (Art. XIV$^{bis}$ GATS).

Art. XII:1 GATS erlaubt den Vertragspartnern, "bei bestehenden oder 1250 drohenden schwerwiegenden Zahlungsbilanzschwierigkeiten oder aussenwirtschaftlichen Finanzschwierigkeiten" Massnahmen zur Einschränkung des Handels mit Dienstleistungen einzuführen oder beizubehalten. Für die Entwicklungsländer erstreckt sich diese Ermächtigung auch auf Massnahmen zur Äufnung von Währungsreserven, die zur Durchführung von Entwicklungs- und Übergangsprogrammen notwendig sind. Die Massnahmen sind so zu wählen, dass sie zwischen den Vertragspartnern nicht diskriminierend wirken, mit den Bestimmungen des Internationalen Währungsfonds kompatibel sind, den Handelsinteressen der anderen Vertragspartner nicht zuwiderlaufen sowie notwendig und zeitlich begrenzt sind. Ein Partner, der diese Ausnahmen anruft, hat den Ausschuss für Zahlungsbilanzbeschränkungen zu konsultieren und die getroffenen Massnahmen dem Allgemeinen Rat mitzuteilen.

Art. XIII GATS enthält die Ausnahmeregelung zugunsten der öffentlichen 1251 Beschaffung von Dienstleistungen. Aufgrund dieser Rechtsbestimmung ist die Beschaffung von Dienstleistungen für staatliche Zwecke – im Gegensatz zu Dienstleistungen für die kommerzielle Weiterverarbeitung oder für eine kommerzielle Nutzung – nicht an die Pflichten der Meistbegünstigung (Art. II GATS) und des Inländerprinzips (Art. XVI und XVII GATS) gebunden. Diese Ausnahme ist jedoch für die meisten Industriestaaten und für einige Drittweltländer[41] nicht relevant, weil Art. III des Abkommens über die öffentliche Beschaffung seine Signatarstaaten auf die Prinzipien der Meistbegünstigung und der Inlandgleichbehandlung verpflichtet.[42]

Die in Art. XIV GATS aufgeführten allgemeinen Ausnahmen entsprechen 1252 den in Art. XX GATT erwähnten Ausnahmen. Eine Massnahme darf ergriffen werden (1) zur Aufrechterhaltung der öffentlichen Moral und der öffentlichen

---

41 Die Liste der betroffenen Länder findet sich in Rz 1442.
42 Vgl. Rz 1448.

Ordnung, (2) zum Schutz des Lebens und der Gesundheit von Menschen, Tieren und Pflanzen sowie (3) zur Einhaltung von nationalen gesetzlichen Vorschriften, die dem Dienstleistungsabkommen nicht widersprechen. Als Voraussetzung gilt freilich, dass die Massnahme notwendig ist – also keine weniger GATS–widrige Massnahme zur Verfügung steht – nicht willkürlich und nicht unberechtigt zwischen den Vertragspartnern diskriminiert sowie keine indirekte Handelsbeschränkung darstellt. In diesem Zusammenhang weist das Abkommen auch auf die Besteuerung der Dienstleistungserbringer hin. Nach offizieller Interpretation ist eine der Meistbegünstigungspflicht widersprechende steuerliche Ungleichbehandlung zulässig, wenn diese das Ergebnis eines Abkommens zur Vermeidung von Doppelbesteuerung ist. Bei der Erhebung von direkten Steuern darf zudem im Sinne einer gerechten und effektiven Besteuerung vom Grundsatz des Inländerprinzips abgewichen werden. Damit wird der Tatsache Rechnung getragen, dass Steuern dem Inländerprinzip nicht vorbehaltlos unterworfen sind. Eine gewisse Ungleichbehandlungen durch die Steuergesetzgebung (Quellensteuer, unterschiedliche Rückerstattungs– und Abzugsmöglichkeiten usw.) ist nämlich unumgänglich, um die unterschiedlichen Verhältnisse in– und ausländischer Unternehmen berücksichtigen zu können. Diese Ausnahmebestimmung ist verhältnismässig weit gefasst, so dass den Steuerbehörden ein ausreichender Spielraum verbleibt.[43] Die Steuerregelung ist vage, zumal die Abgrenzung zwischen den direkten und den indirekten Steuern international ohnehin umstritten ist. Die indirekten Steuern werden im GATS nicht angesprochen, was Anlass für künftige Auseinandersetzungen zwischen den WTO–Mitgliedern bietet.

1253    Art. XIV$^{bis}$ GATS entspricht Art. XXI GATT. Die Vertragsparteien haben das Recht, von den Verpflichtungen des GATS abzuweichen, wenn es um die Wahrung ihrer nationalen Sicherheit geht. Die Definition der Sicherheitsinteressen steht nach bisheriger Rechtspraxis des GATT dem Partner zu, der diese Bestimmung anruft.[44]

---

43    In Anlehnung an *BBl* 1994 IV 255.
44    Über die Problematik der Beurteilung von Art. XXI GATT vgl. *Mavroidis, Petros C.* (1993), Handelspolitische Abwehrmechanismen der EWG und der USA und ihre Vereinbarkeit mit den GATT–Regeln, Stuttgart, S. 121ff.

## 3.2.9 Die vorgesehenen Arbeitsprogramme

Der allgemeine Vertragsteil des Dienstleistungsabkommens nennt vier 1254
Bereiche, über die in der Uruguay–Runde keine Einigung erzielt werden
konnte und die Gegenstand künftiger Arbeitsprogramme sind: die Festlegung
der Qualifikationskriterien, die Notstandsmassnahmen, das öffentliche
Beschaffungswesen und die Subventionen.

Das in Art. VI:4 GATS erwähnte Arbeitsprogramm bezieht sich auf die 1255
Regelung der gegenseitigen Anerkennung von Qualitätsanforderungen. Ist die
Erbringung einer Dienstleistung an eine Genehmigung gebunden, dürfen die
Anforderungskriterien nicht so festgelegt werden, dass sie den grenzüberschreitenden
Handel mit Dienstleistungen unnötig behindern oder verunmöglichen.
Mit der Ermittlung von objektiven und transparenten Zulassungskriterien,
von angemessenen Qualitätsvorschriften und von möglichst
protektionsfreien Zulassungsverfahren soll der Tatsache Rechnung getragen
werden, "dass Marktzugangsverpflichtungen im Bereich der freien Berufe ihre
volle Wirkung erst entfalten können, wenn die Verfahren zur Anerkennung
ausländischer Qualifikationen und die Qualifikationsanforderungen gewisse
Kriterien erfüllen"[45]. Die der Uruguay–Runde folgenden Verhandlungen
haben in der vorgegebenen Frist von zwei Jahren keine Einigung gebracht. Die
Arbeitsgruppe "Professional Services" beschränkte sich auf die Verabschiedung
einer WTO–Leitlinie, die von den Mitgliedstaaten bei meist bilateralen
Abkommen zur gegenseitigen Anerkennung von Buchhalter– und Wirtschaftsprüfer–Diensten
zu beachten sind. Über die Vereinheitlichung der
länderweisen Vorschriften soll eine gemeinsame Regelung vorbereitet
werden. Der erste Teil der im Spätherbst 1997 veröffentlichten Leitlinie erinnert
an die gegenseitige Informations– und Notifizierungspflicht im Rahmen
der WTO. Der zweite Teil der Liste enthält Empfehlungen über die Bestimmungen
zur gegenseitigen Anerkennung von Buchhalter– und Wirtschaftsprüferdiensten,
das heisst Mindestanforderungen in Bezug auf Ausbildung,
Berufserfahrung, Prüfungen, Diplome usw.[46]

---

45  *BBl* 1994 IV 258.
46  *NZZ* vom 27.11.1997, Nr. 271, S. 15.

1256　Das zweite Arbeitsprogramm betrifft die Ausgestaltung von Notstandsmassnahmen. Art. X GATS fordert die Vertragsparteien auf, sich spätestens in drei Jahren nach dem Inkrafttreten des GATS über die sogenannten Notstandsmassnahmen im Dienstleistungshandel zu einigen. Analog zu Art. XIX GATT geht es um das Recht der Zurücknahme eingegangener Verpflichtungen im Falle einer ernsthaften Schädigung oder Bedrohung der inländischen Dienstleistungswirtschaft. In Anlehnung an Art. XIX GATT ist anzunehmen, dass die Vertragspartner auch im Dienstleistungsbereich mit der Anrufung des Notstandsartikels wegen der vertraglich geforderten Kompensationsleistungen zurückhaltend sein werden.[47]

1257　Das dritte Programm betrifft die Beschaffung von Dienstleistungen für staatliche Zwecke. Im heute geltenden GATS ist das öffentliche Beschaffungswesen von Dienstleistungen ausgenommen. Art. XIII GATS verpflichtet jedoch die Vertragspartner, nach dem Inkrafttreten des WTO-Übereinkommens abzuklären, ob und allenfalls in welchem Umfang die öffentlichen Dienstleistungseinkäufe ins GATS aufgenommen werden könnten.

1258　Das vierte, in Art. XV GATS angesprochene Arbeitsprogramm bezieht sich auf die Subventionen. Die Vertragsparteien müssen darüber entscheiden, wie und innerhalb welcher Zeitspanne die Subventionsbestimmungen und Ausgleichsverfahren auszugestalten sind. Die im Vertragstext bereits angemeldeten Vorbehalte zugunsten der Entwicklungsländer und die gegenwärtig in den Industriestaaten praktizierten (teilweise protektionistischen) Antidumping- und Ausgleichsabgaben werden eine international einvernehmliche Lösung ohne Zweifel erschweren.[48] Die Arbeitsgruppe "GATS Rules" befasst sich zurzeit mit der Bestandesaufnahme dienstleistungsrelevanter Subventionen. Als Arbeitsunterlage dient der GATT-Subventionskodex.[49]

---

47　*Falke, Andreas* (1995), Abkehr vom Multilateralismus, Göttingen, S. 125ff.
48　*Falke, Andreas* (1995), Abkehr vom Multilateralismus, Göttingen, S. 126ff..
49　Über die Tätigkeit der Arbeitsgruppe "GATS Rules" orientiert der WTO-Jahresbericht. Vgl. z.B. *WTO* (1998), Annual Report 1998, Special topic: Globalization and trade, Genf, S. 100f. Der Jahresbericht 1999 hält fest, dass die Arbeit über Art. XV GATS (Subventionen) keinen Fortschritt verzeichne. *WTO* (1999), Annual Report 1999, Genf, S. 70f.

## 3.3 Die spezifischen Rechte und Pflichten

Die Gewährleistung der Meistbegünstigung ist im GATS für alle Parteien verpflichtend, es sei denn, die Vertragspartner haben beim Inkrafttreten des Vertrags Vorbehalte angemeldet. Im Gegensatz dazu ist die Marktöffnung und das Inländerprinzip nicht allgemein verbindlich, sondern die Folge von länder- und fallweisen Zugeständnissen. Diese Konzessionen sind in den Listen der spezifischen Verpflichtungen ("schedules of specific commitments") zusammengefasst. Bei den Dienstleistungen, die in den Listen nicht aufgeführt und daher nicht gebunden sind, bleiben die Vertragspartner unter Beachtung der allgemeinen GATS- und WTO-Verpflichtungen frei, bestehende Handelshemmnisse beizubehalten oder neu einzuführen.

1259

Die Listen der spezifischen Verpflichtungen bestehen aus zwei Teilen: Der erste Teil enthält die sogenannten horizontalen Verpflichtungen, das heisst die Massnahmen, die sektorübergreifend auf sämtliche in der Liste genannten Dienstleistungen Anwendung finden. Der zweite Teil der Liste bezieht sich auf sektorspezifische Verpflichtungen und auf Vorbehalte in einzelnen Dienstleistungssektoren.

1260

Bei den horizontalen Verpflichtungen räumt beispielsweise die EU-Liste – zusammengefasst in Übersicht 38 – den beiden Bereichen der "Grenzüberschreitenden Dienstleistungen" ("cross-border supply") und der "Dienstleistungsnutzung" ("consumption abroad") freien Marktzugang und die Inlandgleichbehandlung ein.[50] Auch die übrigen Länderlisten zeigen, dass die meisten GATS-Partner von einer Beschränkung der grenzüberschreitenden Erbringung und Nutzung von Dienstleistungen im Ausland absehen. Im Gegensatz dazu nehmen einzelne EU-Mitgliedstaaten in den beiden Dienstleistungserbringungsarten der "Kommerziellen Präsenz" ("commercial presence") und der "Präsenz natürlicher Personen" ("presence of natural persons") bei der Marktöffnung und bei der Inlandgleichbehandlung Einschränkungen vor. So begrenzt etwa Dänemark bei der "Kommerziellen Präsenz" den Marktzugang über ein Erwerbsverbot von Grundbesitz für nichtgebietsansässige natürliche und juristische Personen; Frankreich beschränkt

1261

---

50 *GATS* (1994), April, Doc. GATS/SC/31, S. 2ff.

den Umfang von Kapital- und Stimmrechtsbeteiligung ausländischer Personen an einem bestehenden französischen Unternehmen oder an einer kürzlich privatisierten Firma. Als Beispiel einer Ausnahme vom Inländerprinzip im Bereich der "Kommerziellen Präsenz" kann das Subventionswesen erwähnt werden. Die EU behält sich das Recht vor, die Subventionen der EU und ihrer Mitglieder auf die im Hoheitsgebiet der Mitgliedstaaten der EU niedergelassenen juristischen Personen einzuengen. Im Dienstleistungsbereich der "Präsenz natürlicher Personen" sind die wichtigsten Ausnahmen arbeitsrechtlicher Art. Marktzugangsbeschränkungen und Ausnahmen vom Inländerprinzip gibt es für unselbständig Erwerbende mit Ausnahme von ausgewählten Fachkräften und Personen in leitender Stellung.

1262   Der zweite Teil der Liste enthält die sektorspezifischen Zugeständnisse und Ausnahmen sowie die "Ausnahmen der Ausnahmen". Für die Zahl und die Art der zulässigen Dienstleistungsbereiche gelten im GATS keine Vorschriften. Das GATS-Sekretariat hat indessen einen Klassifizierungskatalog mit elf Sektoren ausgearbeitet, der für die meisten Listen wegweisend ist. So bezieht sich etwa die EU-Liste auf die Sektoren freiberufliche Dienstleistungen (z.B. Rechtsberatung, Rechnungsprüfung, Wirtschaftsprüfung, Steuerberatung, Architekten- und Ingenieurleistungen), Computerdienstleistungen (z.B. Beratung und Datenverarbeitung), Forschung und Entwicklung, Immobiliendienstleistungen, Miet-Leasing-Dienstleistungen (für Schiffe, Luftfahrzeuge, andere Transportmittel und Maschinen), sonstige gewerbliche Dienstleistungen (z.B. Beratungsdienstleistungen für den Bergbau, Stellenvermittlung), Kommunikationsdienstleistungen usw. Die in diesen Sektoren gewährten Konzessionen können aber durch individuelle Vorbehalte wieder begrenzt werden. Die EU hat den Dienstleistungssektor der Wirtschaftsprüfung als sektorspezifisches Zugeständnis in die Liste aufgenommen. Die damit eingegangenen Verpflichtung wird aber erheblich relativiert, weil die EU die "Grenzüberschreitende Erbringung von Dienstleistungen" bei der Marktöffnung und beim Inländerprinzip ausklammert. Keine Ausnahmen von der Marktöffnung und dem Inländerprinzip macht die EU bei der Wirtschaftsprüfung für die "Nutzung im Ausland". Für den dritten und vierten Erbringungsbereich, die "Kommerzielle Präsenz" und die "Präsenz natürlicher Personen", verlangen einzelne EU-Mitgliedstaaten Sonderregelungen bei den

## Übersicht 38: Beispiel einer Liste der besonderen Verpflichtungen

|  | Arten der Erbringung | Marktzugangsbeschränkungen | Beschränkungen der Inländerbehandlung |
|---|---|---|---|
| A – Horizontale Verpflichtungen (für sämtliche in dieser Liste aufgeführten Sektoren) | 1. Grenzüberschreitende Erbringung | Keine | Keine |
|  | 2. Nutzung im Ausland | Keine | Keine |
|  | 3. Kommerzielle Präsenz | Eigene Rechtspersönlichkeit erforderlich | Beschränkungen für den Erwerb von Grundbesitz |
|  | 4. Präsenz natürlicher Personen | Nur an innerbetrieblich versetzte Personen gebunden | Ungebunden mit Ausnahme der Angaben unter „Marktzugang" |
| Anmerkung: Die meisten Listen enthalten keine horizontalen Beschränkungen für die grenzüberschreitende Erbringung von Dienstleistungen und die Nutzung im Ausland | | | |
| B – Sektorspezifische Verpflichtungen (Beschränkungen gelten für spezifische Dienstleistungen) | 1. Grenzüberschreitende Erbringung | Keine | Keine |
|  | 2. Nutzung im Ausland | Keine | Keine |
|  | 3. Kommerzielle Präsenz | Keine | Keine |
|  | 4. Präsenz natürlicher Personen | Ungebunden mit Ausnahme der Angaben unter „Horizontale Verpflichtungen" | Ungebunden mit Ausnahme der Angaben unter „Horizontale Verpflichtungen" |

Quelle: *EU-Kommission* (1995), GATS, Allgemeines Übereinkommen über den Dienstleistungsverkehr, Ein Leitfaden für die Wirtschaft, Brüssel u.a., S. 52 (in Anlehnung an die GATS-Länderlisten).

Vorschriften über die gesellschaftsrechtliche Form der Unternehmen, über die Arbeitsgenehmigungen und über die Wohnsitzerfordernisse. Das zweiteilige Listenkonzept ist grundsätzlich so aufgebaut, dass eine länderspezifische Positivliste der liberalisierten Dienstleistungssektoren (das Auflisten der liberalisierten Dienstleistungssektoren) mit einer Negativliste von Liberalisierungsausnahmen verbunden wird. *Dietrich Barth* spricht in diesem Sinne von einem "hybriden" Liberalisierungskonzept.[51]

1263  Die Industriestaaten haben detailliert ausgearbeitete Listen hinterlegt, während viele Entwicklungsländer eher knapp gehaltene oder lediglich "symbolische" Listen einbrachten (z.B. Listen, in denen allein die Hotellerie als liberalisierter Sektor aufgeführt wird).[52]

1264  In den Bereichen, in denen ein Vertragspartner Marktzutrittsverpflichtungen eingeht, dürfen nach Art. XVI:2 GATS folgende Massnahmen weder regional noch für das gesamte Hoheitsgebiet beibehalten oder eingeführt werden:

- zahlenmässige Beschränkung der Dienstleistungserbringer in Form von Quoten, Monopolen, Exklusivrechten oder Bedürfnisnachweisen,
- wertmässige Beschränkung der Dienstleistungstätigkeiten in Form von Quoten oder Bedürfnisnachweisen,
- zahlenmässige Beschränkung der Dienstleistungstätigkeiten oder des Gesamtvolumens erbrachter Dienstleistungen in Form von Quoten oder Bedürfnisnachweisen,
- zahlenmässige Beschränkung der Arbeitskräfte, die in einem bestimmten Dienstleistungssektor beschäftigt werden dürfen oder die ein Dienstleistungsanbieter zur Erbringung einer Dienstleistung beschäftigen darf, in Form von Quoten oder Bedürfnisnachweisen,

---

51  *Barth, Dietrich* (1997), Das Allgemeine Übereinkommen über den Handel mit Dienstleistungen (GATS), in: Jahrbuch zur Aussenwirtschaftspolitik 1995/96, Münster, S. 102.

52  Vgl. *Barth, Dietrich* (1997), Das Allgemeine Übereinkommen über den Handel mit Dienstleistungen (GATS), in: Jahrbuch zur Aussenwirtschaftspolitik 1995/96, Münster, S. 102.

– Vorschriften über spezifische Rechtsformen von Dienstleistungsunternehmen und

– Einschränkungen bei Kapitalbeteiligungen an Dienstleistungsfirmen in Form einer prozentualen Höchstgrenze für die ausländische Beteiligung oder für den Gesamtwert einzelner oder zusammengefasster ausländischer Investitionen.

Änderungen oder Rücknahmen von Listenverpflichtungen erlaubt Art. XXI GATS frühestens drei Jahre nach Inkrafttreten der WTO–Verträge. Listenänderungen erfordern Kompensationsverhandlungen mit den betroffenen Partnern. Einigen sich die Vertragspartner nicht, kann ein Streitschlichtungsverfahren eingeleitet werden. Die Schlussfolgerungen im Schlichtungsbericht sind für die Streitparteien verbindlich. Beachtet ein Land diese Empfehlung nicht, hat der betroffene Handelspartner das Recht, Gegenmassnahmen zu ergreifen und "im wesentlichen gleichwertige Vergünstigungen" zurückzunehmen. Derartige Massnahmen dürfen aber nur gegenüber der Streitpartei und nicht auch gegenüber anderen Vertragsparteien angeordnet werden.[53] Art. XIX GATS sieht einen "eingebauten" Liberalisierungsmechanismus vor, indem die Vertragspartner verpflichtet sind, in regelmässigen Abständen über den weiteren Abbau der Handelshemmnisse zu verhandeln.

## 3.4 Die Nachverhandlungen

Dem Allgemeinen Dienstleistungsabkommen sind acht Anhänge und mehrere Ministerbeschlüsse beigefügt. Die ersten drei Anhänge beziehen sich auf die Verfahren, die angewendet werden, wenn bereits vereinbarte Ausnahmen verlängert oder geändert werden (Ausnahmen von der Meistbegünstigung im grenzüberschreitenden Personenverkehr und bei den Luftverkehrsdienstleistungen). Die restlichen Anhänge betreffen die Finanz–, die Seeverkehrs– und die Telekommunikationsdienstleistungen, über die in der Uruguay–Runde keine Einigung erzielt wurde. Um die in der achten Runde "in Fahrt

---

53  Bis Ende 1999 wurde noch kein Streitschlichtungsverfahren über Dienstleistungen durchgeführt.

gebrachten" Marktöffnungsbemühungen nicht abzubrechen, beschlossen die Minister der WTO-Mitgliedstaaten, die Verhandlungen in diesen Dienstleistungsbereichen nach Abschluss der Runde fortzusetzen. Zur Verbesserung der Erfolgsaussichten dieser Nachverhandlungen wird von der sonst im GATT, GATS und TRIPS geltenden Allgemeinverbindlichkeit abgesehen. Die Teilnahme an den Nachverhandlungen ist fakultativ, das heisst, diese können gemäss Art. XIX:4 GATS auf bilateraler, plurilateraler oder multilateraler Ebene erfolgen. Bisher beteiligten sich je nach Bereich zwischen 30 bis 100 WTO-Mitglieder an solchen Verhandlungen. Die seit 1995 laufenden Gespräche kommen nur mühsam voran und stossen immer wieder auf nationale Hindernisse. Vor allem die Vereinigten Staaten scheinen aufgrund ihrer Fairness-Doktrin in zunehmendem Masse mit Zugeständnissen gegenüber anderen Ländern zurückzuhalten, wenn diese Länder nicht reziprok zu gleichwertigen Zugeständnissen bereit sind. Es folgt eine Übersicht über die Nachverhandlungen in der Reihenfolge der Anhänge.

### 3.4.1 Der Anhang zu Ausnahmen von Artikel II

1267    Wie im Zusammenhang mit dem Meistbegünstigungsprinzip dargelegt wurde, konnte jeder GATS-Partner vor der Inkraftsetzung des Abkommens sich einzelne mfn-Ausnahmen vorbehalten beziehungsweise eine Ausnahmeliste einbringen. Grundsätzlich sollen diese Ausnahmen einen Zeitraum von zehn Jahren nicht überschreiten. Ausnahmen für eine Dauer von über fünf Jahren stehen ab dem Jahr 2000 zusammen mit allen anderen Verpflichtungslisten auf der Verhandlungsagenda.

### 3.4.2 Der Anhang zum grenzüberschreitenden Verkehr natürlicher Personen

1268    In vielen Fällen ist eine Dienstleistung ohne persönliche Präsenz des Erbringers nicht möglich. Aus diesem Grunde erlaubt das Abkommen den natürlichen Personen, die Grenze zu passieren. Der zweite Anhang des GATS präzisiert diese Bestimmung dahin, dass natürliche Personen, welche die Staatsangehörigkeit, den Daueraufenthalt oder die Dauerbeschäftigung in einem Vertragspartnerland anstreben, nicht unter das Abkommen fallen. Das

GATS soll gemäss Ziff. 4 des Anhangs über die Freizügigkeit natürlicher Personen ein Land nicht daran hindern, "Massnahmen zur Regelung der Einreise oder des vorübergehenden Aufenthalts von natürlichen Personen in seinem Gebiet [...] zu treffen, die zum Schutz der Unversehrtheit und zur Sicherung der geordneten Freizügigkeit von natürlichen Personen über seine Grenzen hinweg erforderlich sind".

Mit der Unterzeichnung des GATS vereinbarte die WTO–Ministerkonferenz Nachverhandlungen über das Einreise– und Aufenthaltsrecht von natürlichen Personen. Diese Verhandlungen wurden im Verlauf des Jahres 1996 abgeschlossen. Das neue Einreise– und Aufenthaltsrecht trat am 1. September 1996 in Kraft. Die Vereinbarung unterzeichneten die EU und ihre Mitgliedstaaten, Indien, Kanada, Norwegen und die Schweiz. Die in den Nachverhandlungen eingeräumte Öffnung des grenzüberschreitenden Personenverkehrs weicht von Land zu Land ab. Einzelne Staaten gewähren angestellten Führungskräften und Fachleuten einen freien Aufenthalt von drei bis vier Jahren. Für die übrigen Dienstleistungserbringer ist in der Regel ein Aufenthalt von drei Monaten innerhalb eines Jahres vorgesehen. Voraussetzung der Grenzöffnung ist, dass der Antragsteller bereits ein Anstellungsverhältnis von mindestens einem Jahr besitzt und die beruflichen Qualifikationsnachweise den landesüblichen Anforderungen entsprechen. Die Nachverhandlungen bezogen sich vornehmlich auf die Dienstleistungsbereiche der Rechts– und Steuerberatung, Wirtschaftsprüfung, Werbung, Reiseleitung, Baustellenuntersuchung und Vermessung, Informatik, Forschung und Entwicklung sowie Übersetzungsdienste. Geltende Beschränkungen des nationalen Einreise–, Aufenthalts– und Arbeitsmarktrechts sowie Vorbehalte der berufsrechtlich erforderlichen Qualifikation und Berufserfahrung blieben unangetastet.[54]

1269

### 3.4.3 Der Anhang zu Luftverkehrsdienstleistungen

Der dritte Anhang behandelt die Luftverkehrsdienstleistungen im Linien– und Gelegenheitsverkehr sowie die damit verbundenen Hilfsdienstleistungen.

1270

---

54 Eine Zusammenstellung der für die EU geltenden Listen findet sich in: *Deutscher Bundestag – 12. Wahlperiode* (1994), Drucksache 12/7655 (neu), Bonn, S. 247–298.

Da es zur Zeit der Uruguay-Runde bereits viele bilaterale und multilaterale Verträge über Lande- und Verkehrsrechte gab, waren die Delegierten weder willens noch in der Lage, kurzfristig eine neue Rechtsordnung zu schaffen. Die bestehenden Vereinbarungen über Lande- und Verkehrsrechte werden somit vom GATS nicht tangiert und bestehen ausserhalb des Allgemeinen Dienstleistungsabkommens weiter. Im Gegensatz dazu gelten die allgemeinen Grundsätze des GATS für die Hilfsleistungen des Luftverkehrs, für die Flugzeugreparatur- und Wartungsdienstleistungen, den Verkauf und das Marketing von Luftverkehrsdienstleistungen sowie die Dienstleistungen computergesteuerter Buchungssysteme.

1271   Der Dienstleistungsrat muss in regelmässigen Abständen, mindestens alle fünf Jahre, die Entwicklung im Luftverkehr überprüfen und mit Blick auf eine weitergehende Anwendung der GATS-Bestimmungen analysieren.

### 3.4.4   Die Anhänge zu den Finanzdienstleistungen

1272   Die besonderen Bestimmungen für die Finanzdienstleistungen finden sich in zwei Anhängen zum GATS und in einer Vereinbarung.[55] Sie beziehen sich auf die Leistungen der privaten Banken und Kreditinstitute, der Versicherungen, der Geld- und Wertpapierhändler, der Vermögensverwalter und der Finanzberater. Tätigkeiten der Zentralbanken und anderer geld- und währungspolitischer Behörden sowie der Institutionen, die Teil eines obligatorischen Sozialversicherungssystems sind, fallen nur unter das Abkommen, wenn sie in Konkurrenz zu privaten Firmen stehen.

1273   Gemäss der Vereinbarung über die Verpflichtungen bei Finanzdienstleistungen dürfen die GATS-Vertragspartner bei der Übernahme von spezifischen Verpflichtungen in diesem Zusammenhang von einem Ansatz ausgehen, der mit dem allgemeinen Übereinkommen nicht übereinzustimmen hat, aber doch gewissen Mindestanforderungen nachkommt. Die Länder, die ihre Marktzugangsverpflichtungen nach der GATS-Vereinbarung regeln, müssen

---

55   Veröffentlicht in: *Hummer/Weiss*, S. 1039ff. (deutsche Fassung); *WTO*, The Legal Texts, S. 355 (englische Fassung). Über die laufenden Verhandlungen orientiert *WTO*, Press Release, Genf.

eine Stillstandsverpflichtung einhalten und die Marktöffnung im bisherigen Umfang aufrechterhalten. Im übrigen haben die Vertragspartner das Recht, in den Märkten der WTO-Mitglieder Geschäftsniederlassungen zu gründen sowie Finanz-, Transportversicherungs- und Rückversicherungsdienstleistungen anzubieten.

Die von den Industriestaaten und den Entwicklungsländern angebotenen Marktzugangskonzessionen waren während längerer Zeit nicht deckungsgleich. Während die ersteren auf eine Liberalisierung dieses Dienstleistungsbereichs drängten, bangten die letzteren um ihre im Aufbau befindlichen Finanzmärkte und waren bestrebt, ihre Banken und Versicherungen vor der internationalen Konkurrenz abzuschirmen. Diese Zurückhaltung der wirtschaftlich schwächeren Staaten führte schliesslich dazu, dass in der Uruguay-Runde keine Einigung zu Stande kam und die Vertragsparteien sich das Recht einräumten, während sechs Monaten nach Inkrafttreten der WTO-Verträge ihre Zugeständnisse und Listen zu ändern. Da auch in dieser ersten Verlängerungsphase kein Durchbruch erfolgte, wurde die Verhandlungsfrist vom 30. Juni bis Ende Juli 1995 verlängert. 1274

Im Sommer 1995 erklärten die USA, dass sie die Angebotslisten der Verhandlungspartnern als zu dürftig erachteten. Mit dieser Begründung zogen sie ihr eigenes Angebot zurück. Die Kritik der Vereinigten Staaten richtete sich vor allem an die asiatischen und lateinamerikanischen Staaten, die nicht bereit waren, US-amerikanischen Firmen einen Marktzutritt auf Reziprozitätsbasis zu gewähren.[56] Trotz des Rückzugs der USA trat das sogenannte 2. Protokoll zum GATS auf den 1. September 1996 in Kraft. Das Protokoll enthielt keine Öffnung des Finanzdienstleistungsmarktes, war aber trotzdem aus zwei Gründen von Bedeutung: Die Teilnehmer der Vereinbarung verpflichteten sich, im Bereich der Finanzdienstleistungen bis zum 1. November 1997 keine weiteren Handelshemmnisse einzuführen und bei der Zulassung von Banken aus den übrigen Abkommensstaaten auf die Anwendung von Gegenrechtsbedingungen zu verzichten. Zudem garantierte das Interimsabkommen die Weiterführung der Verhandlungen nach dem 1. November 1997. 1275

---

56 Vgl. *NYT* vom 25.7.1995, C 7, und *NYT* vom 27.7.1995, C1 und C3.

1276    Die erneuten Verhandlungen konnten bereits am 3. Dezember 1997 erfolgreich abgeschlossen werden. Die Unterzeichnungsfrist lief bis Ende Januar 1999 mit dem Inkrafttreten der Vereinbarung am 1. März 1999. Dem Abkommen von 1997 stimmten 88 WTO–Mitglieder (die EU als *ein* Partner gezählt) zu, die laut WTO–Sekretariat 95 Prozent des Weltmarktes der Dienstleistungen im Banken–, Versicherungs– und Wertschriftenwesen abdeckten. Die länderweise eingeräumten Zugeständnisse sind vielfältig. Als Beispiel seien erwähnt, dass die USA bereit waren, vertragliche Vorrechte und Begünstigungen, die sie einzelnen Marktteilnehmern gewähren, nach dem Prinzip der Meistbegünstigung den übrigen Teilnehmern weiter zu geben. Die EU verpflichtete sich auf ihren bereits stark liberalisierten Dienstleistungsmarkt und strich Ausnahmen einzelner EU–Mitgliedstaaten wie zum Beispiel den wirtschaftlichen Bedürfnisnachweis für ausländische Banken in Österreich.[57] Im Sinne der bisherigen Finanzdienstverhandlungen klammert das Protokoll vom Dezember 1997 die Tätigkeiten der Zentralbanken und der geld– und währungspolitischen Behörden aus.

### 3.4.5  Der Anhang zu Verhandlungen über Seeverkehrsdienstleistungen

1277    Die Seeverkehrsdienstleistungen sind ein wichtiger Bereich der Dienstleistungen. Sie erreichen nach Schätzungen des IMF gut 10 Prozent des totalen Dienstleistungshandels und weisen ein jährliches Wachstum von 3 bis 4 Prozent auf.[58] Weil in der Uruguay–Runde keine Einigung über eine einheitliche Seeverkehrsordnung zustande kam, beschlossen die WTO–Minister, auf freiwilliger Basis weiter zu verhandeln. Die vorgesehenen Verhandlungen sollten sich auf die internationale Schiffahrt, die Hilfsdienstleistungen sowie den Zugang zu und die Benutzung von Hafeneinrichtungen beziehen. Zudem beschlossen die Minister eine Stillstands–Klausel, nach der die Vertragspartner bis zum Abschluss einer Vereinbarung keine zusätzlichen handels-

---

57  Vgl. *NZZ* vom 15.12.1997, Nr. 291, S. 13.
58  *IMF* (1993), Balance of Payments Statistics Yearbook 1993, Teil 2, Washington, DC, S. 38ff; *WTO*, Press brief, Singapur Konferenz, 9.–13.12.1996, in: *URL* http://www.wto.org, Juni 1999.

hemmenden Massnahmen einführen durften. Eine Verhandlungsgruppe wurde mit der Aufgabe betraut, bis Ende Juni 1996 einen entsprechenden Bericht auszuarbeiten.[59]

Die Grundausrichtung der Nachverhandlungen war, in einem ersten Schritt die Hilfsleistungen sowie den Zugang zu und die Benutzung von Hafeneinrichtungen zu liberalisieren. An zweiter Stelle ging es um die Unterstellung des Seeverkehrs unter das Meistbegünstigungsprinzip, ergänzt durch entsprechende Ausnahmelisten (in Anlehnung an die Meistbegünstigungsregelung im Allgemeinen Dienstleistungsabkommen). 1278

Im Juni 1996 einigten sich 24 Delegationen auf einen Abbruch der Verhandlungen über die Seeverkehrsdienstleistungen. Neue Verhandlungen wurden für das Jahr 2000 im Rahmen der allgemeinen Neuverhandlungen über Dienstleistungen vorgesehen. Analog zum Ministerbeschluss vom April 1993 enthielt der Entscheid die Verpflichtung, in der Zwischenzeit keine neuen Handelshemmnisse zur Verbesserung der eigenen Verhandlungsposition aufzubauen. 1279

Die Einstellung der Verhandlungen wurde unterschiedlich begründet: Aus der Sicht der Vereinigten Staaten waren die vorgelegten Liberalisierungsofferten der übrigen Verhandlungspartner (vor allem diejenigen der EU und Südkoreas) zu bescheiden, um eine minimale Marktöffnung zu garantieren. Ausserdem sei eine Vereinbarung wenig sinnvoll, wenn sich nicht alle wichtigen Schiffahrtnationen daran beteiligten. Die Gegenparteien vertraten die Meinung, die USA seien mit der Forderung nach gleichwertigen Gegenleistungen der Handelspartner zu weit gegangen. Die länderweise unterschiedlichen Gegebenheiten müssten stärker berücksichtigt werden.[60] 1280

---

59 Ziff. 7 des Beschlusses der Minister über Verhandlungen über Seeverkehrsdienstleistungen vom 15.12.1993, veröffentlicht in: *Hummer/Weiss,* S. 1059ff. Ausgenommen von der Stillstands–Klausel waren allfällige Gegenmassnahmen und die Massnahmen zur Wahrung oder Verbesserung der freien Erbringung von Seeverkehrsdienstleistungen..

60 Vgl. *NZZ* vom 4.7.1996, Nr. 153, S. 21; *WTO*, Press brief, Singapur Konferenz, 9.–13.12.1996, in: URL http://www.wto.org, Juni 1999.

### 3.4.6 Die Anhänge zu Verhandlungen über die Telekommunikation

1281    Das GATS umfasst zwei Anhänge über den Handel mit Telekommunikationsleistungen. Nach den erfolglosen Telekom-Verhandlungen während der Uruguay-Runde beauftragten die WTO-Minister eine Verhandlungsgruppe, die Gespräche fortzusetzen und bis spätestens April 1996 abzuschliessen.[61] Da man sich bis zum vorgegebenen Termin nicht einigen konnte, beschlossen die damals rund 50 Teilnehmerstaaten eine Fristverlängerung bis zum 15. Februar 1997. Der Grund des vorläufigen Scheiterns der Verhandlungen war die US-Haltung, die Basis-Telekommunikationsdienste von der Meistbegünstigungspflicht auszunehmen. Die Vereinigten Staaten befürchteten, mit der mfn-Verpflichtung ihren Markt öffnen zu müssen, ohne von den anderen GATS-Partnern angemessene Gegenrechte zu erhalten. Am 15. Februar 1997 gelang den inzwischen zahlenmässig auf 70 angestiegenen Teilnehmerländern aufgrund neuer gegenseitiger Zugeständnisse ein Durchbruch. Die erzielten Verhandlungsergebnisse wurden in der Folge von den einzelnen Ländern ratifiziert, wobei die Ratifizierungsfrist von Ende 1997 bis zum 31. Juli 1998 verlängert werden musste. Die einzelnen Länderlisten mit den spezifischen Liberalisierungsverpflichtungen wurden dem GATS als "Viertes Protokoll" beigefügt und bilden seither einen Teil des WTO-Vertragswerks.[62]

1282    Zu den Abkommenspartnern zählen die USA, die EU und ihre Mitgliedstaaten, die übrigen OECD-Staaten und viele WTO-Mitglieder Asiens und Lateinamerikas. Auf diese Länder entfielen bei Verhandlungsabschluss nach Berechnungen der Internationalen Fernmelde-Union (ITU) über 90 Prozent der Einnahmen aus Telekom-Grunddiensten von rund 600 Mrd. US$ und etwa 80 Prozent der fast 700 Mio. US$ Einnahmen aus der Benutzung der Übertragungsnetze. Für die nächsten fünf bis zehn Jahre wird im Telekommunikationsmarkt mit jährlichen wertmässigen Wachstumsraten von bis zu zehn Pro-

---

[61]   Ziff. 5 des Beschlusses der Minister über Verhandlungen über Fernmeldegrunddienste vom 15.12.1993, veröffentlicht in: *Hummer/Weiss*, S. 1063f.
[62]   *WTO* (1998), Doc. GATS/SC/31/Suppl. 4 vom 26.2.1998.

zent gerechnet. Die drei grössten Telekommunikationsmärkte der Welt sind die USA, die EU und Japan mit zusammen drei Viertel des Weltumsatzes.[63]

1283 Die Vereinbarung erfasst alle Massnahmen eines Vertragspartners, die den Zugang zu öffentlichen Telekommunikationsnetzen und -diensten und deren Nutzung betreffen. Darunter fallen unter anderem Telefondienste, elektrische Datenvermittlung, Telex, Telegraph, Telefax, die Nutzung privater Netze, der Bereich der Mobiltelefondienste und die mobile Datenübertragung. Nicht Gegenstand der Verhandlungen waren die kabelgebundene oder drahtlose Übertragung von Hörfunk- und Fernsehprogrammen sowie die Verarbeitung von Informationen. Der Rundfunk bleibt ausgeklammert, weil dieser Bereich in einzelnen Ländern wie z.B. in Deutschland in die Zuständigkeit der Bundesländer fällt. Die Verhandlungen betrafen dagegen den grenzüberschreitenden Dienstleistungshandel und die Deregulierung innerhalb der WTO-Mitgliedermärkte. Das vierte Protokoll bietet eine vollständige Liberalisierung der bezeichneten Telekommunikationsdienstleistungen. Vollständige Liberalisierung bedeutet freier Marktzugang und Inlandgleichbehandlung bei Orts-, Fern- und grenzüberschreitenden Telekommunikationsdienstleistungen. Ausländische Anbieter sind frei im Entscheid, ob sie Netzkapazitäten von anderen Betreibern mieten oder eigene Netze aufbauen wollen. Zur vollständigen Liberalisierung gehört auch die Freiheit der ausländischen Telekommunikationsfirmen, ihr Angebot nach freier Wahl auf Kabel-, Funk- oder Satellitensystemen zu erbringen. Zudem verpflichten sich die Vertragspartner zur Einhaltung regulatorischer Prinzipien. Diese enthalten Massnahmen zur Verhinderung wettbewerbswidriger Praktiken, Verpflichtungen zur Zusammenschaltung von Netzen, Sicherstellung eines Universaldienstes (Bedienung abgelegener Orte), die Veröffentlichung von Lizenzkriterien, die Unabhängigkeit der Regulierungsbehörde sowie die Vergabe von Lizenzen und Nummern nach objektiven, zeitgerechten, transparenten und nichtdiskriminierenden Kriterien. Wettbewerbswidrige Praktiken marktbeherrschender Anbieter sind

---

63 *NZZ* vom 17.2.1997, Nr. 39, S. 7. Eine Zusammenstellung der Telekommunikationsumsätze findet sich in: *Barth, Dietrich* (1997), Die Liberalisierung der Telekommunikationsdienstleistungen in der Welthandelsorganisation, in: Archiv für Post und Telekommunikation, 49. Jg., H. 2, S. 112ff.

zu verhindern. Verpflichtungen zu flächendeckenden Universaldiensten gelten nicht als wettbewerbswidrig, wenn sie transparent, nicht diskriminierend, wettbewerbsneutral und nicht belastender als notwendig sind. Gemäss Vereinbarung begann am 1. Januar 1998 eine multilateral abgesicherte Marktöffnung im Bereich der Telekom–Grunddienste. Die Vereinigten Staaten und die Europäische Union wollen ihre Telekommunikations–Märkte relativ schnell und weit zu öffnen, während andere Staaten wie Südafrika, Thailand, Trinidad und Tobago erst in den Jahren 2000 bis 2010 nachziehen werden.

1284  Markant unterschiedliche Regelungen bestehen weiterhin bei der Erteilung von Lizenzen und bei der Zulassung von Kapitalbeteiligungen durch ausländische Investoren. Die USA beschränken die Erteilung von Funklizenzen auf Unternehmen, die mindestens zu 80 Prozent in US–Besitz sind. Einige EU–Mitgliedstaaten (Belgien, Frankreich, Grossbritannien, Portugal und Spanien) limitieren die ausländische Kapitalbeteiligungen auf einen bestimmten Prozentsatz des Gesamtkapitals der Unternehmen. Indien, Singapur, Malaysia und Kanada erlauben ausländische Beteiligungen bis zu maximal 49 Prozent des Kapitals. Japan schliesslich begrenzt eine ausländische Kapitalbeteiligung an den grossen Telekommunikationsunternehmen auf 20 Prozent, was von den USA und weiteren Industriestaaten kritisiert wird.[64]

1285  Die Telekomverhandlungsergebnisse sind grundsätzlich im Sinne der Meistbegünstigungs–Pflicht auf alle WTO–Mitgliedstaaten auszuweiten. Im Hinblick auf einen erfolgreichen Verhandlungsabschluss wurde den Vertragsparteien die Möglichkeit eingeräumt, mfn–Ausnahmelisten zu erstellen. Am 15. Februar 1997, dem Abschlusstag der Verhandlungen, beanspruchten folgende neun Staaten dieses Recht: Antigua und Barbuda, Argentinien, Bangladesch, Brasilien, Indien, Pakistan, Sri Lanka, Türkei und die USA.[65]

---

[64] *Barth, Dietrich* (1997), Die Liberalisierung der Telekommunikationsdienstleistungen in der Welthandelsorganisation, in: Archiv für Post und Telekommunikation, 49. Jg., H. 2, S. 115.

[65] In der Literatur wurden Zweifel laut, ob längerfristig unter den gegenwärtigen Voraussetzungen das mfn–Prinzip aufrechterhalten werden könne. Vgl. *Cottier, Thomas* (1996), The Challenge of Regionalization and Preferential Relations in World Trade Law and Policy, in: European Foreign Affairs Review, H. 2, S. 160.

## 4. Spezifische Merkmale des GATS

Das Allgemeine Dienstleistungsabkommen gilt im Urteil der Ökonomen und Völkerrechtler als der Teil des WTO–Vertragswerks, der besonders kompliziert und in manchen Bereichen noch unvollständig und provisorisch ist. Im Vergleich zum warenbezogenen Allgemeinen Zoll- und Handelsabkommen weist das GATS einige Sonderheiten auf.

Ein spezifisches Merkmal des GATS ist die "Unvollständigkeit". Im Gegensatz zum GATT, das im Verlauf der Jahrzehnte zu einem Vertragswerk mit vielen abschliessend definierten Rechten und Pflichten herangewachsen ist, bietet das GATS einen institutionellen Rahmen für weitere Verhandlungen, die im Jahr 2000 aufgenommen und anschliessend in regelmässigen Abständen weitergeführt werden müssen. Die Fortsetzung der Verhandlungen soll unter besonderer Rücksichtnahme auf die Binnenpolitik der Vertragsparteien ("die nationalen politischen Zielsetzungen") und die Bedürfnisse der Entwicklungsländer erfolgen. Das GATS ist nicht der Abschluss von Handelsverhandlungen, sondern der Auftakt zu Vereinbarungen über eine weltweit gemeinsame Regelung des Dienstleistungshandels.

Eine Besonderheit des GATS ist die in diesem Abkommen getroffene Meistbegünstigungsregelung. Analog zum GATT ist das Prinzip der Meistbegünstigung ein Kernbereich des GATS. Neben den vertraglich vorgesehenen Ausnahmen (Schaffung von Freihandelszonen und Gewährung von Präferenzen zugunsten Drittweltländer) erhielten die GATS–Partner beim Inkrafttreten des Vertrags das Recht, individuelle Ausnahmelisten zu hinterlegen. Die sich vorbehaltenen Ausnahmen gelten für eine Dauer von zehn Jahren und können bei Bedarf verlängert werden. Diesem Vorgehen liegt die Idee zu Grunde, den "Status quo" der heutigen Ordnung im Sinne einer Stillstands–Klausel vorerst "einzufrieren", um längerfristig zu einer breiten Anerkennung des Meistbegünstigungsprinzips vorstossen zu können. Gelingt es in den nächsten Jahren, diese Ausnahmelisten abzubauen, wird das GATS zu einem tragenden Element einer relativ offenen Welthandelsordnung. Wird dies nicht erreicht, wird das GATS zu einem Vertragswerk der Besitzstandwahrung verkommen.

Speziell geregelt ist auch das Inländerprinzip. Sowohl das GATT als auch die Freihandelsräume EU und NAFTA verpflichten ihre Vertragspartner, die

Sechster Teil

ausländischen Angebote und Anbieter von Gütern und Dienstleistungen nicht ungünstiger als einheimische Angebote und Anbieter zu behandeln. Allfällige Ausnahmen sind zu vereinbaren. Das GATS schlägt einen anderen Weg ein. Grundsätzlich gilt das Inländerprinzip nicht, es sei denn, die einzelnen Länder sind entsprechende Verpflichtungen (horizontale und sektorspezifische Verpflichtungen) eingegangen. Für die Teilnehmerstaaten besteht der Hauptvorteil dieses Ansatzes darin, dass sie sich bei neuen, nicht bekannten oder (noch) nicht gehandelten Dienstleistungen nicht verpflichten müssen und den Besitzstand an Protektionismus wahren dürfen. Die Zugeständnisse beschränken sich auf die in den Listen aufgeführten Dienstleistungen und Dienstleistungserbringer. Aus der Optik einer relativ freiheitlichen Welthandelsordnung wirken sich diese Listen aber nachteilig aus, weil sie die Marktöffnung auf einem einmal vereinbarten Stand fixieren und neue Arten von Dienstleistungen nicht automatisch einschliessen. Die Listenlösung bedarf, wenn sie das Liberalisierungsniveau beibehalten oder ausbauen will, ständig weiterer Verhandlungen zur Erfassung neuer Handelsströme. Wenn aber in den nächsten Jahren die weiteren Verhandlungen über die Liberalisierung der neu aufkommenden Dienstleistungsströme nicht erfolgreich sein werden, wird der Freihandel in diesem Handelsbereich trotz oder gerade wegen des GATS abnehmen.

1290   In diesem Zusammenhang ist auch auf die Besonderheit der Nachverhandlungen hinzuweisen. Im Gegensatz zu den Uruguay–Verhandlungen, an denen alle GATT–Partner teilnahmen, beteiligen sich an den Nachverhandlungen nicht alle WTO–Mitglieder. Die gemachten Zugeständnisse sind aber im Sinne der Meistbegünstigungspflicht trotzdem allen WTO–Mitgliedern weiter zu geben. Diese Vertragskonstruktion mag zur Folge haben, dass in den Nachverhandlungen mit Zugeständnissen stärker zurückgehalten wird als in den Hauptverhandlungen.[66]

---

66   Darin unterscheiden sich die multilateralen von den plurilateralen Abkommen. In den multilateralen Abkommen gelten die Grundprinzipien der Meistbegünstigung und Inlandgleichbehandlung gegenüber allen WTO–Mitgliedern, auch wenn sich nicht alle WTO–Mitglieder an den betreffenden Vereinbarungen beteiligen, während sich in plurilateralen Abkommen nur die effektiven Vertragspartner gegenseitig verpflichtet sind. Vgl. Rz 1419ff.

Bemerkenswert im Dienstleistungsabkommen ist schliesslich die Auffor- 1291
derung an die Industrieländer, auf die besonderen Bedürfnisse der wirtschaftlich schwächeren Staaten Rücksicht zu nehmen. Die Vertragspartner sind aufgefordert, den Entwicklungsländern den Technologietransfer zu erleichtern, den Marktzugang zu verbessern und entsprechende Informationszentren zu schaffen. Ferner erteilt das GATS den Vertragspartnern und insbesondere den Drittweltländern unter ihnen das Recht ein, zur Verwirklichung ihrer nationalen wirtschaftspolitischen Zielsetzungen neue Regulierungen einzuführen. Die Ausrichtung der neuen Welthandelsordnung auf die besonderen Bedürfnisse der Drittweltstaaten findet sich auch in den übrigen Vertragsteilen der WTO und ist eine Weiterführung dessen, was im vierten Teil des GATT festgelegt ist. Die vorgebrachten Interessengegensätze zwischen den Industriestaaten und den Nicht–Industriestaaten werden aber ohne Zweifel eine weitere Öffnung des Dienstleistungsmarktes belasten. Die Industriestaaten setzen auf eine Marktöffnung im Sinne von "cross–border supply", "consumption abroad" und "commercial presence". Sie stehen aber einer Liberalisierung des Arbeitsmarkts und des freien Personenverkehrs ablehnend gegenüber; entsprechend haben die EU– und US–Gewerkschaften ihr Desinteresse an weiteren Verhandlungen über die Liberalisierung des Dienstleistungshandels signalisiert. Die Entwicklungsländer dagegen beharren auf ihren Listenausnahmen und verlangen offene Arbeitsmärkte und einen freien Personenverkehr.

Die spezifischen Merkmale des Dienstleistungsabkommens verdeutlichen, 1292
dass die Welthandelsordnung mit dem Allgemeinen Dienstleistungsabkommen formal eine Ausweitung und Abrundung erfahren hat. Materiell ist der Vertrag jedoch so angelegt, dass er den einzelnen Partnern über Ausnahme- und Konzessionslisten die Besitzstandwahrung an Protektionismus erlaubt. Mit dem vorliegenden Vertrag ist es den Verhandlungsdelegationen nicht gelungen, eine Handelsordnung zu konzipieren, die im Verlauf der nächsten Jahre automatisch zu einer weiteren Liberalisierung des grenzüberschreitenden Dienstleistungshandels vorstösst. Das System von Länderlisten als integraler Bestandteil des Abkommens hat vielmehr zur Konsequenz, dass mit dem Aufkommen neuer und in den Listen nicht erfasster Dienstleistungen das Niveau des Liberalisierungsgrads ständig zurückfällt oder – will man dieser

Entwicklung entgegenwirken – der Dienstleistungshandel zu einem permanenten Verhandlungsgegenstand wird. Trotz der erfreulichen Tatsache, dass mit dem Dienstleistungsabkommen ein wichtiger Handelsbereich in die Welthandelsordnung eingebunden werden konnte, ist eine kontinuierlich weiterführende Liberalisierung dieses Handelsbereichs keineswegs gewährleistet: Das GATS ist ein Vertrag im Werden, nicht ein abgeschlossenes Werk.

Siebter Teil

# Das Abkommen über handelsbezogene Aspekte des geistigen Eigentums (TRIPS)

Siebter Teil

1293  Internationale Regelungen über den Schutz des geistigen Eigentums reichen ins letzte Jahrhundert zurück. Die Pariser Verbandsübereinkunft zum Schutz des gewerblichen Eigentums stammt aus dem Jahr 1883 und die Berner Übereinkunft zum Schutz von Werken der Literatur und Kunst aus dem Jahr 1886. Im Verlauf der Zeit kam es zu verschiedenen Revisionen der bestehenden Abkommen, zu ergänzenden Vereinbarungen zum Schutz der Tonträgerhersteller und Sendeunternehmen sowie zu Sonderabkommen über die internationale Registrierung von Marken, Mustern, Modellen und Patenten. Die Verwaltung dieser Abkommen lag anfänglich bei den Vereinigten Internationalen Büros zum Schutz des geistigen Eigentums. Ihre Nachfolgerin ist die Weltorganisation für geistiges Eigentum (World Intellectual Property Organization, WIPO), die am 14. Juli 1967 gegründet wurde und am 26. April 1970 ihre Tätigkeit aufnahm. Seit dem 17. Dezember 1974 hat die WIPO den Status einer Sonderorganisation der UNO. Ihre Aufgaben sind, den Schutz der Patente, Marken und Urheberrechte zu festigen, völkerrechtliche Verträge vorzubereiten sowie Modellgesetze zur nationalen und internationalen Regelung des Immaterialgüterrechts auszuarbeiten. Der WIPO gehören im Frühjahr 2000 insgesamt 171 Staaten an.[1] Sie hat ihren Sitz in Genf.

1294  Weder die internationalen Vereinbarungen noch die Tätigkeit der WIPO vermochten die immer häufiger auftretenden Verletzungen der Schutzrechte im Bereich des geistigen Eigentums zu verhindern.[2] In der unmittelbaren Nachkriegszeit galt vor allem Japan als das "Land der Kopierer". In den siebziger und achtziger Jahren wurden besonders die Volksrepublik China, Saudi-Arabien, Südkorea, Indien, Philippinen, Taiwan, Brasilien, Ägypten,

---

1   Für Informationen über die WIPO und die internationalen Abkommen zum Schutz des gewerblichen Eigentums, zum Schutz der Literatur usw. vgl. URL http://www.wipo.int/eng/main.htm, Februar 2000; *Hüfner, Klaus* (1986), Die Vereinten Nationen und ihre Sonderorganisationen, UN–Texte 35, Bonn, S. 364ff.
2   Das TRIPS unterscheidet zwischen Fälschungen und Piraterie (counterfeit and piracy). Von Fälschungen ist die Rede, wenn es sich um Nachahmungen und Kopien im gewerblichen Rechtsschutzbereich handelt (in Bezug auf Patente, Marken, Modelle und Muster). Die Piraterie bezieht sich auf die Verletzung von urheberrechtlichen und verwandten Schutzrechten. Im deutschen Sprachgebrauch wird diese Unterscheidung nicht gemacht. Vgl. *BBl* 1994 IV 282.

Thailand, Nigeria, Indonesien, Malaysia und Mexiko der Piraterie bei Musikaufnahmen und Software beschuldigt.[3]

Die weltweite Rechtsunsicherheit veranlasste die USA während der Tokio–Runde, einen Kodex über den Schutz des geistigen Eigentums auszuarbeiten. Der US–Vorschlag fand bei den übrigen Verhandlungsdelegationen keine Zustimmung.[4] Im Verhandlungsmandat für die Uruguay–Runde vom 20. September 1986 griffen die Minister den Schutz des geistigen Eigentums erneut auf und verlangten eine Regelung der "handelsbezogenen Aspekte der Rechte an geistigem Eigentum einschliesslich des Handels mit nachgeahmten Waren". Die Verhandlungen, so der Ministerrat, hätten unter Berücksichtigung der bisherigen Arbeiten im GATT auf "die Schaffung eines multilateralen Rahmens von Grundsätzen, Regeln und Disziplinen zur Bekämpfung des internationalen Handels mit nachgeahmten Waren" ("trade in counterfeit goods") abzuzielen und seien ohne Rücksicht auf ergänzende Initiativen von Seiten der WIPO zu führen.[5]

Der Wunsch, innerhalb der WTO ein eigenständiges und von der WIPO unabhängiges Schutzsystem für das geistige Eigentum auszuarbeiten, geht nach *Paul Katzenberger* vor allem auf drei Ursachen zurück: Die WTO–Regelung sollte erstens den urheberrechtlichen Bestimmungen universellen Charakter verleihen und auch jene Länder verpflichten, welche die bisherigen Übereinkommen nicht unterzeichnet hatten. Den traditionellen internationalen Abkommen kam keine universelle Bedeutung zu. Viele Länder gehörten der

---

3   Reihenfolge in absteigender Höhe des durch die US–Regierung geschätzten Schadens. Vgl. *Katzenberger, Paul* (1995), TRIPS und das Urheberrecht, in: GRUR Int., H. 6, S. 451; *Kretschmer, Friedrich* (1997), Sicherung eines weltweiten Mindeststandards für geistiges Eigentum durch die WTO (TRIPS), in: *Forschungsinstitut für Wirtschaftsverfassung und Wettbewerb*, Hrsg., FIW–Schriftenreihe, H. 173, Köln u.a., S. 51 und 60.

4   Vgl. *Katzenberger, Paul* (1995), TRIPS und das Urheberrecht, in: GRUR Int., H. 6, S. 448; *Kretschmer, Friedrich* (1997), Sicherung eines weltweiten Mindeststandards für geistiges Eigentum durch die WTO (TRIPS), in: *Forschungsinstitut für Wirtschaftsverfassung und Wettbewerb*, Hrsg., FIW–Schriftenreihe, H. 173, Köln u.a., S. 52.

5   Ministererklärung vom 20.9.1986, Abschnitt D, veröffentlicht in: *Hummer/Weiss*, S. 280ff. bzw. 284ff.

Siebter Teil

Pariser Verbandsübereinkunft, der Revidierten Berner Übereinkunft sowie den anderen Vereinbarungen über den Schutz der geistigen Eigentumsrechte nicht an. Mit der Integration bisher abseits stehender Staaten war zweitens die Absicht verbunden, diese Länder im Sinne eines Entgelts für die ihnen aus der WTO–Mitgliedschaft resultierenden Vorteile in die Belastungen des gegenseitigen Schutzes des geistigen Eigentums einzubetten. Drittens versprach man sich von einer WTO–Reglung Lösungen, deren Realisierung im Rahmen der WIPO als nicht möglich erachtet wurde. Es erwies sich nämlich in letzter Zeit immer schwieriger, die traditionellen Abkommen auf urheberrechtliche Schutzgegenstände wie beispielsweise die Computer– und Internetprobleme auszurichten. Alle diese Gründe überzeugten die Verhandlungsdelegierten der Uruguay–Runde, die handelsbezogenen Aspekte des geistigen Eigentums künftig im Rahmen eines WTO–Vertrags zu regeln, ohne dadurch die bisherigen Abkommen und die Arbeit der WIPO in Frage stellen zu wollen.[6]

1297  Die Verhandlungen über die handelsbezogenen Aspekte des geistigen Eigentums erfolgten in der 12. Arbeitsgruppe der Uruguay–Runde. Die USA zusammen mit vielen Industriestaaten interpretierten die Ministererklärung als Aufforderung zur Erarbeitung eines allgemeinen Schutzabkommens. Die Entwicklungsländer hingegen sahen in der Ministererklärung den Auftrag, allein den Handel mit Produktfälschungen zu unterbinden. Die Harmonisierung der Standards sei auf ihrer Entwicklungsstufe nicht angebracht. Im Oktober 1987 legten die USA einen Vertragsentwurf zum Schutz der handelsbezogenen Eigentumsrechte vor. Der Vorschlag enthielt Bestimmungen über die Eigentumsrechte, die Durchsetzung der Patent–, Marken– und Urheberrechte, die Streitschlichtung und das Ergreifen von Gegenmassnahmen. Dem US–Vorschlag erwuchs von Seiten der Entwicklungsländer Widerstand, so dass es 1988 nicht möglich war, der Halbzeitkonferenz von Montreal einen definitiven Entwurf vorzulegen.[7]

1298  In den Verhandlungen der zweiten Halbzeit der Uruguay–Runde zeichneten sich zwei Alternativen ab, die Ausarbeitung eines Abkommens auf der Grund-

---

6  *Katzenberger, Paul* (1995), TRIPS und das Urheberrecht, in: GRUR Int., H. 6, S. 451ff.
7  *Vgl. Croome, John* (1995), Reshaping the World Trading System, Genf, S. 130ff.

lage der allgemeinen GATT-Elementen oder die vertragliche Regelung von Einzelproblemen. Ein gemeinsamer Nenner konnte auch in dieser Phase der Uruguay-Runde nicht gefunden werden.[8]

Während der Verlängerung der Uruguay-Runde einigten sich die Verhandlungsdelegierten schliesslich auf die Regelung der geistigen Eigentumsrechte in Form eines Abkommens. Die Zustimmung der Drittweltländer erfolgte ohne Zweifel unter der Drohung und dem Druck der USA, gegen Länder, die den Schutz der geistigen Eigentumsrechte nicht beachten, unilaterale Sanktionen wegen "unfairer Handelspraktiken" gemäss Sec. 301 des US-Handelsgesetzes von 1974 beziehungsweise 1988 anzuwenden.[9] Die Leitidee der vorgeschlagenen Vereinbarung war, alle handelsbezogenen Aspekte der Rechte des geistigen Eigentums, das Urheberrecht und die verwandten Schutzrechte, die Hersteller-, Handels- und Dienstleistungsmarken, die Ursprungsbezeichnungen, die gewerblichen Muster und Modelle, die Erfindungspatente, die Topographien von Halbleitererzeugnissen und die Geschäfts- und Fabrikationsgeheimnisse in einen multilateralen Vertrag einzubinden. Das neue Abkommen bezog sich auf die Grundprinzipien der GATT-Welthandelsordnung und die bisherigen internationalen Übereinkommen des Immaterialgüterrechts. Die dem TRIPS-Vertrag in Art. 7 vorgegebene Zielsetzung war, über den Schutz und die Durchsetzung von Rechten des geistigen Eigentums einen Beitrag "zur Förderung der technischen Innovation sowie zum Transfer und zur Verbreitung von Technologie" zu leisten, und dies "zum gegenseitigen Vorteil für Erzeuger und Nutzer technischen Wissens [...]". Die Unterzeichnung des multilateralen Abkommens über handelsbezogene Aspekte des geistigen Eigentums (Agreement on Trade Related Aspects of Intellectual Property Rights, TRIPS) folgte am 15. April 1995. Der Vertrag trat am 1. Januar 1995 in Kraft.[10] Kein Vertragspartnerland war indessen verpflichtet, die Bestimmungen des Abkommens vor Ablauf einer Frist von einem Jahr nach Inkraft-

---

8   Vgl. *Croome, John* (1995), Reshaping the World Trading System, Genf, S. 251ff.
9   Vgl. *Pacón, Ana María* (1995), Was bringt TRIPS den Entwicklungsländern, in: GRUR Int., H. 11, S. 876.
10  Der Vertragstext ist veröffentlicht in: *Hummer/Weiss*, S. 1086ff. (deutsche Fassung); *WTO*, The Legal Texts, S. 365ff. (englische Fassung). In den folgenden Ausführungen werden die Bezeichnungen TRIPS und TRIPS-Vertrag synonym verwendet.

Siebter Teil

treten des TRIPS, also vor dem 1. Januar 1996 anzuwenden. Für die Entwicklungs– und osteuropäischen Reformländer waren längere Übergangsfristen vorgesehen.[11]

1300 Die folgenden Ausführungen behandeln an erster Stelle das vertragliche Umfeld des TRIPS. Der zweite Abschnitt vermittelt einen Überblick über den Inhalt des TRIPS–Abkommens. Die abschliessenden Ausführungen treten auf die handelsmässige Bedeutung der handelsbezogenen Aspekte des geistigen Eigentums ein und stellen einige Argumente für und wider die gegenwärtige Rechtsordnung zur Diskussion.

## 1. Das vertragliche Umfeld des TRIPS

1301 Zum Teil basiert das TRIPS–Abkommen auf den Grundsätzen der bisher geltenden Abkommen, zum Teil schafft es neues Recht. Die bestehenden internationalen Abkommen bleiben aus Rücksicht auf jene Vertragspartner, die nicht Mitglied der WTO sind, in Kraft. Die folgende Übersicht beschränkt sich auf jene Vereinbarungen, die für das TRIPS von besonderer Bedeutung sind.[12]

- *Die Pariser Verbandsübereinkunft zum Schutz des gewerblichen Eigentums von 1883 (PVÜ):* Die letzte Revision erfolgte im Jahr 1967. Im Frühjahr 2000 gehören der Pariser Übereinkunft 157 Vertragspartner an. Das Ziel der PVÜ ist die Durchsetzung des Inländerprinzips und der Schutz von Hersteller– und Handelsmarken.[13]

- *Die Berner Übereinkunft zum Schutz von Werken der Literatur und Kunst von 1886:* Seit der Revision in Berlin im Jahr 1908 trägt die Konvention den Namen "Revidierte Berner Übereinkunft" (RBÜ). Die jüngste Revision der RBÜ erfolgte im Jahr 1971. Die RBÜ zählte im März 2000 total 140

---

11  Art. 65 TRIPS, vgl. auch Rz 1404ff.
12  Vgl. Rz 1302.
13  Der Übereinkommenstext ist veröffentlicht in: *BGBl.* 1970 II S. 391; *SR* 0.232.02, 03 und 04 (deutsche Fassung). Darstellung der Übereinkunft mit entsprechenden Literaturhinweisen in: *Kur, Annette* (1994), TRIPs und das Markenrecht, in: GRUR Int., H. 12, S. 987ff.

Vertragspartner. Die Hauptaufgabe der RBÜ ist die Regelung des Schutzes von Werken ausländischer Urheber und ausländischer Ursprungsländer (nicht anwendbar auf inländische Sachverhalte).[14]

— *Das Madrider Abkommen über die internationale Registrierung von Marken von 1891 (MMA):* Die letzte Revision geht auf 1967 zurück. Das Madrider Abkommen ist ein Sonderabkommen im Sinne der Pariser Verbandsübereinkunft zum Schutz des gewerblichen Eigentums. Das Madrider Abkommen soll den Vertragsparteien ermöglichen, über eine einzige Anmeldung im Heimatland die Schutzrechte in einer Vielzahl von Ländern zu erwerben. Dem Madrider Abkommen gehören im März 2000 insgesamt 64 Vertragsparteien an. Nicht unterzeichnet haben das Abkommen die Vereinigten Staaten und Japan, was die Bedeutung der Vereinbarung mindert.[15]

— *Das Haager Abkommen über die internationale Hinterlegung gewerblicher Muster und Modelle von 1925 (HMA):* Wichtige Abkommensrevisionen fanden in den Jahren 1934 und 1960 statt. Unter den heutigen (März 2000) 29 Unterzeichnerstaaten des Abkommens finden sich Deutschland, Frankreich, Italien, Schweiz, Spanien, Ungarn sowie einige Staaten Afrikas und Asiens. Die USA und Japan haben das Abkommen nicht unterzeichnet. Der Hauptinhalt des Abkommens ist die Möglichkeit einer zentralen Hinterlegung von Mustern bei der WIPO in Genf, um auf diese Weise in allen Vertragspartnerstaaten den Schutz der Muster zu begründen. Grundsätzlich ist das Haager Musterabkommen ein reines Registrierungsabkommen und enthält nur wenige Bestimmungen über den materiellen Musterschutz. Eine dieser materiellrechtlichen Bestimmungen

---

14 Der Übereinkommenstext ist veröffentlicht in: *BGBl.* 1973 II S. 1071; *SR* 0.231.12, 13, 14 und 15 (deutsche Fassung). Darstellung der Übereinkunft mit entsprechenden Literaturhinweisen in: *Drexl, Josef* (1990), Entwicklungsmöglichkeiten des Urheberrechts im Rahmen des GATT, München, S. 13f. und 40ff; *Katzenberger, Paul* (1995), TRIPS und das Urheberrecht, in: GRUR Int., H. 6, S. 447ff.

15 Der Abkommenstext ist veröffentlicht in: *BGBl.* 1970 II S. 418; *SR* 0.232.11.2.3 (deutsche Fassung); Darstellung des Abkommens mit entsprechenden Literaturhinweisen in: *Knaak, Roland* (1995), Der Schutz geographischer Angaben nach dem TRIPS–Abkommen, in: GRUR Int., H. 8/9, S. 642ff.; *Kur, Annette* (1994), TRIPs und das Markenrecht, in: GRUR Int., H. 12, S. 987ff.

Siebter Teil

bezieht sich auf die Art und Weise, wie die Muster zu bezeichnen sind (entweder mit D im Kreis oder mit Registernummer).[16]

– *Das Welturheberrechtsabkommen von 1952 (WUA):* Die letzte Revision des Welturheberrechtsabkommens stammt aus dem Jahr 1971. Das ursprüngliche Abkommen haben 95 und die revidierte Fassung 59 Partner unterzeichnet. Das Ziel des WUA ist die Überwindung der Systemunterschiede zwischen den Vereinigten Staaten und Europa. Das WUA bildet keinen Verband, sondern einen völkerrechtlichen Vertrag und hat die Verwirklichung des Inländerprinzips zum Ziel. Für Länder, die sowohl der RBÜ als auch dem WUA angehören, hat die RBÜ Vorrang.[17]

– *Das Rom Abkommen über den Schutz der ausübenden Künstler, der Hersteller von Tonträgern und der Sendeunternehmen von 1961 (RA):* Das Rom Abkommen haben bis zum Frühjahr 2000 52 Partner unterzeichnet. Das RA schützt die Rechte, die mit dem Urheberrecht in Zusammenhang stehen, denen aber keine urheberrechtsfähige Leistung zugrunde liegt. Das Ziel des RA ist in den von ihm abgedeckten Bereich die Verwirklichung des Inländerprinzips. Das RA ist, analog zum WUA, kein Verband, sondern ein Völkerrechtsvertrag. Das TRIPS garantiert den Fortbestand des Rom Abkommens und übernimmt seine materiellrechtlichen Bestimmungen.[18]

1302  In Ergänzung zu den hier aufgeführten Abkommen gibt es eine Vielzahl von Abkommen, die Einzelprobleme behandeln und nebst dem TRIPS ebenfalls Gültigkeit haben. Dazu gehören beispielsweise das Europäische Fernsehabkommen von 1960, das Genfer Tonträgerabkommen von 1971, das Brüsse-

---

16  Der Abkommenstext ist veröffentlicht in: *BGBl.* II 1995 S. 190; *SR* 0.232.121.1 und 2.
17  Der Abkommenstext ist veröffentlicht in: *BGBl.* 1965 II S. 1243; *SR* 0.231.01 (deutsche Fassung); Darstellung der Übereinkunft mit entsprechenden Literaturhinweisen in: *Drexl, Josef* (1990), Entwicklungsmöglichkeiten des Urheberrechts im Rahmen des GATT, München, S. 15f. und 165ff; *Katzenberger, Paul* (1995), TRIPS und das Urheberrecht, in: GRUR Int., H. 6, S. 454f.
18  Der Abkommenstext ist veröffentlicht in: *BGBl.* 1965 II S. 1243; *SR* 0.231.171 (deutsche Fassung); Darstellung der Übereinkunft mit entsprechenden Literaturhinweisen in: *Drexl, Josef* (1990), Entwicklungsmöglichkeiten des Urheberrechts im Rahmen des GATT, München, S. 209ff.; *Katzenberger, Paul* (1995), TRIPS und das Urheberrecht, in: GRUR Int., H. 6, S. 457f.

ler Satellitenabkommen von 1974, der Budapest Vertrag über die internationale Sicherung der Hinterlegung von Mikroorganismen für Zwecke von Patentverfahren von 1977 und das Washington Abkommen zum Schutz des geistigen Eigentums an integrierten Schaltkreisen von 1989 (bis heute nicht in Kraft getreten).[19]

## 2. Der Inhalt des TRIPS-Abkommens

Das Abkommen über handelsbezogene Aspekte des geistigen Eigentums besteht aus einer Präambel und sieben Teilen mit insgesamt 73 Artikeln. Der erste Teil enthält die allgemeinen Bestimmungen. Die folgenden beiden Teile behandeln die Schutzrechte und die Regeln der Rechtsdurchsetzung. Gegenstand der Teile vier bis sieben sind der Erwerb und die Aufrechterhaltung der geistigen Eigentumsrechte, das Streitschlichtungsverfahren, die Übergangsfristen und die Verwaltung des Abkommens.

1303

### 2.1 Die Präambel

Die Präambel beginnt – in Vorwegnahme des Grundsatzartikels 7 – mit der Aufzählung der von der Vereinbarung verfolgten Ziele: Das Abkommen soll

1304

---

19 In den ersten neunziger Jahren befasste sich eine Arbeitsgruppe des Max-Planck-Instituts für ausländisches und internationales Patent-, Urheber- und Wettbewerbsrecht in München mit den Fragen des TRIPS. Die veröffentlichten Ergebnisse führen nicht allein in das TRIPS ein, sie vermitteln gleichzeitig einen Überblick über die neben dem TRIPS in Kraft stehenden internationalen Abkommen im Bereich des Immaterialgüterrechts. Die verschiedenen Beiträge sind veröffentlicht in: GRUR Int., Jg. 1994, 1995 und 1996. Eine englische Fassung dieser Beiträge (z.T. ergänzt und erweitert) findet sich in: *Beier/Schricker*, Hrsg. (1996), From GATT to TRIPs – The Agreement on Trade-Related Aspects of Intellectual Property Rights, IIC Studies, Vol. 18, München; zu den Vertragsbestimmungen des TRIPS und zur Theorie des urheberrechtlichen Eigentums vgl. *Abbott/Cottier/Gurry* (1999), The International Intellectual Property System, Commentary and Materials, Den Haag u.a.; *Gervais, Daniel* (1998), The TRIPS Agreement; drafting history and analysis, London; *Heinz, Karl Eckhart* (1998), Das sogenannte Folgerecht als künftige europaweite Regelung? Zur Theorie des urheberrechtlichen Eigentums, in: GRUR, H. 10, S. 786ff. *Staehelin, Alesch* (1999), Das TRIPS-Abkommen, Bern.

erstens dazu beitragen, alle jene Schutzrechte des geistigen Eigentums zu ändern oder zu beseitigen, die in Verletzung der Grundprinzipien des GATT (d.h. des Meistbegünstigungs– und Inländerprinzips) den Handel einschränken oder verzerren. Der Vereinbarung komme zweitens die Aufgabe zu, die Mitgliedstaaten vor ausländischen Fälschungen und Pirateriprodukten zu schützen. Drittens habe das Abkommen dafür Sorge zu tragen, dass die getroffenen Massnahmen zur Durchsetzung der Rechte des geistigen Eigentums "nicht selbst zu Schranken für den legitimen Handel werden".

1305    Zur Erreichung dieser Ziele seien die entsprechenden Grundsätze zu erarbeiten und die vorgesehenen Massnahmen und Durchsetzungsverfahren auf die Grundprinzipien des GATT abzustimmen. Zudem verlangt die Präambel ein Streitschlichtungsverfahren zur Beilegung von Zwistigkeiten zwischen den Regierungen sowie spezielle Übergangsbestimmungen für wirtschaftlich schwächere Staaten.

1306    Das TRIPS ist als multilaterales Abkommen für alle WTO–Mitglieder verbindlich.

1307    Zwischen der WTO und der WIPO, so die Präambel, sei ein Zusammenarbeitsvertrag zur gegenseitigen Unterstützung bei der Verfolgung der Abkommens– und Organisationsziele auszuarbeiten. Gegenstand des 1996 in Kraft getretenen Kooperationsabkommens ist die gegenseitige Information zwischen WTO und WIPO sowie zwischen ihren Mitgliedern, die Zusammenarbeit bei der Rechtsdurchsetzung sowie die Rechtshilfe zugunsten jener Entwicklungsländer, die der WTO, aber nicht der WIPO angehören.[20]


## 2.2   Die allgemeinen Bestimmungen

1308    Art. 1:1 TRIPS verpflichtet die Vertragsparteien, das Abkommen in ihr eigenes Rechtssystem und in ihre eigene Rechtspraxis umzusetzen. Dabei darf die Umsetzung nach nationalen Methoden erfolgen. Das TRIPS enthält keine Umsetzungsvorschriften.

---

20   Vgl. Rz 300.

Art. 1:2 TRIPS definiert den Vertragsgegenstand. Der Begriff "geistiges Eigentum" bezieht sich auf die in Teil II des Abkommens aufgeführten Bereiche Urheberrecht und verwandte Rechte, Marken, geographische Angaben, gewerbliche Muster, Patente, Topographien integrierter Schaltkreise und Geschäftsgeheimnisse.

1309

Die TRIPS-Vorschriften sind als Mindestnormen zu verstehen. Den Vertragspartnern steht es frei, einen umfassenderen Rechtsschutz als den im TRIPS vorgesehenen anzustreben und die geeigneten Massnahmen für die Umsetzung der TRIPS-Bestimmungen nach eigenem Ermessen zu treffen, sofern dieser Schutz und die gewählten Mittel dem Abkommen nicht zuwiderlaufen. Schutzfähige Rechtssubjekte sind die natürlichen und juristischen Personen gemäss Pariser Verbandsübereinkunft, Revidierter Berner Übereinkunft, Rom Abkommen und Washington Abkommen. Neben diesen Grundsätzen enthält der erste Teil des Abkommens drei Schwerpunkte: den Miteinbezug bereits bestehender Abkommen, das Inländerprinzip und das Meistbegünstigungsprinzip.

1310

Art. 2:1 TRIPS verpflichtet alle Vertragsparteien, die materiellrechtlichen Bestimmungen der Pariser Verbandsübereinkunft anzuerkennen. Diese Vorschrift bezieht sich auch auf die Nicht-PVÜ-Vertragspartner. So hat beispielsweise Indien gemäss TRIPS die PVÜ-Bestimmungen anzuerkennen, obwohl die indische Regierung über Jahre hinweg diese Übereinkunft ablehnte. Art. 2:2 TRIPS hält auch fest, dass die TRIPS-Vorschriften die in der Revidierten Berner Übereinkunft, im Rom Abkommen und im Vertrag zum Schutz integrierter Schaltkreise aufgeführten Verpflichtungen nicht ausser Kraft setzt.

1311

Das zweite Kernelement des TRIPS ist das Inländerprinzip. In Anlehnung an die Formulierung des GATT bestimmt Art. 3:1 TRIPS, dass die Vertragspartnerländer den Staatsangehörigen der anderen Mitgliedstaaten eine Behandlung gewähren müssen, "die nicht weniger günstig als diejenige ist, die sie ihren eigenen Staatsangehörigen in Bezug auf den Schutz des geistigen Eigentums gewähren". Die Anmerkung zu Art. 3 TRIPS enthält eine nähere Umschreibung des Schutzes: "Schutz" schliesst alle jene Sachverhalte ein, "welche die Verfügbarkeit, den Erwerb, den Umfang, die Aufrechterhaltung und die Durchsetzung von Rechten des geistigen Eigentums betreffen und ebenso auch jene Angelegenheiten, welche die Verwendung von Rechten des

1312

Siebter Teil

geistigen Eigentums betreffen, die in diesem Abschnitt konkret behandelt werden". Eine Ausnahme vom Inländerprinzip enthalten die Revidierte Berner Übereinkunft und das Rom Abkommen.[21] Diese beiden Abkommen gewähren den Vertragspartnern das Recht, in einzelnen Schutzbereichen die verbandsrechtliche Basisreziprozität anzuwenden und einem Vertragspartner nur jene Rechte zuzugestehen, die das eigene Land im Partnerland erfährt.[22] Weitere Ausnahmen gewähren die PVÜ und die RBÜ bei den gerichtlichen und administrativen Verfahren.[23] Die Vertragsparteien haben das Recht, in einem Verfahren nationale Vorschriften über die Wahl des Vertreters oder Anwalts und/oder die zu leistende Sicherheit (Kaution) beizubehalten oder zu erlassen.[24]

1313   Das dritte Hauptelement des TRIPS ist die Meistbegünstigungspflicht. Nach Art. 4 TRIPS sind "Vorteile, Begünstigungen, Vorrechte und Befreiungen, die von einem Mitglied den Staatsangehörigen eines anderen Landes gewährt werden, unmittelbar und unbedingt den Staatsangehörigen aller anderen Mitglieder" zu gewähren. Im Gegensatz zur mfn–Pflicht des GATT lässt das TRIPS einzelne Ausnahmen zu. Nicht der Meistbegünstigungspflicht unterliegen Vorteile, Begünstigungen, Vorrechte und Befreiungen, die

- sich aus internationalen Abkommen über Rechtshilfe und Vollstreckung ableiten, die allgemeiner Natur sind und sich nicht speziell auf den Schutz des geistigen Eigentums beschränken,

- sich gegenseitig aufgrund der RBÜ oder des RA im Sinne der Basisreziprozität zugestanden werden und nicht von der Inlandbehandlung, sondern von der in einem anderen Land gewährten Behandlung abhängig sind,

- sich auf die in diesem Abkommen nicht geregelten Rechte von ausübenden Künstlern, Herstellern von Tonträgern und Sendeunternehmen beziehen oder

---

21   Vgl. Art. 6:1 und 20 der RBÜ; Art. 13(d) und 16:1(b) des RA.

22   In der Aussenhandelspolitik ist (im Zusammenhang mit Sec. 301 des US–Handelsgesetzes) anstelle von "Basisreziprozität" oft auch von "aggressiver Reziprozität" die Rede. Vgl. Rz 461ff.

23   Im EU–Recht finden diese Ausnahmen keine Anwendung. Vgl. *Kur, Annette* (1995), TRIPs und der Designschutz, in: GRUR Int., H. 3, S. 187.

24   Vgl. Art. 2:3 der PVÜ von 1967.

– sich aus Abkommen ableiten, die vor dem TRIPS in Kraft traten.[25]

Alle diese Ausnahmen hatten zum Ziel, den einzelnen Vertragspartnern die Freiheit zu lassen, über Sonderverträge ihr Schutzniveau anheben zu können. Zudem soll die neue Regelung dazu beitragen, dass einzelne Länder von der Meistbegünstigung nicht profitieren, ohne selber Gegenrecht gewähren zu müssen (Verhinderung des "Trittbrettfahrens"). Als Beispiele werden in diesem Zusammenhang die Länder mit angelsächsischer Rechtstradition genannt, die keinen Schutz der verwandten Schutzrechte (d.h. der Rechte der ausübenden Künstler, der Hersteller von Tonträgern und der Sendeunternehmen) kennen. Bei absoluter Meistbegünstigung könnten diese Länder in den Gebieten der übrigen Vertragspartner von den Regeln des Rom Abkommens profitieren, ohne selber Gegenleistungen erbringen zu müssen.[26]

Neben diesen drei Schwerpunkten steht in Art. 6 TRIPS die Rechtserschöpfung als ein Problem zur Diskussion, das bis anhin nicht gelöst wurde.[27] Das Prinzip der Rechtserschöpfung besagt, "dass der Inhaber seine ausschliesslichen Rechte an einem Immaterialgut erschöpft hat, sobald er das geschützte Produkt auf den Markt bringt oder dessen Vermarktung durch eine Drittperson zustimmt. In Übereinstimmung mit dem Prinzip der internationalen Erschöpfung darf der Inhaber die Einfuhr des Produkts, das er selbst oder ein Lizenznehmer in einem Drittland hergestellt hat, nicht mehr verbieten"[28]. Ein Land hat das Recht, unterschiedliche Erschöpfungsregelungen vorzusehen, zum Beispiel die nationale Erschöpfung im Patentwesen und die internationale Erschöpfung im Bereich des Urheberrechts. Die Befürworter der

1314

---

25 Nach *Hanns Ullrich* unterläuft Art. 4 TRIPS Art. 19 PVÜ und Art. 20 RBÜ, die den Mitgliedstaaten ausdrücklich den Abschluss weitergehender bilateraler Übereinkünfte gestattet. *Ullrich, Hanns* (1995), Technologieschutz nach TRIPS: Prinzipien und Probleme, in: GRUR Int., H. 8/9, S. 633, Anm. 81.

26 *BBl* 1994 IV 291; *Katzenberger, Paul* (1995), TRIPS und das Urheberrecht, in: GRUR Int., H. 6, S. 455.

27 Rz 1314 bezieht sich sowohl inhaltlich als auch in Bezug auf die Zitate auf *BBl* 1994 IV 291f.

28 Ein Patent beispielsweise gewährt nach Art. 28 TRIPS dem Inhaber des Patents das ausschliessliche Recht, Dritten zu verbieten, ohne seine Zustimmung folgende Handlungen vorzunehmen: Herstellung, Benutzung, Anbieten zum Verkauf, Verkauf oder diesen Zwecken dienende Einfuhr eines Guts.

internationalen Rechtserschöpfung vertreten die Meinung, diese Methode entspreche im besonderen Masse der Grundidee eines offenen und möglichst freien Marktes. Nach Ansicht der Gegner führt die internationale Rechtserschöpfung zu einem unfairen Handel, solange in den einzelnen Ländern unterschiedliche Wettbewerbsbedingungen vorherrschen. Das TRIPS enthält heute folgende Regelung: Kein TRIPS–Partner kann über die Frage der nationalen oder internationalen Erschöpfung ein Streitschlichtungsverfahren einleiten. Jeder Vertragspartner hat jedoch den Grundsatz des Inländer– und des Meistbegünstigungsprinzips zu befolgen. Wenn ein TRIPS–Partner mit einem anderen Land ein bilaterales Abkommen, das die regionale Erschöpfung enthält, abschliesst, ist es gemäss Meistbegünstigungsprinzip verpflichtet, die Rechtserschöpfung auch den anderen TRIPS–Partnern zu gewähren.[29]

## 2.3 Die Verfügbarkeit und die Ausübung der Rechte des geistigen Eigentums

1315    Gegenstand des Teils II des TRIPS sind die Bestimmungen über das Urheberrecht und die verwandten Rechte, die Marken, die geographischen Angaben, die gewerblichen Muster, die Patente, die Topographien integrierter Schaltkreise, der Schutz nicht offengelegter Informationen und die Bekämpfung wettbewerbswidriger Praktiken in vertraglichen Lizenzen.

### 2.3.1 Das Urheberrecht und die verwandten Rechte

1316    Vor dem Inkrafttreten des TRIPS galt die letztmals 1971 revidierte Berner Übereinkunft zum Schutz von Werken der Literatur und Kunst von 1886 (RBÜ). Das TRIPS übernimmt gemäss Art. 9 die materiellrechtlichen Bestimmungen der RBÜ und verpflichtet alle WTO-Mitglieder – auch die Nicht–RBÜ–Partner – auf das TRIPS–Vertragswerk. Die TRIPS–Zusatzbestimmungen beziehen sich auf die Computerprogramme und Datensammlungen, die gewerbliche Vermietung von Originalen und Kopien urheberrechtlich

---

29   Ein Umgehen der Meistbegünstigungspflicht ist über die Schaffung einer Integration gemäss Art. XXIV GATT möglich.

geschützter Werke sowie den Schutz von ausübenden Künstlern, Herstellern von Tonträgern (Tonaufnahmen) und Sendeunternehmen. Die RBÜ wurde mit dem Inkrafttreten des TRIPS nicht aufgehoben. Sie hat weiterhin Gültigkeit für die RBÜ–Vertragspartner, die der WTO nicht angehören.

Als Werke der Literatur und Kunst definiert Art. 2 der RBÜ alle Erzeugnisse 1317 auf dem Gebiet der Literatur, Wissenschaft und Kunst, ohne Rücksicht auf die Art und Form des Ausdrucks: "Bücher, Broschüren und andere Schriftwerke; Vorträge, Ansprachen, Predigten und andere Werke gleicher Art; dramatische oder dramatisch–musikalische Werke; choreographische Werke und Pantomimen; musikalische Kompositionen mit oder ohne Text; Filmwerke einschliesslich der Werke, die durch ein ähnliches Verfahren wie Filmwerke hervorgebracht sind; Werke der zeichnenden Kunst, der Malerei, der Baukunst, der Bildhauerei; Stiche und Lithographien; photographische Werke, denen Werke gleichgestellt sind, die durch ein der Photographie ähnliches Verfahren hervorgebracht sind; Werke der angewandten Kunst; Illustrationen, geographische Karten, Pläne, Skizzen und Darstellungen plastischer Art auf den Gebieten der Geographie, Topographie, Architektur oder Wissenschaft". Die Liste ist offen und erfährt in Art. 10 und 11 TRIPS eine spezielle Ausweitung auf die Computerprogramme, die Datensammlungen, die Vermietrechte bei Computerprogrammen und die audiovisuellen Werke.[30] Ebenso werden Datensammlungen oder sonstiges Material in maschinenlesbarer oder anderer Art, "die aufgrund der Auswahl oder Anordnung ihres Inhalts geistige Schöpfungen bilden" als solche geschützt. Der Schutz bezieht sich dabei auf die Auswahl und die Anordnung der Daten, nicht auf die Daten selbst. Gegen die Piraterie richtet sich auch das Vermietrecht.[31] Ohne die Zustimmung des Urhebers dürfen Computerprogramme und Filme nicht gewerblich vermietet werden. Nicht

---

30 Die um diese Rechte erweiterte RBÜ ist unter der Bezeichnung "Bern Plus" bekannt.
31 Im Rahmen der WIPO–Konferenz 1996 wurde ein Protokoll zur RBÜ verabschiedet, das auf die Notwendigkeit von Internet–Regeln hinweist, die den weltweiten Datenfluss ermöglichen, ohne die Urheber und Produzenten ihrer Rechte zu berauben. Vgl. *Kretschmer, Friedrich* (1997), Sicherung eines weltweiten Mindeststandards für geistiges Eigentum durch die WTO (TRIPS), in: *Forschungsinstitut für Wirtschaftsverfassung und Wettbewerb*, Hrsg., FIW–Schriftenreihe, H. 173, Köln u.a., S. 61.

angesprochen vom TRIPS sind die Internet–Fragen. Sie werden zweifelsohne Gegenstand der nächsten Welthandelsrunde sein.

1318    Das TRIPS hat die Schutzdauer–Bestimmungen der RBÜ wie folgt übernommen: Die Mindestschutzdauer für Urheberrechte beträgt 50 Jahre ab dem Tod des Urhebers. Kann die Schutzdauer nicht nach dem Leben des Urhebers berechnet werden, beginnt die Dauer von 50 Jahren mit der Veröffentlichung oder der Herstellung des Werks. Auch die ausübenden Künstler (z.B. Schauspieler) und die Hersteller von Tonträgern (Musiker) geniessen eine Mindestschutzdauer von 50 Jahren ab dem Ende des Kalenderjahrs der Darstellung oder Aufzeichnung.[32] Ausgenommen von der Mindestschutzdauer von 50 Jahren sind die Werke der Fotografie und der angewandten Kunst (Kunsthandwerk). Für diese Bereiche legt die RBÜ eine Schutzdauer von 25 Jahren fest. Kürzer ist die Schutzdauer für Rundfunk– und Fernsehsendungen. Sie beträgt 20 Jahre ab Ende des Kalenderjahrs der Aussendung.

### 2.3.2  Die Marken

1319    Vor dem Inkrafttreten des TRIPS am 1. Januar 1995 galt das Markenrecht gemäss Pariser Verbandsübereinkunft von 1967 (PVÜ) und des Madrider Markenabkommens von 1967 (MMA). Gegenstand der PVÜ waren die Verwirklichung des Inländerprinzips sowie eine Reihe anderer materiellrechtlicher Grundsätze über den Schutz bekannter Marken, über den Benutzungszwang usw. Das MMA befasste sich mit Fragen der Registrierung.[33] Art. 2:1 TRIPS verpflichtet nun die WTO–Mitglieder, analog zur Anerkennung der RBÜ auch die Bestimmungen der PVÜ zu befolgen, ergänzt durch zusätzliche TRIPS–Regelungen.[34] Zwischen dem TRIPS und dem MMA bestehen keine Über-

---

[32] Die Mindestschutzdauer von 50 Jahren wurde in vielen Ländern, vor allem in den europäischen Ländern, auf 70 Jahre angehoben. Vgl. EWG–Richtlinie des Rats vom 29.10.1993 zur Harmonisierung der Schutzdauer des Urheberrechts und bestimmter verwandter Schutzrecht 93/98 EWG.

[33] Über das internationale Markensystem vor dem TRIPS vgl. *Kur, Annette* (1994), TRIPs und das Markenrecht, in GRUR Int., H. 12, S. 988.

[34] Daher die Bezeichnung "Paris–Plus–Ansatz".

schneidungen. Das MMA befasst sich mit den Verfahren der internationalen Registrierung, die nicht Gegenstand des TRIPS sind.[35]

*Gegenstand des Schutzes*

Die Definition der "Marke" lag vor dem Inkrafttreten des TRIPS im Ermessen der Länder. In einzelnen Rechtssystemen (auch in jenem Deutschlands) war es beispielsweise nicht möglich, Wort- oder Wort-Bildmarken als Marke einzutragen. Es ist das Verdienst des TRIPS, eine allgemeingültige Umschreibung der Marke vorzunehmen. Nach Art. 15:1 des TRIPS können "alle Zeichen und jede Kombination von Zeichen, die geeignet sind, die Waren oder Dienstleistungen eines Unternehmens von denen anderer Unternehmen zu unterscheiden" eine Marke darstellen. "Solche Zeichen, insbesondere Wörter einschliesslich Personennamen, Buchstaben, Zahlen, Abbildungen und Farbkombinationen ebenso wie alle Kombinationen von solchen Zeichen, sind als Marken eintragungsfähig". Sind Zeichen als solche nicht geeignet, die betreffenden Waren und Dienstleistungen speziell zu kennzeichnen, haben die einzelnen Länder das Recht, die Eintragungsfähigkeit "von ihrer durch Benutzung erworbenen Unterscheidungskraft abhängig" zu machen. Ausgeschlossen sind im TRIPS visuell nicht wahrnehmbare Zeichen wie Duft- und Hörzeichen ("Sound marks"). Nicht erwähnt sind auch dreidimensionale Marken und einzelne Farben, was aber ihre Eintragungsfähigkeit nicht unbedingt ausschliesst, weil die Liste nur beispielhaften Charakter hat.[36]

1320

Für die Zurückweisung einer Eintragung einer Marke gelten nach Art. 15:2 TRIPS die Bestimmungen der PVÜ. Nach Art. 6$^{quinquies}$ der PVÜ darf die Eintragung einer Marke verweigert werden, wenn dadurch in dem betreffenden Land Rechte, die von einem Dritten erworben worden sind, verletzt werden,

1321

---

35 Zu den folgenden Ausführungen vgl. *Kur, Annette* (1994), TRIPs und das Markenrecht, in: GRUR Int., H. 12, S. 987ff.

36 Nach *Annette Kur* schliesst die fehlende Aufzählung von dreidimensionalen Marken und (einzelnen) Farben die Eintragungsfähigkeit solcher Marken nicht generell aus. Es dürfte statthaft sein, "die Eintragung solcher Markenformen im Einklang mit Art. 15 Abs. 1 Satz 3 regelmässig vom Nachweis der durch *Benutzung erworbenen Unterscheidungskraft* abhängig zu machen". *Kur, Annette* (1994), TRIPs und das Markenrecht, in: GRUR Int., H. 12, S. 991.

Siebter Teil

wenn die Marke jeder Unterscheidungskraft entbehrt, wenn sie ausschliesslich aus beschreibenden Angaben besteht und wenn sie gegen die guten Sitten oder die öffentliche Ordnung verstösst.

1322   Zurückgewiesen beziehungsweise gelöscht werden kann die Eintragung der Marke, wenn sie über drei Jahre nicht benutzt wird.

1323   Art. 15:4 TRIPS hält fest, dass die Art der Waren oder Dienstleistungen, auf denen die Marke angebracht wird, unter keinen Umständen ein Hindernis für die Eintragung der Marke bilden darf.

1324   Schliesslich verpflichtet Art. 15:5 TRIPS die Vertragsparteien, "alle Marken vor ihrer Eintragung oder unverzüglich nach ihrer Eintragung" zu veröffentlichen. Zudem haben sie Gelegenheit zu schaffen, eingetragene Marken wieder löschen zu können. Ob Einsprachen gegen die Eintragung von Marken zugelassen sind oder nicht, liegt im Ermessensbereich der Vertragspartner.

*Rechte aus den Marken*

1325   Art. 16:1 TRIPS bildet das Kernstück des Abschnitts über die Marken:

"Dem Inhaber einer eingetragenen Marke steht das ausschliessliche Recht zu, Dritten zu verbieten, ohne seine Zustimmung im geschäftlichen Verkehr gleiche oder ähnliche Zeichen für Waren oder Dienstleistungen, die gleich oder ähnlich denen sind, für die die Marke eingetragen ist, zu benutzen, wenn diese Benutzung die Gefahr von Verwechslungen nach sich ziehen würde. Bei der Benutzung gleicher Zeichen für gleiche Waren oder Dienstleistungen wird die Verwechslungsgefahr vermutet [...]".

1326   Grundsätzlich bezieht sich dieses Verbot nur auf eingetragene Marken. Der letzte hier zitierte Satz von Art. 16:1 TRIPS lässt aber den Schutz nicht-eingetragener Rechte aufgrund der "Benutzung" zu. Dabei ist, wie *Annette Kur* sagt, davon auszugehen, dass diese Formulierung die Möglichkeit einschliesst, den "Schutz nicht bereits aufgrund der Benutzung als solcher, sondern erst dann zu gewähren, wenn dadurch ein gewisser Bekanntheitsgrad ('Verkehrsgeltung') erlangt wurde"[37].

1327   Im Gegensatz zu Art. 16:1 TRIPS, der sich mit dem allgemeinen Prinzip des Markenschutzes befasst, regelt Art. 16:2 TRIPS den Schutz der notorisch

---

37  *Kur, Annette* (1994), TRIPs und das Markenrecht, in: GRUR Int., H. 12, S. 993.

bekannten Marken ("well known trade marks"). Art. 16:2 TRIPS hält mit Bezug auf Art. 6^bis der PVÜ fest, dass notorisch bekannte Marken (gleichartiger Güter, vgl. nächster Absatz) ebenfalls geschützt sind, auch wenn sie als Marken nicht eingetragen wurden. Bei der Feststellung, ob eine Marke notorisch bekannt ist, berücksichtigen die Mitglieder gemäss Art. 16:2 TRIPS "die Bekanntheit der Marke im einschlägigen Teil der Öffentlichkeit, einschliesslich der Bekanntheit der Marke im betreffenden Mitglied, die aufgrund der Werbung für die Marke erreicht wurde". Die im Vertragstext gewählte Formulierung scheint zu unbestimmt zu sein, um anstehende Probleme lösen zu können.[38]

Schliesslich befasst sich Art. 16:3 TRIPS mit dem Schutz notorisch bekannter Marken ausserhalb des Gleichartigkeitsbereichs. Der Markenschutz findet auch Anwendung auf Waren und Dienstleistungen, "die denen nicht ähnlich sind, für die die Marke eingetragen ist, wenn die Benutzung der betreffenden Marke im Zusammenhang mit diesen Waren oder Dienstleistungen auf eine Verbindung zwischen diesen Waren oder Dienstleistungen und dem Inhaber der eingetragenen Marke hinweisen würde und wenn den Interessen des Inhalber der eigentragenen Marke durch solche Bentzung wahrscheinlich Schaden zugefügt würde". Das TRIPS verlangt keinen besonderen, das heisst über die Notorietät hinausgehenden Bekanntheitsgrad noch eine besondere Qualität der Marke, sondern stellt auf die blosse Verwechslungsgefahr schlechthin ab. Als Beispiel für die Verwendung eines Namens für nicht gleichartige Güter mag in diesem Zusammenhang die Verwendung des Namens "Porsche" für Porsche–Autos und Porsche–Brillen erwähnt werden.

1328

*Dauer des Markenschutzes*

Die Laufzeit der ursprünglichen Eintragung und jede Verlängerung der Eintragung einer Marke hat nach Art. 18 TRIPS mindestens sieben Jahre zu betragen. Die einmal vorgenommene Eintragung einer Marke kann unbegrenzt verlängert werden.

1329

---

38   Vgl. die Kritik bei *Kur, Annette* (1994), TRIPs und das Markenrecht, in: GRUR Int., H. 12, S. 994.

1330    Falls ein nationales Recht für die Aufrechterhaltung der Eintragung der Marke dessen Benutzung voraussetzt, darf nach Art. 19 TRIPS die Eintragung frühestens nach "einem ununterbrochenen Zeitraum der Nichtbenutzung von drei Jahren" gelöscht werden, es sei denn, der Inhaber der Marke bringe stichhaltige Gründe für die Nichtbenutzung vor, wie zum Beispiel Einfuhrbeschränkungen oder andere staatliche Auflagen, welche die Benutzung der Marke verunmöglichen. Dem Benutzungszwang wird Genüge getan, wenn die Marke mit Erlaubnis des Markeninhabers durch einen Dritten benutzt wird. Damit ist die rechtserhaltende Wirkung der Markenbenutzung durch konzernverbundene Unternehmen sichergestellt.

*Sonstige Erfordernisse*

1331    *Annette Kur* verdeutlicht anhand einzelner Beispiele, wie in den vergangenen Jahrzehnten wirtschaftlich schwächere Staaten immer wieder bestrebt waren, ausländische Marken für eigene Zwecke zu nutzen beziehungsweise zu missbrauchen. So verlangte beispielsweise das mexikanische Markengesetz von 1975, dass ausländische Marken nicht isoliert, sondern nur in Verwendung mit der Marke des einheimischen Lizenznehmers auf dem in Lizenz gefertigten Produkt verwendet werden durften, um auf diese Weise die Präsenz der einheimischen Produzenten zu manifestieren, die Bekanntheit der einheimischen Unternehmen zu fördern und die (psychologische) Abhängigkeit der Bevölkerung von ausländischen Märkten zu verringern. Eine brasilianische Verordnung von 1993 wiederum bestimmte, dass "bei Arzneimitteln die generische Bezeichnung auf der Verpackung über dem Markennamen plaziert werden und mit dreimal so grossen Buchstaben wie jener angegeben werden muss"[39]. Die damalige EG und die USA setzten sich bei der Ausarbeitung des TRIPS durch, dass gemäss Art. 20 TRIPS die Benutzung einer Marke nicht ungerechtfertigt durch besondere Erfordernisse belastet werden darf, zum Beispiel im Sinne einer "Benutzung mit einer anderen Marke" oder auf eine Art und Weise, "die ihrer Fähigkeit abträglich ist, die Waren oder Dienstleistungen eines Unternehmens von denen anderer Unternehmen zu unterscheiden".

---

39   *Kur, Annette* (1994), TRIPs und das Markenrecht, in: GRUR Int., H. 12, S. 995f.

*Lizenzen und ihre Übertragbarkeit*

Nach Art. 21 TRIPS sind die Länder frei, die Bedingungen für die Vergabe von Lizenzen und für die Übertragung von Marken festzulegen. Sie haben, im Gegensatz zur bisherigen europäischen Markenregelung, das Recht, vorzuschreiben, dass der Lizenzgeber für die Einhaltung bestimmter Qualitätsvorgaben durch den Lizenznehmer verantwortlich ist und entsprechende Kontrollen durchführen muss. Sie dürfen zudem verlangen, dass die Lizenzvergabe in einem speziellen Register eingetragen werden muss, eventuell verbunden mit entsprechenden staatlichen Gebühren. Nicht erlaubt ist die Zwangslizenzierung von Marken. Von Zwangslizenzen ist die Rede, wenn ein Markeninhaber gegen seinen Willen gezwungen wird, die Benutzung seiner Marke gratis oder gegen eine angemessene Entschädigung durch einen Dritten zu gestatten (ev. unter dem Vorwand des öffentlichen Interesses). Das Zwangslizenzen–Verbot entspricht "dem Grundsatz, dass eine zwangsweise Lizenzierung von Marken kaum zu rechtfertigen ist und regelmässig zu einer Irreführung des Publikums führen würde, das annimmt, die Ware sei vom Markeninhaber selbst oder jedenfalls mit seiner Zustimmung gekennzeichnet worden"[40]. 1332

### 2.3.3 Die geographischen Angaben

Bei der Definition der geographischen Bezeichnungen bestehen von Rechtssystem zu Rechtssystem erhebliche Unterschiede. Die einen Systeme beschränken die "geographischen Angaben" ausschliesslich auf den geographischen Ortsnamen, die anderen verstehen darunter jegliche Hinweise in Verbindung mit einem geographischen Namen.[41] Auch hat eine kürzlich durchgeführte WTO–Umfrage belegt, dass einzelne Länder über spezielle Listen (Register) der geschützten geographischen Angaben verfügen, wogegen die anderen dieses Problem über Marken–, Konsumentenschutz– und Wettbewerbsgesetze angehen. 1333

Die bisher geltenden Bestimmungen der Pariser Verbandsübereinkunft, des Madrider Abkommens, des Lissaboner Abkommens und vieler zwischenstaat- 1334

---

40 *Kur, Annette* (1994), TRIPs und das Markenrecht, in: GRUR Int., H. 12, S. 996.
41 *WTO* (1998), FOCUS, Newsletter Nr. 36, Genf, S. 12f.

licher bilateraler Vereinbarungen haben die anstehenden Probleme eines internationalen Schutzes der geographischen Angaben nicht zu meistern vermocht.[42] Dies ist der Hintergrund, vor dem die TRIPS-Bestimmungen über den Schutz der geographischen Angaben entstanden sind.

1335  Die in der WTO geltende begriffliche Abgrenzung der geographischen Angaben findet sich in Art. 22 TRIPS. Geographische Angaben sind "Angaben, die eine Ware als aus dem Gebiet eines Mitglieds oder aus einer Region oder aus einem Ort in diesem Gebiet stammend kennzeichnen", soweit die Qualität, der Ruf oder die Beschaffenheit der Ware "im wesentlichen ihrem geographischen Ursprung zugeschrieben wird". Vor allem die Beurteilung des Zusammenhangs zwischen geographischem Ort einerseits und Qualität, Ruf und Beschaffenheit der Ware andererseits dürfte, wie *Roland Knaak* sagt, "eine der schwierigsten Aufgaben bei der Anwendung und Umsetzung der TRIPS-Bestimmungen über die geographischen Angaben sein"[43].

1336  Art. 22 TRIPS bezieht sich ausschliesslich auf Waren.. Der Waren-Begriff wird allgemein gehalten und bezieht sich sowohl auf agrarische wie auf gewerbliche und industrielle Güter. Geographische Angaben im Zusammenhang mit Dienstleistungen werden im TRIPS nicht angesprochen

*Allgemeine Grundregeln*

1337  Art. 22:2 TRIPS zusammen mit Art. $10^{bis}$ der Pariser Verbandsübereinkunft verpflichten die Vertragsparteien, dafür Sorge zu tragen,
- dass die Bezeichnung oder Aufmachung einer Ware in Bezug auf die geographische Herkunft stimmt und nicht irreführend ist, das heisst nicht vorgibt oder den Anschein erweckt, aus einem anderen als dem tatsächlichen Herkunftsort zu stammen (Verbot der Irreführung), und
- dass die Bezeichnung oder Aufmachung einer Ware im Hinblick auf die geographische Herkunft nicht dazu missbraucht wird, eine Verwechslung in Bezug auf die Niederlassung des Produzenten, das Erzeugnis selbst oder

---

42  Vgl. Art. 9f. des PVÜ und Art. 1, $3^{bis}$ und 4 des MMA.
43  *Knaak, Roland* (1995), Der Schutz geographischer Angaben nach dem TRIPS-Abkommen, in: GRUR Int., H. 8/9, S. 647.

die gewerbliche oder kaufmännische Tätigkeit eines Mitanbieters zu bewirken, den Ruf eines Konkurrenten mit falschen Behauptungen zu schmälern oder das Publikum irrezuführen (Verwechslungsgefahr).

Als unlauter gilt der Gebrauch von geographischen Angaben, wenn dadurch bei Waren minderer Qualität mit Hilfe sogenannter qualifizierter Herkunftsangaben eine Wertvorstellung vorgetäuscht wird, die der Wirklichkeit nicht entspricht. Besteht eine solche Verwechslungsgefahr, kann die Verwendung der geographischen Angaben verboten werden, selbst wenn die Produkte aus dem erwähnten Herkunftsort stammen. 1338

Art. 22:3 TRIPS verpflichtet die Vertragsparteien von Amtes wegen oder – je nach Rechtsordnung – auf Antrag hin, jede Eintragung einer Marke, die eine geographische Angabe enthält, auf ihren Wahrheitsgehalt hin zu überprüfen. Besteht die Möglichkeit der Irreführung oder die Gefahr der Verwechslung, ist die Eintragung zu verweigern oder eine bereits vorgenommene Eintragung als ungültig zu erklären. 1339

*Besonderer Schutz für Weine und Spirituosen*

Bei Weinen und Spirituosen geht der Schutz der geographischen Angaben weiter als bei den übrigen Produkten. Art. 23:1 und 2 TRIPS verpflichten die Parteien, die Verwendung geographischer Angaben zur Kennzeichnung von Weinen und Spirituosen zu verbieten, wenn die Getränke nicht aus dem bezeichneten Herkunftsland stammen. Selbst wenn der wahre Ursprung angegeben ist, darf diese Herkunftsbezeichnung nicht mit Ausdrücken wie "in der Art", "im Typ" oder "im Stil" eines Erzeugnisses anderer Herkunft begleitet werden. *Roland Knaak* weist im Zusammenhang dieser Sonderbestimmung darauf hin, dass es ein solch umfassendes Schutzhindernis für geographische Bezeichnungen weder im europäischen Markenrecht noch im europäischen Wein- oder Spirituosenrecht je gegeben hat: "Im Ergebnis verbietet Art. 23 Abs. 2, dass geographische Wein- oder Spirituosenbezeichnungen eines TRIPS-Mitgliedslandes in anderen Mitgliedsländern als Gattungsbezeichnungen oder gar als eintragungsfähige Phantasiebezeichnungen qualifiziert 1340 werden und an ihnen ein Markenschutz für ortsfremde Produkte begründet werden kann"[44].

1341    Um den Schutz der geographischen Angaben für Weine zu erleichtern, fordert Art. 23:4 TRIPS den TRIPS-Rat auf, ein "multilaterales System der Notifikation und Eintragung geographischer Angaben für Weine" zu erarbeiten. Aufgrund dieses Auftrags hat die EU dem TRIPS-Rat einen Vorschlag unterbreitet, der zurzeit in Genf diskutiert wird. Der Vorschlag bezieht sich auf Weine und Spirituosen, mit der Möglichkeit, später auch andere Produkte einzubeziehen. Der Eintrag von Weinen und Spirituosen mit geographischen Herkunftsbezeichnungen wäre freiwillig, die vorgenommene Eintragung aber für alle TRIPS-Partner verpflichtend. Der EU-Vorschlag hat bei den übrigen TRIPS-Partnern keine Begeisterung ausgelöst. Sie befürchten eine Überadministration. Die USA haben einen Gegenvorschlag in Aussicht gestellt.[45] Es ist anzunehmen, dass das Erstellen einer international verbindlichen Liste der Weine mit geographischen Angaben noch seine Zeit braucht.[46]

*Ausnahmen*

1342    Die Ausnahmen vom Schutz der geographischen Angaben finden sich in Art. 24 TRIPS. Eine erste Ausnahme betrifft die Weiterbenutzung von geographischen Angaben im Bereich Weine und Spirituosen. Die Verwendung einer geographischen Angabe eines anderen Mitgliedlands darf nicht verboten werden, wenn sie "fortgesetzt und gleichartig" im Gebiet eines Mitglieds entweder mindestens zehn Jahre lang vor der Unterzeichnung des TRIPS am 15. April 1994 oder in gutem Glauben vor diesem Datum verwendet wurde, und wenn die Anwendung durch Personen erfolgt, die in diesem Land Wohnsitz haben. Der Hinweis "im Gebiet dieses Mitglieds" besagt, dass sich das Weiterbenutzungsrecht allein auf das Gebiet des Mitglieds beschränkt, in dem die bisherige Benutzung stattgefunden hat. Als Beispiel dieser Ausnahmebestim-

---

44  *Knaak, Roland* (1995), Der Schutz geographischer Angaben nach dem TRIPS-Abkommen, in: GRUR Int., H. 8/9, S. 649.
45  Vgl. Bericht des TRIPS-Rats in: *WTO* (1998), FOCUS, Newsletter Nr. 36, Genf, S. 12f.
46  Über den Stand der Diskussion vgl. *WTO* (1999), Annual Report 1999, Genf, S. 74.

mung wird immer wieder der in den USA produzierte weisse Burgunderwein "Chablis" erwähnt, der (aus der Region von Chablis in Frankreich stammend) seit Jahrzehnten in den USA produziert und unter diesem Namen in den Handel gebracht wird. Die US–Weinproduzenten dürfen diesen Wein weiterhin unter dem Namen "Chablis" produzieren und in den USA auf den Markt bringen.

Die zweite Ausnahme geht über die Produkte Weine und Spirituosen hinaus und betrifft alle Güter. Eine gutgläubig angemeldete, eingetragene oder vor dem Inkrafttreten des TRIPS erworbene Marke darf in ihrer Benutzung aufgrund der Tatsache, "dass eine solche Marke mit einer geographischen Angabe gleich oder ihr ähnlich ist", nicht beeinträchtigt werden. Damit ist aber, wie *Roland Knaak* feststellt, nichts über die Art der Benutzung, die fortgesetzt werden darf, gesagt: "Das Weiterbenutzungsrecht gilt deshalb im Zweifel für eine Benutzung als Gattungsbezeichnung ebenso wie für eine Benutzung als Marke. Soweit es um eine Benutzung für Weine oder Spirituosen geht, schränkt die Bestimmung über das Weiterbenutzungsrecht das absolute Benutzungsverbot falscher geographischer Wein– und Spirituosenbezeichnungen nach Art. 23 Abs. 1 ein. Soweit ein Recht zur Benutzung für andere Waren oder für Dienstleistungen in Anspruch genommen wird, liegt in dem Weiterbenutzungsrecht eine Schranke des allgemeinen Irreführungs– und Unlauterkeitsverbots nach Art. 22 Abs. 2".[47]

1343

Eine dritte Ausnahme findet sich im ersten Satz des Art. 24:6 TRIPS. Ein Vertragspartner hat das Weiterbenutzungsrecht an geographischen Angaben, wenn die Angaben im betreffenden Land zu einer Produktgattung geworden sind. Die Weiterbenutzung des Namens einer Gattungsware ist nicht an den Wohnsitz des Produzenten noch an das Hoheitsgebiet gebunden. So darf beispielsweise im deutschen Allgäu der Schweizer Emmentalerkäse produziert und in der Schweiz der Kasseler Braten zubereitet und der Dresdner Stollen gebacken und auf den Markt gebracht werden.

1344

Eine vierte Ausnahme besteht gemäss zweitem Satz des Art. 24:6 TRIPS bei geographischen Angaben für Rebsorten, falls deren geographische Bezeichnung beim Inkrafttreten des TRIPS bereits gebräuchlich war. Die Bezeichnung

1345

---

47 *Knaak, Roland* (1995), Der Schutz geographischer Angaben nach dem TRIPS–Abkommen, in: GRUR Int., H. 8/9, S. 650.

"Spätburgunder" darf daher ausserhalb Frankreichs weiterhin verwendet werden.[48]

1346　Eine letzte Ausnahme enthält Art. 24:9 TRIPS. Danach ist kein Vertragspartner verpflichtet, geographische Angaben zu schützen, wenn diese im Ursprungsland nicht oder nicht mehr geschützt sind oder in diesem Land nicht mehr verwendet werden.

### 2.3.4　Die gewerblichen Muster

1347　Das TRIPS definiert den Begriff "gewerbliche Muster" ("Industrial design") nicht und beschränkt sich auf die Festlegung von Schutzvoraussetzungen. Der Schutz hat sich nach Art. 25:1 TRIPS auf unabhängig geschaffene gewerbliche Muster zu beschränken, die neu oder originär sind.[49] Die WIPO hingegen versteht in einem von ihr vorgeschlagenen "Model Law" unter gewerblichem Muster "any composition of lines or colours or any three-dimensional form, [...] provided that such a composition or form gives a special appearance to a product of industry or handicraft or can serve as a pattern for (such a product)".[50]

1348　Das TRIPS versucht, den Schutz der gewerblichen Muster und Modelle weltweit zu vereinheitlichen. Die Schwierigkeit dieser Harmonisierungsbemühungen besteht darin, dass der Schutz von Mustern und Modellen bisher weder eindeutig dem Urheberrecht noch dem gewerblichen Rechtsschutz zugeordnet und sowohl in den internationalen Konventionen als auch in den nationalen Immaterialgüterrechtssystemen unterschiedlich geregelt war. Gegenwärtig geltende Rechtsgrundlagen des Musterschutzes finden sich in der Pariser Verbandsübereinkunft (Art. 1:2 und 5$^{quinqies}$), der Revidierten

---

48　Vgl. *Knaak, Roland* (1995), Der Schutz geographischer Angaben nach dem TRIPS-Abkommen, in: GRUR Int., H. 8/9, S. 651.

49　... es sei denn, sie unterscheiden sich von bekannten Mustern oder Kombinationen bekannter Merkmale von Mustern "nicht wesentlich".

50　Zitiert nach *Kur, Annette* (1995), TRIPs und der Designschutz, in: GRUR Int., H. 3, S. 189, Anm. 41. *Annette Kur* zitiert an gleicher Stelle auch die Definition des Business Communities Statement. Danach ist ein gewerbliches Muster "[...] the two- or three-dimensional appearance of an article which has a utility function".

Berner Übereinkunft (Art. 2), dem Haager Musterabkommen und in einer Vielzahl nationaler Gesetze. Die Art. 25 und 26 TRIPS beziehen sich weitgehend auf die bisher geltende Rechtssituation, weiten aber den Kreis der davon betroffenen Staaten aus.[51]

Aufgrund der Tatsache, dass die PVÜ und die RBÜ weiterhin Gültigkeit haben und die urheberrechtlichen Bestimmungen des TRIPS-Abkommens keine speziellen Bestimmungen über den Schutz der industriellen Designs enthalten, ändert sich die bisherige Rechtslage für viele Vertragspartnerstaaten nur unwesentlich: "Die Mitglieder sind nicht daran gehindert, den Schutz solcher Werke ausschliesslich aufgrund spezifischer Mustergesetze zu gewähren und die kumulative Inanspruchnahme urheberrechtlichen Schutzes gänzlich auszuschliessen. Umso weniger sind sie daran gehindert, Urheberrechtsschutz für Werke der angewandten Kunst von sehr strengen Erfordernissen abhängig zu machen, sei es im Hinblick auf die künstlerische Qualifikation des Werkes, seine 'Trennbarkeit' von dem Gebrauchsgegenstand, in dem es verkörpert ist, die Anzahl der Reproduktionen u.a.m."[52]

1349

*Schutzregelung*

Art. 26:1 TRIPS erlaubt dem Inhaber eines geschützten gewerblichen Musters einem Dritten zu verbieten, ohne seine Zustimmung "Gegenstände herzustellen, zu verkaufen oder einzuführen, die ein Muster tragen oder in die ein Muster aufgenommen wurde, das eine Nachahmung oder im wesentlichen eine Nachahmung des geschützten Musters ist". Als Schutzvoraussetzung wird verlangt, dass es sich um unabhängig geschaffene gewerbliche Muster handeln muss, die neu ("new") oder originär ("original") sind. Die beiden Schutzkriterien "Neuheit" und "Originalität" stehen "beispielhaft für die beiden vorherrschenden Grundkonzeptionen musterrechtlicher Regelungen – den

1350

---

51 Eine detaillierte Darstellung des Musterschutzes vor und nach dem Inkraftsetzen des TRIPS findet sich in: *Kur, Annette* (1995), TRIPs und der Designschutz, in: GRUR Int., H. 3, S. 185ff. Zu Fragen der alternativen oder kumulativen Anwendung von TRIPS-Bestimmungen und des Schutzes der textilen Muster vgl. auch *Pataky, T. S.* (1995), TRIPS und Designschutz, in: GRUR Int., H.8/9, S. 653ff.
52 *Kur, Annette* (1995), TRIPs und der Designschutz, in: GRUR Int., H. 3, S. 188.

'patent–' und den 'copyright–approach'"⁵³. Auch der Begriff "wesentlich" ist schwierig zu fassen. Nicht alle Vertragsparteien werden unter einem "wesentlichen" Unterschied das gleiche verstehen.

1351  Die Frage, wie das Schutzrecht erworben wird, ob durch Registrierung oder durch Benutzung eines Musters, beantwortet das TRIPS nicht. Erfolgt der Rechtserwerb durch Registrierung, ist Art. 62:2 TRIPS zu beachten, der vorschreibt, dass – vorbehaltlich der Erfüllung der materiellrechtlichen Bedingungen – die Registrierung innerhalb einer angemessenen Frist zu erfolgen hat, "um eine ungerechtfertigte Verkürzung der Schutzfrist zu vermeiden".

1352  Der Musterschutz des TRIPS bezieht sich ausschliesslich auf Anwendungen zu gewerblichen Zwecken. Zum privaten Gebrauch dürfen Muster nachgeahmt werden.

1353  Ein Schutzausschluss besteht nach Art. 25:1 TRIPS: "Die Mitglieder können festlegen, dass sich dieser Schutz nicht auf Muster erstreckt, die im wesentlichen aufgrund technischer oder funktioneller Überlegungen vorgegeben sind". Bei dieser Regel geht es um die Beschränkung des Schutzes von Mustern auf solche Erscheinungsformen, die Gebrauchsgegenstände wie zum Beispiel Textilien, Stoffe, Schmuck, Möbel sowie Freizeit– und Sportartikel in ihrer äusseren Form gestalten und optisch "schön" und "ansprechend" machen. Ausgenommen sind dagegen Formgebungen, die funktionsbedingt sind, das heisst welche die Anwendungsmöglichkeiten eines Werkzeugs oder eines Geräts verbessern. "Dabei wird ignoriert, dass gutes Produktdesign gerade darin besteht, Form und Funktion in optimaler Weise miteinander zu verbinden, und dass die angestrebte Trennung zwischen der ästhetischen Gestaltung eines Produktes und seiner Funktionalität somit im Ergebnis zu einem Schutzausschluss für besonders gelungene Gestaltungen führt".⁵⁴

1354  Auch wenn in den beiden Art. 25 und 26 TRIPS nicht expressis verbis darauf hingewiesen wird, ist im Vergleich mit anderen Bestimmungen des TRIPS (z.B. Art. 27:2) anzunehmen, dass die Vertragspartner das Recht haben, den

---

53  *Kur, Annette* (1995), TRIPs und der Designschutz, in: GRUR Int., H. 3, S. 189.
54  *Kur, Annette* (1995), TRIPs und der Designschutz, in: GRUR Int., H. 3, S. 190.

Musterschutz aus Gründen der öffentlichen Ordnung oder der guten Sitten auszuschliessen.

Die im TRIPS vorgesehene Schutzfrist beträgt nach Art. 26:3 TRIPS mindestens zehn Jahre.[55] Den einzelnen Vertragspartnern steht das Recht zu, die Frist von zehn Jahren zu verlängern.

1355

*Sonderbestimmungen für den Schutz von Textilmustern*

Der Schutz von Textilmustern findet in Art. 26:2 TRIPS besondere Beachtung: "Die Mitglieder können begrenzte Ausnahmen vom Schutz gewerblicher Muster vorsehen, sofern solche Ausnahmen nicht unangemessen im Widerspruch zur normalen Verwertung geschützter gewerblicher Muster stehen und die berechtigten Interessen des Inhabers des geschützten Musters nicht unangemessen beeinträchtigen, wobei auch die berechtigten Interessen Dritter zu berücksichtigen sind".

1356

Wegen der modebedingten Kurzlebigkeit der einzelnen Stoffdesigns und der technisch einfachen Kopierbarkeit der Muster wird den Vertragspartnern nahegelegt, besondere Schutzverfahren zu entwickeln, welche die Interessen der Textilmusterinhaber hinsichtlich der Kosten und Verwendungsfristen bestmöglich wahren. Dabei steht es den einzelnen Regierungen frei, dieser Empfehlung durch musterrechtliche oder urheberrechtliche Bestimmungen nachzukommen. Viele Länder, vor allem die europäischen, folgen dieser Aufforderung, indem sie verbilligte Verfahren für die Möglichkeit von Sammelanmeldungen sowie die Möglichkeit aufgeschobener Bekanntmachung zur Verfügung stellen.[56]

---

55  Für Länder wie Südkorea, Mexiko und Peru bedeutet diese Fristvorgabe eine Verlängerung der bisher geltenden Fristen. Vgl. *Pataky, T. S.* (1995), TRIPS und Designschutz, in: GRUR Int., H.8/9, S. 655.

56  Vgl. in diesem Zusammenhang die Hinweise über die vereinfachten Verfahren in der EU, den USA und Japan in: *Kur, Annette* (1995), TRIPs und der Designschutz, in: GRUR Int., H. 3, S. 191. Eine weitere Erleichterung würde sich ergeben, wenn die derzeit in der EU bestehenden Pläne realisiert würden, für nicht registrierte Muster einen auf drei Jahre befristeten Schutz zu gewähren.

### 2.3.5 Die Patente

1357 Ein Patent ist das einem Erfinder oder seinem Rechtsnachfolger staatlich zugesicherte Recht, seine Erfindung in Form eines Produkts oder eines Verfahrens während einer bestimmten Zeit selber zu nutzen beziehungsweise einem Dritten zu verbieten, seine Erfindung zu benutzen, herzustellen, zum Verkauf anzubieten oder zu diesem Zweck zu importieren.

1358 Die vor dem Inkrafttreten des TRIPS geltenden internationalen Patentschutzregeln fanden sich in der Pariser Verbandsübereinkunft und dem Vertrag über die internationale Zusammenarbeit auf dem Gebiet des Patentwesens von 1970. Die damals für den Patentschutz geltenden internationalen Mindeststandards waren bescheiden. Die Verbandsländer entschieden nach freiem Ermessen über die Gebiete der Technik, die sie als patentfähig betrachteten, über die Kategorien der Erfindungen (Produkt- oder Verfahrenserfindungen) und über die Voraussetzungen der Patenterteilung. Auch fehlten in der PVÜ Angaben über die Patentfristen.[57] Gemäss einer Studie der WIPO bestand in den ersten achtziger Jahren in 49 der 92 PVÜ-Länder keine Patentiermöglichkeit für pharmazeutische Produkte. Dasselbe galt in 35 Ländern für Nahrungsmittel, in 32 Ländern (einschliesslich der EU) für Computerprogramme, in 22 Ländern für Chemikalien und in 10 Ländern für pharmazeutische Verfahren usw.[58]

1359 In der zweiten Hälfte der achtziger Jahre bemühte sich die WIPO um eine internationale Harmonisierung der Patentierungsvoraussetzungen. Vorgesehen war eine PVÜ-Ergänzung, welche die Patentierung auf alle Bereiche der Technik ausweiten, das Erstanmeldeprinzip einführen und eine Neuheitsschonfrist von 12 Monaten festschreiben sollte. Die Verhandlungen scheiterten, teils weil die zwischen den Industriestaaten und den Entwicklungsländern bestehenden Differenzen über die Patentierbarkeit einzelner Produktbereiche nicht ausgeräumt werden konnten, teils weil sich im Rahmen der Uruguay-

---

57 Zum internationalen Patentrecht vor dem Inkrafttreten des TRIPS-Abkommens vgl. *Strauss, Joseph* (1996), Bedeutung des TRIPS für das Patentrecht, in: GRUR Int., H. 3, S. 183ff.

58 *WIPO* (1988), DOK WO/INF/29, September, zit. nach *Strauss, Joseph* (1996), Bedeutung des TRIPS für das Patentrecht, in: GRUR Int., H. 3, S. 185, Anm. 62.

Runde die Chance eines eigenständigen Abkommens über den Schutz der geistigen Eigentumsrechte abzeichnete.

1360 Die Vorschläge zu einem TRIPS-Abkommen stammten vor allem von den damaligen EG, den USA und einzelnen Entwicklungsländern.[59] Die Industriestaaten drängten auf eine Patentierbarkeit möglichst aller Technikbereiche, wogegen die Drittweltländer, besonders Indien, sich gegen die Patentierbarkeit der pharmazeutischen Produkte und der Nahrungsmittel wehrten. Der schliesslich gefundene Kompromiss besteht darin, alle sich auf Tiere und Pflanzen beziehenden Erfindungen nicht zu patentieren (Vorschlag der EG und der Entwicklungsländer) und den wirtschaftlich schwächeren Staaten lange Übergangsfristen zu gewähren.[60]

1361 Die WTO-Patentbestimmungen finden sich in Art. 27 bis 34 TRIPS. Von Bedeutung sind in diesem Zusammenhang auch Art. 65 (Übergangsvereinbarung), Art. 66 (Sonderbestimmung für Entwicklungsländer) und Art. 70 TRIPS (Besitzstandwahrung).

*Patentierbare Gegenstände*

1362 Patentierbar sind nach Art. 27:1 TRIPS die Erfindungen auf allen Gebieten der Technik, gleichgültig, ob es sich um Erzeugnisse, Verfahren, Verrichtungen oder Anordnungen (z.B. einer elektrischen Schaltung) handelt, "vorausgesetzt sie sind neu, beruhen auf einer erfinderischen Tätigkeit und sind gewerblich anwendbar". Von der Patentierbarkeit können die TRIPS-Vertragspartner ausschliessen, (1) die Erzeugnisse und Verfahren, die gegen die öffentliche Ordnung und die guten Sitten verstossen oder das Leben und die Gesundheit von Menschen, Tieren und Pflanzen gefährden oder die Umwelt beeinträchtigen, (2) die diagnostischen, therapeutischen oder chirurgischen Verfahren für die Behandlung von Menschen und Tieren, (3) die Pflanzen und Tiere mit Ausnahme von Mikroorganismen und (4) die biologischen Verfahren für die Erzeugung von Pflanzen oder Tieren, mit Ausnahme der

---

59  Vgl. Rz 242.
60  Vgl. *Straus, Joseph* (1996), Bedeutung des TRIPS für das Patentrecht, in: GRUR Int., H. 3, S. 188.

nichtbiologischen und mikrobiologischen Verfahren. Die gegenwärtige Regelung des Schutzes der Pflanzen und Tiere ist nicht definitiv und soll vier Jahre nach Inkrafttreten des WTO–Abkommens einer Überprüfung unterzogen werden.[61]

1363   Was unter "Erfindungen auf allen Gebieten der Technik" zu verstehen ist, geht aus dem Vertragstext nicht hervor. In der Vorbereitungsphase des TRIPS traten mehrere Staaten dafür ein, wissenschaftliche Prinzipien, mathematische Formeln, Entdeckungen, wissenschaftliche Theorien usw. von der Patentierbarkeit auszunehmen. Schliesslich aber wurde auf die Erstellung eines Negativkatalogs der Patentierbarkeit verzichtet. Damit bezieht sich das TRIPS ausschliesslich auf Erfindungen, ohne auf andere "Schöpfungen des menschlichen Geistes" einzutreten. "In Ermangelung einer TRIPS–eigenen Legaldefinition", so *Joseph Straus,* "bleibt es also weiterhin der Gesetzgebung der Mitgliedstaaten überlassen, was sie als *patentfähige Erfindung* ansehen, insbesondere, ob Computerprogramme als solche dazu gerechnet werden oder nicht".[62]

1364   Bei der Anmeldung eines Patents ist die Erfindung nach Art. 29 TRIPS "so deutlich und vollständig zu offenbaren", dass sie eine Fachperson verstehen und ausführen kann. Die Staaten können den Anmelder eines Patents auch verpflichten, "Angaben über die entsprechenden ausländischen Anmeldungen und Erteilungen vorzulegen".

*Rechte aus dem Patent*

1365   Das Patent gewährt dem Inhaber gemäss Art. 28 TRIPS folgende Rechte:
– Ist der Gegenstand des Patents ein Erzeugnis, hat der Patentinhaber das Recht, einem Dritten die Herstellung, die Benutzung, das Anbieten zum Verkauf, der Verkauf oder die Einfuhr zum Verkauf des patentierten Erzeugnisses zu verbieten. Das Vornehmen all dieser Handlungen steht allein dem Patentinhaber zu.

---

61   Bis Frühjahr 2000 sind keine diesbezüglichen Verhandlungsergebnisse veröffentlicht worden. Vgl. *WTO* (1999), Annual Report 1999, Genf, S. 72ff.
62   *Straus, Joseph* (1996), Bedeutung des TRIPS für das Patentrecht, in: GRUR Int., H. 3, S. 191.

— Ist der Gegenstand des Patents ein Verfahren, hat der Patentinhaber das Recht, einem Dritten die Benutzung und das Anbieten des Verfahrens zum Verkauf zu verbieten. Verboten werden darf auch der Verkauf und die Einfuhr zum Verkauf von unmittelbar mit diesem Verfahren gewonnenen Erzeugnissen. Mit der Erstreckung des Schutzes des Verfahrenspatents auf die mit dem geschützten Verfahren unmittelbar gewonnen Erzeugnisse ist es zu einer Neuerung im Patentwesen gekommen, die in Zukunft nicht unproblematisch sein wird. Was heisst "unmittelbar mit diesem Verfahren gewonnene Erzeugnisse"?

1366 Der Patentinhaber hat das Recht, sein Patent rechtsgeschäftlich (über Verkauf oder Lizenzierung) oder im Wege der Rechtsnachfolge auf eine andere Person zu übertragen. Mit der Übertragung wird der neue Patentinhaber berechtigt, das Patent zu nutzen.

1367 Die vom TRIPS-Vertrag vorgesehene Schutzdauer des Patents endet nach Art. 33 "nicht vor dem Ablauf einer Frist von zwanzig Jahren", gerechnet vom Anmeldetag an. Die Festlegung der Schutzdauer des Patents war seinerzeit ein zentrales Problem der TRIPS-Verhandlungen. Die Entwicklungsländer (vor allem Brasilien, Indien und Peru) bekämpften mit Hilfe der UNCTAD die internationale Festlegung einer Schutzdauer von 20 Jahren, nachdem sie kurz zuvor in ihren eigenen Rechtssystemen diese Frist auf fünf bis zehn Jahre reduziert hatten. Auf Druck der Industriestaaten obsiegte letztlich die Schutzfrist von 20 Jahren. Nach *Joseph Straus* kommt bei dieser Fristbestimmung "die Handschrift der Industrieländer", besonders "jene der Länder der Europäischen Gemeinschaft" zum Vorschein.[63]

*Ausnahmen von den Rechten aus dem Patent*

1368 Gemäss Art. 30 TRIPS können die Mitglieder begrenzte Ausnahmen von den ausschliesslichen Rechten aus einem Patent vorsehen, wenn (1) solche Ausnahmen nicht unangemessen im Widerspruch zur normalen Verwertung des Patents stehen, (2) die berechtigten Interessen des Patentinhabers nicht

---

63 *Straus, Joseph* (1996), Bedeutung des TRIPS für das Patentrecht, in: GRUR Int., H. 3, S. 197.

unangemessen beeinträchtigt werden und (3) die berechtigten Interessen Dritter Berücksichtigung finden. Konkret geht es darum, dass beispielsweise die Arzneimittelzulassung und die Einzelzubereitung von Arzneimitteln in Apotheken keine Patentverletzung darstellen und Handlungen zu Versuchszwecken, die sich auf den Gegenstand der patentierten Erfindung beziehen, erlaubt sind.

1369 Nach Art. 8:1 TRIPS sind die Vertragspartner bei der Neuformulierung oder Änderung von Gesetzen berechtigt, diejenigen Massnahmen zu treffen, "die zum Schutz der öffentlichen Gesundheit und Ernährung sowie zur Förderung des öffentlichen Interesses in den für ihre sozio-ökonomische und technische Entwicklung entscheidend wichtigen Sektoren notwendig sind, sofern diese Massnahmen mit den Bestimmungen dieses Abkommens vereinbar sind". Aufgrund dieser Bestimmung dürfen die einzelnen TRIPS-Partner die Benutzung patentierter Gegenstände durch die Regierung oder staatlich ermächtigte Dritte ohne Zustimmung des Patentinhabers erlauben. Die Gewährung dieser Erlaubnis erfolgt in Form von sogenannten Zwangslizenzen (Ermächtigungen). Die Vergabe von Zwangslizenzen ist aber nach Art. 31 TRIPS an bestimmte Voraussetzungen gebunden. Der Antragsteller muss sich um die Zustimmung des Patentinhabers bemüht haben, oder es muss eine Notsituation vorliegen, die eine entsprechende Dringlichkeit erfordert; der Umfang und die Dauer der Zwangslizenz hat zweckgebunden zu sein; eine Übertragung der Nutzung des Patents ist in der Regel nicht erlaubt; dem Patentinhaber ist nach Möglichkeit eine Entschädigung zu leisten; die Gewährung einer Zwangslizenz hat der Nachprüfung durch ein Gericht zu unterliegen usw.

### 2.3.6 Die Topographien

1370 Im Mai 1989 wurde in Washington, DC, ein Vertrag über den Schutz des geistigen Eigentums im Hinblick auf integrierte Schaltkreise (Treaty of Intellectual Property in Respect of Integrated Circuits, IPIC Treaty) ausgehandelt und zur Unterzeichnung aufgelegt. Das Topographieschutzabkommen definierte die Topographien und verlangte von den Vertragspartnern die Respektierung des Inländerprinzips (unter Rücksichtnahme auf das Prinzip der materiellen Reziprozität). Im übrigen stellte das Abkommen seinen Vertragsparteien frei, die Schutzbestimmungen urheberrechtlich oder über den gewerblichen

Rechtsschutz zu regeln.[64] Das Topographieschutzabkommen von 1989 trat nicht in Kraft, weil einzelne Staaten die vorgeschlagene Schutzdauer als zu knapp bemessen erachteten.[65] Zur Zeit der Uruguay-Verhandlungen war indessen das Schicksal des Topographieschutzabkommens noch nicht bekannt.

Art. 35 TRIPS verweist auf das Topographieschutzabkommen und verpflichtet die Vertragspartner, "darüber hinaus die nachstehenden Bestimmungen zu befolgen". 1371

Art. 36 und 37 TRIPS umschreiben den Schutzumfang im Bereich der Topographien und die Handlungen, die keiner Zustimmung des Rechtsinhabers bedürfen. Der Schutz der Topographien bezieht sich auf die Einfuhr, den Verkauf oder den sonstigen gewerblichen Vertrieb "eines geschützten Layout-Designs, eines integrierten Schaltkreises, in den ein geschütztes Layout-Design aufgenommen ist, oder eines Gegenstandes, in den ein derartiger integrierter Schaltkreis aufgenommen ist, allerdings nur insoweit, als es weiterhin ein rechtswidrig nachgebildetes Layout-Design enthält". Ohne Zustimmung des Rechtsinhabers sind diese Handlungen rechtswidrig. Erwirbt indessen eine Person einen integrierten Schaltkreis oder einen Gegenstand ohne zu wissen, dass im erworbenen Gegenstand ein rechtswidrig nachgebildetes Layout-Design aufgenommen wurde, wird diese Handlung nicht als rechtswidrig betrachtet und bedarf keiner Zustimmung des Rechtsinhabers. Wer derartige Artikel guten Glaubens gekauft hat, darf diese Gegenstände an Lager nehmen, weiterverwenden oder weiterverkaufen, muss aber, sobald er von der Rechtswidrigkeit der Nachbildung Kenntnis hat, dem Rechtsinhaber eine "angemessene Lizenzgebühr" entrichten. Für Zwangslizenzen gelten die gleichen Vorschriften wie für die Benutzung eines Patents ohne Zustimmung des Rechtsinhabers gemäss Art. 31 TRIPS. 1372

---

64  Vgl. *Buck, Petra* (1994), Geistiges Eigentum und Völkerrecht, Beiträge des Völkerrechts zur Fortentwicklung des Schutzes von geistigem Eigentum, Berlin, S. 76.

65  Die USA und die Schweiz verzichteten auf die Unterzeichnung des Abkommens; die EG unterzeichneten das Abkommen, sahen aber nachträglich von einer Ratifizierung ab.

Siebter Teil

1373 In Bezug auf die Schutzdauer des Layout-Design ist nach Art. 38 TRIPS zwischen einem Land mit Registrierungszwang und einem Land ohne Registrierungszwang zu unterscheiden. Ist die Eintragung erforderlich, beträgt die minimale Schutzdauer zehn Jahre, gerechnet vom Anmeldetag an, oder – falls eine diesbezügliche Vorschrift besteht – vom Zeitpunkt der ersten gewerblichen Verwendung an. Ist die Registereintragung als Voraussetzung des Schutzes nicht erforderlich, beginnt die Schutzfrist am Tag der ersten gewerblichen Verwendung des Layout-Design. Die Vertragspartner haben das Recht, die Schutzdauer auf über zehn Jahre hinaus zu verlängern.

### 2.3.7 Der Schutz vertraulicher Informationen

1374 Nach Art. 39 TRIPS sind die Vertragspartner verpflichtet, nicht offengelegte Informationen vertraulich zu behandeln und gegen unlauteren Wettbewerb wirksam zu schützen. Nicht offengelegte Informationen im Sinne des TRIPS sind Informationen, die geheim, nicht allgemein bekannt oder zugänglich sind und einen wirtschaftlichen Wert haben (u.a. weil sie geheim sind). Unter unlauterem Wettbewerb wird nach Art. $10^{bis}$ der PVÜ jede Wettbewerbshandlung verstanden, "die den anständigen Gepflogenheiten in Gewerbe und Handel zuwiderläuft", wobei die Fussnote zu Art. 39 TRIPS präzisiert, welcher Art diese Handlungen sind, beispielsweise "Vertragsbruch, Vertrauensbruch und Verleitung dazu" inklusive "Erwerb nicht offengelegter Informationen durch Dritte [...], die wussten oder grob fahrlässig nicht wussten, dass solche Gepflogenheiten beim Erwerb eine Rolle spielen". Somit sind alle Handlungen untersagt, die eine Verwechslung mit der Niederlassung, den Erzeugnissen oder der gewerblichen oder kaufmännischen Tätigkeit des Konkurrenten bewirken. Zu unterlassen sind zudem falsche Behauptungen, die den Ruf der Firma, des Produkts oder des Mitanbieters herabsetzen oder schädigen. Nicht erlaubt sind schliesslich auch irreführende Angaben über die Beschaffung, die Produktion, die Eigenschaften und die Verwendung der Erzeugnisse.

1375 Art. 39:3 TRIPS bezieht sich auf pharmazeutische und agrochemische Produkte, die neue chemische Bestandteile enthalten und daher einer behördlichen Marktzulassung bedürfen. Das TRIPS verpflichtet die amtlichen Kontrollstellen, die für die Zulassung unterbreiteten Tests und Daten geheim zu halten

Der Schutz des geistigen Eigentums

und eine Offenlegung dieser Unterlagen nur vorzunehmen, wenn dies zum Schutz der Öffentlichkeit unabdingbar notwendig ist.

### 2.3.8 Die Bekämpfung der wettbewerbswidrigen Praktiken

Art. 40 TRIPS hält fest, dass "gewisse Praktiken oder Bedingungen bei der Vergabe von Lizenzen für Rechte des geistigen Eigentums, die den Wettbewerb beschränken", sich nachteilig auf den Handel auswirken und den Technologietransfer behindern. Trotzdem soll das Abkommen die Vertragspartner nicht davon abhalten, "in ihren Rechtsvorschriften Lizenzierungspraktiken und -bedingungen anzuführen, die in besonderen Fällen einen Missbrauch von Rechten des geistigen Eigentums bilden und eine nachteilige Auswirkung auf den Wettbewerb im einschlägigen Markt haben können". Aber die Abkommenspartner dürfen nach Art. 40:2 TRIPS auch Massnahmen ergreifen, um solche Praktiken, "zu denen zum Beispiel Bedingungen für ausschliessliche Rücklizenzen, Bedingungen, welche die Anfechtung der Rechtsgültigkeit und Lizenzvergabe im Paket mit Zwangswirkung verhindern", zu verbieten oder zu bekämpfen. 1376

Die Bekämpfung wettbewerbswidriger Praktiken bei vertraglichen Lizenzen lag nach Auskunft der Verhandlungsdelegationen "besonders den Entwicklungsländern am Herzen". Die Tatsache, dass man Art. 40 (Bekämpfung wettbewerbswidriger Praktiken in vertraglichen Lizenzen) in das TRIPS-Abkommen aufgenommen hat, mag die Einstellung dieser Länder gegenüber dem Abkommen über handelsbezogene Aspekte des geistigen Eigentums positiv beeinflusst haben.[66] 1377

## 2.4 Die Durchsetzung der Rechte

Erste Ansätze zur Rechtsdurchsetzung finden sich in der Pariser Verbandsübereinkunft, welche die Beschlagnahmung von Handelsgütern mit falschen Marken oder Handelsnamen regelt und den Vertragsparteien Rechtshilfe für 1378

---

66 *BBl* 1994 IV 306f.

## Siebter Teil

den Fall unlauterer Handelspraktiken zusichert.[67] Eine Verpflichtung zur Beschlagnahmung rechtswidriger Vervielfältigungsstücke findet sich in der Revidierten Berner Übereinkunft.[68] Keine Bestimmungen zur Rechtsdurchsetzung kennt das Welturheberrechtsabkommen, das Rom Abkommen zum Schutz der ausübenden Künstler, der Hersteller von Tonträgern und Sendeunternehmen sowie das Genfer Tonträgerabkommen.[69]

1379   Die Teile III und IV des TRIPS enthalten die Bestimmungen zur Durchsetzung der in den Teilen I und II aufgeführten materiellen Schutzrechte.

1380   Der erste Abschnitt des Teils III des TRIPS tritt auf die allgemeinen Pflichten der Vertragspartner ein. Die folgenden Abschnitte regeln die zivil- und verwaltungsrechtlichen Verfahren sowie die Abhilfe- und einstweiligen Massnahmen. Der IV. Teil behandelt den Erwerb und die Aufrechterhaltung der Rechte des geistigen Eigentums und die Parteienverfahren.

### 2.4.1   Die allgemeinen Pflichten

1381   Art. 41 TRIPS verlangt von den Vertragspartnern, in ihren nationalen Rechtsordnungen die im TRIPS aufgeführten Verfahren zur Rechtsdurchsetzung vorzusehen.[70] Dazu zählt das Ergreifen von Abhilfemassnahmen zur Verhinderung von Verletzungshandlungen sowie zur Abschreckung vor

---

67   Art. 9 und 10$^{bis}$ der PVÜ.

68   Art. 16 der RBÜ.

69   Ausführliche Vorschriften zur Durchsetzung der Schutzrechte finden sich ebenfalls in der am 1.1.1994 in Kraft getretenen NAFTA, was insofern nicht verwundert, wenn man bedenkt, dass die Initiative zur Rechtsdurchsetzung in den TRIPS-Verhandlungen vor allem von der US-Regierung ausging. Vgl. dazu *Dreier, Thomas* (1996), TRIPS und die Durchsetzung von Rechten des geistigen Eigentums, in: GRUR Int., H. 3, S. 205ff. Vgl. auch *NAFTA*, 6. Teil, 17. Kap., 1714–18.

70   *Thomas Dreier* weist auf die Unklarheit dieser Formulierung hin. Die Verpflichtung, entsprechende Durchsetzungsverfahren vorzusehen, "um ein wirksames Vorgehen gegen jede Verletzung [...] zu ermöglichen" lasse offen, "inwieweit die Mitglieder verpflichtet sind, die Mittel zur Durchsetzung nicht nur vorzusehen, sondern *zugleich* für deren Effektivität in der Praxis zu sorgen, oder ob sie der Verpflichtung bereits dadurch genügen, dass sie grundsätzlich geeignete Mittel vorsehen". *Dreier, Thomas* (1996), TRIPS und die Durchsetzung von Rechten des geistigen Eigentums, in: GRUR Int., H. 3, S. 210.

weiteren Verletzungen. Die Verfahren sind so anzuwenden, dass sie nicht selber zu Handelsschranken werden oder Anlass zum Missbrauch geben. Zudem fordert das TRIPS gerechte und objektive Verfahren, die nicht unnötig kompliziert und kostspielig sind oder unangemessene Fristen oder ungerechtfertigte Verzögerungen enthalten.

Sachentscheide sind zu begründen und "vorzugsweise" schriftlich auszufertigen. Sie dürfen sich nur auf Beweismaterial stützen, zu dem beide Parteien Stellung beziehen konnten. Die Vertragsparteien haben Anspruch auf eine schriftliche Fassung des Entscheids. 1382

Alle Verwaltungsentscheide und erstinstanzlichen Gerichtsentscheide müssen "zumindest in ihrem rechtlichen Teil durch eine weitere Instanz überprüfbar" sein. Die Vertragspartner sind aber nicht gezwungen, eigenständige Gerichte zur Durchsetzung des Rechts des geistigen Eigentums zu schaffen. Auch einer speziellen Bereitstellung der zur Rechtsdurchsetzung benötigten Mittel bedarf es nicht. Diese Bestimmung kam auf Antrag der Entwicklungsländer in das Abkommen. 1383

### 2.4.2 Die zivil- und verwaltungsrechtlichen Verfahren

Art. 42 TRIPS fordert von den Vertragsparteien, die Verfahren gerecht und objektiv durchzuführen, die Parteien rechtzeitig über eingereichte Klagen zu informieren, die Benachrichtigung mit dem Klagegrund zu versehen, die Vertretung durch einen unabhängigen Rechtsanwalt zuzulassen und das persönliche Erscheinen nicht unzumutbar zu erschweren. Alle Parteien sind berechtigt, ihre Ansprüche zu begründen und entsprechende Beweismittel vorzulegen. Interessant ist in diesem Zusammenhang die Vertragsbestimmung, dass der Begriff "Rechtsinhaber" auch Verbände und Vereine miteinbezieht, "die einen gesetzlichen Status haben, auf Grund dessen sie solche Rechte geltend machen können". 1384

Befindet sich eine Vertragspartei im Beweisnotstand und vermag sie Beweismittel anzugeben, die sich in der Verfügungsgewalt der gegnerischen Partei befinden, ist nach Art. 43 TRIPS die Behörde befugt, diese Beweismittel herauszufordern, vorausgesetzt, die Vertraulichkeit der Information wird dadurch nicht in Frage gestellt. Verweigert eine Partei "absichtlich und ohne 1385

## Siebter Teil

trifftigen Grund" die Informationsherausgabe oder legt sie diese Informationen nicht innerhalb einer angemessenen Frist vor, kann die Justizbehörde nach dem aktuellen Informationsstand Entscheide treffen und die Beweislast umkehren.

1386    Nach Art. 44 TRIPS sind die Justizbehörden befugt, "eine Partei anzuweisen, von einer Verletzung Abstand zu nehmen, unter anderem um zu verhindern, dass eingeführte Waren, mit denen ein Recht des geistigen Eigentums verletzt wird [...] in den Handel gelangen". Erleidet der Verletzte einen Schaden, ermächtigt Art. 45 TRIPS die Behörde, vom Verletzer einen entsprechenden Schadenersatz zu verlangen. Für die Bezahlung von Gebühren und Prozesskosten hat ebenfalls der Urheber der rechtswidrigen Handlung aufzukommen. Um eine Verletzung wirksam zu verhindern, darf die Justizbehörde gemäss Art. 46 über die Waren, die ein Recht verletzen, "ohne Ersatz irgendwelcher Art ausserhalb der Handelswege so [...] verfügen, dass die Gefahr weiterer Verletzungen möglichst gering gehalten wird". Schlimmstenfalls darf die Ware vernichtet werden. Das Aus–dem–Verkehr–Ziehen und die Vernichtung der Waren haben die Gebote der Notwendigkeit und der Verhältnismässigkeit zu beachten.

1387    Ist die Klage unbegründet oder wurde die Rechtsdurchsetzung missbräuchlich angewandt, hat der Beklagte nach Art. 48 TRIPS Anspruch auf Schadenersatz. Diese Regelung soll vor schikanösen Klagen schützen.

1388    Wird eine zivilrechtliche Abhilfemassnahme in Form einer verwaltungsrechtlichen Sachentscheidung angeordnet, gelten die vorangehenden Grundsätze gemäss Art. 49 TRIPS auch für das verwaltungsrechtliche Verfahren.

### 2.4.3 Die einstweiligen Massnahmen

1389    Die Justizbehörde ist nach Art. 50 TRIPS ermächtigt, "einstweilige Massnahmen ohne Anhörung der anderen Parteien zu treffen", um eine Rechtsverletzung und damit einen nicht wieder gutzumachenden Schaden zu verhindern oder um einschlägige Beweise im Zusammenhang einer behaupteten Rechtsverletzung zu sichern.

1390    Beim Ergreifen einer einstweiligen Verfügung sind die davon betroffenen Parteien unverzüglich zu benachrichtigen. Auf Antrag der angeklagten Partei findet eine Überprüfung des Sachverhalts zur Abklärung der Frage statt, ob die Massnahme abgeändert, widerrufen oder bestätigt werden soll. Wird kein ordentliches Verfahren eingeleitet, sind die einstweiligen Massnahmen innerhalb von 20 Arbeitstagen oder 31 Kalendertagen (es gilt die längere der beiden Fristen) wieder aufzuheben.

Werden die einstweiligen Massnahmen widerrufen oder als rechtswidrig erklärt, hat der davon betroffene Antraggegner Anspruch auf Schadenersatz. 1391

### 2.4.4 Die besonderen Anforderungen an die Grenzmassnahmen

Die Art. 51 bis 60 TRIPS behandeln den Grenzschutz im Kampf gegen den Import von Fälschungen und Piraterie. Hat ein Rechtsschutzinhaber den begründeten Verdacht, dass nachgeahmte Markenerzeugnissen oder nachgeahmte urheberrechtlich geschützte Waren importiert werden, kann er bei der Verwaltung die Aussetzung der Zollabfertigung beantragen. Die Zollverwaltung darf vom Antragsteller eine entsprechende Kaution oder Sicherheit fordern, um den Antragsgegner und die Behörde zu schützen und einem Missbrauch vorzubeugen. Ohne anschliessende Einleitung eines ordentlichen Verfahrens sind die Waren nach 10 Arbeitstagen, maximal nach 20 Tagen, wieder freizugeben, allenfalls mit der Auflage an den Antragsteller, dem Importeur, dem Empfänger und dem Eigentümer der Waren Schadenersatz zu leisten. 1392

Wenn die Vertragspartner die Behörden anweisen, aus eigener Initiative tätig zu werden und die Freigabe von Waren auszusetzen, haben die Behörden das Recht, vom Antragsteller Informationen einzuholen, und die Pflicht, die davon betroffenen Parteien zu informieren. Die Behörden und Beamten haften nach Art. 58(c) TRIPS für allfälligen Schaden nicht, "wenn ihre Handlungen im guten Glauben entweder vorgenommen oder beabsichtigt waren". 1393

### 2.4.5 Die Strafverfahren

Art. 61 TRIPS verpflichtet die Vertragspartner, Strafverfahren und Strafen vorzusehen, "die zumindest bei gewerbsmässig vorsätzlicher Fälschung von Markenerzeugnissen oder gewerbsmässig vorsätzlicher Nachahmung urhe- 1394

Siebter Teil

berrechtlich geschützter Waren Anwendung finden". Nach *Thomas Dreier* kommt in dieser Formulierung der "Mindestcharakter der Durchsetzungsbestimmungen des TRIPS" zum Ausdruck, indem Patentverletzungen ebenso wenig erfasst werden wie Verletzungen anderer gewerblicher Schutzrechte. Eine Verschärfung der Strafbarkeit enthalte allenfalls der letzte Satz des Art. 61 TRIPS, indem die Vertragspartner Strafverfahren und Strafen auch "für andere Fälle der Verletzung der Rechte des geistigen Eigentums vorsehen" können, "wenn die Handlungen vorsätzlich und gewerbsmässig begangen werden"[71].

1395    Die Strafe und das Strafmass sind vertraglich nicht definitiv umschrieben. Die Abhilfemassnahmen umfassen Haft und/oder Geldstrafen, "die ausreichen, um abschreckend zu wirken, und dem Strafmass entsprechen, das auf entsprechend schwere Straftaten anwendbar ist". Die Waren, die entsprechenden Materialien und die Werkzeuge, die Gegegenstand der Straftat sind, dürfen beschlagnahmt und vernichtet werden.

### 2.4.6    Der Erwerb und die Aufrechterhaltung von Rechten

1396    Der Erwerb und die Aufrechterhaltung der Rechte des geistigen Eigentums sind in Art. 62 des Teils IV des TRIPS geregelt. Die Vertragspartner können den Erwerb und die Aufrechterhaltung der geschützten Rechte in den Bereichen der Marken, der geographischen Angaben, der gewerblichen Muster und Modelle, der Patente und Layout–Designs (Topographien) integrierter Schaltkreise (ausgenommen sind das Urheberrecht und die verwandten Schutzrechte) vom Erteilungsverfahren und den Förmlichkeiten abhängig machen. Die entsprechenden Verfahren und Förmlichkeiten haben mit den Bestimmungen des TRIPS in Einklang zu stehen. Wenn der Erwerb eines Rechts des geistigen Eigentums ein bestimmtes Verfahren oder eine bestimmte Förmlichkeit voraussetzt, ist eine "angemessene" Frist (was immer das heisst) einzuhalten, um im Sinne von Art. 62:2 TRIPS eine "ungerechtfertigte Verkürzung der Schutzfrist zu vermeiden".

---

71   *Dreier, Thomas* (1996), TRIPS und die Durchsetzung von Rechten des geistigen Eigentums, in: GRUR Int., H. 3, S. 214.

## 2.5 Die weiteren TRIPS-Bestimmungen

Art. 63 bis 73 TRIPS behandeln die erforderliche Transparenz zwischen den nationalen Immaterialgüterrechtsordnungen, die Streitbeilegung, die Übergangsvereinbarungen, die Stellung der Entwicklungsländer und die institutionellen Belange.

### 2.5.1 Die Schaffung von Transparenz

Nach Art. 63 TRIPS sind die nationalen Gesetze, Verordnungen, Gerichtsentscheide, Verwaltungsverfügungen und zwischenstaatlichen Vereinbarungen, die auf den TRIPS-Vertrag Bezug nehmen, auf eine Art und Weise zu veröffentlichen oder öffentlich zugänglich zu machen, die es den Regierungen und Rechtsinhabern ermöglicht, sich damit vertraut zu machen. Zudem haben die Vertragspartner die rechtswirksam gewordenen Gesetze, Verordnungen usw. dem TRIPS-Rat mitzuteilen, "um den Rat bei seiner Überprüfung der Durchführung dieses Abkommens zu unterstützen". Für den Fall, dass einzelne Rechtsgrundlagen in der WIPO registriert sind, kann auf eine nochmalige Notifizierung beim TRIPS-Rat verzichtet werden. Schliesslich erklären sich die Vertragspartner bereit, schriftliche Anfragen von anderen Vertragspartnern zu beantworten und entsprechende Auskünfte zu erteilen, es sei denn, es handle sich um vertrauliche Informationen.

### 2.5.2 Die Streitschlichtung

Die Beilegung von Streitigkeiten im Rahmen des TRIPS erfolgt – falls keine speziellen Ausnahmen bestehen – nach dem allgemeinen Streitschlichtungsverfahren der WTO.

Eine erste Ausnahme vom allgemeinen Streitschlichtungsverfahren besteht darin, dass in den ersten fünf Jahren nach Inkrafttreten des TRIPS, das heisst bis Ende 1999, weder das WTO-Schiedsgericht noch der TRIPS-Ausschuss eine Klage entgegennehmen darf, die sich im Sinne des Art. XXIII:1(b) und (c) GATT auf einen Vorfall bezieht, der einen TRIPS-Vorteil schmälert, ohne das Abkommen zu verletzen ("Non-violation complaints"). Während dieser

Siebter Teil

fünf Jahre hat der TRIPS-Rat den Umfang und die Modalität für Beschwerden gemäss Art. XXIII:1(b) und (c) GATT zu überprüfen und einen Vorschlag zur Regelung der Nicht-Verletzungs-Klage auszuarbeiten. Der Vorschlag ist der Ministerkonferenz zur Genehmigung im Konsensverfahren zu unterbreiten. Wie den letzten Berichterstattungen des TRIPS-Rats zu entnehmen ist, ist es bis anhin nicht gelungen, diese Arbeit abzuschliessen. Indien, Kanada und Südkorea plädieren für eine Verlängerung der heute geltenden Rechtsordnung. Japan und die Vereinigten Staaten treten für eine Aufhebung der Ausnahme ein und die ASEAN-Länder haben noch keine Position bezogen. Der TRIPS-Rat hat Mitte 1999 das Sekretariat beauftragt, bei den Vertragspartnern eine Vernehmlassung über die Nicht-Verletzungs-Klage durchzuführen und einen entsprechenden Vorschlag auszuarbeiten.[72]

1401  Keine Anwendung findet die WTO-Streitschlichtungsordnung auf die Entwicklungs- und osteuropäischen Reformländer während der Übergangsfrist von fünf Jahren. Für die wirtschaftlich ganz armen Länder gilt eine Frist von zehn Jahren mit Verlängerungsmöglichkeit.

1402  Schliesslich darf nach Art. 6 TRIPS das Streitschlichtungsverfahren nicht in Anspruch genommen werden, "um die Frage der Erschöpfung von Rechten des geistigen Eigentums zu behandeln". Von dieser Einschränkung ausgenommen sind Verletzungen des Meistbegünstigungs- und Inländerprinzips im Sinne der Art. 3 und 4 TRIPS.

### 2.5.3  Die Übergangsvereinbarungen

1403  Wie im Zusammenhang mit der Inkraftsetzung des TRIPS auf den 1. Januar 1995 dargelegt wurde, war gemäss Art. 65 kein Vertragspartnerland gezwungen, das Abkommen "vor Ablauf einer allgemeinen Frist von einem Jahr nach dem Tag des Inkrafttretens des WTO-Abkommens anzuwenden". Spezielle Übergangsfristen setzt Art. 65 TRIPS für die Entwicklungs- und osteuropäischen Reformländer fest.

---

72  Berichterstattung des TRIPS-Rats in: *WTO* (1998), FOCUS, Newsletter Nr. 36, Genf, S. 13. *WTO* (1999), Annual Report 1999, Genf, S. 74.

## Der Schutz des geistigen Eigentums

Die Entwicklungsländer waren berechtigt, die Anwendung des TRIPS, mit Ausnahme der Art. 3 bis 5, um weitere fünf Jahre aufzuschieben. Die Art. 3 bis 5 beziehen sich auf das Meistbegünstigungs- und Inländerprinzip. Andererseits sind sie verpflichtet, den Patentschutz auf Gegenstände des technologischen Bereichs anzuwenden.[73]

1404

Eine zehnjährige Übergangsfrist gilt für die wirtschaftlich ganz armen Länder. Aus Rücksicht auf ihre wirtschaftlich, finanziell und administrativ prekäre Lage kann der TRIPS-Rat die Übergangsfrist für diese Länder zusätzlich verlängern.

1405

Die Übergangsvereinbarungen und Fristverlängerungen wurden in der Absicht und mit der Zielsetzung gewährt, dass die davon profitierenden Vertragspartner während dieser Frist ihre gesetzlichen Grundlagen nicht auf eine Art verändern, die von den Grundideen des TRIPS abweicht.

1406

### 2.5.4 Die institutionellen Regelungen und Schlussbestimmungen

Die Art. 68 bis 72 TRIPS enthalten die Bestimmungen über den TRIPS-Rat, die internationale Zusammenarbeit, den Schutz "bestehender Gegenstände" und die Überprüfung des Abkommens sowie dessen Änderungen.

1407

Analog zum GATT-Rat besteht nach Art. 68 TRIPS ein TRIPS-Rat. Der TRIPS-Rat "überwacht die Wirksamkeit dieses Abkommens und insbesondere die Erfüllung der hieraus erwachsenden Verpflichtungen durch die Mitglieder". Er bietet den Vertragsparteien Gelegenheit zu Konsultationen und unterstützt die Partner im Rahmen der Streitschlichtung.

1408

---

73 Etwa 50 Entwicklungsländer hatten bis zum Inkrafttreten des TRIPS den Patentschutz für Medikamente ausgeschlossen mit der Begründung einer kostengünstigen Versorgung der Bevölkerung mit Medikamenten. Die Zustimmung der Entwicklungsländer zum Stoffschutz (bei Medikamenten) ist nach *Ana María Pacón* die grösste Konzession der Drittweltländer in den TRIPS-Verhandlungen. *Pacón, Ana María* (1995), Was bringt TRIPS den Entwicklungsländern, in: GRUR Int., H. 11, S. 879 inkl. Anm. 60.

1409 Zur Verbesserung der internationalen Zusammenarbeit fordert Art. 69 TRIPS die Vertragsparteien auf, Kontaktstellen in ihren Verwaltungen einzurichten und gegenseitig ihre Informationen auszutauschen.

1410 Der in Art. 70 TRIPS festgehaltene Schutz "bestehender Gegenstände" ("protection of existing subject matter") besteht erstens in Form eines Rückwirkungsverbots. Das TRIPS enthält keine Verpflichtungen für Handlungen, "die vor dem Tag der Anwendung dieses Abkommens auf das betreffende Mitglied vorgenommen wurden". Zweitens ergeben sich aus dem Abkommen aber Verpflichtungen für "Gegenstände, die am Tag der Anwendung dieses Abkommens auf das betreffende Mitglied vorhanden und an diesem Tag in diesem Mitglied geschützt sind [...]". Die urheberrechtlichen Verpflichtungen in Bezug auf vorhandene Werke und die Verpflichtungen in Bezug auf die Rechte der Hersteller von Tonträgern und der ausübenden Künstler an vorhandenen Tonträgern richten sich ausschliesslich nach Art. 18 der RBÜ. Art. 18 RBÜ betrifft Werke, die beim Inkrafttreten der Übereinkunft "noch nicht infolge Ablaufs der Schutzdauer im Ursprungsland Gemeingut geworden sind" und bestimmt, dass ein Gut, das nach Ablauf der Schutzfrist zum Gemeingut geworden ist, keinen neuen Schutz erlangt, nur weil es im Ursprungsland geschützt ist.[74]

## 3. Die Argumente für und wider TRIPS

1411 Das Urteil über die Bedeutung und die Zweckmässigkeit des WTO–Abkommens über die handelsbezogenen Aspekte der Rechte des geistigen Eigentums (TRIPS) fällt je nach Interessenlage und Betrachtungsweise unterschiedlich aus. Die staatlichen und parastaatlichen Ämter für geistiges Eigentum verweisen auf die jährlich steigende Zahl der Patentanmeldungen und Markeneintragungen, als ob die Anzahl der Amtshandlungen ein Massstab für deren

---

74 Art. 70:8 TRIPS regelt die Möglichkeit der Patentanträge und die Verpflichtung derer Behandlung während der den einzelnen Ländern gewährten Übergangszeiten. Die diesbezüglichen Bestimmungen verlieren indessen mit dem Ablauf der Übergangsphasen zunehmend an Bedeutung.

Rechtfertigung wäre. Die Ökonomen sind an den handelspolitischen und wohlfahrtsökonomischen Auswirkungen der Vertragsvorschriften interessiert. Die Juristen schliesslich fragen nach der Rechtmässigkeit der neuen Bestimmungen und der Konsistenz zwischen den bisher geltenden internationalen Abkommen über den gewerblichen Rechtsschutz und das Urheberrecht einerseits und dem neuen WTO-Recht anderseits.

Nach Angaben des Europäischen Patentamts gingen im letzten Jahrzehnt jährlich rund 100'000 Patentanmeldungen ein. Mehr als die Hälfte der Anmeldungen stammte aus den 19 Mitgliedstaaten der Europäischen Patentorganisation. Jährlich wurden bis zu 40'000 Patente erteilt. Die wichtigsten Anmeldebereiche sind zurzeit die Medizinaltechnik, die Nachrichtentechnik und die elektronischen Bauteile. Allein in Deutschland stehen heute über 170'000 Patente in Kraft..[75] Eine ebenso grosse Bedeutung kommt dem Patentwesen in den USA zu.[76] Beim Markenschutz zeichnet sich ein ähnliches Bild wie im Patentwesen ab. Das Deutsche Markenamt nimmt jährlich rund 50'000 Markenanmeldungen entgegen und fast soviele Anmeldungen gehen an das Europäische Markenamt, das im April 1996 in Alicante eingerichtet worden ist. Die gleiche Situation findet sich in den Vereinigten Staaten und in Japan.[77]  1412

Die Vertreter der Industriestaaten rechtfertigen ihr Schutzbedürfnis mit den von ihnen getätigten Investitionen. Ohne den Schutz des geistigen Eigentums in Form von Patenten und Marken würde der willkürlichen Nachahmung von Produkten und Verfahren Tür und Tor geöffnet. Die Folge davon wäre eine Abnahme der Forschungs- und Entwicklungsanstrengungen, was sich letztlich negativ auf die Innovation und das weltwirtschaftliche Wachstum auswirken müsste. Welche Bedeutung den Fälschungen und Piraterieprodukten heute im Welhandel zukommt, ist nur schwer auszumachen. Nach Schätzungen der Internationalen Handelskammer entfallen 4 bis 5 Prozent des Welthandels auf  1413

---

75   Die Zahlen stammen aus *NZZ* vom 20./21.6.1998, Nr. 140, S. 27.
76   Vgl. *Drexl, Josef* (1990), Entwicklungsmöglichkeiten des Urheberrechts im Rahmen des GATT, München, S. 294ff.
77   Vgl. *Kretschmer, Friedrich* (1997), Sicherung eines weltweiten Mindeststandards für geistiges Eigentum durch die WTO (TRIPS), in: *Forschungsinstitut für Wirtschaftsverfassung und Wettbewerb*, Hrsg., FIW-Schriftenreihe, H. 173, Köln u.a., S. 50.

Fälschungen und Nachahmungen. Im Tonträgermarkt wird der Anteil der unrechtmässig hergestellten Produkte gegenwärtig auf 25 Prozent aller Tonträger angesetzt.[78] Das Parlament der EU lastet der Piraterie einen Verlust von 100'000 EU-Arbeitsplätzen an, davon die Hälfte in Deutschland.[79] Dass das Auslaufen eines Patents Auswirkungen auf den Verkaufsumsatz haben kann, zeigt das Pharmamittel Voltaren von Novartis. Der Konzern Novartis hat 1998/99 festgestellt, dass bei der Beendigung des Patentschutzes für Voltaren der Verkaufsumsatz für dieses Produkt um 11 Prozent zurückgegangen ist.[80]

1414 Die Kehrseite der Medaille ist, dass national staatliche oder völkerrechtlich garantierte Urheberrechte und Patente zu Monopolrenten führen und einer Firma oder einer Branche im In- und Ausland eine Absatzpolitik ermöglichen, die mit Marktwirtschaft wenig gemeinsam hat. Aus der Sicht der Ökonomie ist kaum zu rechtfertigen, warum in einer Marktwirtschaft staatliche Schutzvorkehren die Investitionen für Forschung und Entwicklung langfristig sichern sollen. Patente und lange Patentfristen erschweren oft eine kostengünstige Versorgung der Bevölkerung mit Medikamenten sowie den Technologietransfer zwischen technologisch fortgeschrittenen und wirtschaftlich schwächeren Staaten. Dies ist der tiefere Grund, warum vor dem Inkrafttreten des TRIPS rund 50 Entwicklungsländer keinen Patentschutz für Pharmazeutika kannten und in der Uruguay-Runde nur unter entsprechendem Druck von Seiten der USA bereit waren, dem TRIPS-Abkommen zuzustimmen.[81]

1415 Aus juristischer Sicht geben vor allem drei Punkte Anlass zu Kritik am TRIPS: die Diskrepanz zwischen dem anfänglichen Verhandlungsauftrag und

---

78 *Katzenberger, Paul* (1995), TRIPS und das Urheberrecht, in: GRUR Int., H. 6, S. 451; mit Hinweisen auf weitere Literatur.

79 *Kretschmer, Friedrich* (1997), Sicherung eines weltweiten Mindeststandards für geistiges Eigentum durch die WTO (TRIPS), in: *Forschungsinstitut für Wirtschaftsverfassung und Wettbewerb*, Hrsg., FIW-Schriftenreihe, H. 173, Köln u.a., S. 52. Hier müsste man beifügen, dass in den Ländern, in denen die Fälschungen hergestellt werden, entsprechend viele Arbeitsplätze entstehen.

80 *NZZ* vom 22.4.1999, Nr. 92, S. 27; dabei ist offen, ob nicht andere Gründe wie die Einführung von Konkurrenzprodukten auch eine Rolle gespielt haben.

81 *Pacón, Ana María* (1995), Was bringt TRIPS den Entwicklungsländern, in: GRUR Int., H. 11, S. 879.

der endgültigen Ausformulierung des Abkommens, das Ersetzen der Mindestregeln durch Schutzstandards und die Basisreziprozität.[82]

Das von der Ministerkonferenz 1986 für die Uruguay-Runde erarbeitete Mandat forderte Massnahmen "zur Verringerung der Verzerrungen und Behinderungen im internationalen Handel". In diesem Sinne lautete auch die Überschrift des im Dunkel-Bericht veröffentlichten Vertragsvorschlags: "Abkommen über handelsbezogene Aspekte an geistigem Eigentum einschliesslich des Handels mit nachgeahmten Waren".[83] Im Verlauf der Uruguay-Runde verschob sich indessen, wie *Hanns Ullrich* feststellt, "das Verhandlungsmandat völlig von dem des Schutzes vor Produktpiraterie zur Aufstellung angemessener 'Normen und Grundsätze über die Verfügbarkeit, den Umfang und die Nutzung von handelsbezogenen Rechten des geistigen Eigentums'"[84]. Das TRIPS-Abkommen enthalte sich nicht nur ausdrücklich der Regelung von Problemen, wie zum Beispiel der Rechtserschöpfung und der damit verbundenen Parallelimporte, die bis anhin als die eigentlichen handelsbezogenen Aspekte des geistigen Eigentums gegolten hätten, das TRIPS verzichte "überhaupt auf die Errichtung eines wirklich internationalen Schutzsystems" und baue "stattdessen auf dem herkömmlichen nationalen System des geistigen Eigentums unter Verpflichtung aller Mitgliedstaaten zu dessen Ausbau auf". Aus diesem Grund bestehe die Gefahr, dass die Schutzrechtsangleichung durch das TRIPS "zur blossen Verbürgung des Schutzes nationaler Märkte nach Gegenseitigkeitsregeln" werde und "die weitere Verbesserung des Handels aus dem Blickfeld" gerate.[85] 1416

An zweiter Stelle wird das TRIPS-Abkommen kritisiert, statt Mindestregelungen vorzunehmen, Schutzstandards zu setzen, "welche die Industriestaaten 1417

---

82 Vgl. *Ullrich, Hanns* (1995), Technologieschutz nach TRIPS: Prinzipien und Probleme, in: GRUR Int., H. 8-9, S. 623ff.
83 *Dunkel-Bericht*, S. 58.
84 *Ullrich, Hanns* (1995), Technologieschutz nach TRIPS: Prinzipien und Probleme, in: GRUR Int., H. 8-9, S. 623; WTO-Vereinbarung, Präambel, 2. Absch. lit. b.
85 In Anlehnung an die Formulierung von *Ullrich, Hanns* (1995), Technologieschutz nach TRIPS: Prinzipien und Probleme, in: GRUR Int., H. 8-9, S. 624.

in ständiger Fortentwicklung für sich selbst als notwendig erachten".[86] Die Ursachen der vertraglichen Festlegung von Schutzstandards werden in der durch die Telekommunikation erleichterten internationalen Arbeitsteilung, in der Verlegung der Produktion ins Ausland und der dadurch möglichen Gefährdung des Technologievorsprungs gesehen. Nach *Hanns Ullrich* war es in der Uruguay-Runde allen Beteiligten klar, dass die Industrieländer "eine Neubestimmung des Verhältnisses des gewerblichen und kommerziellen Eigentums zum Freihandel und dem diesen vollziehenden Wettbewerb an den Ausgangspunkt der TRIPS-Verhandlungen stellten. An die Stelle eines Verständnisses des territorialen Ausschliesslichkeitsrechts als Ein- oder Ausfuhrschranke [im Sinne des Art. XX(d) GATT ...] tritt eine Auffassung, die in eben diesen Schutzrechten eine Voraussetzung fairen Handels sieht. Dabei geht es [...] nicht nur um die Ausschaltung unlauteren, weil unmittelbar imitierenden Wettbewerbs, sondern [...] um die Schaffung der Voraussetzungen für einen innovativen, durch das Anreiz-, Investitionsschutz- oder auch Belohnungssystems des gewerblichen Eigentums gesicherten Wettbewerb".[87]

1418  Die Kritik am TRIPS bezieht sich auch auf die sogenannte Basisreziprozität, in der Ökonomie unter dem Begriff "aggressive Reziprozität" bekannt.[88] Der Grundsatz des Inländerprinzips des TRIPS besteht nicht in der bedingungslosen Gleichbehandlung der in- und ausländischen Rechtsinhaber, sondern in der Ausrichtung der Inlandgleichbehandlung auf das im Ausland erfahrene Gegenrecht. Die entsprechende Rechtsgrundlage ist Art. 4(b) TRIPS, der besagt, dass "die gewährte Behandlung nicht von der Inländerbehandlung, sondern von der in einem anderen Land gewährten Behandlung abhängig ist". Mit dieser Neuregelung im TRIPS-Vertrag beziehungsweise mit der Übernahme der Basisreziprozität aus der Revidierten Berner Übereinkunft und dem Rom Abkommen hat die WTO einen Schritt getan, der dem Sinn und Geist der WTO widerspricht.

---

86  *Ullrich, Hanns* (1995), Technologieschutz nach TRIPS: Prinzipien und Probleme, in: GRUR Int., H. 8–9, S. 630.
87  *Ullrich, Hanns* (1995), Technologieschutz nach TRIPS: Prinzipien und Probleme, in: GRUR Int., H. 8–9, S. 631.
88  Vgl. Rz 487ff.

Achter Teil

# Die plurilateralen Abkommen

Achter Teil

1419    Die Abkommen über den Güterhandel (GATT), den Dienstleistungshandel (GATS) und die handelsbezogenen Aspekte des geistigen Eigentums (TRIPS) sind multilaterale Abkommen, die alle WTO–Mitglieder binden. In Ergänzung zu den multilateralen bestanden nach Abschluss der Uruguay–Runde auch vier plurilaterale Abkommen, das Internationale Abkommen über Rindfleisch, das Internationale Abkommen über Milcherzeugnisse, das Abkommen über den Handel mit Zivilluftfahrzeugen und das Abkommen über das öffentliche Beschaffungswesen. Die plurilateralen Abkommen verpflichten allein die Signatarstaaten.[1]

1420    Die Internationale Rindfleischübereinkunft ist am 1. Januar 1980 als Ersatz für die Nichtbewältigung der Agrarfragen während der Tokio–Runde in Kraft getreten. Das Abkommen hatte zum Ziel, über eine intensive Zusammenarbeit zwischen den Handelspartnern zur Liberalisierung und Stabilisierung des internationalen Handels mit lebenden Tieren und Fleisch beizutragen. Als Vertragspartner zeichneten die Exporteure und Importeure von Rindvieh und Rindfleisch. Die Vereinbarung wurde 1992 bis 1994 verlängert, trat anschliessend als plurilaterales WTO–Abkommen in Kraft und lief am 31. Dezember 1997 wegen ihrer Wirkungslosigkeit aus.[2]

1421    Auf den 1. Januar 1980 entstand auch das Internationale Übereinkommen über Milcherzeugnisse. Ursprünglich ging es um die Einführung von Höchstpreisen im Handel mit Milchprodukten. Aber weder die Importländer noch die Exportländer von Milchprodukten konnten sich den unterbreiteten Vorschlägen anschliessen. Die in Erwägung gezogenen Preise lagen auf einem für die Industriestaaten nicht annehmbar niedrigen Niveau.[3] Das ursprüngliche Abkommen endete am 31. Dezember 1994, wurde anschliessend in die WTO

---

1   Die Vertragstexte sind veröffentlicht in: *Hummer/Weiss,* S. 1129ff. (deutsche Fassung); GATT (1980) BISD 26th S, S. 84ff. und 91ff. (englische Fassung der Rindfleisch– und Milcherzeugnisse–Abkommen); URL http://www.wto.org/wto/legal/finalact.htm, November 1999 (englische Fassung der Abkommen über Zivilluftfahrzeuge und öffentliche Beschaffung).

2   Vgl. *Senti, Richard* (1986), GATT, System der Welthandelsordnung, Zürich, S. 91ff.; *Senti, Richard* (1999), GATT–WTO, Die neue Welthandelsordnung nach der Uruguay–Runde, 2. A., Zürich, 127f.

3   Zur Preisdiskussion vgl. *BBl* 1979 III 62.

übernommen und auf den 31. Dezember 1997, zusammen mit dem Rindfleischabkommen, ausser Kraft gesetzt.[4]

Die folgenden Abschnitte treten auf die beiden heute in Kraft stehenden Abkommen über den Handel mit zivilen Luftfahrzeugen und das öffentliche Beschaffungswesen ein.

1422

## 1. Das Abkommen über den Handel mit zivilen Luftfahrzeugen

Welche Grenzabgaben, Handelshemmnisse, Wettbewerbsverzerrungen, staatlichen Vorschriften, Gebote, Verbote und Praktiken im internationalen Handel mit zivilen Luftfahrzeugen zur Anwendung gelangen, verdeutlicht die Durchsicht des Abkommens über den Handel mit Zivilluftfahrzeugen, das in der Tokio–Runde ausgehandelt wurde, am 1. Januar 1980 in Kraft trat und seit dem 1. Januar 1995 im Rahmen der WTO in Form eines plurilateralen Abkommens weiter besteht. Die Initiative zur Schaffung dieses Abkommens ging in den siebziger Jahren von der damaligen EWG, von Japan, Kanada, Schweden und den USA aus.

1423

Die während der Uruguay–Runde geführten Revisionsverhandlungen schlugen fehl, nicht zuletzt wegen des zu dieser Zeit schwelenden Airbus–Streits zwischen den EG und den USA.[5] Auch die in den folgenden Jahren unternommenen Anstrengungen, das Abkommen über den Handel mit zivilen Luftfahrzeugen in die WTO–Ordnung überzuführen, waren erfolglos. Insofern gilt heute der in der Tokio–Runde ausgehandelte Vertragstext.

1424

---

4   Vgl. *Senti, Richard* (1986), GATT, System der Welthandelsordnung, Zürich, S. 90f.; *Senti, Richard* (1999), GATT–WTO, Die neue Welthandelsordnung nach der Uruguay–Runde, 2. A., Zürich, 124ff.

5   Die USA warfen Deutschland, Grossbritannien, Frankreich und Spanien vor, das Airbus–Konsortium zu unterstützen, um dem europäischen Gemeinschaftsflugzeug einen Wettbewerbsvorteil zu verschaffen. Die Europäer beschuldigten ihrerseits die USA, die Hersteller Boeing und McDonnell Douglas über Rüstungs– und Raumfahrtsbeiträge indirekt zu subventionieren. Vgl. *Croome, John* (1995), Reshaping the World Trading System, Genf, S. 77.

1425  Zurzeit zählt das Abkommen über den Handel mit zivilen Luftfahrzeugen 23 Signatarstaaten: die westeuropäischen Staaten, Ägypten, Makao, Japan, Rumänien und die USA. 27 Länder sowie die internationale Organisation UNCTAD haben Beobachterstatus.[6]

## 1.1 Die Zielsetzung

1426  Das Abkommen verfolgt das Ziel, den internationalen Handel mit zivilen Luftfahrzeugen und ihren Ersatzteilen von Zöllen und Handelshemmnissen aller Art zu befreien, um für alle Marktpartner gleiche Wettbewerbsbedingungen zu schaffen. Wie zwiespältig diese in der Präambel des Abkommens ausformulierten Wünsche und Freihandelsbekenntnisse sind, zeigen die anschliessenden Absätze der Präambel, die einerseits den Sektor der zivilen Luftfahrzeuge auf eine "kommerziell wettbewerbsfähige Grundlage" zu stellen versuchen, andererseits aber unbekümmert festhalten, die staatlichen Unterstützungen zur Entwicklung, zur Produktion und zum Absatz der zivilen Luftfahrzeuge seien "nicht als Verzerrung des Handels" zu beurteilen.

## 1.2 Der Vertragsinhalt

1427  Das Abkommen über den Handel mit zivilen Luftfahrzeugen enthält neun Artikel und einen Anhang mit einer Liste der vom Abkommen erfassten Handelsgüter.

### 1.2.1 Die erfassten Handelsgüter

1428  Nach Art. 1 des Abkommens betrifft die Vereinbarung alle zivilen Luftfahrzeuge, alle Triebwerke, Teile und Ersatzteile, die zum Bau, zur Ausrüstung, zur Instandhaltung und zur Reparatur von Flugzeugen sowie zur Flugausbildung verwendet werden. Der Anhang zum Abkommen enthält eine Liste der

---

6   URL http//www.wto.org/about/agmnts9.htm, November 1999; *WTO* (1999), Annual Report 1999, Genf, S. 101.

erfassten Handelswaren (geordnet nach Zolltarifpositionen), angefangen bei Gasmasken und Atmungsapparaten bis hin zu ganzen Flugsimulatoren, vollständigen Triebwerken und fertig ausgerüsteten Flugzeugen. Mit der Bezeichnung "zivil" grenzt sich das Abkommen vom militärischen Bereich ab. Die Beschaffung von militärischen Luftfahrzeugen und deren Bauteile fallen nicht unter das Abkommen.

### 1.2.2 Die betroffenen Handelshemmnisse

Das Kernstück der Vereinbarung ist nach Art. 2 und 5 des Abkommens die Beseitigung der Zölle, der zollähnlichen Abgaben sowie der mengenmässigen Beschränkungen (Einfuhrkontingente) und Einfuhrlizenzen.[7] Die einzelnen Vertragspartner haben zolltechnische Abfertigungsverfahren einzurichten, die sicherstellen, dass die nach diesem Abkommen importierten Waren tatsächlich in der zivilen Luftfahrtindustrie (und nicht in anderen Industriebereichen) verwendet werden. Diese Vorschrift soll verhindern, dass falsch deklarierte Waren widerrechtlich in den Genuss der Zollfreiheit gelangen. Trotz der Beseitigung der Einfuhrlizenzen haben die Vertragspartner aber weiterhin das Recht, die Einfuhr von Luftfahrzeugen und deren Bestandteilen zu kontrollieren und zu überwachen.

1429

### 1.2.3 Die öffentliche Beschaffung

Handelt es sich bei den Käufen von Luftfahrzeugen und deren Bestandteilen um eine öffentliche Beschaffung, hat der staatliche Käufer seine Wahl von Produkten und Anbietern nach kommerziellen und technologischen Erwägungen vorzunehmen und die Kriterien Preis, Qualität, Lieferfristen usw. zu beachten. Jedem Vertragspartner steht das Recht zu, seine eigenen Unternehmen bei der Vergabe von öffentlichen Aufträgen zu den gleichen Wettbewerbs-

1430

---

7 Unter zollähnlichen Abgaben versteht das GATT Abgaben, die sich direkt auf das importierte Gut beziehen und am Ort und zum Zeitpunkt der Grenzüberschreitung der Handelsware erhoben werden, unabhängig davon, welche Amtsstelle die entsprechende Abgabe entgegennimmt. Vgl. Art. I, II:1, III und Anmerkungen zu Art. III GATT sowie Rz 497.

Achter Teil

bedingungen zu berücksichtigen. Aufgrund der Anmerkung zu Art. 4.3 des Abkommens heisst dies jedoch nicht, "dass der Umfang der an die qualifizierten Unternehmen eines Unterzeichners vergebenen Aufträge die qualifizierten Unternehmen anderer Unterzeichner zu Aufträgen ähnlichen Umfangs berechtigt". Aus der Vergabe von Aufträgen an nationale Unternehmen kann kein Recht auf Berücksichtigung ausländischer Unternehmen abgeleitet werden.

### 1.2.4 Die technischen Handelshemmnisse und Subventionen

1431  Art. 3 und 6 des Abkommens halten fest, dass für den Handel mit zivilen Luftfahrzeugen die Bestimmungen des Abkommens über technische Handelshemmnisse[8] und des Abkommens über Subventionen und Ausgleichsmassnahmen[9] gelten. Das Abkommen über technische Handelshemmnisse ist für den Bereich der zivilen Luftfahrzeugindustrie insofern von Bedeutung, weil dessen Bestimmungen bei der Erteilung von Lufttüchtigkeitszeugnissen und bei der Festlegung der Betriebs– und Wartungsverfahren Anwendung finden. In Bezug auf die Subventionen bekräftigen die Abkommenspartner in Art. 6.1 des Abkommens, "dass sie bei ihrer Beteiligung an oder Unterstützung von Programmen für Zivilluftfahrzeuge bestrebt sind, nachteilige Auswirkungen auf den Handel mit Zivilluftfahrzeugen im Sinne der Artikel 8 Absatz 3 und 8 Absatz 4 des Übereinkommens über Subventionen und Ausgleichsmassnahmen zu vermeiden"[10]. Wie der Airbus–Streit zwischen der EU und den USA sowie die 1997 von Brasilien gegen Kanada angestrengte WTO–Klage belegen, ist die gegenwärtige Subventionspraxis im Handel mit Zivilluftfahrzeugen nur schwer mit der WTO–Ordnung in Übereinstimmung zu bringen.[11]

---

8   Vgl. Rz 1120ff.
9   Vgl. Rz 840ff.
10  Art. 8.3 des Subventionsabkommens betrifft die Notifikation von Subventionsprogrammen; Art. 8.4 behandelt die Überprüfung der vorgenommenen Notifikation.
11  Vgl. Canada–Measures affecting the export of civilian aircraft, in: *URL* http://www.wto.org./dispute/bulletin1.htm, Pending Consultations 13(a) und 13(b), Oktober 1999.

## 1.2.5 Die Überwachung und die Streitbeilegung

Art. 8 des Abkommens regelt die Überwachung, die Überprüfung, die Konsultationen und die Streitbeilegung. Der Ausschuss für den Handel mit zivilen Luftfahrzeugen, der sich aus den Vertretern aller Unterzeichner des Abkommens zusammensetzt, hat zur Aufgabe, die Durchführung und das Funktionieren der Vereinbarung zu überprüfen und den Vertragsparteien der WTO Bericht zu erstatten. Es ist vertraglich vorgesehen, drei Jahre nach Inkrafttreten des Abkommens neue Verhandlungen aufzunehmen. Konkrete Ergebnisse dieser Verhandlungen lagen Ende 1999 nicht vor. 1432

Meinungsverschiedenheiten sollen, wenn immer möglich, auf dem Konsultationsweg beigelegt werden. Führen die Konsultationen zu keiner einvernehmlichen Lösung und ist ein Vertragspartner der Auffassung, dass seine Handelsinteressen in der Zivilluftfahrt durch das Verhalten einer Vertragspartei verletzt werden, ist er berechtigt, die Überprüfung der Angelegenheit dem Ausschuss zu übertragen, der innerhalb von 30 Tagen zusammentreten und sich der Sache annehmen muss. Im übrigen gelten die Streitschlichtungsbestimmungen der WTO. 1433

## 1.3 Die ungelösten Probleme

Die in die Uruguay–Runde gesetzte Hoffnung, den Subventionsteil des Abkommens über den Handel mit zivilen Luftfahrzeugen neu zu regeln und im Sinne eines multilateralen Abkommens für alle WTO–Mitglieder verbindlich zu erklären, scheiterte an den Partikularinteressen der einzelnen Vertragspartner. Auch die nach 1995 geführten Verhandlungen verdeutlichen, dass viele Handelspartner (in– und ausserhalb des Abkommens über den Handel mit zivilen Luftfahrzeugen) zu keinen zusätzlichen Konzessionen bereit waren. Im Sommer 1997 brach der Ausschuss für den Handel mit zivilen Luftfahrzeugen seine Verhandlungsgespräche mit der Feststellung ab: "No concrete progress has been achieved"[12]. Aufgrund dieser Situation vertrat der Allgemeine Rat der WTO die Meinung, das Abkommen über den Handel mit 1434

---

12 *WTO* (1997), Annual Report 1997, Vol. I, Genf, S. 143.

zivilen Luftfahrzeugen vorderhand in der bestehenden, das heisst in der Form aus der Tokio–Runde zu belassen. Die Integration eines nicht funktionierenden Abkommens in das WTO–Vertragswerk würde, so der Allgemeine Rat der WTO, dem Ansehen der WTO schaden.[13] Diese Rechtslage scheint sich bis heute nicht geändert zu haben.[14]

## 2. Das Abkommen über das öffentliche Beschaffungswesen

1435 Wie im Zusammenhang mit den GATT–Regeln über den Staatshandel dargelegt wurde, bezeichnet Staatshandel oder staatlicher Handel im Rahmen der WTO den Import und den Export von Gütern und Dienstleistungen im Namen und auf Rechnung einer Regierungsstelle oder einer mit staatlichen Privilegien und Kompetenzen ausgestatteten privaten Unternehmung.[15] Dabei unterscheidet die WTO zwischen kommerziellem Staatshandel und öffentlicher Beschaffung. Der kommerzielle Staatshandel bezeichnet den staatlichen Kauf von Gütern und Dienstleistungen zum Wiederverkauf oder zur Erzeugung und Bereitstellung von zum Verkauf vorgesehenen Gütern und Dienstleistungen. Die öffentliche Beschaffung bezeichnet den Kauf von Gütern und Dienstleistungen zum staatlichen Eigengebrauch oder Eigenverbrauch. In den vierziger und fünfziger Jahren lagen in den Industriestaaten der staatliche Erwerb von in– und ausländischen Gütern und Dienstleistungen zum Eigengebrauch und –verbrauch bei knapp 10 Prozent des Bruttoinlandprodukts, gegenüber 15 bis 20 Prozent in den achtziger und neunziger Jahren. Überdurchschnittlich hoch sind heute die öffentlichen Beschaffungsausgaben in den nordischen

---

13   *WTO* (1996), Annual Report 1996, Vol. I, Genf, S. 151f.
14   *WTO* (1998), Annual Report 1998, Special tropic: Globalization and trade, Genf, S. 125f.
15   Vgl. die Diskussionen über den Einbezug und die Regelung des Staatshandels im entstehenden GATT in den vierziger Jahren in: Rz 880ff.

Staaten Europas und in Grossbritannien.¹⁶ Mit der Privatisierung von staatlichen Betrieben (z.B. im Bereich der Eisenbahnen und der Telekommunikation) wird die Bedeutung der öffentlichen Beschaffung abnehmen.

## 2.1 Von der ITO zum WTO–Übereinkommen

Während der Verhandlungen über die Schaffung der Internationalen Handelsorganisation (ITO) in den vierziger Jahren schlugen die US–Amerikaner vor, die Handelsgüter im privaten und im öffentlich kommerziellen Bereich einander gleichzustellen. Auszunehmen seien lediglich die Käufe zu militärischen Zwecken sowie die Käufe zum staatlichen Eigengebrauch und –verbrauch. Diese Käufe seien weder der Meistbegünstigungspflicht noch dem Inländerprinzip zu unterstellen.¹⁷ Die in der Havanna–Charta festgeschriebenen Grundsätze gingen anschliessend ins Allgemeine Zoll– und Handelsabkommen ein:

1436

- Nach Art. III:8(a) GATT gilt die Gleichstellung ausländischer mit inländischen Gütern für Gesetze, Verordnungen oder sonstige Vorschriften über die Beschaffung von Waren durch staatliche Stellen nicht, "sofern die Waren für staatliche Zwecke, nicht aber für den kommerziellen Wiederverkauf oder für die Erzeugung von Waren zum kommerziellen Verkauf erworben werden".

- Nach Art. XVII:2 GATT sind die allgemeinen Prinzipien der Nichtdiskriminierung bei Importen "zum unmittelbaren oder Letztverbrauch für staatliche Zwecke" nicht zu beachten und beschränken sich auf die unverbind-

---

16 In den europäischen Industriestaaten ist der Anteil der öffentlichen Beschaffung am Bruttoinlandprodukt (BIP) in den letzten Jahrzehnten kontinuierlich gestiegen, während er in den USA leicht zurückging. In den Entwicklungsländern ist der diesbezügliche Anteil mit 13 % bedeutend niedriger als in den Industriestaaten. *UNCTAD* (1994), Handbook of International Trade and Development Statistics, New York, Tab. 6.3, S. 350ff. Die durch das bilaterale Abkommen über die öffentliche Beschaffung zwischen der EU und der Schweiz (Abkommen im Nachgang zur EWR–Ablehnung durch die Schweiz) ermöglichte Marktöffnung betrifft bei beiden Vertragspartnern schätzungsweise 10 % des BIP. *NZZ* vom 18.6.1999, Nr. 138, S. 15.

17 Vgl. *Havanna–Charta,* Art. 29:1(a) (State Trading) und Art. 18:8(a) (National Treatment).

Achter Teil

liche und unkontrollierbare Empfehlung, jede Vertragspartei habe seinem Vertragspartner eine "billige und angemessene Behandlung zu gewähren".

1437 In den fünfziger Jahren erstellte die damalige OECE ein Inventar über die verschiedenen Vorschriften und Praktiken der öffentlichen Beschaffung der Industriestaaten. Die Weiterführung dieser Arbeit folgte in den sechziger und siebziger Jahren.[18] Eine von der OECD vorgeschlagene Regelung des öffentlichen Beschaffungswesens kam indessen nicht zustande. Erfolgreicher waren die damalige EWG, die EFTA und das GATT.

1438 Gemäss EWG-Vertrag von 1957 hat der EWG-Ministerrat die Aufgabe, Richtlinien über die Angleichung derjenigen Rechts- und Verwaltungsvorschriften zu erlassen, die sich unmittelbar auf die Errichtung oder das Funktionieren des Gemeinsamen Markts auswirken.[19] Im Sinne dieses Auftrags erliess der Rat 1971 eine Richtlinie zur Aufhebung der Beschränkung des freien Dienstleistungsverkehrs auf dem Gebiet der öffentlichen Bauaufträge und 1976 eine Richtlinie über die Koordination der Verfahren zur Vergabe öffentlicher Lieferaufträge.[20] Im Jahr 1980 nahm der Rat eine Anpassung des EWG-Rechts an das im Rahmen der Tokio-Runde getroffene Übereinkommen über das öffentliche Einkaufswesen vor. Zur weiteren Liberalisierung der öffentlichen Beschaffung forderten Ziff. 81ff. des EG-Binnenmarktprogramms die Veröffentlichung der freihändig zu vergebenden Aufträge, die Bekanntmachung des Zuschlags der Aufträge und eine Überprüfung der Schwellenwerte, ab denen die öffentlichen Vergabeverfahren einem gemeinschaftlichen Wettbewerb auszusetzen sind.[21]

1439 Die EFTA-Konvention von 1960 verlangte von ihren Mitgliedstaaten, die im öffentlichen Beschaffungswesen bestehenden Schutzmassnahmen zugunsten der einheimischen Produktion sowie die Diskriminierung im

---

18 *OECD* (1976), Les achats gouvernementaux, Paris, S. 5.
19 Art. 54:2, 63:2 und 100 des EWGV.
20 Richtlinie vom 26.7.1971, Art. 3(a), in: *EG,* ABl. Nr. L 185 vom 16.8.1971, S. 2; Richtlinie vom 21.12.1976, in: *EG,* ABl. Nr. L 13 vom 15.1.1977, S. 1ff.
21 *EG,* ABl. Nr. L 215 vom 18.8.1980, S. 1ff. Die Umsetzung erfolgte nur zögerlich. Vgl. *EG,* (1981), Vierzehnter Gesamtbericht über die Tätigkeit der Europäischen Gemeinschaften 1980, Brüssel u.a., S. 97; *EG* (1985), Vollendung des Binnenmarkts, Luxemburg, Ziff. 83.

Handel aus Gründen der Nationalität zu beseitigen.[22] Zur gegenseitigen Abstimmung der von Land zu Land unterschiedlichen Vorschriften und Praktiken einigten sich die EFTA-Minister im Jahr 1966 auf eine "einvernehmliche" Interpretation des Art. 14 der EFTA-Konvention, wonach die Inlandgleichbehandlung, das Meistbegünstigungsprinzip und die Vereinheitlichungsvorschriften über das öffentliche Ausschreibungswesens, die Offertenerstellung usw. einzuhalten sind.[23]

Die Bestrebungen der OECE beziehungsweise der OECD sowie der damaligen EWG und EFTA ebneten den Weg zu einem Übereinkommen im GATT. Die GATT-Arbeitsgruppe entstand auf Betreiben der Drittweltländer, die in der Öffnung der staatlichen Beschaffungsmärkte der Industriestaaten zusätzliche Exportmöglichkeiten und eine Chance der Vorzugsbehandlung zu ihren Gunsten sahen. Die Reaktionen der Industriestaaten waren unterschiedlich. Befürchteten die einen, mit der Aufnahme von Verhandlungen über die öffentliche Beschaffung die Traktanden der Tokio-Runde zu "überladen", versprachen sich die anderen von der Liberalisierung des öffentlichen Beschaffungswesens eine Verbesserung der Einkaufsbedingungen und damit einen Beitrag zur Bekämpfung der Inflation.[24] Im Verlauf der Verhandlungen zeichnete sich eine Lösungsmöglichkeit in Form eines Verhaltenskodexes zuhanden der Regierungen ab. Im Mittelpunkt der Vereinbarung standen die Prinzipien der Meistbegünstigung und der Inlandgleichbehandlung. Ein erster Abkommensentwurf datiert von 1977.[25] Ein Jahr später unterbreiteten die Industriestaaten der Arbeitsgruppe einen weiter ausgearbeiteten und zum Teil gekürzten Vorschlag.[26] Diese beiden Vorarbeiten bildeten die Grundlage des 1979 ausgehandelten, am 1. Januar 1981 in Kraft gesetzten und im Jahr 1987 revidierten

1440

---

22  Art. 14:1 der EFTA-Konvention.
23  Vgl. *EFTA* (1976), Die Europäische Freihandelsassoziation, Struktur, Regeln und Arbeitsweise, Genf, S. 48ff.
24  *GATT* (1979), The Tokyo Round of Multilateral Trade Negotiations, Genf, S. 77.
25  Der Titel des ersten Vorschlags lautete: "Draft Integrated Text for Negotiations on Government Procurement".
26  Der zweite Vorschlag war mit "Draft Integrated Text" überschrieben. Vgl. *GATT* (1979), The Tokyo Round of Multilateral Trade Negotiations, Genf, S. 78.

GATT–Abkommens (Agreement on Government Procurement).²⁷ Als Vertragspartner zeichneten vor allem die Industriestaaten.²⁸ Die Entwicklungsländer waren zu diesem Zeitpunkt nicht bereit, ihren Beschaffungsmarkt zu öffnen. Auch erachteten sie die ihnen zugestandenen Ausnahmen als unzureichend. Die Schlussbestimmungen des Übereinkommens, Art. IX:6(a) und (b), fordern die Vertragsparteien auf, "nicht später als mit Ablauf des dritten Jahres nach Inkrafttreten dieses Übereinkommens und danach in bestimmten Zeitabständen weitere Verhandlungen" zur Erweiterung und Vertiefung des Vertragsinhalts zu führen und die Möglichkeit einer Ausdehnung auf die Dienstleistungsaufträge zu überprüfen.

1441   Während der Uruguay–Runde befasste sich eine Arbeitsgruppe mit der Revision des Abkommens über das öffentliche Beschaffungswesen. Vor allem zwei Problemkreise standen im Mittelpunkt der Diskussion, der stärkere Einbezug der Dienstleistungen, dem die Vertragspartner keinen grösseren Widerstand leisteten, und die Unterstellung der regionalen und kommunalen Auftraggeber unter das Abkommen, die zu langwierigen Auseinandersetzungen zwischen den einzelnen Partnerstaaten führte.²⁹ Die EU forderte gemäss Binnenmarktordnung die Einordnung aller regionalen und kommunalen Auftraggeber in den Bereichen Telekommunikation, Energie, Wasser und Verkehr in die Vertragspflicht. Die USA und Kanada wollten nur die Agglomerationen mit über einer halben Million Einwohnern dem Übereinkommen unterstellen, begrenzt auf die Märkte Telekommunikation und Energie. Nach einem mehrere Jahre dauernden Verhandlungsunterbruch schlossen die EU und die USA einen bilateralen Vertrag über den freien Marktzutritt im Energiebereich. Der Telekommunikationsbereich blieb ausgeschlossen. Im Dezember 1993 vereinbarten die EU und die USA, bei der öffentlichen Beschaffung das Prinzip der Meistbegünstigung zu durchbrechen. Dieser Entscheid hatte zur Folge, dass Handelsvorteile und Begünstigungen zwischen zwei Vertragspartnern den

---

27   Der Vertragstext ist veröffentlicht in: *BBl* 1979 III 328ff. (deutsche Fassung); *GATT* (1980), BISD 26th S, S. 33ff. (englische Fassung); *GATT* (1988), BISD 34th S, S. 177 (Revisionsfassung).

28   Die Signatarstaaten des Abkommens wurden im Jahresbericht des Ausschusses für das öffentliche Beschaffungswesen in den BISD des GATT aufgeführt.

29   Über den Verlauf der Verhandlungen vgl. *BBl* 1994 IV 351ff.

übrigen Partnern nicht bedingungslos weitergegeben werden müssen, wenn nicht entsprechendes Gegenrecht gehalten wird. Das damit gewählte System der "Basisreziprozität" beziehungsweise der "variablen Geometrie" erlaubt den Verhandlungspartnern, über den kleinsten gemeinsamen Nenner hinauszugehen und auf spezielle Offerten der Verhandlungspartner einzutreten. So hat zum Beispiel die EU und die Schweiz eine gegenseitige Marktöffnung für öffentliche Beschaffungsgüter beschlossen, ohne diesen Marktzutritt Dritten gewähren oder anbieten zu müssen.[30]

Das in der Uruguay-Runde revidierte Übereinkommen über das öffentliche Beschaffungswesen wurde am 15. April 1994 unterzeichnet und trat am 1. Januar 1996 anstelle des aus der Tokio-Runde stammenden Übereinkommens in Kraft (Agreement on Government Procurement)[31]. Das Abkommen über das öffentliche Beschaffungswesen ist ein sogenanntes plurilaterales Abkommen und bindet nur die Signatarstaaten. Volle Vertragspartner sind heute (Stand 2000) die EU (15), Hongkong, Israel, Japan, Kanada, Liechtenstein, die Niederlande im Namen von Aruba, Norwegen, die Schweiz, Singapur, Südkorea und die USA. Argentinien, Australien, Bulgarien, Chile, Estland, Island, Kirgisistan, Kolumbien, Lettland, Litauen, Mongolei, Panama, Polen, Slowenien und die Türkei sowie die Nicht-WTO-Mitglieder Georgien, Kroatien, Litauen und Taiwan und die beiden internationalen Organisationen IMF und OECD haben Beobachterstatus.[32]

## 2.2 Der Abkommensinhalt

Das Abkommen über das öffentliche Beschaffungswesen besteht aus 24 Artikeln und den Anhängen mit den Listen über die Beschaffungsstellen, die Schwellenwerte der Aufträge und die Publikationsorgane. Die Art. I und II regeln den Anwendungsbereich und die Auftragsbewertung, die Art. III bis VI

---

30  Vgl. *BBl* 1994 IV 353 und 361ff.
31  Der Vertragstext ist veröffentlicht in: *Hummer/Weiss*, S. 1139ff. (deutsche Fassung); URL http://www.wto.org./wto/govt/agreem.htm, November 1999 (englische Fassung).
32  *WTO* (1999), Annual Report 1999, Genf, S. 100.

enthalten die allgemeinen Vorschriften über das Inländerprinzip, die Meistbegünstigung und den Ursprung, und die Art. VII bis XXIV handeln vom Vergabeverfahren, der Auswahl der Anbieter, den einzuhaltenden Fristen, der Informationspflicht und dem Beschwerdewesen.

### 2.2.1 Die Zielsetzung

1444  Zum einen beabsichtigt das Abkommen, im Bereich des öffentlichen Beschaffungswesens einen "effizienten multilateralen Rahmen von Rechten und Pflichten betreffend Gesetze, Vorschriften, Verfahren und Praktiken" zu schaffen. Diese Zielsetzung soll über ein einheitliches Vergabeverfahren, eine erhöhte Markttransparenz und eine verstärkte Liberalisierung des Handels erreicht werden. Zum anderen verlangt die Vereinbarung die Durchsetzung des Inländerprinzips und der Meistbegünstigungspflicht. Schliesslich geht es den Vertragspartnern auch um die Gewähleistung von Rechtssicherheit in Form eines Beschwerderechts und eines einheitlichen Streitschlichtungsverfahrens. Die einzelnen Regierungsstellen werden weder aufgefordert noch gezwungen, ihre Käufe im Ausland zu tätigen. Das Abkommen soll lediglich allen in- und ausländischen Anbietern von und Nachfragern nach Gütern und Dienstleistungen zum staatlichen Eigenbedarf die gleichen Wettbewerbsbedingungen sichern.

### 2.2.2 Der Anwendungsbereich

1445  Das Abkommen über das öffentliche Beschaffungswesen findet nach Art. I:1 Anwendung "auf alle Gesetze, Vorschriften, Verfahren und Praktiken betreffend die öffentlichen Beschaffungen" für Güter und Dienstleistungen durch Stellen, die in Anhang I des Abkommens namentlich aufgeführt sind. Öffentliche Beschaffung erfasst nach Art. I:2 des Abkommens "jede Beschaffung durch vertragliche Methoden, einschliesslich Kauf oder Leasing, Miete oder Miete–Kauf, mit oder ohne Kaufoption inbegriffen eine Kombination von Waren und Dienstleistungen". Für jeden Vertragspartner besteht in Anhang I eine Liste der Zentral–, Regional– und Kommunalstellen, die dem Vertrag unterstellt sind, ergänzt durch die Schwellenwerte der Beschaffungsaufträge, die festlegen, ab welchem Wert die Vertragsbestimmungen gelten. Als

Beispiel folgt in Übersicht 39 eine Zusammenfassung der im Anhang I des Abkommens aufgeführten EU-Stellen mit den EU-Schwellenwerten.

Die im EU-Beispiel aufgeführten Schwellenwerte gelten auch für die übrigen europäischen Staaten und Hongkong und – bis auf geringe Abweichungen – ebenfalls für Kanada und den USA. Die wertmässigen Abweichungen der Schwellenwerte im Bausektor sind auf die länderweise unterschiedlichen Strukturen der Baumärkte zurückzuführen. Aufgrund der Schlussbestimmungen in Art. XXIV:6 des Abkommens haben die Vertragspartner das Recht, die Listen der Beschaffungsstellen zu revidieren. Änderungen sind dem Ausschuss für das öffentliche Beschaffungswesen zur Überprüfung mitzuteilen. Der Ausschuss bemüht sich um die Aufrechterhaltung des "Gleichgewichts von Rechten und Pflichten". Art. V:3 des Abkommens erlaubt auch Abweichungen von den Listen zugunsten der Entwicklungsländer und Art. XXIII:1 und 2 aus Gründen der Sicherheit, der öffentlichen Sittlichkeit und Ordnung sowie zum Schutz des Lebens und der Gesundheit von Menschen, Tieren und Pflanzen. Besonders erwähnt werden in diesem Zusammenhang die Ausnahmemöglichkeiten zugunsten von Produkten, die von Behinderten, Wohltätigkeitseinrichtungen und Strafgefangenen hergestellt werden. 1446

Bei der Feststellung des Auftragswerts sind nach Art. II des Abkommens alle Arten von Vergütungen, Prämien, Gebühren, Kommissionen und Zinsen einzurechnen. 1447

### 2.2.3 Die Grundprinzipien des Abkommens

Art. III des Abkommens handelt vom Inländer- und vom Meistbegünstigungsprinzip. Gemäss Inländerprinzip dürfen bei der öffentlichen Beschaffung ausländische Waren, Dienstleistungen und deren Anbieter in Bezug auf die Gesetze, Vorschriften, Verfahren und Praktiken nicht ungünstiger behandelt werden als inländische Waren, Dienstleistungen und deren Anbieter. Das Inländerprinzip gilt auch für Waren und Dienstleistungen einheimischer Anbieter, die vom Ausland kontrolliert werden. Im Gegensatz zur Gleichbehandlungspflicht in den multilateralen Abkommen, die sich auf alle Vertragsparteien der WTO bezieht, beschränkt sich das Inländerprinzip in den plurilateralen Abkommen nur auf die Vertragsparteien des Übereinkommens. 1448

## Übersicht 39: Die EU-Beschaffungsstellen mit den entsprechenden Schwellenwerten

|  |  | Schwellenwert in SZR |
|---|---|---|
| Annex I |  |  |
| Zentrale Beschaffungsstellen | G | 130'000 |
| 1. EG-Beschaffungsstellen: | D | 130'000 |
| Rat der EU | B | 5 Mio. |
| Kommission der EU |  |  |
| 2. EU-Mitgliedstaaten: |  |  |
| Länderweise Aufzählung der Bundesministerien, der nationalen Versicherungs- und Pensionskassenstellen, der nationalen Bildungsstätten |  |  |
| Annex II |  |  |
| Regionale Beschaffungsstellen: | G | 200'000 |
| Länderweise Aufzählung der Regierungen der Bundesländer, der | D | 200'000 |
| Provinzen usw., der Universitäten und Fachhochschulen, der | B | 5 Mio. |
| Spitäler, Versorgungsanstalten, Bühnen, Orchester, Bibliotheken, Sportanlagen usw. |  |  |
| Annex III |  |  |
| Kommunale und andere öffentliche Beschaffungsstellen: | G | 400'000 |
| Wasser- und Elektrizitätswerke, staatl. Transportunternehmen, | D | 400'000 |
| See- und Flughäfen usw. | B | 5 Mio. |

Annex IV
Aufzählung der vom Abkommen betroffenen Dienstleistungen: Unterhalt- und Reparaturarbeiten, Transportleistungen (ausgenommen Posttransport), Flugtransport von Personen und Gütern (ausgenommen Post), Telekommunikation, Finanzdienstleistungen, Bankleistungen und Investitionen, Buchprüfung, Marktforschung, Beratung, Architekturleistungen, Werbung, Gebäudereinigung, Printing usw.

Annex V
Aufzählung der vom Abkommen betroffenen Bauleistungen: Vorbereitungsarbeiten (Abbruch, Aushub), Hochbau (ein- und mehrstöckige Gebäude), Tiefbau (Strassen, Schienenwege, Flugplätze, Häfen), Sportanlagen, Installationen (Wasser, Elektrisch Gas) und Schlussarbeiten (Glas-, Mal- und Verkleidungsarbeiten).

Legende: G: Güter, D: Dienstleistungen, B: Bauleistungen. 1 SZR (Special Drawing Right, SDR) ≈ 1.30 US$.
Quelle: *GATT* (1994), GPR/74/Add. 3, 6. Januar, S. 15ff. In Annex IV wird auf MTN.GNS/W/120 verwiesen.

Diese Ausschliesslichkeit verdeutlicht Art. V:12 der Vereinbarung mit der Aufforderung, die Vorteile des Übereinkommens auch Anbietern in den am wenigsten entwickelten Ländern, "die nicht Vertragspartner sind", zu gewähren. Im Umkehrschluss besagt diese Aufforderung, dass den anderen WTO–Mitgliedern, die dem öffentlichen Beschaffungsabkommen nicht angehören, diese Vorteile nicht zu gewährleisten sind.[33]

Grundsätzlich die gleiche Rechtslage besteht für die Meistbegünstigungspflicht. Art. III:1(b) des Abkommens verlangt von den Parteien, alle anderen Vertragspartner gleich zu behandeln, wobei unter "anderen Vertragsparteien" nur die Signatarstaaten des Abkommens gemeint sind. Bei der Meistbegünstigungspflicht geht das Abkommen jedoch weniger weit als beim Inländerprinzip. Den Vertragsparteien steht das Recht zu, Partnern des Abkommens die Meistbegünstigung zu verweigern, falls sie die von den Partnern eingeräumten Begünstigungen als "zu leicht" befinden. Die gewährten Vorbehalte sind in eine Liste aufzunehmen und in Anhang I zum Abkommen unter den "General notes and derogations from the provisions of Art. III" zu veröffentlichen. Ohne diese Ausnahmemöglichkeiten – wie erwähnt, unter den Bezeichnungen "Basisreziprozität" oder "System der variablen Geometrie" bekannt – wäre das Abkommen offensichtlich nicht zustande gekommen. Beispiele solcher Ausnahmen finden sich bei fast allen Vertragspartnerstaaten. So nimmt zum Beispiel Österreich die Beschaffung für die Elektrizitätswirtschaft von der Meistbegünstigung gegenüber Hongkong, Japan, Kanada und USA aus.[34] Auch Südkorea zeigt sich nicht bereit, im Schienen– und Flugverkehr sowie im städtischen Transportwesen Zugeständnisse an die Mitgliedstaaten der EU, 1449

---

33 Vgl. Art. III:11 des Abkommens über das öffentlichen Beschaffungswesen von 1980, auf den sich der Analytical Index 1994 bezieht. *GATT* (1994), Analytical Index, Genf, S. 47. In dieser Hinsicht unterscheiden sich die plurilateralen Abkommen von den Vereinbarungen innerhalb der multilateralen Abkommen, denen ebenfalls nicht alle Vertragsparteien angehören, wie zum Beispiel den Vereinbarungen über die Finanzdienstleistungen und die Telekommunikation (im Rahmen des GATS). Vgl. die Ausführungen über die Finanzdienst– und Telekommunikations–Vereinbarungen Rz 1272ff. und 1281ff.

34 GATT Doc. GPR/74/Add. 1, S. 9.

an Norwegen und an die Schweiz zu machen, solange diese Länder nicht zu angemessenen Gegenleistungen bereit sind.[35]

### 2.2.4 Die Vergabeverfahren

1450    Die Art. VII bis XVI des Beschaffungsabkommens enthalten detaillierte Angaben zur Durchführung effizienter und auf die Grundsätze des Abkommens (Inländer- und Meistbegünstigungsprinzip) abgestimmter Vergabeverfahren. Die Vereinbarung unterscheidet zwischen dem offenen, dem selektiven und dem freihändigen Verfahren.

− *Das offene Verfahren:* Jeder Anbieter von Gütern und Dienstleistungen hat das Recht und die Möglichkeit, eine Offerte einzureichen.

− *Das selektive Verfahren:* Den Beschaffungsstellen steht nach Art. X des Abkommens das Recht zu, anstelle des offenen das selektive Verfahren anzuwenden, wenn dadurch eine rationellere Durchführung des Vergabeverfahrens erzielt werden kann. Die Beschaffungsstellen laden für jede geplante Beschaffung "die grösstmögliche mit einer effizienten Abwicklung der Beschaffung zu vereinbarende Zahl von in- und ausländischen Anbietern zur Angebotsabgabe ein. Sie wählen die Anbieter, die an dem Verfahren teilnehmen sollen, in gerechter und nichtdiskriminierender Weise aus". Bedienen sich die Beschaffungsstellen des selektiven Verfahrens, haben sie gemäss Art. IX:9 des Abkommens über das öffentliche Beschaffungswesen jährlich in einem in Anhang III des Abkommens aufgeführten Publikationsorgan folgende Angaben bekanntzugeben: die Liste der qualifizierten Anbieter einschliesslich der Waren und Dienstleistungen, die über diese "Listen-Anbieter" eingekauft werden, die für die Aufnahme in diese Liste zu erfüllenden Bedingungen und Methoden, die Gültigkeitsdauer der Listen und die Formalitäten der Erneuerung der Listeneintragung. Erfolgt die Bekanntmachung der Listen und die Aufnahmebedingungen im Sinne einer Einladung zur Offertenstellung, hat dies aus der Verlautbarung hervorzugehen.

---

35   GATT Doc. GPR/74/Add. 8, S. 15.

– *Das freihändige Verfahren:* Nach Art. XV des Übereinkommens über das öffentliche Beschaffungswesen darf das freihändige Verfahren angewandt werden, wenn bei einem offenen oder selektiven Verfahren keine Angebote eingereicht wurden. Ebenso kann es eingesetzt werden, wenn die eingereichten Offerten aufeinander abgestimmt waren, nicht den Anforderungen der Ausschreibung entsprachen oder die Teilnahmebedingungen des Abkommens nicht erfüllten. Die freihändige Vergabe ist auch erlaubt, wenn bei Kunstwerken, aus Gründen des Schutzes ausschliesslicher Rechte (z.B. Patent– und Urheberrechte) oder bei fehlendem Wettbewerb aus technischen Gründen die Waren oder Dienstleistungen "nur von einem bestimmten Anbieter geliefert werden können und es keine angemessene Alternative oder keine Ersatzware gibt". Die freihändige Vergabe von Aufträgen kann sich ferner auch auf folgende Güter und Dienstleistungen beziehen: auf den Ersatz von bereits gelieferten Waren oder auf die Ergänzung oder Erweiterung bestehender Anlagen, auf Prototypen und Erstanfertigungen eines bestimmten Forschungsauftrags, auf Bauleistungen, die im Erstauftrag nicht enthalten waren und aufgrund einer unvorhergesehenen Entwicklung benötigt werden, auf Bauleistungen im Sinne einer Wiederholung ähnlicher Leistungen oder auf Produkte der Warenbörse.

Im offenen und selektiven Vergabeverfahren nehmen die Beschaffungsstellen eine vorgängige leistungsorientierte Auswahl der Anbieter vor. Das Qualifikationsverfahren hat nach Art. VIII des Abkommens unter anderem folgende Bedingungen zu erfüllen: (1) Das Verfahren darf nicht in einer Form durchgeführt werden, die zwischen ausländischen Anbietern oder zwischen in– und ausländischen Anbietern eine Diskriminierung zulässt. (2) Die Anforderungen für die Teilnahme an einem Vergabeverfahren sind "rechtzeitig" zu veröffentlichen. (3) Alle Bedingungen für die Teilnahme an einem Vergabeverfahren sind auf solche zu beschränken, die zum Nachweis der finanziellen, kommerziellen und technischen Leistungsfähigkeit "wesentlich" sind. (4) Verfügt ein Beschaffungsland ständige Listen qualifizierter Anbieter, ist dafür zu sorgen, dass alle qualifizierten Anbieter innerhalb "angemessen kurzer Frist" in die Liste aufgenommen werden. (5) Die Anbieter sind über den Ausgang des Qualifikationsverfahrens zu orientieren. (6) Ein Anbieter kann stets wegen Konkurs oder unwahrer Angaben von einem Verfahren ausgeschlossen werden. (7) Nachträgliche Anträge auf Qualifikation und eine Beteiligung an einer bestimmten geplanten Beschaffung sind zu berücksichtigen, wenn dies aus zeitlichen Gründen möglich ist. Die Zahl der zusätzlichen Anbieter darf aber nach Art. X:3 des Abkommens "aus Gründen der effizienten Abwicklung der Beschaffung begrenzt" werden.

1452   Die Beschaffungsstellen haben jede geplante Beschaffung in den entsprechenden Publikationsorganen gemäss Anhang II des Abkommens zu veröffentlichen. Die Bekanntmachung hat nach Art. IX des Abkommens zu enthalten: die Beschreibung der nachgefragten Ware oder Dienstleistung, die Art und die Menge der zu liefernden Waren oder Dienstleistungen, die Optionen für zusätzliche Mengen, den Zeitpunkt der Ausübung von möglichen Optionen, den Hinweis auf die Art des Auftragsverfahrens (offenes oder selektives Verfahren), die Fristen der Offerteneingabe und die vorgesehenen Waren- und Dienstleistungslieferungen, die Adresse der Beschaffungsstelle und der Offerteneingabe, die Sprache, in denen die Offerten einzureichen sind, die wirtschaftlichen und technischen Anforderungen, die Klärung der finanziellen Garantien, die Kosten der Vergabeunterlagen usw. Die Fristen von Angeboten und Lieferungen sind nach Art. XI:1(a) des Abkommens so zu bemessen, "dass es sowohl ausländischen als auch inländischen Anbietern möglich ist, Angebote einzureichen, bevor das Verfahren geschlossen wird". Bei offenen und selektiven Verfahren darf die Frist für die Entgegennahme der Angebote nicht unter 40 Tagen liegen. Ausnahmen sind bei einer Wiederholung der Ausschreibung möglich.

### 2.2.5   Der Zuschlag des Auftrags

1453   Art. XIII des Abkommens über das öffentliche Beschaffungswesen regelt die Einreichung, die Entgegennahme und die Öffnung des Angebots sowie den Zuschlag des Auftrags. Die Angebote sind schriftlich einzureichen und haben alle erforderlichen Angaben über die Ausgestaltung des angebotenen Guts oder der offerierten Dienstleistung sowie den Preis zu enthalten. Der Offerte ist auch die Erklärung beizulegen, dass der Anbieter mit den in der Ausschreibung gestellten Bedingungen einverstanden ist. Die Entgegennahme und die Öffnung der Angebote sind in einer Form vorzunehmen, die mit dem Inländer- und Meistbegünstigungsprinzip in Einklang steht. Haben die Anbieter die

Möglichkeit, in der Zeit zwischen Öffnung der Angebote und der Zuschlagserteilung unbeabsichtigte Formfehler zu korrigieren, darf dies nicht zu diskriminierenden Praktiken führen.

Für den Zuschlag sind zwei Kriterien von Bedeutung: der Preis und die nichtgeldwertmässigen Aspekte wie Qualität, Wirtschaftlichkeit, Lieferfristen, Garantie- und Ersatzleistungen, Unterhalt, Umweltverträglichkeit, Design, usw. Das Abkommen verlangt, dass die nichtpreislichen Beurteilungskriterien vollumfänglich ausgeschrieben werden und den Antragstellern bekannt sind. Ergeben sich im Verlauf der Überprüfung der Angebote Änderungen bei den Beurteilungskriterien, sind diese bekanntzugeben. Den Zuschlag erhält nach Art. XIII:4(b) des Abkommens jener Anbieter, "von dem feststeht, dass er voll in der Lage ist, den Auftrag zu erfüllen, und dessen Angebot – gleich, ob es sich um in- oder ausländische Waren und Dienstleistungen handelt – entweder das billigste ist oder anhand der spezifischen Bewertungskriterien in den Bekanntmachungen oder den Vergabeunterlagen als das günstigste beurteilt wird". Es ist durchaus möglich, dass zwischen den Anbietern und den Beschaffungsstellen Verhandlungen geführt werden, um Stärken und Schwächen der Angebote ausloten zu können. Derartige Verhandlungen setzen aber voraus, dass sie in der Ausschreibung bekannt gegeben wurden oder dass kein Angebot den spezifischen Bewertungskriterien entspricht. Die Verhandlungen sind so zu führen, dass die Vertraulichkeit der Daten gewahrt bleibt und einzelne Anbieter weder bevorzugt noch benachteiligt werden. 1454

### 2.2.6 Das Verbot von Kompensationsgeschäften

Art. XVI:1 des Abkommens über das öffentliche Beschaffungswesen verlangt von den öffentlichen Stellen, bei der Beurteilung und bei der Vergabe von Angeboten Kompensationsgeschäfte weder zu erzwingen noch anzustreben oder in Betracht zu ziehen. Bei Kompensationsgeschäften im öffentlichen Beschaffungswesen handelt es sich gemäss Fussnote zu Art. XVI:1 des Abkommens um Massnahmen, die darauf abzielen, "mit Vorschriften bezüglich nationaler Rohstoffanteile ("domestic content"), Lizenzerteilung für Technologie, Investitionsvorschriften, Ausgleichshandel oder ähnlichen 1455

Anforderungen die lokale Entwicklung zu fördern oder Zahlungsbilanzschwierigkeiten zu beheben"[36].

1456    Vom Verbot für Kompensationsgeschäfte sind die Entwicklungsländer ausgenommen. Treten Drittweltstaaten dem Abkommen über das öffentliche Beschaffungswesen bei, dürfen sie aus "grundsätzlich politischen Erwägungen" Kompensationsgeschäfte aushandeln; ihr Umfang ist in den Länderlisten in Anhang I des Abkommens aufzuführen. Wichtig ist in diesem Zusammenhang die Abkommensbestimmung, dass die Kompensationsvorschriften allein zur Entscheidung über die Teilnahme am Beschaffungsverfahren und nicht als Kriterium bei der Zuschlagserteilung eingesetzt werden dürfen.[37]

### 2.2.7 Der Rechtsschutz

1457    Anspruch auf Rechtsschutz haben die einzelnen Anbieter von Gütern und Dienstleistungen und die Regierungen als Parteien des Abkommens. Fühlt sich ein Anbieter im Zusammenhang mit dem Beschaffungsverfahren in seinen Interessen verletzt, ist ihm die Möglichkeit zuzugestehen, sich bei der Beschaffungsstelle zu beschweren. Diese Stelle hat die Beschwerde entgegenzunehmen und unparteiisch zu prüfen. Darum verlangt Art. XX des Beschaffungsabkommens von den Parteien, ein "nichtdiskriminierendes, transparentes und wirksames Verfahren" festzulegen und ein Gericht oder ein unparteiliches und unabhängiges Überprüfungsorgan mit der Durchführung des Verfahrens zu betrauen. Handelt es sich bei diesem Organ nicht um ein Gericht, so hat eine gerichtliche Überprüfung stattzufinden. Ist dies nicht der

---

36    Local content–Bestimmungen finden sich auch ausserhalb der öffentlichen Beschaffung z.B. im Auto Pact 1965 zwischen den USA und Kanada: Für die USA ist der Import von Autos und Autobestandteilen nur zollfrei, wenn wenigstens 50% des Werts aus dem nordamerikanischen Markt stammen. Importe von Autos und Autobestandteilen nach Kanada sind zollfrei, wenn die kanadische Wertmehrung mindestens 25% des Kaufpreises ausmacht. Vgl. *Senti, Richard* (1996), NAFTA, Nordamerikanische Freihandelszone, Zürich, S. 49ff.

37    Israel hat sich beispielsweise aus entwicklungspolitischen Erwägungen Kompensationsgeschäfte vorbehalten, nämlich 35% für die ersten 5 Jahre, 30% für die folgenden 4 Jahre und 20% ab dem 9. Jahr nach Inkrafttreten des Abkommens für Israel. GATT Doc. GPR/74/Add.6, S. 9.

Fall, sind die Verfahren so auszugestalten, dass die Teilnehmer angehört werden, sich vertreten lassen können, Zugang zu den Verfahren haben und eine schriftliche und begründete Stellungnahme erhalten. Stellt die Beschwerdestelle eine Verletzung des öffentlichen Beschaffungsverfahrens fest, hat die davon betroffene Partei Anspruch auf Entschädigung.

Ist eine Vertragspartei der Auffassung, dass Vorteile, die sich direkt oder indirekt aus dem Beschaffungsabkommen ergeben, durch das Verhalten einer anderen Vertragspartei "zunichte gemacht oder geschmälert werden", kann nach Art. XXII des Abkommens eine Streitschlichtung nach WTO–Recht eingeleitet werden. Das WTO–Panel hat innerhalb einer Zeitspanne von vier und bis sieben Monaten (im Gegensatz zu maximal 9 Monaten im allgemeinen WTO–Streitschlichtungsverfahren) einen Schlussbericht zu erstellen. Die Panel–Empfehlung kann analog zum üblichen WTO–Verfahren an die Rekursinstanz weitergezogen werden. Im Gegensatz zur Bestimmung von Art. 22:1 der Vereinbarung über die Streitschlichtung soll im Bereich der öffentlichen Beschaffung die Streitbeilegung nicht zur Aussetzung von den in den Abkommensanhängen enthaltenen Zugeständnissen oder anderen Verpflichtungen führen. 1458

### 2.2.8 Die Schlussbestimmungen

Die in Art. XXIV des Abkommens über das öffentliche Beschaffungswesen enthaltenen Schlussbestimmungen regeln den Vertragsbeitritt, die Übereinstimmung der innerstaatlichen Rechtsvorschriften mit dem Abkommen, die vorgesehenen Verhandlungen zur Ausweitung des Geltungsbereichs des Abkommens, die Vertragsänderungen und die Vertragskündigung. 1459

Das Abkommen über das öffentliche Beschaffungswesen steht allen WTO–Mitgliedern offen; nicht–WTO–Mitglieder sind ausgeschlossen. Die Beitrittsbedingungen sind zwischen dem Antragsteller und den bisherigen Vertrags- 1460 parteien auszuhandeln.[38] Das Abkommen tritt 30 Tage nach Abschluss der Verhandlungen in Kraft. Vor dem Inkrafttreten des Abkommens stellt die beitretende Regierung fest, dass die innerstaatlichen Rechtsvorschriften über die Ausschreibung der Beschaffung und die Vergabeverfahren mit dem Abkommen übereinstimmen. Innerstaatliche Gesetzesänderungen sind dem Ausschuss für das öffentliche Beschaffungswesen zu melden. Dasselbe gilt für spätere Änderungen der Länderlisten.

1461　Analog zum Abkommen über den Handel mit zivilen Luftfahrzeugen sind drei Jahre nach Inkrafttreten des Abkommens und danach in bestimmten Zeitabständen weitere Verhandlungen mit dem Ziel zu führen, die Grundlagen des Abkommens zu verbessern. Dabei ist auf die Position der wirtschaftlich schwächeren Staaten Rücksicht zu nehmen ist.

1462　Jeder Vertragspartei steht es frei, nach einer Kündigungsfrist von 60 Tagen vom Abkommen über das öffentliche Beschaffungswesen zurückzutreten. Kündigt eine Partei die WTO–Mitgliedschaft, gilt ab dem Zeitpunkt der Kündigung auch die Vertragspartnerschaft des Abkommens über das öffentliche Beschaffungswesen als gekündigt.

## 2.3　Die noch zu lösenden Aufgaben

1463　Es ist vordergründig eine paradoxe Situation, dass gerade diejenigen Regierungen, die im GATT und in der WTO seit jeher den Anschein erweckten, für die Öffnung der Märkte und für den Abbau von Handelshemmnissen einzustehen, das öffentliche Beschaffungswesen – die Käufe von Gütern und Dienstleistungen zur Deckung ihres Eigenbedarfs – von der Marktöffnung und der Handelsliberalisierung ausnehmen. Die Ursache dieses Verhaltens liegt ohne Zweifel bei der landeseigenen Industrie und beim einheimischen Gewerbe.

---

38　Art. XXIV:2 des Abkommens über das öffentliche Beschaffungswesen lautet: "Jede Regierung, welche WTO–Mitglied oder vor dem Inkrafttreten des WTO–Abkommens Vertragspartei des GATT 1947, aber nicht Vertragspartei dieses Übereinkommens ist, kann diesem Übereinkommen unter Bedingungen beitreten, die zwischen dieser Regierung und den Vertragsparteien dieses Übereinkommens zu vereinbaren sind."

Die plurilateralen Abkommen

Ihre Vertreter üben Druck auf die öffentlichen Beschaffungsstellen aus, um sich vor der ausländischen Konkurrenz zu schützen. Und weil die Regierungen ihren Parteien und Wählern verpflichtet sind und in der Regel wieder gewählt werden möchten, geben sie dem Druck der "Pressure groups" nach. In den ersten Jahrzehnten des GATT war die öffentliche Beschaffung gemäss Art. III:8(a) und Art. XVII:2 GATT vom Inländerprinzip und der Meistbegünstigungspflicht ausgenommen. Das Abkommen über das öffentliche Beschaffungswesen von 1980 brachte eine erste Öffnung des staatlichen Beschaffungsmarkts. Sie beschränkte sich auf die Einkäufe der Zentralregierungen (ohne regionale und kommunale Beschaffungsstellen), auf den Handel mit Gütern (ohne Einbezug der Dienstleistungen), auf den Handelswert von über einer Schwelle von 150'000 SZR und auf insgesamt 13 Industrie–Vertragspartner (einschliesslich der damaligen EG–Mitgliedstaaten).

Das Abkommen über das öffentliche Beschaffungswesen von 1996 1464 bewirkte eine im Vergleich zur bisherigen Regelung enorme Ausweitung. Neben der Beschaffung der Zentralregierungen sind neu auch die Einkäufe der regionalen und kommunalen Stellen und in einigen Fällen auch diejenigen der öffentlichrechtlichen Körperschaften dem Abkommen unterstellt. Überdies reicht das Abkommen von 1996 über den Güterhandel hinaus und erfasst ebenso den Handel mit Dienst– und Bauleistungen. Der Schwellenwert für die Beschaffung der Zentralregierungen wurde von 150'000 SZR auf 130'000 SZR gesenkt und beträgt neu für die Beschaffung der regionalen Stellen 200'000 SZR und für diejenige der lokalen Stellen 400'000 SZR. Das heisst, auf regionaler und kommunaler Ebene sind die einheimischen Anbieter gegenüber der ausländischen Konkurrenz stärker geschützt als auf zentraler Ebene. Für die Bauleistungen beginnt die Marktöffnung bei allen öffentlichen Stellen fast ausnahmslos bei 5 Mio. SZR. Das Abkommen über die öffentliche Beschaffung kann heute je nach Leseart als Instrument der Marktöffnung und Handelsliberalisierung für Beschaffungskäufe oberhalb einer bestimmten Wertschwelle oder als protektionistische Massnahme zum Schutz der inländischen Güteranbieter und Dienstleistungserbringer unterhalb eines bestimmten Schwellenwerts beurteilt werden. Aus der Sicht der WTO, die grundsätzlich eine für alle Vertragspartner und alle Produkte und Dienstleistungen offene und möglichst freie Marktordnung anstrebt, bilden grosse Teile des Beschaffungsabkommens eine Sonderregelung, die in ihrem Sinn und Geist eigentlich dem WTO–System zuwiderlaufen.

1465 Im Mittelpunkt der künftigen WTO–Verhandlungen über die öffentliche Beschaffung werden stehen: (1) Die Ausweitung des Kreises der Beschaffungsstellen über die zentralen, regionalen und kommunalen Beschaffungsstellen hinaus auf sämtliche öffentlichrechtliche Körperschaften: Es handelt sich dabei um die Unternehmen des Schienenverkehrs, der Telekommunikation und der Gas–, Wasser–, Wärme– und Elektrizitätsversorgung. Mehrere Länder haben bereits vereinzelt Wasserwerke und Verkehrsbetriebe in die entsprechenden Listen aufgenommen. (2) Der Abbau und letztlich die Beseitigung der Schwellenwerte: Über die Absenkung der Schwellenwerte auf Null soll jede öffentliche Beschaffung, unabhängig von ihrem Wert, voll dem internationalen Wettbewerb ausgesetzt werden (analog zur gegenwärtig geltenden Beschaffungsregelung innerhalb der EU). Die Festlegung eines Schwellenwerts hat stets etwas Willkürliches an sich und ist nach dem Überhandnehmen der elektronischen Ausschreibungen nicht mehr mit administrativen Argumenten zu rechtfertigen.[39] (3) Die Überführung des plurilateralen Abkommens in ein multilaterales WTO–Abkommen: Die Pflicht der Marktöffnung soll sich nicht auf einige wenige Industriestaaten und wirtschaftlich stark fortgeschrittene Handelspartner beschränken, sondern sämtliche Mitglieder der WTO verpflichten.[40]

---

39 In der EU erfolgt die Ausschreibung der öffentlichen Beschaffungsaufträge ab 1. Januar 1999 nur noch auf elektronischem Weg. Das Projekt der EU läuft unter dem Namen "Simap" (Système d'information pour les marchés publics).

40 Als weiterführende Literatur zum öffentlichen Beschaffungswesen sind u.a. zu erwähnen: *Hoekman/Mavroidis,* Hrsg. (1997), Law and Policy in Public Purchasing, Ann Arbor (Sammlung von Kurzaufsätzen mit rechtlicher und ökonomischer Fragestellung); *Reich, Arie* (1999), International Public Procurement Law, Public Purchasing, Studies in Transnational Economic Law Vol. 12, London u.a. (vergleichende Darstellung der Bestimmungen der öffentlichen Beschaffung in der EFTA, der EG, im GATT der Tokio–Runde, im Abkommen USA–Israel, im Abkommen USA–Kanada, in der NAFTA und in der WTO); *Weiss, Friedl* (1993), Public Procurement in European Community Law, European Community Law Series Vol. 4, London u.a. (das öffentliche Beschaffungswesen nach EG–Recht mit Quervergleichen zum WTO–Abkommen).

Ausblick

# Probleme und mögliche Reformen

Ausblick

1466 Die bisherigen Ausführungen beschreiben die in der Uruguay–Runde geschaffene und heute geltende Welthandelsordnung. Wie das GATT in seiner fast fünfzigjährigen Geschichte sich ständig veränderte und den neuen Gegebenheiten anpasste, so wird auch die WTO sich laufend fortentwickeln, Überholtes abstossen, Reformbedürftiges umgestalten und Neues aufnehmen. Verschiedene Kräfte halten diesen Prozess in Gang: Erstens verlangen mehrere WTO–Abkommen eine kontinuierliche Fortführung der Verhandlungen, so das Agrarabkommen (Art. 2), das Allgemeine Dienstleistungsabkommen (Art. XIX:1), das Abkommen über die Investitionsmassnahmen (Art. 9), das Abkommen über den Handel mit zivilen Luftfahrzeugen (Art. 8.7) und das Abkommen über das öffentliche Beschaffungswesen (Art. XXI:7(b)).

1467 Zweitens sieht Art. V der WTO–Vereinbarung Verhandlungen mit zwischenstaatlichen Organisationen (Intergovernmental Organizations, IGOs) und Nicht–Regierungs–Organisationen (Non–governmental Organizations, NGOs) über Angelegenheiten vor, "die mit denen der WTO im Zusammenhang stehen". Für die WTO wichtige zwischenstaatliche Organisationen sind die Internationale Arbeitsorganisation (International Labour Organization, ILO), die Weltorganisation für geistiges Eigentum (World Intellectual Property Organization, WIPO) und der Internationale Währungsfonds (International Monetary Fund, IMF). Mit der ILO wurden Verhandlungen über die Beziehungen zwischen Handel und Einhaltung minimaler arbeitsrechtlicher Standards aufgenommen. Ergebnisse dieser Zusammenarbeit sind die ILO–Vereinbarung von 1998 über die Grundrechte der Arbeit sowie die ILO–Erklärung von 1999 zum Schutz der Kinderarbeit. Mit der WIPO wurde ein Abkommen über die Arbeitsteilung zwischen TRIPS und WIPO ausgehandelt, das am 1. Januar 1996 in Kraft trat. Die Kooperation mit dem IMF bezieht sich auf die gegenseitige Informations– und Konsultationstätigkeit, festgehalten im Abkommen vom 9. Dezember 1996.[1] Wichtige Nicht–Regierungs–Organisationen sind die Umweltschutz– und Entwicklungshilfeorganisationen, die Sozialwerke, die Gewerkschaften sowie die Arbeitgeber– und Branchenverbände.

---

1 Über die Zusammenarbeit zwischen der WTO und den einzelnen internationalen Organisationen orientiert die WTO–homepage.

Ein dritter Grund für weiterführende Verhandlungen ist die handelspolitisch  1468
kritische Situation der Entwicklungsländer. Auf die 48 ärmsten Länder der
WTO entfällt nur knapp ein halbes Prozent des Welthandels, teils weil diese
Länder über wenige handelbare Güter verfügen, teils aber auch weil die für sie
interessanten Agrar- und Textilmärkte von den Industriestaaten geschützt werden. Aus humanitären sowie handels- und sicherheitspolitischen Erwägungen
wird es künftig notwendig sein, die Märkte der Industriestaaten vermehrt
gegenüber den armen Ländern zu öffnen.

Abgesehen von den bisher erwähnten Gründen wird eine Welthandels-  1469
ordnung wegen der sich ständig wandelnden Handelsstrukturen und politischen Wertvorstellungen nie stillstehen können. Heute kommt beispielsweise
den grenzüberschreitenden Dienstleistungen und innerhalb der Dienstleistungen der Telekommunikation eine viel grössere Bedeutung zu als noch
vor wenigen Jahren und Jahrzehnten. Auch Fragen des Umweltschutzes und
des Vorsorgeprinzips (des Rechts auf nationale Sicherheits- und Gesundheitsvorschriften) stehen gegenwärtig vermehrt zur Diskussion als früher.

Die nachstehenden Ausführungen geben einen Überblick über die Entwick-  1470
lung der WTO seit ihrem Inkrafttreten am 1. Januar 1995. Im Sinne einer chronologischen Abfolge erörtern die ersten drei Abschnitte die unmittelbare Zeit
nach der Uruguay-Runde bis zur Ministerkonferenz in Singapur im Jahr 1996,
die Periode zwischen Singapur und der Ministerkonferenz in Genf im Jahr
1998 sowie die anschliessende Phase bis zur Ministerkonferenz in Seattle von
Ende 1999. Der vierte Abschnitt weist mit einigen möglichen Reformvorschlägen in die Zukunft.

## Die erste WTO-Ministerkonferenz, Singapur 1996

Die Zeit zwischen dem Inkrafttreten des WTO-Vertragswerks am 1. Januar  1471
1995 und der ersten WTO-Ministerkonferenz in Singapur vom 9. bis 13.
Dezember 1996 ist geprägt durch das Bemühen, die neue WTO-Ordnung
anzuwenden sowie den mit der Uruguay-Runde ausgelösten Marktöffnungs-
und Liberalisierungsprozess kontinuierlich fortzuführen.

*Implementierung des WTO-Rechts*

1472   Nach Art. XII:1 der WTO-Vereinbarung kann jeder Staat und jedes autonome Zollgebiet unter bestimmten Bedingungen, die zwischen dem Beitrittskandidaten und den WTO-Mitgliedern auszuhandeln sind, der WTO beitreten. In der Zeit unmittelbar nach der Uruguay-Runde schuf die WTO eine Arbeitsgruppe zur Behandlung der rund 30 Mitgliedschaftsanträge.[2]

1473   Nach Abschluss der Handelsrunde begannen auch die Kooperationsgespräche zwischen der WTO und der UNCTAD über die gemeinsame Weiterführung des Internationalen Handelszentrums in Genf (International Trade Center, ITC),[3] zwischen der WTO und ILO über Arbeitsstandards und Kinderarbeit,[4] zwischen der WTO und der WIPO zur Abgrenzung ihrer Tätigkeiten[5] sowie zwischen der WTO und dem IMF zur Regelung der gegenseitigen Information.[6] Ferner führte die WTO Verhandlungen mit der schweizerischen Regierung über die Rechtsstellung der WTO und über die Privilegien und Immunitäten der Institution und ihrer Beamten in der Schweiz.[7]

1474   Die WTO-Gespräche beschränkten sich nicht nur auf die beitrittswilligen Regierungen, die internationalen Organisationen und die Schweizer Regierung. Weitere Diskussionen fanden zwischen den WTO-Mitgliedern über Handelsprobleme statt, die in der Uruguay-Runde nicht gelöst werden konnten. Dazu zählen zum Beispiel der grenzüberschreitende Verkehr von natür-

---

2   Die Liste der Regierungen, die eine WTO-Mitgliedschaft beantragt haben, findet sich in: *WTO* (1996), Annual Report 1996, Vol. I, Genf, S. 86.

3   Relations between the WTO and the UN vom 15.11.1995, veröffentlicht in: *Hummer/Weiss*, S. 350ff. (englische Fassung).

4   Zu den ILO-Vereinbarungen vgl. *WTO* (1998), Annual Report 1998, Special topic: Globalization and trade, Genf, S. 103; vgl. auch *WTO* (1998), FOCUS, Newsletter Nr. 33, Genf, S. 12.

5   Agreement between the WIPO and the WTO vom 15.12.1995, veröffentlicht in: *Hummer/Weiss*, S. 362ff. (englische Fassung).

6   Agreement between the IMF and the WTO vom 9.12.1996, veröffentlicht in: *Hummer/Weiss*, S. 358ff. (englische Fassung).

7   Agreement between the WTO and the Swiss Confederation vom 2.6.1995, veröffentlicht in: *Hummer/Weiss*, S. 391ff. (englische Fassung).

lichen Personen, die Luftverkehrsdienstleistungen, die Finanzdienstleistungen, die Seeverkehrsdienstleistungen und die Telekommunikation.

Nach der Uruguay-Runde folgten weitere Verhandlungen mit den Entwicklungsländern. Gemäss Art. XI:2 der WTO-Vereinbarung haben die wirtschaftlich schwächeren Staaten die WTO-Verpflichtungen und die gegenseitig gewährten Zugeständnisse nur in dem Masse zu übernehmen, "als diese mit ihren individuellen Entwicklungs-, Finanz- und Handelserfordernissen oder ihrer administrativen und institutionellen Leistungsfähigkeit vereinbar sind". Aufgrund dieser Rechtslage konnten die Drittweltstaaten bei der WTO Ausnahmen- und Freilisten einreichen. Bisher haben insgesamt 21 Nicht-Industriestaaten solche Listen unterbreitet. 1475

Neben diesen Verhandlungen ging es in den ersten WTO-Jahren darum, die Verwaltung der früheren GATT-Strukturen den Bedürfnissen und Anforderungen der WTO anzupassen sowie Erfahrungen mit dem revidierten Streitschlichtungsverfahren zu sammeln und dessen Rekursinstanz einzusetzen. 1476

*Durchführung der Konferenz*

Die erste Ministerkonferenz der WTO fand vom 9. bis 13. Dezember 1996 in Singapur statt. Während ihrer Vorbereitungszeit zeichnete sich eine eigenartige Polarisierung zwischen den Vorschlägen der WTO und den Industrieländern einerseits sowie der Kritik der Entwicklungsländer und der Nicht-Regierungs-Organisationen andererseits ab. Die WTO-Organe verabschiedeten in den Monaten vor der Konferenz an die 30 Sonderberichte, in denen sie die bisherige Tätigkeit der WTO (lobend) darstellten und vereinzelt Empfehlungen und Schlussfolgerungen zuhanden der Konferenz vorlegten. Im Vordergrund standen die Bereiche Telekommunikation, Wettbewerb, Investitionen, öffentliche Beschaffung und arbeitsrechtliche Fragen. Weitere Themen waren die Erarbeitung eines Aktionsplans zugunsten der wirtschaftlich schwächeren Staaten, die Hilfe an die Entwicklungsländer zur Durchführung ihrer Agrarreformen, die Verhandlungen über die Finanzdienstleistungen, die verstärkte Zusammenarbeit mit dem IMF, die Schaffung einer Arbeitsgruppe zur Revision des Abkommens über die Versandkontrolle und die Gewährung eines 1477

"Waivers" für den Autopakt USA–Kanada.[8] In die Vorbereitungszeit der Konferenz fällt auch der Versuch zur Sensibilisierung der WTO für ein multilaterales Investitionsabkommen.[9] Der Schutz und die Liberalisierung von ausländischen Investitionen war damals insofern aktuell, als im Jahr 1995 die Organisation für Wirtschaftliche Zusammenarbeit und Entwicklung (OECD) die Aushandlung des Multilateralen Investitionsabkommens (Multilateral Agreement on Investment, MAI) beschloss. Schliesslich äusserten die USA zu dieser Zeit auch den Wunsch, die Korruption und die Arbeitnehmerrechte (Mindestlöhne und Kinderarbeit) über eine Sozialklausel aufzugreifen und die Einhaltung des Textilabkommens über den Verzicht auf "Transshipment" durch die Exporteure zu verbessern.

1478    Die von der WTO und den Industrieländern vorgeschlagene Traktandenliste stiess bei den Entwicklungsländern und Nicht–Regierungs–Organisationen auf Ablehnung. Die Entwicklungsländer wiesen darauf hin, dass in den Industriestaaten mit steigendem Verarbeitungsgrad der Nahrungsmittel und Textilien die Zölle progressiv ansteigen (Zolleskalation), die mengenmässigen Importbeschränkungen im Agrarbereich weiter bestehen und vielfältige Zusatzabgaben in Form von Garantieleistungen erhoben werden. Bemängelt wurde auch die Tatsache, dass die Industriestaaten das Textilabkommen durch Schutzmassnahmen und neue Ursprungsregeln unterlaufen. Indien, Indonesien und Malaysia wehrten sich vehement gegen ein Investitionsabkommen im Rahmen der WTO. Die Nicht–Regierungs–Organisationen warfen dem Ausschuss für Handel und Entwicklung Untätigkeit vor und verlangten einen stärkeren Einbezug der Umweltschutzorganisationen in die künftigen Verhandlungen. Die Asean–Staaten schliesslich lehnten die Ausarbeitung einer Sozialklausel in der WTO ab.

1479    Die am 13. Dezember 1996 verabschiedete Ministererklärung bekräftigte die bekannten Zielsetzungen der WTO, sprach sich für die gegenseitige Marktöffnung und Liberalisierung des Welthandels aus, gab der Überzeugung Ausdruck, dass Handel Arbeitsplätze schaffe und versprach den beitrittswilligen

---

8    Vgl. *WTO* (1996), FOCUS, Newsletter Nr. 13, Genf, S. 1ff.
9    Der Bericht "Trade and foreign direct investment" ist veröffentlicht in: *WTO* (1996), Annual Report 1996, Vol. I, Genf, S. 44ff.

Staaten Aufnahmeverhandlungen sowie den wirtschaftlich schwächeren Staaten Zusammenarbeit und Hilfe. Der Haupterfolg der Konferenz von Singapur bestand ohne Zweifel darin, nach dem Kraftakt der Uruguay-Runde auf dem Weg der Marktöffnung und der Handelsliberalisierung fortzuschreiten. Der an der Konferenz beschlossene Aktionsplan zugunsten der Entwicklungsländer war allgemein gehalten. Er forderte eine Intensivierung der Kooperation zwischen den Industrie- und Entwicklungsländern, freien Marktzugang für Produkte aus den Drittweltländern, Technologietransfer usw. Die Minister beauftragten den Ausschuss für Handel und Entwicklung, die Zusammenhänge zwischen dem freien Handel, der wirtschaftlichen Entwicklung und der Umwelt zu untersuchen.[10] Zusätzlich wurden mehrere Studien- und Arbeitsgruppen zur Abklärung der Investitionsfragen, des öffentlichen Beschaffungswesens und der Wettbewerbspolitik geschaffen. Als neuer Ansatz der Welthandelsordnung ist betrachten, dass die WTO an der Konferenz von Singapur unter bestimmten Bedingungen Hand zu autonomen sektoriellen Liberalisierungsbemühungen geboten hat.[11]

Trotz dieser Teilerfolge der Konferenz von Singapur kam zu dieser Zeit von Seiten der Entwicklungsländer, der Umweltschutzorganisationen und verschiedener Nicht-Regierungs-Organisationen eine starke Opposition gegen die Industrieländer und die WTO auf. Diese kritische Grundhaltung gegen die WTO artikulierte sich erstmals vor und während der zweiten WTO-Konferenz im Jahr 1998 in Genf in Strassendemonstrationen und entwickelte sich anschliessend auf dem Weg zur und während der Konferenz von Seattle im Spätherbst 1999 zu einer eigentlichen Anti-WTO-Bewegung.

## Die zweite WTO-Ministerkonferenz, Genf 1998

Die zweite Ministerkonferenz fand in Genf vom 18. bis 20. Mai 1998 zusammen mit dem Anlass des fünfzigjährigen Bestehens der Welthandels-

---

10 Ministererklärung vom 13.12.1996, veröffentlicht in: *WTO* (1996), FOCUS, Newsletter Nr. 15, Genf, S. 7ff.; *WTO* (1997), Annual Report 1997, Vol. I, Genf, S. 97ff.
11 Vgl. die Programme der Arbeitsgruppen in: *WTO* (1998), Annual Report 1998, Special topic: Globalization and Trade, Genf, S. 76ff.

Ausblick

ordnung GATT/WTO statt. Die Jubiläumsansprache des WTO–Generaldirektors und der anwesenden Staats- und Regierungschefs enthielten viel Selbstlob und trugen wenig zur Lösung der anstehenden Probleme bei.[12]

1482    Am 20. Mai 1998 verabschiedeten die Minister eine Erklärung,[13] in der sie sich zum fünfzigjährigen Bestehen der geltenden Welthandelsordnung beglückwünschten. Sie verliehen ihrer Überzeugung Ausdruck, dass das GATT beziehungsweise die WTO über die gegenseitige Marktöffnung und Handelsliberalisierung zum weltweiten Wirtschaftswachstum, zur Hebung der Beschäftigung und zur Stärkung der Stabilität beigetragen habe. Besonders erwähnt wurden die zwischen den Konferenzen von Singapur und Genf abgeschlossenen Abkommen über die Finanzdienstleistungen und die Telekommunikation. Die Minister bekräftigten ihren Willen, die Zusammenarbeit mit den Entwicklungsländern zu intensivieren und die Märkte für die Exportprodukte dieser Länder möglichst zu öffnen und zu liberalisieren. Die Minister beschlossen schliesslich, gegen Ende 1999 in den USA eine dritte WTO–Ministerkonferenz durchzuführen, an der über die Lancierung einer weiteren Handelsrunde, der sogenannten Millennium–Runde, zu entscheiden sei.

1483    Die zweite Ministerkonferenz billigte ausserdem eine Erklärung über den Elektronikhandel. Die Minister forderten den Allgemeinen Rat auf, eine Analyse des internationalen Elektronikhandels unter besonderer Berücksichtigung der wirtschaftlichen und finanziellen Aspekte der Entwicklungsländer zu erstellen.

1484    Landwirtschaftskreise, Vertreter der Entwicklungsländer, Umweltschützer, Gewerkschaften und andere Nicht–Regierungs–Organisationen gingen während der zweiten WTO–Konferenz erstmals auf die Strasse. Mit gegensätzlichen und sich ausschliessenden Argumenten demonstrierten sie gegen die aus ihrer Sicht verfehlte Handels-, Entwicklungs-, Umweltschutz- und Sozialpolitik der WTO. Die WTO verfolge eine Richtung, die den Zielsetzungen der NGOs entgegenlaufe, und die Regierungen als Mitglieder der WTO unter-

---

12  Vgl. z.B. die Botschaft des WTO–Generaldirektors in: *WTO* (1998), FOCUS, Newsletter Nr. 30, S. 1 und Nr. 31, Genf, S. 1ff.
13  Veröffentlicht in: *WTO* (1998), Annual Report 1998, Special topic: Globalization and Trade, Genf, S. 73ff.

nähmen zu wenig, um die Interessen der NGOs zu wahren und zu verteidigen.[14] Die Agrarlobbyisten der Industriestaaten demonstrierten gegen eine weitere Marktöffnung und Handelsliberalisierung, um nicht der Importkonkurrenz durch die Entwicklungsländer ausgesetzt zu werden. Die Vertreter der Entwicklungsländer ihrerseits forderten die Industriestaaten auf, die Agrar– und Textilmärkte zu öffnen, um den Export von agrarischen Erzeugnissen und Textilprodukten nach den Industriestaaten zu erleichtern. Die Nicht–Regierungs–Organisationen wiederum argumentierten, dass der freie Handel auf Kosten der Erwerbstätigkeit in den Entwicklungsländern erfolge, weltweit zur Umweltverschmutzung beitrage und über eine Sozialklausel einen zusätzlichen Protektionismus der Industriestaaten gegenüber den wirtschaftlich schwächeren Staaten anstrebe.

## Die dritte WTO–Ministerkonferenz, Seattle 1999

Keine WTO–Ministerkonferenz warf ihre Schatten so unmissverständlich voraus wie diejenige von Seattle im Jahr 1999. Die Industriestaaten und die Entwicklungsländer nahmen bereits im Vorfeld der Konferenz unversöhnliche Verhandlungspositionen ein und liessen sich während der Konferenz nicht umstimmen. Auch wurde keine frühere Konferenz unter so widrigen Umständen eröffnet und durchgeführt wie diejenige von Seattle. Zu Beginn und während der Konferenz fanden in den Strassen von Seattle wüste Demonstrationen gegen die WTO statt. Die unausweichliche Folge war ein Scheitern der Konferenz. Die Minister waren nicht willens und in der Lage, die Lancierung einer neuen Welthandelsrunde zu beschliessen. Sie erteilten stattdessen der WTO den Auftrag, als Folge dieses Fehlschlags Vorschläge über das weitere Vorgehen auszuarbeiten.

1485

---

14  Zu diesem Themenkreis vgl. *Benedek, Wolfgang* (1999), Developing the Constitutional Order of the WTO – The Role of NGOs, in: *Benedek/Isak/Kicker* (Hrsg.), Development and Developing International and European Law (Festschrift K. Ginther), Frankfurt a.M. u.a., S. 228ff.

Ausblick

*Unterschiedliche Interessenlagen*

1486    Bereits im Vorfeld der Vorbereitung der Konferenz von Seattle zeichneten sich wesentliche Divergenzen zwischen den WTO–Mitgliedern ab. Konzentrierten sich die USA schwergewichtig auf die Themen Landwirtschaft, Dienstleistungen und Sozialklausel, trat die EU für eine "relativ umfassende" Traktandenliste ein. Die wirtschaftlich schwächeren Staaten verlangten die Öffnung der für sie wichtigen Agrar– und Textilmärkte in den Industrieländern und wehrten sich gegen Verhandlungen über Sozial– und Umweltschutzklauseln aus Angst vor einem neuen Protektionismus gegen die Niedriglohnländer.

1487    Die USA konzentrierten sich in der Vorbereitung der Konferenz auf drei Schwerpunkte: den Agrarhandel, den Dienstleistungshandel sowie die Sozial– und Umweltschutzklausel. Die USA als grösster Agrarexporteur der Welt verlangten von ihren Handelspartnern eine weitere Agrarmarktöffnung, den Abbau von Agrarexportsubventionen und eine Reduktion von Agrarimportabgaben. Der geforderte Abbau der Exportsubventionen richtete sich in erster Linie gegen die EU. Die USA wurden von Argentinien, Australien, Kanada und Neuseeland, von Ländern, die ebenfalls an Agrarexporten interessiert sind, unterstützt. Das zweite Begehren der Vereinigten Staaten bezog sich auf den internationalen Dienstleistungshandel. Sie forderten einen Abbau der Handelshemmnisse bei den traditionellen Dienstleistungen und waren daran interessiert, in den neuen Dienstleistungsbereichen wie Telemedizin, Satelliten–Unterhaltung, Online–Kurse und E–Commerce Handelshemmnisse gar nicht aufkommen zu lassen. Der dritte Schwerpunkt der US–Forderungen bezog sich auf die Sozial– und Umweltschutzklausel. Dabei handelte es sich ohne Zweifel um ein binnenpolitisches Entgegenkommen der Clinton–Regierung an die (traditionell demokratischen) US–Gewerkschaften und die US–Umweltschutzorganisationen, die gegen die Billigimporte aus den Niedriglohnländern ankämpften. Die US–Regierung forderte alle WTO–Mitglieder und insbesondere die Entwicklungsländer auf, bei der Arbeitssicherheit, den Mindestlöhnen, der Kinderarbeit, der Zwangsarbeit und dem Umweltschutz minimale Grundvorschriften einzuhalten, um nicht durch die Missachtung dieser Mindeststandards unfaire Wettbewerbsvorteile zu erzielen.

1488    Neben diesen drei Schwerpunktthemen verlangten die USA einen beschleunigten Zollabbau in den acht Produktbereichen Chemikalien, Energie, Umweltprodukte, Fisch, Forstprodukte, Schmuck, medizinische und wissenschaftliche Geräte sowie Spielzeuge. Es handelte sich um die Produkte, deren Zölle unlängst im Rahmen der APEC beraten wurden und für die USA eine gewisse Bedeutung hatten. Schliesslich bezogen sich die US-Vorschläge auf einen weiteren Ausbau des Abkommens über das öffentliche Beschaffungswesen. Anstelle des heute relativ wenige Länder umfassende plurilaterale WTO-Abkommens sei eine für alle WTO-Mitglieder verbindliche Regelung zu treffen. In diesem Wirtschaftsbereich gehe es nicht allein um faire Spielregeln und Kostensenkungsfragen, sondern in erster Linie um die Bekämpfung der Korruption.[15]

Die "relativ umfassende" Position der EU sah vor, in der anvisierten Runde nicht nur über die Liberalisierung des Waren- und Dienstleistungshandels, sondern auch über einen multilateralen Ordnungsrahmen für direkte Investitionen, über die Wettbewerbspolitik sowie über die Umwelt-, Gesundheits- und Arbeitnehmeranliegen zu sprechen. In drei Bereichen machte die EU indessen Vorbehalte. Analog zu den Verhandlungen in der Uruguay-Runde forderte die EU für sich und ihre Mitgliedstaaten zunächst das Recht, die Kultur- und Audiovisionspolitik autonom zu definieren. Der zweite EU-Vorbehalt betraf die Sozialklausel; nach Ansicht der EU waren die Beziehungen zwischen Handel und Einhaltung minimaler Arbeitsstandards (z.B. Verbot von Kinderarbeit und Zwangsarbeit) in Zusammenarbeit mit der Internationalen Arbeitsorganisation (ILO) anzugehen. Zur Lösung dieser Fragen, so der EU-Vorschlag, sei ein WTO/ILO-Arbeitsforum zu schaffen, ergänzt durch die Einberufung einer Ministerkonferenz im Jahr 2001. Der dritte EU-Vorbehalt bezog sich auf die Landwirtschaft und das Vorsorgeprinzip. Mit dem Verweis auf die Multifunktionalität der Landwirtschaft weigerte sich die EU, den Agrarschutz aufzugeben. Auch dürfe in einer weiteren Handelsrunde nicht der Eindruck erweckt werden, in der WTO stehe der Handel über den Gesundheitsfragen. Die WTO soll nicht dazu benutzt werden, einen Marktzugang für Erzeugnisse zu erzwingen, an deren gesundheitlicher Verträglichkeit Zweifel

---

15 Die Position der USA ist zusammengefasst in: *NZZ* vom 2.11.1999, Nr. 255, S. 25.

bestünden. Im Gegenteil, die WTO habe das Vorsorgeprinzip zu garantieren, im Zweifelsfall auch ohne wissenschaftliche Beweise.[16]

1490    Bei vielen Entwicklungsländern und Nicht–Regierungs–Organisationen kam bereits vor der Ministerkonferenz in Seattle organisierter Widerstand auf. Die Gegner der WTO–Konferenz rekrutierten sich aus den verschiedensten Lagern. Ihre Argumente waren zum Teil widersprüchlich und bestanden darin, gegen die Vorschläge der USA und der EU sowie gegen die WTO im allgemeinen anzutreten und zu kämpfen. Verlangten die gewerkschaftlichen Kreise von der WTO einen zusätzlichen Schutz gegen Kinderarbeit, Zwangsarbeit und Dumpingpreise, befürchteten die Gegner der von den USA vorgeschlagenen Sozial– und Umweltschutzklausel, solche Standardvorschriften seien ein Versuch des Westens, die Importe aus den Niedriglohnländern abzuwehren. Traten die europäischen Landwirte für den Schutz ihres Wirtschaftszweiges mit dem Argument der Multifunktionalität der Landwirtschaft ein, betrachteten die Befürworter offener Märkte die Multifunktionalität als Deckmantel zur Abschottung der europäischen Agrarmärkte gegenüber den armen Ländern. Die Umweltschützer schliesslich machten geltend, die Globalisierung fördere den Kahlschlag der Wälder und trage zur Verschmutzung der Meere bei.

1491    Zwischen den einzelnen WTO–Mitgliedern und Interessengruppen bestand somit bereits vor der Ministerkonferenz in Seattle ein derartiges Spannungsverhältnis, dass es nicht möglich war, eine gemeinsame und einvernehmliche Traktandenliste für die Konferenz auszuarbeiten.

*Das Scheitern der Konferenz*

1492    Die dritte WTO–Ministerkonferenz, die vom 30. November bis 2. Dezember 1999 in Seattle tagte, sollte die neunte Welthandelsrunde, die sogenannte Millennium–Runde, beschliessen. Dieses Ziel wurde, wie bereits erwähnt, nicht erreicht. Jetzt soll in einer absehbaren Frist in Genf in einem kleineren

---

16   Diese Stellungnahme ist die Reaktion auf den Hormonfleischstreit zwischen den USA und der EU, dessen Beurteilung in den Berichten der WTO–Streitschlichtung die EU nicht überzeugt hat. Vgl. z.B. *Pescatore, Pierre* (1999), Heikler Schutz nichtökonomischer Interessen, in: *NZZ* vom 1.12.1999, Nr. 280, S. 27.

Rahmen über die Durchführung der künftigen Welthandelsrunde entschieden werden.

1493 Verschiedene Ursachen mögen zum Scheitern der Konferenz von Seattle beigetragen haben: Aus der Sicht vieler Delegierten war die Konferenz schlecht vorbereitet. Wegen des monatelangen Tauziehens um die Nachfolge des WTO-Generaldirektors kamen die vorbereitenden Konferenzgespräche zu spät in Gang. Ein weiterer wichtiger Grund für das Scheitern der Konferenz waren die im vorangehenden Abschnitt aufgezeigten Interessengegensätze zwischen den USA, der EU und den Drittweltstaaten, die weder vor noch während der Konferenz auf einen gemeinsamen Nenner gebracht werden konnten. Den eigentlichen Todesstoss versetzte letztlich der US-Präsident *Bill Clinton* der Konferenz mit seiner Äusserung, die USA würden die Einhaltung von Sozialstandards allenfalls durch unilaterale Handelsaktionen erzwingen. Auch die EU hielt am Mandat der Sozialstandards fest, obwohl angenommen werden musste, dass die Entwicklungsländer dieses Thema erneut ablehnen würden wie in der ersten Ministerkonferenz von Singapur.[17]

1494 Zwar wird von den Konferenzteilnehmern und dem WTO-Sekretariat immer wieder beteuert, die konferenzbegleitenden Demonstrationen der NGOs hätten den Verlauf der Konferenz nicht beeinflusst und die zur Diskussion gestellten Umweltschutz-, Gesundheits- und Entwicklungsfragen seien beim Entscheid über die Suspendierung der Verhandlungen nicht berücksichtigt worden. Trotzdem ist nicht zu übersehen, dass die tagelangen Strassenproteste und die dadurch verursachten Verhandlungsverzögerungen und -störungen einer einvernehmlichen Verhandlungsatmosphäre abträglich waren.[18]

---

17 Vgl. *Foreign Trade Association* (2000), Memorandum, Schlussfolgerungen aus Seattle, Brüssel; *Langhammer, Rolf J.* (2000), Die Welthandelsordnung nach Seattle. Von der Regeldisziplin zum Regelchaos?, in: *Konrad-Adenauer-Stiftung,* Auslandsinformationen 2, S. 22ff.; *Scherpenberg van, Jens* (2000), Das Fiasko von Seattle, die USA, China und die Perspektiven der WTO, Stiftung Wissenschaft und Politik, SWP-aktuell Nr. 51, Ebenhausen/Isar.

18 Detailinformationen über den Verlauf und das Scheitern der 3. WTO-Konferenz in: URL http://neva.wto-ministerial.org/, Dezember 1999.

Ausblick

# Der Reformbedarf der WTO

1495 Die Anerkennung und die Wertschätzung des GATT beziehungsweise der WTO erlebten im Verlauf der fünfzigjährigen Geschichte starke Schwankungen. In der unmittelbaren Nachkriegszeit spielte das GATT eine eher bescheidene Rolle, nachdem es auch in einem zweiten Anlauf nicht gelang, die Welthandelsordnung in Form einer internationalen Organisation mit eigener Rechtspersönlichkeit zu etablieren. Im Mittelpunkt des Interesses standen damals die Sicherung der Nahrungsmittelversorgung in den ehemaligen Kriegsländern, der Wiederaufbau der im Krieg zerstörten Infrastruktur sowie die Ost–West–Probleme. Die Dillon–Runde zu Beginn der sechziger Jahre war nicht in der Lage, das Ansehen des GATT zu verbessern. Die Ergebnisse der Welthandelsrunde 1961/62 waren zu mager. Einen starken Prestige–Gewinn erfuhr das GATT in der Kennedy–Runde 1964–67. In dieser Runde gelang es den GATT–Vertragspartnern, das Zollniveau um über einen Drittel zu reduzieren und damit den Zollgraben zwischen den USA und der damals erstarkenden EWG zuzuschütten. In diese Zeit fallen das politische Aufkommen der Nord–Süd–Problematik und die Neuausrichtung des GATT auf die Bedürfnisse der Entwicklungsländer. Das GATT wurde um den vierten Teil "Handel und Entwicklung" erweitert. Von Bedeutung für die Entwicklung des GATT war auch die Tokio–Runde 1973–79. Das Hauptthema dieser Welthandelsrunde war der verstärkte Einbezug der nichttarifären Handelshemmnisse und die Ausarbeitung von plurilateralen Zusatzabkommen. Indessen hielt der Schwung der Tokio–Runde nicht lange an. Die sich in den achtziger Jahren abzeichnende Weltwirtschaftskrise, verbunden mit rückläufigen Importen und Exporten, zunehmenden Handels– und Budgetdefiziten sowie steigenden Arbeitslosenquoten, führte in vielen Ländern zu neuen Handelshemmnissen und zum Abschluss sogenannter Selbstbeschränkungsabkommen. Damit einher ging die immer lauter werdende Kritik am GATT und seiner Unfähigkeit, die weltweite Rezession aufzufangen und den grassierenden Handelsprotektionismus einzudämmen. Im Jahr 1986 entschieden die unter Erfolgsdruck geratenen Welthandelspartner eine neue Verhandlungsrunde durchzuführen. Die Traktandenliste der Uruguay–Runde war sehr breit angelegt: weiterer Abbau der Industriezölle, Reduktion der Zolleskalation zugunsten der Entwicklungsländer, zusätzliche Bindung der Zölle, Ausweitung des Geltungsbereichs auf die grenzüberschreitenden Dienstleistungen, Schutz der handelsbezogenen geistigen Eigentumsrechte sowie Erarbeitung weiterer Zusatzabkommen. Die Ergebnisse der Uruguay-Runde traten ab 1995 in Kraft und bilden das heute geltende WTO-Vertragswerk.

Die drei WTO-Ministerkonferenzen – vor allem diejenige von Seattle – verdeutlichen, dass sich in der WTO ein grosser Reformbedarf aufgestaut hat. Mit der Ausweitung des WTO-Geltungsbereichs auf den grenzüberschreitenden Dienstleistungshandel und den Schutz der handelsbezogenen geistigen Eigentumsrechte trat die WTO in Konkurrenz zu bereits bestehenden internationalen Organisationen. Sie begab sich zudem in ein politisch derart sensibles Umfeld, dass sie, wie die erfolglosen Vorarbeiten zur dritten WTO-Ministerkonferenz und die Demonstrationen in Seattle verdeutlichten, für alles, was in einzelnen Ländern und in Sachgebieten zu Kritik Anlass gab, verantwortlich gemacht wurde. Aus dieser Sicht stellt sich nach der Konferenz von Seattle die Frage, ob nicht einzelne Themen aus der WTO "ausgelagert" werden müssten, um wieder zu effizienten Handels-Verhandlungen zurückkehren zu können. Sollten die arbeitsrechtlichen Fragen (Verbot von Kinder- und Zwangsarbeit, Mindestlöhne, soziale Sicherheit) der bereits bestehenden Internationalen Arbeitsorganisation (ILO) nicht vollständig überlassen werden? Auch der Schutz der handelsbezogenen geistigen Eigentumsrechte wäre allenfalls bei der auf diesem Gebiet tätigen Internationalen Organisation für geistiges Eigentum (WIPO) besser beheimatet als in der WTO. Weitere Probleme könnten eventuell mit der Gründung selbständiger internationaler Organisationen für die grenzüberschreitenden Dienstleistungen und die Umweltschutzprobleme entflochten werden. Bei den Umweltschutzfragen wäre denkbar, eine Organisation zu schaffen, in welche die vielen heute geltenden internationalen Umweltschutzverträge integriert würden. Die Aufteilung der einzelnen WTO-Tätigkeitsbereiche in rechtlich selbständige Organisationen hätte den Vorteil, die Anliegen der NGOs gezielter und sachbezogener in die Teilverhandlungen miteinbeziehen zu können. Ein verstärkter Einbezug der NGOs in die internationalen Handels-Verhandlungen wird zwar immer problematisch bleiben, einerseits weil es sich um Organisationen ohne demokratische Legitimation handelt, die letztlich keine Verantwortung zu übernehmen haben und daher stets Maximalforderungen stellen, andererseits weil eine Beteiligung dieser

1496

Organisationen in den "Frontverhandlungen" eine Veränderung der Verhandlungsstruktur bewirkt, indem die Entscheide in der Hierarchie der Entscheidfällung zurück verschoben werden. Eine bereichsweise Aufgliederung im obigen Sinn müsste die Kritik an der WTO entschärfen, ohne die Zusammenarbeit zwischen Handel, Arbeitsrecht, Eigentumsrecht und Umweltschutz im Sinne des Art. V der WTO-Vereinbarung in Frage zu stellen. Eine solche Problemlösung wäre jedoch mit dem Nachteil behaftet, dass Querverhandlungen und Paketlösungen erschwert würden und zusätzliche Koordinationsanstrengungen im Sinne des Art. V der WTO-Vereinbarung unternommen werden müssten.[19]

1497   Kritik an der WTO und seiner Rechtsprechung ist in letzter Zeit auch im Zusammenhang mit dem Hormonfleisch-Streit zwischen den USA und Kanada einerseits und der EU andererseits aufgekommen. Trotz der für die EU negativ ausgegangenen WTO-Stellungnahme scheint die EU nicht bereit zu sein, das Importverbot für hormonbehandeltes Rindfleisch aufzuheben. Dieser Streitfall ist deshalb von grosser Tragweite, weil er möglicherweise als Präjudiz für die Beurteilung des Handels mit gentechnisch veränderten Pflanzen und Pflanzenprodukten dienen könnte. In den USA werden gegenwärtig bereits 40 Prozent des Sojaanbaus und etwa 30 Prozent des Maisanbaus mit gentechnisch verändertem Saatgut vorgenommen. Ungefähr ein Drittel der Produktion gelangt in den Export. Die Kritiker der WTO-Streitschlichtung weisen in diesem Zusammenhang darauf hin, die WTO verfüge über keine originäre Zuständigkeit für die hier in Frage stehenden nicht-wirtschaftlichen Belange. Grundsätzlich stehe die Befugnis, "für solche Werte Sorge zu tragen, den einzelnen WTO-Mitgliedern, das heisst den Staaten und Staatengemeinschaften, zu". Die Zuständigkeit der WTO und ihrer Schlichtungsorgane habe sich daher beim Gesundheit-, Konsumenten- und Kulturschutz lediglich auf eine "Missbrauchskontrolle der staatlichen Ermessensfreiheit in Bezug auf die

---

19  Ähnliche Vorschläge finden sich nach Abschluss der Konferenz von Seattle in der Presse. Vgl. z.B. *Gemperle, Reinhold* (1999), Ein schwarzes Jahr für die Handelsdiplomatie, in: *NZZ* vom 30.12.1999, Nr. 304, S. 19.

gesellschaftlichen Werte" zu beschränken.[20] Als Beweis werden Abs. 6 der Präambel und Art. 3:3 des SPS-Abkommens angerufen, wonach kein Mitglied der WTO verpflichtet ist, "sein angemessenes Ausmass an Schutz für Gesundheit von Menschen, Tieren und Pflanzen zu ändern"[21].

Ob und mit welchem Erfolg die WTO in den nächsten Jahren einer echten Reform unterzogen wird, ist ungewiss. Im WTO-Sekretariat in Genf und in den Aussenwirtschaftsdepartementen der WTO-Mitglieder ist man sich bewusst, dass gegenwärtig viele Probleme anstehen. Sie harren einer Lösung, wenn die in die WTO gesetzten Erwartungen längerfristig erfüllt werden sollen. In Anlehnung an die Worte von *Mike Moore*, aktueller Generaldirektor der WTO, ist eine Welthandelsordnung immer ein Risiko, vor allem wenn die Verhandlungspartner es verpassen, sich zu einigen, oder, was noch schlimmer sei, wenn die Verhandlungspartner sich darüber einigen, etwas zu verpassen.[22]

1498

---

20  Die in der Rz 1497 wiedergegebenen Zitate stammen von *Pescatore, Pierre* (1999), Heikler Schutz nichtökonomischer Interessen, in: *NZZ* vom 1.12.1999, Nr. 280, S. 27.

21  Vgl. *WTO*, Rekursentscheid EC Measures Concerning Meat and Meat Products (Hormones), Doc. WTO/DS26/AB/R, Ziff. 124: "These [d.h. die erwähnten Rechtsquellen des SPS-Abkommens] explicitly recognize the right of Members to establish their own appropriate level of sanitary protection, which level may be higher (i.e., more cautious) than that implied in existing international standards, guidelines and recommendations".

22  *WTO*, Press Release vom 11.11.1999, Nr. 146, Genf, S. 2.

# Literaturverzeichnis

*Abbott/Cottier/Gurry* (1999), The International Intellectual Property System, Commentary and Materials, Den Haag u.a.

*Akakwam, Philip A.* (1996), The Standard of Review in the 1994 Antidumping Code: Circumscribing the Role of GATT Panels in Reviewing National Antidumping Determinations, in: Minnesota Journal of Global Trade, Vol. 5, H. 2, S. 277–310.

*Baban, Roy* (1977), State Trading and the GATT, in: Journal of World Trade Law, Vol. 11, Nr. 4, S. 334–353.

*Baker & M^cKenzie,* Hrsg. (1994), NAFTA Handbook, Chicago.

*Baldwin, Robert E.* (1970), Nontariff Distortions of International Trade, Washington, DC.

*Baldwin, Robert E.* (1982), The Changing Nature of U.S. Trade Policy since World War II, Vortrag an der Konferenz des National Bureau of Economic Research, Cambridge (Vervielfältigung).

*Baldwin, Robert E.* (1988), Trade Policy in a Changing World Economy, New York u.a.

*Baldwin, Robert E.,* Hrsg. (1991), Empirical studies in commercial policy, Chicago.

*Baldwin, Robert E.* (1993), Changes in the global trading system: a response to shifts in national economic power, in: *Salvatore, Dominick,* Hrsg., Protectionism and world welfare, Cambridge, S. 80–98.

*Bank für Internationalen Zahlungsausgleich, BIZ* (jährlich), Jahresbericht, Basel.

*Barth, Dietrich* (1997), Das Allgemeine Übereinkommen über den Handel mit Dienstleistungen (GATS), in: Jahrbuch zur Aussenwirtschaftspolitik 1995/96, Münster, S. 89–122.

*Barth, Dietrich* (1997), Die Liberalisierung der Telekommunikationsdienstleistungen in der Welthandelsorganisation, in: Archiv für Post und Telekommunikation, 49. Jg., H. 2, S. 112–117.

*Beier/Schricker,* Hrsg. (1996), From GATT to TRIPs – The Agreement on Trade–Related Aspects of Intellectual Property Rights, IIC Studies, Vol. 18, München.

*Benedek, Wolfgang* (1990), Die Rechtsordnung des GATT aus völkerrechtlicher Sicht, Berlin u.a.

*Benedek, Wolfgang* (1998), Die Welthandelsorganisation (WTO), Beck'sche Textausgaben, München (vgl. Rechtsquellen und Dokumente).

*Benedek, Wolfgang* (1999), Developing the Constitutional Order of the WTO – The Role of NGOs, in: *Benedek/Isak/Kicker,* Hrsg., Development and Developing International and European Law (Festschrift K. Ginther), Frankfurt a.M. u.a., S. 228–250.

*Benedek/Isak/Kicker,* Hrsg., (1999), Development and Developing International and European Law, (Festschrift K. Ginther), Frankfurt a.M. u.a..

*Berg/Peters* (1996), Antidumping: Instrument der EG–Industriepolitik, in: *Frenkel/Bender*, Hrsg., GATT und neue Welthandelsordnung, Wiesbaden, S. 91–120.

*Beutler/Bieber/Pipkorn/Streil* (1993), Die Europäische Union, Rechtsordnung und Politik, 4. A., Baden–Baden.

*Bhagwati, Jagdish* (1991), The World Trade System at Risk, New York u.a.

*Bhagwati, Jagdish* (1992), The Threats to the World Trading System, in: The World Economy, Vol. 15, H. 4, S. 443–456.

*Bhagwati, Jagdish* (1993), Aggressive Unilateralism, in: *Bhagwati/Hugh,* Hrsg., Aggressive Unilateralism, America's 301 Trade Policy and the World Trading System, Ann Arbor, S. 1–45.

*Bhagwati, Jagdish* (1997), Global Age, in: The World Economy, Vol. 20, Nr. 3, S. 259–283.

*Bhagwati/Hudec* (1996), Fair Trade and Harmonization, Prerequisites for Free Trade?, Cambridge u.a.

*Bhagwati/Hirsch,* Hrsg. (1998), The Uruguay Round and Beyond, Essays in Honour of *Arthur Dunkel,* Berlin u.a.

*Bhagwati/Hugh,* Hrsg. (1993), Aggresive Unilateralism, America's 301 Trade Policy and the World Trading System, Ann Arbor.

*Bierwagen, Rainer M.* (1990), GATT Article VI and the Protectionist Bias in Anti–Dumping Laws, Deventer u.a.

*Bourgeois, Jacques H. J.*, Hrsg. (1991), Subsidies and international trade, Deventer u.a.

*Bronckers, Marco C.E.J.* (1996), Rehabilitating Antidumping and other Trade Remidies through Cost–Benefit Analysis, in: Journal of World Trade, Vol. 30, Nr. 2, S. 5–37.

*Brown, William A., Jr.* (1950), The United States and the Restoration of World Trade: An Analysis and Appraisal of the ITO Charter and the General Agreement on Tariffs and Trade, Washington, DC.

*Buck, Petra* (1994), Geistiges Eigentum und Völkerrecht, Beiträge des Völkerrechts zur Fortentwicklung des Schutzes von geistigem Eigentum, Berlin.

*Cameron/Campbell,* Hrsg. (1998), Dispute Resolution in the World Trade Organisation, London.

*Charnovitz, Steve* (1993), A Taxonomy of Environmental Trade Measures, in: Georgetown International Environmental Law Review, Vol. VI, Nr. 1, S. 1–46.

*Christe, Hans–Joachim* (1955), Die USA und der EG–Binnenmarkt, Baden–Baden.

*Cohen, Stephen D.* (1981), The Making of United States International Economic Policy, 2. A., New York.

*Collins–Williams/Salembier* (1996), International Disciplines on Subsidies – The GATT, the WTO and the Future Agenda, in: Journal of World Trade, Vol. 30, Nr. 1, S. 5–17.

*Cooper, Richard* (1971), Tariff issues and the third world, in: World Today, September, S. 401–410.

*Corden, W. Max* (1979), The Theory of Protection, Oxford.

*Cottier, Thomas* (1992), Intellectual Property in International Trade Law and Policy: The GATT Connection, in: Aussenwirtschaft, 47. Jg., H. I, S. 79–105.

*Cottier, Thomas,* Hrsg. (1995), GATT–Uruguay Round, Bern.

*Cottier, Thomas* (1996), The Challenge of Regionalization and Preferential Relations in World Trade Law and Policy, in: European Foreign Affairs Review, Vol. 2, H. 2, S. 149–167.

*Cottier, Thomas* (1999), SPS Risk Assessment and Risk Management in WTO Dispute Settlement: Experience and Lessons, überarbeiteter Beitrag zur Konferenz Risk Analysis and International Agreements vom 10./11. Februar, Melbourne (Vervielfältigung).

*Croome, John* (1995), Reshaping the World Trading System, A history of the Uruguay Round, Genf.

*Culbertson, William S.* (1925), International Economic Policies, New York.

*Cunnare/Stanbrook,* Hrsg. (1996), Dumping and Subsidies: The law and procedures governing the imposition of anti–dumping and countervailing duties in the EC, 3. A., London u.a.

*Curzon/Curzon* (1976), The Management of Trade Relations in the GATT, in: *Shonfield, Andrew,* Hrsg., International Economic Relations of the Western World 1959–1971, London u.a., S. 141–283.

*Dam, Kenneth W.* (1970), The GATT, Law and International Economic Organization, Chicago u.a.

*Dauses, Manfred A.,* Hrsg. (1998), Handbuch des EG–Wirtschaftsrechts, München.

*Destler, I. Mac* (1992), American Trade Politics, 2. A., Washington, DC, u.a.

*Diebold, William, Jr.* (1941), New Directions in our Trade Policy, New York.

*Diebold, William, Jr.* (1952), The End of the ITO, Essays in International Finance Nr. 16, Princeton.

*Diem, Andreas* (1996), Freihandel und Umweltschutz in GATT und WTO, Baden–Baden.

*Donges/Fels/Neu u.a.* (1973), Protektion und Branchenstruktur der westdeutschen Wirtschaft, Kieler Studie Nr. 123, Tübingen.

*Dreier, Thomas* (1996), TRIPS und die Durchsetzung von Rechten des geistigen Eigentums, in: GRUR Int., H. 3, S. 205–218.

*Drexl, Josef* (1990), Entwicklungsmöglichkeiten des Urheberrechts im Rahmen des GATT, München.

*Dunkel, Arthur* (1982), Bilateralism and sectoralism in trade policy, in: GATT, FOCUS, Newsletter Nr. 12, März, S. 4.

*Dunkel–Bericht,* Kurztitel für: *GATT* (1991), Draft Final Act Embodying the Results of the Uruguay Round of Multilateral Trade Negotiations, Doc. MTN. TNC/W/FA, Genf.

*EFTA* (1976), Die Europäische Freihandelsassoziation, Struktur, Regeln und Arbeitsweise, Genf.

*EG* (1985), Vollendung des Binnenmarkts, Luxemburg.

*EG* (monatlich), Bulletin und Bulletin Beilage, Luxemburg.

*EG* (jährlich), Gesamtbericht über die Tätigkeit der Europäischen Gemeinschaften, Brüssel u.a.

*Espiell, Héctor Gros* (1974), GATT: Accommodating Generalized Preferences, in: Journal of World Trade Law, Vol. 8, Nr. 4, S. 341–363.

*Etter, Christian* (1994), Uruguay–Runde/WTO: Das neue Dienstleistungsabkommen GATS, Auswirkungen auf den Personenverkehr, Bern (Vervielfältigung).

*Europäische Kommission,* Hrsg. (1995), GATT, Allgemeines Übereinkommen über den Dienstleistungsverkehr, Luxemburg.

*Evans, John W.* (1971), The Kennedy Round in American Trade Policy, Cambridge.

*Falke, Andreas* (1995), Abkehr vom Multilateralismus? Der Kongress, die amerikanische Handelspolitik und das Welthandelssystem. Von der Reagan–Administration bis zum Abschluss der Uruguay–Runde, Göttingen (Vervielfältigung).

*Finger, Michael J.* (1995), Subsidies and Countervailing Measures and Anti–Dumping Agreements, in: *OECD,* The New World Trading System, Paris, S. 105–112.

*Finger/Olechowski,* Hrsg. (1987), The Uruguay Round, A Handbook for the Multilateral Trade Negotiations, Washington, DC.

*Foreign Trade Association* (2000), Memorandum, Schlussfolgerungen aus Seattle, Brüssel.

*Frenkel/Bender,* Hrsg. (1996), GATT und neue Welthandelsordnung, Wiesbaden.

*Frey, Bruno S.* (1984), The public choice view of international political economy, in: International Organization, 38. Jg., H. 1, S. 199–233.

*Frey, Bruno S.* (1985), Internationale Politische Ökonomie, München.

*Gardner, Patterson* (1966), Discrimination in international trade: the policy issues, 1945–1965, Princeton.

*Gardner, Richard N.* (1956), Sterling–Dollar Diplomacy, Oxford.

*Gardner, Richard N.* (1980), Sterling–Dollar Diplomacy in Current Perspective, New York.

*GATT* (1953, 1959, 1966, 1970, 1986 und 1994), Analytical Index, Guide to GATT Law and Practice, Genf.

*GATT* (1958), Trends in International Trade, A Report by a Panel of Experts, Genf (zit. als *Haberler–Bericht*).

*GATT* (1968) Inventory of Non–Tariff Barriers, Doc. COM. IND/4, Genf.

*GATT* (1979), The Tokyo Round of Multilateral Trade Negotiations, Genf.

*GATT* (1984), Textiles and Clothing in the World Economy, Genf.

*GATT* (1985), Trade Policies for a Better Future, Proposals for Action, Genf.

*GATT* (1985), Welthandelspolitik für eine bessere Zukunft, Fünfzehn Empfehlungen, Genf, deutsche Fassung der Veröffentlichung *GATT* (1985), Trade Policies for a Better Future, Proposals for action, Genf (zit. als Leutwiler–Bericht).

*GATT* (1993), Trade Provisions Contained in Multilateral Environmental Agreements (Studie der Group on Environmental Measures and International Trade), Doc. TRE/W/1/Rev. 1, Genf.

*GATT* (1988–1994), News of the Uruguay Round of MTN, Genf.

*GATT,* Press Release, Genf.

*GATT* (monatlich bzw. alle zwei Monate), FOCUS, Newsletter, Genf.

*GATT* (jährlich), GATT Activities, Genf.

*GATT* (jährlich), International Trade, Genf.

*Gemperle, Reinhold* (1999), Ein schwarzes Jahr für die Handelsdiplomatie, in: *NZZ* vom 30.12.1999, Nr. 304, S. 19.

*Gervais, Daniel* (1998), The TRIPS Agreement; drafting history and analysis, London.

*Gosovic, Branislav* (1972), UNCTAD, Conflict and Compromise, Leiden.

*Götz, Volkmar* (1998), Subventionsrecht, in: *Dauses, Manfred A.,* Hrsg., Handbuch des EG–Wirtschaftsrechts, H. III, München.

*Gramlich, Ludwig* [1997], Umweltschutz als Grund für versteckte Handelsdiskriminierungen?, Zur Diskussion um die Vereinbarung von Umweltstandards in der WTO, Technische Universität Chemnitz (Vervielfältigung).

*Grubel, Herbert G.* (1981), International Economics, Homewood u.a.

*Haberler, Gottfried* (1933), Der internationale Handel, Berlin.

*Haberler, Gottfried* (1954), Die Gleichgewichtstheorie des internationalen Handels, Schriften des Vereins für Sozialpolitik, N.F., Bd. 10, Berlin.

*Haberler, Gottfried* (1964), Integration and Growth of the World Economy in Historical Perspective, in: The American Economic Review, Vol. LIV, Nr. 1, S. 1–22.

*Haberler–Bericht,* Kurztitel für: *GATT* (1958), Trends in International Trade, A Report by a Panel of Experts, Genf.

*Häberli, Christian* (1995), Das GATT und die Entwicklungsländer, in: *Cottier, Thomas,* Hrsg., GATT–Uruguay Round, Bern, S. 135–172 .

*Hahn, Michael J.* (1996), Die einseitige Aussetzung von GATT–Verpflichtungen als Repressalie, Berlin u.a.

*Haight, F. A.* (1972), Customs Unions and Free–Trade Areas under GATT, in: Journal of World Trade Law, Vol. 6, Nr. 4, S. 391–404.

*Hallström Pär* (1994), The GATT Panels and the Formation of International Trade Law, Stockholm.

*Hasenpflug, Hajo* (1977), Nicht–tarifäre Handelshemmnisse, Hamburg.

*Hauser/Schanz* (1995), Das neue GATT: die Welthandelsordnung nach Abschluss der Uruguay–Runde, München u.a.

*Hayward/Long* (1996), Comparative Views of U.S. Customs Valuation Issues in Light of the U.S. Customs Modernization Act, in: Minnesota Journal of Global Trade, Vol. 5, H. 2, S. 311–331.

*Heilperin, Michael A.* (1949), How the U.S. Lost the ITO Conferences, in: FORTUNE, September, S. 80–82.

*Heinz, Karl Eckhart* (1998), Das sogenannte Folgerecht als künftige europaweite Regelung? Zur Theorie des urheberrechtlichen Eigentums, in: GRUR, H. 10, S. 786–791.

*Hilf/Rolf* (1985), Das "Neue Instrument" der EG, in: Recht der Internationalen Wirtschaft, April, H. 4, S. 297–311.

*Hillman, Jimmye S.* (1993), Agriculture in the Uruguay Round: A United States Perspective, in: Tulsa Law Journal, Vol. 28, Nr. 4, S. 761–791.

*Hillman, Jimmye S.* (1996), Nontariff Agricultural Trade Barriers Revisited, Working Paper des International Agricultural Trade Research Consortium (IATRC) Nr. 2, St. Paul.

*Hoekman/Kostecki* (1995), The Political Economy of the World Trading System, Oxford.

*Hoekman/Mavroidis*, Hrsg. (1997), Law and Policy in Public Purchasing, Ann Arbor.

*Hoover, Calvin B.* (1945), International Trade and Domestic Employment, New York u.a.

*Horlick, Gary N.* (1995), WTO Dispute Settlement and the Dole Commission, in: Journal of World Trade, Vol. 29, Nr. 6, S. 45–48.

*Hudec, Robert E.* (1990), The GATT Legal System and World Trade Diplomacy, 2. A., Salem.

*Hudec, Robert E.* (1996), GATT Legal Restraints on the Use of Trade Measures against Foreign Environmental Practices, in: *Bhagwati/Hudec*, Hrsg., Fair Trade and Harmonization, Prerequisites for Free Trade?, Cambridge u.a., S. 95–174.

*Hudec, Robert E.* (1999), The New WTO Dispute Settlement Procedure: An Overview of the First Three Years, in: Minnesota Journal of Global Trade, Vol. 8, Nr. 1, S. 1–53.

*Hudec/Kennedy/Sgarbossa* (1993), A Statistical Profile of GATT Dispute Settlement Cases: 1948–1989, in: Minnesota Journal of Global Trade, Vol. 2, Nr. 1, S. 1–113.

*Hüfner, Klaus* (1986), Die Vereinten Nationen und ihre Sonderorganisationen, UN–Texte 35, Bonn.

*Hui–wan, Cho* (1999), Taiwan's Application to GATT, Significance of Multilateralism for an Unrecognized State (unveröffentlichte Dissertation der University of Virginia).

*Hull, Cordell* (1948), Memoirs, New York.

*Hummer/Weiss* (1997), Vom GATT '47 zur WTO '94, Dokumente zur alten und zur neuen Welthandelsordnung, Baden–Baden u.a. (vgl. Rechtsquellen und Dokumente).

*Ianni, Edmond M.* (1982), The international Treatment of State Trading, in: Journal of World Trade Law, Vol. 16, Nr. 6, S. 480–496.

*IMF* (jährlich), Annual Report, Washington, DC.

*IMF* (jährlich), Balance of Payments Statistics Yearbook, Washington, DC.

*IMF* (jährlich), International Financial Statistics, Washington, DC.

*International Agricultural Trade Research Consortium* (1994), The Uruguay Round Agreement on Agriculture: An Evaluation, IATRC Paper Nr. 9, UC Davis.

*Internationale Handelsorganisation, Geschäftsführender Ausschuss* (1950), Die Befreiung des Welthandels, Genf.

*Jackson, John H.* (1969), World Trade and the Law of GATT, Indianapolis u.a.

*Jackson, John H.* (1994), The World Trading System, 6. A., Cambridge u.a.

*Jackson, John H.* (1997), The WTO Dispute Settlement Understanding – Misunderstandings on the Nature of Legal Obligation, in: The American Journal of International Law, Vol. 91, Nr. 1, S. 60–64.

*Jägeler, Franz Jürgen* (1974), Kooperation oder Konfrontation, GATT-Runde 1973, Hamburg.

*Johnson, Harry G.* (1970), A New View of the Infant Industry Argument, in: *McDougall/Snape*, Hrsg., Studies in International Economics, Amsterdam.

*Josling/Tangermann/Warley* (1996), Agriculture in the GATT, Houndmills u.a.

*Karsenty/Laird* (1987), The GSP, "Policy Options and the New Round", in: Weltwirtschaftliches Archiv, Bd. 123, S. 262–296.

*Katzenberger, Paul* (1995), TRIPS und das Urheberrecht, in: GRUR Int., H. 6, S. 447–468.

*Kaufmann, Donatus Bernhard* (1996), Ursprungsregeln, Baden-Baden.

*Keesing/Wolf* (1980), Textile Quotas against Developing Countries, London.

*Kitagawa/Murakami/Nörr/Oppermann/Shiono*, Hrsg. (1998), Das Recht vor der Herausforderung eines neuen Jahrhunderts: Erwartungen in Japan und Deutschland, Tübingen.

*Knaak, Roland* (1995), Der Schutz geographischer Angaben nach dem TRIPS-Abkommen, in: GRUR Int., H. 8/9, S. 642–652.

*Kock, Karin* (1969), International Trade Policy and the GATT 1947–1967, Stockholm.

*Koehler, Matthias* (1999), Das Allgemeine Übereinkommen über den Handel mit Dienstleistungen, (GATS), Berlin.

*Kostecki, Maciej M.* (1974), Hungary and GATT, in: Journal of World Trade Law, Vol. 8, Nr. 4, S. 401–419.

*Kretschmer, Friedrich* (1997), Sicherung eines weltweiten Mindeststandards für geistiges Eigentum durch die WTO (TRIPS), in: *Forschungsinstitut für Wirtschaftsverfassung und Wettbewerb*, Hrsg., FIW-Schriftenreihe, H. 173, Köln u.a., S. 49–66.

*Krommenacker, Raymond J.* (1984), World-Trade Services: The Challenge for the Eighties, Dedham.

*Krueger, Anne O.*, Hrsg. (1996), The Political Economy of American Trade Policy, Chicago.

*Krugman, Paul* (1991), The Move Toward Free Trade Zones, in: Federal Reserve Bank of Kansas City, Economic Review, November/Dezember, Kansas City, S. 1–36.

*Küng, Emil* (1952), Das Allgemeine Abkommen über Zölle und Handel (GATT), Zürich u.a.

*Kur, Annette* (1994), TRIPs und das Markenrecht, in: GRUR Int., H. 12, S. 987–997.

*Kur, Annette* (1995), TRIPs und der Designschutz, in: GRUR Int., H. 3, S. 185–193.

*Laird, Sam* (1999), The WTO's Trade Policy Review Mechanism – From Through the Looking Glass, in: The World Economy, Vol. 22, Nr. 6, S. 741–764.

*Laird/Yeats* (1987), Tariff–cutting formulas – and complications, in: *Finger/Olechowski,* Hrsg., The Uruguay Round, A Handbook for the Multilateral Trade Negotiations, Washington, DC, S. 89–100.

*Langhammer, Rolf J.* (2000), Die Welthandelsordnung nach Seattle. Von der Regeldisziplin zum Regelchaos?, in: *Konrad–Adenauer–Stiftung,* Auslandsinformationen 2, S. 22–36.

*Langhammer, Rolf J.* (1999), The WTO and the Millennium Round: Between Standstill and Leapfrog, Kieler Diskussionsbeiträge Nr. 352, Kiel.

*Langhammer/Lücke* (1999), WTO Accession Issues, in: The World Economy, Vol. 22, Nr. 6, S. 837–873.

*Letiche, John M.,* Hrsg. (1992), International Economic Policies and Their Theoretical Foundations, 2. A., San Diego u.a.

*Letiche/Chambers/Schmitz* (1992), The Development of Gains from Trade Theory: Classical to Modern Literature, in: *Letiche, John M.,* Hrsg., International Economic Policies and Their Theoretical Foundations, 2. A., San Diego u.a., S. 79–145.

*Leutwiler–Bericht,* Kurztitel für: *GATT* (1985), Welthandelspolitik für eine bessere Zukunft, Fünfzehn Empfehlungen, Genf.

*Liebich, Ferdinand K.* (1968), Die Kennedy–Runde, Freudenstadt.

*Liebich, Ferdinand K.* (1971), Das GATT als Zentrum der internationalen Handelspolitik, Baden–Baden.

*Ligustro, Aldo* (1996), Le controversie tra stati nel diritto del commercio internazionale: Dal GATT all'OMC, Padova.

*Lipsey, Richard G.* (1960), The Theory of Customs Unions, in: The Economic Journal, Vol. 52, S. 496–513; wieder–veröffentlicht in: *Letiche, John M.,* Hrsg. (1992), International Economic Policies and Their Theoretical Foundations, 2. A., San Diego u.a., S. 193–212.

*Magee, Stephen P.* (1982), Protectionism in the United States, Arbeitspapier, Austin.

*Mansfield/Busch* (1995), The political economy of nontariff barriers: a cross–national analysis, in: International Organization, 49. Jg., H. 4, S. 723–749.

*Matsushita, Mitsuo* (1998), Asian Economic Regionalism – the APEC, in: *Kitagawa/Murakami/Nörr/Oppermann/Shiono,* Hrsg., Das Recht vor der Herausforderung eines neuen Jahrhunderts: Erwartungen in Japan und Deutschland, Tübingen, S. 215–226.

*Mavroidis, Petros C.* (1993), Handelspolitische Abwehrmechanismen der EWG und der USA und ihre Vereinbarkeit mit den GATT–Regeln, Stuttgart.

*May, Bernhard* (1994), Die Uruguay–Runde, Verhandlungsmarathon verhindert trilateralen Handelskrieg, Bonn.

*McDougall/Snape,* Hrsg. (1970), Studies in International Economics, Amsterdam.

*McGee, Robert W.* (1998), Trade Embargoes, Sanctions and Blockades, in: Journal of World Trade, Vol. 32, Nr. 4, S. 139–144.

*Meadows/Meadows/Randers/Behrens* (1972), The Limits to Growth, New York.

*Medick–Krakau, Monika* (1995), Amerikanische Aussenhandelspolitik im Wandel, Berlin.

*Meng, Werner* (1997), Extraterritoriale Jurisdiktion in der US–amerikanischen Sanktionsgesetzgebung, in: Europäische Zeitschrift für Wirtschaftsrecht, H. 14, S. 423–428.

*Meyer, Frederick V.* (1978), International Trade Policy, London.

*Möbius, Uta* (1994), Auswirkungen der Ergebnisse der abgeschlossenen Uruguay–Runde im GATT auf die Industriegüterexporte der Entwicklungsländer in die EU, Deutsches Institut für Wirtschaftsforschung, Berlin.

*Möller, Hans* (1960), Internationale Wirtschaftsorganisationen, Wiesbaden.

*Monroe, Wilbur F.* (1975), International Trade Policy in Transition, Toronto u.a.

*Morton, Walter A.* (1945), Income and Employment, in: *McCormick, Thomas C.T.,* Hrsg., Problems of the Postwar World, New York u.a., S. 3ff.

*Müller–Graff, Peter–Christian* (1998), Normung und Welthandelsrecht – Verpflichtungen aus dem Übereinkommen über technische Handelshemmnisse, in: DIN–Mitteilungen, 77. Jg., Nr. 6., S. 411–414.

*Nadal Egea, Alejandro* (1996), Balance–of–Payments Provisions in the GATT and NAFTA, in: Journal of World Trade, Vol. 30, H. 4, S. 5–24.

*OECD* (1976), Les achats gouvernementaux, Paris.

*OECD* (1993), Industrial Policy in OECD Countries, Annual Review 1992, Paris.

*OECD* (1995), Services: Statistics on International Transactions 1970–1992, Paris.

*OECD* (1995), The New World Trading System, Paris.

*OECD* (1995), The Uruguay Round, A Preliminary Evaluation of the Impacts of the Agreement on Agriculture in the OECD Countries, Paris.

*OECD* (1996), Indicators of Tariff and Non–tariff Trade Barriers, Paris.

*OECD* (1997), Agricultural Policies in OECD Countries, Vol. I (Monitoring and Evaluation), Vol. II (Measurement of Support and Background Information), Paris.

*Olechowski, Andrzej* (1987), Nontariff barriers to trade, in: *Finger/Olechowski,* Hrsg., The Uruguay Round, A Handbook for the Multilateral Trade Negotiations, Washington, DC, S. 121–126.

*Oppermann, Thomas* (1999), Europarecht, 2. A., München.

*Oppermann/Molsberger,* Hrsg. (1991), A New GATT for the Nineties and Europe '92, Baden–Baden.

*Pacón, Ana María* (1995), Was bringt TRIPS den Entwicklungsländern, in: GRUR Int., H. 11, S. 875–886.

*Palmeter, N. David* (1996), A Commentary on the WTO Anti–Dumping Code, in: Journal of World Trade, Vol. 30, Nr. 4, S. 43–69.

*Palmeter, N. David* (1996), United States, in: *Steele, Keith,* Hrsg., Anti–Dumping under the WTO: A Comparative Review, London u.a., S. 261–279.

*Pataky, T. S.* (1995), TRIPS und Designschutz, in: GRUR Int., H. 8/9, S. 653–655.

*Pescatore, Pierre* (1996), Funktionsfähige WTO–Streitschlichtung, in: *NZZ* vom 2.7.1996, Nr. 151, S. 10.

*Pescatore, Pierre* (1996), The New WTO Dispute Settlement Mechanism, Liège Conference on Regional Trade Agreements and Multilateral Rules vom 3.–5. Oktober (Vervielfältigung).

*Pescatore, Pierre* (1999), Heikler Schutz nichtökonomischer Interessen, in: *NZZ* vom 1.12.1999, Nr. 280, S. 27.

*Pescatore/Davey/Lowenfeld,* Hrsg. (1992), Handbook of GATT Dispute Settlement, New York u.a.

*Petersen/Franzmeyer/Lahmann/Schultz/Weise* (1993), Die Bedeutung des internationalen Dienstleistungshandels für die Bundesrepublik Deutschland, Beiträge zur Strukturforschung H. 145, Deutsches Institut für Wirtschaftsforschung, Berlin.

*Petersmann, Ernst–Ulrich* (1993), International Trade Law and International Environment Law, in: Journal of World Trade, Vol. 27, Nr. 1, S. 43–81.

*Petersmann, Ernst–Ulrich* (1997), International Trade Law and the GATT/WTO Dispute Settlement, London u.a.

*Petersmann, Ernst–Ulrich* (1997), The GATT/WTO Dispute Settlement System, London u.a.

*Phegan, Colin* (1982), GATT Art. XVI.3: Export Subsidies and "Equitable shares", in: Journal of World Trade Law, Vol. 16, Nr. 3, S. 251–264.

*Prebisch, Raúl* (1964), Towards a New Trade Policy for Development, Report by the Secretary–General of the UNCTAD, New York.

*Quambusch, Liesel* (1976), Nicht–tarifäre Handelshemmnisse, Köln.

*Rege, Vinod* (1994), GATT Law and Environment–Related Issues Affecting the Trade of Developing Countries, in: Journal of World Trade, Vol. 28, Nr. 3, S. 95–169.

*Reich, Arie* (1999), International Public Procurement Law, Public Purchasing, Studies in Transnational Economic Law, Vol. 12, London u.a.

*Reinert, Kenneth A.* (2000), Give Us Virtue, But Not Yet: Safeguard Actions Under the Agreement on Textiles and Clothing, in: The World Economy, Vol. 23, Nr. 1, S. 25–55.

*Rivers/Greenwald* (1979), The Negotiation of a Code on Subsidies and Countervailing Measures, in: Journal of Law and Policy in International Business, Vol. XI, H. 4, S. 1447–1495.

*Roessler, Frieder* (1975), Selective Balance–of–Payments Adjustment Measures Affecting Trade: The Roles of the GATT and the IMF, in: Journal of World Trade Law, Vol. 9, Nr. 6, S. 622–653.

*Roessler, Frieder* (1977), Specific Duties, Inflation and Floating Currencies, GATT–Studie Nr. 4, Genf.

*Roessler, Frieder* (1978), The Rationale for Reciprocity in Trade Negotiations under Floating Currencies, in: Kyklos, 31. Jg., H. 2, S. 258–274.

*Roessler, Frieder* (1992), The relationship between regional integration agreements and the multilateral trade order, Genf (Arbeitspapier).

*Rose/Sauernheimer* (1992), Theorie der Aussenwirtschaft, 11. A., München.

*Rosendorff, B. Peter* (1996), Voluntary Export Restraints, Antidumping Procedure, and Domestic Politics, in: The American Economic Review, Vol. 86, Nr. 3, S. 544–561.

*Salvatore, Dominick* (1993), Trade protectionism and welfare in the United States, in: *Salvatore, Dominik,* Hrsg., Protectionism and world welfare, Cambridge, S. 311–335.

*Salvatore, Dominick,* Hrsg. (1993), Protectionism and world welfare, Cambridge.

*Sautter, Hermann* (1995), Sozialklauseln für den Welthandel – wirtschaftsethisch betrachtet, in: Hamburger Jahrbuch für Wirtschafts– und Gesellschaftspolitik, 40. Jahr, Hamburg, S. 227–245.

*Sauvé, Pierre* (1994), A First Look at Investment in the Final Act of the Uruguay Round, in: Journal of World Trade, Vol. 28, Nr. 5, S. 5–16.

*Sauvé, Pierre* (1995), Assessing the General Agreement on Trade in Services, in: Journal of World Trade, Vol. 29, Nr. 4, S. 125–145.

*Scherpenberg van, Jens* (2000), Das Fiasko von Seattle, die USA, China und die Perspektiven der WTO, Stiftung Wissenschaft und Politik, SWP–aktuell Nr. 51, Ebenhausen/Isar.

*Scherpenberg van, Jens* (1999), Die transatlantische Bananenkontroverse – ein Streit um die Zukunft der Welthandelsordnung, Stiftung Wissenschaft und Politik, SWP–aktuell Nr. 32, Ebenhausen/Isar.

*Schlagenhof, Markus* (1995), Trade Measures Based on Environmental Processes and Production Methods, in: Journal of World Trade, Vol. 29, Nr. 6, S. 123–155.

*Seidl–Hohenveldern/Loibl* (1992), Das Recht der Internationalen Organisationen einschliesslich der Supranationalen Gemeinschaften, 5. A., Köln u.a.

*Senti, Richard* (1975), Reaktion der Welthandelspartner auf "Trade Act of 1974", in: Aussenwirtschaft, 30. Jg., H. III, S. 211–219.

*Senti, Richard* (1975), Monopolisierung im internationalen Rohwarenhandel, Diessenhofen.

*Senti, Richard* (1980), Constant–Market–Shares–Analyse des schweizerischen Exporthandels 1968 bis 1977, Arbeitspapier Nr. 22 des Instituts für Wirtschaftsforschung der ETH Zürich.

*Senti, Richard* (1986), GATT, System der Welthandelsordnung, Zürich.

*Senti, Richard* (1991), Improving GATT Disciplines Relating to Subsidies, in: *Oppermann/Molsberger,* Hrsg., A New GATT for the Nineties and Europe '92, Baden–Baden, S. 159–170.

*Senti, Richard* (1994), Die Integration als Gefahr für das GATT, in: Aussenwirtschaft, 49. Jg., H. I, S. 131–150.

*Senti, Richard* (1996), NAFTA, Nordamerikanische Freihandelszone, Zürich.

*Senti, Richard* (1999), GATT–WTO, Die neue Welthandelsordnung nach der Uruguay–Runde, 2. A., Zürich.

*Senti/Conlan* (1998), WTO, Regulation of World Trade after the Uruguay Round, Zürich.

*Shonfield, Andrew,* Hrsg. (1976), International Economic Relations of the Western World 1959–1971, London u.a.

*Smith, Adam* (1976), An Inquiry into the Nature and Causes of the Wealth of Nations, Vol. I und II, Oxford.

*Staehelin, Alesch* (1999), Das TRIPS–Abkommen, Bern.

*Staiger/Wolak* (1996), Differences in the Uses and Effects of Antidumping Law across Import Sources, in: *Krueger, Anne O.,* Hrsg., The Political Economy of American Trade Policy, Chicago, S. 385–421.

*Steele, Keith,* Hrsg. (1996), Anti–Dumping under the WTO: A Comparative Review, London u.a.

*Straus, Joseph* (1996), Bedeutung des TRIPS für das Patentrecht, in: GRUR Int., H. 3, S. 179–204.

*Stutzer, Alois* (1998), Auf dem Weg zum Freihandel für Agrargüter: Die Zuteilung von Zollkontingenten nach dem Durchschnittszollverfahren, Zürich (Vervielfältigung).

*Tietje, Christian* (1998), Normative Grundstrukturen der Behandlung nichttarifärer Handelshemmnisse in der WTO/GATT–Rechtsordnung, Berlin.

*Ullrich, Hanns* (1995), Technologieschutz nach TRIPS: Prinzipien und Probleme, in: GRUR Int., H. 8/9, S. 623–641.

*UN* (jährlich), Handbook of international trade and development statistics, Supplement, New York.

*UN* (jährlich), Statistical Yearbook, New York.

*UN* (jährlich), Yearbook of the United Nations, New York.

*UN* (jährlich), Yearbook of National Accounts Statistics, New York.

*UNCTAD* (1975), An Integrated Programme for Commodities, Doc. TD/B1/C.1/193, 194, 195, 196, 196/Add. I, 197 und 198, Genf.

*UNCTAD* (1983), UNCTAD VI, Doc. TD/274, Belgrad.

*UNCTAD* (1994), Liberalizing International Transactions in Services, A Handbook, New York u.a.

*UNCTAD* (jährlich), Handbook of International Trade and Development Statistics, New York.

*Urff von, Winfried* (1997), Zur Weiterentwicklung der EU Agrarpolitik, Interne Studie Nr. 150/1997 der Konrad–Adenauer–Stiftung, Sankt Augustin.

## Literaturverzeichnis

*US* (jährlich), Economic Report of the President, Washington, DC.

*US* (jährlich), The Message of the President, Washington, DC.

*US Department of Commerce* (1943), The United States in the World Economy, Economic Series Nr. 23, Washington, DC.

*US Department of State*, Press Release, Washington, DC.

*US Embassy Bern,* Daily Bulletin.

*US Mission Genf,* Daily Bulletin.

*US Tariff Commission* (jährlich), Operation of the Trade Agreements Program, Washington, DC.

*Vermulst/Driessen* (1995), An Overview of the WTO Dispute Settlement System and its Relationship with the Uruguay Round Agreements, in: Journal of World Trade, Vol. 29, Nr. 2, S. 131–161.

*Viner, Jacob* (1950), The Customs Union Issue, New York, S. 41–56; wieder–veröffentlicht in: *Letiche, John M.,* Hrsg. (1992), International Economic Policies and Their Theoretical Foundations, 2. A., San Diego u.a., S. 191f.

*Wang, Yi* (1996), Most–Favoured–Nation Treatment under the General Agreement on Trade in Services – And its Application in Financial Services, in: Journal of World Trade, Vol. 30, Nr. 1, S. 91–124.

*Weiss, Friedl* (1993), Public Procurement in European Community Law, European Communtiy Law Series, Vol. 4, London u.a.

*Weiss, Friedl* (1995), The General Agreement on Trade in Services, in: Common Market Law Review, Vol. 32, S. 1177–1225.

*Wilcox, Clair* (1949), A Charter for World Trade, New York.

*WTO* (1996), Press brief, Singapur Konferenz, 9.–13.12.1996, in: URL http://www.wto.org.

*WTO*, Press Release, Genf.

*WTO* (monatlich bzw. alle zwei Monate), FOCUS Newsletter, Genf.

*WTO* (jährlich), Annual Report, Genf.

*WTO* (jährlich), International Trade, Genf.

*Yusuf, Abdulqawi A.* (1980), "Differential and More Favourabele Treatment": The GATT Enabling Clause, in: Journal of World Trade Law, Vol. 14, Nr. 6, S. 488–507.

*Zäch, Roger,* Hrsg. (1999), Towards WTO Competition Rules, Bern u.a.

*Zampetti, Americo B.* (1995), The Uruguay Round Agreement on Subsidies, in: Journal of World Trade, Vol. 29, Nr. 6, S. 5–29.

*Zdouc, Werner* (1998), Der WTO–Streitfall: Fleisch hormonbehandelter Tiere, Vortrag an der ECSA Jahrestagung, 23. Oktober, Wien (Vervielfältigung).

*Zweifel, Peter,* Hrsg. (1993), Services in Switzerland, Berlin u.a.

## Rechtsquellen und Dokumente

Bundesblatt, BBl (Schweiz)

Bundesgesetzblatt, BGBl. (Deutschland)

*EFTA,* Convention Establishing the European Free Trade Asssociation (Loseblattsammlung), Genf.

*EG,* Amtsblatt der Europäischen Gemeinschaften bzw. der Europäischen Union, Rechtsvorschriften (L) und Mitteilungen und Bekanntmachungen (C), Luxemburg.

*EU–Vertragsrecht,* Sartorius II, Internationale Verträge, Europarecht (Beck'sche Loseblattsammlung), München.

*GATS* (1994), European Communities and their Member States, Schedule of Specific Commitments, Doc. GATS/SC/31, Genf.

*GATS* (1994), Switzerland, Final List of Article II (MFN) Exemptions, Doc. GATS/EL/83, Genf.

*GATT* (1968), Inventory of Non–Tariff Barriers, Doc. COM, IND/4, Genf.

*GATT* (1991), Draft Final Act Embodying the Results of the Uruguay Round of Multilateral Trade Negotiations, Doc. MTN. TNC/W/FA, Genf (zit. als Dunkel–Bericht).

*GATT* (1993), Modalities for the establishment of specific binding commitments under the reform programme, Doc. MTN.GNG/MA/W/24, 20. Dezember, Genf (zit. als *GATT,* Modalities).

*GATT* (jährlich), Basic Instruments and Selected Documents, Genf (zit. als *GATT,* BISD).

*Havanna Charta,* Kurztitel für: *US Department of State* (1948), Havana Charter for an International Trade Organization, Publication 3206, 24. März, Washington, DC (englische Fassung); *Hummer/Weiss* (1997), Vom GATT '47 zur WTO '94, Baden–Baden u.a., S. 11–148 (deutsche Fassung).

*NAFTA–Vertragstext*: *US Government Printing Office* (1993), North American Free Trade Agreement between the Government of the United States of America, the Government of Canada and the Government of the United Mexican States 1993, Vol. I–V (NAFTA), Washington, DC.

*Systematische Rechtssammlung, SR,* (Schweiz).

*UN* (1947), General Agreement on Tariffs and Trade, Final Act, UN Publications Sales No.: 1947.II.10, Vol. I, Lake Success u.a.

*UNCTAD* (1971), Agreed Conclusions of the Special Committee on Preferences, Doc. TD/B/330, 1. Teil, Genf.

*US,* Public Law 87–794 vom 11.10.1962 (Trade Expansion Act von 1962).

*US,* Public Law 93–618 vom 3.1.1975 (Trade Act von 1974).

*US,* Public Law 96–39 vom 26.7.1979 (Trade Agreements Act von 1979).

*US,* Public Law 98–573 vom 30.10.1984 (Trade and Tariff Act von 1984).

*US,* Public Law 100–418 vom 23.8.1988 (Omnibus Trade and Competitiveness Act von 1988).

*US Department of State* (1945), Proposals for Expansion of World Trade and Employment, Publication 2411, November, Washington, DC.

*US Department of State* (1946), Suggested Charter for an International Trade Organization of the United Nations, Publication 2598, September, Washington, DC.

*US Department of State* (1948), Havana Charter for an International Trade Organization, Publication 3206, 24. März, Washington, DC (zit. als *Havanna–Charta*).

*US Revenue Act von 1916* (1916).

*WTO–Vertragstexte: BBl* 1994 IV 435–1215 (deutsche Fassung); *Benedek, Wolfgang* (1998), Die Welthandelsorganisation (WTO), Beck'sche Textausgaben, München, (deutsche Fassung); *Deutscher Bundestag – 12. Wahlperiode* (1994), Drucksache 12/7655 (neu) und 12/7986, Bonn (deutsche und englische Fassung); *Hummer/Weiss* (1997), Vom GATT '47 zur WTO '94, Baden-Baden u.a. (deutsche Fassung); *WTO* (1995), The Results of the Uruguay Round of Multilateral Trade Negotiations, The Legal Texts, Genf (englische Fassung).

*WTO* (1994), Uruguay Round, Liste LIX–Suisse–Liechtenstein, Liste de concessions, 15. April, Genf.

# Stichwortverzeichnis

Die Zahlen entprechen den Randziffern

## A

Aggregate Measurement of Support, AMS 504, 1032ff.
Agrarwirtschaft
– Abkommen 1001ff.
– Agrarhandel 1009ff.
– Entwicklungsprobleme 630
– Exportsubventionen 1035ff.
– interne Stützungen 1029ff.
– Kennedy–Runde 146ff.
– Marktzutritt 1016ff.
– produktmässige Abgrenzung 1013ff.
– Tarifizierung 1017ff.
– Tokio–Runde 153
– Umweltschutz 679f.
– Uruguay–Runde 198ff.
Ägypten 628, 1294
Allgemeiner Rat 286, 290ff., 325ff., 343ff.
Allgemeines Präferenzsystem s. GSP
Allgemeines Zoll– und Handels- abkommen s. GATT
American selling price–system 142
Annecy s. GATT–Runden (Zweite 1949)
Antidumping
– Abkommen 91ff., 464, 773ff.
– Antidumpingzoll 529, 792ff.
– Definition 776ff.
– Drittstaaten 800
– Entwicklungsprobleme 626
– Kennedy–Runde 142
– Organisation 802
– Schädigung, Bedrohung 783ff.
– Statistik 762ff.
– US–Gesetzgebung 765ff.

– Verfahren 791ff.
Arbeitsgruppen WTO 200, 211, 305ff.
Arbeitslosigkeit 954
Argentinien 145, 970f.
Ausgleichsabgaben 234ff., 464, 529, 539, 867f.
Ausnahmeklausel s. Escape clause
Ausnahmen ("Waivers")
– allgemeine Ausnahmen 944
– GATS 1232, 1250ff.
– Gesetzesanwendung 956f.
– Gold, Silber, Ein– und Ausfuhr 955ff.
– Kulturgut, nationales 959
– Leben und Gesundheit 950ff.
– Mangelsituation 966f.
– Naturschätze 960
– öffentliche Sittlichkeit 949
– Rohstoffe 962ff.
– Strafanstalten 958
– Vorbehalte 945ff.
Ausschuss für Handelsverhandlungen s. TNC
Australien 63, 274, 402, 838, 970
Autonomes Zollgebiet 278

## B

Ball, George 136
Bananenstreitschlichtung 356ff.
Bangladesch 837
Barcelona–Übeinkommen 740
Bedrohung s. Schädigung
Beihilfen s. Subventionen
Beitrittsverhandlungen 278ff., 318
Bekleidung s. Textilien

717

Belgien 63f., 123, 274
Benelux 126, 130, 978
Berner Übereinkunft 405, 479, 1293, 1296, 1301
Beschäftigungsargument 471
Beschlussfassung 323ff.
Blair–House–Abkommen 198, 266ff., 1031f., 1037
Blue Box–Massnahmen 1031
Bolivien 628
Border Tax Adjustment 439
Brasilien 28, 63, 274, 394, 1294
Bretton Woods–Institutionen 26, s. auch IBRD und IMF
Brock, William E. 184
Brüsseler Konferenz 260ff.
Brüsseler Zollkooperationsrat 1173, 1182
Burma 63, 274
Bush, George 205

C

Cairns–Gruppe 203, 218, 221, 1051
Ceylon 63, 274
Chile 63, 125, 274, 394, 953
China, Volksrepublik
– Beitrittsgesuch 275
– Demokratiebewegung 420
– GATT–Mitgliedschaft 63, 274
– Hongkong 278
– Rücktritt 275
– Textilabkommen 275, 1088
– TRIPS 1294
Clean report of findings 1154
Coase–Theorem 652f.
Committee on the Legal and Institutional Framework of GATT in Relation to Less–Developed Countries 84
Commonwealth 47, 112, 121, 415, 978
Copyright 242f.

Cordell, Hull 10, 12
Cordell Hull–Programm 6, 11ff., 15, 18f., 22, 43
Costa Rica 125, 946
CTE s. Handel und Umwelt
Customs Co–operation Council 1173

D

Dänemark 115, 145, 838
de minimis–Klausel 775, 1029
Deutschland 118, 123, 126, 130, 836
Dienstleistungen s. GATS
Dillon, Douglas 128
Dillon–Runde s. auch GATT–Runden (Fünfte 1961/62)
– Ergebnisse 133
– Traktandenliste 129ff.
– Zielsetzung 82, 128
Dispute Settlement Body, DSB, s. Streitschlichtung
Dole, Robert 357
Dominant Supplier–Methode 516
Dominikanische Republik 115, 628
Draft Final Act s. Dunkel–Bericht
Dumping s. Antidumping
Dunkel, Arthur 182, 209, 222, 260f., 302, 1006
Dunkel–Bericht 261ff., 1054
Durchfuhr 740ff.

E

ECOSOC 26
Ecuador 946
EFTA 149, 1439
EG
– Kennedy–Runde 144ff.
– Mitgliedschaft 283
– öffentliche Beschaffung 437
– Reziprozität 478ff.
– Stimmenzahl 95
– Tokio–Runde 149

– Uruguay-Runde 186, 203
EGKS 123, 125, 975
Einfuhrlizenzverfahren
– Abkommen 104, 1185ff.
– Entwicklungsprobleme 637
– Überwachung 1200
Eisenhower, Dwight D. 75
Elektrizität 960
Elektrotechnik Kommission 1121
Elfenbeinküste 628
Enabling clause s. Ermächtigungsklausel
Entwicklungsländer
– Entwicklungshilfegesetz 416
– Erziehungsschutzmassnahmen 649ff.
– Haberler-Bericht 581ff.
– Nord-Süd-Konflikt 574ff.
– Präferenzen 393ff., 590ff.
– Sonderbestimmungen im GATS 638ff.
– Sonderbestimmungen im GATT 607ff.
– Sonderbestimmungen im TRIPS 646ff.
– Sonderbestimmungen in Zusatzabkommen 625ff., 1446
– Teilnahme an GATT und WTO 76
Equivalent Measurement of Support, EMS 1032ff.
Ermächtigungsklausel 78, 165, 398, 590ff.
Erschöpfung 1314
Erziehungssteuer 422
Escape clause 14, 120, 914ff.
Eskalation, Zoll 204, 487, 509ff., 1118
EU s. EG
Euro 1088
Europäisches Fernsehabkommen 1302
EWG s. EG
Exportmarketing 553
Exportsubventionen 840ff., 1035
Extraterritorialität 703ff., 954

**F**
Falklandkrieg 970f.
FAO 291, 306
Finnland 115, 144, 787, 836
Fiskalzoll 528
Framework-Gruppe 397
Frankreich 63f., 123, 125f. 130, 274, 408, 836, 838
Französische Union 978
Freihandel 485ff.
FSC 855

**G**
GATS
– Abkommen 1204ff.
– audiovisuelle Dienstleistungen 258
– Ausnahmen 1250ff.
– Bauwesen 257
– Definition 1207ff,
– Entwicklungsprobleme 638ff., 1237ff.
– Finanzdienstleistungen 255
– Handel 1217ff.
– Inländerprinzip 432, 1289
– innerstaatliche Regelung 1241ff.
– Integration 399ff., 979, 1240
– Listenverpflichtungen 1259ff.
– Meistbegünstigung 1225ff. 1288
– Qualifikationserfordernisse 1245ff.
– Rat 286, 298f., 326f.
– Rechte und Pflichten 1224ff., 1259ff.
– Statistiken 1219
– Streitschlichtung 1265
– Transparenz 1234ff.
– Transportwesen 256
– Umweltschutz 691
– Uruguay-Runde 252ff.
GATT
– Art. I 15, 73, 79, 373ff., 391, 497

- Art. II 73, 226, 436f., 497, 523ff., 529f., 726, 902ff.
- Art. III 69, 383, 422ff., 436f., 441ff., 456, 497, 634, 668, 678, 736, 1121, 1145, 1436
- Art. IV 383, 429, 736ff.
- Art. V 383, 445, 740ff.
- Art. VI 69, 93ff., 98, 529, 726
- Art. VII 103, 627, 726, 809ff.
- Art. VIII 530, 628, 743ff.
- Art. IX 324, 383, 747ff.
- Art. X 324, 752ff., 1148
- Art. XI 429, 548, 554, 669ff., 678, 1121, 1145
- Art. XII 278, 314, 540, 548, 578, 826ff., 1146
- Art. XIII 69, 280, 383, 826ff.
- Art. XIV 68, 312, 578, 834ff.
- Art. XV 315, 372, 541, 548, 834ff.
- Art. XVI 69, 98, 129, 372, 541, 726
- Art. XVII 383, 429, 541, 726, 885ff., 1436
- Art. XVIII 79, 314, 372, 383, 541, 548, 576, 579, 608ff.
- Art. XIX 227, 541, 579f., 726
- Art. XX 383, 540, 674ff., 944ff., 1121, 1446
- Art. XXI 540, 968ff.
- Art. XXII 336ff., 1149
- Art. XXIII 98, 336ff., 372, 1149
- Art. XXIV 68, 226, 312, 399ff., 429, 525, 726, 975ff.
- Art. XXV 68, 226, 296, 726
- Art. XXVI 69
- Art. XXVII und XXVIII 69, 129, 226, 524, 540f., 608ff., 726
- Art. XXVIII$^{bis}$ 107, 372
- Art. XXIX 69, 70, 73
- Art. XXX 73
- Art. XXXI 281 (WTO)
- Art. XXXII 68
- Art. XXXIII 68
- Art. XXXIV 279 (WTO)
- Art. XXXV 68, 226
- Art. XXXVIff. 84ff., 309, 372, 394ff., 586ff., 621ff.
- erste Fassung 31, 52, 54
- GATT–Runden 106ff.
- Havanna–Charta 68ff., 73ff.
- Organisationsstruktur 284ff.
- Rat 285, 296f., 326f.
- Teil IV 84ff.
- Verhältnis zu ITO 55
- Vertragsabschluss 61
- Vertragsänderungen 67ff.
- Weiterentwicklung ab 1948 65ff.
- Zusatzabkommen 726

GATT–Runden 106ff.
- Erste 1947, Genf 110ff.
- Zweite 1949, Annecy 115ff.
- Dritte 1950/51, Torquay 117ff.
- Vierte 1955/56, Genf 123ff.
- Fünfte 1961/62, Dillon–Runde 128ff.
- Sechste 1964–67, Kennedy–Runde 134ff.
- Siebte 1973–79, Tokio–Runde 149ff.
- Achte 1986–1993, Uruguay–Runde 167ff.

Gebühren im Aussenhandel 530, 743ff.

geistiges Eigentum s. TRIPS

Generaldirektoren 302ff.
- Dunkel, Arthur 209, 260f, 302, 1006
- Long, Oliver 302
- Moore, Mike 302
- Panitchpakdi, Supachai 302
- Ruggiero, Renato 302
- Sutherland, Denis 267, 269, 302
- Wyndham–White, Eric 302

Genf 110ff., 123ff., 178, 1481

geographische Angaben 1333ff.

Gesetzesanwendung (Ausnahmen) 956f.

Ghana 628, 836, 970

Gleichheit der Produkte 380, 439, 448f., 696ff.
Gold, Ein- und Ausfuhr 955
Grandfather clauses 389
Green Box-Massnahmen 1031
Griechenland 115
Grossbritannien 28, 47, 63f., 70, 136, 144, 149, 274, 278, 401, 836, 838, 953, 978
GSP 393ff., 590ff.
Guatemala 628
Güter (Definition) 727
Güterhandel, Bedeutung 731ff.

**H**

Haager Abkommen 1301
Haberler-Bericht 80ff., 581ff.
Haiti 115, 957
Handel und Entwicklung (Ausschuss) 310f.
Handel und Umwelt (Ausschuss) 306ff.
Handelsabkommen, regionale (Ausschuss) 312ff.
Handelshemmnisse s. Zölle und nichttarifäre Handelshemmnisse
Handelspolitik, Überprüfung 458
Haushalt, Finanzen und Verwaltung (Ausschuss) 316f.
Havanna-Charta 34ff., 68ff., 78, 735, 881
historische Präferenzen 389ff.
Hongkong 278, 437, 632, 1442
Hoover, Herbert 7f.
Hormonfall 947, 951
House Committee on Ways and Means 12

**I**

IBRD 26, 291, 306
ICITO 59
IEC 1121
ILO 291, 1496
IMF 26, 291, 306ff., 833ff.
Importdepot 838
Importkontrollen 545
Indien 28, 63, 274, 394, 578, 628, 632, 836, 1294
Indonesien 619, 628, 834, 1154, 1294
Industrieländer
– Teilnahme an GATT und WTO 76ff.
– Welthandelsanteil 77
Inländerprinzip
– GATS 1289ff.
– GATT 422f.
– innere Abgaben und Belastungen 440
– Staatshandel 897ff.
– TRIPS 1312
Integration
– Bedeutung, wirtschaftliche 980ff.
– GATS 1240ff.
– GATT 975ff.
– WTO 986ff.
Integrationsräume 525
Internationale Handelsorganisation s. ITO
Internationaler Währungsfonds s. IMF
Investitionsabkommen, multilaterales 1152
Investitionsmassnahmen, handelsbezogene
– Abkommen 1140ff.
– Entwicklungsprobleme 634
IPIC 1370
Irak 420
Irland 145
Island 145
ISO 306ff., 1121
Israel 132, 437, 1446, 1450
Italien 70, 115, 123, 125f., 130, 836, 838
ITC 306ff.
ITO
– Ausnahmebestimmungen 46

– Entwicklungsprobleme 576ff.
– misslungener Kompromiss 25ff.
– öffentliche Beschaffung 1436
– Protektionismus 45
– Scheitern 42ff.
– verfehlte Strategie 44
– Vorschläge 25ff., 765

## J

Jackson–Vanik–Amendment (von 1974) 419
Japan 96, 105, 144f., 437, 836, 838, 1088, 1442, 1446
Jugoslawien 145

## K

Kabotage 256
Kambodscha
Kamerun 628
Kanada 63f. 105, 274, 437, 1088, 1442
Kenia 628
Kennedy, John F. 135f.
Kennedy–Runde, s. auch GATT–Runden (Sechste 1964–67) 134ff.
– Trade Expansion Act (von 1962) 137ff.
– US–Vorschlag 135ff.
– Verhandlungsergebnisse 145ff.
– Zollsenkungen 147ff., 518ff.
Kinderarbeit 954
Kinofilme 444, 736ff.
Kompensationsverhandlungen 129ff., 1455
Konferenz von Genf 32ff., 47, 289, 1481ff.
Konferenz von Havanna 27, 34ff., 578
Konferenz von Lake Success 31
Konferenz von London 28ff., 53, 274, 881
Konferenz von Seattle 289, 1485ff.
Konferenz von Singapur 289, 1471ff.
Kongo 628
Kontingent 534, 539, 549
Krugerrand 955
Kuba 63, 274, 420, 834
Kulturgut, nationales 959
Kündigung 281
Kyoto–Konferenz 212

## L

Landwirtschaft s. Agrarwirtschaft
Leben und Gesundheit 950ff.
Leutwiler–Bericht 183, , 916, 1007
Leutwiler, Fritz 182
Libanon 63, 274f., 578
Liberia 115, 275
Liechtenstein 1442
Listen (GATS) 1259ff.
Lizenzen 534, 539, 1332
Long, Oliver 302
Luftfahrzeuge, zivil 1423ff.
Luftverkehrsdienstleistungen 1270ff.
Luxemburg 63f., 123, 274

## M

Madrider Abkommen 1301
MAI 1152
Makao 632
Malaysia
Mangelsituation 966ff.
Maple Leaf 955
Marken 1319ff.
Marrakesch 198
Marokko 628
Meistbegünstigung
– Ausnahmen 388ff., 401ff.
– Ausschluss der kommunistischen Staaten 15
– Definition 376ff.
– GATS 385f., 1288
– GATT 383ff.

– Staatshandel 891ff.
– staatspolitische Aspekte 413ff.
– TRIPS 387, 1313
– wirtschafts- und staatspolitische Aspekte 407ff.
– WTO-Vereinbarung 382
– Zahlungsbilanz, Zahlungsverkehr 831ff.

MERCOSUR 323ff., 980
Mexiko 946, 1294
Mikroorganismen, Budapester Vertrag 1302
Milcherzeugnisse, Abkommen 101f., 1421
Ministerkonferenz
– als WTO-Organ 288ff.
– Genf 178, 289, 1481ff.
– Punta del Este 188
– Seattle 289, 1485ff.
– Singapur 289, 1471ff.
Mitgliedschaft
– Beitrittsverfahren 278
– Beginn Vertragspartner des GATT 274
– Kündigung 281
– Mitglieder der WTO 276
Monopol 1248
Montreal Konferenz 203f., 207, 242
Moore, Mike 302, 1498
Multifaserabkommen 203, 275, 1090
Multilaterale Abkommen 364ff.
Muster, gewerbliche 1347ff.

**N**

NAFTA 180, 313, 323, 525, 660, 975, 1455
Naturschätze 960
Neuseeland 63, 96, 274, 787, 834, 964
Nicaragua 115, 628
Nichttarifäre Handelshemmnisse 531ff.
– Bedeutung 542ff.

– Definition 534
– GATS 566ff.
– GATT 212, 548ff.
Niederlande 63f., 123, 274, 1442
Nigeria 837, 1294
Nixon, Richard 149, 153
Nordkorea 420
Normen 553, 539, 1120ff.
Norwegen 63, 70, 144, 274, 437, 836, 1442
Notifizierung 540, 550, 900, 953
Notwendigkeit (Definition) 555, 1057

**O**

OECD 220, 291, 306, 1088, 1440
öffentliche Beschaffung
– Abkommen 97, 1435ff.
– Anwendungsbereich 539, 1445
– Inländerprinzip 433, 437, 448, 1444
– Kompensationsgeschäfte 1455
– Meistbegünstigungsprinzip 1444
– Schwellenwert 1445
– Transparenz 459
– Umweltschutz 693
– Vergabeverfahren 1450
– Zuschlag 1453
öffentliche Sittlichkeit 949, 1446
Orange Box-Massnahmen 1031
Organisationsstruktur, WTO 284ff.
Organisation für Normung s. ISO
Österreich 118, 144, 1088
OTC 60, 74f.

**P**

Pakistan 63, 274, 628, 632
Panel s. Streitschlichtung
Panitchpakdi, Supachai 302
Pariser Verbandsübereinkunft 1293, 1301, 1319ff.
Patent 1357ff.
Peace clause 1042

Peril point privisions 14, 120
Peru 118, 946
Philippinen 118, 619, 628, 1294
Piraterie, TRIPS 1294
plurilaterale Abkommen 314ff., 320ff., 1419ff.
Polen 145, 910
Portugal
Präferenzen 79, 310f., 392, 590ff., 978
Präferenzsystem, Globales 597, 604
Prebisch, Raúl 83, 291
Preisunterschreitung
– Dumping 777ff.
– Subventionen 862
Producer Subsidy Equivalent, PSE 504, 1032
Proposals for Expansion of World Trade and Employment 25, 28, 425
Punta del Este 187, 593

**R**
Reagan, Ronald 184, 205
Rechtserschöpfung 1314
Reciprocal Trade Agreements Act s. Trade Agreements Act
Reformvorschläge 1495ff.
Regionale Handelsabkommen, Ausschuss 312ff.
Rekursinstanz s. Streitschlichtung
Review Session 71f., 123
Reziprozität
– aggressive und traditionelle 476ff., 1223
– Argumente 468ff.
– Cordell Hull-Programm 18f.
– Rechtsgrundlagen 462 ff.
Rhodesien 63, 274
Rindfleisch, Abkommen 99ff., 1420
Rio Konferenz 664
Rohstoffe 481ff., 962ff.

Rom Abkommen 405, 479, 1301
Römer Vertrag 130
Roosevelt, Franklin D. 8f.
Ruggiero, Renato 288, 302

**S**
Sanitarische und phytosanitarische Massnahmen
– Abkommen 1053ff.
– Äquivalenz-Prinzip 1060
– Entwicklungsprobleme 631
– Harmonisierung 1059
– Notwendigkeits-Erfordernis 1057ff.
– Streitschlichtung 1067ff.
– Transparenz 1063ff.
– Umweltschutz 682ff.
– Wissenschaftlichkeits-Nachweis 1058ff.
Satellitenabkommen, Brüssel 1302
Saudi-Arabien 1294
Schädigung und Bedrohung
– Dumping 770, 784ff.
= Schutzklausel 924ff.
– Subventionen 858ff.
Schaltkreise, Washington Abkommen 1302
Schutzmassnahmen
– Art. XIX GATT 911ff.
– Entwicklungsprobleme 629
– Notifizierungspflicht 935ff.
– Selektivität 931ff.
– Verfahrensvorschriften 930ff.
Schweden 105, 115, 144f. 836, 970
Schweiz 144f., 282, 834, 1442, 1449
Schwellenländer 619
Schwellenwert (öffentl. Beschaffung) 1445ff.
Seeverkehrsdienstleistungen 1277ff.
Sekretariat WTO 302ff.
Selbstbeschränkungsabkommen 277, 481, 534, 594, 916
Selektivität 203, 916f., 931ff., 1227

Senegal 628
Sicherheit 968ff., 1446
Silber, Ein- und Ausfuhr 955
Singapur 437, 619, 632, 1442
Slowakei 837
Slowenien 1442
Smoot–Hawley Tariff Act (von 1930) 7, 9
Sowjetunion 28, 134, 274
Spanien 1088
Staatshandel
– Definition 882ff.
– Inländerprinzip 897ff.
– Meistbegünstigung 891ff.
– Notifizierungspflicht 900ff.
Standard s. Normen
Standstill 193
Strafanstalten 958
Streitschlichtung
– GATS 1265
– Organe 292, 343ff.
– Rechtsgrundlagen 336
– Reformen 361ff.
– Rekursinstanz 345, 352, 359
– Schematische Darstellung 359f.
– Statistik 341ff.
– TRIPS 1399ff.
– Verfahren 347
Subventionen
– Abkommen 840ff.
– Ausgleichsabgaben 529
– Definition, 539, 853ff.
– Entwicklungsprobleme 628, 869ff.
– Institutionen 873
– ITO-Vorschlag 845ff.
– Tokio-Abkommen 98
– Umweltschutz 690
– Verfahren 866ff.
– WTO-Ordnung 852ff.
Südafrikanische Union 63, 274
Südkorea 144, 619, 1446
Suggested Charter for an ITO 28ff.

Sutherland, Peter 267, 269, 302
Syrien 63, 274f.

**T**
Taiwan 278, 1294
Tarifizierung 1017ff.
Technische Handelshemmnisse
– Abkommen 96ff., 1120ff.
– Entwicklungsprobleme 633
– Konformität 1130
– Streitbeilegung 1135
– Tokio-Abkommen 1123
– Umweltschutz 687ff.
– Verhaltenskodex 1129
Telekommunikation 1281ff.
Terms of Trade 470
Textilien und Bekleidung
– Abkommen 1079ff.
– Arbeitsgruppe 200
– Carry forwards, carry overs 1094
– Entwicklungsprobleme 632
– Handelsschranken 544, 546, 1095ff, 1116ff,
– Langfristiges Textilabkommen 1089ff.
– Multifaserabkommen 1090
– Schutzklausel 1104 ff.
– Textilaufsichtsorgan 1094
– Überwachung 1111ff.
– Welthandel 1079ff.
Textilmuster 1356
Thailand 619, 632, 1294
Thunfischstreitschlichtung 703ff., 961
TNC 190ff.
Tokio-Runde s. auch GATT-Runden (Siebte 1973–79)
– Agrarprobleme 154
– Ermächtigungsklausel 165
– Trade Act (von 1974) 150f.
– Verhandlungsergebnisse 158ff.
– Verhandlungsprobleme 152ff., 539
– Zollsätze 155, 159

Tonträgerabkommen, Genfer 1302
Topographien 1370ff.
Torquay s. GATT-Runden (Dritte 1950/51)
TPRM 458
Trade Act (von 1974) 150f., 418
Trade Agreements Act (von 1934) 6, 9
Trade Expansion Act (von 1962) 75, 137ff., 517ff., 1088
Trade Policy Review Mechanism, TPRM 458
Transparenz 451ff., 752ff., 1398
TRIPS
– Abkommen 1293ff.
– geographische Angaben 1333ff.
– Inländerprinzip 1312ff.
– Lizenzen 1332
– Marken 1319ff.
– Meistbegünstigung 1313
– Muster, gewerbliche 1347ff.
– Patente 1357ff.
– Rat 286, 300f., 326f.
– Rechtsdurchsetzung 1378ff.
– Reziprozität 479
– Strafverfahren 1394ff.
– Streitschlichtung 1322ff.
– Topographien 1370
– Umweltschutz 692
– Urheberrecht 1316ff.
– Weine, Spirituosen 1340ff.
– WIPO, Vertrag 300
Tropische Produkte 213
Truman, Harry S. 14, 42, 417
Tschechoslowakei 63, 274, 834, 970
Tschernobil 953
Türkei 118

**U**
UdSSR s. Sowjetunion
Umweltschutz
– Agrarabkommen 679ff.
– GATS-Bestimmungen 638ff.
– GATT-Bestimmungen 607ff.
– Extraterritorialität 703ff.
– öffentliche Beschaffung, Abkommen 693ff.
– Politikziele 710ff.
– Produktgleichheit 696ff.
– Sanitarische unf phytosanitarische Massnahmen 682ff.
– Subventionen, Abkommen 687ff.
– Technische Handelshemmnisse, Abkommen 687ff.
– TRIPS-Bestimmungen 646ff.
– WTO-Bestimmungen 369f., 659ff., 665ff.
UNCED 370ff., 663
UNCTAD 83, 291, 306ff., 395ff., 597, 604, 1367, 1473
UNDP 306ff.
UNEP 306ff.
UNIDO 306ff.
UNO 29, 291
Urheberrecht 1316ff.
Ursprungsregeln
– Abkommen 747ff., 1171ff.
– Anwendungsvorschriften 1177
– Entwicklungsprobleme 636
– Harmonisierung 1182
Uruguay 115
Uruguay-Runde s. auch GATT-Runden (Achte 1986–93)
– Agrarwirtschaft 216ff.
– Arbeitsgruppen 200ff.
– Dienstleistungen 252ff.
– Entwicklungsprobleme 593ff.
– Funktionieren des GATT-Systems 247ff.
– GATT-Artikel 223ff.
– geistiges Eigentumsrecht 242f., 300f.
– Investitionsmassnahmen 244ff.
– Ministererklärung 188ff.
– nichttarifäre Handelshemmnisse 212
– Rohstoffe 214

– Schutzklausel 227
– Subventionen 234ff.
– Streitschlichtung 240ff.
– Textilien und Kleider 215
– tropische Produkte 213
– Verlauf der Verhandlungen 198ff.
– wirtschaftliches und politisches Umfeld 171ff.
– Zölle 211
– Zusatzabkommen 228ff.
USA
– Antidumping 765ff.
– Aussenhandelspolitik 22ff., 138ff., 1477ff.
– Autopakt USA–Kanada 401, 1477
– bilaterale Abkommen 24
– Hochzollpolitik 7
– ITO–Verhandlungen 42ff.
– Kennedy-Runde-Vorschlag 144ff.
– Kongress 33, 49
– Luftfahrzeugabkommen 105
– öffentliche Beschaffung 437, 1442
– Präferenzen 978
– Signatarstaat der Havanna Charta 63
– Signatarstaat des GATT 274
– Zahlungsbilanz 838
– Zollkonzessionen 127

**V**
Verhandlungsmethode 517
Verkehr, grenzüberschreitender, natürliche Personen 1268ff.
Versandkontrolle
– Abkommen 1154ff.
– Entwicklungsprobleme 635
– Nichtdiskriminierung 1163
– Preiskontrolle 1168
– Streitbeilegung 1169
– Transparenz 1164
VERTRAGSPARTEIEN 285, 289

**W**
Waivers, s. Ausnahmen
Wechselkursparitäten 523ff.
Weine, Spirituosen 1340ff.
Weltbank s. IBRD
Welturheberrechtsabkommen 1301
Wilcox, Clair 48
Wilson, Woodrow 414
WIPO 291, 300, 1294, 1296, 1496
WTO
– Beitrittsverfahren 278ff.
– Beschlussfassung 323ff., 334
– Bezug zu ITO 51
– Gründung 268ff., 276
– Kündigung 281
– Ministerkonferenz 288ff.
– Organe 287ff.
– Organisationsstruktur 284ff.
– Übersicht über Verträge 364ff.
– Unterzeichnung 169
– Vertragstexte, vereinbarte 271
– Zielsetzung 367ff.
Wyndham-White, Eric 302

**Z**
Zahlungsbilanz 826ff.
Zahlungsbilanzrestriktionen, Ausschuss 314ff.
Zahlungsverkehr 826ff.
Zimbawe 628
Zivile Luftfahrzeuge, Abkommen 105, 459, 1423ff.
Zoll
– Bedeutung 499ff.
– Bindung 505ff., 1048
– Definition 494ff.
– Eskalation 204ff., 509ff.
– Listen 521ff.
– Zollgebiet, autonomes 272, 278
– zollgleiche Abgaben
– Zollkontingent 1047

– Zollsätze 502ff.
Zollwertberechnung
– Abkommen 809ff.
– Berechnungsmethoden 814ff.
– Entwicklungsprobleme 627, 824
– Streitbeilegung 822ff.
– Tokio–Abkommen 103, 809ff.
Zusatzabkommen des GATT 87ff., 625ff.
– Antidumping 91ff., 626, 773ff.
– Einfuhrlizenzverfahren 104, 1185ff.
– Milcherzeugnisse 101f., 1421
– öffentliche Beschaffung 97, 1435ff.
– Rindfleisch 99ff.
– Subventionen 98, 628, 840ff.
– Technische Handelshemmnisse 96ff., 1120ff.
– zivile Luftfahrzeuge 105, 1423ff.
– Zollwert 103, 627, 809ff.
Zwangslizenz 1332, 1369, 1372